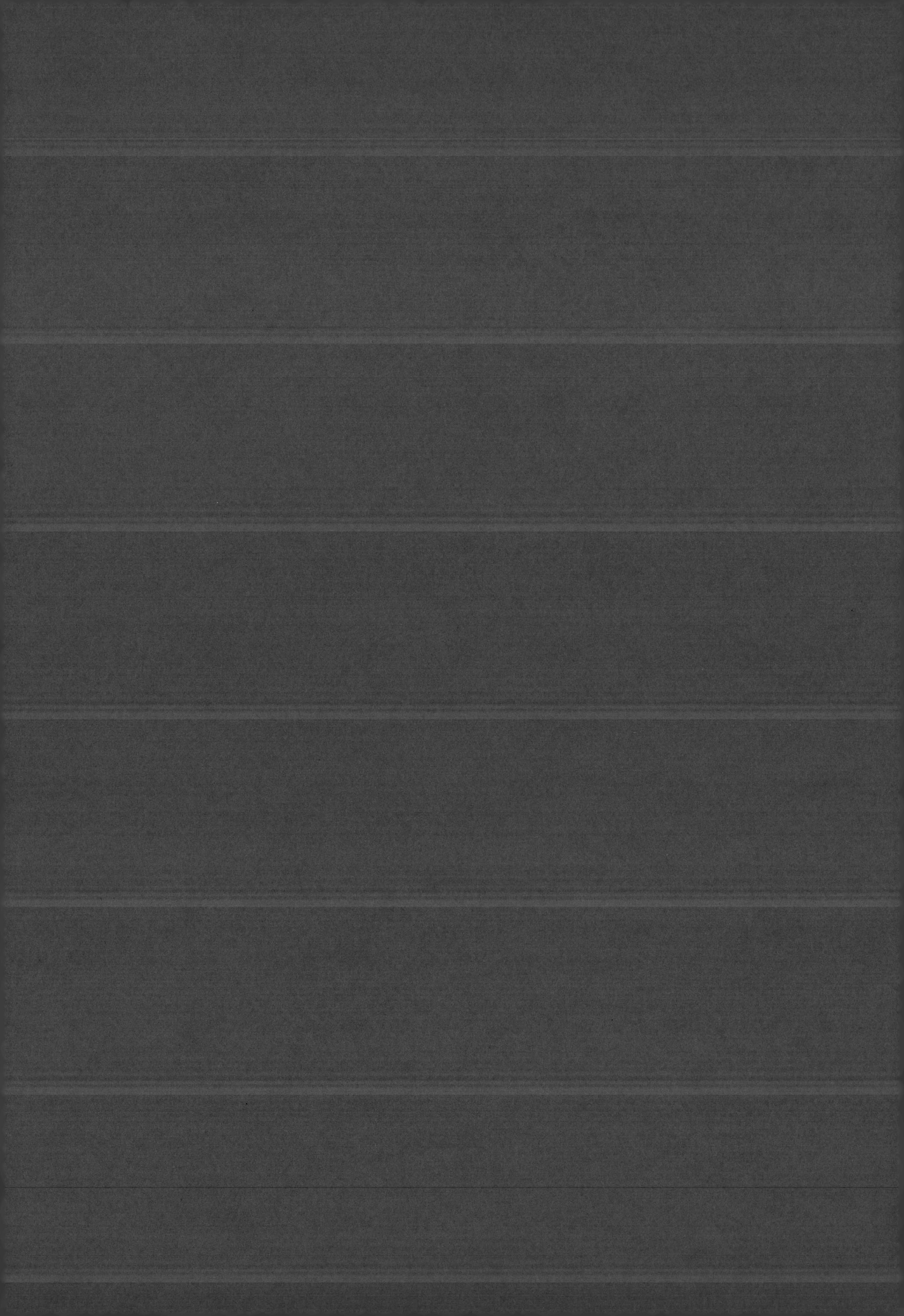

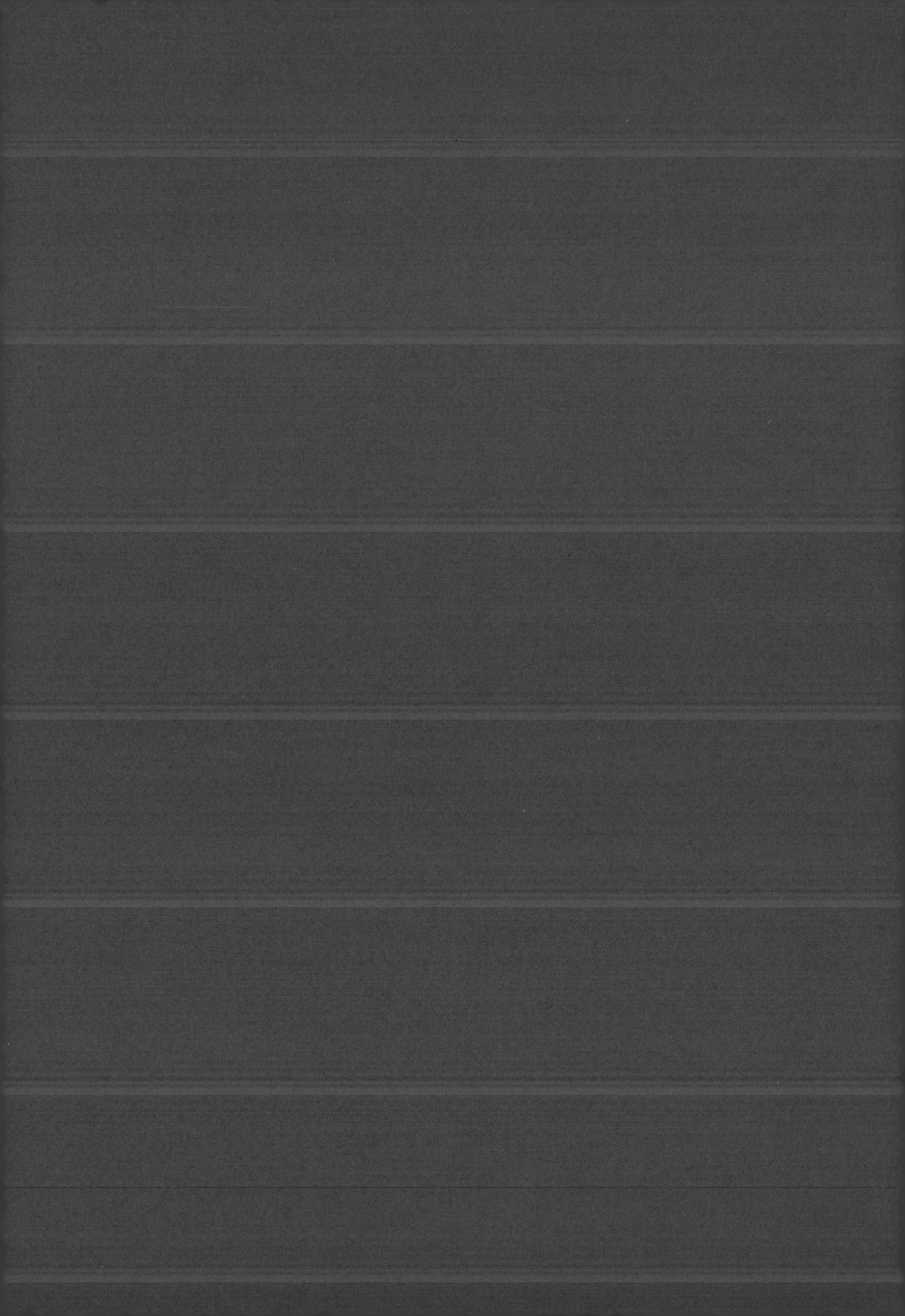

해설편2

14~26과

GRAMMATIK

독문법 강의록

신형욱 · 김백기 지음

HU:iNE

일러두기

본 "해설편"은 "교재편" 안에서 다루어진 모든 문항들("기초문제", "심화문제", "마무리문제")에 대한 정답과 설명을 제공한다. 용어 및 기호 사용에 대해 몇몇 사항을 일러두고자 한다.

✷ 해석 　문항 안에 포함된 문장(들)에 대한 해석.
(개별 낱말의 의미 및 문법 요소의 작용이 가시적으로 드러나도록 가능한 한 직역을 추구함.)

✷ 어휘 　문항 안에 포함된 모든 어휘 요소에 대한 설명.
(해당 문항 안의 모든 어휘 요소들이 다루어짐. 따라서 이전 문항에서 이미 다루어졌더라도 반복적으로 설명됨.)

문장 1 **문장 2** ... 문항을 구성하는 문장들을 구분.

☞ 　해당 문항의 정답 해결을 위한 핵심적인 문법 사항에 대한 설명.

▸ 　정답 해결과는 직접적인 관련이 없지만 학습 필요성이 있는 문법 사항에 대한 설명.

기타 정답 표준적인 정답 이외에 일정 관점 하에 잠재적으로 가능한 정답.

<참고> 　본래의 설명과 관련하여 추가로 학습될 수 있는 내용.
(✷ 어휘 혹은 ☞ 및 ▸ 에 부수적으로 제시됨.)

<주의> 　본래의 설명과 관련하여 학습자가 주목하여야 할 내용.
(✷ 어휘 혹은 ☞ 및 ▸ 에 부수적으로 제시됨.)

GRAMMATIK

CONTENTS

해설편2

Lektion 14

동사의 3 기본형

현재완료 (1) : haben ...... pp

unit 01

기초문제

I. 다음 규칙변화 동사의 3 기본형은? (14과, 기초문제: 교재 80쪽)

1. machen - mach*te* - *ge*mach*t*

☞ machen 만들다, 행하다 (영. make)

2. spielen - spiel*te* - *ge*spiel*t*

☞ spielen 놀다, 경기하다 (영. play)

3. leben - leb*te* - *ge*leb*t*

☞ leben 살다 (영. live)

4. schenken - schenk*te* - *ge*schenk*t*

☞ schenken 선사하다, 선물하다 (영. give as present)

5 suchen - such*te* - *ge*szuch*t*

☞ suchen 찾다, 구하다 (영. seek)

6. besuchen - besuch*te* - besuch*t*

☞ besuchen 방문하다 (영. visit)

<주의> 형태가 *be*-이므로 pp형은 ge-가 탈락되어 *be*such*t*임 (즉, be*ge*sucht 아님!)

7. versuchen - versuch*te* - versuch*t*

☞ versuchen 노력하다, 추구하다 (영. try)

<주의> 형태가 *ver*-이므로 pp형은 ge-가 탈락되어 *ver*such*t*임 (즉, ver*ge*sucht 아님!)

8. arbeiten - arbeit*ete* - *ge*arbeit*et*

☞ arbeiten 일하다, 작업하다 (영. work)

<주의> 동사 arbei*t*en은 어간 끝이 *-t*이므로 발음상 -e-가 첨가됨: arbeit*en* - arbeit*ete* - *ge*arbeit*et*

9. kaufen - kauf*te* - *ge*kauf*t*

☞ kaufen 사다 (영. buy)

10. verkaufen - verkauf*te* - verkauf*t*

☞ verkaufen 팔다 (영. sell)

<주의> 형태가 *ver*-이므로 pp형은 ge-가 탈락되어 *ver*kauf*t*임 (즉, ver*ge*kauft 아님!)

11. reden - red*ete* - *ge*red*et*

☞ reden 말하다, 연설하다 (영. talk)

<주의> 동사 re*d*en은 어간 끝이 *-d*이므로 발음상 -e-가 첨가됨: red*en* - red*ete* - *ge*red*et*

12. regnen - regn*ete* - *ge*regn*et*

☞ regnen 비오다 (영. rain)

<주의> re*gn*en은 어간 끝이 *-gn*이므로 발음상 -e-가 첨가됨: regn*en* - regn*ete* - geregn*et*

<참고>

발음상 -e-가 첨가되는 경우들:

a*tm*en 호흡하다 (영. breathe) : atm*en* - atm*ete* - *ge*atm*et*

öf*fn*en 열다 (영. open) : öffn*en* - öffn*ete* - geöffn*et*

re*chn*en 계산하다 (영. calculate) : rechn*en* - rechn*ete* - *ge*rechn*et*

II. 다음 불규칙변화 동사의 3 기본형은? (14과, 기초문제: 교재 80쪽)

1. helfen - half - geholfen

☞ helfen 돕다 (영. help)

<참고>

동일하거나 비슷한 유형의 동사들:

brechen 깨다, 부수다 (영. break) : brechen - brach - gebrochen

kommen 오다 (영. come) : kommen - kam - gekommen

sprechen 말하다 (영. speak) : sprechen - sprach - gesprochen

sterben 죽다 (영. die) : sterben - starb - gestorben

treffen 만나다 (영. meet) : treffen - traf - getroffen

2. schlafen - schlief - geschlafen

☞ schlafen 잠자다 (영. sleep)

<참고>

동일하거나 비슷한 유형의 경우들:
braten (고기를) 굽다 (영. roast, grill) : braten - briet - gebraten
fangen 붙잡다 (영. catch) : fangen - fing - gefangen
halten 쥐다, 멈추다 (영. hold) : halten - hielt - gehalten
lassen ... 하도록 하다, 방임하다 (영. let) : lassen - ließ - gelassen
raten 충고하다 (영. advise) : raten - riet - geraten

3. fallen - fiel - gefallen

☞ fallen 떨어지다 (영. fall)

<주의> fallen은 앞의 schlafen과 비슷한 유형임!

4. gefallen - gefiel - gefallen

☞ gefallen (누구에게) 마음에 들다 (영. please)

<주의>

*ge*fallen = 접두어 ge- + 동사 fallen
동사 fallen의 3 기본형: fallen - fiel - gefallen
→ 따라서 *ge*fallen의 3 기본형: *ge*fallen - *ge*fiel - *ge*fallen

형태가 ***ge-***이므로 pp형에서 ge-가 탈락!
즉, *ge*gefallen 아님!

5. fahren - fuhr - gefahren

☞ fahren (차 타고) 가다 (영. go, drive)

<참고>

동일하거나 비슷한 유형의 동사들:
backen (빵을) 굽다 (영. bake) : backen - back*te* (혹은 buk) - gebacken
laden (짐을) 싣다 (영. load) : laden - lud - geladen
schlagen 때리다 (영. strike, hit) : schlagen - schlug - geschlagen
tragen (짐을) 나르다 (영. carry) : tragen - trug - getragen
wachsen 성장하다 (영. grow) : wachsen - wuchs - gewachen
waschen 세탁하다 (영. wash) : waschen - wusch - gewaschen

6. schließen - schloss - geschlossen

☞ schließen 닫다 (영. close)

<참고>
동일하거나 비슷한 유형의 동사들:
fließen (물이) 흐르다 (영. flow) : fließen - floss - geflossen
genießen 즐기다 (영. enjoy) : genießen - genoss - genossen
gießen (물을) 붓다 (영. pour) : gießen - goss - gegossen
schießen (총 등을) 쏘다 (영. shoot) : schießen - schoss - geschossen

7. essen - aß - gegessen

☞ essen 먹다 (영. eat)

<참고>
동일하거나 비슷한 유형의 동사들:
fressen (동물이) 먹다 (영. eat) : fressen - fraß - gefressen
messen 측정하다 (영. measure) : messen - maß - gemessen

8. vergessen - vergaß - vergessen

☞ vergessen 잊다, 망각하다 (영. forget)

<주의> vergessen은 앞의 essen과 동일한 유형임!

9. geben - gab - gegeben

☞ geben 주다 (영. give)

<참고>
동일하거나 비슷한 유형의 동사들:
geschehen 발생하다 (영. happen, occur) : geschehen - geschah - geschehen
lesen 읽다 (영. read) : lesen - las - gelesen
liegen 놓여 있다, 누워있다 (영. lie) : liegen - lag - gelegen
sehen 보다 (영. see) : sehen - sah - gesehen
treten 걸어가다 (영. step) : treten - trat - getreten

10. bitten - bat - gebeten

☞ bitten 청하다, 부탁하다 (영. ask, request)

<주의> bitten은 앞의 geben과 비슷한 유형임!

11. bieten - bot - geboten

☞ bieten 제공하다 (영. offer)

<참고>
동일하거나 비슷한 유형의 동사들:
biegen 구부리다 (영. bend) : biegen - bog - gebogen
fliegen 날아가다 (영. fly) : fliegen - flog - geflogen
fliehen 도망가다 (영. flee, escape) : fliehen - floh - geflohen

frieren 얼다 (영. freeze) : frieren - fror - gefroren
schieben 밀다 (영. push) : schieben - schob - geschoben
verlieren 잃다, 분실하다 (영. lose) : verlieren - verlor - verloren
ziehen 끌다 (영. draw, pull) : ziehen - zog - gezogen

12. nehmen - nahm - genommen

☞ nehmen 갖다, 취하다 (영. take)

<참고>
동일하거나 비슷한 유형의 경우들:
befehlen 명령하다 (영. order) : befehlen - befahl - befohlen
empfehlen 추천하다 (영. recommend) : empfehlen - empfahl - empfohlen
stehlen 훔치다 (영. steal) : stehlen - stahl - gestohlen

13. finden - fand - gefunden

☞ finden 발견하다 (영. find)

<참고>
동일하거나 비슷한 유형의 동사들:
gelingen 성공하다 (영. succeed) : gelingen - gelang - gelungen
klingen (벨이) 울리다 (영. ring) : klingen - klang - geklungen
singen 노래하다 (영. sing) : singen - sang - gesungen
sinken 가라앉다 (영. sink) : sinken - sank - gesunken
springen 튀어 오르다 (영. spring, jump) : springen - sprang - gesprungen
trinken 마시다 (영. drink) : trinken - trank - getrunken
zwingen 강요하다 (영. force, compel) : zwingen - zwang - gezwungen

14. laufen - lief - gelaufen

☞ laufen 달리다 (영. run)

<참고>
동일하거나 비슷한 유형의 경우들:
heißen 이름이 ...이다 (영. be called) : heißen - hieß - geheißen
rufen 부르다, 외치다 (영. call, cry) : rufen - rief - gerufen
stoßen 찌르다 (영. poke) : stoßen - stieß - gestoßen

15. schwimmen - schwamm - geschwommen

☞ schwimmen 수영하다 (영. swim)

<참고>
동일하거나 비슷한 유형의 동사:
gewinnen (영. win) : gewinnen - gewann - gewonnen

16. beginnen - begann - begonnen

☞ beginnen 시작하다 (영. begin)

<주의> beginnen은 앞의 schwimmen과 동일한 유형임!

17. schreiben - schrieb - geschrieben

☞ schreiben 쓰다, 편지 쓰다 (영. write)

<참고>

동일하거나 비슷한 유형의 동사들:
bleiben 머물다 (영. stay) : bleiben - blieb - geblieben
leihen 빌려주다 (영. lend) : leihen - lieh - geliehen
preisen 칭찬하다 (영. praise) : preisen - pries - gepriesen
scheinen 빛나다 (영. shine) : scheinen - schien - geschienen
schreien 울부짖다 (영. shout) : schreien - schrie - geschrien
schweigen 침묵하다 (영. be silent) : schweigen - schwieg - geschwiegen
steigen 올라가다 (영. climb, go up) : steigen - stieg - gestiegen
treiben 내몰다 (영. drive) : treiben - trieb - getrieben

18. beschreiben - beschrieb - beschrieben

☞ beschreiben 기술하다, 묘사하다 (영. describe)

<주의>

*be*schreiben = 접두어 be- + 동사 schreiben
schreiben의 3 기본형: schreiben - schrieb - geschrieben
→ 따라서 *be*schreiben의 3 기본형: *be*schreiben - *be*schrieb - *be*schrieben
형태가 ***be-***이므로 pp형에서 ge-가 탈락!
즉, *be*geschrieben 아님!

19. bringen - brachte - gebracht

☞ bringen 가져오다 (영. bring)

<참고>

동일하거나 비슷한 유형의 동사들:
brennen 불타다 (영. burn) : brennen - brannte - gebrannt
denken 생각하다 (영. think) : denken - dachte - gedacht
kennen (면식) 알다 (영. be acquainted with) : kennen - kannte - gekannt
wissen (지식) 알다 (영. know) : wissen - wusste - gewusst

20. verbringen - verbrachte - verbracht

☞ verbringen (시간을) 보내다 (영. spend)

<주의>

*ver*bringen = 접두어 ver- + 동사 bringen

동사 bringen의 3 기본형: bringen - brachte - gebracht

→ 따라서 *ver*bringen의 3 기본형: *ver*bringen - *ver*brachte - *ver*bracht

형태가 ***ver-***이므로 pp형에서 ge-가 탈락!

즉, *verge*bracht 아님!

III. 괄호 안에 주어진 동사의 현재완료 문장을 완성하시오. (14과, 기초문제: 교재 80쪽)

1. Gestern habe ich mir ein interessantes Buch gekauft.

✺ **해석** 어제 나는 흥미로운 책 한 권을 구입했다.

✺ **어휘** gestern [부사어] 어제 ▌「kaufen + 3격(사람) + 4격」 ~~누구~~에게 ...을 사주다 → 「kaufen sich[3] + 4격」 '자신에게 ...을 사 주다', 즉 '(자신이 갖기 위해) ...을 사다' (3 기본형 *규칙* 변화: kauf*en* - kauf*te* - *ge*kauf*t*) ▌mir [*3격* 재귀대명사] 주어가 ich이므로 3격 재귀대명사는 *mir* 임. (4격 재귀대명사는 *mich*) ▌interessant [형용사] 흥미 있는 ▌das Buch 책 (die Büch*er*)

☞ 동사 kaufen의 현재완료 형식은 「haben ... pp」:

• 주어가 ich이므로 haben의 형태는 *habe*임.

• 동사 kaufen의 pp형은 *ge*kauf*t*임.

→ 따라서 정답은: ... habe *ich* ... gekauft

► 「*ein* interessant*es* Buch」:

• 명사 Buch는 중성이며, 현재완료 동사 「habe ... *gekauft*」의 4격 목적어이므로 *중성 4격!!*

따라서 *중성 4격* 부정관사 ein_이 앞에 옴.

• 형용사 interessant 앞에 *중성 4격* 부정관사 ein_이 있음.

→ 따라서 ein interessant*es* ...

(근거: 중성 1, 4격 ein_ , kein_ , mein_ , ihr_ , unser_ , kein_ ... + 형용사 *-es*)

2. Ist das Buch gut? - Keine Ahnung. Ich habe es noch nicht gelesen.

✺ **해석** 이 책은 괜찮습니까? - 모르겠어요. 저는 그것을 아직 읽지 못했어요.

✺ **어휘** Ist (동사 sein의 *현재* 시제) ⇒ sein [자동사] ...이다 (3 기본형: sein - war - gewesen) ▌das Buch 책 (die Büch*er*) ▌gut [형용사] 좋은 ↔ schlecht 나쁜 ▌die Ahnung 예감, 예견 (die Ahnung*en*) : Keine Ahnung. (구어체) "모르겠어." (= Ich weiß nicht.) ← ahnen [타동사] ...을 예감하다 (3 기본형 *규칙* 변화: ahn*en* - ahn*te* - *ge*ahn*t*) ▌es [인칭대명사] es의 *4격* 형임. (es의 3격 형은 *ihm*) ▌lesen [타동사] ...을 읽다 (3 기본형: lesen - las - gelesen)

(현재 시제: du liest ; er liest) ▌noch [부사어] 아직, 여전히

문장 3

☞ 동사 lesen의 현재완료 형식은 「haben ... pp」:

- 주어인 das Buch는 es('그것')에 해당하므로 haben의 형태는 *hat*임.
- 동사 lesen의 pp형은 *gelesen*임.

→ 따라서 정답은: *Ich* habe ... gelesen.

► es는 앞에 나온 *중성*명사 das Buch를 받으며, 동사 gelesen(즉, lesen)의 *4격* 목적어임.

3. Das Mädchen hat mindestens zwölf Stunden geschlafen.

❋ **해석** 그 소녀는 적어도 12 시간 동안 잠을 잤다.

❋ **어휘** das Mäd*chen* [축소명사] 소녀, 아가씨 (die Mädchen) <참고> 형태가 *-chen*인 축소명사는 항상 *중성*이며, 복수형은 *단수형과 동일*함! ▌schlafen [자동사] 잠자다 (3 기본형: schlafen - schlief - geschlafen) (현재 시제: du schläf*st* ; er schläf*t*) ▌mindestens [부사어] 적어도, 최소한 ← mindest 가장 적은 (wenig의 최상급!) <참고> höchstens [부사어] 기껏해야, 최대한 ← höchst 가장 높은 (형용사 hoch('높은')의 최상급임!) ▌zwölf 12 ▌die Stunde 시간 (die Stunde*n*) : zwölf Stunden 12 시간 동안 (*4격*의 시간 부사어!)

☞ 동사 schlafen의 현재완료 형식은 「haben ... pp」:

- 주어인 Das Mädchen은 es('그것')에 해당하므로 haben의 형태는 *hat*임.
- 동사 schlafen의 pp형은 *geschlafen*임.

→ 따라서 정답은: *Das Mädchen* hat ... geschlafen.

4. Ich habe Herrn Schmidt so lange nicht mehr gesehen. Was macht er eigentlich?

❋ **해석** 나는 슈미트씨를 참 오랫동안 보지 못했어. 도대체 그 사람 뭐하고 지내는 거야?

❋ **어휘** sehen [타동사] ...을 보다 (3 기본형: sehen - sah - gesehen) (현재 시제: du sieh*st* ; er sieh*t*) ▌Herr ... (남자 호칭) '...씨' <주의> 주어를 제외한 *단수 2, 3, 4격*이 Herr*n*임! ▌「so + 형용사 (부사)」 '그렇게 ...한, 그렇게 ...하게' : so lange 그렇게 오랫동안 ▌so [부사어] 그렇게 ▌lange [부사어] 오랫동안 ▌「nicht mehr ...」 더 이상 ... 않다 ▌was [의문사] 무엇을? ▌machen [타동사] ...을 하다, 행하다 (3 기본형 *규칙* 변화: mach*en* - mach*te* - *ge*mach*t*) ▌eigentlich [부사어] 의문문에서 화자의 관심이나 불만 등을 나타냄. ("도대체"로 해석!) (= überhaupt)

문장 1

☞ 동사 sehen의 현재완료 형식은 「haben ... pp」:

- 주어가 Ich이므로 haben의 형태는 *habe*임.
- 동사 sehen의 pp형은 *gesehen*임.

→ 따라서 정답은: *Ich* habe ... gesehen.

► Herr*n* Schmidt 는 현재완료 동사 「habe ... *gesehen*」의 *4격* 목적어임.
주어가 아닌 *단수 4격*이므로 Herr***n***임!

5. Mein Freund hat mir geschrieben. Er will mich in den Ferien besuchen.

✺ 해석 내 친구가 나에게 편지를 썼어. 그는 방학 때 나를 방문하려고 해.

✺ 어휘 der Freund 친구, 남자 친구 (die Freund*e*) ▌schreiben [타동사/자동사] (...을) 쓰다 (영. write) : 「주어 + schreiben + 3격(사람)」 *주어는 누구*에게 편지 쓰다 (3 기본형: schreiben - schrieb - geschrieben) ▌mir [인칭대명사] ich의 *3격* 형임. (4격 형은 *mich*) ▌「will ... besuchen」 (화법조동사 wollen의 *현재* 시제) ⇒ 「wollen ... 동사 원형」 ...하려고 한다 (현재 시제: ich will ; du will*st* ; er will ; wir woll*en* ; ...) (3 기본형: wollen - wollte - gewollt) ▌mich [인칭대명사] ich의 *4격* 형임. (3격 형은 *mir*) ▌die Ferien (항상 복수) 휴가, 방학 ▌besuchen [타동사] ...을 방문하다 (3 기본형 *규칙* 변화: *be*such*en* - *be*such*te* - *be*such*t* ※ 형태가 *be*-이므로 pp형에서 *ge*- *탈락*! 즉, be*ge*sucht 아님!) ⇐ suchen [타동사] ...을 구하다, 찾다 (3 기본형 *규칙* 변화: such*en* - such*te* - *ge*such*t*)

문장 1

☞ 동사 schreiben의 현재완료 형식은 「haben ... pp」:

- 주어인 Mein Freund는 er('그는')에 해당하므로 haben의 형태는 *hat*임.
- 동사 schreiben의 pp형은 *geschrieben*임.

→ 따라서 정답은: *Mein Freund* hat ... geschrieben.

► 현재완료 동사 「hat ... *geschrieben*」의 3격 목적어이므로 *mir*가 옴.

문장 2

► *mich*는 동사 besuchen의 4격 목적어임.

6. In diesem Semester habe ich keine guten Noten bekommen. Ich bin gar nicht mit mir zufrieden.

✺ 해석 이번 학기에 나는 좋은 성적을 받지 못했어. 나는 나 자신에 대해 전혀 만족하지 못하고 있어.

✺ 어휘 「dies- + 명사」 '이 ...' (지시대명사 dies-는 *정관사 d-* 어미변화!) ▌in [*3·4격* 전치사] (*3격* 지배: *시간적* 의미) ~에 : in diesem Semester 이번 학기에 ▌das Semester 학기 (die Semester) ▌bekommen [타동사] ...을 받다, 얻다 (3 기본형: *be*kommen - *be*kam - *be*kommen ※형태가 *be*-이므로 pp형에서 *ge*- *탈락*! 즉, be*ge*sucht 아님!) ⇐ kommen [자동사] 오다 (3 기본형: kommen - kam - gekommen) ▌gut [형용사] 좋은 ▌die Note 학점, 성적 (die Note*n*) ▌「gar nicht ...」, 「gar kein- ...」 전혀 ... 않다 (부정어 nicht, kein-을 강조!) ▌mit [*3격* 전치사] ~와 함께, ~을 가지고 (영. with) ▌zufrieden [형용사] 만족한 : 「주어 + 동사 sein + mit + 3격 + zufrieden」 *주어는* ...에 만족하다 ▌mir [인칭대명사] ich의 *3격* 형임. (4격 형은 *mich*)

문장 1

► 「in dies*em* Semester」:

명사 Semester는 *중성*이며, 전치사 In의 *3격* 목적어이므로 *중성 3격!!*

따라서 지시대명사 dies-는 중성 3격 어미 *-em* 이 붙어 dies*em*임.

3격 어미 : ***-em*** (남성 · 중성) ; ***-er*** (여성) ; ***-en*** (복수)

☞ 동사 bekommen의 현재완료 형식은 「haben ... pp」:

- 주어가 ich이므로 haben의 형태는 *habe*임.
- 동사 bekommen의 pp형은 *bekommen*임.

→ 따라서 정답은: ... habe *ich* ... bekommen

► 「kein*e* gut*en* Note*n*」:

- 명사 Note*n*은 *복수*이며, 동사 「habe ... bekommen」의 *4격* 목적어이므로 *복수 4격!!*
- kein-은 *복수 4격* 정관사 di*e*처럼 어미변화 하여 kein*e*임.

  부정어 ***kein-***은 소유대명사 mein-, dein-, ihr- ... 등과 동일한 어미변화 함.
  따라서 ***부정관사*** ein- 어미변화 하지만, ***복수***일 경우 ***정관사*** d- 어미변화 함.

- 형용사 gut 앞에 *복수 4격*의 kein*e*가 있음.

→ 따라서 kein*e* gut *en* ...

(근거: 복수 1, 4격 di*e*, mein*e*, ihr*e*, unser*e*, kein*e*, dies*e* ... + 형용사 *-en*)

7. Haben Sie schon bestellt ? - Nein, bringen Sie mir bitte eine Pizza und ein Bier!

✺ **해석** 당신은 벌써 주문하셨나요? - 아니오, 저에게는 피자 하나와 맥주 하나를 가져다 주세요.

✺ **어휘** bestellen [타동사] ...을 주문하다 (3 기본형 *규칙* 변화: *be*stell*en* - *be*stell*te* - *be*stell*t* ※형태가 *be*-이므로 pp형에서 *ge*- *탈락*! 즉, be*ge*stellt 아님!) ⇐ stellen [타동사] ...을 세워 놓다 (3 기본형 *규칙* 변화: stell*en* - stell*te* - *ge*stell*t*) ▌schon [부사어] 이미, 벌써 ▌「bringen + 3격(사람) + 4격」 *누구*에게 ...을 가져오다 (3 기본형: bringen - brachte - gebracht) ▌mir [인칭대명사] ich의 *3격* 형임. (4격 형은 *mich*) ▌bitte [부사어] 명령문에서 정중한 요구를 표현함. (우리말 해석 필요 없음!) ▌die Pizza 피자 (die Pizz*en*) ▌das Bier [*물질*명사] (주로 단수) 맥주 (die Bier*e*)

문장 1

☞ 동사 bestellen의 현재완료 형식은 「haben ... pp」:

- 주어가 격식칭 Sie('당신은')이므로 haben의 형태는 원형과 동일한 *haben*임.
- 동사 bestellen의 pp형은 *be*stell*t*임.

→ 따라서 정답은: Haben *Sie* ... bestellt?

문장 2

► 「... bringen Sie ...!」: 동사 bringen의 Sie-명령문임.

<참고>

Sie-명령문 형식: 「동사 원형 + Sie ...!」 '...하세요.'

8. Was <u>hat</u> Frau Lehmann im Januar <u>gemacht</u> ? - Da <u>hat</u> sie ihre Eltern <u>besucht</u> .

✹ **해석** 레만 부인은 1월에 무엇을 했습니까? - 그때 그녀는 자신의 부모님을 방문했어요.

✹ **어휘** was [의문사] 무엇을? (*4격* 형) ▌machen [타동사] ...을 행하다 (3 기본형 *규칙* 변화: mach*en* - mach*te* - *ge*mach*t*) ▌「im + 월 명」: im Januar 1월에 ▌der Januar 1월 (die Januar*e*) (주로 단수!) ▌besuchen [타동사] ...을 방문하다 (3 기본형 *규칙* 변화: *besuchen* - *besuchte* - <u>*besucht*</u> ※형태가 *be-*이므로 pp형에서 *ge- 탈락!* 즉, be<u>*ge*</u>sucht 아님!) ⇐ suchen [타동사] ...을 구하다, 찾다 (3 기본형 *규칙* 변화: such*en* - such*te* - *ge*such*t*) ▌da [부사어] (시간적) 그 때 ▌die Eltern (항상 복수) 부모

문장 1

☞ 동사 machen의 현재완료 형식은 「haben ... pp」:

- 주어인 Frau Lehmann은 여성의 sie('그녀는')에 해당하므로 haben의 형태는 *hat*임.
- 동사 machen의 pp형은 *ge*mach*t*임.

→ 따라서 정답은: ... <u>hat</u> *Frau Lehmann* ... <u>gemacht</u>?

문장 2

☞ 동사 besuchen의 현재완료 형식은 「haben ... pp」:

- 주어가 여성의 sie('그녀는')이므로 haben의 형태는 *hat*임.
- 동사 besuchen의 pp형은 *be*such*t*임.

→ 따라서 정답은: ... <u>hat</u> *sie* ... <u>besucht</u>.

► 「ihr<u>*e*</u> Eltern」:

명사 Eltern은 *복수*이며, 「hat ... besucht」의 *4격* 목적어이므로 <u>*복수 4격!!*</u>

따라서 소유대명사 ihr-('그녀의')는 <u>*복수 4격* 정관사</u> di<u>*e*</u>처럼 어미변화 하여 ihr<u>*e*</u>임.

소유대명사 mein-, dein-, ihr- ... 등은 원칙적으로 ***부정관사*** ein- 어미변화 하지만, ***복수***일 경우 ***정관사*** d- 어미변화 함.

unit 02

심화문제

I. 현재완료 문장을 완성하시오. (14과, 심화문제: 교재 82쪽)

1. Wohin hast du das Buch gestellt ? - Es steht im Regal.

✷ 해석 너는 그 책을 어디에 세워 놓았니? - 그것은 책장 안에 서 있어.

✷ 어휘 wohin [의문사] (방향) 어디로? ▌stellen [타동사] ...을 세워 놓다 (3 기본형 *규칙* 변화: stell*en* - stell*te* - *ge*stell*t*) <주의> 동사 stellen과 함께 오는 3・4격 전치사는 '방향'을 나타내므로 *4격 지배*임! ▌das Buch 책 (die Büch*er*) ▌es [인칭대명사] *1격* 형 es임: 앞에 나온 *중성*명사 das Buch를 받으며, 동사 steht의 *주어*임. ▌stehen 서 있다 (3 기본형: stehen - stand - gestanden) <주의> 동사 stehen과 함께 오는 3・4격 전치사는 '위치'를 나타내므로 *3격 지배*임! ▌in [*3・4격* 전치사] (*3격* 지배: *위치*) ~안에, ~에 : 「im + 남성・중성 3격」: im Regal stehen 책장 *안에* 서 있다 ▌das Regal 책장 (die Regal*e*)

문장 1

► 동사 stellen과 함께 오는 3・4격 전치사는 '방향'을 뜻하므로 *4격* 지배!
따라서 의문사 *wohin*('어디로?')이 사용됨.

<주의>
함께 오는 3・4격 전치사가 *3격* 지배인 동사, 예를 들어 동사 stehen 등의 경우는 의문사 *wo*('어디에서?')가 사용됨 : Wo steht das Buch? '그 책이 어디 (서)있지?'

☞ 동사 stellen의 현재완료 형식은 「haben ... pp」:

- 주어가 du이므로 haben의 형태는 *hast*임.
- 동사 stellen의 pp형은 *ge*stell*t*임.

→ 따라서 정답은: ... hast *du* ... gestellt?

2. Heute bin ich sehr müde. Gestern haben wir das Ende des Semesters gefeiert .

✷ 해석 오늘 나는 매우 피곤해. 어제 우리는 학기 종료를 기념하는 파티를 가졌어.

✷ 어휘 heute [부사어] 오늘 ▌sehr [부사어] 매우, 아주 ▌müde [형용사] 피곤한 ▌gestern [부사어] 어제 ▌feiern [타동사] ...을 기념하여 파티를 열다 (3 기본형 *규칙* 변화: feier*n* - feier*te* - *ge*feier*t*) ▌das Ende 끝, 종료 (die Ende*n*) (주로 단수) ▌das Semester 학기 (die Semester)

문장 2

☞ 동사 feiern의 현재완료 형식은 「haben ... pp」:

- 주어가 wir이므로 haben의 형태는 원형과 동일한 *haben*임.
- 동사 feiern의 pp형은 *ge*feier*t*임.

→ 따라서 정답은: ... haben *wir* ... gefeiert.

► 「... Ende d*es* Semester*s*」:

- 명사 Semester는 *중성*이며, 앞의 명사 Ende를 수식하는 *2격*이므로 *중성 2격!!*
 따라서 *중성 2격* 정관사 d*es*가 앞에 옴.
- Semester는 중성이므로 *2격 어미 -s* 가 붙어 Semester*s*임.
 남성 및 ***중성***명사 2격은 어미 ***-s*** 혹은 ***-es***가 붙음.
 (여성 및 복수명사는 제외!)

3. Haben Sie den Text selbst übersetzt ? - Nein, mein Freund hat das gemacht .

✺ **해석** 당신은 그 텍스트를 자신이 직접 번역하셨습니까? - 아니오, 제 친구가 그것을 했어요.

✺ **어휘** übersetzen [타동사] ...을 번역하다 (3 기본형 *규칙* 변화: *über*setz*en* - *über*setz*te* - *über*setz*t*

※형태가 *über*-로서 pp형에서 *ge- 탈락!* 즉, über*ge*setzt 아님!) ⇐ setzen [타동사] (*사람을*) 앉히다, (*사물을*) 놓다 (3 기본형 *규칙* 변화: setz*en* - setz*te* - *ge*setz*t*) ▌der Text 텍스트 (die Text*e*) ▌selbst (자신이 직접) 스스로, 몸소 ▌der Freund 친구, 남자 친구 (die Freund*e*) ▌machen [타동사] ...을 행하다 (3 기본형 *규칙* 변화: mach*en* - mach*te* - *ge*mach*t*) ▌das [지시대명사] 그것 (여기서는 앞 문장 내용의 일부를 받아 "텍스트를 번역하기"를 뜻함.) <참고> das는 성, 수에 관계없이 앞에 나온 *명사*, 앞에 나온 *문장 일부* 혹은 *전체* 등을 받을 수 있음!)

문장 1

☞ 동사 übersetzen의 현재완료 형식은 「haben ... pp」:

- 주어가 격식칭 Sie('당신은')이므로 haben의 형태는 원형과 동일한 *haben*임.
- 동사 übersetzen의 pp형은 *über*setz*t*임.

→ 따라서 정답은: Haben *Sie* ... übersetzt?

<참고>

다음 *über*- 형태의 동사들은 pp형에서 *ge-가 탈락*함!

① *über*geben 넘겨주다, 양도하다 (영. hand over) : *über*geben - *über*gab - *über*geben
 ※ geben [타동사] ...을 주다 (영. give) : geben - gab - gegeben

② *über*nehmen 떠맡다, 넘겨받다 (영. take over) : *über*nehmen - *über*nahm - *über*nommen
 ※ nehmen [타동사] ...을 취하다 (영. take) : nehmen - nahm - genommen

③ *über*nachten 밤을 지내다, 숙박하다 : *über*nacht*en* - *über*nacht*ete* - *über*nacht*et*

④ *über*winden 극복하다 (영. overcome) : *über*winden - *über*wand - *über*wunden
 ※ winden [타동사] ...을 돌려 감다 (영. wind) : winden - wand - gewunden

► selbst는 지시대명사로서, 명사나 대명사 바로 뒤에 와서 '... 자신' 혹은 '... 자체'를 뜻함:

Haben Sie *selbst* den Text übersetzt?

'당신 *자신이* (= 당신이 직접) 그 텍스트를 번역했나요?'

문장 2

☞ 동사 machen의 현재완료 형식은 「haben ... pp」:

- 주어인 mein Freund는 er('그는')에 해당하므로 haben의 형태는 *hat*임.
- 동사 machen의 pp형은 *ge*mach*t*임.

→ 따라서 정답은: ..., *mein Freund* hat ... gemacht.

► 지시대명사 das는 *앞 문장 내용의 일부*, 즉 '그 텍스트를 번역하는 것'을 받음.

4. Mit wem hast du denn heute so lange telefoniert?

✻ **해석** 오늘 너는 도대체 누구와 그렇게 오랫동안 전화했니?

✻ **어휘** mit [*3격* 전치사] ~와 함께 ▌ wem [의문사] wer의 *3격* 형임. ▌ 「telefonieren mit + 3격(사람)」 누구와 전화하다 (3 기본형 *규칙* 변화: telefonier*en* - telefonier*te* - telefonier*t* ※형태가 *-ieren*이므로 pp형에서 *ge- 탈락*! 즉, *ge*telefoniert 아님!) ← das Telefon 전화, 전화기 (die Telefon*e*) ▌ 「so + 형용사 (부사)」 '그렇게 (아주) ...한' : so lange 그렇게 오랫동안 ▌ lange [부사어] 오랫동안 ▌ denn [부사어] 의문문에서 화자의 궁금함, 초조함 혹은 불만 등을 표현함. ("도대체")

► 3격 전치사 mit와 결합하므로 의문사 wer('누가?')의 3격 형 *wem*이 사용됨.

<참고>

1격: wer 2격: wessen 3격: wem 4격: wen

☞ 동사 telefonieren의 현재완료 형식은 「haben ... pp」:

- 주어가 du이므로 haben의 형태는 *hast*임.
- 동사 telefonieren의 pp형은 telefonier*t*임.

→ 따라서 정답은: ... hast *du* ... telefoniert?

5. Hat Petra ihr Zimmer aufgeräumt ? - Nein, noch nicht. Aber sie räumt es morgen auf.

✻ **해석** 페트라는 자신의 방을 정리했니? - 아니, 아직 못했어. 하지만 그녀는 그것을 내일 정리할 거야.

✻ **어휘** *auf*räumen [분리동사&타동사] ...을 정리하다, 정돈하다 (3 기본형 *규칙* 변화: *auf*räum*en* - *auf*räum*te* - *aufge*räum*t*) ▌ das Zimmer 방 (die Zimmer) ▌ noch [부사어] 아직 : 「noch nicht ...」, 「noch kein- ...」 '아직 ... 않다' ▌ 「räumt ... auf」 (분리동사 *auf*räumen의 *현재* 시제) ⇒ *auf*räumen 앞의 설명 참조! ▌ es [인칭대명사] es의 *4격* 형임. 앞에 나온 *중성*명사 Zimmer를 받으며, 분리동사 「räumt ... *auf* 」의 *4격 목적어*임! (es의 3격 형은 *ihm*) ▌ morgen [부사어] 내일

문장 1

☞ 분리동사 *auf*räumen의 현재완료 형식은 「haben ... pp」:

- 주어인 Petra는 여성의 sie('그녀는')에 해당하므로 haben의 형태는 *hat*임.
- 동사 *auf*räumen의 pp형은 *aufge*räum*t*임.

→ 따라서 정답은: Hat *Petra* ... aufgeräumt?

► 「ihr_ Zimmer」:
명사 Zimmer는 *중성*이며, 동사 「Hat ... aufgeräumt」의 *4격* 목적어이므로 *중성 4격!!*
따라서 소유대명사 ihr-('그녀의')는 *중성 4격* 부정관사 ein_처럼 어미 없이 ihr_임.

6. Warum legst du dich nicht ins Bett? - Ich habe doch schon zwei Stunden im Bett gelegen.

✹ **해석** 왜 너는 침대에 눕지 않니? - 나는 벌써 두 시간이나 침대에 누워 있었잖아.

✹ **어휘** warum [의문사] 왜? ▌legen [타동사] (*사물*을) 놓다, (*사람*을) 눕혀 놓다 → 「legen sich⁴」 [4격 재귀동사] '*자신*을 눕히다', 즉 '눕다' (3 기본형 *규칙* 변화: leg*en* - leg*te* - *ge*leg*t*) <주의> 동사 legen과 함께 오는 3・4격 전치사는 '방향'을 나타내므로 *4격 지배*임! ▌dich [*4격* 재귀대명사] 주어가 du이므로 4격 재귀대명사는 *dich* (3격 재귀대명사는 *dir*) ▌in [*3・4*격 전치사] (*4격* 지배: *방향*) ~안으로, ~로 → 「ins + 중성 4격」: 「legen sich⁴ ins Bett」 침대*로* 눕다 ▌das Bett 침대 (die Bett*en*) ▌liegen [자동사] (*사람*이) 누워 있다, (*사물*이) 놓여 있다 (3 기본형: liegen - lag - gelegen) <주의> 동사 liegen과 함께 오는 3・4격 전치사는 '위치'를 나타내므로 *3격 지배*임! ▌doch [부사어] 상대방의 말에 이의를 제기하거나, 상대방을 설득하기 위해 일정 내용을 환기시키는 표현 ("...잖아"로 해석할 수 있음!) ▌zwei 2 ▌die Stunde 시간 (die Stunde*n*) : zwei Stunden 두 시간 동안 (*4격*의 시간 부사어!) ▌in [*3・4격* 전치사] (*3격* 지배: *위치*) ~안에, ~에 → 「im + 남성・중성 3격」: im Bett liegen 침대*에* 누워 있다

문장 2

☞ 동사 liegen의 현재완료 형식은 「haben ... pp」:
- 주어가 Ich이므로 haben의 형태는 *habe*임.
- 동사 liegen의 pp형은 *gelegen*임.

→ 따라서 정답은: *Ich* habe ... gelegen.

7. Vielen Dank für deinen Brief! Ich habe mich darüber gefreut.

✹ **해석** 네 편지 매우 고마워! 나는 그것을 받아서 기뻤어.

✹ **어휘** 「Vielen Dank für + 4격!」 "...에 대해 매우 고마워요!" ← der Dank 감사 (복수 없음) <참고> 「danken + 3격(사람) + für + 4격」 *누구*에게 ...에 대해 감사하다 ▌für [*4격* 전치사] ~을 위해 (영. for) ▌der Brief 편지 (die Brief*e*) ▌「freuen sich⁴ über + 4격」 [4격 재귀동사] (*과거*, *현재*의) ...에 대해 기뻐하다 (3 기본형 *규칙* 변화: freu*en* - freu*te* - *ge*freu*t*) <참고> 「freuen sich⁴ *auf* + 4격」 (*미래*의) ...에 대해 기뻐하다 ▌mich [*4격* 재귀대명사] 주어가 Ich이므로 4격 재귀대명사는 *mich* (3격 재귀대명사는 *mir*) ▌da*r*über 그것에 대해 ← über [전치사] ~에 대해 + das [지시대명사] 그것

문장 2

☞ 동사 freuen의 현재완료 형식은 「haben ... pp」:

- 주어가 Ich이므로 haben의 형태는 *habe*임.
- 동사 freuen의 pp형은 *ge*freu*t*임.

→ 따라서 정답은: Ich habe ... gefreut.

► da*r*über('*그것*에 대하여')는 앞 문장의 deinen Brief를 받음:

8. Er spricht viel zu schnell. Ich habe fast nichts verstanden .

✸ **해석** 그는 너무나도 빨리 말해. 나는 거의 아무것도 이해하지 못했어.

✸ **어휘** spricht (동사 sprechen의 *현재* 시제: 주어가 *er*, *sie*, *es*일 때) ⇒ sprechen [타동사/자동사] (...을) 말하다 (현재 시제: du sprichs*t* ; er sprich*t*) (3 기본형: sprechen - sprach - gesprochen) ▌「zu + 형용사 (부사)」 '너무 ...한, 너무 ...하게' : zu schnell 너무 빨리 → *viel* zu schnell *아주* 너무 빨리 ▌schnell [형용사] 빠른, (부사적) 빨리 ↔ langsam 느린, 느리게 ▌verstehen [타동사] ...을 이해하다 (3 기본형: *ver*stehen - *ver*stand - *ver*standen ※형태가 *ver*-이므로 pp형에서 *ge*- *탈락*! 즉, ver*ge*standen 아님!) ⇐ stehen [자동사] 서 있다 (3 기본형: stehen - stand - gestanden) ▌fast [부사어] 거의 ▌nichts [부정대명사] 아무 것도 ... 않다 (영. nothing)

문장 2

☞ 동사 verstehen의 현재완료 형식은 「haben ... pp」:

- 주어가 Ich이므로 haben의 형태는 *habe*임.
- 동사 verstehen의 pp형은 *ver*standen임.

→ 따라서 정답은: Ich habe ... verstanden.

► nichts는 현재완료 동사 「habe ... *verstanden*」, 즉 동사 verstehen의 *4격* 목적어임.

9. Hast du diesen Roman schon gelesen ? - Ja, er ist sehr interessant.

✸ **해석** 너는 이 소설을 이미 읽었니? - 응, 그것은 매우 재미있어.

✸ **어휘** lesen [타동사] ...을 읽다 (3 기본형: lesen - las - gelesen) (현재 시제: du lies*t* ; er lies*t*) ▌dies- [지시대명사] '이 ...' (*정관사 d*- 어미변화!) ▌der Roman 소설, 장편소설 (die Roman*e*) ↔ die Novelle 단편 소설 (die Novelle*n*) ▌schon [부사어] 이미, 벌써 ▌sehr [부사어] 매우 ▌interessant [형용사] 흥미 있는

문장 1

► 「dies*en* Roman」:

명사 Roman은 *남성*이며, 동사 「Hast ... gelesen」의 *4격* 목적어이므로 *남성 4격!!*

따라서 지시대명사 dies-는 *남성 4격* 정관사 d*en*처럼 어미변화 하여 dies*en*임.

☞ 동사 lesen의 현재완료 형식은 「haben ... pp」:

- 주어가 du이므로 haben의 형태는 *hast*임.
- 동사 lesen의 pp형은 *gelesen*임.

→ 따라서 정답은: Hast *du* ... gelesen?

문장 2

► 남성 인칭대명사 er('그는')는 앞 문장의 *남성*명사 Roman을 받으며, 문장의 *주어*임.

10. Er darf auf keinen Fall Auto fahren. Er __hat__ zu viel Alkohol __getrunken__.

✵ **해석** 그는 절대로 차를 운전해서는 안 돼. 그는 술을 너무 많이 마셨어.

✵ **어휘** 「darf ... fahren」 (화법조동사 dürfen의 *현재* 시제) ⇒ 「dürfen ... 동사 원형」 ...해도 된다 (현재 시제: ich darf ; du darf*st* ; er darf ; wir dürf*en* ; ...) (3 기본형: dürfen - durfte - gedurft) ※ dürfen의 *부정문*은 '...해서는 안 되다' (*금지*) ▌auf keinen Fall 절대로 ... 않다 (부정의 의미를 강조함!) (영. on no account) ▌der Fall 경우 (die Fäll*e*) ▌das Auto 자동차 (die Auto*s*) ▌fahren [타동사] (차량) ...을 운전하다 : Auto fahren 차를 운전하다 (3 기본형: fahren - fuhr - gefahren) (현재 시제: du fähr*st* ; er fähr*t*) ▌trinken [타동사] ...을 마시다 (3 기본형: trinken - trank - getrunken) ▌「zu + 형용사 (부사)」 '너무 ...한, 너무 ...하게' : zu viel Alkohol 너무 많은 알코올 ▌das Alkohol [*물질*명사] (주로 *단수*) 알코올, 술 (die Alkohol*e*)

문장 2

☞ 동사 trinken의 현재완료 형식은 「haben ... pp」:

- 주어가 Er이므로 haben의 형태는 *hat*임.
- 동사 trinken의 pp형은 *getrunken*임.

→ 따라서 정답은: *Er* hat ... getrunken.

► Alkohol은 현재완료 동사 「hat ... *getrunken*」, 즉 동사 trinken의 *4격* 목적어

<주의> 명사 Alkohol은 셀 수 없는 *물질*명사이므로 부정관사 ein-이 생략됨.

Ⅱ. 다음 문장을 현재완료 시제로 바꾸시오. (14과, 심화문제: 교재 82쪽)

1. Was schenken Sie dem Jungen? ⇒ __아래 [정답] 참조!__

✵ **해석** 당신은 무엇을 그 소년에게 선물합니까?

✵ **어휘** was [의문사] 무엇을? (*4격* 형) ▌「schenken + 3격(사람) + 4격」 *누구*에게 ...을 선물하다 (3 기본형 *규칙* 변화: schenk*en* - schenk*te* - *ge*schenk*t*) ▌der Junge 소년 (die Junge*n*) <주의> 주어를 제외한 *단수 2, 3, 4격*이 복수형과 동일하게 Junge*n*인 *약변화* 명사! ← jung [형용사] 젊은, 어린

► 「d*em* Junge*n*」:

- 명사 Junge는 *남성*이며, 동사 schenken의 *3격* 목적어이므로 *남성 3격!!*

따라서 __*남성 3격* 어미 *-em*__ 이 붙은 정관사 d*em*이 앞에 옴.

3격 어미: ***-em*** (남성 · 중성) ; ***-er*** (여성) ; ***-en*** (복수)

- 형태가 -e인 남성명사는 *단수 2, 3, 4격*이 모두 복수형과 동일하게 -*n*인 약변화 명사임! 따라서 Jung*e*는 약변화 명사로서, 여기서는 *단수 3격*이므로 Junge*n*임.

정답 Was *haben* Sie dem Jungen *geschenkt*?

✺ **해석** 당신은 무엇을 그 소년에게 *선물했습니까*?

☞ 동사 schenken의 현재완료 형식은 「haben ... pp」:

- 주어가 격식칭 Sie('당신은')이므로 haben의 형태는 원형 그대로 *haben*임.
- 동사 schenken의 pp형은 *ge*schenk*t*임.

→ 따라서 정답은 : ... haben *Sie* ... geschenkt?

2. Isst du schon etwas? ⇒ 아래 [정답] 참조!

✺ **해석** 너는 벌써 뭔가를 먹고 있니?

✺ **어휘** Isst (동사 essen의 *현재* 시제: 주어가 *du* 혹은 *er, sie, es*일 때) ⇒ essen [타동사] ...을 먹다 (현재 시제: du iss*t* ; er iss*t*) (3 기본형: essen - aß - gegessen) ▌schon [부사어] 이미 ▌etwas [부정대명사] 뭔가 (영. something) ↔ nichts 아무것도 ... 않다 (영. nothing)

► etwas는 동사 Isst의 *4격* 목적어임.

정답 *Hast* du schon etwas *gegessen*?

✺ **해석** 너는 벌써 뭔가를 *먹었니*?

☞ 동사 essen의 현재완료 형식은 「haben ... pp」:

- 주어가 du이므로 haben의 형태는 *hast*임.
- 동사 essen의 pp형은 *gegessen*임.

→ 따라서 정답은 : Hast *du* ... gegessen?

3. Ich mache eine Reise nach Deutschland. ⇒ 아래 [정답] 참조!

✺ **해석** 나는 독일로 여행을 한다.

✺ **어휘** machen [타동사] ...을 행하다 (3 기본형 *규칙* 변화: mach*en* - mach*te* - *ge*mach*t*) : eine Reise machen 여행하다 ▌die Reise 여행 (die Reise*n*) → reisen [자동사] 여행가다 (3 기본형 *규칙* 변화: reis*en* - reis*te* - *ge*reis*t*) ▌「nach + 국가」 (방향) ~로 : nach Deutschland 독일*로*

정답 Ich *habe* eine Reise nach Deutschland *gemacht*.

✺ **해석** 나는 독일로 여행을 *했다*.

☞ 동사 machen의 현재완료 형식은 「haben ... pp」:

- 주어가 Ich이므로 haben의 형태는 *habe*임.
- 동사 machen의 pp형은 *ge*mach*t*임.

→ 따라서 정답은 : *Ich* habe ... gemacht.

4. Wann fängt er mit seinem Studium an? ⇒ 아래 [정답] 참조!

✺ **해석** 언제 그는 자신의 대학 공부를 시작하나요?

✺ **어휘** wann [의문사] 언제? (영. when?) ▌「fängt ... an」 (분리동사 *an*fangen의 *현재* 시제: 주어가 *er, sie, es*일 때) ⇒ *an*fangen [분리동사] 시작하다 : 「fangen mit + 3격 ... *an*」 '...을 시작하다' (3 기본형: *an*fangen - *an*fing - *an*gefangen) (현재 시제: du fängs*t* ... *an* ; er fäng*t* ... *an*) ⇐ fangen [타동사] ...을 붙잡다 (3 기본형: fangen - fing - gefangen) (현재 시제: du fängs*t* ; er fäng*t*) ▌mit [*3격* 전치사] [1] ~와 함께 ; [2] ~을 가지고 (영. with) ▌das Studium 대학 공부 (die Studi*en*)

► 「mit sein*em* Studium」:

명사 Studium은 *중성*이며, 전치사 mit의 *3격* 목적어이므로 *중성 3격*!!

따라서 소유대명사 sein-('그의')은 *중성 3격* 어미 *-em* 이 붙어 sein*em*이 됨.

3격 어미: ***-em*** (남성 · 중성) ; ***-er*** (여성) ; ***-en*** (복수)

정답 Wann *hat* er mit seinem Studium *angefangen*?

✺ **해석** 언제 그는 자신의 대학 공부를 *시작했나요*?

☞ 분리동사 「fängt ... an」, 즉 *an*fangen의 현재완료 형식은 「haben ... pp」:

- 주어가 er이므로 haben의 형태는 *hat*임.
- 분리동사 *an*fangen의 pp형은 *angefangen*임.

→ 따라서 정답은 : ... hat *er* ... angefangen?

5. Mein Vater arbeitet den ganzen Tag. ⇒ 아래 [정답] 참조!

✺ **해석** 나의 아버지께서는 온 종일 일하신다.

✺ **어휘** der Vater 아버지 (die Väter) ▌arbeiten [자동사] 일하다, 작업하다 (3 기본형 *규칙* 변화: arbeit*en* - arbeit*ete* - *ge*arbeit*et* ※동사 arbei*t*en은 어간 끝이 *-t*이므로 발음상 -e- 첨가!) ▌ganz- [형용사] 전체의 (명사 앞에 오는 *수식어*로만 사용됨!) (영. whole) ▌der Tag 날, 낮 (die Tag*e*) : den ganzen Tag 온 종일 (*4격*의 시간 부사어!)

정답 Mein Vater *hat* den ganzen Tag *gearbeitet*.

✺ **해석** 나의 아버지께서는 온 종일 *일하셨다*.

☞ 동사 arbeiten의 현재완료 형식은 「haben ... pp」:

- 주어인 Mein Vater는 er에 해당하므로 haben의 형태는 *hat*임.
- 동사 arbeiten의 pp형은 *ge*arbeit*et*임.

→ 따라서 정답은 : *Mein Vater* hat ... gearbeitet.

6. Es regnet in der Nacht stark. ⇒ 아래 [정답] 참조!

✺ **해석** 밤에 심하게 비가 온다.

✺ **어휘** es [비인칭 대명사] '날씨'를 나타낼 때 사용되는 *비인칭 주어 es*임. ▌regnen [자동사] 비오다 (3 기본형 *규칙* 변화: regn*en* - regn*ete* - *ge*regn*et* ※re*gn*en은 어간 끝이 *-gn*이므로 발음상 -e- 첨가!) <참고> regnen은 '날씨' 동사로서 주어는 항상 *비인칭 주어 es*임! ← der Regen 비 (주로 단수) ▌in [*3*·*4*격 전치사] (*3격* 지배: *시간적* 의미) ~에 : in der Nacht 밤*에* ▌die Nacht 밤 (die Nächt*e*) ▌stark [형용사] 강한, (부사적) 강하게 ↔ schwach 약한, 약하게

정답 Es *hat* in der Nacht stark *geregnet.*

✺ **해석** 밤에 심하게 *비가 왔다.*

☞ 동사 regnen의 현재완료 형식은 「haben ... pp」:

- 주어가 '날씨'의 비인칭 주어 es이므로 haben의 형태는 *hat*임.
- 동사 regnen의 pp형은 *ge*regn*et*임.

→ 따라서 정답은 : *Es* hat ... geregnet.

7. Anke lädt mich nicht zu ihrer Party ein. ⇒ 아래 [정답] 참조!

✺ **해석** 앙케는 나를 자신의 파티에 초대하지 않는다.

✺ **어휘** 「lädt ... ein」 (분리동사 *ein*laden의 *현재* 시제: 주어가 *er*, *sie*, *es*일 때) ⇒ *ein*laden [분리동사&타동사] ...을 초대하다 → 「laden + 4격(사람) + zu + 3격 ... *ein*」 누구를 ...로 초대하다 (현재 시제: du lädst ... *ein* ; er lädt ... *ein*) (3 기본형: *ein*laden - *ein*lud - *ein*geladen) ⇐ laden [타동사] ...을 싣다 (3 기본형: laden - lud - geladen) (현재 시제: du läd*st* ; er läd*t*) ▌mich [인칭대명사] ich의 *4격* 형임. (3격 형은 *mir*) ▌zu [*3격* 전치사] (*방향*) ~로 ▌die Party 파티 (die Party*s*)

► 어순: mich는 인칭*대명사*이므로 다른 낱말보다 앞에 옴:
... *mich* nicht zu ihrer Party ...

► 「zu ihr*er* Party」:
명사 Party는 *여성*이며, *3격* 전치사 zu와 결합하므로 *여성 3격!!*
따라서 소유대명사 ihr-('그녀의')는 *여성 3격* 어미 *-er*가 붙어 ihr*er*임.

정답 Anke *hat* mich nicht zu ihrer Party *eingeladen.*

✺ **해석** 기젤라는 나를 자신의 파티에 *초대하지 않았다.*

☞ 분리동사 *ein*laden의 현재완료 형식은 「haben ... pp」:

- 주어인 Anke는 여성의 sie('그녀는')에 해당하므로 haben의 형태는 *hat*임.
- 분리동사 *ein*laden의 pp형은 *eingeladen*임.

→ 따라서 정답은 : *Anke* hat ... eingeladen.

8. Wir treffen uns am Donnerstag. ⇒ 아래 [정답] 참조!

✺ **해석** 우리는 목요일에 서로 만난다.

✺ **어휘** treffen [타동사] ...을 만나다 → 「주어(*복수*) + treffen sich[4]」 서로 만나다 (3 기본형: treffen - traf - getrofen) (현재 시제: du triffst ; er trifft) ▌uns [*4격* 재귀대명사] 주어가 Wir이므로 4격 재귀대명사는 *uns* (3격 재귀대명사도 *uns*) ▌「am + 요일」: am Donnerstag 목요일에 ▌der Donnerstag 목요일 (die Donnerstag*e*)

► 어순: *uns*는 재귀*대명사*이므로 am Donnerstag 보다 앞에 위치함!

정답 Wir *haben* uns am Donnerstag *getroffen.*

✺ **해석** 우리는 목요일에 서로 *만났다*.

☞ 동사 treffen의 현재완료 형식은 「haben ... pp」:

- 주어가 Wir이므로 haben의 형태는 원형과 동일한 *haben*임.
- 동사 treffen의 pp형은 *getroffen*임.

→ 따라서 정답은 : *Wir* haben ... getroffen.

9. Er unterhält sich oft mit seinem Nachbarn. ⇒ 아래 [정답] 참조!

✺ **해석** 그는 자주 자신의 이웃과 대화한다.

✺ **어휘** unterhält (동사 unterhalten의 *현재* 시제: 주어가 *er*, *sie*, *es*일 때) ⇒ 「unterhalten sich[4] + mit + 3격(*사람*)」 [4격 재귀동사] 누구와 이야기를 나누다 (현재 시제: du unterhältst dich ; er unterhält sich) (3 기본형: *unter*halten - *unter*hielt - *unter*halten ※형태가 *unter*-로서 pp형에서 *ge*- *탈락*! 즉, unter*ge*halten 아님!) ⇐ halten [타동사] ...을 유지하다 (영. hold) (3 기본형: halten - hielt - gehalten) (현재 시제: du hältst ; er hält) ▌sich [*4격* 재귀대명사] 주어가 Er이므로 4격 재귀대명사는 *sich* (3격 재귀대명사도 *sich*) <참고> 주어가 1, 2인칭이 아닐 경우, 즉 주어가 ich, du ; wir, ihr가 아닌 나머지 모든 경우, *3격* 및 *4격 재귀대명사* 모두 *sich*임.) ▌oft [부사어] 자주 (= häufig) ▌mit [*3격* 전치사] ~와 함께 ▌der Nachbar 이웃, 이웃 남자 (die Nachbar*n*) <주의> 주어를 제외한 *단수 2, 3, 4격*이 복수형과 동일하게 Nachbar*n*인 *약변화* 명사!

► 주어가 er이므로 4격 재귀대명사 *sich*가 옴.

► 어순: sich는 재귀*대명사*이므로 다른 낱말보다 앞에 옴:

... *sich* oft mit seinem Nachbarn.

► 「mit sein*em* Nachbar*n*」:

- 명사 Nachbar는 *남성*이며, *3격* 전치사 mit의 목적어이므로 *남성 3격!!* 따라서 소유대명사 sein-('그의')은 *남성 3격* 어미 *-em*이 붙어 sein*em*임.
- Nachbar는 단수 2, 3, 4격이 복수형처럼 *-n*이 붙어 Nachbar*n*인 약변화 명사! 따라서 여기서도 *단수 3격*이므로 Nachbar*n*임.

정답 Er *hat* sich oft mit seinem Nachbarn *unterhalten.*

✺ **해석** 그는 자주 자신의 이웃과 *대화하였다.*

☞ 동사 unterhalten의 현재완료 형식은 「haben ... pp」:

- 주어가 Er이므로 haben의 형태는 *hat*임.
- 동사 *unter*halten의 pp형은 *unterhalten*임.

→ 따라서 정답은 : *Er* hat ... unterhalten.

<참고>

다음 *unter*- 형태의 동사들은 pp형에서 *ge-가 탈락*함!

① *unter*nehmen 수행하다 (영. undertake) : *unter*nehmen - *unter*nahm - *unter*nommen

※ nehmen [타동사] ...을 취하다 (영. take) : nehmen - nahm - genommen

② *unter*richten 가르치다 (영. teach) : *unter*richt*en* - *unter*richt*ete* - *unter*richt*et*

※ richten [타동사] ...을 향하게 하다 (영. direct) : richt*en* - richt*ete* - *ge*richt*et*

③ *unter*schreiben 서명하다 (영. sign) : *unter*schreiben - *unter*schrieb - *unter*schrieben

※ schreiben [타동사] ...을 쓰다 (영. write) : schreiben - schrieb - geschrieben

④ *unter*suchen 연구, 조사하다 (영. examine) : *unter*such*en* - *unter*such*te* - *unter*such*t*

※ suchen [타동사] ...을 구하다, 찾다 (영. seek) : such*en* - such*te* - *ge*such*t*

10. Kerstin hilft ihrer Mutter beim Kochen. ⇒ 아래 [정답] 참조!

✺ **해석** 케르스틴은 그녀의 어머니가 요리하실 때 돕는다.

✺ **어휘** hilft (동사 helfen의 *현재* 시제: 주어가 *er*, *sie*, *es*일 때) ⇒ 「helfen + 3격(사람) + bei + 3격」 누구를 ...할 때 돕다 (*3격* 요구 동사!) (현재 시제: du hilf*st* ; er hilf*t*) (3 기본형: helfen - half - geholfen) ▌die Mutter 어머니 (die Mütter) ▌bei [*3격* 전치사] ~할 경우, ~일 때 → 「beim + 남성 · 중성 3격」: beim Kochen 요리할 때 ← das Kochen 요리하기 (동사 kochen의 *명사화*!) ⇐ kochen [타동사/자동사] (...을) 요리하다, 끓이다 (3 기본형 *규칙* 변화: koch*en* - koch*te* - *ge*koch*t*)

► 「ihr*er* Mutter」:

명사 Mutter는 *여성*이며, 동사 hilft의 *3격* 목적어이므로 *여성 3격!!*

따라서 소유대명사 ihr-('그녀의')는 *여성 3격* 어미 *-er*가 붙어 ihr*er*임.

3격 어미: ***-em*** (남성 · 중성) ; ***-er*** (여성) ; ***-en*** (복수)

► 동사 원형의 앞 철자를 *대문자* 표기하면 *중성*명사화 됨:
kochen 요리하다 → *das* Kochen 요리하기, 요리하는 것

(정답) Kerstin *hat* ihrer Mutter beim Kochen *geholfen*.

✺ **해석** 케르스틴은 자기의 어머니가 요리하실 때 *도왔다*.

☞ 동사 helfen의 현재완료 형식은 「haben ... pp」:

- 주어가 Kerstin, 즉 여성의 sie('그녀는')에 해당하므로 haben의 형태는 *hat*임.
- 동사 helfen의 pp형은 *geholfen*임.

→ 따라서 정답은 : *Kerstin* hat ... geholfen.

unit 03

마무리 문제

Ⅰ. 괄호 안의 낱말을 사용하여 독일어로 옮기시오. (14과, 마무리문제: 교재 83쪽)

1. 나는 영화관에 가고 싶지 않다. 나는 그 영화를 벌써 보았다.

(ich, das Kino, in, gehen, möchten) (ich, der Film, schon, sehen)

✻ 어휘 das Kino 영화관 (die Kino*s*) ▍in [*3 · 4격* 전치사] (*4격* 지배: *방향*) ~안으로, ~로 → 「ins + 중성 4격」(ins = in das) : ins Kino gehen 영화관*으로* 가다 <참고> in (*3격* 지배: *위치*) ~안에서, ~에서 → 「im + 남성 · 중성 3격」: im Kino 영화관*에서* ▍gehen [자동사] 가다 (3 기본형: gehen - ging - gegangen) <참고> '장소 이동' 동사 gehen과 함께 오는 3 · 4격 전치사는 '방향'을 나타내므로 *4격 지배*임! ▍「möchten ... 동사 원형」 [화법조동사] ...하고 싶다 (현재 시제: ich möchte ; du möchte*st* ; er möchte ; wir möchte*n* ; ...) ▍der Film 영화, 필름 (die Film*e*) ▍schon [부사어] 이미, 벌써 ▍sehen [타동사] ...을 보다 (영. see) (3 기본형: sehen - sah - gesehen) (현재 시제: du sieh*st* ; er sieh*t*)

정답 Ich möchte nicht ins Kino gehen. Ich habe den Film schon gesehen.

문장 1

► "... 가고 *싶지 않다*" → 화법조동사 möchten의 *현재* 시제이며, *부정문*임:

- 주어가 "나는", 즉 ich이므로 möchten의 형태는 *möchte*임.
- 화법조동사 möchte와 결합하므로 문장 맨 뒤에 *동사 원형 gehen*이 옴.

문장 2

► "... 벌써 *보았다*" → 동사 sehen('...을 보다')의 *현재완료* 시제임!

현재완료 형식은 「haben ... pp」:

- 주어가 "나는", 즉 ich이므로 동사 haben의 형태는 *habe*임.
- 동사 sehen의 pp형은 *gesehen*임.

→ 따라서 : *Ich* habe ... gesehen.

2. 너 벌써 숙제 했니? - 아니, 지금까지 잤어. 곧 시작할 거야.

(du, schon, deine Hausaufgaben, machen) (nein, jetzt, bis, schlafen)

(gleich, anfangen)

✻ 어휘 schon [부사어] 이미 ▍die Hausaufgabe 숙제 (die Hausaufgabe*n*) ← das Haus 집 (die Häus*er*) + die Aufgabe 과제, 임무 (die Aufgabe*n*) : die Hausaufgabe*n* machen 숙제

하다 ▌ machen [타동사] ...을 행하다 (3 기본형 *규칙* 변화: mach*en* - mach*te* - *ge*mach*t*) ▌ jetzt [부사어] 지금 (영. now) ▌ bis [*4격* 전치사] ~까지 ▌ schlafen [자동사] 잠자다 (3 기본형: schlafen - schlief - geschlafen) (현재 시제: du schläf*st* ; er schläf*t*) ▌ gleich [부사어] 곧, 즉시 ▌ *an*fangen [분리동사&자동사] 시작하다 (현재 시제: du fäng*st* ... *an* ; er fäng*t* ... *an*) (3 기본형: *an*fangen - *an*fing - *an*gefangen) ⇐ fangen [타동사] ...을 붙잡다 (영. catch) (3 기본형: fangen - fing - gefangen) (현재 시제: du fäng*st* ; er fäng*t*)

정답 Hast du schon deine Hausaufgaben gemacht? - Nein, ich habe bis jetzt geschlafen. Ich fange gleich an.

문장 1

► "... 숙제 *했니*?" → '숙제 하다'를 뜻하는 「die Hausaufgaben machen」의 *현재완료* 시제임!
현재완료 형식은 「haben ... pp」:

- 주어는 "너(는)", 즉 du이므로 동사 haben의 형태는 *hast*임.
- 동사 machen의 pp형은 *ge*mach*t*임.

→ 따라서 : Hast *du* ... gemacht?

문장 2

► "... *잤어*" → 동사 schlafen('잠자다')의 현재완료 시제임!
현재완료 형식은 「haben ... pp」:

- 주어는 우리말에서 생략된 "나는", 즉 ich이므로 동사 haben의 형태는 *habe*임.
- 동사 schlafen의 pp형은 *geschlafen*임.

→ 따라서 : *Ich* habe ... geschlafen.

문장 3

► "곧 *시작할 거야*", 즉 "곧 *시작해*" → 분리동사 *an*fangen('시작하다')의 *현재* 시제임!
주어는 우리말에서 생략된 "나는", 즉 ich이므로 : *Ich* fang*e* ... *an*.

3. 나는 내 열쇠를 잃어버렸어. 너 그것 보았니?
(ich, mein-, der Schlüssel, verlieren) (du, ihn, sehen)

✺ 어휘 der Schlüssel 열쇠 (die Schlüssel) ▌ verlieren [타동사] ...을 분실하다 (3 기본형: verlieren - verlor - verloren) ▌ ihn [인칭대명사] er의 *4격* 형임. (3격 형은 *ihm*) ▌ sehen [타동사] ...을 보다 (3 기본형: sehen - sah - gesehen) (현재 시제: du sieh*st* ; er sieh*t*)

정답 Ich habe meinen Schlüssel verloren. Hast du ihn gesehen?

문장 1

► "... *잃어버렸어*" :
동사 verlieren('분실하다')의 *현재완료* 시제이어야 함.

현재완료 형식은 「haben ... pp」:

- 주어는 "나는", 즉 ich이므로 동사 haben의 형태는 *habe*임.
- 동사 verlieren의 pp형은 *verloren*임.

→ 따라서 : *Ich* habe ... verloren.

문장 2

► "... *보았니*?" :

동사 sehen('...을 보다')의 *현재완료* 시제이어야 함.

현재완료 형식은 「haben ... pp」:

- 주어는 "너(는)", 즉 du이므로 동사 haben의 형태는 *hast*임.
- 동사 sehen의 pp형은 *gesehen*임.

→ 따라서 : Hast *du* ... gesehen?

► "... *그것* 보았니?" = "... *그것을* 보았니?" :

앞 문장의 *남성*명사 Schlüssel을 받으며, 동사 gesehen의 *4격 목적어*이므로 *남성 4격* 인칭대명사 *ihn*이 와야 함!

4. Müller 씨를 봤습니까? - 네, 내가 아까 우연히 그 사람을 만났습니다.
   (Herr Müller, sehen) (ja, ich, ihn, vorhin, zufällig, treffen)

✵ **어휘** Herr ... (남자 호칭) '...씨' <주의> 주어를 제외한 *단수 2, 3, 4격*이 모두 Herr*n*임! ▌ sehen [타동사] ...을 보다 (3 기본형: sehen - sah - gesehen) (현재 시제: du sie*hst* ; er sie*ht*) ▌ ihn [인칭대명사] er의 *4격* 형임. (3격 형은 *ihm*) ▌ vorhin [부사어] 아까, 전에 ▌ zufällig [형용사] 우연한, (부사적) 우연히 ← der Zufall 우연 (die Zufäll*e*) ▌ treffen [타동사] ...을 만나다 (3 기본형: treffen - traf - getroffen) (현재 시제: du tri*ffst* ; er tri*fft*)

정답 Haben Sie Herrn Müller gesehen? - Ja, ich habe ihn vorhin zufällig getroffen.

문장 1

► "... *봤습니까*?" :

동사 sehen('...을 보다')의 *현재완료* 시제이어야 함.

현재완료 형식은 「haben ... pp」:

- 주어는 우리말에서 생략된 "당신은", 즉 격식칭 Sie이므로 동사 haben의 형태는 *haben*임.
- 동사 sehen의 pp형은 *gesehen*임.

→ 따라서 : Haben *Sie* ... gesehen?

► "Müller씨*를* ...":

Herr Müller가 동사 gesehen의 *4격* 목적어, 즉 *단수 4격*이므로 Herr*n* Müller임.

문장 2

► "... *만났습니다*." :

동사 treffen('...을 만나다')의 *현재완료* 시제이어야 함.

현재완료 형식은 「haben ... pp」:

- 주어는 "내가", 즉 ich이므로 동사 haben의 형태는 *habe*임.
- 동사 treffen의 pp형은 *getroffen*임.

→ 따라서 : ... *ich* habe ... getroffen.

► "... *그 사람을* ...":
앞 문장의 *남자* 인물 Herrn Müller를 받으며, 동사 getroffen의 *4격 목적어*이므로 *남성 4격* 인칭대명사 *ihn*이 와야 함!

5. 이메일 고맙다. 그것을 받고 매우 기뻤어.
(die E-Mail, für, vielen Dank) (darüber, sehr, sich freuen)

✻ **어휘** die E-Mail 이메일 (die E-Mail*s*) ▌ für [*4격* 전치사] ~을 위한 ▌「Vielen (혹은 Schönen) Dank für + 4격!」 "...에 대해 매우 감사드립니다!" ← der Dank 감사 <참고> 「danken + 3격(사람) + für + 4격」 ~~누구~~에게 ...에 대해 감사하다 ▌ da*r*über 그것에 대하여 → über [전치사] ~에 대하여 + das [지시대명사] 그것 ▌「freuen sich⁴ *über* + 4격」 [4격 재귀동사] (*과거, 현재*의) ...에 대해 기뻐하다 (3 기본형 *규칙* 변화: freu*en* - freu*te* - *ge*freu*t*) <참고> 「freuen sich⁴ *auf* + 4격」 [4격 재귀동사] (*미래*의) ...에 대해 기뻐하다

정답 Vielen Dank für die E-Mail! Ich habe mich darüber sehr gefreut.

문장 2

► "... *기뻤어*.":
4격 재귀동사 「freuen sich⁴」의 *현재완료* 시제이어야 함.
현재완료 형식은 「haben ... pp」:

- 주어는 우리말에서 생략된 "나는", 즉 ich이므로 동사 haben의 형태는 *habe*임.
- 동사 freuen의 pp형은 *ge*freu*t*임.
- 주어가 Ich이므로 4격 재귀대명사 *mich*가 와야 함!

→ 따라서 : *Ich* habe mich ... gefreut.

► da*r*über '그것에 대하여' = 전치사 *über* '...에 대하여' + 지시대명사 *das* '그것'
4격 재귀동사 「freuen sich⁴ ***über*** ...」 ('...***에 대하여*** 기뻐하다') / 앞 문장의 ***die E-Mail***을 받음!

II. 잘못된 부분(들)을 고쳐서 다시 적으시오. (14과, 마무리문제: 교재 83쪽)

1. Das Semester hat beginnt[오류] schon. Jetzt habe ich keine Zeit mehr.

✻ **해석** 학기가 이미 시작했어. 지금 나는 더 이상 시간이 없어.

✻ **어휘** das Semester 학기 (die Semester) <참고> der Semesterbeginn 학기 시작 ↔ der Semesterschluss 학기 종료 ; das Sommersemester 여름 학기 ↔ das Wintersemester 겨울 학기 ▌ beginnen [자동사] 시작하다 (= *an*fangen) (3 기본형: beginnen - begann - begonnen) ▌ jetzt [부사어] 지금 ▌ haben [타동사] ...을 가지고 있다 (3 기본형: haben - hatte - gehabt) ▌ die Zeit (주로 단수) 시간 (die Zeit*en*) ▌ 「kein- ... mehr」 '더 이상 ... 않다' (영. no more ...)

<오류>

동사 beginnen의 *현재완료* 형식 「haben ... pp」이어야 함!

beginnen의 pp형은 beginnt가 아니라 *begonnen*이며, *문장 맨 뒤에 위치*하여야 옳음!

정답 Das Semester hat schon *begonnen*. Jetzt habe ich keine Zeit mehr.

2. Hast du schon frühgestückt[오류1]? - Ja, ich habe schon etwas geesst[오류2].

✻ **해석** 너는 벌써 아침식사 했니? - 응, 나는 벌써 뭔가를 먹었어.

✻ **어휘** schon [부사어] 이미, 벌써 (영. already) ▌ frühstücken [자동사] 아침식사하다 (3 기본형 *규칙* 변화: frühstück*en* - frühstück*te* - *ge*frühstück*t*) ← das Frühstück 아침 식사 (das Mittagessen 점심 식사, das Abendessen 저녁 식사) ▌ etwas [부정대명사] 뭔가 (영. something) ▌ essen [타동사] ...을 먹다 (3 기본형: essen - aß - gegessen) (현재 시제: du iss*t* ; er iss*t*) <참고> fressen [자동사] (동물이) 먹다 (3 기본형: fressen - fraß - gefressen)

<오류> 1

동사 frühstücken의 현재완료 형식 「haben ... pp」이어야 함!

frühstücken의 früh-는 분리전철이 아님.

→ 따라서 pp형은 früh*ge*stückt가 아니라 *ge*frühstückt이어야 옳음!

<오류> 2

동사 essen의 현재완료 형식 「haben ... pp」이어야 함!

essen은 규칙 변화 동사가 아님!

따라서 pp형은 *ge-t* 형태의 *ge*ess*t*가 아니라 불규칙적인 *gegessen*이어야 옳음!

정답 Hast du schon *gefrühstückt*? - Ja, ich habe schon etwas *gegessen*.

3. Wo hat er gestudiert[오류1]? - Er studiert[오류2] in Berlin.

✻ **해석** 그는 어디서 대학을 다녔니? - 그는 베를린에서 대학공부 했어.

✻ **어휘** wo [의문사] 어디서? ▌ studieren [자동사] 대학 공부하다 (3 기본형 *규칙* 변화: studier*en* - studier*te* - studier*t* ※형태가 *-ieren*이므로 pp형에서 *ge- 탈락*! 즉, *ge*studiert 아님!) ▌ 「in + 도시, 국가」 (위치) ~에서 : in Berlin 베를린에서 (고유명사 관사 없음!)

<오류> 1

동사 studieren의 현재완료 형식 「haben ... pp」이어야 함!

stud*ieren*은 형태가 *-ieren*이므로 pp형에서 *ge-가 탈락*함.

→ 따라서 pp형은 *ge*studier*t*가 아니라, *ge-*가 없이 studier*t*이어야 옳음!

<오류> 2

현재완료 시제인 질문에 대한 답변이므로 동일한 *현재완료* 시제이어야 함!

(그런데 여기서는 *현재* 시제이므로 오류임.)

→ 따라서 동사 studieren의 현재완료 형식 「haben ... studiert」가 와야 옳음!

정답 Wo hat er *studiert*? - Er *hat* in Berlin *studiert*.

4. Hast du ihn schon angeruft[오류1]? - Ja, aber er kann mich[오류2] nicht geholfen[오류3]

✱ **해석** 너 이미 그에게 전화해 봤지? - 응, 하지만 그는 나를 도와줄 수 없어.

✱ **어휘** ihn [인칭대명사] er의 *4격* 형임. (3격 형은 *ihm*) ▌schon [부사어] 이미, 벌써 ▌*an*rufen [분리동사] : 「rufen + 4격(사람) ... *an*」 *누구*에게 전화 걸다 (*4격* 요구 동사!) (3 기본형: *an*rufen - *an*rief - *an*gerufen) ⇐ rufen [타동사] ...을 부르다 (3 기본형: rufen - rief - gerufen) ▌kann (화법조동사 können의 *현재* 시제) ⇒ 「können ... 동사 원형」 ...할 수 있다 (현재 시제: ich kann ; du kann*st* ; er kann ; wir könn*en* ; ...) (3 기본형: können - konnte - gekonnt) ▌mich [인칭대명사] ich의 *4격* 형임. (3격 형은 *mir*) ▌「helfen + 3격(사람)」 [자동사] *누구*를 돕다 (*3격* 요구 동사!) (3 기본형: helfen - half - geholfen) (현재 시제: du hilf*st* ; er hilf*t*)

<오류> 1

분리동사 *an*rufen의 현재완료 형식 「haben ... pp」이어야 함!

*an*rufen은 동사 rufen에 분리전철 *an-*이 붙은 형태임.

→ 따라서 *an*rufen의 pp형은 rufen의 pp형 gerufen에 *an-*이 붙어 *an*gerufen이어야 옳음!

<오류> 2

동사 helfen은 *3격* 요구 동사임.

→ 따라서 3격 목적어 *mir*가 와야 옳음!

<오류> 3

화법조동사 kann과 결합하므로 문장 맨 뒤에 동사 원형이 와야 함!

→ 따라서 동사 helfen의 pp형인 geholfen이 아니라 동사 원형 *helfen*이어야 옳음!

정답 Hast du ihn schon *angerufen*? - Ja, aber er kann *mir* nicht *helfen*.

문장 1

► 어순: ihn은 인칭*대명사*이므로 부사어 schon 앞에 위치함.

문장 2

► 주어가 er이므로 화법조동사 können의 형태는 *kann*임.

5. Er hat das Buch zweimal gelest[오류1], aber er hat es nicht vergestanden[오류2].

✹ **해석** 그는 그 책을 두 번 읽었지만, 그것을 이해하지 못했다.

✹ **어휘** das Buch 책 (die Bücher) ▌ zweimal [부사어] 두 번 ▌ lesen [타동사] ...을 읽다 (3 기본형: lesen - las - gelesen) (현재 시제: du liest ; er liest) ▌ es [인칭대명사] es의 *4격* 형임. 앞에 나온 *중성*명사 das Buch를 받으며, 동사 verstehen의 *4격 목적어*임. (es의 3격 형은 *ihm*) ▌ verstehen [타동사] ...을 이해하다 (3 기본형: *ver*stehen - *ver*stand - *ver*standen ※형태가 *ver*-이므로 pp 형에서 *ge- 탈락*! 즉, ver*ge*standen 아님!) ⇐ stehen [자동사] 서있다 (3 기본형: stehen - stand - gestanden)

<오류> 1

동사 lesen의 현재완료 형식 「haben ... pp」이어야 함!
lesen은 3 기본형이 *불규칙 변화*임: lesen - las - gelesen
→ 따라서 동사 lesen의 pp형은 규칙 변화된 *ge*les*t*가 아니라 *gelesen*이어야 옳음!

<오류> 2

동사 verstehen의 현재완료 형식 「haben ... pp」이어야 함!
*ver*stehen은 형태가 *ver*-이므로 pp형에서 *ge-가 탈락*함.
→ 따라서 pp형은 *verge*standen이 아니라, *ge*-가 없이 *ver*standen이어야 옳음!

정답 Er hat das Buch zweimal *gelesen*, aber er hat es nicht *verstanden*.

6. Womit[오류1] hast du gerade untergehalten[오류2,3]? - Mit meinem Kollege[오류4].

✹ **해석** 너 방금 누구와 이야기 했니? - 나의 동료와 (했어).

✹ **어휘** womit 무엇을 가지고? → mit [3격 전치사] ~을 가지고 + was [의문사] 무엇? ▌ gerade [부사어] 막, 방금 ▌ 「unterhalten sich[4] mit + 3격(사람)」 [4격 재귀동사] *누구*와 이야기하다 (3 기본형: *unter*halten - *unter*hielt - *unter*halten ※ 형태가 *unter*-로서 pp형에서 *ge- 탈락*! 즉, unter*ge*halten 아님!) (현재 시제: du unterhältst dich ; er unterhält sich) ⇐ halten [타동사] ...을 잡다, 멈추다 (영. hold) (3 기본형: halten - hielt - gehalten) (현재 시제: du hältst ; er hält) ▌ der Kollege 동료, 남자 동료 (die Kollegen) <주의> 주어를 제외한 *단수 2, 3, 4격*이 복수형처럼 Kollege*n*인 *약변화* 명사!

<오류> 1

「wo(*r*)- + 전치사」형태는 '사물'을 뜻하는 의문사 was가 전치사와 결합한 형태임.
따라서 womit는 의문사 was가 전치사 mit와 결합한 형태임.
그런데 여기서는 내용적으로 "*누구*와 함께", 즉 '사람'을 뜻하는 의문사 wer와 전치사 mit가 결합한 경우이어야 하므로 *Mit wem*이어야 옳음!

<오류> 2

여기서 동사 unterhalten은 4격 재귀동사이므로 반드시 4격 재귀대명사와 함께 와야 함.
따라서 주어가 du일 경우의 4격 재귀대명사 *dich*가 문장 안에 와야 옳음!

<오류> 3

동사 *unter*halten은 형태가 *unter*-로서 pp형은 ge-가 생략된 *unter*halten이어야 옳음!

<오류> 4

명사 Kollege는 주어를 제외한 단수 2, 3, 4격이 모두 복수형처럼 Kollege*n*인 약변화 명사임.
여기서도 3격 전치사 mit와 결합하여 *단수 3격*이므로 Kollege*n*이어야 옳음!

정답 *Mit wem* hast du *dich* gerade *unterhalten*? - Mit meinem *Kollegen*.

문장 1

► 3격 전치사 Mit와 결합하므로 의문사 wer의 3격 형 *wem*이 사용됨.

<참고>

1격: *wer* 누가? ; 2격: *wessen* 누구의 ...? ; 3격: *wem* 누구에게? ;
4격: *wen* 누구를?

Lektion 15

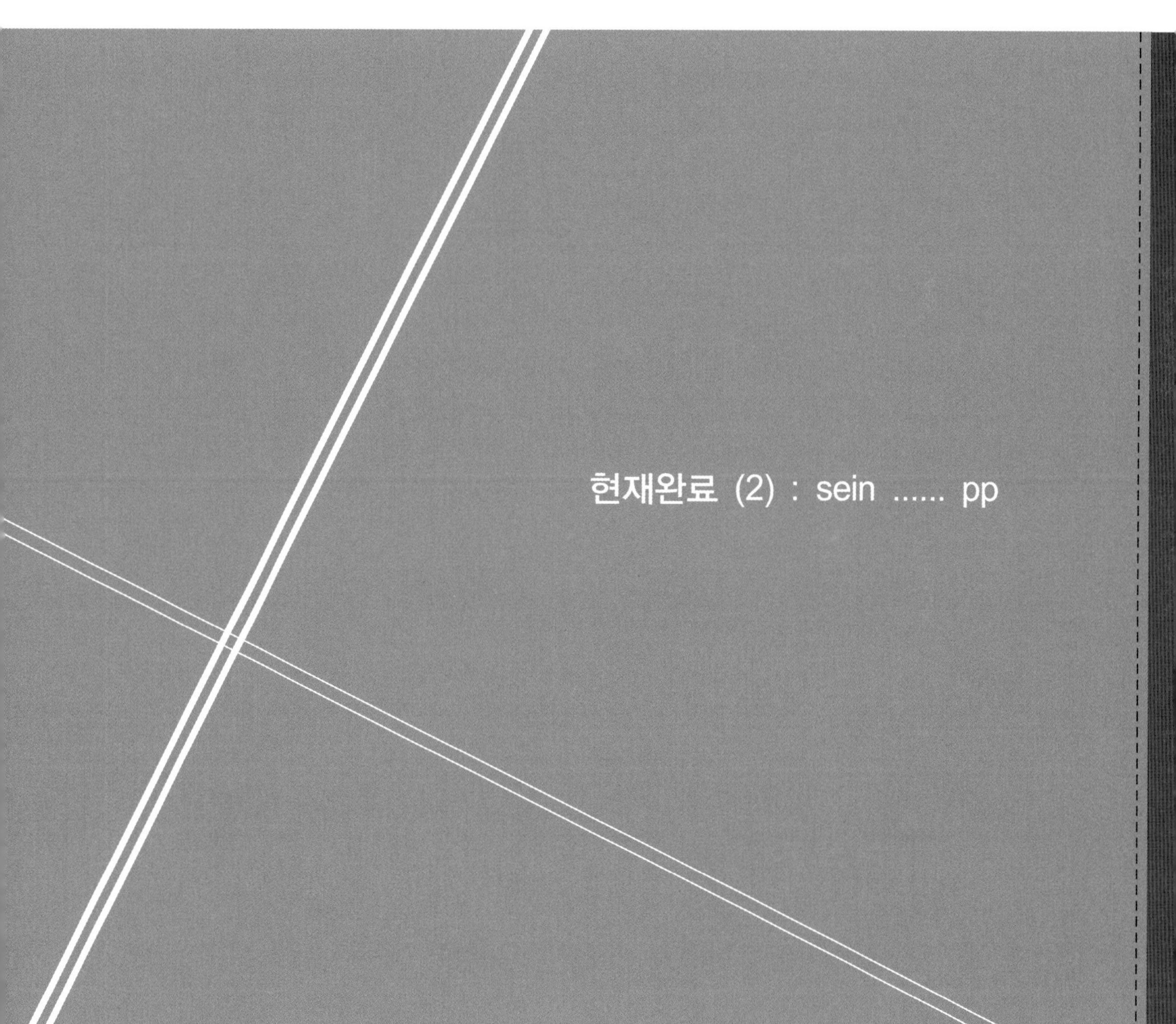

unit 01

기초문제

I. 다음 동사의 3 변화형은? (15과, 기초문제: 교재 85~86쪽)

1. reisen - reis*te* - *ge*reis*t*

☞ reisen [자동사] 여행하다 (영. travel)

2. fahren - fuhr - gefahren

☞ fahren [자동사] (차 타고) 가다 (영. go, drive)

3. fliegen - flog - geflogen

☞ fliegen [자동사] 날아가다, (비행기 타고) 가다 (영. fly)

4. steigen - stieg - gestiegen

☞ steigen [자동사] 올라가다 (영. climb, go up)

5. kommen - kam - gekommen

☞ kommen [자동사] 오다 (영. come)

6. fallen - fiel - gefallen

☞ fallen [자동사] 떨어지다 (영. fall)

7. *ein*schlafen - *ein*schlief - *ein*geschlafen

☞ *ein*schlafen [자동사&분리동사] 잠들다 (영. fall asleep)

<참고>

schlafen [자동사] 잠자다 (영. sleep) : schlafen - schlief - geschlafen

8. sterben - starb - gestorben

☞ sterben [자동사] 죽다 (영. die)

II. 현재완료 문장을 완성하시오. (15과, 기초문제: 교재 86쪽)

1. Meine Nachbarin fährt nur mit dem Auto oder mit dem Zug. Sie ist noch nie geflogen.

✹ **해석** 나의 이웃 여자는 오로지 자동차나 기차만을 탄다. 아직 그녀는 비행기를 탔던 적이 전혀 없다.

✹ **어휘** die Nachbar*in* 이웃 여자 (die Nachbarin*nen*) ↔ der Nachbar 이웃 사람, 이웃 남자 (die Nachbar*n*) <주의> Nachbar는 주어를 제외한 *단수 2, 3, 4격*이 모두 복수형과 동일하게 Nachbar*n*인 *약변화* 명사!) ▌fährt (동사 fahren의 *현재* 시제: 주어가 *er*, *sie*, *es*일 때) ⇒ fahren [자동사] (차 타고) 가다 (현재 시제: du fährs*t* ; er fähr*t*) (3 기본형: fahren - fuhr - gefahren ; '*장소 이동*' 자동사 → 완료형「*sein* ... pp」) ▌nur [부사어] 단지, 오로지 ▌mit [*3격* 전치사] ~을 가지고 →「mit + 차량(3격)」~을 타고 : mit dem Auto 자동차를 타고 ▌das Auto 자동차 (die Auto*s*) ▌oder [등위접속사] 혹은, 또는 ▌der Zug 기차 (die Züg*e*) ▌fliegen [자동사] (비행기 타고) 가다, 날아가다 (3 기본형: fliegen - flog - geflogen ; '*장소 이동*' 자동사 → 완료형「*sein* ... pp」) ▌noch [부사어] 아직 ▌nie [부사어] 결코 ... 않다 (영. never) (부정 내용을 강조!)

문장 2

☞ 동사 fliegen('날아가다')은 '장소 이동' 자동사임.
따라서 현재완료 형식은「*sein* ... pp」:

- 주어가 여성의 sie('그녀는')이므로 동사 sein의 형태는 *ist*임.
- 동사 fliegen의 pp형은 *geflogen*임.

→ 따라서 정답은: *Sie* ist ... geflogen.

2. Ist Karin da? - Nein, sie ist zum Arzt gegangen.

✹ **해석** 카린이 있니? - 아니, 그녀는 의사에게로 갔어.

✹ **어휘** Ist (동사 sein의 *현재* 시제) ⇒ sein [자동사] 있다, 존재하다 :「주어 + 동사 sein + da」*주어는* 와 있다, 출석해 있다 (3 기본형: sein - war - gewesen) ▌gehen [자동사] 가다 (3 기본형: gehen - ging - gegangen ; '*장소 이동*' 자동사 → 완료형「*sein* ... pp」) ▌zu [*3격* 전치사] (방향) ~로 →「zu + 사람(3격)」*누구*에게로 : zum Arzt 의사*에게로* ←「zum + 남성·중성 3격」(zum = zu dem) ▌der Arzt 의사 (die Ärzt*e*)

문장 2

☞ 동사 gehen('가다')은 '장소 이동' 자동사임.
따라서 현재완료 형식은「*sein* ... pp」:

- 주어가 여성의 sie('그녀는')이므로 동사 sein의 형태는 *ist*임.
- 동사 gehen의 pp형은 *gegangen*임.

→ 따라서 정답은: ... *sie* ist ... gegangen.

3. Sind Sie gestern gut nach Hause gekommen ?

✹ **해석** 당신은 어제 집에 잘 갔습니까?

✹ **어휘** kommen [자동사] 오다 (3 기본형: kommen - kam - gekommen ; '*장소 이동* 자동사 → 완료형 「*sein* ... pp」) ▌gestern [부사어] 어제 ▌gut [형용사] 좋은, (부사적) 좋게, 잘 ▌nach Haus(e) (방향) 집으로 ▌nach [*3격* 전치사] (방향) ~을 향하여 ▌das Haus 집 (die Häus*er*)

☞ 동사 kommen('오다')은 '장소 이동' 자동사임.
따라서 현재완료 형식은 「*sein* ... pp」:
- 주어가 격식칭 Sie('당신은, 당신들은')이므로 동사 sein의 형태는 *sind*임.
- 동사 kommen의 pp형은 *gekommen*임.

→ 따라서 정답은: Sind *Sie* ... gekommen?

4. Bist du am Wochenende wirklich auf den Halla-Berg gestiegen ?

✹ **해석** 너는 주말에 정말로 한라산에 올라갔니?

✹ **어휘** steigen [자동사] 올라가다 (3 기본형: steigen - stieg - gestiegen ; '*장소 이동* 자동사 → 완료형 「*sein* ... pp」) <참고> '*장소 이동* 동사 steigen과 함께 오는 3 · 4격 전치사는 '방향'을 나타내므로 *4격 지배*임! ▌an [*3 · 4격* 전치사] (*3격* 지배: *시간적* 의미) ~에 : am Wochenende 주말*에* ← 「am + 남성 · 중성 3격」 (am = an dem) ▌das Wochenende 주말 (즉, 토요일과 일요일) (die Wochenende*n*) → die Woche 주, 주일 (die Woche*n*) + das Ende (주로 단수) 끝 (die Ende*n*) ▌wirklich [형용사] 정말의, 현실의, (부사적) 정말로, 실제로 ▌auf [*3 · 4격* 전치사] (*4격* 지배: *방향*) ~위로, ~로 : auf einen Berg steigen 산 *위로* 올라가다, 등산하다 ▌der Berg 산 (die Berg*e*)

☞ 동사 steigen('올라가다')은 '장소 이동' 자동사임.
따라서 현재완료 형식은 「*sein* ... pp」:
- 주어가 du이므로 동사 sein의 형태는 *bist*임.
- 동사 steigen의 pp형은 *gestiegen*임.

→ 따라서 정답은: Bist *du* ... gestiegen?

5. Ich bin mit dem Taxi zur Uni gefahren .

✹ **해석** 나는 택시를 타고 대학교에 갔다.

✹ **어휘** fahren [자동사] (차 타고) 가다 (3 기본형: fahren - fuhr - gefahren ; '*장소 이동* 자동사 → 완료형 「*sein* ... pp」) ▌mit [*3격* 전치사] ~을 가지고 → 「mit + 차량(3격)」 '~을 타고' : mit dem Taxi 택시를 타고 ▌das Taxi 택시 (die Taxi*s*) ▌die Uni (구어체) 대학교 (die Uni*s*) = die Universität (die Universität*en*) ▌zu [*3격* 전치사] (방향) ~로 → 「zur + 여성 3격」: zur Uni gehen 대학교*로* 가다 (= auf die Uni gehen) <참고> 「zum + 남성 · 중성 3격」: zum Museum gehen 박물관*으로* 가다 ← das Muse*um* 박물관 (die Muse*en*)

☞ 동사 fahren('차 타고 가다')은 '장소 이동' 자동사임.
따라서 현재완료 형식은 「*sein* ... pp」:
- 주어가 Ich이므로 동사 sein의 형태는 *bin*임.
- 동사 fahren의 pp형은 *gefahren*임.

→ 따라서 정답은: *Ich* bin ... gefahren.

6. Mein Großvater _ist_ letztes Jahr _gestorben_.

✺ **해석** 내 할아버지께서는 작년에 돌아가셨다.

✺ **어휘** der Großvater 할아버지 (die Großväter) ↔ die Großmutter 할머니 (die Großmütter) ▌sterben [자동사] 죽다 (3 기본형: sterben - starb - gestorben ; '*상태 변화*' 자동사 → 완료형 「*sein* ... pp」) (현재 시제: du stirb*st* ; er stirb*t*) ▌letzt- [형용사] 마지막의, 최근의 (뒤에 오는 명사를 *수식*하는 용법뿐임! 영. last) : letztes Jahr 작년에 (*4격*의 시간 부사어!) <참고> dieses Jahr 금년에, nächstes Jahr 내년에 ▌das Jahr 해, 년 (die Jahr*e*)

☞ 동사 sterben('죽다')은 '상태 변화' 자동사임.
따라서 현재완료 형식은 「*sein* ... pp」:
- 주어가 Mein Großvater, 즉 er에 해당하므로 동사 sein의 형태는 *ist*임.
- 동사 sterben의 pp형은 *gestorben*임.

→ 따라서 정답은: *Mein Großvater* ist ... gestorben.

► 「letzt*es* Jahr」:
명사 Jahr는 *중성*이며, *4격*의 시간 부사어이므로 *중성 4격!!*
따라서 형용사 letzt는 *중성 4격* _정관사_ d*as*처럼 어미변화 하여 letzt*es*임.
형용사 앞에 관사, 소유대명사, 지시대명사 ... 등이 없을 경우
형용사 자체가 ***정관사 d-*** 어미변화 함!

III. 현재완료 문장을 완성하시오. (15과, 기초문제: 교재 86쪽)

1. Ich _habe_ gestern zwei Stunden auf dich _gewartet_. Warum _bist_ du nicht _gekommen_?

✺ **해석** 나는 어제 두 시간 동안 너를 기다렸어. 왜 너는 오지 않았니?

✺ **어휘** warten [자동사] 기다리다 : 「warten auf + 4격」 '...을 기다리다' (3 기본형 *규칙* 변화: wart*en* - wart*ete* - *ge*wart*et* ※warten은 어간 끝이 *-t*이므로 발음상 -e- 첨가!) ▌gestern [부사어] 어제 ▌zwei 2 ▌die Stunde 시간 (die Stunde*n*) : zwei Stunden 두 시간 동안 (*4격*의 시간 부사어!) ▌dich [인칭대명사] du의 *4격* 형임. (3격 형은 *dir*) ▌warum [의문사] 왜? ▌kommen [자동사] 오다 (3 기본형: kommen - kam - gekommen ; '*장소 이동*' 자동사 → 완료형 「*sein* ... pp」)

문장 1

☞ 동사 warten('기다리다')은 자동사이긴 하지만 '장소 이동'이나 '상태 변화' 모두 아님.
따라서 현재완료 형식은 「*haben* ... pp」:
- 주어가 Ich이므로 haben의 형태는 *habe*임.
- 동사 warten의 pp형은 *ge*warte*t*임.

→ 따라서 정답은: *Ich* habe ... gewartet.

문장 2

☞ 동사 kommen('오다')은 '장소 이동' 자동사임.
따라서 현재완료 형식은 「*sein* ... pp」:
- 주어가 du이므로 동사 sein의 형태는 *bist*임.
- 동사 kommen의 pp형은 *gekommen*임.

→ 따라서 정답은: ... bist *du* ... gekommen?

2. Früher _haben_ wir oben im siebten Stock _gewohnt_.

✱ **해석** 과거에 우리는 위쪽 8층에 살았어.

✱ **어휘** früher [부사어] 전에, 과거에 ↔ später 나중에, 미래에 ▌wohnen [자동사] 살다, 거주하다 (3 기본형 *규칙* 변화: wohn*en* - wohn*te* - *ge*wohn*t*) ▌oben [부사어] 위에 ↔ unten 아래에 ▌in [*3·4격* 전치사] (*3격* 지배: *위치*) ~안에, ~에 → 「im + 남성·중성 3격」: im siebten Stock 8 층*에* ▌sieb*t* [서수] 제 7의, 일곱 번째의 (서수는 *형용사 어미변화*함!) ← sieben 7 ▌der Stock (건물의) 층 (die Stock)

☞ 동사 wohnen('거주하다')은 자동사이긴 하지만 '장소 이동'이나 '상태 변화' 모두 아님.
따라서 현재완료 형식은 「*haben* ... pp」:
- 주어가 wir이므로 haben의 형태는 원형과 같은 *haben*임.
- 동사 wohnen의 pp형은 *ge*wohn*t*임.

→ 따라서 정답은: ... haben *wir* ... gewohnt.

► 「*im* siebt*en* Stock」:
- 명사 Stock는 *남성*이며, 전치사 in의 *3격* 목적어이므로 *남성 3격!!*
  따라서 *남성 3격* 정관사 dem이 오는데, 전치사 in과 결합하여 *im*이 됨.
- 서수 siebt 앞에 im, 즉 in dem이 오므로 어미 *-en*이 붙어 siebt*en*임.
  3격 어미 ***-em*** (남성·중성), ***-er*** (여성), ***-en*** (복수)을 지닌 관사, 소유대명사, 지시대명사 ... 등이 앞에 있을 경우 형용사는 어미 ***-en*** 이 붙음.

3. Er _ist_ an die Universität _gegangen_ und _hat_ ein Forschungsprojekt _übernommen_.

✱ **해석** 그는 대학교에 가서 한 연구 프로젝트를 위임 받았다.

✻ 어휘 gehen [자동사] 가다 (3 기본형: gehen - ging - gegangen ; '*장소 이동* 자동사 → 완료형 「*sein* ... pp」) <주의> '장소 이동' 동사 gehen과 함께 오는 3·4격 전치사는 '방향'을 나타내므로 *4격 지배*임! ▌an [*3·4격* 전치사] (*4격* 지배: *방향*) ~옆으로, ~으로 : an die Universität gehen 대학으로 가다, 대학을 다니다 ▌die Universität 대학교 (die Universität*en*) ▌übernehmen [타동사] ...을 떠맡다 (영. take over) (3 기본형: *über*nehmen - *über*nahm - *über*nommen ※형태가 *über*-로서 pp형에서 *ge- 탈락*! 즉, über*ge*nommen 아님!) (현재 시제: du übernimm*st* ; er übernimm*t*) ⇐ nehmen [타동사] ...을 갖다, 취하다 (영. take) (3 기본형: nehmen - nahm - genommen) (현재 시제: du nimm*st* ; er nimm*t*) ▌das Forschungsprojekt 연구 계획 (die Forschungsprojekt*e*) ← die Forschung 연구 (die Forschung*en*) ← forschen [타동사/자동사] (...을) 연구하다 + das Projekt 프로젝트, 계획 (die Projekt*e*)

접속사 und 앞 문장

☞ 동사 gehen('가다')은 '장소 이동' 자동사임.
따라서 현재완료 형식은 「*sein* ... pp」:
- 주어가 Er이므로 동사 sein의 형태는 *ist*임.
- 동사 gehen의 pp형은 *gegangen*임.

→ 따라서 정답은: *Er* ist ... gegangen und ...

접속사 und 뒤 문장

☞ 동사 übernehmen('...을 떠맡다')은 4격 목적어를 요구하는 타동사임.
따라서 현재완료 형식은 「*haben* ... pp」:
- 주어가 Er이므로 haben의 형태는 *hat*임.
  접속사 und 앞 문장의 주어와 동일함!
- 동사 übernehmen의 pp형은 über*nommen*임.

→ 따라서 정답은: *Er* ... und hat ... übernommen.

► 명사 Universität는 교육 및 연구 기관으로서 "대학"을 뜻할 경우 전치사 *an*과 결합함:
Er studiert Medizin *an* der Universität Münster. '그는 뮌스터 대학에서 의학을 공부한다.'
그러나 대학교의 특정 장소 및 건물을 뜻할 경우는 전치사 *in*과 결합함:
Wir treffen uns um 12 Uhr *in* der Universität. '우리는 12시에 대학에서 만난다.'

4. Er hat in den Ferien gearbeitet ; dadurch hat er etwas Geld verdient .

✻ 해석 그는 방학 동안 일을 했고, 이를 통해 약간의 돈을 벌었다.

✻ 어휘 arbeiten [자동사] 일하다, 작업하다 (3 기본형 *규칙* 변화: arbeit*en* - arbeit*ete* - *ge*arbeit*et* ※ arbei*t*en은 어간 끝이 *-t*이므로 발음상 -e- 첨가! ▌in [*3·4격* 전치사] (*3격* 지배: *시간적* 의미) ~에 : in den Ferien 방학 기간*에* ▌die Ferien (항상 복수) 방학, 휴가 ▌dadurch 그것을 통해 → durch [4격 전치사] ~을 통해 + das [지시대명사] 그것 ▌verdienen [타동사] ...을 벌다 (3 기본형 *규칙* 변화: *ver*dien*en* - *ver*dien*te* - *ver*dien*t* ※형태가 *ver*-이므로 pp형에서 *ge- 탈락*! 즉, ver*ge*dient 아님!) ⇐ 「dienen + 3격」 '...에 도움이 되다, 기여하다' (3 기본형 *규칙* 변화: dien*en* - dien*te* - *ge*dien*t*) ▌etwas [부사어] 약간, 조금 (= ein wenig, ein bisschen) ▌das Geld (주로 단수) 돈 (die Geld*er*)

세미콜론 앞 문장

☞ 동사 arbeiten('일하다')은 비록 자동사이긴 하지만 '장소 이동'이나 상태 변화' 모두 아님.
따라서 현재완료 형식은 「*haben* ... pp」:

- 주어가 Er이므로 haben의 형태는 *hat*임.
- 동사 arbeiten의 pp형은 *ge*arbeit*et*임.

→ 따라서 정답은: *Er* hat ... gearbeitet ; ...

세미콜론 뒤 문장

► dadurch('*그것*을 통해')는 세미콜론 앞 문장의 내용을 받음.

☞ 동사 verdienen('...을 벌다')은 4격 목적어를 지니는 타동사임.
따라서 현재완료 형식은 「*haben* ... pp」:

- 주어가 er이므로 haben의 형태는 *hat*임.
- 동사 verdienen의 pp형은 *ver*dien*t*임.

→ 따라서 정답은: ... ; ... hat *er* ... verdient.

5. Warum hat Jens seine Freundin nicht besucht ? - Die beiden haben sich gestritten.

✺ **해석** 왜 옌스는 자신의 여자 친구를 방문하지 않았니? - 그 둘은 서로 다투었어.

✺ **어휘** warum [의문사] 왜? ▌besuchen [타동사] ...을 방문하다 (3 기본형 *규칙* 변화: *be*such*en* - *be*such*te* - *be*such*t* ※ 형태가 *be*-이므로 pp형에서 *ge*- *탈락*! 즉, be*ge*sucht 아님!) ⇐ suchen [타동사] ...을 찾다, 구하다 (3 기본형 *규칙* 변화: such*en* - such*te* - *ge*such*t*) ▌die Freund*in* 여자 친구 (die Freundin*nen*) ▌beid(e) [형용사] 둘의 (영. both) ▌「주어(*복수*) + streiten sich[4]」 서로 다투다 (3 기본형: streiten - stritt - gestritten) <참고> 「streiten sich[4] mit + 3격(사람) + über + 4격」 *누구*와 ...에 관해 다투다 ▌sich [*4격* 재귀대명사] 주어가 Die beiden, 즉 복수의 sie('그들은')이므로 4격 재귀대명사는 *sich* (3격 재귀대명사도 *sich*) <참고> *1, 2인칭* 주어, 즉 단수의 *ich*, *du* ; 복수의 *wir*, *ihr*를 제외한 나머지 모든 경우, *3격* 및 *4격 재귀대명사* 모두 동일하게 *sich*임.

문장 1

☞ 동사 besuchen('...을 방문하다')은 4격 목적어를 지니는 타동사임.
따라서 현재완료 형식은 「*haben* ... pp」:

- 주어인 Jens는 er에 해당하므로 haben의 형태는 *hat*임.
- 동사 besuchen의 pp형은 *be*such*t*임.

→ 따라서 정답은: ... hat *Jens* ... besucht.

문장 2

► 「Di*e* beid*en* 」: 앞 문장에서 언급된 Jens와 그의 여자 친구, 두 명을 받음!
형용사 beid(e)는 '*둘*의'라는 의미를 지니므로 그 뒤에는 *복수*명사, 이를테면 Leute('사람들') 혹은 Mensch*en*('사람들') 등이 생략된 것으로 볼 수 있음!

- 형용사 beid(e) 뒤에 생략된 명사가 *복수*이며, *주어*이므로 *복수 1격*!!
  따라서 *복수 1격* 정관사 Di*e*가 앞에 옴.
- 형용사 beid(e) 앞에 *복수 1격* 정관사 Di*e*가 있음.
  → 따라서 Die beid *en* 임.
  (근거: 복수 1, 4격 di*e*, mein*e*, sein*e*, ihr*e*, unser*e*, kein*e*, dies*e* ... + 형용사 *-en*)

☞ 재귀동사 「streiten sich[4]」('다투다')는 4격 재귀대명사를 목적어로 지니는 일종의 타동사임.
따라서 현재완료 형식은 「*haben* ... pp」:
- 주어가 Die beiden, 즉 복수의 sie('그들은')에 해당하므로 haben의 형태는 *haben*임.
- 동사 streiten의 pp형은 *gestritten*임.

→ 따라서 정답은: *Die beiden* haben ... gestritten.

► 주어인 Die beiden은 복수의 sie('그들은')에 해당하므로 4격 재귀대명사 *sich*가 옴.

6. Wir haben ihn zweimal eingeladen ; trotzdem ist er nicht gekommen .

✵ **해석** 우리는 그를 두 번 초대했는데, 그럼에도 불구하고 그는 오지 않았다.

✵ **어휘** *ein*laden [분리동사&타동사] ...을 초대하다 (3 기본형: *ein*laden - *ein*lud - *ein*geladen) (현재 시제: du l*ä*d*st* ... *ein* ; er l*ä*d*t* ... *ein*) ⇐ laden [타동사] ...을 싣다 (영. load) (3 기본형: laden - lud - geladen) (현재 시제: du l*ä*d*st* ; er l*ä*d*t*) ▌ihn [인칭대명사] er의 *4격* 형임. (3격 형은 *ihm*) ▌zweimal [부사어] 두 번 ▌trotzdem [부사어] 그럼에도 불구하고 (= dennoch) ▌kommen [자동사] 오다 (3 기본형: kommen - kam - gekommen ; '*장소 이동*' 자동사 → 완료형 「*sein* ... pp」)

세미콜론 앞 문장

☞ 분리동사 *ein*laden('...을 초대하다')은 4격 목적어를 요구하는 타동사이므로
현재완료 형식은 「*haben* ... pp」:
- 주어가 Wir이므로 haben의 형태는 원형 그대로 *haben*임.
- 동사 *ein*laden의 pp형은 *ein*geladen임.

→ 따라서 정답은: *Wir* haben ... eingeladen ; ...

세미콜론 뒤 문장

☞ 동사 kommen('오다')은 '장소 이동' 자동사임.
따라서 현재완료 형식은 「*sein* ... pp」:
- 주어가 er이므로 동사 sein의 형태는 *ist*임.
- 동사 kommen의 pp형은 *gekommen*임.

→ 따라서 정답은: ... ; ... ist *er* ... gekommen.

7. Sie sind also am Wochenende nach München gefahren . Wer von Ihnen hat das Auto gefahren ? Sie oder Ihr Mann?

✵ **해석** 그러니까 당신들은 주말에 뮌헨으로 가셨군요. 당신들 가운데 누가 차를 운전했나요? 당신인가요? 아니면 당신의 남편인가요?

✱ 어휘 fahren [1] [자동사] (차 타고) 가다 ('장소 이동 자동사 → 완료형「sein ... pp」) ; [2] [타동사] ...을 운전하다 (완료형「haben ... pp」) (3 기본형: fahren - fuhr - gefahren) (현재 시제: du fährst ; er fährt) ▌also [부사어] 내용을 재차 확인하며 강조하는 표현. ("그러니까 ...이군요") ▌an [3 · 4격 전치사] (3격 지배: 시간적 의미) ~에 →「am + 남성 · 중성 3격」: am Wochenende 주말에 ▌das Wochenende 주말 (즉, 토요일과 일요일) (die Wochenenden) ← die Woche 주, 주일 (die Wochen) + das Ende (주로 단수) 끝 (die Enden) <참고>「am Ende + 2격」 '...의 끝에' : am Ende des Buches 그 책의 끝에 ▌「nach + 도시」 (방향) ~로 : nach München 뮌헨으로 (고유명사 관사 없음!) ▌wer [의문사] 누가? ▌von [3격 전치사] ~중에서, ~가운데 (영. of) ▌Ihnen [인칭대명사] 격식칭 Sie('당신은, 당신들은')의 3격 형임. (4격 형은 Sie) ▌das Auto 자동차 (die Autos) ▌der Mann 남편 (die Männer)

문장 1

☞ 동사 fahren('차 타고 가다')은 '장소 이동' 자동사임.
따라서 현재완료 형식은「*sein* ... pp」:

- 주어가 격식칭 Sie('당신들') 이므로 동사 sein의 형태는 *sind*임.
  뒤에 오는 문장의 주어 Wer von ***Ihnen***의 의미가 '***당신들*** 가운데 누구'임을 고려할 때, 여기서 격식칭 Sie는 복수의 의미 '당신**들**'로 이해되어야 함.
- 동사 fahren의 pp형은 *gefahren*임.

→ 따라서 정답은: *Sie* sind ... gefahren.

문장 2

☞ 여기서는 동사 fahren('...을 운전하다')이 4격 목적어를 지니는 타동사임.
따라서 현재완료 형식은「*haben* ... pp」:

- 주어인 Wer von Ihnen, 즉 Wer는 단수 3인칭 er 취급하므로 haben의 형태는 *hat*임.
- 동사 fahren의 pp형은 *gefahren*임.

→ 따라서 정답은: *Wer von Ihnen* hat ... gefahren?

8. Zu Weihnachten hat sich mein kleiner Bruder ein neues Fahrrad gewünscht .

✱ 해석 크리스마스에 나의 어린 남동생은 새 자전거 하나를 (받기를) 원했어.

✱ 어휘 das Weihnachten (주로 단수) 크리스마스 (die Weihnachten) : zu Weihnachten 크리스마스에 = an Weihnachten (특히 남부 독일에서 사용!) ▌wünschen [타동사] ...을 소원하다 :「wünschen sich[3] + 4격」 '...을 (갖기를) 소원하다' (3 기본형 규칙 변화: wünschen - wünschte - gewünscht) ← der Wunsch 소원 (die Wünsche) ▌klein [형용사] 작은, 어린 ▌der Bruder 남자 형제 (die Brüder) ▌neu [형용사] 새, 새로운 ▌das Fahrrad 자전거 (die Fahrräder) ← das Rad 바퀴 (die Räder) <참고> das Motorrad 오토바이 (die Motorräder) ← der Motor 모터, 엔진 (die Motoren)

► 「mein_ klein*er* Bruder」:
- 명사 Bruder는 *남성*이며, *주어*이므로 *남성 1격!!*
  따라서 소유대명사 mein-은 *남성 1격* 부정관사 ein_처럼 어미 없이 mein_임.
- 형용사 klein 앞에 *남성 1격*의 ein_에 일치하는 mein_이 있음.
  → 따라서 mein_ klein *er* ...
  (근거: 남성 1격 ein_ , mein_ , ihr_ , euer_ , unser_ , kein_ ... + 형용사 *-er*)

☞ 재귀동사 「wünschen sich[3] + 4격」('...을 소원하다')은 4격 목적어를 지니는 타동사임.
따라서 현재완료 형식은 「*haben* ... pp」:
- 주어인 mein kleiner Bruder는 er에 해당하므로 haben의 형태는 *hat*임.
- 동사 wünschen의 pp형은 *ge*wünsch*t*임.

→ 따라서 정답은: ... hat ... *mein kleiner Bruder* ... gewünscht.

► 「ein_ neu*es* Fahrrad」:
- 명사 Fahrrad는 *중성*이며, 동사 「hat ... gewünscht」의 *4격* 목적어이므로 *중성 4격!!*
  따라서 *중성 4격* 부정관사 ein_이 앞에 옴.
- 형용사 neu 앞에 *중성 4격*의 ein_이 있음.
  → 따라서 ein_ neu *es* ...
  (근거: 중성 1, 4격 ein_ , mein_ , ihr_ , euer_ , unser_ , kein_ ... + 형용사 *-es*)

► 어순: sich는 재귀*대명사*이므로 대명사가 아닌 주어 mein kleiner Bruder보다 앞에 옴.

9. Kennst du Jürgen schon lange? - Nein, ich habe ihn erst im Sommer kennen gelernt . Vorher habe ich ihn nicht gekannt .

✺ **해석** 너는 위르겐을 안 지 오래 되었니? - 아니, 나는 그를 (지난) 여름에 비로소 사귀었어. 그 전에는 그를 알지 못했어.

✺ **어휘** kennen [타동사] ...을 알다 (3 기본형: kennen - kannte - gekannt) ▌schon [부사어] 이미, 벌써 ▌lange [부사어] 오랫동안 <참고> lang [형용사] (시간적, 공간적) 긴 ▌*kennen* lernen [타동사] ...을 사귀다 <주의> 문장 안에서 *kennen*은 마치 분리전철처럼 *문장 맨 뒤에 위치*함: 「lernen + 4격 ... *kennen*」 ...을 사귀다 (3 기본형 *규칙* 변화: *kennen* lern*en* - *kennen* lern*te* - *kennen* *ge*lern*t*) ⇐ lernen [타동사] ...을 배우다 (3 기본형 *규칙* 변화: lern*en* - lern*te* - *ge*lern*t*) ▌ihn [인칭대명사] er의 *4격* 형임. (3격 형은 *ihm*) ▌erst [부사어] 비로소 ▌「im + 남성·중성 3격」 → 「im + 계절」: im Sommer 여름에 ▌der Sommer 여름 (die Sommer) <참고> der Frühling 봄, der Herbst 가을, der Winter 겨울 ▌vorher [부사어] 이전에 ↔ nachher 이후에

문장 2

☞ 동사 kennen lernen('...을 사귀다')은 4격 목적어를 지니는 타동사임.
따라서 현재완료 형식은 「*haben* ... pp」:
- 주어가 ich이므로 haben의 형태는 *habe*임.
- 동사 kennen lernen의 pp형은 *kennen* *ge*lern*t*임.

→ 따라서 정답은: ... *ich* habe ... kennen gelernt.

문장 3

☞ 동사 kennen('...을 알다')은 4격 목적어를 지니는 타동사임.
따라서 현재완료 형식은 「*haben* ... pp」:
- 주어가 ich이므로 haben의 형태는 *habe*임.
- 동사 kennen의 pp형은 *gekannt*임.

→ 따라서 정답은: ... habe *ich* ... gekannt.

IV. 다음 문장을 현재완료 시제로 바꾸시오. (15과, 기초문제: 교재 86쪽)

1. Er reist viel.

✱ **해석** 그는 많이 여행 간다.

✱ **어휘** reisen [자동사] 여행가다 (3 기본형 *규칙* 변화: reis*en* - reis*te* - *ge*reis*t* ; '*장소 이동* 자동사 → 완료형 「*sein* ... pp」) ▌viel 많이 ↔ wenig 조금

정답 Er *ist* viel *gereist*.

✱ **해석** 그는 많이 *여행갔다*.

☞ 동사 reisen('여행가다')은 '장소 이동' 자동사임.
따라서 현재완료 형식은 「*sein* ... pp」:
- 주어가 Er이므로 동사 sein의 형태는 *ist*임.
- 동사 reisen의 pp형은 *ge*reis*t*임.

→ 따라서 정답은: *Er* ist ... gereist.

2. Er denkt an deinen Geburtstag.

✱ **해석** 그는 너의 생일을 생각하고 있어.

✱ **어휘** denken [자동사] 생각하다 : 「denken an + 4격」 '...을 생각하다' (영. think of ...) (3 기본형: denken - dachte - gedacht) → der Gedanke 생각 (die Gedanke*n*) ▌der Geburtstag 생일 (die Geburtstag*e*) ← die Geburt 출생 + der Tag 날, 일 (die Tag*e*)

정답 Er *hat* an deinen Geburtstag *gedacht*.

✱ **해석** 그는 너의 생일을 *생각했어*.

☞ 동사 denken('생각하다')은 자동사이긴 하지만 '장소 이동'이나 '상태 변화'가 아님.
따라서 현재완료 형식은 「*haben* ... pp」:
- 주어가 Er이므로 haben의 형태는 *hat*임.
- 동사 denken의 pp형은 *gedacht*임.

→ 따라서 정답은: *Er* hat ... gedacht.

► 「an dein*en* Geburtstag」:
명사 Geburtstag은 *남성*이며, 전치사 an의 *4격* 목적어이므로 *남성 4격!!*
따라서 소유대명사 dein-('너의')은 *남성 4격* 부정관사 ein*en*처럼 어미변화 하여 dein*en*임.

3. Warum geht er nicht ins Kino?

✺ **해석** 왜 그는 영화관으로 가지 않니?

✺ **어휘** warum [의문사] 왜? ▌gehen [자동사] 가다 (3 기본형: gehen - ging - gegangen ; '*장소 이동* 자동사 → 완료형 「*sein* ... pp」) <참고> '장소 이동' 자동사 gehen과 함께 오는 3・4격 전치사는 '방향'을 나타내므로 *4격 지배*임! ▌in [*3・4격* 전치사] (*4격* 지배: *방향*) ~안으로, ~로 → 「ins + 중성 4격」: ins Kino gehen 영화관*으로* 가다 ▌das Kino 영화관 (die Kino*s*)

정답 Warum *ist* er nicht ins Kino *gegangen*?

✺ **해석** 왜 그는 영화관으로 *가지 않았니*?

☞ 동사 gehen('가다')은 '장소 이동' 자동사임.
따라서 현재완료 형식은 「*sein* ... pp」:
- 주어가 er이므로 동사 sein의 형태는 *ist*임.
- 동사 gehen의 pp형은 *gegangen*임.

→ 따라서 정답은: ... ist *er* ... gegangen?

4. Wann kommst du nach Österreich?

✺ **해석** 언제 너는 오스트리아로 오니?

✺ **어휘** wann [의문사] 언제? ▌kommen [자동사] 오다 (3 기본형: kommen - kam - gekommen ; '*장소 이동*' 자동사 → 완료형 「*sein* ... pp」) ▌「nach + 국가」 (방향) ~로 : nach Österreich 오스트리아*로* (고유명사 관사 없음!) ▌Österreich [고유명사] (국가 명) 오스트리아 → österreichisch [형용사] 오스트리아의

정답 Wann *bist* du nach Österreich *gekommen*?

✺ **해석** 언제 너는 오스트리아로 *왔니*?

☞ 동사 kommen('오다')은 '장소 이동' 자동사임.
따라서 현재완료 형식은 「*sein* ... pp」:
- 주어가 du이므로 동사 sein의 형태는 *bist*임.
- 동사 kommen의 pp형은 *gekommen*임.

→ 따라서 정답은: ... bist *du* ... gekommen?

5. Wir wohnen in der Nähe des Rathauses.

✱ **해석** 우리는 시청 근처에서 거주하고 있다.

✱ **어휘** wohnen [자동사] 거주하다 (3 기본형 *규칙* 변화: wohn*en* - wohn*te* - *ge*wohn*t*) ▌die Nähe 가까움, 근처 (복수 없음) ← nah(e) [형용사] 가까운 ▌in [*3 · 4격* 전치사] (*3격* 지배: *위치*) ~안에, ~에 → 「in der Nähe + *2격*」 '...의 근처에서' : in der Nähe des Rathauses 시청의 근처*에서* ▌das Rathaus 시청 ← das Haus 집 (die H*ä*us*er*)

정답 Wir *haben* in der Nähe des Rathauses *gewohnt.*

✱ **해석** 우리는 시청 근처에서 *거주했다.*

☞ 동사 wohnen('거주하다')은 자동사이긴 하지만 '장소 이동'이나 '상태 변화' 모두 아님.
따라서 현재완료 형식은 「*haben* ... pp」:
- 주어가 Wir이므로 haben의 형태는 원형 그대로 *haben*임.
- 동사 wohnen의 pp형은 *ge*wohn*t*임.

→ 따라서 정답은: *Wir* haben ... gewohnt.

► 「... Nähe d*es* Rathaus*es* 」:
- 명사 Rathaus는 *중성*이며, 앞의 명사 Nähe를 수식하는 *2격* 형이므로 *중성 2격*!!
  따라서 중성 2격 어미 *-es* 를 지닌 정관사 d*es*가 앞에 옴.
  2격 어미 : ***-es*** (남성, 중성) ; ***-er*** (여성, 복수)
- Rathaus는 *중성*명사이므로 2격의 명사 어미 *-es* 가 붙어 Rathaus*es*임.
  남성 및 ***중성***명사 2격은 어미 ***-s*** 혹은 ***-es***가 붙음.
  (***여성*** 및 ***복수***명사는 2격 명사 어미 없음!)

6. Was geschieht?

✱ **해석** 무엇이 발생할까?

✱ **어휘** was [의문사] 무엇이? (*1격* 형) ▌geschehen [자동사] 발생하다 (3 기본형: geschehen - geschah - geschehen ; '*상태 변화* 자동사 → 완료형 「*sein* ... pp」) (현재 시제: du gesch*ie*h*st* ; er gesch*ie*h*t*) = passieren (3 기본형 *규칙* 변화: passier*en* - passier*te* - passier*t* ※형태가 *-ieren*이므로 pp형에서 *ge-* *탈락*! 즉, *ge*passiert 아님!)

정답 Was *ist geschehen*?

✱ **해석** 무엇이 *발생했을까*?

☞ 동사 geschehen('발생하다')은 '상태 변화' 자동사임.

따라서 현재완료 형식은 「*sein* ... pp」:

- 주어인 의문사 Was는 중성의 es에 해당하므로 동사 sein의 형태는 *ist*임.
- 동사 geschehen의 pp형은 *geschehen*임.

→ 따라서 정답은: *Was* ist geschehen?

7. Warum besucht er seine Kollegin nicht?

✱ **해석** 왜 그는 자신의 여자 동료를 방문하지 않니?

✱ **어휘** warum [의문사] 왜? ▌besuchen [타동사] ...을 방문하다 (3 기본형 *규칙* 변화: *be*such*en* - *be*such*te* - *be*such*t* ※형태가 *be*-이므로 pp형에서 *ge*- 탈락! 즉, be*ge*sucht 아님!) ⇐ suchen [타동사] ...을 구하다, 찾다 (3 기본형 *규칙* 변화: such*en* - such*te* - *ge*such*t*) ▌die Kolleg*in* 여자 동료 (die Kollegin*nen*) ↔ der Kollege 동료, 남자 동료 (die Kollege*n*) <주의> 명사 Kollege는 주어가 아닌 *단수 2, 3, 4격*이 복수형과 동일하게 Kollege*n*인 *약변화* 명사!

정답 Warum *hat* er seine Kollegin nicht *besucht*?

✱ **해석** 왜 그는 자신의 여자 동료를 *방문하지 않았니*?

☞ 동사 besuchen('...을 방문하다')은 4격 목적어를 요구하는 타동사임.

따라서 현재완료 형식은 「*haben* ... pp」:

- 주어가 er이므로 동사 haben의 형태는 *hat*임.
- 동사 besuchen의 pp형은 *be*such*t*임.

→ 따라서 정답은: ... hat *er* ... besucht?

8. Was sagt er dir denn?

✱ **해석** 그가 너에게 무엇을 말하니?

✱ **어휘** was [의문사] 무엇을? (*4격* 형) ▌「sagen + 3격(사람) + 4격」 ~~누구~~에게 ...을 말하다 (3 기본형 *규칙* 변화: sag*en* - sag*te* - *ge*sag*t*) ▌dir [인칭대명사] du의 *3격* 형임. (4격 형은 *dich*) ▌denn [부사어] 구어체 의문문에서 질문을 자연스럽게 유도함. (우리말 해석 필요 없음!)

정답 Was *hat* er dir denn *gesagt*?

✱ **해석** 그가 너에게 뭐라고 *말했니*?

☞ 동사 sagen('누구에게 ...을 말하다')은 4격 목적어를 지니는 타동사임.

따라서 현재완료 형식은 「*haben* ... pp」:

- 주어가 er이므로 동사 haben의 형태는 *hat*임.
- 동사 sagen의 pp형은 *ge*sag*t*임.

→ 따라서 정답은: ... hat *er* ... gesagt?

unit 02

심화문제

I. 현재완료 문장을 완성하시오. (15과, 심화문제: 교재 88쪽)

1. Sind Sie geflogen oder mit dem Zug gefahren ?

✵ **해석** 당신은 비행기로 갔습니까? 아니면 기차로 갔습니까?

✵ **어휘** fliegen [자동사] (비행기 타고) 가다, 날아가다 (3 기본형: fliegen - flog - geflogen ; '*장소 이동* 자동사 → 완료형「*sein* ... pp」) ▌oder [등위 접속사] 혹은, 또한 (영. or) ▌mit [*3격* 전치사] ~을 가지고 →「mit + 차량(3격)」'...을 타고' : mit dem Zug 기차*를 타고*, 기차*로* ▌der Zug 기차 (die Züg*e*) ▌fahren [자동사] (차량을 타고) 가다 (3 기본형: fahren - fuhr - gefahren ; '*장소 이동* 자동사 → 완료형「*sein* ... pp」) (현재 시제: du fähr*st* ; er fähr*t*)

☞ 두 개의 동사 fliegen과 fahren의 현재완료 형식이 접속사 oder에 의해 연결됨.
동사 fliegen('날아가다')과 fahren('차량을 타고 가다') 모두 '장소 이동' 자동사임.
따라서 현재완료 형식은「*sein* ... pp」:

- 주어가 격식칭 Sie('당신은, 당신들은')이므로 동사 sein의 형태는 *sind*임.
- 동사 fliegen의 pp형은 *geflogen*임이고, 동사 fahren의 pp형은 *gefahren*임.

→ 따라서 정답은: Sind *Sie* ... geflogen oder ... gefahren?

2. Tut mir Leid, der Kaffee ist ziemlich stark geworden . - Das macht gar nichts, ich mag starken Kaffee sehr gern.

✵ **해석** 죄송스러운데, 커피가 상당히 진하게 되었어요. - 전혀 문제없어요. 저는 진한 커피를 아주 좋아해요.

✵ **어휘** (Das) tut mir Leid! (구어체) "유감입니다!" (영. I am sorry!) ▌der Kaffee [*물질*명사: 주로 단수] 커피 (die Kaffee*s*) ▌werden [자동사] (동사 sein처럼 *형용사* 및 *명사 보어*와 함께) '...되다' (영.. become) (3 기본형: werden - wurde - geworden ; '*상태 변화* 자동사 → 완료형「*sein* ... pp」) (현재 시제: du wirst ; er wird) ▌ziemlich [부사어] 상당히 ▌stark [형용사] 강한, (부사적) 강하게 ▌Das macht (gar) nichts! "괜찮습니다!" ("죄송하다!", "미안하다!" 등에 대한 의례적 대응 표현임.) ▌gar [부사어] 부정어 nicht, nichts, kein- 등과 결합하여 부정 의미를 강화함! :「gar nicht ...」,「gar kein- ...」,「gar nichts ...」'전혀 ... 않다' ▌nichts [부정대명사] 아무것도 ... 않다 (영. nothing) ▌mag (동사 mögen의 *현재* 시제) ⇒ mögen [타동사] ...을 좋아하다, 선호하다 (*현재* 시제, *주어가 단수*일 때 *불규칙* 변화: ich mag ; du mag*st* ; er mag ; wir mög*en* ; ihr mög*t* ; sie, Sie mög*en*) (3 기본형: mögen - mochte - gemocht) ▌sehr

[부사어] 매우, 아주 ▌gern(e) [부사어] 기꺼이, 즐겨

문장 1

☞ 동사 werden('... 되다')은 '상태 변화' 자동사임.

따라서 현재완료 형식은 「*sein* ... pp」:

- 주어가 der Kaffee, 즉 er에 해당하므로 동사 sein의 형태는 *ist*임.
- 동사 werden의 pp형은 *geworden*임.

→ 따라서 정답은: ... *der Kaffee* ist ... geworden.

문장 2

► 「stark*en* Kaffee」:

명사 Kaffee는 *남성*이며, 동사 mag의 *4격* 목적어이므로 *남성 4격!!*

따라서 형용사 stark는 *남성 4격* 정관사 d*en* 처럼 어미변화 하여 stark*en*임.

형용사 앞에 관사, 소유대명사, 지시대명사 ... 등이 ***없을*** 경우
형용사 자체가 ***정관사 d-*** 어미변화 함!

3. Wir besuchen fast jeden Sonntag unsere Eltern, aber letztes Wochenende sind wir zu Hause geblieben.

✺ **해석** 우리는 거의 모든 일요일마다 우리의 부모님을 방문했지만, 지난 주말에는 집에 머물렀어요.

✺ **어휘** besuchen [타동사] ...을 방문하다 (3 기본형 *규칙* 변화: besuch*en* - besuch*te* - besuch*t* ※형태가 *be*-이므로 pp형에서 *ge- 탈락*! 즉, be*ge*sucht 아님!) ⇐ suchen [타동사] ...을 찾다, 구하다 (3 기본형 *규칙* 변화: such*en* - such*te* - *ge*such*t*) ▌fast [부사어] 거의 (영. almost) ▌「jed- + *단수*명사」 '모든 ..., 매 ...' (영. every, each) (jed-는 *정관사 d-* 어미변화!) : jeden Sonntag 일요일마다 (*4격*의 시간 부사어!) <참고> jeden Tag 매일, jdes Jahr 매년 ▌der Sonntag 일요일 (die Sonntag*e*) ▌die Eltern (항상 복수) 부모 ▌letzt- [형용사] 지난, 마지막의 (뒤에 오는 명사를 *수식*하는 용법뿐임!) ▌das Wochenende 주말 (die Wochenende*n*) : letztes Wochenende 지난 주말에 (*4격*의 시간 부사어!) ▌bleiben [자동사] 머무르다 (3 기본형: bleiben - blieb - geblieben ; 완료형 「*sein* ... pp」) ▌zu Haus(e) (위치) 집에, 집에서

접속사 aber 앞 문장

► 「unser*e* Eltern」:

명사 Eltern은 *복수*이며, 동사 besuchen의 *4격* 목적어이므로 *복수 4격!!*

따라서 소유대명사 unser-('우리의')는 *복수 4격* 정관사 di*e*처럼 어미변화 하여 unser*e*임.

소유대명사는 원래 ***부정관사 ein-*** 어미변화 하지만,
복수일 경우는 ***정관사 d-*** 어미변화 함!

접속사 aber 뒤 문장

☞ 동사 bleiben('머물다')의 현재완료 형식은 「*sein* ... pp」:

- 주어가 wir이므로 동사 sein의 형태는 *sind*임.
- 동사 bleiben의 pp형은 *geblieben*임.

→ 따라서 정답은: ... sind *wir* ... geblieben.

4. Zum Glück __ist__ ihm bei dem Unfall nichts __passiert__.

✱ **해석** 다행히도 그 사고 당시 그에게는 아무 일도 발생하지 않았다.

✱ **어휘** das Glück 행운 (복수 없음) : zum Glück 운 좋게도 (↔ das Unglück 불행) ▌passieren [자동사] 발생하다 ('*상태 변화*' 자동사 → 완료형 「*sein* ... pp」; 3 기본형 *규칙* 변화: passier*en* - passier*te* - passier*t* ※형태가 *-ieren*이므로 pp형에서 *ge- 탈락*! 즉, *ge*passiert 아님!) = geschehen (3 기본형: geschehen - geschah - geschehen ; '*상태 변화*' 자동사 → 완료형 「*sein* ... pp」) ▌ihm [인칭대명사] er의 *3격* 형임. (4격 형은 *ihn*) ▌bei [*3격* 전치사] ~일 때, ~일 경우 : bei dem Unfall 그 사고가 났을 *때* ▌der Unfall 사고 (die Unfäll*e*) ▌nichts [부정대명사] 아무것도 ... 않다 (영. nothing) ↔ etwas 뭔가 (영. something)

☞ 동사 passieren('발생하다')은 '상태 변화' 자동사임.

따라서 현재완료 형식은 「*sein* ... pp」:

- 주어인 nichts는 단수 3인칭 es에 해당하므로 동사 sein의 형태는 *ist*임.
- 동사 passieren의 pp형은 passier*t*임.

→ 따라서 정답은: ... __ist__ ... *nichts* __passiert__.

► 주어는 *nichts*임.

5. Warum __ist__ Frau Voß nicht zu der Sitzung heute Morgen __gekommen__?
 - Sie muss einen sehr dringenden Termin gehabt haben.

✱ **해석** 왜 포스 부인은 오늘 아침 회의에 오지 않았나요? - 그 분에게 아주 급한 일정이 있었음에 틀림없어요.

✱ **어휘** warum [의문사] 왜? ▌kommen [자동사] 오다 (3 기본형: kommen - kam - gekommen ; '*장소 이동*' 자동사 → 완료형 「*sein* ... pp」) ▌zu [*3격* 전치사] (방향) ~로 : zu der Sitzung 회의*로* ▌die Sitzung 회의 (die Sitzung*en*) ▌heute Morgen 오늘 아침에 ← heute [부사어] 오늘 + der Morgen 아침 (die Morgen) ▌「__muss__ ... haben」 (화법조동사 müssen의 *현재* 시제) ⇒ 「müssen ... 동사 원형」[1] (의무, 강제) ...해야 한다 ; [2] (확신) ...임에 틀림없다 (현재 시제: __ich muss__ ; __du muss*t*__ ; __er muss__ ; wir müss*en* ; ...) (3 기본형: müssen - musste - gemusst, müssen) ▌「muss ... __gehabt haben__」 (화법조동사 müssen이 *완료형* 「haben ... gehabt」와 결합!) ⇒ 「müssen ... *pp형* __haben__」 혹은 「müssen ... *pp형* __sein__」 (*과거* 사실에 대한 확신) '...*__였음__*에 틀림없다' (영. 「must have + pp」) <참고> 「müssen ... __sein__」 (*현재* 사실에 대한 확신) '...*__임에__* 틀림없다' (영. 「must be」) ▌gehabt (동사 haben의 *pp형*) ⇒ haben [타동사] ...을 가지고 있다 (3 기본형: haben - hatte - gehabt) ▌sehr [부사어] 매우, 아주 ▌dringend [형용사] 급한, (부사적) 급히 ▌der Termin 일정, 면담 약속 (die Termin*e*) : einen Termin haben 일정, 약속이 있다

문장 1

☞ 동사 kommen('오다')은 '장소 이동' 자동사임.

따라서 현재완료 형식은 「*sein* ... pp」:

- 주어가 Frau Voß, 즉 여성의 sie('그녀는')에 해당하므로 동사 sein의 형태는 *ist*임.

- 동사 kommen의 pp형은 *gekommen*임.

→ 따라서 정답은: ... ist *Frau Voß* ... gekommen?

문장 2

► 「muss ... gehabt haben 」:
동사 haben의 완료 형식인 「haben ... gehabt」가 화법조동사 muss와 결합한 형태!
화법조동사와 결합하므로 haben이 문장 맨 뒤에 원형으로 옴: 「muss ... gehabt *haben* 」

► 「ein*en* sehr dringend*en* Termin」:

- 명사 Termin은 *남성*이며, 동사 「... *gehabt* haben」의 *4격* 목적어이므로 *남성 4격!!*
  따라서 *남성 4격* 부정관사 ein*en*이 앞에 옴.
- 형용사 dingend 앞에 *남성 4격* 부정관사 ein*en*이 있음.
  → 따라서 ein*en* ... dringend_en_ ...
  (근거: 남성 4격 ein*en*, d*en*, mein*en*, ihr*en*, kein*en*, dies*en* ... + 형용사 *-en*)

► dringend는 현재분사임!

<참고>
현재분사: 「동사 원형 *-d* 」능동의 의미를 지니는 형용사! (영. 동사 원형 -ing) :
동사 원형 dringen '재촉하다' + -d = 현재분사 dringen*d* '재촉하는', 즉 '급한'

6. Mein Kollege _ist_ vor einer halben Stunde _angekommen_.

✻ **해석** 내 동료는 반 시간 전에 도착했다.

✻ **어휘** der Kollege 동료, 남자 동료 (die Kollege*n*) <주의> 주어를 제외한 *단수 2, 3, 4격*이 복수형과 동일하게 Kollege*n*인 *약변화* 명사! ▌*an*kommen [분리동사&자동사] 도착하다 (3 기본형: *an*kommen - *an*kam - *an*gekommen ; '*장소 이동*' 자동사 → 완료형 「sein ... pp」) ⟸ kommen [자동사] 오다 (3 기본형: kommen - kam - gekommen ; '*장소 이동*' 자동사 → 완료형 「sein ... pp」) ▌vor [*3 · 4격* 전치사] (*3격* 지배: *시간적* 의미) ~전에 : vor einer halben Stunde 반시간 *전에* ▌halb [형용사] 반의, 1/2의 → die Hälfte 반, 1/2 (die Hälfte*n*) ▌die Stunde 시간 (die Stunde*n*)

☞ 분리동사 *an*kommen('도착하다')은 '장소 이동' 자동사임.
따라서 현재완료 형식은 「*sein* ... pp」:

- 주어가 Mein Kollege, 즉 er에 해당하므로 동사 sein의 형태는 *ist*임.
- 동사 *an*kommen의 pp형은 *angekommen*임.

→ 따라서 정답은: *Mein Kollege* ist ... angekommen.

► 「vor ein*er* halb*en* Stunde」:

- 명사 Stunde는 *여성*이며, 전치사 vor의 *3격* 목적어이므로 *여성 3격!!*
  따라서 *여성 3격* 어미 *-er*를 지닌 부정관사 ein*er*가 앞에 옴.
- 형용사 halb 앞에 *여성 3격* 부정관사 ein*er*가 있음.
  → 따라서 vor ein*er* halb_en_ ...
  (근거: 3격 어미 *-em* (남성 · 중성) ; *-er* (여성) ; *-en* (복수) 뒤에 오는 형용사는 *-en*)

II. 현재완료 문장을 완성하시오. (15과, 심화문제: 교재 88쪽)

1. Ulla und Sandra kennen sich zwar noch nicht lange, aber sie <u>sind</u> schon gute Freundinnen <u>geworden</u>.

✹ **해석** 울라와 산드라는 비록 서로 사귄 지는 아직 오래되지 않았지만, 벌써 좋은 친구가 되었다.

✹ **어휘** kennen [타동사] 누구를 알다 (영. know) → 「주어(*복수*) + kennen sich[4]」 서로를 알다 (3 기본형: kennen - kannte - gekannt) ▌sich [*4격* 재귀대명사] 주어가 "Ulla und Sandra", 즉 복수의 sie('그들은')이므로 4격 재귀대명사는 *sich* (3격 재귀대명사도 *sich*) <참고> *1, 2인칭* 주어, 즉 단수의 *ich, du* ; 복수의 *wir, ihr*를 제외한 나머지 모든 경우에 *3격* 및 *4격 재귀대명사* 모두 *sich*임! ▌「zwar ... , aber ...」 '비록 ...이지만, ...이다' ▌noch [부사어] 아직 ▌lange [부사어] 오랫동안 ▌werden [자동사] (동사 sein처럼 *형용사* 및 *명사 보어*와 함께) '...되다' (영. become) (3 기본형: werden - wurde - geworden ; '*상태 변화*' 자동사 → 완료형 「*sein* ... pp」) (현재 시제: du <u>wirst</u> ; er <u>wird</u>) ▌schon [부사어] 이미 ▌gut [형용사] 좋은 ▌die Freund*in* 여자 친구 (die Freundin*nen*)

접속사 aber 앞 문장

► 주어인 Ulla und Sandra는 복수의 sie('그들')에 해당하므로 4격 재귀대명사는 *sich*임.

접속사 aber 뒤 문장

☞ 동사 werden('... 되다')은 '상태 변화' 자동사임.
따라서 현재완료 형식은 「*sein* ... pp」:

- 주어가 복수의 sie('그들은')이므로 동사 sein의 형태는 *sind*임.
- 동사 werden의 pp형은 *geworden*임.

→ 따라서 정답은: ... *sie* <u>sind</u> ... <u>geworden</u>.

► 「gut<u>e</u> Freundin*nen*」:

- 명사 Freundin*nen*은 *복수*이며, 동사 「sind ... *geworden*」의 *명사 보어*이므로 <u>*복수 1격!!*</u>
 특정 '여자 친구들'을 뜻하지 않으므로 부정관사 ein-이 와야 하지만 복수이므로 생략됨.
- 형용사 gut 앞에 관사, 소유대명사 ... 등이 없으므로 gut은 *정관사* 어미변화 함!
 → 따라서 gut은 *복수 1격 정관사* di<u>e</u>처럼 어미변화 하여 gut<u>e</u>임.

2. <u>Hat</u> Ihnen das Spiel nicht <u>gefallen</u>?

✹ **해석** 그 게임이 당신의 마음에 들었나요?

✹ **어휘** gefallen [자동사] ...의 마음에 들다 : 「주어 + gefallen + 3격(사람)」 *주어는 누구*의 마음에 들다 (*3격* 요구 동사!) (3 기본형: gefallen - gefiel - <u>ge</u>fallen ※ 형태가 *ge*-이므로 pp형에서 *ge- 탈락!* 즉, ge*ge*fallen 아님!) (현재 시제: du gef<u>ä</u>ll*st* ; er gef<u>ä</u>ll*t*) ⇐ fallen [자동사] 떨어지다 (3 기본형: fallen - fiel - gefallen ; '*장소 이동*' 자동사 → 완료형 「*sein* ... pp」) (현재 시제: du f<u>ä</u>ll*st* ; er f<u>ä</u>ll*t*) ▌Ihnen [인칭대명사] 격식칭 Sie('당신은, 당신들은')의 *3격* 형임. (4격 형은 *Sie*) ▌das Spiel 놀이, 게임 (die Spiel*e*) ⇐ spielen [타동사/자동사] (...을) 놀다 (영. play) (3 기본형 *규칙* 변화: spiel*en* - spiel*te* - *ge*spiel*t*)

☞ 동사 gefallen('...의 마음에 들다')은 자동사이긴 하지만 '장소 이동'이나 '상태 변화' 모두 아님.
따라서 현재완료 형식은 「*haben* ... pp」:

- 주어인 das Spiel은 중성의 es에 해당하므로 haben의 형태는 *hat*임.
- 동사 gefallen의 pp형은 *gefallen*임.

→ 따라서 정답은: Hat ... *das Spiel* ... gefallen?

► 어순: Ihnen은 인칭*대명사*이므로 대명사가 아닌 주어 das Spiel보다 앞에 위치함.

3. Ist er lange bei dir geblieben ? - Nein, er ist am Abend schon wieder abgereist .

✵ **해석** 그가 오랫동안 너에게 머물렀니? - 아니, 그는 이미 저녁 때 다시 여행 떠났어.

✵ **어휘** bleiben [자동사] 머무르다 (3 기본형: bleiben - blieb - geblieben ; 완료형 「*sein* ... pp」) ▌ lange [형용사] 오랫동안 ▌ bei [*3격* 전치사] ~옆에 → 「bei + 사람(3격)」 (위치) *누구*에게서, *누구*의 집에서 ▌ dir [인칭대명사] du의 *3격* 형임. (4격 형은 *dich*) ▌ *ab*reisen [분리동사&자동사] 여행 떠나다 (3 기본형 *규칙* 변화: *ab*reis*en* - *ab*reis*te* - *ab*ge*reis*t* ; '*장소 이동* 자동사 → 완료형 「*sein* ... pp」) ⇐ reisen [자동사] 여행가다 (3 기본형 *규칙* 변화: reis*en* - reis*te* - *ge*reis*t* ; '*장소 이동* 자동사 → 완료형 「*sein* ... pp」) ▌ an [*3 · 4격* 전치사] (*3격* 지배: *시간적* 의미) ~에 → 「am + 남성 · 중성 3격」: am Abend 저녁*에* ▌ der Abend 저녁 (die Abend*e*) ▌ schon [부사어] 벌써 ▌ wieder [부사어] 다시, 재차 (영. again)

문장 1

☞ 자동사 bleiben('머무르다')의 현재완료 형식은 「*sein* ... pp」:

- 주어가 er이므로 동사 sein의 형태는 *ist*임.
- 동사 bleiben의 pp형은 *geblieben*임.

→ 따라서 정답은: Ist *er* ... geblieben?

문장 2

☞ 분리동사 *ab*reisen('여행 떠나다')은 '장소 이동' 자동사임.
따라서 현재완료 형식은 「*sein* ... pp」:

- 주어가 er이므로 동사 sein의 형태는 *ist*임.
- 동사 *ab*reisen의 pp형은 *abge*reis*t*임.

→ 따라서 정답은: ... *er* ist ... abgereist.

4. Es ist ganz plötzlich dunkel geworden , und gleich danach hat es viel geregnet .

✵ **해석** 아주 갑자기 어두워 졌고, 그런 뒤 곧바로 비가 많이 왔다.

✵ 어휘 werden [자동사] (동사 sein처럼 *형용사* 및 *명사 보어*와 함께) '...되다' (영. become) (3 기본형: werden - wurde - geworden ; '*상태 변화*' 자동사 → 완료형 「*sein* ... pp」) (현재 시제: du wirst ; er wird) ▌「ganz + 형용사 (부사)」 '아주 ...한, 아주 ...하게' : ganz plötzlich 아주 갑자기 <주의> 구어체에서 ganz에 *강세*를 주고 말할 경우는 '아주'가 아니라 '상당히'라는 의미를 지님! (= ziemlich 상당히) ▌plötzlich [형용사] 갑작스러운, (부사적) 갑자기 ↔ allmählich 점차적인, 점차적으로 ▌dunkel [형용사] 어두운 ↔ hell 밝은 ▌gleich [부사어] 곧, 즉시 ▌danach [부사어] 그 후, 그런 뒤에 ← nach [3격 전치사] ~후에 + das [지시대명사] 그것 ▌regnen [자동사] 비오다 (3 기본형 *규칙* 변화: regn*en* - regn*ete* - *ge*regn*et* ※re*gn*en은 어간 끝이 *-gn*이므로 발음상 -e- 첨가!) <주의> regnen은 '날씨' 동사로서 주어는 항상 *비인칭 주어 es*임! ▌viel 많이 (영. much)

접속사 und 앞 문장

► 구체적 대상이 아니라 *날씨, 시간* 혹은 막연히 *주위 상태*나 *분위기* 등을 말할 때 비인칭 주어 es가 사용됨.
여기서도 막연하게 주위 상태가 밝거나 어두움을 나타내므로 비인칭 주어 Es가 주어로 옴.

☞ 동사 werden('... 되다')은 '상태 변화' 자동사임.
따라서 현재완료 형식은 「*sein* ... pp」:

- 주어가 비인칭 주어 Es이므로 동사 sein의 형태는 *ist*임.
- 동사 werden의 pp형은 *geworden*임.

→ 따라서 정답은: *Es* ist ... geworden, und ...

► 형용사 dunkel은 동사 「ist ... *geworden* 」, 즉 werden의 *형용사 보어*임.

접속사 und 뒤 문장

☞ 동사 regnen('비오다')은 자동사이긴 하지만 '장소 이동'이나 '상태 변화' 모두 아님.
따라서 현재완료 형식은 「*haben* ... pp」:

- 주어가 '날씨'의 비인칭 주어 es이므로 haben의 형태는 *hat*임.
- 동사 regnen의 pp형은 *ge*regn*et*임.

→ 따라서 정답은: ... und ... hat *es* ... geregnet.

5. Wir __sind__ um 9 Uhr __aufgestanden__, dann __haben__ wir um 10 Uhr __gefrühstückt__. Danach __sind__ wir in die Stadt zum Einkaufen __gefahren__.

✵ 해석 우리는 9시에 기상했고, 그런 다음 10시에 아침식사를 했다. 그 뒤에 우리는 시내로 쇼핑하러 갔다.

✵ 어휘 *auf*stehen [분리동사&자동사] 일어서다, 기상하다 (3 기본형: *auf*stehen - *auf*stand - *auf*gestanden ; '*장소 이동*' 자동사 → 완료형 「*sein* ... pp」) ⇐ stehen [자동사] 서 있다 (3 기본형: stehen - stand - gestanden ; 완료형 「*haben* ... pp」) ▌「um ... Uhr」 '... 시에' <참고> die Uhr 시계 (die Uhr*en*) ▌neun 9 ▌dann [부사어] 그런 다음에 ▌frühstücken [자동사] 아침식사하다 (3 기본형 *규칙* 변화: frühstück*en* - frühstück*te* - *ge*frühstück*t* ※früh-는 *분리*

전철 아님! 즉 pp형이 frühgestückt 아님!) ← das Frühstück 아침식사 (die Frühstück*e*) ▌zehn 10 ▌danach [부사어] (시간적) 그런 뒤에 ▌fahren [자동사] (차 타고) 가다 (3 기본형: fahren - fuhr - gefahren ; '*장소 이동*' 자동사 → 완료형「*sein* ... pp」) (현재 시제: du fährs*t* ; er fähr*t*) <참고> '장소 이동' 자동사 fahren과 함께 오는 3·4격 전치사는 '방향'을 나타내므로 *4격 지배*임! ▌in [*3·4격* 전치사] (*4격* 지배: *방향*) ~안으로, ~로 : in die Stadt fahren 차 타고 시내*로* 가다 ▌die Stadt 시, 시내 (die Städt*e*) ▌zu [*3격* 전치사] (목적) ~을 위하여 →「zum + 남성·중성 3격」: zum Einkaufen 쇼핑*을 위해*, 쇼핑*하러* ▌das Einkaufen 쇼핑 (동사 *ein*kaufen의 *명사화*!) ⇐ *ein*kaufen [분리동사&타동사/자동사] (...을) 쇼핑하다 (3 기본형 *규칙* 변화: *ein*kauf*en* - *ein*kauf*te* - *einge*kauf*t*) ⇐ kaufen [타동사] ...을 사다 (3 기본형 *규칙* 변화: kauf*en* - kauf*te* - *ge*kauf*t*)

문장 1

<부사어 *dann* 앞 문장>

☞ 분리동사 *auf*stehen('일어서다')은 '장소 이동' 자동사임.

따라서 현재완료 형식은「*sein* ... pp」:

- 주어가 Wir이므로 동사 sein의 형태는 *sind*임.
- 동사 *auf*stehen의 pp형은 *aufgestanden*임.

→ 따라서 정답은: *Wir* sind ... aufgestanden, dann ...

<부사어 *dann* 뒤 문장>

☞ 동사 frühstücken('아침식사 하다')은 자동사이긴 하지만 '장소 이동'이나 '상태 변화' 모두 아님!

따라서 현재완료 형식은「*haben* ... pp」:

- 주어가 wir이므로 haben의 형태는 *haben*임.
- 동사 frühstücken의 pp형은 *ge*frühstück*t*임.

→ 따라서 정답은: ..., dann haben wir ... gefrühstückt.

문장 2

☞ 동사 fahren('차 타고 가다')은 '장소 이동' 자동사임.

따라서 현재완료 형식은「*sein* ... pp」:

- 주어가 wir이므로 동사 sein의 형태는 *sind*임.
- 동사 fahren의 pp형은 *gefahren*임.

→ 따라서 정답은: ... sind ... gefahren.

► 동사의 명사화: 동사 원형의 앞 철자를 *대문자* 표기하면 *중성*명사가 됨!

*ein*kaufen 구입하다 → *das* Einkaufen 구입하기

essen 식사하다 → *das* Essen 식사, 식사하기

6. Wo ist denn das Lexikon? - Gestern _hat_ es hier auf dem Tisch _gelegen_.

✺ **해석** 그 사전이 도대체 어디에 있는 거야? - 어제는 그것이 여기 탁자 위에 있었어.

✸ **어휘** wo [의문사] 어디에? ▌ist (동사 sein의 *현재* 시제) ⇒ sein [자동사] 있다, 존재하다 (3 기본형: sein - war - gewesen) ▌denn [부사어] 의문문에서 화자의 불만 및 비판 등을 표현함. ("도대체") ▌das Lexikon 사전 (die Lexik*a*) ▌gestern [부사어] 어제 ▌liegen [자동사] (*사물*이) 놓여 있다, (*사람*이) 누워 있다 (3 기본형: liegen - lag - gelegen) <주의> 동사 liegen과 함께 오는 3·4격 전치사는 '위치'를 나타내므로 *3격 지배*임! ↔ legen [타동사] (*사물*) *무엇을* 놓다, (*사람*) *누구를* 눕히다 (3 기본형 *규칙* 변화: leg*en* - leg*te* - geleg*t*) <주의> 동사 legen과 함께 오는 3·4격 전치사는 '방향'을 나타내므로 *4격 지배*임! ▌es [인칭대명사] *1격* 형 es임. 앞에 나온 *중성*명사 das Lexikon을 받으며, 동사 gelegen(즉 liegen)의 *주어*임. ▌hier [부사어] 여기, 여기에 ▌auf [*3·4격* 전치사] (*3격* 지배: *위치*) ~위에, ~에 : auf dem Tisch liegen 탁자 위*에* 놓여 있다 ▌der Tisch 탁자, 테이블 (die Tisch*e*)

문장 2

☞ 동사 liegen('놓여 있다')은 자동사이긴 하지만 '장소 이동'이나 '상태 변화' 모두 아님! 따라서 현재완료 형식은 「*haben* ... pp」:

- 주어가 es이므로 haben의 형태는 *hat*임.
- 동사 liegen의 pp형은 *gelegen*임.

→ 따라서 정답은: ... hat *es* ... gelegen.

7. Wir _sind_ um 14 Uhr _*an*gekommen_ und um 16 Uhr wieder _*ab*gefahren_.

✸ **해석** 우리는 14시에 도착했고, 16시에 다시 출발했다.

✸ **어휘** *an*kommen [분리동사&자동사] 도착하다 (3 기본형: *an*kommen - *an*kam - *an*gekommen ; '*장소 이동*' 자동사 → 완료형 「*sein* ... pp」) ⇐ kommen [자동사] 오다 (3 기본형: kommen - kam - gekommen ; '*장소 이동*' 자동사 → 완료형 「*sein* ... pp」) ▌「um ... Uhr」 '...시에' ▌vierzehn 14 ▌*ab*fahren [분리동사&자동사] (차 타고) 출발하다 (3 기본형: *ab*fahren - *ab*fuhr - *ab*gefahren ; '*장소 이동*' 자동사 → 완료형 「*sein* ... pp」) (현재 시제: du fährst ... *ab* ; er fährt ... *ab*) ⇐ fahren [자동사] 오다 (3 기본형: fahren - fuhr - gefahren ; '*장소 이동*' 자동사 → 완료형 「*sein* ... pp」) (현재 시제: du fähr*st* ; er fähr*t*) ▌sechzehn 16 ▌wieder [부사어] 다시, 반복해서

☞ 두 개의 분리동사 *an*kommen과 *ab*fahren의 현재완료 형식이 접속사 und에 의해 연결됨. 동사 *an*kommen('도착하다')과 *ab*fahren('차량을 타고 떠나다') 모두 '장소 이동' 자동사임. 따라서 둘 모두 현재완료 형식은 동일하게 「*sein* ... pp」:

- 주어가 Wir이므로 동사 sein의 형태는 *sind*임.
- 동사 *an*kommen의 pp형은 *angekommen*임.
- 동사 *ab*fahren의 pp형은 *abgefahren*임.

→ 따라서 정답은: *Wir* sind ... angekommen und ... abgefahren.

8. Die Stadt _ist_ durch ihre Umweltprojekte bekannt _geworden_.

✸ **해석** 그 도시는 그 환경 프로젝트를 통해 유명해졌어.

✹ **어휘** die Stadt 시, 도시 (die Städt*e*) ▌werden [자동사] (동사 sein처럼 *형용사* 및 *명사 보어*와 함께) '...되다' (영. become) (3 기본형: werden - wurde - geworden ; '*상태 변화*' 자동사 → 완료형 「*sein* ... pp」) (현재 시제: du wirst ; er wird) ▌durch [*4격* 전치사] ~을 통해 (영. through) ▌das Umweltprojekt 환경 프로젝트 ← die Umwelt 환경 (복수 없음) + das Projekt 프로젝트, 장기 계획 (die Projekt*e*) ▌bekannt [형용사] 유명한 (= berühmt) : 「durch + 4격 + bekannt」 '...으로 유명한'

☞ 동사 werden('... 되다')은 '상태 변화' 자동사임.
따라서 현재완료 형식은 「*sein* ... pp」:

- 주어인 Die Stadt는 여성의 sie('그녀')에 해당하므로 동사 sein의 형태는 *ist*임.
- 동사 werden의 pp형은 *geworden*임.

→ 따라서 정답은: *Die Stadt* ist ... geworden.

► 「durch ihr*e* Umweltprojekt*e*」:

- 여기서 소유대명사 ihr-('그녀의')는 앞에 나온 여성명사 주어 die Stadt를 받음.
- 명사 Umweltprojekt*e*는 *복수*이며, *4격* 전치사 durch의 목적어이므로 *복수 4격!!*
따라서 소유대명사 ihr-는 *복수 4격* 정관사 di*e*처럼 어미변화 ihr*e*임.

III. 다음 문장을 현재완료 시제로 바꾸시오. (15과, 심화문제: 교재 88쪽)

1. Meine Freundin wird Lehrerin.

✹ **해석** 내 여자 친구는 (여)선생님이 된다.

✹ **어휘** die Freund*in* 여자 친구 (die Freundin*nen*) ▌wird (동사 werden의 *현재* 시제: 주어가 *er*, *sie*, *es*일 때) ⇒ werden [자동사] (동사 sein처럼 *형용사* 및 *명사 보어*와 함께) '...되다' (영. become) (현재 시제: du wirst ; er wird) (3 기본형: werden - wurde - geworden ; '*상태 변화*' 자동사 → 완료형 「*sein* ... pp」) ▌die Lehrer*in* 여선생님 (die Lehrerin*nen*) ← der Lehrer 선생님, 남선생님 (die Lehrer) ← lehren [타동사] ...을 가르치다 (3 기본형 *규칙* 변화: lehr*en* - lehr*te* - *ge*lehr*t*)

정답 Meine Freundin *ist* Lehrerin *geworden.*

✹ **해석** 내 여자 친구는 (여)선생님이 되었다.

☞ 동사 werden('... 되다')은 '상태 변화' 자동사임.
따라서 현재완료 형식은 「*sein* ... pp」:

- 주어인 Meine Freundin은 여성의 sie('그녀')에 해당하므로 동사 sein의 형태는 *ist*임.
- 동사 werden의 pp형은 *geworden*임.

→ 따라서 정답은: *Meine Freundin* ist ... geworden.

► 명사 Lehrerin은 동사 「ist ... *geworden*」, 즉 werden의 주격 보어임.

<주의> 신분, 직업을 규정하는 내용일 때 동사 sein, werden의 명사 보어는 *관사 없음!*

2. Alle bleiben eine Woche.

✱ **해석** 모두가 일주일 동안 머무른다.

✱ **어휘** alle 모든 사람들 (*복수* 취급!) ↔ alles 모든 것 (*단수* 취급!) ▎bleiben [자동사] 머무르다 (3 기본형: bleiben - blieb - geblieben ; 완료형 「*sein* ... pp」) ▎die Woche 주, 주일 (die Woche*n*) : eine Woche 일주일 동안 (*4격*의 시간 부사어!)

정답 Alle *sind* eine Woche *geblieben.*

✱ **해석** 모두가 일주일 동안 머물렀다.

☞ 자동사 bleiben('머무르다')의 현재완료 형식은 「*sein* ... pp」:

- 주어가 Alle로서 복수의 sie('그들')에 해당하므로 동사 sein의 형태는 *sind*임.
- 동사 bleiben의 pp형은 *geblieben*임.

→ 따라서 정답은: *Alle* sind ... geblieben.

3. Ich lege den Teppich auf den Boden.

✱ **해석** 나는 그 카펫을 바닥에 깐다.

✱ **어휘** legen [타동사] (사물) *무엇*을 놓다, (사람) *누구*를 눕혀 놓다 (3 기본형 *규칙* 변화: leg*en* - leg*te* - *ge*leg*t*) <주의> 동사 legen과 함께 오는 3 · 4격 전치사는 *4격 지배*임! ↔ liegen [자동사] (사물이) 놓여 있다, (사람이) 누워 있다 (3 기본형: liegen - lag - gelegen) <주의> 동사 liegen과 함께 오는 3 · 4격 전치사는 *3격 지배*임! ▎der Teppich 카펫 (die Teppich*e*) ▎auf [*3 · 4격* 전치사] (*4격* 지배: *방향*) ~위로, ~로 : 「legen + 4격 + auf den Boden」 '*4격*을 바닥 위로 놓다' ▎der Boden 바닥 (die Böden)

정답 Ich *habe* den Teppich auf den Boden *gelegt.*

✱ **해석** 나는 그 카펫을 바닥에 깔았다.

☞ 동사 legen('...을 놓다')은 4격 목적어를 요구하는 타동사임.
따라서 현재완료 형식은 「*haben* ... pp」:

- 주어가 Ich이므로 haben의 형태는 *habe*임.
- 동사 legen의 pp형은 *ge*leg*t*임.

→ 따라서 정답은: *Ich* habe ... gelegt.

4. Er mietet eine kleine schöne Wohnung.

✱ **해석** 그는 조그마한 예쁜 집에 세 든다.

✱ **어휘** mieten [타동사] ...을 임대하다, 세 들다 (3 기본형 *규칙* 변화: miet*en* - miet*ete* - *ge*miet*et* ※mie*t*en은 어간 끝이 -*t*이므로 발음상 -e- 첨가!) ↔ vermieten [타동사] ...을 임대 놓다, 세놓다 (3 기본형 *규칙* 변화: *ver*miet*en* - *ver*miet*ete* - *ver*miet*et* ※형태가 *ver*-이므로 pp형에서 *ge*- *탈락*! 즉, ver*ge*mietet 아님!) ▎klein [형용사] 작은 ▎schön [형용사] 예쁜, 아름다운 <참고> hübsch 예쁜, niedlich 귀여운, gutaussehend 잘 생긴 ▎die Wohnung 집, 아파트 (die

Wohnung*en*)

(정답) Er *hat* eine kleine schöne Wohnung *gemietet.*

✺ **해석** 그는 조그마한 예쁜 집에 세 들었다.

☞ 동사 mieten('...을 세 들다')은 4격 목적어를 요구하는 타동사임.

따라서 현재완료 형식은 「*haben* ... pp」:

- 주어가 Er이므로 haben의 형태는 *hat*임.
- 동사 mieten의 pp형은 *ge*miete*t*임.

→ 따라서 정답은: *Er* hat ... gemietet.

► 「ein*e* klein*e* schön*e* Wohnung」:

- 명사 Wohnung은 *여성*이며, 동사 「hat ... *gemietet* 」의 *4격* 목적어이므로 *여성 4격!!*
  따라서 *여성 4격* 부정관사 ein*e*가 앞에 옴.
- 형용사 klein과 schön 앞에 *여성 4격* 부정관사 ein*e*가 있음.
  → 따라서 ein*e* klein *e* schön *e* ...
  (근거: 여성 1, 4격 ein*e*, di*e*, mein*e*, ihr*e*, unser*e*, kein*e*, dies*e* + 형용사 *-e*)

5. Sie fährt mit ihrem Fahrrad in die Stadt.

✺ **해석** 그녀는 자신의 자전거를 타고 시내로 간다.

✺ **어휘** fährt (동사 fahren의 *현재* 시제: 주어가 *er*, *sie*, *es*일 때) ⇒ fahren [자동사] (차 타고) 가다 (현재 시제: du fährs*t* ; er fähr*t*) (3 기본형: fahren - fuhr - gefahren ; '*장소 이동*' 자동사 → 완료형 「*sein* ... pp」) <주의> '장소 이동' 자동사 fahren과 함께 오는 3・4격 전치사는 *4격 지배*임! ▌mit [*3격* 전치사] ~을 가지고 (영. with) → 「mit + 차량(3격)」 '~로, ~을 타고' : mit dem Fahrrad 자전거로 ▌das Fahrrad 자전거 (die Fahrräd*er*) ▌in [*3・4격* 전치사] (*4격* 지배: *방향*) ~안으로, ~로 : in die Stadt fahren (차 타고) 시내로 가다 ▌die Stadt 시, 시내 (die Städt*e*)

► 동사 형태가 fährt인 점을 고려할 때 문장 맨 앞의 주어 Sie는 여성의 sie('그녀는')임.
(문장 맨 앞에 위치하여 대문자 표기됨!)

► 「mit ihr*em* Fahrrad」:
명사 Fahrrad는 *중성*이며, *3격* 전치사 mit의 목적어이므로 *중성 3격!!*
따라서 소유대명사 ihr-('그녀의')는 *중성 3격* 어미 *-em* 이 붙어 ihr*em*임.
3격 어미: ***-em*** (남성, 중성) ; ***-er*** (여성) ; ***-en*** (복수)

(정답) Sie *ist* mit ihrem Fahrrad in die Stadt *gefahren.*

✹ **해석** 그녀는 자신의 자전거를 타고 시내로 갔다.

☞ 동사 fahren('차 타고 가다')은 '장소 이동' 자동사임.

따라서 현재완료 형식은 「*sein* ... pp」:

- 주어가 여성의 sie('그녀는')이므로 동사 sein의 형태는 *ist*임.
- 동사 fahren의 pp형은 *gefahren*임.

→ 따라서 정답은: *Sie* ist ... gefahren.

unit 03

마무리 문제

I. 괄호 안의 낱말을 사용하여 독일어로 옮기시오. (15과, 마무리문제: 교재 89쪽)

1. 너 어제 파티에 얼마나 오래 머물렀니?

(du, gestern, die Party, auf, wie, lange, bleiben)

✻ 어휘 gestern [부사어] 어제 → vorgestern 그저께 ▌die Party 파티 (die Party*s*) ▌auf [*3·4격* 전치사] [1] (*3격* 지배: *위치*) ~위에서, ~에서 ; [2] (*4격* 지배: *방향*) ~위로, ~로 ▌wie [의문사] 어떻게? (영. how?) ▌lange [부사어] 오랫동안 ▌bleiben [자동사] 머무르다 (영. stay, remain) (3 기본형: bleiben - blieb - geblieben ; 완료형 「*sein* ... pp」)

정답 Wie lange bist du gerstern auf der Party geblieben?

► "... *얼마나 오래* ..." :

의문사 wie lange '얼마나 오랫동안?' (영. how long?)

<참고>

「의문사 wie + 형용사」:

wie alt '얼마나 나이든?' (영. how old?) / wie viel '얼마나 많이?' (영. how much?)

wie viele ...? '얼마나 많은 ...?' (영. how many ...?) / wie tief '얼마나 깊이?' (영. how deep?)

► "... *머물렀니*?" :

동사 bleiben의 *현재완료* 시제이어야 함.

bleiben의 현재완료 형식은 「*sein* ... pp」:

- 주어가 "너(는)", 즉 du이므로 동사 sein의 형태는 *bist*임.
- 동사 bleiben의 pp형은 *geblieben*임.

→ 따라서 : ... bist *du* ... geblieben?

2. 아침에는 눈이 내렸지만, 오후에는 다시 따뜻해졌다.

(es, Morgen, am, warm, schneien, aber, Nachmittag, am, wieder, werden)

✻ 어휘 es [비인칭대명사] '날씨'를 표현할 때 사용되는 *비인칭 주어 es*임. ▌der Morgen 아침 (die Morgen) <주의> morgen [부사어] 내일, morgen*s* [부사어] 아침에, 아침마다 ▌「am + 남성·중성 3격」 (시간적) ~에 : am Morgen 아침 *에* ▌warm [형용사] 따뜻한 ▌schneien [자동사] 눈 오다 (3 기본형 *규칙* 변화: schnei*en* - schnei*te* - *ge*schnei*t*) <주의> '날씨' 동사로서 주어는 항상 *비인칭 주어 es*임! → der Schnee 눈 (주로 단수) ▌aber [등위접속사] 그러나, 하지만 (앞에는 반드시

콤마!) (영. but) ▌der Nachmittag 오후 (die Nachmittag*e*) : am Nachmittag 오후*에* ▌wieder [부사어] 다시 (영. again) ▌werden [자동사] (동사 sein처럼 *형용사* 및 *명사 보어*와 함께) '...되다' (3 기본형: werden - wurde - geworden ; '*상태 변화* 자동사 → 완료형 「*sein* ... pp」) (현재 시제: du wirst ; er wird)

정답 Am Morgen hat es geschneit, aber am Nachmittag ist es wieder warm geworden.

► "... *눈이 내렸지만* ..." :
동사 schneien의 *현재완료* 시제이어야 함.
schneien의 현재완료 형식은 「*haben* ... pp」:
- '날씨' 동사인 schneien의 주어는 반드시 비인칭 주어 es이므로 haben의 형태는 *hat*임.
- 동사 schneien의 pp형은 규칙 변화된 *ge*schnei*t*임.

→ 따라서 : ... hat *es* ... geschneit , aber ...

► "... *따뜻해졌다*." :
"따뜻해지다", 즉 「동사 werden + 형용사 보어 warm」의 *현재완료* 시제이어야 함.
werden은 '상태 변화' 자동사이므로 현재완료 형식은 「*sein* ... pp」:
- '날씨'를 나타내는 비인칭 주어 es가 오므로 동사 sein의 형태는 *ist*임.
- 동사 werden의 pp형은 *geworden*임.

→ 따라서 : ... , aber ... ist *es* ... geworden.

3. 그가 나를 벌써 두 번이나 자기 집에 초대했지만, 나는 매번 거절했다.

(er, mich, schon, zweimal, zu sich nach Hause, einladen, aber, ich, jedes Mal, ablehnen)

✻ **어휘** mich [인칭대명사] ich의 *4격* 형임. (3격 형은 *mir*) ▌schon [부사어] 이미, 벌써 ▌zweimal [부사어] 두 번 ▌「zu + 사람(3격)」 (방향) 누구에게로 : zu sich 자기 자신*에게로* ▌sich [*3격* 재귀대명사] 주어가 er이므로 *3격* 재귀대명사는 *sich*임. (4격 재귀대명사 역시 *sich*) ▌nach Haus(e) (방향) 집으로 ↔ zu Haus(e) (위치) 집에서 ▌*ein*laden [분리동사&타동사] ...을 초대하다 : 「laden + 4격(사람) + zu + 3격 ... *ein*」 누구를 ...로 초대하다 (3 기본형: *ein*laden - *ein*lud - *ein*geladen) (현재 시제: du lädst ... *ein* ; er lädt ... *ein*) ⇐ laden [타동사] 짐을 싣다 (3 기본형: laden - lud - geladen) (현재 시제: du läd*st* ; er läd*t*) ▌「jed- + *단수*명사」'매 ..., 모든 ...' (jed-는 *정관사 d-* 어미변화! 영. every, each) ▌das Mal 번 (die Mal*e*) : jedes Mal 매번 (*4격*의 시간 부사어!) ▌*ab*lehnen [분리동사&타동사] ...을 거절하다 (3 기본형 *규칙* 변화: *ab*lehn*en* - *ab*lehn*te* - *ab*ge*lehnt*) ⇐ lehnen [타동사] : 「lehnen + 4격 + an (혹은 gegen) + 4격」 *4격*을 ...에 기대어 놓다 (3 기본형 *규칙* 변화: lehn*en* - lehn*te* - *ge*lehn*t*)

정답 Er hat mich schon zweimal zu sich nach Hause eingeladen, aber ich habe jedes Mal abgelehnt.

► "... *초대했지만* ..." :
분리동사 *ein*laden의 *현재완료* 시제이어야 함.
*ein*laden은 4격 목적어를 지니는 타동사이므로 현재완료 형식은 「*haben* ... pp」:
- 우리말 "*그가*"에 해당하는 er가 주어이므로 haben의 형태는 *hat*임.
- 분리동사 *ein*laden의 pp형은 *eingeladen*임.

→ 따라서 : *Er* hat ... eingeladen , aber ...

► "... *거절했다*." :
분리동사 *ab*lehnen의 *현재완료* 시제이어야 함.
*ab*lehnen은 4격 목적어를 지니는 타동사이므로 현재완료 형식은 「*haben* ... pp」:
- 주어가 "*나는*", 즉 ich이므로 haben의 형태는 *habe*임.
- 분리동사 *ab*lehnen의 pp형은 규칙 변화한 *abge*lehn*t*임.

→ 따라서 : ... , aber *ich* habe ... abgelehnt.

4. 우리는 서로 알고 지낸 지 아직 오래되지 않았지만, 곧 좋은 친구가 되었다.
(wir, noch, nicht, lange, sich kennen, aber, wir, schnell, gut, Freund, werden)

✱ 어휘 noch [부사어] 아직 ▌ lange [부사어] 오랫동안 ▌ kennen [타동사] 누구를 알고 있다 (영. be acquainted with ...) : 「주어(*복수*) + kennen sich[4]」 서로를 알고 있다 (3 기본형: kennen - kannte - gekannt) ▌ schnell [형용사] 빠른, (부사적) 빨리 ↔ langsam 느린, 느리게 ▌ gut [형용사] 좋은 ▌ der Freund 친구 (die Freund*e*) ▌ werden [자동사] (동사 sein처럼 *형용사* 및 *명사 보어*와 함께) '...되다' (영. become) (3 기본형: werden - wurde - geworden ; '*상태 변화*' 자동사 → 완료형 「*sein* ... pp」) (현재 시제: du wirst ; er wird)

정답 Wir kennen uns noch nicht lange, aber wir sind schnell gute Freunde geworden.

접속사 aber 앞 문장

► "*알고 지낸 지* 아직 오래되지 않았지만" = "아직은 오랫동안 *알고 지내는 것이* 아니지만"!
즉, 동사 kennen의 *현재* 시제이어야 함. (주어는 "*우리는*"이므로 wir임.)
→ 따라서 : *Wir* kenn*en* ...

► 주어가 wir이므로 *4격 재귀대명사*는 *uns*임.

접속사 aber 뒤 문장

► "... 좋은 친구가 *되었다*." :
"...되다", 즉 동사 werden의 *현재완료* 시제이어야 함.
werden은 '상태 변화' 자동사이므로 현재완료 형식은 「*sein* ... pp」:
- 주어가 우리말 해석에서는 생략된 "*우리는*", 즉 wir이므로 동사 sein의 형태는 *sind*임.
- 동사 werden의 pp형은 *geworden*임.

→ 따라서 : ... , aber *wir* sind ... geworden.

► "*좋은 친구*" → 주어가 복수의 wir('우리는')이므로 내용상 복수가 되어 "*좋은 친구들*"이 됨!

「gut*e* Freund*e*」:

- 명사 Freund*e*는 *복수*이며, 동사 geworden(즉, werden)의 *주격* 보어이므로 *복수 1격!!*
  내용상 정관사가 아닌 부정관사 ein-이 와야 하지만 복수명사이므로 *관사 없음*!
- 형용사 gut 앞에 관사, 소유대명사 ... 등이 없음.
  따라서 형용사 gut 자체가 *복수 1격* 정관사 di*e*처럼 어미변화 하여 gut*e*임.
  형용사 앞에 관사, 소유대명사, 지시대명사 ... 등이 없을 경우
  형용사 자체가 ***정관사 d- 어미변화*** 함!

5. 일요일에 나는 수영장에 가서 한 시간 동안 수영했다.

(ich, ins, Sonntag, Schwimmbad, am, gehen, und, eine Stunde, schwimmen)

✺ **어휘** 「ins + 중성 4격」 (방향) ~안으로, ~로 ▌「am + 요일」: am Sonntag 일요일에 ▌der Sonntag 일요일 (die Sonntag*e*) ▌das Schwimmbad 수영장 (die Schwimmbäd*er*) ← schwimmen 수영하다 + das Bad 목욕, 목욕탕 (die Bäd*er*) ▌gehen [자동사] 가다 (3 기본형: gehen - ging - gegangen ; '*장소 이동* 자동사 → 완료형 「*sein* ... pp」) ▌die Stunde 시간 (die Stunde*n*) : eine Stunde 한 시간 동안 (*4격*의 시간 부사어!) ▌schwimmen [자동사] [1] 수영하다 (완료형 「*haben* ... pp」) ; [2] 헤엄쳐서 가다 ('*장소 이동* 자동사 → 완료형 「*sein* ... pp」) (3 기본형: schwimmen - schwamm - geschwommen)

정답 Am Sonntag bin ich ins Schwimmbad gegangen und habe eine Stunde geschwommen.

► "수영장에 *가서* 한 시간 동안 *수영했다*." = "수영장에 *갔고*, 그리고 한 시간 동안 *수영했다*."

► "수영장에 *갔고*, 그리고 ..." :

동사 gehen의 *현재완료* 시제이어야 함.

gehen은 '장소 이동' 자동사이므로 현재완료 형식은 「*sein* ... pp」:

- 주어가 "*나는*", 즉 ich이므로 동사 sein의 형태는 *bin*임.
- 동사 gehen의 pp형은 *gegangen*임.

→ 따라서 : ... bin *ich* ... gegangen und ...

► "... 그리고 한 시간 동안 *수영했다*." :

동사 schwimmen의 *현재완료* 시제이어야 함.

여기서 schwimmen은 '헤엄쳐 가다'가 아니라 단순히 '수영하다'를 뜻하므로

현재완료 형식은 「*haben* ... pp」:

- 접속사 und의 앞 문장의 주어 ich가 여기서도 주어이므로 haben의 형태는 *habe*임.
- 동사 schwimmen의 pp형은 *geschwommen*임.

→ 따라서 : ... und habe ... geschwommen.

<참고>

동사 schwimmen이 '헤엄쳐 가다'로서 현재완료 형식「*sein* ... pp」인 경우는 '방향'을 나타내는 표현이 함께 옴!

Wir sind ans andere Ufer geschwommen. '우리는 반대편 강가로 헤엄쳐 갔다'

Sie ist zur Insel geschwommen. '그녀는 섬으로 헤엄쳐 갔다.'

Er ist über den See geschwommen. '그는 호수를 건너 헤엄쳐 갔다.'

II. 잘못된 부분(들)을 고쳐서 다시 적으시오. (15과, 마무리문제: 교재 89쪽)

1. Er hat[오류1] nach Deutschland gegangen und dort drei Jahre gestudiert[오류2,3].

✹ **해석** 그는 독일로 갔고, 그곳에서 3년 동안 대학공부 했다.

✹ **어휘**「nach + 국가」(방향) ~로 : nach Deutschland 독일*로* ▌gegangen (동사 gehen의 *pp형*) ⇒ gehen [자동사] 가다 (3 기본형: gehen - ging - gegangen ; '*장소 이동*' 자동사 → 완료형「*sein* ... pp」) ▌dort [부사어] 그곳에서 ▌drei 3 ▌das Jahr 년, 해 (die Jahr*e*) : drei Jahre 3년 동안 (*4격*의 시간 부사어!) ▌studieren [자동사] 대학 공부하다 (3 기본형 *규칙* 변화: studier*en* - studier*te* - studier*t* ※형태가 *-ieren*이므로 pp형에서 ge- 탈락! 즉, gestudiert 아님!)

<오류> 1

접속사 und의 앞에 오는 문장은 동사 gehen의 현재완료 시제임.
gehen은 '장소 이동' 자동사이므로 완료 형식은「*sein* ... pp」임!
→ 따라서 조동사는 hat가 아니라 *ist*이어야 옳음!

<오류> 2

접속사 und 뒤에 오는 문장은 동사 studieren의 현재완료 시제임.
studieren은 '장소 이동' 혹은 '상태 변화'의 자동사가 아니므로 완료 형식은「*haben* ... pp」임!
→ 따라서「sein ... pp」형식의 앞 문장과 구분하여 조동사 *hat*가 와야 옳음!

<오류> 3

동사 studieren은 형태가 -ieren이므로 pp형에서 ge-가 탈락함.
→ 따라서 gestudier*t*가 아니라 *ge-* 없이 studier*t*이어야 옳음!

정답 Er *ist* nach Deutschland gegangen und *hat* dort drei Jahre *studiert*.

2. Ich bin[오류] sie nach Hause gefahren.

✹ **해석** 나는 (차에 태워) 그녀를 집으로 데려다 주었다.

✹ **어휘** sie [인칭대명사] 여성의 sie('그녀는')의 *4격* 형임. (3격 형은 *ihr*) ▌nach Haus(e) 집으로 ↔ zu Haus(e) 집에서, von zu Haus(e) 집으로부터 ▌fahren [1] [자동사] (차량을 타고) 가다 ('*장소 이동*' 자동사 → 완료형「*sein* ... pp」) ; [2] [타동사] (차량을 통해) ...을 데려다 주다, 운반하다 (타동사 → 완료형「*haben* ... pp」) (3 기본형: fahren - fuhr - gefahren) (현재 시제: du fähr*st* ; er fähr*t*)

<오류>

동사 fahren의 현재완료 시제임.

여기서 fahren은 4격 목적어 sie('그녀를')를 지니는 타동사이므로 완료 형식은 「*haben* ... pp」임!

→ 따라서 조동사는 bin이 아니라 *habe*이어야 옳음!

정답 Ich *habe* sie nach Hause gefahren.

► 어순: sie는 인칭*대명사*이므로 대명사가 아닌 nach Hause보다 앞에 위치함.

3. Gestern habe[오류1] ich sehr schnell eingeschlaft[오류2].

✸ **해석** 어제 나는 매우 빨리 잠들었다.

✸ **어휘** gestern [부사어] 어제 ▌ sehr [부사어] 매우, 아주 ▌ schnell [형용사] 빠른, (부사적) 빨리 ↔ langsam 느린, 느리게 ▌ *ein*schlafen [분리동사&자동사] 잠들다 (3 기본형: *ein*schlafen - *ein*schlief - *ein*geschlafen ; '*상태 변화*' 자동사 → 완료형 「*sein* ... pp」) (현재 시제: du schläf*st* ... *ein* ; er schläf*t* ... *ein*) ⇐ schlafen [자동사] 잠자다 (3 기본형: schlafen - schlief - geschlafen ; 완료형 「*haben* ... pp」) (현재 시제: du schläf*st* ; er schläf*t*)

<오류> 1

분리동사 *ein*schlafen의 현재완료 시제임.

*ein*schlafen은 '상태 변화' 자동사이므로 완료 형식은 「*sein* ... pp」임.

→ 따라서 조동사는 habe가 아니라 *bin*이어야 옳음!

<오류> 2

분리동사 *ein*schlafen은 동사 schlafen에 분리전철 *ein*-이 붙은 형태임.

→ 따라서 그 pp형은 schlafen의 pp형인 geschlafen에 *ein*-이 붙은 *ein*geschlafen이어야 옳음!

정답 Gestern *bin* ich sehr schnell *eingeschlafen*.

4. Letzte Nacht habe[오류] ich dreimal wach geworden.

✸ **해석** 지난 밤 나는 세 번 잠에서 깨어났다.

✸ **어휘** letzt- [형용사] 지난, 최근의 (명사 앞에 오는 *수식어*로만 사용됨!) (영. last) ▌ die Nacht 밤 (die Nächt*e*) : letzte Nacht 지난 밤에 (*4격*의 시간 부사어!) ▌ dreimal [부사어] 세 번 ▌ wach [형용사] (주로 동사 sein, werden 등의 *형용사 보어*로 사용되어) 잠에서 깨어 있는 ▌ geworden (동사 werden의 *pp형*) ⇒ werden [자동사] (동사 sein처럼 *형용사* 및 *명사 보어*와 함께) '...되다' (영. become) (3 기본형: werden - wurde - geworden ; '*상태 변화*' 자동사 → 완료형 「*sein* ... pp」) (현재 시제: du wirst ; er wird)

<오류>

동사 werden의 현재완료 시제임.

werden은 '상태 변화' 자동사이므로 완료 형식은 「*sein* ... pp」임.

→ 따라서 조동사는 habe가 아니라 *bin*이어야 옳음!

정답 Letzte Nacht *bin* ich dreimal wach geworden.

5. Er ist aus Deutschland. Er ist Deutsche[오류].

✺ 해석 그는 독일 출신이다. 그는 독일 사람이다.

✺ 어휘 「주어 + 동사 sein + aus + 국가」 *주어는* ... 출신이다 (= 「주어 + *kommen* + aus + 국가」) ▌aus [*3격* 전치사] ~로부터 (안으로부터 밖으로 나감을 뜻함!) (영. out of) ▌deutsch [형용사] 독일의 → Deutsch- (형용사 deutsch의 *명사화*!)

<오류>

Deutsch*e*는 형용사 deutsch-가 *여성*명사화 된 형태로서 '독일 *여자*'를 뜻함!

여기서는 주어가 Er이므로 *남성*명사화 된 형태 Deutsch*er*('독일 *남자*')가 옳음!

정답 Er ist aus Deutschland. Er ist *Deutscher.*

문장 2

► 「... ist Deutsch*er*」:

- 형용사 deutsch-를 명사화 하므로 앞 철자 *대문자 표기*하고 *형용사 어미변화* 함!
- 형용사 Deutsch- 앞에 관사가 없으므로 Deutsch- 자체가 *정관사 d-* 어미변화 함:
  주어가 Er임에 따라 *남성*이며, 동사 ist의 *주격* 보어이므로 *남성 1격* 변화!!
  따라서 Deutsch-는 *남성 1격* 정관사 d*er*처럼 어미변화 하여 Deutsch*er*임.

6. Ich habe[오류1] ihn[오류2] lange nicht begegnet.

✺ 해석 나는 그를 오랫동안 만나지 못했다.

✺ 어휘 ihn [인칭대명사] er의 *4격* 형임. (3격 형은 *ihm*) ▌lange [부사어] 오랫동안 ▌*begegnet* (동사 begegnen의 *pp형*) ⇒ 「begegnen + 3격」 [자동사] (우연히) ...을 만나다 (*3격* 요구 동사!) (완료형 「*sein* ... pp」; 3 기본형 *규칙* 변화: *begegnen* - *begegnete* - *begegnet* ※① begegnen은 어간 끝이 *-gn*이므로 발음상 -e- 첨가! ② 형태가 *be-*이므로 pp형에서 *ge- 탈락*! 즉, be*ge*gegnet 아님!)

<오류> 1

동사 begegnen의 현재완료 시제임.

begegnen은 '장소 이동' 혹은 '상태 변화' 자동사가 아니지만 완료 형식이 「*sein* ... pp」임.

→ 따라서 조동사는 habe가 아니라 *bin*이어야 옳음!

<오류> 2

동사 begegnen은 3격 요구 동사임.

→ 따라서 4격 목적어 ihn이 아니라 3격 목적어 *ihm*이 와야 옳음!

(정답) Ich *bin ihm* lange nicht begegnet.

Lektion 16

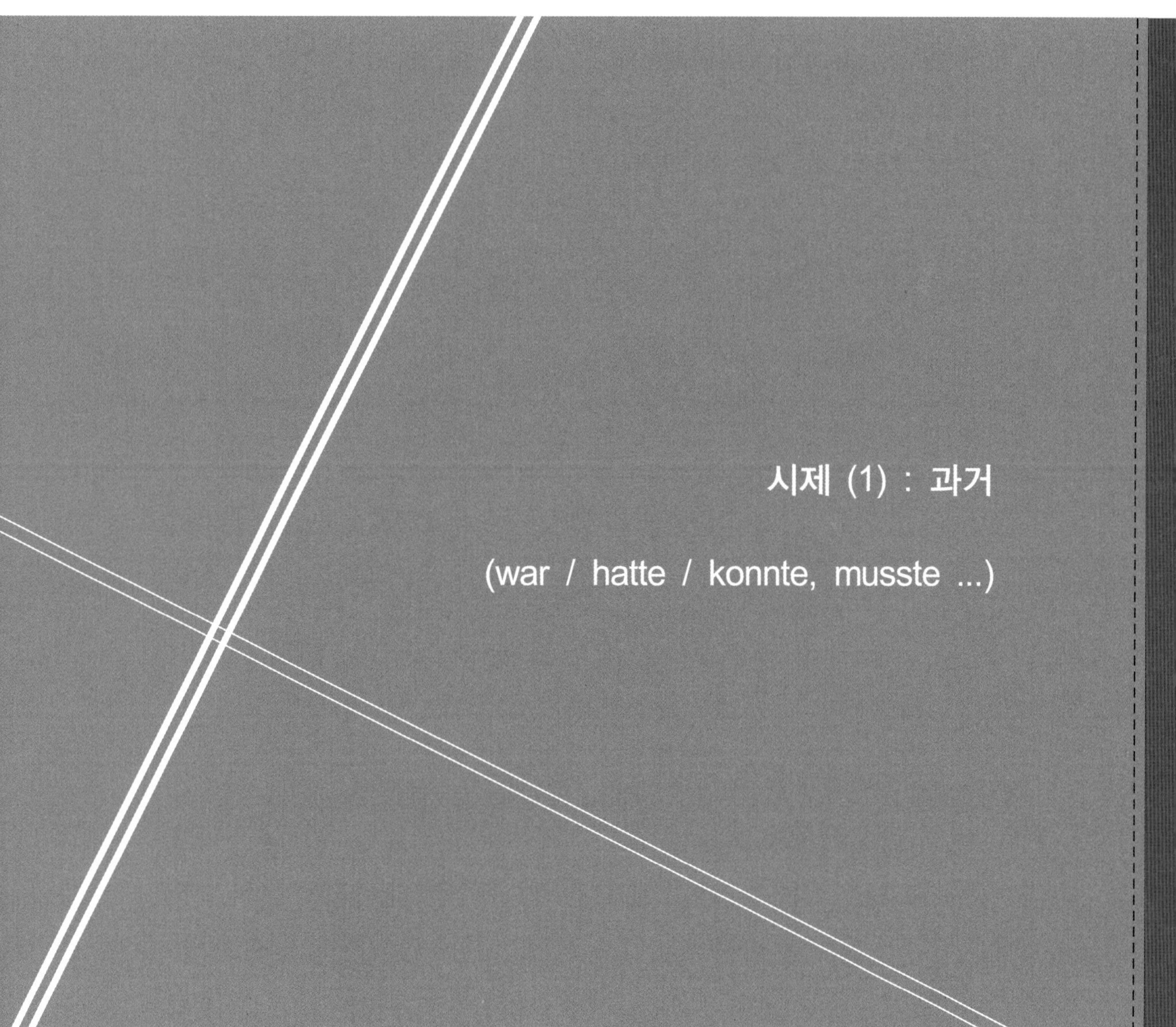

시제 (1) : 과거

(war / hatte / konnte, musste ...)

unit 01

기초문제

I. 주어진 동사의 "과거" 시제 형태는? (16과, 기초문제: 교재 92쪽)

1. haben ...을 가지고 있다 (3 기본형: haben - hatte - gehabt)

ich hatte / du hattest / er (sie, es) hatte

wir hatten / ihr hattet / sie, Sie hatten

2. sein [1] ...이다 ; [2] 있다, 존재하다 (3 기본형: sein - war - gewesen)

ich war / du warst / er (sie, es) war

wir waren / ihr wart / sie, Sie waren

3. können ...할 수 있다 (3 기본형: können - konnte - gekonnt)

ich konnte / du konntest / er (sie, es) konnte

wir konnten / ihr konntet / sie, Sie konnten

4. müssen ...해야 한다 (3 기본형: müssen - musste - gemusst)

ich musste / du musstest / er (sie, es) musste

wir mussten / ihr musstet / sie, Sie mussten

5. wollen ...하려고 한다 (3 기본형: wollen - wollte - gewollt)

ich wollte / du wolltest / er (sie, es) wollte

wir wollten / ihr wolltet / sie, Sie wollten

6. dürfen ...해도 된다 (3 기본형: dürfen - durfte - gedurft)

ich durfte / du durftest / er (sie, es) durfte

wir durften / ihr durftet / sie, Sie durften

7. sollen ...해야 한다 (3 기본형: sollen - sollte - gesollt)

ich sollte / du solltest / er (sie, es) sollte

wir sollten / ihr solltet / sie, Sie sollten

8. mögen ...을 좋아하다 (3 기본형: mögen - mochte - gemocht)

ich mochte / du mochtest / er (sie, es) mochte

wir mochten / ihr mochtet / sie, Sie mochten

9. leben 살다, 생존하다 (3 기본형: leben - lebte - gelebt)

ich lebte / du lebtest / er (sie, es) lebte

wir lebten / ihr lebtet / sie, Sie lebten

II. sein 또는 haben 의 "과거" 시제 형태는? (16과, 기초문제: 교재 92쪽)

1. Gestern war er den ganzen Tag in der Bibliothek.

✱ 해석 어제 그는 하루 종일 도서관에 있었다.

✱ 어휘 gestern [부사어] 어제 ▌sein [자동사] 있다, 존재하다 (3 기본형: sein - war - gewesen) <주의> 동사 sein과 함께 오는 3・4격 전치사는 '위치'를 나타내므로 *3격 지배*임! ▌ganz- [형용사] 전체의 (명사 앞에 오는 *수식어*로만 사용됨!) (영. whole) : den ganzen Tag 온종일 (*4격*의 시간 부사어!) ▌der Tag 날, 낮 (die Tag*e*) ▌in [*3・4격* 전치사] (*3격* 지배: *위치*) ~안에, ~에 : in der Bibliothek sein 도서관 *안에* 있다 ▌die Bibliothek 도서관 (die Bibliothek*en*)

☞ 내용상 '있다, 존재하다'라는 의미의 자동사 *sein*이 빈칸에 와야 함.

과거 시제 어미변화가 이루어짐:

- sein의 3 기본형 중에서 *과거형* war가 사용됨!
- 주어가 er이므로 어미 없이 war_ 그대로 정답임.

2. Wir hatten gestern Besuch.

✱ 해석 우리는 어제 손님이 있었다.

✱ 어휘 haben [타동사] ...을 가지고 있다 (3 기본형: haben - hatte - gehabt) ▌gestern [부사어] 어제 ▌der Besuch [1] 방문객, 손님 (복수 없음) = der Gast 손님 (die Gäst*e*) : Besuch haben 손님이 있다 ; [2] der Besuch 방문 (die Besuch*e*) ⇐ besuchen [타동사] ...을 방문하다 (3 기본형 *규칙* 변화: *besuchen* - *besuchte* - *besucht* ※형태가 *be*-이므로 pp형에서 *ge- 탈락*! 즉, be*ge*sucht 아님!)

☞ 4격 목적어 Besuch가 있으므로 타동사 *haben*이 빈칸에 와야 함.

과거 시제 어미변화가 이루어짐:

- 동사 haben의 3 기본형 중에서 *과거형* hatte가 사용됨!
- 주어가 Wir이므로 어미 *-n*이 붙어 hatte*n*이 정답임.

3. Ich __war__ faul in der Schule, aber ich __hatte__ viele Freunde.

✽ **해석** 나는 학교 다닐 적에 게을렀지만, 많은 친구들을 가졌다. (= 친구는 많았다.)

✽ **어휘** sein [자동사] (*형용사* 혹은 *명사 보어*와 함께) '...이다' (3 기본형: sein - war - gewesen) ▌faul [형용사] 게으른 ↔ fleißig 부지런한 ▌in [*3 · 4격* 전치사] (*3격* 지배: *위치*) ~안에서, ~에서 : in der Schule 학교*에서* ▌die Schule 초 · 중 · 고등학교 (die Schule*n*) ▌aber [등위접속사] 그러나, 하지만 (앞에는 반드시 *콤마*!) ▌haben [타동사] ...을 가지고 있다 (3 기본형: haben - hatte - gehabt) ▌「viele + *복수*명사」 많은 ...들 ▌der Freund 친구, 남자 친구 (die Freund*e*)

접속사 aber 앞 문장

☞ 형용사 보어 faul이 있으므로 자동사 *sein*('...이다')이 빈칸에 와야 함.

과거 시제 어미변화가 이루어짐:

- 동사 sein의 3 기본형 중에서 *과거형* war가 사용됨!
- 주어가 Ich이므로 어미 없이 war_ 그대로 정답임.

접속사 aber 뒤 문장

☞ 4격 목적어 viele Freunde가 있으므로 타동사 *haben*이 빈칸에 와야 함.

과거 시제 어미변화가 이루어짐:

- 동사 haben의 3 기본형 중에서 *과거형* hatte가 사용됨!
- 주어가 ich이므로 어미 없이 hatte_ 그대로 정답임.

4. Welche Fächer __hatte*n*__ Sie in Ihrer Schulzeit?

✽ **해석** 당신은 당신의 학창 시절에 어떤 과목들을 공부했습니까?

✽ **어휘** 「welch- + 명사」'어떤 ...?', '어느 쪽 ...?' (의문사 welch-는 *정관사 d-* 어미변화!) (영. which?) ▌das Fach 과목 (die Fäch*er*) ▌haben [타동사] ...을 가지고 있다 (3 기본형: haben - hatte - gehabt) ▌in [*3 · 4격* 전치사] (*3격* 지배: *시간적* 의미) ~에서, ~에 : in Ihrer Schulzeit 당신의 학창 시절*에* ▌die Schulzeit 학창 시절 ← die Schule 초 · 중 · 고등학교 (die Schule*n*) + die Zeit (주로 단수) 시절, 시대 (die Zeit*en*)

► 「Welch*e* Fäch*er*」:

명사 Fäch*er*는 *복수*이며, 동사 hatte*n*의 *4격* 목적어이므로 *복수 4격*!!

따라서 Welch-는 *복수 4격* 정관사 di*e*처럼 어미변화 하여 Welch*e*임.

☞ 4격 목적어 Welche Fächer가 있으므로 타동사 *haben*이 빈칸에 와야 함.
과거 시제 어미변화가 이루어짐:

- 동사 haben의 3 기본형 중에서 *과거형* hatte가 사용됨!
- 주어가 격식칭 Sie('당신')이므로 어미 *-n*이 붙어 hatte*n*이 정답임.

► 「in Ihr*er* Schulzeit」:
명사 Schulzeit는 *여성*이며, 전치사 in의 *3격* 목적어이므로 *여성 3격!!*
따라서 소유대명사 Ihr-('당신의')는 *여성 3격 어미* *-er*가 붙어 Ihr*er*임.
3격 어미 : ***-em*** (남성, 중성), ***-er*** (여성), ***-en*** (복수)

5. Wo _war*st*_ du gestern Vormittag? _War*st*_ du schon an der Uni?

✹ **해석** 너는 어제 오전에 어디에 있었니? 이미 대학교에 있었니? (= 대학에는 벌써 갔다 왔니?)

✹ **어휘** wo [의문사] 어디에(서)? ▌sein [자동사] 있다, 존재하다 (3 기본형: sein - war - gewesen) <참고> 동사 sein과 함께 오는 3 · 4격 전치사는 '위치'를 나타내어 *3격 지배*임! ▌gestern Vormittag 어제 오전에 ▌gestern [부사어] 어제 ▌der Vormittag 오전 (die Vormittag*e*) ▌schon [부사어] 이미, 벌써 ▌an [*3 · 4격* 전치사] (*3격* 지배: *위치*) ~옆에, ~에 : an der Uni sein 대학교*에* 있다 ▌die Uni (구어체) 대학교 (die Uni*s*) = die Universität (die Universität*en*)

문장 1

☞ 내용상 '있다, 존재하다'라는 의미를 지니는 자동사 *sein*이 빈칸에 와야 함.
과거 시제 어미변화가 이루어짐:

- 동사 sein의 3 기본형 중에서 *과거형* war가 사용됨!
- 주어가 du이므로 어미 *-st*가 붙어 war*st*가 정답임.

문장 2

☞ 여기서도 내용상 '있다, 존재하다'라는 의미를 지니는 자동사 *sein*이 빈칸에 와야 함.
과거 시제 어미변화가 이루어짐:

- 동사 sein의 3 기본형 중에서 *과거형* war가 사용됨!
- 주어가 du이므로 어미 *-st*가 붙어 War*st*가 정답임.

6. _Hatte*st*_ du schon damals eine Freundin? Erzähl doch mal!

✹ **해석** 너는 그 당시 벌써 여자 친구가 있었니? (그러지 말고) 한번 이야기 해줘.

✹ **어휘** haben [타동사] ...을 가지고 있다 (3 기본형: haben - hatte - gehabt) ▌schon [부사어] 이미, 벌써 ▌damals [부사어] (*과거*의) 그 당시 ▌die Freund*in* 여자 친구 (die Freundin*nen*) ▌「Erzähl ...!」 (du-명령문) ⇒ erzählen [타동사/자동사] (...을) 이야기하다 (3 기본형 *규칙* 변화: *erzähl**en*** - *erzähl**te*** - *erzähl**t*** ※형태가 *er-*이므로 pp형에서 *ge- 탈락!* 즉, er*ge*zählt 아님!) ⇐ zählen [타동사] ...을 세다, 헤아리다 (3 기본형 *규칙* 변화: zähl*en* - zähl*te* - *ge*zähl*t*) ▌doch [부사어] 명령문에서 요구 내용을 강조함. ("그러지 말고 ...") ▌mal [부사어] 명령문에서 말의 흐름을 부드럽게 하여 정중한 느낌을 줌. ("한번 ...")

문장 1

☞ 4격 목적어 eine Freundin이 있으므로 타동사 *haben*이 빈칸에 와야 함.

과거 시제 어미변화가 이루어짐:

- 동사 haben의 3 기본형 중에서 *과거형* hatte가 사용됨!
- 주어가 du이므로 어미 *-st*가 붙어 Hatte*st*가 정답임.

► 「Erzähl ...!」: 동사 erzählen의 du-명령문임.

<참고> du-명령문 형식: 「어간 ...!」'...해라.'

III. können, müssen, wollen, dürfen 의 "과거" 시제 형태는? (16과, 기초문제: 교재 92쪽)

1. Frau Müller wollte in einer anderen Stadt arbeiten.

✺ **해석** 뮐러 부인은 다른 도시에서 일하려고 했다.

✺ **어휘** 「wollen ... 동사 원형」 [화법조동사] ...하려고 한다 (3 기본형: wollen - wollte - gewollt) (현재 시제: ich will ; du will*st* ; er will ; wir woll*en* ; ...) ▌ander- [형용사] 다른 (명사 앞에 오는 *수식어*로만 사용됨!) <주의> 동사 sein, werden 등의 *형용사 보어* 및 *부사어*일 때 형태는 *anders*임: ① *형용사 보어*일 경우: Das ist anders. '그것은 다르다.' ; ② *부사어*일 경우: Er denkt anders. '그는 다르게 생각한다.' ▌in [*3 · 4격* 전치사] (*3격* 지배: *위치*) ~안에서, ~에서 : in einer anderen Stadt 다른 도시*에서* ▌die Stadt 도시 (die Städt*e*) ▌arbeiten [자동사] 일하다 (3 기본형 *규칙* 변화: arbeit*en* - arbeit*ete* - *ge*arbeit*et* ※arbeiten은 어간 끝이 -t이므로 발음상 -e- 첨가!)

문장 1

☞ 화법조동사 wollen의 *과거* 시제 어미변화:

- wollen의 3 기본형 중에서 *과거형* wollte가 사용됨!
- 주어가 Frau Müller, 즉 여성의 sie('그녀')에 해당하므로 어미 없이 wollte_ 그대로 정답임.

► 「in ein*er* ander*en* Stadt」:

- 명사 Stadt는 *여성*이며, 전치사 in의 *3격* 목적어이므로 *여성 3격!!*
  따라서 *여성 3격* 어미 *-er*를 지니는 부정관사 ein*er*가 앞에 옴.
- 형용사 ander 앞에 *여성 3격* 부정관사 ein*er*가 있음.
  → 따라서 in ein*er* ander *en* ...
  (근거: 3격 어미 *-em* (남성, 중성), *-er* (여성), *-en* (복수) 뒤에 오는 형용사는 *-en*임.)

2. Konnte er ein Zimmer im Studentenwohnheim bekommen? - Nein, dort war kein Zimmer mehr frei.

✺ **해석** 그가 대학생 기숙사에서 방을 얻을 수 있었니? - 아니, 그곳에는 더 이상 빈 방이 없었어.

✷ 어휘 「können ... 동사 원형」 [화법조동사] ...할 수 있다 (3 기본형: können - konnte - gekonnt) (현재 시제: ich kann ; du kannst ; er kann ; wir können ; ...) ▌das Zimmer 방 (die Zimmer) ▌in [3・4격 전치사] (3격 지배: 위치) ~안에서, ~에서 → 「im + 남성・중성 3격」: im Studentenwohnheim 대학생 기숙사에서 ▌das Studentenwohnheim 대학생 기숙사 ← der Student 대학생 (die Studenten) + das Wohnheim 기숙사 (die Wohnheime) ▌bekommen [타동사] ...을 받다, 얻다 (3 기본형: bekommen - bekam - bekommen ※형태가 be-이므로 pp형에서 ge- 탈락! 즉, begekommen 아님!) ⇐ kommen [자동사] 오다 (3 기본형: kommen - kam - gekommen ; '장소 이동' 자동사 → 완료형 「sein ... pp」) ▌dort [부사어] 그곳에 ▌war (동사 sein의 과거 시제: 주어가 ich 혹은 er, sie, es일 때) ⇒ sein [자동사] 있다 (3 기본형: sein - war - gewesen) ▌「kein ... mehr」, 「nicht mehr ... 」'더 이상 ... 않다' (영. no more ...) ▌frei [형용사] [1] (집, 방이) 임대되지 않은, 비어있는 (↔ besetzt 임대된) ; [2] 자유의, 자유로운 → die Freiheit 자유

문장 1

☞ 화법조동사 können의 *과거* 시제 어미변화:

- können의 3 기본형 중에서 *과거형* konnte가 사용됨!
- 주어가 er이므로 어미 없이 Konnte_ 그대로 정답임.

문장 2

► 「kein_ Zimmer」:
명사 Zimmer는 *중성*이며, *주어*이므로 *중성 1격!!*
따라서 kein-은 *중성 1격* 부정관사 ein_처럼 어미 없이 kein_임.

► 「... war *kein Zimmer* ...」: 동사 sein('...이다')의 *과거 시제*임!
동사 sein의 과거 시제 어미변화:

- 동사 sein의 3 기본형 중에서 *과거형* war가 사용됨!
- 주어가 kein Zimmer, 즉 중성의 es에 해당하므로 어미 없이 war_ 그대로 사용됨.

3. Frau Klage mussste_ gestern 3 Stunden länger im Büro bleiben.

✷ 해석 클라게 부인은 어제 세 시간 더 오랫동안 사무실에 머물러야 했다.

✷ 어휘 「müssen ... 동사 원형」 [화법조동사] ...해야 한다 (3 기본형: müssen - musste - gemusst) (현재 시제: ich muss ; du musst ; er muss ; wir müssen ; ...) ▌gestern [부사어] 어제 ▌drei 3 ▌die Stunde 시간 (die Stunden) ▌länger 더 오랫동안 (부사어 lange('오랫동안')의 *비교급*!) : drei Stunden länger 3 시간 더 오래 ▌in [3・4격 전치사] (3격 지배: 위치) ~안에서, ~에서 → 「im + 남성・중성 3격」: im Büro bleiben 사무실에서 머무르다 ▌das Büro 사무실 (die Büros) ▌bleiben [자동사] 머무르다 (3 기본형: bleiben - blieb - geblieben ; 완료형 「sein ... pp」) <주의> 동사 bleiben과 함께 오는 3・4격 전치사는 '위치'를 나타내므로 *3격 지배*임!

☞ 화법조동사 müssen의 *과거* 시제 어미변화:

- müssen의 3 기본형 중에서 *과거형* musste가 사용됨!
- 주어인 Frau Klage는 여성의 sie('그녀는')에 해당하므로 어미 없이 musste_ 그대로 정답임.

4. Ich wollte_ sofort losfahren, aber ich konnte_ nicht. Mein Wagen war kaputt.

✹ **해석** 나는 곧 출발하려고 했지만 그럴 수 없었다. 나의 자동차가 고장 난 상태였다.

✹ **어휘** 「wollen ... 동사 원형」 [화법조동사] ...하려고 한다 (3 기본형: wollen - wollte - gewollt) (현재 시제: ich will ; du will*st* ; er will ; wir woll*en* ; ...) ▌ sofort [부사어] 곧, 금방 ▌ *los*fahren [분리동사&자동사] (차 타고) 출발하다 (3 기본형: *los*fahren - *los*fuhr - *los*gefahren ; '*장소 이동*' 자동사 → 완료형 「*sein* ... pp」) (현재 시제: du fährs*t* ... *los* ; er fähr*t* ... *los*) ⇐ fahren [자동사] (차 타고) 가다 (3 기본형: fahren - fuhr - gefahren ; '*장소 이동*' 자동사 → 완료형 「*sein* ... pp」) (현재 시제: du fährs*t* ; er fähr*t*) <참고> 분리전철 *los*는 '장소 이동' 동사와 결합하여 '출발, 떠남' 등을 뜻함: *los*gehen 걸어서 출발하다, *los*fliegen 비행하기 시작하다 ▌ 「können ... 동사 원형」 [화법조동사] ...할 수 있다 (3 기본형: können - konnte - gekonnt) (현재 시제: ich kann ; du kann*st* ; er kann ; wir könn*en* ; ...) ▌ der Wagen 자동차 (die Wagen) ▌ war (동사 sein의 *과거* 시제: 주어가 *ich* 혹은 *er*, *sie*, *es*일 때) ⇒ sein [자동사] (*형용사* 혹은 *명사 보어*와 함께) ...이다 (3 기본형: sein - war - gewesen) ▌ kaputt [형용사] 고장 난

문장 1

<접속사 aber 앞 문장>

☞ 화법조동사 wollen의 *과거* 시제 어미변화:

- wollen의 3 기본형 중에서 *과거형* wollte가 사용됨!
- 주어가 Ich이므로 어미 없이 wollte_ 그대로 정답임.

<접속사 aber 뒤 문장>

☞ 화법조동사 können의 *과거* 시제 어미변화:

- können의 3 기본형 중에서 *과거형* konnte가 사용됨!
- 주어가 ich이므로 어미 없이 konnte_ 그대로 정답임.

문장 2

► 「Mein_ Wagen」:
명사 Wagen은 *남성*이며, *주어*이므로 *남성 1격!!*
따라서 소유대명사 Mein-('나의')은 *남성 1격* 부정관사 ein_처럼 어미 없이 Mein_임.

► 「*Mein Wagen* war ...」: 동사 sein('...이다')의 *과거* 시제임!
동사 sein의 과거 시제 어미변화:

- 동사 sein의 3 기본형 중에서 *과거형* war가 사용됨!
- 주어가 Mein Wagen, 즉 er이므로 어미 없이 war_ 그대로 사용됨.

5. Warum seid ihr am Samstag nicht gekommen? - Wir konnte*n* leider nicht kommen. Wir hatten Besuch.

✸ 해석 왜 너희는 토요일에 오지 않았니? - 유감스럽게도 우리는 갈 수 없었어. 우리는 손님이 있었어.

✸ 어휘 warum [의문사] 왜? ▌「seid ... gekommen?」 (동사 kommen의 *현재완료* 시제) ▌gekommen (동사 kommen의 *pp형*) ⇒ kommen [자동사] 오다 (3 기본형: kommen - kam - gekommen ; '*장소 이동*' 자동사 → 완료형 「*sein* ... pp」) ▌「am + 요일」: am Samstag 토요일에 ▌der Samstag 토요일 (die Samstag*e*) ▌「können ... 동사 원형」 [화법조동사] ...할 수 있다 (3 기본형: können - konnte - gekonnt) (현재 시제: ich kann ; du kann*st* ; er kann ; wir könn*en* ; ...) ▌leider [부사어] 유감스럽게도, 아쉽게도 ▌hatte*n* (동사 haben의 *과거* 시제: 주어가 *wir* 혹은 *sie*('그들은'), *Sie*일 때) ⇒ haben [타동사] ...을 가지고 있다 (3 기본형: haben - hatte - gehabt) ▌der Besuch 방문객, 손님 (복수 없음) = der Gast 손님 (die Gäst*e*) : Besuch haben 손님이 있다

<참고> der Besuch 방문, 방문하기 (die Besuch*e*) :
「machen + bei + 사람(3격) + einen Besuch」 *누구*를 방문하다 ;
「동사 sein + bei + 3격(사람) + zu Besuch」 *누구*를 방문 중이다 ;
「kommen + zu + 3격(사람) + zu Besuch」 *누구*를 방문하다

문장 1

► 「... seid *ihr* ... gekommen?」: 동사 kommen('오다')의 *현재완료* 시제임!
동사 kommen은 '장소 이동' 자동사이므로 현재완료 형식은 「*sein* ... pp」임.
- 주어가 ihr('너희는')이므로 동사 sein의 형태는 *seid*임.
- 동사 kommen의 pp형은 *gekommen*임.

문장 2

☞ 화법조동사 können의 *과거* 시제 어미변화:
- können의 3 기본형 중에서 *과거형* konnte가 사용됨!
- 주어가 Wir이므로 어미 -*n*이 붙어 konnte*n*이 정답임.

문장 3

► 「*Wir* hatten ...」: 동사 haben('...을 가지고 있다')의 *과거* 시제임!
haben의 과거 시제 어미변화:
- 동사 haben의 3 기본형 중에서 *과거형* hatte가 사용됨!
- 주어가 Wir이므로 어미 -*n*이 붙어 hatte*n*임.

6. Die Kinder durfte*n* gestern nicht ins Kino gehen. Ihre Eltern waren dagegen. Sie musste*n* den ganzen Tag zu Haus bleiben.

✸ 해석 아이들은 어제 영화관에 갈 수 없었다. 그들의 부모가 그것에 동의하지 않았다. 그들은 하루 종일 집에 머물러 있어야만 했다.

✸ 어휘 das Kind 아이, 어린이 (die Kind*er*) ▌「dürfen ... 동사 원형」 [화법조동사] ...해도 된다 (3 기본형: dürfen - durfte - gedurft) (현재 시제: ich darf ; du darf*st* ; er darf ; wir dürf*en* ; ...) ▌gestern [부사어] 어제 ▌in [*3·4격* 전치사] (*4격* 지배: *방향*) ~안으로, ~로 → 「ins + 중성 4격」: ins Kino gehen 영화관으로 가다 ▌das Kino 영화관 (die Kino*s*) ▌gehen [자동사] 가다 (3 기본형: gehen - ging - gegangen ; '*장소 이동* 자동사 → 완료형「*sein* ... pp」) <참고> '장소 이동' 동사 gehen과 함께 오는 3·4격 전치사는 '방향'을 나타내므로 *4격 지배*임! ▌die Eltern (항상 복수) 부모 ▌war*en* (동사 sein의 *과거* 시제: 주어가 *wir* 혹은 *sie*('그들은'), *Sie* 일 때) ⇒ sein [자동사] ...이다 (3 기본형: sein - war - gewesen) ▌「주어 + 동사 sein + dagegen」 *주어는* 그것에 반대하다 ← gegen [*4격* 전치사] ~에 역으로, 반대로 (영. against) ↔ 「주어 + 동사 sein + dafür」 *주어는* 그것에 찬성하다 ▌「müssen ... 동사 원형」 [화법조동사] ...해야 한다 (3 기본형: müssen - musste - gemusst) (현재 시제: ich muss ; du muss*t* ; er muss ; wir müss*en* ; ...) ▌ganz- [형용사] 전체의 (명사 앞에 오는 *수식어*로만 사용됨!) (영. whole) : den ganzen Tag 하루 종일 (*4격*의 시간 부사어!) ▌der Tag 날, 낮 (die Tag*e*) ▌zu Haus(e) 집에서 ▌bleiben [자동사] 머무르다 (3 기본형: bleiben - blieb - geblieben ; 완료형 「*sein* ... pp」)

문장 1

☞ 화법조동사 dürfen의 *과거* 시제 어미변화:

- dürfen의 3 기본형 중에서 *과거형* durfte가 사용됨!
- 주어인 Die Kinder는 복수의 sie('그들은')에 해당하므로 어미 *-n*이 붙어 durfte*n*이 정답임.

문장 2

► 「Ihr*e* Eltern」:

- Ihr-는 복수의 소유대명사 ihr-('그들의')로서 앞 문장의 주어 die Kinder를 받음.
- 뒤에 오는 명사 Eltern은 *복수*이며, *주어*이므로 *복수 1격!!*
  따라서 소유대명사 Ihr-는 *복수 1격* 정관사 di*e*처럼 어미변화 하여 Ihr*e*임.

► 「*Ihre Eltern waren ...*」: 동사 sein('...이다')의 *과거* 시제임!
동사 sein의 과거 시제 어미변화:

- 동사 sein의 3 기본형 중에서 *과거형* war가 사용됨!
- 주어가 Ihre Eltern, 즉 복수의 sie('그들은')에 해당하므로 어미 *-en*이 붙어 war*en*임.

문장 3

☞ 화법조동사 müssen의 *과거* 시제 어미변화:

- müssen의 3 기본형 중에서 *과거형* musste가 사용됨!
- 주어인 Sie는 복수의 sie('그들은')이므로 어미 *-n*이 붙어 musste*n*이 정답임.

7. Ist er lange bei dir geblieben? - Nein, er musste früh nach Haus.

✸ 해석 그가 오랫동안 네 집에 머물렀니? - 아니, 그는 일찍 집에 가야 했어.

✲ 어휘 「Ist ... geblieben?」 (동사 bleiben의 *현재완료* 시제) ▌geblieben (동사 bleiben의 *pp형*) ⇒ bleiben [자동사] 머무르다 (3 기본형: bleiben - blieb - geblieben ; 완료형 「*sein* ... pp」) ▌lange [부사어] 오랫동안 ▌bei [*3격* 전치사] → 「bei + 사람(3격)」 (위치) 누구 집에서 ▌dir [인칭대명사] du의 *3격* 형임. (4격 형은 *dich*) ▌「müssen ... 동사 원형」 [화법조동사] ...해야 한다 (3 기본형: müssen - musste - gemusst) (현재 시제: ich muss ; du muss*t* ; er muss ; wir müss*en* ; ...) ▌früh [형용사] 이른, (부사적) 일찍 ↔ spät 늦은, 늦게 ▌nach Haus(e) 집으로

문장 1

► 「Ist *er* ... geblieben?」: 동사 bleiben('머무르다')의 *현재완료* 시제!
자동사 bleiben의 현재완료 형식은 「*sein* ... pp」임.

- 주어가 er이므로 동사 sein의 형태는 *Ist*임.
- 동사 bleiben의 pp형은 *geblieben*임.

문장 2

☞ 화법조동사 müssen의 *과거* 시제 어미변화:

- müssen의 3 기본형 중에서 *과거형* musste가 사용됨!
- 주어가 er이므로 어미 없이 musste_ 그대로 정답임.

► 화법조동사 musste와 함께 와야 할 *동사 원형이 생략*됨:
'방향'을 나타내는 nach Haus('집으로')가 있으므로 '장소 이동' 자동사 gehen, fahren ... 등이 생략된 것으로 볼 수 있음.

8. Warum bist du eigentlich nicht verheiratet? - Heiraten? Nein, das wollte_ ich nie.

✲ 해석 도대체 너는 왜 결혼하지 않니? - 결혼이라고? 아니야, 나는 그것을 결코 원치 않았어.

✲ 어휘 warum [의문사] 왜? ▌bist (동사 sein의 *현재* 시제) ⇒ sein [자동사] (*형용사* 혹은 *명사 보어*와 함께) ...이다 (3 기본형: sein - war - gewesen) ▌eigentlich [부사어] *의문문*에서 화자의 비판 혹은 불만 등을 표현함. ("도대체 ...") ▌verheiratet [형용사] 결혼한, 기혼인 ↔ ledig 미혼인, 홀몸인 ▌heiraten [타동사] ...와 결혼하다 (3 기본형 *규칙* 변화: heirat*en* - heirat*ete* - *ge*heirat*et* ※heira*t*en은 어간 끝이 *-t*이므로 발음상 -e- 첨가!) ▌das [지시대명사] 그것 (성, 수에 관계없이 앞에 나온 *명사*, 앞에 나온 *문장 일부* 혹은 *전체* 등 그 무엇이든 받을 수 있음!) ▌「wollen + 4격」 [*타동사* : 화법조동사 아님!] ...을 원하다 (3 기본형: wollen - wollte - gewollt) (현재 시제: ich will ; du will*st* ; er will ; wir woll*en* ; ...) ▌nie [부사어] 결코 ... 않다

문장 3

☞ (화법조동사가 아닌) 타동사 wollen 의 *과거* 시제 어미변화:

- 타동사 wollen의 3 기본형 중에서 *과거형* wollte가 사용됨!
- 주어가 ich이므로 어미 없이 wollte_ 그대로 정답임.

► 지시대명사 das는 타동사 wollte의 4격 목적어임.
(바로 앞 문장 "Heiraten?"의 내용인 '결혼하는 것'을 받음.)

unit 02

심화문제

I. 동사 sein 또는 haben의 알맞은 형태를 적으시오. (16과, 심화문제: 교재 94쪽)

1. Wie <u>war</u> das Wetter gestern? - Es <u>war</u> sehr warm. Wir <u>hatten</u> 30 Grad.

✻ **해석** 어제 날씨가 어땠니? - 매우 따뜻했어. 30도였어.

✻ **어휘** wie [의문사] 어떻게? (영. how?) ▌sein [자동사] (*형용사* 혹은 *명사 보어*와 함께) '...이다' (3 기본형: sein - war - gewesen) ▌das Wetter 날씨 (복수 없음) ▌gestern [부사어] 어제 ▌sehr [부사어] 아주, 매우 ▌warm [형용사] 따뜻한 ▌haben [타동사] ...을 가지고 있다 (3 기본형: haben - hatte - gehabt) ▌dreißig 30 ▌der Grad (각도, 온도의 계측 단위) 도 (die Grad)

문장 1

☞ 내용상 동사 *sein*('...이다')이 빈칸에 와야 함.
(4격 목적어가 없으므로 타동사 haben은 불가능함!)

- 부사어 gestern('*어제*')이 있음. → 따라서 *과거* 시제!
- 동사 sein의 과거 시제 어미변화:
  sein의 3 기본형 가운데 *과거형* war가 사용됨.
  주어가 das Wetter, 즉 es에 해당하므로 어미 없이 war_ 그대로 정답임.

문장 2

☞ 형용사 보어 warm('따뜻한')이 있으므로 동사 *sein*('...이다')이 빈칸에 옴.
(4격 목적어가 없으므로 타동사 haben은 불가능함!)

- '*어제*의 날씨'를 묻는 앞 문장의 질문에 대한 답변임. → 따라서 *과거* 시제!
- 동사 sein의 과거 시제 어미변화:
  sein의 3 기본형 가운데 *과거형* war가 사용됨.
  주어가 '날씨'의 비인칭 주어 Es이므로 어미 없이 war_ 그대로 정답임.

문장 3

☞ 4격 목적어인 "30 Grad"가 있으므로 타동사 *haben*('...을 가지고 있다')이 빈칸에 옴.

- '*어제*의 날씨'에 대하여 말하는 내용임. → 따라서 *과거* 시제!
- 동사 haben의 과거 시제 어미변화:
  haben의 3 기본형 가운데 *과거형* hatte가 사용됨.
  주어가 Wir이므로 어미 *-n*이 붙어 hatte<u>n</u>이 정답임.

2. Haben Sie Herrn Klein gesehen? - Der war eben hier.

✹ 해석 당신은 클라인씨를 보셨나요? - 그 사람 방금 이곳에 있었어요.

✹ 어휘 haben [1] [조동사] 현재완료 형식 「haben ... pp」에 사용 ; [2] [타동사] ...을 가지고 있다 (3 기본형: haben - hatte - gehabt) ▌Herr ... (남자 호칭) '...씨' <주의> 주어를 제외한 *단수 2, 3, 4격*이 모두 Herr*n*임! ▌gesehen (동사 sehen의 *pp형*) ⇒ sehen [타동사] ...을 보다 (3 기본형: sehen - sah - gesehen) (현재 시제: du sieh*st* ; er sieh*t*) ▌der [지시대명사] 그 사람, 그것 (앞에 나온 *남성*명사를 받으며, *1격* 형임.) ▌sein [자동사] 있다, 존재하다 (3 기본형: sein - war - gewesen) ▌eben [부사어] 막, 방금 ▌hier [부사어] 여기에

문장 1

☞ • 동사 sehen의 pp형 gesehen이 문장 맨 뒤에 옴. → 따라서 *현재완료* 시제임!

• sehen은 4격 목적어를 지니는 타동사이므로 현재완료 형식은 「*haben* ... pp」임.
따라서 동사 *haben*이 빈칸에 와야 함:
주어가 격식칭 Sie('당신은')이므로 원형 Hab*en*이 정답임.

문장 2

▸ 주어인 Der는 앞 문장의 *남자* 인물 Herrn Klein을 받음.
(Der는 *남성 1격* 지시대명사임!)

☞ 내용상 동사 *sein*('있다, 존재하다')이 빈칸에 와야 함.
(4격 목적어가 없으므로 haben은 불가능함!)

• 부사어 eben('*막, 방금*')이 사용됨. → 따라서 *과거* 시제!

• 동사 sein의 과거 시제 어미변화:
sein의 3 기본형 가운데 *과거형* war가 사용됨.
주어인 Der는 er에 해당하므로 어미 없이 war_ 그대로 정답임.

3. Paul hatte einen Unfall. Er muss mindestens eine Woche im Krankenhaus liegen.

✹ 해석 파울은 사고를 당했다. 그는 적어도 일주일 동안 병원에 누워 있어야 한다.

✹ 어휘 haben [타동사] ...을 가지고 있다 (3 기본형: haben - hatte - gehabt) ▌der Unfall 사고 (die Unfäll*e*) : einen Unfall haben 사고를 당하다 ▌「muss ... liegen」 (화법조동사 müssen의 *현재* 시제) ⇒ 「müssen ... 동사 원형」 ...해야 한다 (현재 시제: ich muss ; du muss*t* ; er muss ; wir müss*en* ; ...) (3 기본형: müssen - musste - gemusst, müssen ※완료형은 「haben ... *pp*」: ① 동사 원형 *없을* 때: 「haben ... *gemusst*」; ② 동사 원형 *있을* 때: 「haben ... *동사 원형 müssen*」) ▌mindestens [부사어] 적어도 ← mindest [형용사] 가장 적은 (형용사 wenig('적은')의 최상급!) ▌die Woche 주, 주일 (die Woche*n*) : eine Woche 일주일 동안 (*4격*의 시간 부사어!) ▌das Krankenhaus 종합병원 (die Krankenhäus*er*) ← krank [형용사] 아픈 + das Haus 집 (die Häus*er*) ▌in [*3 · 4격* 전치사] (*3격* 지배: *위치*) ~안에, ~에 → 「im + 남성 · 중성 3격」: im Krankenhaus liegen 병원*에* 누워 있다 ▌liegen [자동사] (사람이) 누워 있다, (물건이) 놓여 있다 (3 기본형: liegen - lag - gelegen) <주의> 동사 liegen과 함께 오는 3 · 4격 전치사는 '위치'를 나타내므로 *3격 지배*임!

문장 1

☞ 4격 목적어인 einen Unfall이 있으므로 타동사 *haben*('...을 가지고 있다')이 빈칸에 옴.

- 지난 과거 일에 대한 내용임. → 따라서 *과거* 시제!
- 동사 haben의 과거 시제 어미변화:
  haben의 3 기본형 가운데 *과거형* hatte가 사용됨.
  주어인 Paul은 er에 해당하므로 어미 없이 hatte_ 그대로 정답임.

4. Die Eltern des Jungen __hatten__ früher einen kleinen Laden. Heute __haben__ sie einen großen Supermarkt.

✱ **해석** 그 소년의 부모님은 과거에 작은 상점 하나를 가졌었다. 오늘날 그들은 큰 슈퍼마켓 하나를 가지고 있다.

✱ **어휘** die Eltern (항상 복수) 부모 ▌der Junge 소년 (die Junge*n*) <주의> 주어를 제외한 *단수 2, 3, 4격*이 복수형과 동일하게 Junge*n*인 *약변화* 명사! ↔ das Mädchen [축소명사] 소녀 (die Mädchen) ▌haben [타동사] ...을 가지고 있다 (3 기본형: haben - hatte - gehabt) ▌früher [형용사] 과거의, (부사적) 과거에, 전에 ↔ später 나중의, 나중에 ▌klein [형용사] 작은 ▌der Laden 상점, 가게 (die Läden) = das Geschäft (die Geschäft*e*) ▌heute [부사어] 오늘, 오늘날 ▌groß [형용사] 큰 ▌der Supermarkt 슈퍼마켓 (die Supermärkt*e*) ← der Markt 시장 (die Märkt*e*)

문장 1

► 「... Eltern d*es* Junge*n*」:

- 명사 Junge는 *남성*이며, 바로 앞의 명사 Eltern을 수식하는 *2격*이므로 *남성 2격*!!
  따라서 *남성 2격* 어미 *-es* 를 지닌 정관사 d*es*가 앞에 옴.
  2격 어미: ***-es*** (남성, 중성) ; ***-er*** (여성, 복수)
- 명사 Junge는 단수 2, 3, 4격이 복수형처럼 어미 *-n*이 붙어 Junge*n*인 약변화 명사임!
  여기서는 *남성 2격*, 즉 *단수 2격*이므로 Junge*n*임.

☞ 4격 목적어 einen kleinen Laden이 있으므로 타동사 *haben*이 빈칸에 와야 함.

- 부사어 früher('*과거에*')가 있음. → 따라서 *과거* 시제!
- 동사 haben의 과거 시제 어미변화:
  haben의 3 기본형 가운데 *과거형* hatte가 사용됨.
  주어인 Die Eltern은 복수의 sie('그들은')에 해당하므로 어미 *-n*이 붙어 hatte*n*이 정답임.

► 「ein*en* klein*en* Laden」:

- 명사 Laden은 *남성*이며, 동사 hatten의 *4격* 목적어이므로 *남성 4격*!!
  따라서 *남성 4격* 부정관사 ein*en*이 앞에 옴.
- 형용사 klein 앞에 *남성 4격* ein*en*이 있음.
  → 따라서 ein*en* klein*en* ...
  (근거: 남성 4격 ein*en*, d*en*, mein*en*, ihr*en*, unser*en*, kein*en*, dies*en* + 형용사 *-en*)

문장 2

☞ 4격 목적어 einen großen Supermarkt가 있으므로 타동사 *haben*이 빈칸에 와야 함.

- 부사어 heute('*오늘날*')가 있음. → 따라서 *현재* 시제!
- 동사 haben의 현재 시제 어미변화:

  주어가 복수의 sie('그들은') 이므로 원형 hab*en*이 정답임.
  앞 문장의 복수명사 Die Eltern을 받음!

5. Ich habe dich schon gestern besuchen wollen, aber ich konnte nicht, denn ich musste zu Hause noch viel arbeiten.

✱ **해석** 나는 너를 이미 어제 방문하려고 했지만, 그럴 수 없었어. 왜냐하면 나는 집에서 아직 많은 일을 해야만 했기 때문이야.

✱ **어휘** 「habe ... besuchen wollen」 (화법조동사 wollen의 *현재완료* 시제) ▌「habe ... wollen」 (화법조동사 wollen의 *pp형*) ⇒ 「wollen ... 동사 원형」 [화법조동사] (의지) ...하려고 한다 (3 기본형: wollen - wollte - gewollt, wollen ※완료형은 「haben ... *pp*」: ① 동사 원형 *없을* 때: 「haben ... *gewollt*」; ② 동사 원형 *있을* 때: 「haben ... *동사 원형* *wollen*」) (현재 시제: ich will ; du will*st* ; er will ; wir woll*en* ; ...) ▌dich [인칭대명사] du의 *4격* 형임. (3격 형은 *dir*) ▌schon [부사어] 이미, 벌써 ▌gestern [부사어] 어제 ▌besuchen [타동사] ...을 방문하다 (3 기본형 *규칙* 변화: *be*such*en* - *be*such*te* - *be*such*t* ※형태가 *be*-이므로 pp형에서 *ge- 탈락!* 즉, be*ge*sucht 아님!) ⇐ suchen [타동사] ...을 구하다, 찾다 (3 기본형 *규칙* 변화: such*en* - such*te* - *ge*such*t*) ▌konnte (화법조동사 können의 *과거* 시제: 주어가 *ich* 혹은 *er*, *sie*, *es*일 때) ⇒ 「können ... 동사 원형」...할 수 있다 (3 기본형: können - konnte - gekonnt, können ※완료형은 「haben ... *pp*」: ① 동사 원형 *없을* 때: 「haben ... *gekonnt*」; ② 동사 원형 *있을* 때: 「haben ... *동사 원형* *können*」) (현재 시제: ich kann ; du kann*st* ; er kann ; wir könn*en* ; ...) ▌denn [등위접속사] 왜냐하면 (영. because) ▌「musste ... arbeiten」 (화법조동사 müssen의 *과거* 시제: 주어가 *ich* 혹은 *er*, *sie*, *es*일 때) ⇒ 「müssen ... 동사 원형」 ...해야 한다 (3 기본형: müssen - musste - gemusst, müssen ※완료형은 「haben ... *pp*」: ① 동사 원형 *없을* 때: 「haben ... *gemusst*」; ② 동사 원형 *있을* 때: 「haben ... *동사 원형* *müssen*」) (*현재* 시제: ich muss ; du muss*t* ; er muss ; wir müss*en* ; ihr müss*t* ; sie, Sie müss*en*) ▌zu Haus(e) 집에, 집에서 ▌noch [부사어] 아직, 여전히 ▌viel 많은, 많이 ↔ wenig 적은, 적게 ▌arbeiten [자동사] 일하다 (3 기본형 *규칙* 변화: arbeit*en* - arbeit*ete* - *ge*arbeit*et* ※arbei*t*en은 어간 끝이 -*t*이므로 발음상 -e- 첨가!)

접속사 aber 앞 문장

☞ • 화법조동사 wollen의 pp형인 wollen이 문장 맨 뒤에 옴. → 따라서 *현재완료* 시제임.

- wollen의 현재완료 형식은 「*haben* ... pp」임!

  따라서 빈칸에는 동사 haben이 와야 함: 주어가 Ich이므로 habe가 정답임.

<참고>

화법조동사의 *현재완료* 형식은 「*haben* ... pp」:

① 동사 원형이 *있을* 경우 화법조동사의 pp형은 *원형* 형태임:

(현재) Er will Arzt *werden*. 그는 의사가 되려고 *한다*.

→ (현재완료) Er hat Arzt *werden* wollen. 그는 의사가 되려고 *했다*.

② 동사 원형이 *없을* 경우 화법조동사의 pp형은 *ge -t* 형태임:

(현재) Er will in den Ferien ans Meer. 그는 휴가에 바닷가로 가려고 *한다*.

→ (현재완료) Er hat in den Ferien ans Meer gewollt. 그는 휴가에 바닷가로 가려고 *했다*.

<주의>

화법조동사는 과거 일을 말할 때 일반적으로 현재완료가 아니라 *과거* 시제로 표현함.

접속사 aber 뒤 문장

► 「... *ich* konnte ...」: 화법조동사 können의 *과거* 시제!

können의 과거 시제 어미변화:

- können의 3 기본형 가운데 *과거형* konnte가 사용됨.
- 주어가 ich이므로 어미 없이 konnte_ 그대로 사용됨.

<참고>

Ich *konnte* nicht. (*과거* 시제) = Ich *habe* nicht _gekonnt_. (*현재완료* 시제)
앞에 동사 원형이 ***없음!***
따라서 ***ge-t*** 형태의 pp형 ***ge***konn***t***가 사용됨.

► 「... *ich* musste ... arbeiten」: 화법조동사 müssen의 *과거* 시제!

müssen의 과거 시제 어미변화:

- müssen의 3 기본형 가운데 *과거형* musste가 사용됨.
- 주어가 ich이므로 어미 없이 musste_ 그대로 사용됨.

<참고>

Ich *musste* ... arbeiten. (*과거* 시제) = Ich *habe* ... arbeiten _müssen_. (*현재완료* 시제)
앞에 동사 원형 arbeiten이 ***있음!***
따라서 ***원형*** 형태의 pp형 ***müssen***이 사용됨!

6. _Warst_ du am letzten Wochenende auf Werners Party? - Ich _war_ nicht dort. Ich _hatte_ zu viel Arbeit.

✱ **해석** 너는 지난 주말에 베르너의 파티에 있었니? - 나는 그곳에 있지 않았어. 나는 일이 너무나 많았어.

✱ **어휘** sein [자동사] 있다, 존재하다 (3 기본형: sein - war - gewesen) <참고> 동사 sein과 함께 오는 3・4격 전치사는 '위치'를 나타내므로 *3격 지배*임! ▌letzt- [형용사] 마지막의, 최근의 (명사 앞에 오는 *수식어*로만 사용됨!) ▌an [*3・4격* 전치사] (*3격* 지배: *시간적* 의미) ~에 → 「am + 남성・중성 3격」: am letzten Wochenende 지난 주말*에* ▌das Wochenende 주말 (die Wochenende*n*) ← die Woche 주, 주일 (die Woche*n*) + das Ende 끝 (die Ende*n*) ▌die Party 파티 (die Party*s*) ▌auf [*3・4격* 전치사] (*3격* 지배: *위치*) ~위에, ~에 : auf der Party sein 파티*에* 참석하다 ▌「사람 이름 *-s*」 (소유격) '누구*의* ...' : Werner*s* Party 베르너*의* 파티 ▌dort [부사어] 거기에(서) ▌haben [타동사] ...을 가지고 있다 (3 기본형: haben - hatte - gehabt) ▌「zu + 형용사 (부사)」 '너무 ...한, 너무 ...하게' : zu viel Arbeit 너무 많은 일 ▌viel [부정수사] 많은, 많이 (영. much) ▌die Arbeit 일, 작업 (die Arbeit*en*)

문장 1

☞ 내용상 '있다, 존재하다'의 의미를 지니는 자동사 *sein*이 빈칸에 와야 함.
(4격 목적어가 없으므로 타동사 haben은 불가능함!)

- 과거 일을 나타내는 부사어 am letzten Wochenende('*지난 주말에*')가 있음. → *과거* 시제!
- 동사 sein의 과거 시제 어미변화:
  sein의 3 기본형 가운데 *과거형* war가 사용됨.
  주어가 du이므로 어미 *-st*가 붙어 Warst가 정답임.

문장 2

☞ 여기서도 내용상 '있다, 존재하다'의 의미를 지니는 자동사 *sein*이 빈칸에 와야 함.
(4격 목적어가 없으므로 타동사 haben은 불가능!)

- '*지난 주말*'의 일을 묻는 질문에 대한 답변임. → 따라서 *과거* 시제!
- 동사 sein의 과거 시제 어미변화:
  sein의 3 기본형 가운데 *과거형* war가 사용됨.
  주어가 Ich이므로 어미 없이 war_ 그대로 정답임.

문장 3

☞ 4격 목적어 zu viel Arbeit가 있으므로 타동사 *haben*이 빈칸에 와야 함.

- 역시 '*지난 주말*'의 일에 관한 내용임. → 따라서 *과거* 시제!
- 동사 haben의 과거 시제 어미변화:
  haben의 3 기본형 가운데 *과거형* hatte가 사용됨.
  주어가 Ich이므로 어미 없이 hatte_ 그대로 정답임.

7. Hattest du früher gute Noten in der Schule? - Ach nein, ich war ein schlechter Schüler.

✻ **해석** 너는 전에 학교에서 좋은 성적을 받았니? - 아, 아니야, 나는 불량한 학생이었어.

✻ **어휘** haben [타동사] ...을 가지고 있다 (3 기본형: haben - hatte - gehabt) ▌früher [부사어] 전에, 과거에 (형용사 früh의 *비교급*으로서 독립적 부사어로 굳어짐!) ← früh [형용사] 이른, (부사적) 일찍 ▌gut [형용사] 좋은 ▌die Note 점수 (die Note*n*) ▌in [*3·4격* 전치사] (*3격* 지배: *위치*) ~안에서, ~에서 : in der Schule 학교*에서* ▌die Schule 학교 (die Schule*n*) ▌ach [감탄사] 아! ▌sein [자동사] '...이다' (3 기본형: sein - war - gewesen) ▌schlecht [형용사] 나쁜 ▌der Schüler 초·중·고등학생 (die Schüler) ↔ der Student 대학생 (die Student*en*)
<주의> 주어를 제외한 *단수 2, 3, 4격*이 복수형처럼 Student*en*인 *약변화* 명사임!

문장 1

☞ 4격 목적어 gute Noten이 있으므로 타동사 *haben*이 빈칸에 와야 함.

- 부사어 früher('*과거에*')가 사용됨. → *과거* 시제!
- 동사 haben의 과거 시제 어미변화:
  haben의 3 기본형 가운데 *과거형* hatte가 사용됨.
  주어가 du이므로 어미 *-st*가 붙어 Hattest가 정답임.

► 「gut*e* Note*n* 」:

- 명사 Note*n*은 *복수*이며, 동사 Hatte*st*의 *4격* 목적어이므로 *복수 4격!*
  내용상 부정관사 ein-이 앞에 와야 하지만 복수는 부정관사가 없으므로 생략됨.
- 형용사 gut은 *복수 4격* 정관사 di*e* 처럼 어미변화 하여 gut*e*임.
  형용사 앞에 관사, 소유대명사, 지시대명사 ... 등이 없을 경우
  형용사 자체가 ***정관사 d-*** 어미변화 함!

문장 2

☞ 명사 보어 ein schlechter Schüler가 있으므로 자동사 *sein*(...이다)이 빈칸에 와야 함.
(4격 목적어가 없으므로 타동사 haben은 불가능!)

- 과거의 '학창 시절'에 관한 내용임. → *과거* 시제!
- 동사 sein의 과거 시제 어미변화:
  sein의 3 기본형 가운데 *과거형* war가 사용됨.
  주어가 ich이므로 어미 없이 war_ 그대로 정답임.

► 「ein_ schlecht*er* Schüler」:

- 명사 Schüler는 *남성*이며, 동사 war의 *주격* 보어이므로 *남성 1격!!*
  따라서 *남성 1격* 부정관사 ein이 앞에 옴.
- 형용사 schlecht 앞에 *남성 1격* 부정관사 ein_이 있음.
  → 따라서 ein schlecht*er* ...
  (근거: 남성 1격 ein_ , mein_ , ihr_ , unser_ , unser_ , kein_ + 형용사 *-er*)

8. Hast du diese Bücher schon gelesen? - Nein, noch nicht. Sind die interessant?

✵ **해석** 너 이 책들을 벌써 읽었니? - 아니, 아직 못했어. 그것들 재미있니?

✵ **어휘** haben [타동사] ...을 가지고 있다 (3 기본형: haben - hatte - gehabt) ▌「dies- + 명사」 '이 ...' (지시대명사 dies-는 *정관사 d-* 어미변화!) (영. this ...) ▌das Buch 책 (die Büch*er*) ▌schon [부사어] 이미, 벌써 ▌gelesen (동사 lesen의 *pp형*) ⇒ lesen [타동사] ...을 읽다 (3 기본형: lesen - las - gelesen) (현재시제: du lie*st* ; er lie*st*) ▌noch [부사어] 아직, 여전히 : 「noch nicht ...」, 「noch kein- ...」 '아직 ... 않다' ▌Sind (동사 sein의 *현재* 시제) ⇒ sein [자동사] '...이다' (3 기본형: sein - war - gewesen) ▌die [지시대명사] 그것, 그 여자 (앞에 나온 *복수*명사를 받으며, *1격* 형임!) ▌interessant [형용사] 흥미 있는, 재미있는 ← das Interesse 흥미 (die Interesse*n*)

문장 1

☞ • 문장 맨 뒤에 동사 lesen의 pp형인 gelesen이 옴. → 따라서 *현재완료* 시제임.

- 동사 lesen의 현재완료 형식은 「*haben* ... pp」 임!
  따라서 빈칸에는 동사 haben이 와야 함: 주어가 du이므로 haben의 형태는 Hast임.

문장 3

► 지시대명사 die는 주어이며, 앞에 나온 복수명사 diese Bücher를 받음.
(여기서 die는 "*die* Bücher"의 축약형임: Sind die Bücher interessant?)

9. Die Studenten mussten im Regen auf den Bus warten; sie __sind__ ganz nass geworden.

✻ 해석 그 대학생은 빗속에서 버스를 기다려야만 했는데, (그래서) 그들은 몸이 완전히 젖었다.

✻ 어휘 der Student 대학생 (die Student*en*) <주의> 주어를 제외한 *단수 2, 3, 4격*이 복수형처럼 Student*en*인 *약변화* 명사! ▌「mussten ... warten」 (화법조동사 müssen의 *과거* 시제: 주어가 *wir* 혹은 *sie*('그들은'), *Sie*일 때) ⇒ 「müssen ... 동사 원형」 ...해야 한다 (3 기본형: müssen - musste - gemusst, müssen ※완료형은 「haben ... *pp* 」: ① 동사 원형 *없을* 때: 「haben ... gemusst 」; ② 동사 원형 *있을* 때: 「haben ... *동사 원형* müssen 」) (현재 시제: ich muss ; du muss*t* ; er muss ; wir müss*en* ; ...) ▌in [*3 · 4격* 전치사] (*3격* 지배: *위치*) ~안에서, ~에서 → 「im + 남성 · 중성 3격」: im Regen 빗속*에서* ▌der Regen 비 (복수 없음) (영. rain) ▌「warten auf + 4격」 '...을 기다리다' (3 기본형 *규칙* 변화: wart*en* - wart*ete* - *ge*wart*et* ※war*t*en은 어간 끝이 *-t*이므로 발음상 -e- 첨가!) ▌der Bus 버스 (die Bus*se*) ▌ganz [부사어] 완전히 (= völlig) ▌nass [형용사] 젖은 ↔ trocken 마른 ▌geworden (동사 werden의 *pp형*) ⇒ werden [자동사] (동사 sein처럼 *형용사* 및 *명사 보어*와 함께) '...되다' (영. become) (3 기본형: werden - wurde - geworden ; '*상태 변화*' 자동사 → 완료형 「*sein* ... pp」) (현재 시제: du wirst ; er wird)

세미콜론 앞 문장

► 「*Die Studenten* mussten ... warten」: 화법조동사 müssen의 *과거* 시제!
müssen의 과거 시제 어미변화:

- müssen의 3 기본형 가운데 *과거형* musste가 사용됨.
- 주어가 Die Student*en*, 즉 복수의 sie('그들은')이므로 어미 *-n*이 붙어 musste*n*이 옴.

<참고>

과거 시제 : Die Studenten *mussten* ... warten.
= *현재완료* 시제 : Die Studenten *haben* ... warten __müssen__ .

앞에 동사 원형 warten이 ***있음!***
따라서 ***원형*** 형태의 pp형 ***müssen***이 사용됨.

세미콜론 뒤 문장

☞ • 문장 맨 뒤에 동사 werden의 pp형인 geworden이 옴. → 따라서 *현재완료* 시제임!

• 동사 werden은 '상태 변화' 자동사이므로 현재완료 형식은 「*sein* ... pp」임.
따라서 빈칸에는 동사 sein이 와야 함:
주어가 __복수의 sie('그들은')__ 이므로 동사 sein의 형태는 sind임.
여기서 sie는 앞에 나온 *복수*명사 Die Student*en*을 받음!

10. __Waren__ Sie schon einmal in Deutschland? - Ja, ich __bin__ schon oft da gewesen.

✻ 해석 당신은 벌써 독일에 갔던 적 있나요? - 예, 저는 이미 자주 그곳에 갔었어요.

✸ **어휘** sein [자동사] 있다 (3 기본형: sein - war - gewesen ; 완료형「*sein* ... pp」) ▌schon [부사어] 이미, 벌써 ▌einmal [부사어] 한번 (영. once) ▌「in + 국가」 (위치) ~에, ~에서 : in Deutschland 독일에서 ▌oft [부사어] 자주 (= häufig) ▌da [부사어] 그곳에 ▌gewesen (동사 sein의 *pp형*) ⇒ sein [자동사] 있다, 존재하다

문장 1

☞ 내용상 '있다, 존재하다'의 의미를 지니는 자동사 *sein*이 빈칸에 와야 함.
(4격 목적어가 없으므로 타동사 haben은 불가능함!)

- 과거의 경험을 나타내는 부사어 schon einmal('*이미 한번*')이 사용됨. → *과거* 시제!
- 동사 sein의 과거 시제 어미변화:
  sein의 3 기본형 가운데 *과거형* war가 사용됨.
  주어가 격식칭 Sie('당신은')이므로 어미 *-en*이 붙어 war*en*이 정답임.

문장 2

☞ • 문장 맨 뒤에 동사 sein의 pp형인 gewesen이 옴. → 따라서 *현재완료* 시제임.
- 동사 sein의 현재완료 형식은「*sein* ... pp」임.
  따라서 빈칸에는 동사 sein이 와야 함: 주어가 ich이므로 동사 sein의 형태는 bin임.

11. Haben Sie schon die Nachrichten gehört? - Ja, aber es gab nichts Neues.

✸ **해석** 당신은 이미 뉴스를 들으셨나요? - 예, 하지만 새로운 것은 없었어요.

✸ **어휘** schon [부사어] 이미 ▌die Nachricht 소식 (die Nachricht*en*) <주의> 복수형 Nachricht*en*은 '방송 뉴스'라는 의미를 지닐 수 있음. ▌*ge*hör*t* (동사 hören의 *pp형*) ⇒ hören [타동사] ...을 듣다 (3 기본형은 *규칙* 변화: hör*en* - hör*te* - *ge*hör*t*) ▌gab (동사 geben의 *과거* 시제: 주어가 *ich* 혹은 *er, sie, es*일 때) ⇒ geben [타동사] ...을 주다 :「es gibt + 4격」 '...이 있다' (3 기본형: geben - gab - gegeben) (현재 시제: du gib*st* ; er gib*t*) ▌nichts [부정대명사] 아무것도 ... 않다 (영. nothing) ▌neu [형용사] 새, 새로운

문장 1

☞ • 동사 hören의 pp형인 gehört가 문장 맨 뒤에 옴. → 따라서 *현재완료* 시제임.
- hören은 4격 목적어를 지니는 타동사이므로 현재완료 형식은「*haben* ... pp」임.
  따라서 빈칸에는 동사 haben이 와야 함:
  주어가 Sie('당신은')이므로 haben의 형태는 원형 Haben임.

문장 2

► 「*Es* gab ... 」: 동사 geben의 *과거* 시제임!
과거 시제이므로 geben의 3 기본형 가운데 *과거형* gab이 사용됨:
주어가 Es이므로 어미 없이 그대로 gab_이 됨.

► 「nichts Neu*es* 」:
부정대명사 etwas, nichts를 형용사가 수식하는 경우:
형용사는 *뒤에 위치*하며, 앞 철자는 *대문자 표기*, 그리고 어미 *-es*가 붙음.

12. Auf dem alten Foto __habe__ ich meine Mutter nicht sofort erkannt. Damals __war__ sie noch jung und hübsch.

✱ **해석** 그 낡은 사진에서 나는 내 어머니를 곧바로 인식하지 못했다. 그 당시 그녀는 아직 젊고 예뻤었다.

✱ **어휘** auf [*3 · 4격* 전치사] (*3격* 지배: *위치*) ~위에서, ~에서 : auf dem alten Foto 옛 사진*에서* ▌alt [형용사] 낡은, 오래 된 (영. old) ▌das Foto 사진 (die Foto*s*) ▌die Mutter 어머니 (die Mütter) ▌sofort [부사어] 곧바로, 즉시 ▌erkannt (동사 erkennen의 *pp형*) ⇒ erkennen [타동사] ...을 인식하다 (3 기본형: *er*kennen - *er*kannte - __*er*kannt__ ※형태가 *er*-이므로 pp형에서 *ge- 탈락*! 즉, er*ge*kannt 아님!) ⇐ kennen [타동사] 누구를 알고 있다 (영. be acquainted with) (3 기본형: kennen - kannte - gekannt) ▌damals [부사어] (과거의) 그 당시, 그 때 ▌sein [자동사] (*형용사* 혹은 *명사 보어*와 함께) '...이다' (3 기본형: sein - war - gewesen ; 완료형 「*sein* ... pp」) ▌noch [부사어] 아직, 여전히 ▌jung [형용사] 젊은 ▌hübsch [형용사] 예쁜

문장 1

► 「auf d*em* alt*en* Foto」:

- 명사 Foto는 *중성*이며, 전치사 auf의 *3격* 목적어이므로 *중성 3격!!*
  따라서 *중성 3격* 어미 *-em*을 지닌 정관사 d*em*이 앞에 옴.
- 형용사 alt 앞에 *중성 3격*의 d*em*이 있음.
  → 따라서 auf d*em* alt*en* ...
  (근거: 3격 어미 *-em* (남성, 중성) ; *-er* (여성) ; *-en* (복수) 뒤에 오는 형용사는 *-en*임.)

☞ • 문장 맨 뒤에 동사 erkennen의 pp형인 erkannt가 옴. → 따라서 *현재완료* 시제임.
- erkennen은 4격 목적어를 지니는 타동사이므로 현재완료 형식은 「*haben* ... pp」임.
  따라서 빈칸에는 동사 haben이 와야 함: 주어가 ich이므로 haben의 형태는 habe임.

문장 2

☞ 형용사 보어 jung und hübsch가 있으므로 동사 *sein*(...이다)이 빈칸에 와야 함.
(4격 목적어가 없으므로 타동사 haben은 불가능함!)

- 부사어 damals('*그 당시*')가 사용됨. → *과거* 시제!
- 동사 sein의 과거 시제 어미변화:
  sein의 3 기본형 가운데 *과거형* war가 사용됨.
  주어가 __여성의 sie('그녀는')__ 이므로 어미 없이 war_ 그대로 정답임.
  앞 문장에 나온 여성명사 meine Mutter를 받음!

II. 괄호 안에 주어진 동사의 알맞은 형태는? ("현재완료" 혹은 "과거" 시제)

(16과, 심화문제: 교재 94쪽)

[1]Gestern war wirklich ein blöder Tag! [2]Am Morgen hat der Wecker nicht geklingelt; die Batterie war leer. [3]Ich habe nicht gefrühstückt und bin zu spät in die Schule gekommen. [4]Im Unterricht hatte ich großen Hunger, aber ich musste bis zur Pause warten. [5]Dann habe ich schnell zwei Brote und einen Apfel gegessen. [6]Danach hatte ich Bauchschmerzen. [7]Im Englischunterricht haben wir einen Test geschrieben, aber ich wusste viele Vokabeln nicht. [8]Ich habe eine Vier bekommen. [9]Am Nachmittag wollte ich zu Claudia, aber ich durfte nicht, denn Mama war ärgerlich wegen der Vier in Englisch. [10]Claudia hat lange auf mich gewartet. [11]Ich habe sie nicht angerufen! [12]Ich habe es einfach vergessen. [13]Es war so ein blöder Tag. [14]Jetzt ist auch Claudia ärgerlich über mich.

[1] Gestern _war_ wirklich ein blöder Tag!

✱ **해석** 어제는 정말 짜증나는 하루였어!

✱ **어휘** sein [자동사] ...이다 (3 기본형: sein - war - gewesen ; 완료형「*sein* ... pp」) ▌gestern [부사어] 어제 ▌wirklich [형용사] (부사적) 정말로 (말하고자 하는 내용을 강하게 표현함!) ▌blöd(e) [형용사] 멍청한, 짜증나는 ▌der Tag 날 (die Tag*e*)

☞ 동사 sein의 *과거* 시제이어야 함.

→ 따라서 과거 시제 어미변화:

- 동사 sein의 3 기본형 가운데 *과거형* war가 사용됨.
- 3인칭 단수이므로 어미 없이 war_ 그대로 정답임.

<참고>

「Heute *ist* ...」: Heute ist Montag 오늘은 월요일이다.

「Gestern *war* ...」: Gestern war Sonntag. 어제는 일요일이었다.

► 「ein_ blöd*er* Tag」:

- 명사 Tag은 *남성*이며, 동사 war의 *주격* 보어이므로 *남성 1격!!*
  따라서 *남성 1격* 부정관사 ein_이 앞에 옴.
- 형용사 blöd(e) 앞에 *남성 1격* 부정관사 ein_이 있음.
  → 따라서 ein_ blöd*er* ...
  (근거: 남성 1격 ein_ , mein_ , dein_ , ihr_ , unser_ , kein_ ... + 형용사 *-er*)

[2] Am Morgen _hat_ der Wecker nicht _geklingelt_; die Batterie _war_ leer.

✱ **해석** 아침에 알람시계가 울리지 않았는데, 배터리가 비어 있었다.

✹ 어휘 klingeln [자동사] (알람시계, 전화 벨, 초인종 따위가) 울리다 (3 기본형 *규칙* 변화: klingel*n* - klingel*te* - *ge*klingel*t*) <참고> klingen [자동사] (종, 유리잔 따위가) 울리다 (3 기본형: klingen - klang - geklungen) ▌an [*3 · 4격* 전치사] (*3격* 지배: *시간적* 의미) ~에 → 「am + 남성 · 중성 3격」: am Morgen 아침*에* ▌der Morgen 아침 (die Morgen) ▌der Wecker 알람시계 (die Wecker) ⇐ wecken [타동사] ...을 깨우다 (3 기본형 *규칙* 변화: weck*en* - weck*te* - *ge*weck*t*) ▌die Batterie 배터리 (die Batterie*n*) ▌sein [자동사] '...이다' (3 기본형: sein - war - gewesen ; 완료형 「*sein* ... pp」) ▌leer [형용사] 비어있는 ↔ voll 가득 찬

세미콜론 앞 문장

☞ 동사 klingeln의 *현재 완료* 시제이어야 함.

klingeln은 자동사이긴 하지만 '장소 이동'이나 '상태 변화' 모두 아님.

→ 따라서 현재완료 형식은 「*haben* ... pp」 임:

- 주어인 der Wecker는 er에 해당하므로 동사 haben의 형태는 *hat*임.
- 동사 klingeln의 pp형은 *ge*klingel*t*임.

따라서 정답은: ... hat *der Wecker* ... geklingelt ; ...

세미콜론 뒤 문장

☞ 동사 sein의 *과거* 시제이어야 함.

→ 따라서 과거 시제 어미변화:

- 동사 sein의 3 기본형 가운데 *과거형* war가 사용됨.
- 주어인 die Batterie는 여성의 sie('그녀는')에 해당하므로 어미 없이 war_ 그대로 정답임.

3 Ich habe nicht gefrühstückt und bin zu spät in die Schule gekommen.

✹ 해석 나는 아침식사를 하지 못했으며 학교에 지각했다.

✹ 어휘 frühstücken [자동사] 아침식사 하다 (3 기본형 *규칙* 변화: frühstück*en* - frühstück*te* - *ge*frühstück*t* ※früh-는 *분리전철이 아니므로* früh*ge*stückt 아님!) ← das Frühstück (주로 단수) 아침식사 (die Frühstück*e*) ▌kommen [자동사] 오다 (3 기본형: kommen - kam - gekommen ; '*장소 이동*' 자동사 → 완료형 「*sein* ... pp」) <참고> '장소 이동' 자동사인 kommen과 함께 오는 3 · 4격 전치사는 '방향'을 나타내므로 *4격 지배*임! ▌「zu + 형용사 (부사)」 '너무 ...한, 너무 ...하게' : zu spät 너무 늦게 ▌spät [형용사] 늦은, (부사적) 늦게 ▌in [*3 · 4격* 전치사] (*4격* 지배: *방향*) ~안으로, ~로 : in die Schule kommen 학교*로* 오다 ▌die Schule 초 · 중 · 고등학교 (die Schule*n*)

접속사 und 앞 문장

☞ 동사 frühstücken의 *현재 완료* 시제이어야 함!

frühstücken은 자동사이긴 하지만 '장소 이동'이나 '상태 변화' 아님.

→ 따라서 현재완료 형식은 「*haben* ... pp」 임:

- 주어가 Ich이므로 동사 haben의 형태는 *habe*임.
- 동사 frühstücken의 pp형은 *ge*frühstück*t*

따라서 정답은: *Ich* habe ... gefrühstückt und ...

접속사 und 뒤 문장

☞ 동사 kommen의 *현재 완료* 시제이어야 함!

kommen은 '장소 이동' 자동사임. → 따라서 현재완료 형식은 「*sein* ... pp」임:

- 앞 문장의 주어인 Ich가 여기서도 주어이므로 동사 sein의 형태는 *bin*임.
- 동사 kommen의 pp형은 *gekommen*임.

따라서 정답은: ... und (*ich*) bin ... gekommen.

4 Im Unterricht _hatte_ ich großen Hunger, aber ich _musste_ bis zur Pause warten.

✻ **해석** 수업할 때 무척 배가 고팠지만, 쉬는 시간에 이르기까지 기다려야만 했다.

✻ **어휘** haben [타동사] ...을 가지고 있다 (3 기본형: haben - hatte - gehabt) ▌in [*3 · 4격* 전치사] (*3격* 지배: *시간적* 의미) ~에서 → 「im + 남성 · 중성 3격」: im Unterricht 수업*에서* ▌der Unterricht 수업 (die Unterricht*e*) ▌groß [형용사] 큰 ↔ klein 작은 ▌der Hunger 배고픔 (복수 없음) : Hunger haben 배가 고프다 ← hungrig [형용사] 배고픈 ▌「müssen ... 동사 원형」 [화법조동사] ...해야 한다 (3 기본형: müssen - musste - gemusst, müssen ※완료형은 「haben ... *pp*」: ① 동사 원형 *없을* 때: 「haben ... *gemusst*」; ② 동사 원형 *있을* 때: 「haben ... *동사 원형 müssen*」) (현재 시제: ich muss ; du muss*t* ; er muss ; wir müss*en* ; ...) ▌「bis zur + 여성 3격」, 「bis zum + 남성 · 중성 3격」 '...에 이르기까지' (최상위 한계점) : bis zur Pause 쉬는 시간까지 ← bis [*4격* 전치사] (시간적 혹은 공간적) ~까지 (영. untill, up to) : bis 11 Uhr (*시간적*) '11시까지', bis München (*공간적*) '뮌헨까지' ▌die Pause 휴식 시간 (die Pause*n*) ▌「warten (auf + 4격)」 [자동사] (...을) 기다리다 (3 기본형 *규칙* 변화: wart*en* - wart*ete* - *ge*wart*et* ※warten은 어간 끝이 *-t*이므로 발음상 -e- 첨가!)

접속사 aber 앞 문장

☞ 동사 haben의 *과거* 시제이어야 함!

→ 따라서 과거 시제 어미변화:

- 동사 haben의 3 기본형 가운데 *과거형* hatte가 사용됨.
- 주어가 ich이므로 어미 없이 hatte_ 그대로 정답임.

► 「groß*en* Hunger」:

- 명사 Hunger는 *남성*이며, 동사 hatte의 *4격* 목적어이므로 *남성 4격!!*
  추상명사로서 부정관사가 올 수 없으므로 관사 없음.
- 형용사 groß는 _*남성 4격* 정관사 d*en*_ 처럼 어미변화 하여 groß*en*임.
  형용사 앞에 관사, 소유대명사, 지시대명사 ... 등이 없을 경우
  형용사 자체가 ***정관사*** 어미변화 함!

접속사 aber 뒤 문장

☞ 화법조동사 müssen의 *과거* 시제이어야 함!

→ 따라서 과거 시제 어미변화:

- müssen의 3 기본형 가운데 *과거형* musste가 사용됨.
- 주어가 ich이므로 어미 없이 musste_ 그대로 정답임.

5 Dann __habe__ ich schnell zwei Brote und einen Apfel __gegessen__.

✺ **해석** 그런 다음 나는 신속히 빵 두 개와 사과 하나를 먹었다.

✺ **어휘** essen [타동사] ...을 먹다 (3 기본형: essen - aß - gegessen) (현재 시제: du iss*t* ; er iss*t*) ▌ dann [부사어] 그런 다음에 ▌ schnell [형용사] 빠른, (부사적) 빨리 ▌ zwei 2 ▌ das Brot [*물질* 명사: 주로 단수] 빵 (die Brot*e*) ▌ der Apfel 사과 (die Äpfel)

☞ 동사 essen의 *현재 완료* 시제이어야 함!

동사 essen은 4격 목적어를 지니는 타동사임. → 따라서 현재완료 형식은 「*haben* ... pp」임:

- 주어가 ich이므로 동사 haben의 형태는 *habe*임.
- 동사 essen의 pp형은 *gegessen*임.

→ 따라서 정답은: ... habe *ich* ... gegessen.

► zwei Brot*e* :

Brot('빵')는 셀 수 없는 물질명사이므로 원칙적으로 복수형이 올 수 없지만, 여기서는 '제품화 된 개체'로서 '빵'을 뜻하므로 복수형 Brot*e*가 사용됨.

6 Danach __hatte__ ich Bauchschmerzen.

✺ **해석** 그런 뒤에 나는 배가 아팠다.

✺ **어휘** haben [타동사] ...을 가지고 있다 (3 기본형: haben - hatte - gehabt) ▌ danach [부사어] (시간적) 그런 뒤에 ← nach [3격 전치사] ~후에 + das [지시대명사] 그것 ▌ der Bauchschmerz 복통 (die Bauchschmerz*en*) : Bauchschmerzen haben 복통이 있다, 배가 아프다 <주의> '통증'을 표현할 때 보통 복수형 -schmerz*en*이 사용됨! ← der Bauch (신체의 일부로서) 배 (die Bäuch*e*) + der Schmerz 통증 (die Schmerz*en*)

<참고>

Halsschmerz*en* haben '목(구멍)이 아프다' ← der Hals 목, 목구멍 (die Häls*e*)
Kopfschmerz*en* haben '두통이 있다' ← der Kopf 머리 (die Köpf*e*)
Rückenschmerz*en* haben '허리 통증이 있다' ← der Rücken 등, 허리 (die Rücken)
Zahnschmerz*en* haben '치통이 있다' ← der Zahn 이빨, 치아 (die Zähn*e*)

☞ 동사 haben의 *과거* 시제이어야 함!

→ 따라서 과거 시제 어미변화:

- 동사 haben의 3 기본형 가운데 *과거형* hatte가 사용됨.
- 주어가 ich이므로 어미 없이 hatte_ 그대로 정답임.

7 Im Englischunterricht __haben__ wir einen Test __geschrieben__, aber ich __wusste__ viele Vokabeln nicht.

✺ **해석** 영어 수업에서 우리는 테스트를 받았는데, 내가 모르는 낱말들이 많이 있었다.

✹ **어휘** schreiben [타동사] ...을 쓰다, 필기하다 (영. write) (3 기본형: schreiben - schrieb - geschrieben) ▌in [*3·4격* 전치사] (*3격* 지배: *시간적*) ~에서 : 「im + 남성·중성 3격」: im Englischunterricht 영어 수업*에서* ▌der Englischunterricht 영어 수업 ← Englisch [고유명사] 영어 + der Unterricht 수업 (die Unterricht*e*) ▌der Test 테스트, 시험 (die Test*e*) ▌aber [등위접속사] 그러나, 하지만 (앞에는 반드시 *콤마*!) ▌wissen [타동사] ...을 알다 (3 기본형: wissen - wusste - gewusst) (현재 시제, *주어가 단수*일 때 *불규칙* 변화: ich weiß ; du weiß*t* ; er weiß ; wir wiss*en* ; ihr wiss*t* ; sie, Sie wiss*en*) ▌「viel*e* + *복수*명사」 '많은 ...들' (영. many ...) : viel*e* Vokabel*n* 많은 낱말*들* ▌die Vokabel 낱말 (die Vokabel*n*)

접속사 aber 앞 문장

☞ 동사 schreiben의 *현재 완료* 시제이어야 함.

schreiben은 4격 목적어를 지니는 타동사! → 따라서 현재완료 형식은 「*haben* ... pp」임:

- 주어가 wir이므로 동사 haben의 형태는 *haben*임.
- 동사 schreiben의 pp형은 *geschrieben*임.

따라서 정답은: ... haben *wir* ... geschrieben, aber ...

접속사 aber 뒤 문장

☞ 동사 wissen의 *과거* 시제이어야 함.

→ 따라서 과거 시제 어미변화:

- 동사 wissen의 3 기본형 가운데 *과거형* wusste가 사용됨.
- 주어가 ich이므로 어미 없이 wusste_ 그대로 정답임.

8 Ich _habe_ eine Vier _bekommen_.

✹ **해석** 나는 성적 4 등급을 받았다.

✹ **어휘** die Vier 성적 4 등급 (die Vier*en*) ▌bekommen [타동사] ...을 받다 (3 기본형: *be*kommen - *be*kam - *be*kommen ※형태가 *be*-이므로 pp형에서 *ge- 탈락*! 즉, be*ge*kommen 아님!) ⇐ kommen [자동사] 오다 (3 기본형: kommen - kam - gekommen ; '*장소 이동* 자동사 → 완료형 「*sein* ... pp」)

☞ 동사 bekommen의 *현재 완료* 시제이어야 함!

bekommen은 4격 목적어를 지니는 타동사! → 따라서 현재완료 형식은 「*haben* ... pp」임:

- 주어가 Ich이므로 동사 haben의 형태는 *habe*임.
- 동사 bekommen의 pp형은 *bekommen*임.

→ 따라서 정답은: *Ich* habe ... bekommen.

9 Am Nachmittag _wollte_ ich zu Claudia, aber ich _durfte_ nicht, denn Mama _war_ ärgerlich wegen der Vier in Englisch.

✹ **해석** 오후에 나는 클라우디아에게 가려고 했지만 그럴 수 없었는데, 왜냐하면 엄마가 그 4 등급 영어 성적 때문에 화가 나 있었기 때문이다.

✺ 어휘 「wollen ... 동사 원형」 [화법조동사] ...하려고 한다 (3 기본형: wollen - wollte - gewollt, wollen ※완료형은 「haben ... *pp*」: ① 동사 원형 *없을* 때: 「haben ... *gewollt*」; ② 동사 원형 *있을* 때: 「haben ... *동사 원형* *wollen*」) (현재 시제: ich will ; du will*st* ; er will ; wir woll*en* ; ...) ▌an [*3·4격* 전치사] (*3격* 지배: *시간적* 의미) ~에 → 「am + 남성·중성 3격」: am Nachmittag 오후*에* ▌der Nachmittag 오후 (die Nachmittag*e*) ▶zu [*3격* 전치사] → 「zu + 사람(3격)」(방향) 누구에게로, 누구 집으로 ▌「dürfen ... 동사 원형」 [화법조동사] (허락) '...해도 된다' <주의> dürfen의 *부정문*은 '금지'를 의미함: '...*해서는 안 된다*' (3 기본형: dürfen - durfte - gedurft, dürfen ※완료형은 「haben ... *pp*」: ① 동사 원형 *없을* 때: 「haben ... *gedurft*」; ② 동사 원형 *있을* 때: 「haben ... *동사 원형* *dürfen*」) (현재 시제: ich darf ; du darf*st* ; er darf ; wir dürf*en* ; ...) ▌denn [등위접속사] 왜냐하면, ...이기 때문에 (앞에는 *콤마*!) ▌die Mama (구어체) 엄마 (die Mama*s*) ▌sein [자동사] ...이다 (3 기본형: sein - war - gewesen ; 완료형 「*sein* ... pp」) ▌ärgerlich [형용사] 화난 ▌wegen [*2격* 전치사] ~때문에 (영. because of) ▌die Vier (성적) 4 등급 (die Vier*en*) ▌Englisch 영어 (고유명사 관사 없음!)

<참고>

「ärgerlich auf (혹은 über) + 4격(사람, 사물)」...에 대해 화난

「böse auf + 4격(사람)」= 「wütend auf + 4격(사람)」누구에 대해 몹시 화난

「sauer auf + 4격(사람)」(구어체) 누구에 대해 화난

접속사 aber 앞 문장

☞ 화법조동사 wollen의 *과거* 시제이어야 함!

→ 따라서 과거 시제 어미변화:

- wollen의 3 기본형 가운데 *과거형* wollte가 사용됨.
- 주어가 ich이므로 어미 없이 wollte_ 그대로 정답.

► 화법조동사 wollte와 함께 문장 맨 뒤에 와야 할 *동사 원형이 생략*됨!

'방향'을 나타내는 zu Claudia('클라우디아*에게로*')가 있으므로 '장소 이동' 동사 gehen, fahren 등이 생략된 것으로 볼 수 있음: Am Nachmittag *wollte* ich zu Claudia (gehen), aber ...

<참고>

과거 시제 : Am Nachmittag *wollte* ich zu Claudia, aber ...

= *현재완료* 시제 : Am Nachmittag *habe* ich zu Claudia *gewollt*, aber ...

화법조동사와 함께 와야 할 ***동사 원형이 없음!***
따라서 ***ge-t*** 형태의 pp형 ***ge***woll***t***가 사용됨.

접속사 aber 뒤 문장

☞ 화법조동사 dürfen의 *과거* 시제이어야 함!

따라서 과거 시제 어미변화:

- dürfen의 3 기본형 가운데 *과거형* durfte가 사용됨.
- 주어가 ich이므로 어미 없이 durfte_ 그대로 정답임.

► 화법조동사 durfte와 함께 문장 맨 뒤에 와야 할 *동사 원형이 생략*됨!

앞 문장의 내용이 반복되어 생략됨: ..., aber ich *durfte* nicht (zu Claudia), denn ...

<참고>

과거 시제 : ..., aber ich *durfte* nicht, denn ...

= *현재완료* 시제 : ..., aber ich *habe* nicht __*gedurft*__, denn ...

화법조동사와 함께 와야 할 동사 원형이 ***없음!***
따라서 ***ge-t*** 형태의 pp형 ***ge**durf**t***가 사용됨.

접속사 denn 뒤 문장

☞ 자동사 sein의 *과거* 시제이어야 함!

→ 따라서 과거 시제 어미변화:

- sein의 3 기본형 가운데 *과거형* war가 사용됨.
- 주어인 Mama는 여성의 sie('그녀는')에 해당하므로 어미 없이 war_ 그대로 정답임.

► 「wegen d<u>er</u> Vier」:

- 명사 Vier는 *여성*이며, *2격* 전치사 wegen의 목적어이므로 <u>*여성 2격!!*</u>

  따라서 __*여성 2격* 어미 *-er*__를 지닌 정관사 d<u>er</u>가 앞에 옴.
  2격 어미: ***-es*** (남성, 중성) ; ***-er*** (여성, 복수)

- Vier는 *여성*이므로 __2격의 명사 어미 -s, -es__ 없음. (즉, Vier*s* 아님!)
  남성 및 ***중성***명사 ***2격***은 명사 어미 ***-s*** 혹은 ***-es***가 붙음.

10 Claudia __hat__ lange auf mich __gewartet__.

✸ **해석** 클라우디아는 오랫동안 나를 기다렸다.

✸ **어휘** 「warten auf + 4격」 '*4격*을 기다리다' (3 기본형 *규칙* 변화: wart*en* - wart<u>*e*</u>*te* - *ge*wart<u>*e*</u>*t*
※wart*en*은 어간 끝이 *-t*이므로 발음상 -e- 첨가!) ▌lange [부사어] 오랫동안 ▌mich [인칭대명사] ich의 *4격* 형임. (3격 형은 *mir*)

☞ 동사 warten의 *현재 완료* 시제이어야 함!

warten은 자동사이긴 하지만 '장소 이동'이나 '상태 변화' 모두 아님!

→ 따라서 현재완료 형식은 「*haben* ... pp」:

- 주어인 Claudia는 여성의 sie('그녀는')에 해당하므로 동사 haben의 형태는 *hat*임.
- 동사 warten의 pp형은 *ge*wart<u>*et*</u>임.

따라서 정답은: *Claudia* <u>hat</u> ... <u>gewartet</u>.

11 Ich __habe__ sie nicht __angerufen__!

✸ **해석** 나는 그녀에게 전화하지 않았다!

✸ **어휘** *an*rufen [분리동사] : 「rufen + 4격(사람) ... *an*」 *누구*에게 전화 걸다 (*4격* 요구 동사!) (3 기본형: *an*rufen - *an*rief - *an*gerufen ⇐ rufen [타동사] ...을 부르다 (3 기본형: rufen - rief - gerufen) ▌sie [인칭대명사] 여성의 sie('그녀는')의 *4격* 형임. (3격 형은 *ihr*)

☞ 분리동사 *an*rufen의 *현재 완료* 시제이어야 함!

*an*rufen은 4격 목적어를 지니는 타동사임. → 따라서 현재완료 형식은 「*haben* ... pp」임:

- 주어가 Ich이므로 동사 haben의 형태는 *habe*임.
- 분리동사 *an*rufen의 pp형은 *angerufen*임.

따라서 정답은: *Ich* habe ... angerufen!

► 동사 「habe ... angerufen」, 즉 anrufen의 4격 목적어이므로 4격 형 *sie* ('그녀*를*')가 옴. (앞 문장의 Claudia를 받음.)

12 Ich habe es einfach vergessen .

✺ **해석** 나는 그것을 단순히 잊어버렸다.

✺ **어휘** vergessen [타동사] ...을 잊다 (3 기본형: vergessen - vergaß - vergessen) (현재 시제: du vergiss*t* ; er vergiss*t*) ▌es [인칭대명사] es('그것은')의 *4격* 형임. (3격 형은 *ihm*) ▌einfach [형용사] 단순한, (부사어) 단순히

☞ 동사 vergessen의 *현재 완료* 시제이어야 함!

vergessen은 4격 목적어를 지니는 타동사임! → 따라서 현재완료 형식은 「haben ... pp」임:

- 주어가 Ich이므로 동사 haben의 형태는 *habe*임.
- 동사 vergessen의 pp형은 *vergessen*임.

따라서 정답은: *Ich* habe ... vergessen.

► 동사 「habe ... vergessen」, 즉 vergessen의 4격 목적어이므로 4격 형 *es*가 옴. (앞 문장 내용을 받음. 즉 "Claudia에게 전화하는 것"을 뜻함.)

<주의>

인칭대명사 es는 기본적으로 앞에 나온 *중성명사*를 받지만, *앞 문장*의 내용을 받을 수도 있음.

13 Es war so ein blöder Tag.

✺ **해석** 아주 한심한 하루였다.

✺ **어휘** sein [자동사] '...이다' (3 기본형: sein - war - gewesen ; 완료형 「*sein* ... pp」) ▌so [부사어] 그렇게, 매우 : 「*so ein-* + 형용사 + 명사」 = 「*solch ein-* + 형용사 + 명사」 '아주 ...한 ...' (영. 「such a ...」) : so ein blöder Tag 아주 한심한 날 ▌blöd(e) [형용사] 우둔한, 어리석은 (= dumm) ▌der Tag 날, 낮 (die Tag*e*)

► 주어인 Es는 '시간, 때'를 나타내는 비인칭 주어임.

☞ 자동사 sein의 *과거* 시제이어야 함!

→ 과거 시제 어미변화:

- 동사 sein의 3 기본형에서 *과거형* war가 사용됨.
- 주어가 비인칭 주어 Es이므로 어미 없이 war_ 그대로 정답임.

► 「so ein_ blöd*er* Tag」:

- 명사 Tag은 *남성*이며, 동사 war의 *주격* 보어이므로 *남성 1격*!!
  따라서 *남성 1격* 부정관사 ein_이 앞에 옴.
- 형용사 blöd(e) 앞에 *남성 1격* 부정관사 ein_이 있음.
  → 따라서 ein_ blöd*er*_ ...
  (근거: 남성 1격 ein_ , mein_ , dein_ , ihr_ , unser_ , kein_ ... + 형용사 *-er*)

14 Jetzt ist auch Claudia ärgerlich über mich.

✱ **해석** 이제는 클라우디아 역시 나에 대해 화가 난 상태이다.

✱ **어휘** jetzt [부사어] 지금 ▌ist (동사 sein의 *현재* 시제) ⇒ sein [자동사] ...이다 (3 기본형: sein - war - gewesen ; 완료형 「*sein* ... pp」) ▌auch [부사어] 역시, ...도 ▌ärgerlich [형용사] 화난 : 「ärgerlich über (혹은 auf) + 4격」 '...에 대해 화가 난' ▌mich [인칭대명사] ich의 *4격* 형임. (3격 형은 *mir*)

► 전치사 über와 결합하므로 ich의 4격 형 *mich*가 사용됨.

unit 03 마무리 문제

I. 괄호 안의 낱말을 사용하여 독일어로 옮기시오. (16과, 마무리문제: 교재 95쪽)

1. 어릴 때 그는 선생님이 되려고 했어. 왜 선생님이 안 됐지?

(er, Kind, als, werden, der Lehrer, wollen)

(warum, der Lehrer, nicht, werden)

✷ 어휘 das Kind 아이, 어린이 (die Kind*er*) ▌als (자격) ~로서 (영. as) ▌werden [자동사] (동사 sein처럼 *형용사* 혹은 *명사 보어*와 함께) '...되다' (영. become) (3 기본형: werden - wurde - geworden ; '*상태 변화*' 자동사 → 완료형「*sein* ... pp」) (현재 시제: du wirst ; er wird) ▌der Lehrer 선생님, 남자 선생님 (die Lehrer) ⇐ lehren [타동사] ...을 가르치다 (3 기본형 *규칙 변화*: lehr*en* - lehr*te* - *ge*lehr*t*) ▌「wollen ... 동사 원형」 [화법조동사] ...하려고 한다 (3 기본형: wollen - wollte - gewollt, wollen ※완료형은「haben ... *pp*」: ① 동사 원형 *없을* 때: 「haben ... *gewollt*」; ② 동사 원형 *있을* 때: 「haben ... *동사 원형* *wollen*」) (현재 시제: ich will ; du will*st* ; er will ; wir woll*en* ; ...) ▌warum [의문사] 왜?

정답 Als Kind wollte er Lehrer werden. - Warum wurde er nicht Lehrer ?
(혹은 Warum wurde er kein Lehrer ?)

문장 1

► "... 선생님이 *되려고 했어*."

⇒ 내용 분석: "... 선생님이 *되는 것*을 *하려고 했어*."
② ①

① "...을 *하려고 했어*" :

'의지'를 뜻하는 화법조동사 wollen의 *과거* 시제 이어야 함.

지난 과거의 일을 말할 때
화법조동사 ***wollen*** 등은 보통 *현재완료*가 아닌 ***과거*** 시제를 사용함.

- wollen의 과거형 *wollte*가 사용됨.
- 주어가 "그는", 즉 er이므로 wollte는 어미 없이 그대로 *wollte_*임.

② "... 선생님이 *되는 것* ..." :

동사 werden('...되다')이 화법조동사 wollte와 결합하므로 *문장 맨 뒤에 원형*으로 옴.

→ 따라서 ①, ②를 종합하면: ... wollte *er* ... werden.

► '신분'을 표현하는 문장이므로 동사 werden의 주격 보어인 Lehrer는 관사 없이 옴. (즉, 「... wollte er *ein* Lehrer werden.」은 틀림!)

문장 2

► "... 선생님이 안 *됐지*?" :

동사 werden의 *과거* 시제이어야 함.

지난 과거의 일을 말할 때
동사 **werden**은 보통 *현재완료*가 아닌 ***과거*** 시제를 사용함.

- werden의 과거형 *wurde*가 사용됨.
- 주어가 "그는", 즉 er이므로 wurde는 어미 없이 그대로 *wurde_*임.

→ 따라서 : ... wurde *er* ...?

기타 정답

Als Kind *hat* er Lehrer *werden wollen*. - Warum *ist* er *nicht Lehrer* (혹은 *kein Lehrer*) *geworden*?

► 첫째 문장: 화법조동사 wollen의 *현재완료* 시제도 가능함!

즉 : ... hat *er* ... *werden* wollen .

앞에 동사 원형 *werden*이 있으므로 pp형은 **ge**woll***t***가 아니라 **wollen**임.

► 둘째 문장: 동사 werden의 *현재완료* 시제도 가능함!

werden은 '상태 변화' 자동사이므로 완료 형식은 「*sein* ... pp」임.

- 앞 문장의 주어 er가 여기서도 주어이므로 조동사 sein의 형태는 *ist*임.
- 동사 werden의 pp형은 *geworden*임.

즉 : Warum ist *er* ... geworden ?

2. Ute가 네게 전화하려고 했잖아. 그녀가 벌써 전화했니?

(Ute, dich, anrufen, doch, wollen) (sie, schon anrufen)

✸ **어휘** dich [인칭대명사] du의 *4격* 형임. (3격 형은 *dir*) ▌*an*rufen [분리동사] : 「rufen + 4격 ... *an*」'...에게 전화 걸다' (*4격* 요구 동사!) (3 기본형: *an*rufen - *an*rief - *an*gerufen) ⇐ rufen [타동사] ...을 부르다 (영. call) (3 기본형: rufen - rief - gerufen) ▌doch [부사어] 상대방을 설득하기 위해 일정 내용을 환기시키는 표현 ("... 잖아") ▌「wollen ... 동사 원형」 [화법조동사] (의지) '...하려고 한다' (3 기본형: wollen - wollte - gewollt, wollen ※완료 형식은 「haben ... *pp*」: ① 동사 원형이 *없을* 때: 「haben ... *gewollt* 」; ② 동사 원형이 *있을* 때: 「haben ... *동사 원형* *wollen*」) (현재 시제: ich will ; du will*st* ; er will ; wir woll*en* ; ...) ▌schon [부사어] 이미, 벌써

정답 Ute wollte dich doch anrufen. Hat sie schon angerufen?

문장 1

► "... 네게 *전화하려고 했잖아*."

⇒ 내용 분석: "... 네게 *전화하는 것*을 *하려고 했잖아*."
② ①

① "...을 *하려고 했잖아.*" :

'의지'를 뜻하는 화법조동사 wollen의 *과거* 시제 이어야 함.

지난 과거의 일을 말할 때 화법조동사 **wollen** 등은 보통 *현재완료*가 아닌 ***과거*** 시제를 사용함.

- wollen의 과거형 *wollte*가 사용됨.
- 주어는 "*Ute가*", 즉 Ute이므로 wollte는 어미 없이 그대로 *wollte_*임.

② "... 네게 *전화하는 것*을 ..." :

분리동사 *an*rufen('전화하다')이 화법조동사 wollte와 결합하므로 *문장 맨 뒤에 원형*으로 옴.

→ 따라서 ①, ②를 종합하면: *Ute* wollte ... anrufen.

► "... 전화하려고 했*잖아.*"

"... 잖아"는 부사어 *doch*를 사용하여 나타냄.

문장 2

► "... 벌써 *전화했니?*" :

분리동사 *an*rufen의 *현재완료* 시제이어야 함.

*an*rufen은 4격 목적어를 지니는 타동사이므로 현재완료 형식은 「*haben* ... pp」임.

- 주어는 "*그녀가*", 즉 여성의 sie이므로 조동사 haben의 형태는 *hat*임.
- 분리동사 *an*rufen의 pp형은 *angerufen*임.

→ 따라서 : Hat *sie* ... angerufen?

3. 유감스럽게도 제 딸이 오늘 수업에 참가할 수 없었습니다. 열이 있었습니다.

(mein-, die Tochter, leider, heute, nicht, der Unterricht, an, teilnehmen, können)

(das Fieber, haben)

✺ **어휘** die Tochter 딸 (die Töchter) ▌ leider [부사어] 유감스럽게도, 아쉽게도 ▌ heute [부사어] 오늘 ▌ der Unterricht 수업 (die Unterricht*e*) ▌ *teil*nehmen [분리동사] : 「nehmen an + 3격 ... *teil*」 '...에 참가하다' (3 기본형: *teil*nehmen - *teil*nahm - *teil*genommen) (현재 시제: du nimm*st* ... *teil* ; er nimm*t* ... *teil*) ⇐ nehmen [타동사] ...을 취하다, 갖다 (영. take) (3 기본형: nehmen - nahm - genommen) (현재 시제: du nimm*st* ; er nimm*t*) ▌ 「können ... 동사 원형」 [화법조동사] ...할 수 있다 (3 기본형: können - konnte - gekonnt, können ※완료 형식은 「haben ... *pp*」: ① 동사 원형 *없을* 때: 「haben ... *gekonnt*」; ② 동사 원형 *있을* 때: 「haben ... *동사 원형* *können*」) (현재 시제: ich kann ; du kann*st* ; er kann ; wir könn*en* ; ...) ▌ das Fieber 열, 열기 (복수 없음) (영. fever) ▌ haben [타동사] ...을 가지고 있다 (3 기본형: haben - hatte - gehabt)

정답 Leider konnte meine Tochter heute nicht am Unterricht teilnehmen.

Sie hatte Fieber.

문장 1

► "... 수업에 *참가할 수 없었습니다.*"

⇒ 내용 분석: "... 수업에 *참가하는 것*을 *할 수 없었습니다.*"
②　①

① "...을 *할 수 없었습니다.*" :

화법조동사 können의 *과거* 시제 이어야 함.
지난 과거의 일을 말할 때
화법조동사 ***können*** 등은 보통 *현재완료*가 아닌 ***과거*** 시제를 사용함.

- können의 과거형 *konnte*가 사용됨.
- 주어인 "*제 딸이*"는 meine Tochter, 즉 여성의 sie('그녀는')이므로 konnte는 어미 없이 그대로 *konnte_*임.

② "... 수업에 *참가하는 것*을 ..." :

분리동사 *teil*nehmen이 화법조동사 konnte와 결합하므로 *문장 맨 뒤에 원형*으로 옴.

→ 따라서 ①, ②를 종합하면: ... konnte *meine Tochter* ... teilnehmen.

문장 2

► "열이 *있었습니다.*" → "열을 *가지고 있었습니다.*":

타동사 haben의 *과거* 시제 이어야 함.
지난 과거의 일을 말할 때
동사 ***haben***은 보통 *현재완료*가 아닌 ***과거*** 시제를 사용함.

- haben의 과거형 *hatte*가 사용됨.
- 주어는 우리말에서 생략된 "*그녀는*", 즉 여성의 sie('그녀는')이므로 hatte는 어미 없이 그대로 *hatte_*임.

→ 따라서 : *Sie* hatte ...

4. 어제 너는 어디에 있었니? - 나는 내 여자 친구와 함께 영화관에 갔었어.

(du, wo, gestern, sein) (ich, mein-, Kino, Freundin, ins, mit, gehen)

✻ **어휘** wo [의문사] 어디에? ▌ gestern [부사어] 어제 ▌ sein [자동사] 있다, 존재하다 (3 기본형: sein - war - gewesen ; 완료형 「*sein* ... pp」) ▌ das Kino 영화관 (die Kino*s*) ▌ die Freund*in* 여자 친구 (die Freundin*nen*) ▌ 「ins + 중성 4격」 (방향) ~안으로, ~로 (ins = in das) ▌ mit [*3격* 전치사] ~와 함께 ▌ gehen [자동사] 가다 (3 기본형: gehen - ging - gegangen ; '*장소 이동* 자동사 → 완료형 「*sein* ... pp」)

정답 Wo warst du gestern? - Ich bin mit meiner Freundin ins Kino gegangen.

문장 1

► "... 어디에 *있었니*?" :

동사 sein('있다, 존재하다')의 *과거* 시제 이어야 함.
지난 과거의 일을 말할 때
동사 ***sein***은 보통 *현재완료*가 아닌 ***과거*** 시제를 사용함.

- sein의 과거형 *war*가 사용됨.
- 주어가 "*너는*", 즉 du이므로 war는 어미 *-st*가 붙어 *warst*임.

→ 따라서 : ... warst *du* ...?

문장 2

► "... *갔어*." :

동사 gehen의 *현재완료* 시제이어야 함.

gehen은 '장소 이동' 자동사이므로 완료 형식은 「*sein* ... pp」임.

- 주어가 "*나는*", 즉 ich이므로 조동사 sein의 형태는 *bin*임.
- 동사 gehen의 pp형은 *gegangen*임.

→ 따라서 : *Ich* bin ... gegangen.

II. 잘못된 부분(들)을 고쳐서 다시 적으시오. (16과, 마무리문제: 교재 95쪽)

1. Gestern wart[오류1] er zu Hause; er hattet[오류2] hohes Fieber.

✸ **해석** 어제 그는 집에 있었는데, (왜냐하면) 그는 높은 열이 있었다.

✸ **어휘** gestern [부사어] 어제 ▌sein [자동사] 있다, 존재하다 (3 기본형: sein - war - gewesen ; 완료형 「*sein* ... pp」) ▌zu Haus(e) 집에(서) ▌haben [타동사] ...을 가지고 있다 (3 기본형: haben - hatte - gehabt) ▌hoh- [형용사] 높은 (명사 앞에 오는 *수식어*로만 사용!) <주의> *형용사 보어* 및 *부사어*로 사용될 경우: hoch ▌das Fieber 열, 열기 (복수 없음)

<오류> 1

동사 sein의 *과거* 시제임.

→ 따라서 sein의 *과거형* war에서 주어가 er이므로 어미 없이 그대로 *war_*이어야 옳음!

<오류> 2

동사 haben의 *과거* 시제임.

→ 따라서 haben의 *과거형* *hatte*에서, 주어가 er이므로 어미 없이 그대로 *hatte_*이어야 옳음!

정답 Gestern *war* er zu Hause; er *hatte* hohes Fieber.

2. Es war einmal ein König. Er hat[오류] drei Töchter gehabt[오류].

✸ **해석** 옛날 옛 적에 왕이 하나 있었다. 그는 딸이 세 명 있었다.

✸ **어휘** sein [자동사] 있다, 존재하다 (3 기본형: sein - war - gewesen ; 완료형 「*sein* ... pp」) ▌einmal [부사어] (과거에) 한번 : 「Es war einmal + 1격」 '옛날 옛적에 ...가 있었는데 ...' (동화가 시작될 때의 전형적인 서술 방식!) ▌der König 왕 (die Könige) ▌haben [타동사] ...을 가지고 있다 (3 기본형: haben - hatte - gehabt) ▌drei 3 ▌die Tochter 딸 (die Töchter) ↔ der Sohn 아들 (die Söhne)

<오류>

이 예문은 서술 방식과 내용으로 볼 때 옛날이야기에 해당함.
이러한 동화, 소설 등의 *문어체*에서는 *현재완료* 시제가 아니라 *과거* 시제가 사용됨.
따라서 동사 haben의 현재완료 형식 「hat ... gehabt」가 온 것은 오류임.
즉, 동사 haben의 *과거* 시제이어야 함:
→ 따라서 haben의 *과거형* hatte에서 주어가 er이므로 어미 없이 그대로 *hatte_*이어야 옳음!

정답 Es war einmal ein König. Er *hatte* drei Töchter.

문장 1

► 「Es *war* einmal ... 」:
동사 sein의 *과거* 시제이므로 sein의 *과거형* *war*가 사용됨:
주어가 Es이므로 어미 없이 그대로 *war_*임.

3. Als Kind wolltet[오류1] er Arzt werden. Er wurde[오류2] aber Lehrer geworden[오류2].

✺ **해석** 어린 아이로서(= 어릴 때) 그는 의사가 되려고 했다. (그런데) 그는 선생님이 되었다.

✺ **어휘** als (자격) ~로서 (영. as) ▌das Kind 아이 (die Kind*er*) ▌「wollen ... 동사 원형」 [화법조동사] ...하려고 한다 (3 기본형: wollen - wollte - gewollt, wollen ※완료형 「haben ... *pp*」: ① 동사 원형 *없을* 때: 「haben ... *gewollt*」; ② 동사 원형 *있을* 때: 「haben ... *동사 원형* *wollen*」) (현재 시제: ich will ; du will*st* ; er will ; wir woll*en* ; ...) ▌der Arzt 의사 (die Ärzt*e*) ▌werden [자동사] (동사 sein처럼 *형용사* 혹은 *명사 보어*와 함께) '...되다' (영. become) (3 기본형: werden - wurde - geworden ; '*상태 변화*' 자동사 → 완료형 「*sein* ... pp」) (현재 시제: du wirst ; er wird) ▌aber [*부사어*: 접속사 아님!] 예상하지 못한 결과에 대한 놀라움을 표현함. ("그런데") ▌der Lehrer 선생님 (die Lehrer)

<오류> 1

화법조동사 wollen의 *과거* 시제이어야 함.
→ 따라서 wollen의 *과거형* wollte에서 주어가 er이므로 어미 없이 그대로 *wollte_*이어야 옳음!

<오류> 2

동사 werden의 *현재완료* 시제이어야 함.
즉, '상태 변화' 자동사인 werden의 완료 형식은 「*sein* ... pp」임:
주어가 Er이므로 조동사 sein의 형태는 *ist*이고, werden의 pp형은 geworden임.
→ 따라서 「*ist* ... *geworden*」이어야 옳음!

정답 Als Kind *wollte* er Arzt werden. Er *ist* aber Lehrer *geworden*.

문장 1

► *과거* 시제: Als Kind *wollte* er Arzt werden.

⇒ *현재완료* 시제: Als Kind *hat* er Arzt *werden wollen* .

앞에 동사 원형 werden이 *있음!*
→ 따라서 pp형은 *gewollt*가 아니라 원형 형태의 ***wollen***임.

► '신분, 직업'을 말할 때 동사 sein, werden 등의 명사 보어는 관사 없음!
(즉, "Als Kind wollte er *ein* Arzt werden."은 틀림!)

문장 2

► '신분, 직업'을 말할 때 동사 sein, werden 등의 명사 보어는 관사 없음!
(즉, "Er ist aber *ein* Lehrer geworden."은 틀림!)

4. Früher haben[오류1] sie einen kleinen Laden. Sie hatten[오류2] heute ein großes Restaurant.

✺ **해석** 과거에 그들은 작은 상점 하나를 가졌었다. 그들은 오늘날 큰 음식점 하나를 가지고 있다.

✺ **어휘** früher [부사어] 전에, 과거에 ↔ später 나중에, 미래에 ▌haben [타동사] ...을 가지고 있다 (3 기본형: haben - hatte - gehabt) ▌klein [형용사] 작은 ▌der Laden 상점 (die Läden) ▌heute [부사어] 오늘, 오늘날 ▌groß [형용사] 큰, 커다란 ▌das Restaurant 음식점 (die Restaurant*s*)

<오류> 1

부사어 Früher('*과거에*')와 모순되게 동사 haben의 *현재* 시제가 사용된 오류임.
즉, 동사 haben의 *과거* 시제이어야 함.
→ 따라서 haben의 *과거형 hatte*에서 주어가 복수의 sie이므로 어미 *-n*이 붙어 hatte*n*이 옳음!

<오류> 2

부사어 heute('*오늘날*')와 모순되게 동사 haben의 *과거* 시제가 사용된 오류임.
즉, 동사 haben의 *현재* 시제이어야 함.
→ 따라서 주어가 복수의 sie이므로 동사 haben은 원형 그대로 *haben*이어야 옳음!

정답 Früher *hatten* sie einen kleinen Laden. Sie *haben* heute ein großes Restaurant.

문장 1

► 「ein*en* klein*en* Laden」:

- 명사 Laden은 *남성*이며, 동사 hatten의 *4격* 목적어이므로 *남성 4격!!*
  따라서 *남성 4격* 부정관사 ein*en*이 앞에 옴.
- 형용사 klein 앞에 *남성 4격*의 ein*en*이 있음.
  → 따라서 ein*en* klein*en* ...
  (근거: 남성 4격 ein*en*, d*en*, mein*en*, ihr*en* ... kein*en*, dies*en* + 형용사 *-en*)

문장 2

► 「ein_ groß*es* Restaurant」:

- 명사 Restaurant은 *중성*이며, 동사 haben의 *4격* 목적어이므로 *중성 4격!!*
  따라서 *중성 4격* 부정관사 ein_이 앞에 옴.

- 형용사 groß 앞에 *중성 4격*의 ein_이 있음.
  → 따라서 ein_ groß*es* ...
  (근거: 중성 1, 4격 ein_ , mein_ , dein_ , ihr_ , unser_ , kein_ + 형용사 *-es*)

기타 정답

Früher *hatte sie* einen kleinen Laden. *Sie hat* heute ein großes Restaurant.
(전에 *그녀는* 작은 상점을 가졌다. *그녀는* 오늘날 큰 식당을 가지고 있다.)

► 주어가 *여성*의 sie('그녀는')일 경우도 가능함!

5. Früher konnten[오류1] man in diesem Fluss schwimmen. Heute wart[오류2] es verboten.

해석 과거에 사람들은 이 강에서 수영할 수 있었다. 오늘날 그것은 금지되어 있다.

어휘 früher [부사어] 전에는, 과거에는 ▌「können ... 동사 원형」 [화법조동사] ...할 수 있다 (3 기본형: können - konnte - gekonnt, können ※완료형은 「haben ... *pp*」: ① 동사 원형 *없을* 때: 「haben ... *gekonnt* 」; ② 동사 원형 *있을* 때: 「haben ... *동사 원형 können* 」) (현재 시제: ich kann ; du kann*st* ; er kann ; wir könn*en* ; ...) ▌man [부정대명사] 사람들은 (항상 *주어*이며, 단수 3인칭 *er* 취급!) (영. people, one) ▌in [*3 · 4격* 전치사] (*3격* 지배: *위치*) ~ 안에서, ~에서 : in diesem Fluss 이 강*에서* ▌dies- [지시대명사] 이 ... (*정관사 d-* 어미변화!) ▌der Fluss 강 (die Flüss*e*) ▌schwimmen [1] [자동사] 수영하다 (완료형 「*haben* ... pp」) ; [2] [자동사] (수영해서) 가다 ('*장소 이동* 자동사 → 완료형 「*sein* ... pp」) (3 기본형: schwimmen - schwamm - geschwommen) ▌heute [부사어] 오늘날 ▌sein [자동사] ...이다 (3 기본형: sein - war - gewesen ; 완료형 「*sein* ... pp」) ▌verboten [과거분사, 즉 '*수동*의 형용사] 금지된 ⇐ verbieten [타동사] ...을 금지하다 (3 기본형: *ver*bieten - *ver*bot - *ver*boten ※형태가 *ver-*이므로 pp형에서 *ge- 탈락*! 즉, ver*ge*boten 아님!) ⇐ bieten [타동사] ...을 제공하다 (3 기본형: bieten - bot - geboten)

<오류> 1

화법조동사 können의 *과거* 시제이므로 können의 과거형 konnte에 어미변화가 이루어짐.
주어인 man은 비록 "사람*들*은"이라고 마치 복수처럼 해석되지만,
3인칭 단수 *er*처럼 취급하므로 어미 없이 그대로 *konnte_*이어야 옳음!

<오류> 2

부사어 Heute('*오늘날*')와 모순되게 동사 sein의 *과거* 시제가 사용된 오류임.
(주어가 es이므로 동사 sein의 과거 시제 형태는 *war_*이어야 하는데 *wart*인 점도 오류임.)
즉, 동사 sein의 *현재* 시제이어야 함.
→ 따라서 주어가 es이므로 동사 sein의 형태는 *ist*이어야 옳음!

정답 Früher *konnte* man in diesem Fluss schwimmen. Heute *ist* es verboten.

문장 2

► 주어인 es는 앞 문장 내용의 일부를 받아 '이 강에서 수영하는 것'을 뜻함.

<참고>

인칭대명사 es는 기본적으로 앞에 나온 *중성명사*를 받지만,
앞 문장 전체 혹은 *일부*를 받을 수도 있음.

► *과거* 시제: Früher *konnte* man in diesem Fluss schwimmen.

⇒ *현재완료* 시제: Früher *hat* man in diesem Fluss *schwimmen können* .

앞에 동사 원형 werden이 *있음!*

→ 따라서 pp형은 *gekonnt*가 아니라 원형 형태의 *können*임.

6\. Es war einmal ein kleiner Junge, die[오류1] hatte nicht[오류2] Eltern mehr.

✱ **해석** 옛날 옛적에 한 작은 소년이 있었는데, 그는 더 이상 부모님이 없었다.

✱ **어휘** war (동사 sein의 *과거* 시제: 주어가 *ich* 혹은 *er, sie, es*일 때) ⇒ sein [자동사] 있다, 존재하다 (3 기본형: sein - war - gewesen ; 완료형 「*sein* ... pp」) ▌einmal [부사어] (과거에) 한번 : 「Es war einmal + 1격」 '옛날 옛적에 ...가 있었는데 ...' (동화가 시작될 때 나오는 전형적인 서술 방식!) ▌klein [형용사] 작은 ▌der Junge 소년 (die Junge*n*) <주의> 주어를 제외한 *단수 2, 3, 4격*이 복수형처럼 Junge*n*인 *약변화* 명사! = der Knabe (die Knabe*n*) ▌die [지시대명사] 그녀는, 그것은 (앞에 나온 *여성*명사를 받으며, *1격* 형임.) ▌hatte (동사 haben의 *과거* 시제: 주어가 *ich* 혹은 *er, sie, es*일 때) ⇒ haben [타동사] ...을 가지고 있다 (3 기본형: haben - hatte - gehabt) ▌die Eltern (항상 복수) 부모 ▌「kein- ... mehr」, 「... nicht mehr」 더 이상 ... 않다

<오류> 1

정관사 *d-* 형태의 지시대명사가 사용됨.
앞에 나온 *남성*명사 Junge를 받으며, 동사 hatte의 *주어*이므로 *남성 1격*의 d*er*이어야 옳음!
(여기서 지시대명사 *der*는 「정관사 *d-* + 명사」, 즉 "*der* Junge"의 축약형으로 볼 수 있음!)

<오류> 2

뒤에 오는 명사를 부정해야 하므로 nicht가 아니라 *kein-*이 와야 옳음!
즉, 명사 Eltern은 *복수*이며, 동사 hatte의 *4격* 목적어이므로 *복수 4격!!*
따라서 kein-은 *복수 4격* 정관사 di*e*처럼 어미변화 하여 kein*e*이어야 함.

정답 Es war einmal ein kleiner Junge, *der* hatte *keine* Eltern mehr.

콤마 앞 문장

► 「Es *war* einmal ... 」:

동사 sein의 *과거* 시제이므로 sein의 *과거형* *war*가 사용됨:
주어가 Es이므로 어미 없이 그대로 *war_*임.

► 「ein_ klein*er* Junge」:

- 명사 Junge는 *남성*이며, 동사 war의 *주격* 보어이므로 *남성 1격!!*
  따라서 *남성 1격* 부정관사 ein_이 앞에 옴.
- 형용사 klein 앞에 *남성 4격*의 ein_이 있음.
  → 따라서 ein_ klein*er* ...
  (근거: 남성 1격 ein_ , mein_ , dein_ , ihr_ , unser_ , kein_ + 형용사 *-er*)

콤마 뒤 문장

► 「..., die *hatte* ...」:

동사 haben의 *과거* 시제이므로 haben의 *과거형 hatte*가 사용됨:
주어가 지시대명사 *남성 1격의 der* 이므로 어미 없이 그대로 *hatte*_임.
"**der** Junge"의 축약형으로서 인칭대명사 **er**에 해당함!

7. Hoffentlich bringt unser Vater schönes etwas[오류] mit!

✽ **해석** 희망컨대 우리 아버지가 뭔가 멋진 것을 가져오셨으면!

✽ **어휘** hoffentlich [부사어] 희망하건대 ▌ *mit*bringen [분리동사&타동사] *무엇을* 지참하여 가져오다, *누구를* 함께 데려오다 (3 기본형: *mit*bringen - *mit*brachte - *mit*gebracht) ⇐ bringen [타동사] ...을 가져오다 (3 기본형: bringen - brachte - gebracht) ▌ der Vater 아버지 (die Väter) ▌ schön [형용사] 아름다운, 멋진 ▌ etwas [부정대명사] 뭔가 (영. something) ↔ nichts 아무것도 ... 않다 (영. nothing)

<오류>

부정대명사 etwas, nichts를 형용사가 수식할 경우:
해당 형용사는 *뒤에* 위치하며, 앞 철자 *대문자*이고, 어미 *-es*가 붙음!
→ 따라서 etwas Schön*es*이어야 옳음!

정답 Hoffentlich bringt unser Vater *etwas Schönes* mit!

► 「unser_ Vater」:

명사 Vater는 *남성*이며, 동사 bringt의 *주어*이므로 *남성 1격!!*
소유대명사 unser-('우리의')는 *남성 1격* 부정관사 ein_처럼 어미 없이 unser_임.

8. Kannst du Japanisch? - Nein, ich habe noch nie Japanisch lernen gekonnt[오류].

✽ **해석** 너는 일본어를 할 수 있니? - 아니, 나는 지금까지 한 번도 일본어를 배울 수가 없었어.

✽ **어휘** 「Kannst ...?」 (화법조동사 können의 *현재* 시제 ; 동사 원형 *생략*됨!) ⇒ 「können ... 동사 원형」... 할 수 있다 (현재 시제: ich kann ; du kann*st* ; er kann ; wir könn*en* ; ...) (3 기본형: können - konnte - gekonnt, können ※완료형은 「haben ... *pp*」: ① 동사 원형 *없을* 때: 「haben ... *gekonnt*」; ② 동사 원형 *있을* 때: 「haben ... *동사 원형* *können*」) ▌ Japanisch [고유명사] 일본어 ← japanisch [형용사] 일본의 ▌ noch [부사어] 아직 ▌ nie [부사어] 결코 ... 않다 (영. never) ▌ lernen [타동사] ...을 배우다 (3 기본형 *규칙* 변화: lern*en* - lern*te* - *ge*lern*t*) ▌ gekonnt (화법조동사 können의 *pp형*)

<오류>

화법조동사 können의 *현재완료* 시제로서 완료 형식 「*haben* ... pp」가 적용됨:
동사 원형 lernen이 있으므로 pp형 위치에는 ***ge***konn***t***가 아니라 *können*이 와야 옳음!

정답 Kannst du Japanisch? - Nein, ich habe noch nie Japanisch lernen *können.*

문장 1

► 「Kannst *du* ...? 」:
언어명 Japanisch('일본어')가 목적어이므로 동사 sprechen('말하다')이 생략된 것으로 볼 수 있음.
즉, Kannst du Japanisch (sprechen)?

► *현재* 시제: Kannst du Japanisch?
⇒ *과거* 시제: Konnte*st* du Japanisch?
⇒ *현재완료* 시제: *Hast* du Japanisch *gekonnt* ?
앞에 동사 원형이 ***없음!***
→ 따라서 pp형은 ***ge***konn***t***임.

문장 2

► *현재완료* 시제: Nein, ich *habe* noch nie Japanisch *lernen können*.
⇒ *과거* 시제: Nein, ich *konnte* noch nie Japanisch *lernen*?

기타 정답

Kannst du Japanisch? - Nein, ich *konnte* noch nie Japanisch *lernen*.
(너는 일본어를 할 수 있니? - 아니, 일본어를 할 수 있었던 적은 지금까지 전혀 없었어.)

► 둘째 문장의 경우 *현재완료* 대신에 *과거* 시제를 적용할 수 있음!

Lektion 17

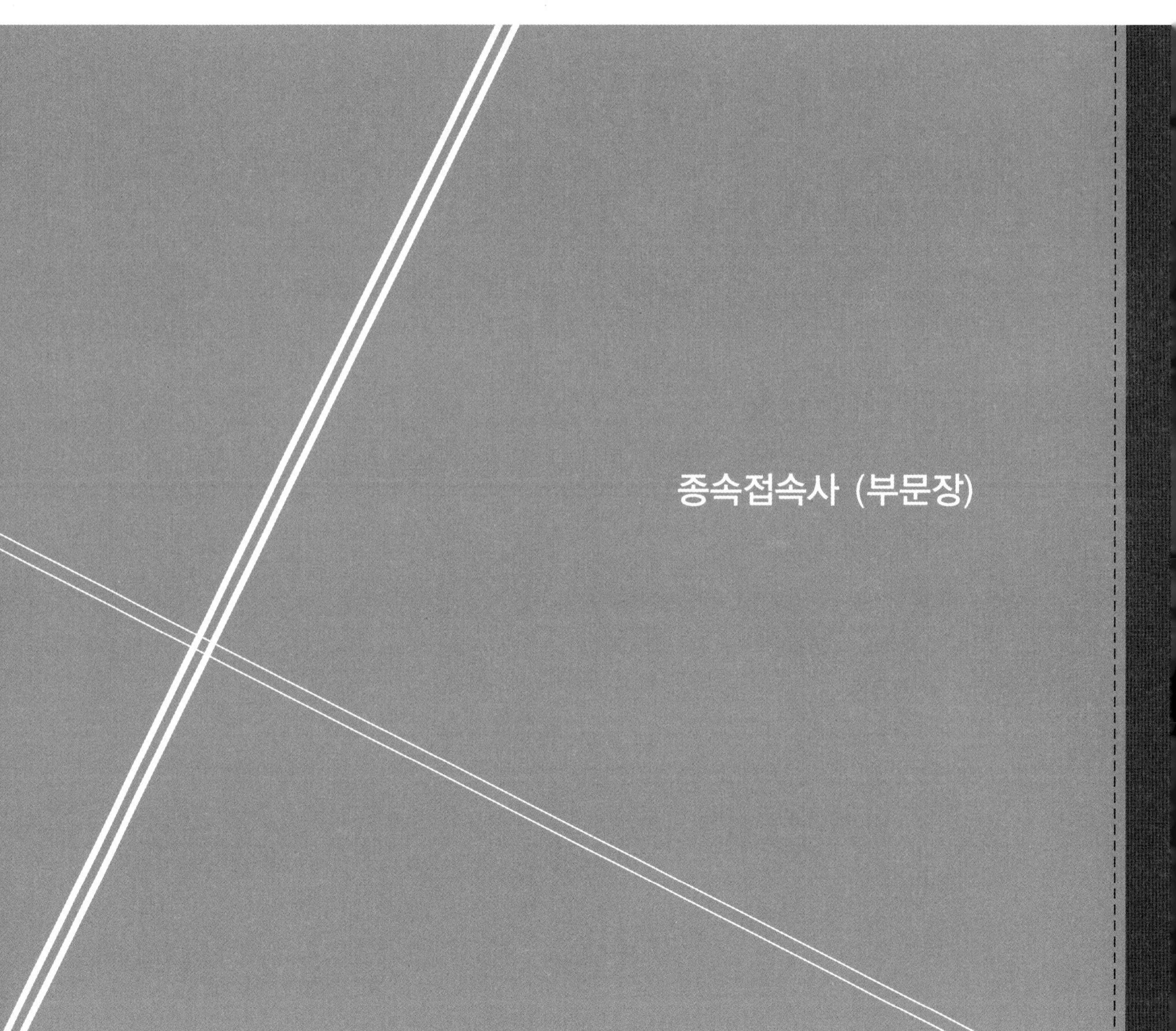

unit 01

기초문제

I. 문장을 완성하시오. (17과, 기초문제: 교재 97~98쪽)

1. Ich glaube nicht, dass er krank ist .

(Er ist krank.)

✱ 해석 나는 그가 아프다는 사실을 믿지 않는다.

✱ 어휘 glauben [타동사] ...을 믿다 : 「glauben, dass ...」 '...라고 믿다, ...라고 생각하다' (3 기본형 *규칙* 변화: glaub*en* - glaub*te* - *ge*glaub*t*) ▌dass [종속접속사] '...라는 사실', '...라는 것' (영. that) (뒤에 오는 문장은 부문장이므로 *후치*됨: ... , dass 주어 ... *동사*) ▌ist (동사 sein의 *현재* 시제) ⇒ sein [자동사] ...이다 (3 기본형: sein - war - gewesen ; 완료형 「*sein* ... pp」) ▌krank [형용사] 아픈 → die Krankheit 병, 질병 (die Krankheit*en*)

☞ 괄호 안에 주어진 문장은: Er ist krank. '그는 아프다.'
이 문장이 종속접속사 dass와 결합하여 부문장이 되므로 어순이 *후치*됨!
→ 따라서 정답은: ... __,__ dass *er* krank __*ist*__ .
종속접속사 앞에는 *콤마*가 옴! 동사는 *후치*되어 맨 뒤에 옴!

2. Findest du, dass ich zu schnell spreche ?

(Spreche ich zu schnell?)

✱ 해석 너는 내가 너무 빨리 말한다고 생각하니?

✱ 어휘 finden [타동사] ...라고 생각하다 : 「finden, dass ...」 '...라고 여기다' (3 기본형: finden - fand - gefunden) ▌dass [종속접속사] '...라는 사실', '...라는 것' (영. that) (뒤에 오는 문장은 부문장이므로 *후치*됨: ... , dass 주어 ... *동사*) ▌sprechen [타동사/자동사] (...을) 말하다 (3 기본형: sprechen - sprach - gesprochen) (현재 시제: du sprich*st* ; er sprich*t*) ▌「zu + 형용사(부사)」 '너무 ...한, 너무 ...하게' : zu schnell 너무 빨리 ▌schnell [형용사] 빠른, (부사적) 빨리

☞ 괄호 안에 주어진 문장은: Spreche ich zu schnell? '내가 너무 빨리 말하니?'
이 문장이 종속접속사 dass와 결합하여 부문장이 되므로 어순은 *후치*됨!
→ 따라서 정답은: ... __,__ dass *ich* zu schnell __*spreche*__ ?
종속접속사 앞에는 *콤마*가 옴! 동사는 *후치*되어 맨 뒤에 옴!

3. Er sagt, dass <u>er erst zu Hause anrufen muss</u>.

(Er muss zuerst zu Hause anrufen.)

✹ **해석** 그는 우선 집에 전화해야 한다고 말한다.

✹ **어휘** sagen [타동사] ...을 말하다 : 「sagen, dass ...」 '...라고 말하다' (3 기본형 *규칙* 변화: sag*en* - sag*te* - *ge*sag*t*) ▌dass [종속접속사] '...라는 사실', '...라는 것' (영. that) (뒤에 오는 문장은 부문장이므로 *후치*됨: ... , dass 주어 ... *동사*) ▌「<u>muss</u> ... anrufen」 (화법조동사 müssen의 *현재* 시제) ⇒ 「müssen ... 동사 원형」 ...해야 한다 (현재 시제: ich <u>muss</u> ; du <u>muss*t*</u> ; er <u>muss</u> ; wir müss*en* ; ...) (3 기본형: müssen - musste - gemusst, müssen ※완료형은 「haben ... *pp*」: ① 동사 원형 *없을* 때: 「haben ... *gemusst*」; ② 동사 원형 *있을* 때: 「haben ... *동사 원형 müssen*」) ▌zuerst [부사어] 우선, 먼저 ▌zu Haus(e) (위치) 집에, 집에서 ↔ nach Haus(e) (방향) 집으로 ▌*an*rufen [분리동사] : 「rufen + 4격 ... *an*」 '...에게 전화 걸다' (*4격* 요구 동사!) : zu Haus(e) *an*rufen 집으로 전화하다

☞ 괄호 안에 주어진 문장은: Er muss erst zu Hause anrufen. '그는 우선 집에 전화해야만 해.' 이 문장이 종속접속사 dass와 결합하여 부문장이 되므로 어순이 *후치*됨!

→ 따라서 정답은: ... <u>,</u> dass *er* erst zu Hause anrufen <u>*muss*</u>.
종속접속사 앞에는 *콤마*가 옴! 동사 muss가 *후치*되어 맨 뒤에 옴!

4. Hast du vergessen, dass <u>wir heute in die Stadt wollten</u>?

(Wir wollten heute in die Stadt.)

✹ **해석** 너는 우리가 오늘 시내로 가려고 했다는 사실을 잊었니?

✹ **어휘** 「Hast ... vergessen?」 (동사 vergessen의 *현재완료* 시제) ▌vergessen (동사 vergessen의 *pp형*) ⇒ vergessen [타동사] ...을 잊다 (영. forget) : 「vergessen, dass ...」 '...라는 사실을 잊다' (3 기본형: vergessen - vergaß - vergessen) (현재 시제: du verg<u>i</u>ss*t* ; er verg<u>i</u>ss*t*) ▌dass [종속접속사] '...라는 사실', '...라는 것' (영. that) (뒤에 오는 문장은 부문장이므로 *후치*됨: ... , dass 주어 ... *동사*) ▌「wollt*en* ...」 (화법조동사 wollen의 *과거* 시제: 주어가 *wir* 혹은 *sie*('그들은'), *Sie*일 때) ⇒ 「wollen ... 동사 원형」 ...하려고 하다 (3 기본형: wollen - wollte - gewollt, wollen ※완료형은 「haben ... *pp*」: ① 동사 원형 *없을* 때: 「haben ... *gewollt*」; ② 동사 원형 *있을* 때: 「haben ... *동사 원형 wollen*」) (현재 시제: ich <u>will</u> ; du <u>will*st*</u> ; er <u>will</u> ; wir woll*en* ; ...) ▌heute [부사어] 오늘 ▌in [*3·4격* 전치사] (*4격* 지배: *방향*) ~안으로, ~로 : in die Stadt 시내*로* ▌die Stadt 시, 시내 (die St*ä*dt*e*)

☞ 괄호 안에 주어진 문장은: Wir wollten heute in die Stadt. '우리는 오늘 시내로 가려고 했다.' 이 문장이 종속접속사 dass와 결합하여 부문장이 되므로 어순이 *후치*됨!

→ 따라서 정답은: ... <u>,</u> dass *wir* heute in die Stadt <u>*wollten*</u>?
종속접속사 앞에는 *콤마*가 옴! 동사가 *후치*되어 맨 뒤에 옴!

► 「*Wir* wollte<u>n</u> ...」: 화법조동사 wollen의 *과거* 시제임!
wollen의 과거 시제 어미변화:

- 3 기본형 가운데 *과거형* wollte가 사용됨.
- 주어가 Wir이므로 과거형 wollte에 어미 *-n*이 붙어 wollte*n*임.

► 「Wir *wollten* ... in *die* Stadt」:
화법조동사 wollten과 함께 문장 맨 뒤에 와야 할 동사 원형이 *생략*됨!
방향을 나타내는 표현 in die Stadt('시내로')가 있으므로 '장소 이동' 동사 gehen, fahren 등이 생략된 것으로 볼 수 있음: Wir wollten ... in die Stadt (gehen).

5. Schade, dass du schon gehen musst !

(Musst du schon gehen?)

✺ **해석** 네가 벌써 가야만 하다니 아쉬워.

✺ **어휘** 「(Es ist) schade, dass ...」 '...해서 아쉽다, ...해서 유감이다' ← schade [형용사] 유감인, 아쉬운 (= bedauerlich) <주의> schade는 동사 sein 등의 *형용사 보어*로만 사용됨! 즉, 명사 수식어나 부사어로 사용될 수 없음! ▌ dass [종속접속사] '...라는 사실', '...라는 것' (영. that) (뒤에 오는 문장은 부문장이므로 *후치*됨: ... , dass 주어 ... *동사*) ▌ 「Musst ... gehen?」 (화법조동사 müssen의 *현재* 시제) ⇒ 「müssen ... 동사 원형」 ...해야 한다 (현재 시제: ich muss ; du muss*t* ; er muss ; wir müss*en* ; ...) (3 기본형: müssen - musste - gemusst, müssen ※완료형은 「haben ... *pp*」: ① 동사 원형 *없을* 때: 「haben ... *gemusst*」; ② 동사 원형 *있을* 때: 「haben ... *동사 원형* *müssen*」) ▌ schon [부사어] 이미, 벌써 ▌ gehen [자동사] 가다 (3 기본형: gehen - ging - gegangen ; '장소 이동' 자동사 → 완료형 「*sein* ... pp」)

☞ 괄호 안에 주어진 문장은: Musst du schon gehen? '너는 벌써 가야 하니?'
이 문장이 종속접속사 dass와 결합하여 부문장이 되므로 어순은 *후치*됨!
→ 따라서 정답은: ... __,__ dass *du* schon gehen __*musst*__ !
종속접속사 앞에는 *콤마*가 옴! 동사 musst가 *후치*되어 맨 뒤에 옴!

6. Ich hoffe, dass Monika unsere Party heute Abend nicht vergisst .

(Monika vergisst unsere Party heute Abend nicht.)

✺ **해석** 나는 모니카가 오늘 저녁에 있는 우리의 파티를 잊지 않기를 희망해.

✺ **어휘** hoffen [타동사] ...을 희망하다 : 「hoffen, dass ...」 '...이기를 희망하다' (3 기본형 *규칙* 변화: hoff*en* - hoff*te* - *ge*hoff*t*) → die Hoffnung 희망 (die Hoffnung*en*) ▌ dass [종속접속사] '...라는 사실', '...라는 것' (영. that) (뒤에 오는 문장은 부문장이므로 *후치*됨: ... , dass 주어 ... *동사*) ▌ vergisst (동사 vergessen의 *현재* 시제: 주어가 *du* 혹은 *er*, *sie*, *es*일 때) ⇒ vergessen [타동사] ...을 잊다 (현재 시제: du vergiss*t* ; er vergiss*t*) (3 기본형: vergessen - vergaß - vergessen) ▌ die Party 파티 (die Party*s*) ▌ heute Abend 오늘 저녁 ▌ heute [부사어] 오늘 ▌ der Abend 저녁 (die Abend*e*)

► 「unser*e* Party」:
명사 Party는 *여성*이며, 동사 vergisst의 *4격* 목적어이므로 *여성 4격!!*
따라서 소유대명사 unser-('우리의')는 *여성 4격* 부정관사 ein*e*처럼 어미변화 하여 unser*e*임.

☞ 괄호 안에 주어진 문장은: Monika vergisst unsere Party heute Abend nicht.
'모니카는 오늘 저녁에 열리는 우리의 파티를 잊지 않는다.'
이 문장이 종속접속사 dass와 결합하여 부문장이 되므로 어순은 *후치*됨!
→ 따라서 정답은: ... _,_ dass *Monika* unsere Party heute Abend nicht _*vergisst*_.
종속접속사 앞에는 *콤마*가 옴! 동사는 *후치*되어 맨 뒤에 옴!

7. Herr Müller hat angerufen. Ich soll Ihnen sagen, dass _er Sie morgen besucht_.
(Er besucht Sie morgen.)

✺ **해석** 뮐러씨가 전화했어요. 그가 내일 당신을 방문한다는 것을 당신에게 말하라고 했어요.

✺ **어휘** 「hat angerufen」 (분리동사 *an*rufen의 *현재완료* 시제) ▌*an*gerufen (분리동사 *an*rufen의 *pp형*) ⇒ *an*rufen [분리동사] : 「rufen + 4격(사람) ... *an*」 *누구*에게 전화 걸다 (*4격* 요구 동사!) (3 기본형: *an*rufen - *an*rief - *an*gerufen) ⇐ rufen [타동사] ...을 부르다 (영. call) (3 기본형: rufen - rief - gerufen) ▌「soll ... sagen」 (화법조동사 sollen의 *현재* 시제) ⇒ 「sollen ... 동사 원형」 ...해야 한다 (현재 시제: ich soll ; du soll*st* ; er soll ; wir soll*en* ; ...) (3 기본형: sollen - sollte - gesollt , sollen ※완료형은 「haben ... *pp*」: ① 동사 원형이 *없을* 때: 「haben ... *gesollt*」; ② 동사 원형이 *있을* 때: 「haben ... *동사 원형 sollen*」) ▌Ihnen [인칭대명사] Sie('당신은, 당신들은')의 *3격* 형임. (4격 형은 *Sie*) ▌sagen [타동사] ...을 말하다 (영. say) : 「sagen + 3격(사람) , dass ... 」 *누구*에게 ...라고 말하다 (3 기본형 *규칙* 변화: sag*en* - sag*te* - *ge*sag*t*) ▌dass [종속접속사] '...라는 사실', '...라는 것' (뒤에 오는 문장은 부문장이므로 *후치*됨: ... , dass 주어 ... *동사*) ▌besuchen [타동사] ...을 방문하다 (3 기본형 *규칙* 변화: *be*such*en* - *be*such*te* - *be*such*t* ※형태가 *be*-이므로 pp형에서 *ge- 탈락*! 즉, be*ge*sucht 아님!) ⇐ suchen [타동사] ...을 구하다, 찾다 (3 기본형: such*en* - such*te* - *ge*such*t*) ▌Sie [인칭대명사] 격식칭 Sie('당신은, 당신들은')의 *4격* 형임. (3격 형은 *Ihnen*) ▌morgen [부사어] 내일

문장 1

► 「*Herr Müller* hat angerufen」: 분리동사 *an*rufen의 *현재완료* 시제!
*an*rufen은 4격 목적어를 지니는 *타동사*임. → 따라서 현재완료 형식은 「*haben* ... pp」:
- 주어가 Herr Müller, 즉 er에 해당하므로 haben의 형태는 *hat*임.
- 동사 *an*rufen의 pp형 *angerufen*이 문장 맨 뒤에 옴.

문장 2

☞ 괄호 안에 주어진 문장은: Er besucht Sie morgen. '그는 당신을 내일 방문한다.'
이 문장이 종속접속사 dass와 결합하여 부문장이 되므로 어순은 *후치*됨!
→ 따라서 정답은: ... _,_ dass *er* Sie morgen _*besucht*_.
종속접속사 앞에는 *콤마*가 옴! 동사는 *후치*되어 맨 뒤에 옴!

► 동사 sagen의 3격 목적어이므로 격식칭 Sie('당신은')의 3격 형 *Ihnen*이 사용됨.
► 「... , dass er Sie *morgen* besucht」:
어순: Sie는 인칭*대명사*이므로 부사어인 morgen보다 앞에 와야 함.

II. 괄호 안에 주어진 문장을 사용하여 밑줄 친 곳을 완성하시오.

(17과, 기초문제: 교재 98쪽)

1. Weil ich in Deutschland lebe , lerne ich Deutsch.

(Ich lebe in Deutschland.)

✹ **해석** 나는 독일에서 살고 있기 때문에 독일어를 배운다.

✹ **어휘** weil [종속접속사] ...이기 때문에 (영. because) (뒤에 오는 문장은 부문장이므로 *후치*됨: Weil 주어 ... *동사* , 동사 + 주어 ...) ▌lernen [타동사] ...을 배우다 (3 기본형 *규칙* 변화: lern*en* - lern*te* - *ge*lern*t*) ▌Deutsch 독일어 (고유명사 관사 없음!) ▌leben [자동사] 살다 (3 기본형 *규칙* 변화: leb*en* - leb*te* - *ge*leb*t*) ▌「in + 국가」 (위치) ~안에서, ~에서 : in Deutschland 독일*에서* (국가명은 고유명사이므로 관사 없음!)

☞ 괄호 안에 주어진 문장은: Ich lebe in Deutschland. '나는 독일에서 살고 있다.'
이 문장이 종속접속사 Weil과 결합하여 *부문장*이 되므로 어순이 *후치*됨!
→ 따라서 정답은: Weil *ich* (주어) in Deutschland *lebe* , ... (동사가 *후치*되어 맨 뒤에 옴!)

<주의>
종속접속사 부문장은 *콤마*로 구분함. → 부문장이 끝나는 동사 lebe 뒤에 콤마!

► 종속접속사 부문장이 앞에 올 경우 뒤에 오는 주문장은 *도치*됨:
Weil ... *lebe* (부문장) , *lerne ich* ... (주문장 (**도치**됨: 「... , 동사 + 주어」))

2. Jana ist vor fünf Jahren nach Deutschland gekommen, weil ihr Mann hier eine Arbeit gefunden hat .

(Ihr Mann hat hier eine Arbeit gefunden.)

✹ **해석** 야나는 5년 전에 독일로 왔는데, (왜냐하면) 그녀의 남편이 여기에서 일자리를 발견했기 때문이다.

✹ **어휘** 「ist ... gekommen」(동사 kommen의 *현재완료* 시제) ▌gekommen (동사 kommen의 *pp형*) ⇒ kommen [자동사] 오다 (3 기본형: kommen - kam - gekommen ; '*장소 이동* 자동사 → 완료형 「*sein* ... pp」) ▌vor [*3·4격* 전치사] (*3격* 지배: *시간적* 의미) → 「vor + 시간명사(3격)」 ~전에 : vor fünf Jahren 5년 전에 ▌das Jahr 해, 년 (die Jahr*e*) ▌fünf 5 ▌「nach + 국가」 (방향) ~로 : nach Deutschland 독일*로* ▌weil [종속접속사] ...이기 때문에 (영. because) (뒤에 오는 문장은 부문장이므로 *후치*됨: ... , weil 주어 ... *동사*) ▌der Mann 남편 (die Männ*er*) ▌「hat ... gefunden」 (동사 finden의 *현재완료* 시제) ▌gefunden (동사 finden의 *pp형*) ⇒ finden [타동사] ...을 발견하다, 찾다 (영. find) (3 기본형: finden - fand - gefunden) ▌hier [부사어] 여기서 ▌die Arbeit 일, 작업 (die Arbeit*en*)

► 「*Jana* ist ... gekommen 」: 동사 kommen의 *현재완료* 시제임!
동사 kommen은 '장소 이동' 자동사이므로 현재완료 형식은 「*sein* ... pp」:
- 주어가 Jana, 즉 여성의 sie('그녀는')이므로 sein의 형태는 *ist*임.
- 동사 kommen의 pp형은 *gekommen*임.

► 「vor fünf Jahren 」:
명사 Jahre는 *복수*이며, 전치사 vor의 *3격* 목적어이므로 *복수 3격!!*
따라서 *복수 3격* 명사의 형태는 *-n*이므로 Jahren임.

☞ 괄호 안에 주어진 문장은: Ihr Mann hat hier eine Arbeit gefunden.
'그녀의 남편은 여기서 일자리를 발견했다.'
이 문장이 종속접속사 weil과 결합하여 *부문장*이 되므로 어순은 *후치*됨!
→ 따라서 정답은: ... , weil *ihr Mann* (주어) hier eine Arbeit gefunden *hat* .
현재완료 형식 「*hat* ... gefunden」이 후치됨.
→ 동사 *hat*가 맨 뒤에 옴: 「... gefunden *hat*」

<주의>
종속접속사 부문장은 *콤마*로 구분함. → 따라서 부문장이 시작하는 weil 앞에는 콤마!

► 「Ihr_ Mann」:
명사 Mann은 *남성*이며, *주어*이므로 *남성 1격!!*
따라서 여성 소유대명사 Ihr-('그녀의')는 *남성 1격* 부정관사 ein_처럼 어미 없이 Ihr_임.

► 「*Ihr Mann* hat ... gefunden 」: 동사 finden의 *현재완료* 시제임!
동사 finden은 4격 목적어를 지니는 타동사이므로 현재완료 형식은 「*haben* ... pp」:
- 주어가 Ihr Mann, 즉 er이므로 haben의 형태는 *hat*임.
- 동사 finden의 pp형은 *gefunden*임.

3. Weil ihm das Bild nicht mehr gefällt , verkauft er es.
(Das Bild gefällt ihm nicht mehr.)

✷ **해석** 그 그림이 그에게 더 이상 마음에 들지 않기 때문에 그는 그것을 매각한다.

✷ **어휘** weil [종속접속사] ...이기 때문에 (영. because) (뒤에 오는 문장은 부문장이므로 *후치*됨: Weil 주어 ... *동사* , *동사* + 주어 ...) ▌verkaufen [타동사] ...을 팔다 (3 기본형 *규칙* 변화: *ver*kauf*en* - *ver*kauf*te* - *ver*kauf*t* ※형태가 *ver*-이므로 pp형에서 *ge*- *탈락*! 즉, ver*ge*kauft 아님!) ⇐ kaufen [타동사] ...을 사다 (3 기본형 *규칙* 변화: kauf*en* - kauf*te* - *ge*kauf*t*) ▌es [인칭대명사] es의 *4격* 형임. (3격 형은 *ihm*) ▌das Bild 그림 (die Bild*er*) ▌gefällt (동사 gefallen의 *현재* 시제: 주어가 *er, sie, es*일 때) ⇒ gefallen [자동사] : 「주어 + gefallen + 3격(사람)」 *주어는 3격*의 마음에 들다 (현재 시제: du gefäll*st* ; er gefäll*t*) (3 기본형: *ge*fallen - *ge*fiel - *ge*fallen ※형태가 *ge*-이므로 pp형에서 *ge*- *탈락*! 즉, ge*ge*fallen 아님!) ⇐ fallen [자동사] 떨어지다 (현재 시제: du fäll*st* ; er fäll*t*) (3 기본형: fallen - fiel - gefallen ; '*장소 이동* 자동사 → 완료형 「*sein* ... pp」) ▌ihm [인칭대명사] er의 *3격* 형임. (4격 형은 *ihn*) ▌「nicht mehr ...」 '더 이상 ... 않다'

☞ 괄호 안에 주어진 문장은: Das Bild gefällt ihm nicht mehr.

'그 그림은 그에게 더 이상 마음에 들지 않는다.'

이 문장이 종속접속사 weil과 결합하여 *부문장*이 되므로 어순은 *후치*됨!

→ 따라서 정답은: Weil ihm *das Bild* nicht mehr *gefällt* , ...

주어 / 동사가 후치되어 맨 뒤에 옴!

<주의>

종속접속사 부문장은 *콤마*로 구분함. → 따라서 부문장이 끝나는 gefällt 뒤에는 콤마!

► 종속접속사 부문장이 앞에 올 경우 뒤에 오는 주문장은 *도치*됨:

Weil ... *lebe* , *verkauft er* ...

부문장 / 주문장 (*도치*됨: 「... , 동사 + 주어 ...」)

► 동사 gefällt의 3격 목적어이므로 er의 3격 형 *ihm*이 사용됨:

<주의>

어순: ihm은 인칭*대명사*이므로 주어인 명사 das Bild보다 앞에 옴!

Weil *ihm das Bild* ... gefällt, ...

► 동사 verkauft의 4격 목적어 es는 앞에 나온 중성명사 das Bild를 받음.

4. Frau Niggemann hat sich das Fußballspiel nicht angesehen, weil sie sich nicht dafür interessiert hat.

(Sie hat sich nicht dafür interessiert.)

✺ **해석** 니게만 부인은 축구 경기를 보지 않았는데, (왜냐하면) 그녀는 그것에 흥미가 없었기 때문이다.

✺ **어휘** 「hat ... angesehen」 (분리동사 *an*sehen의 *현재완료* 시제) ▌ *an*gesehen (분리동사 *an*sehen의 *pp형*) ⇒ *an*sehen [분리동사&3격 재귀동사] : 「sehen sich³ + 4격 ... *an*」 '...을 관람, 구경하다' (3 기본형: *an*sehen - *an*sah - *an*gesehen) (현재 시제: du sieh*st* dir ... *an* ; er sieh*t* sich ... *an*) ⇐ sehen [타동사] ...을 보다 (3 기본형: sehen - sah - gesehen) (현재 시제: du sieh*st* ; er sieh*t*) ▌ das Fußballspiel 축구 경기 (die Fußballspiel*e*) ← der Fußball 축구 + das Spiel 놀이, 게임 (die Spiel*e*) ▌ weil [종속접속사] ...이기 때문에 (뒤에 오는 문장은 부문장이므로 *후치*됨: ... , weil 주어 ... *동사*) ▌ 「hat ... interessiert」 (동사 interessieren의 *현재완료* 시제) ▌ interessier*t* (동사 interessieren의 *pp형*) ⇒ 「interessieren sich⁴ für + 4격」 [4격 재귀동사] ...에 대하여 흥미를 갖다 (3 기본형 *규칙* 변화: interessier*en* - interessier*te* - interessier*t* ※형태가 *-ieren*이므로 pp형에서 *ge- 탈락*! 즉, *ge*interessiert 아님!) ▌ dafür '그것에 대하여' ← 전치사 für '...에 대하여' + 지시대명사 das '그것'

► 「*Frau Niggemann* hat ... angesehen」: 분리동사 *an*sehen의 *현재완료* 시제임!

*an*sehen은 4격 목적어 das Fußballspiel을 지니므로 현재완료 형식은 「*haben* ... pp」:

• 주어가 Frau Niggemann, 즉 여성의 sie('그녀는')에 해당하므로 haben의 형태는 *hat*임.
• 동사 *an*sehen의 pp형은 *angesehen*임.

► 주어가 Frau Niggemann, 즉 여성의 sie('그녀는')에 해당하므로 3격 재귀대명사는 sich 임.
주어가 1, 2인칭, 즉 ich, du ; wir, ihr가 아닌 나머지 모든 경우, 3격 및 4격 재귀대명사 모두 ***sich***임.

☞ 괄호 안에 주어진 문장은: Sie hat sich nicht dafür interessiert.
'그녀는 그것에 대해 흥미가 없었다.'

이 문장이 종속접속사 weil과 결합하여 *부문장*이 되므로 어순은 *후치*됨!

→ 따라서 정답은: ..., weil *sie* sich nicht dafür interessiert *hat* .
sie: 주어
현재완료 형식 「*hat* ... interessiert」가 후치됨.
→ 동사 *hat*가 맨 뒤에 옴: 「... interessiert *hat*」

<주의>
종속접속사 부문장은 *콤마*로 구분함. → 따라서 weil 앞에는 콤마!

► 「... , weil *sie* sich ... interessiert hat」:
부문장의 주어가 여성의 sie('그녀는')이므로 4격 재귀대명사는 *sich*임.

5. Wenn man zu viel arbeitet und zu wenig schläft , kann man leicht krank werden.

(Man arbeitet zu viel und schläft zu wenig.)

✻ **해석** 만약 너무 많이 일하고 너무 적게 잠자면 쉽게 병에 걸릴 수 있다.

✻ **어휘** wenn [종속접속사] 만약 ...일 경우, ...하면 (영. if, whenever) (뒤에 오는 문장은 부문장이므로 *후치* 됨: Wenn 주어 ... *동사* , ...) ▌「kann ... werden」 (화법조동사 können의 *현재* 시제) ⇒ 「können ... 동사 원형」 ...할 수 있다 (현재 시제: ich kann ; du kann*st* ; er kann ; wir könn*en* ; ...) (3 기본형: können - konnte - gekonnt, können ※완료형은 「haben ... *pp*」: ① 동사 원형 *없을* 때: 「haben ... *gekonnt*」; ② 동사 원형 *있을* 때: 「haben ... *동사 원형* *können*」) ▌man [부정대명사] 사람들은 (항상 *주어* 이며, 3인칭 단수 *er* 취급!) ▌leicht [형용사] 가벼운, 쉬운, (부사적) 가볍게, 쉽게 ▌krank [형용사] 아픈 ▌werden [자동사] (동사 sein처럼 *형용사* 혹은 *명사 보어*와 함께) '...되다' (영. become) (3 기본형: werden - wurde - geworden ; '*상태 변화*' 자동사 → 완료형 「*sein* ... pp」) (현재 시제: du wirst ; er wird) ▌arbeiten [자동사] 일하다 (3 기본형 *규칙* 변화: arbeit*en* - arbeit*ete* - *ge*arbeit*et* ※동사 arbei*t*en은 어간 끝이 *-t*이므로 발음상 *-e-* 첨가함!) ▌viel 많은, 많이 ↔ wenig 적은, 적게 ▌「zu + 형용사 (부사)」 '너무 ...한, 너무 ...하게' : zu viel 너무 많이, zu wenig 너무 적게 ▌schläft (동사 schlafen의 *현재* 시제: 주어가 *er*, *sie*, *es*일 때) ⇒ schlafen [자동사] 잠자다 (현재 시제: du schläf*st* ; er schläf*t*) (3 기본형: schlafen - schlief - geschlafen)

☞ 괄호 안에 주어진 문장은 접속사 und에 의해 두 개의 문장이 결합된 형식임:

Man arbeitet zu viel *und* schläft zu wenig.

'사람들이 너무 많이 일하고, 너무 적게 잠을 잔다.'

이 문장이 종속접속사 wenn과 결합하여 *부문장*이 되므로 어순은 *후치*됨.

즉, 두 문장의 동사 arbeitet와 schläft는 각각 맨 뒤에 위치함!

→ 따라서 정답은: Wenn *man* zu viel *arbeitet* und zu wenig *schläft* , ...
동사로서 *후치*됨. 동사로서 *후치*됨.

<주의>
종속접속사 부문장은 *콤마*로 구분함. → 따라서 부문장이 끝나는 schläft 뒤에 콤마!

6. Mein Freund Peter muss in Aachen bleiben, wenn er in Köln kein billiges Zimmer finden kann.

(Er kann in Köln kein billiges Zimmer finden.)

✺ **해석** 내 친구 페터는 만약 쾰른에서 값싼 방을 찾을 수 없을 경우 아헨에 머물러야 한다.

✺ **어휘** der Freund 친구 (die Freund*e*) ▌「muss ... bleiben」(화법조동사 müssen의 *현재* 시제) ⇒ 「müssen ... 동사 원형」...해야 한다 (현재 시제: ich muss ; du muss*t* ; er muss ; wir müss*en* ; ...) (3 기본형: müssen - musste - gemusst, müssen ※완료형은 「haben ... *pp*」: ① 동사 원형 *없을* 때: 「haben ... *gemusst* 」; ② 동사 원형 *있을* 때: 「haben ... *동사 원형 müssen*」) ▌「in + 도시」(위치) ~에서 : in Aachen 아헨*에서* (고유명사 관사 없음!) <참고> 「nach + 도시」(방향) ~로 : nach Aachen 아헨*으로* ▌bleiben [자동사] 머무르다 (영. stay, remain) (3 기본형: bleiben - blieb - geblieben ; 완료형 「*sein* ... pp」) ▌wenn [종속접속사] 만약 ...일 경우, ... 이면 (영. if, whenever) (뒤에 오는 문장은 부문장이므로 *후치*됨: ... , wenn 주어 ... *동사*) ▌「kann ... finden」(화법조동사 können의 *현재* 시제) ⇒ 「können ... 동사 원형」...할 수 있다 (현재 시제: ich kann ; du kann*st* ; er kann ; wir könn*en* ; ...) (3 기본형: können - konnte - gekonnt, können ※완료형은 「haben ... *pp*」: ① 동사 원형 *없을* 때: 「haben ... *gekonnt* 」; ② 동사 원형 *있을* 때: 「haben ... *동사 원형 können* 」) ▌「in + 도시」(위치) ~에서 : in Köln 쾰른*에서* ▌billig [형용사] 값싼 ↔ teuer 비싼 ▌das Zimmer 방 (die Zimmer) ▌finden [타동사] ...을 발견하다 (3 기본형: finden - fand - gefunden)

► 「Mein_ Freund」:

명사 Freund는 *남성*이며, *주어*이므로 *남성 1격!!*

따라서 소유대명사 Mein-은 *남성 1격* 부정관사 ein_처럼 변화하여 어미 없이 Mein_임.

☞ 괄호 안에 주어진 문장은: Er kann in Köln kein billiges Zimmer finden.
'그는 쾰른에서 값싼 방을 찾을 수 없다.'

이 문장이 종속접속사 wenn과 결합하여 *부문장*이 되므로 어순은 *후치*됨!

→ 따라서 정답은: ... , wenn *er* in Köln kein billiges Zimmer *finden kann* .
주어 화법조동사 형식 「*kann* ... finden」이 후치됨.
→ 동사 *kann*이 맨 뒤에 옴: 「... finden *kann*」

<주의>

종속접속사 부문장은 *콤마*로 구분함. → 따라서 wenn 앞에는 콤마!

► 「kein billig*es* Zimmer」:
- 명사 Zimmer는 *중성*이며, 동사 finden의 *4격* 목적어이므로 *중성 4격!!*
  따라서 kein-은 *중성 4격* 부정관사 ein_처럼 변화하여 어미 없이 kein_임.
- 형용사 billig 앞에 *중성 4격*의 ein_에 일치하는 kein_이 있음.
  → 따라서 *kein* billig*es* ...
  (근거: 중성 1, 4격 ein_ , mein_ , ihr_ , unser_ , euer_ , kein_ + 형용사 *-es*)

III. 주어진 종속접속사로 두 문장을 올바르게 연결하시오. (17과, 기초문제: 교재 98쪽)

1. (괄호 문장 1) Ich habe das Kleid nicht gekauft.

✹ **해석** 나는 그 드레스를 사지 않았다.

✹ **어휘** 「habe ... gekauft」 (동사 kaufen의 *현재완료* 시제) ▌*gekauft* (동사 kaufen의 *pp형*) ⇒ kaufen [타동사] ...을 사다 (3 기본형 *규칙* 변화: kauf*en* - kauf*te* - *ge*kauf*t*) ▌das Kleid 드레스, 원피스 (die Kleid*er*) <참고> Kleidung 옷, 의복 (집합적 의미로서 복수 없음!)

(괄호 문장 2) Das Kleid ist zu teuer.

✹ **해석** 그 드레스는 너무 비싸다.

✹ **어휘** das Kleid 드레스, 원피스 (die Kleid*er*) ▌ist (동사 sein의 *현재* 시제) ⇒ sein [자동사] ...이다 (3 기본형: sein - war - gewesen ; 완료형 「*sein* ... pp」) ▌「zu + 형용사 (부사)」 '너무 ...한, 너무 ...하게' : zu teuer 너무 비싼 ▌teuer [형용사] 비싼 ↔ billig 저렴한

정답 Weil das Kleid zu teuer ist , habe ich es nicht gekauft .

✹ **해석** 그 드레스가 너무 비싸기 때문에 나는 그것을 사지 않았다.

✹ **어휘** weil [종속접속사] ...이기 때문에 (영. because) (뒤에 오는 문장은 부문장이므로 *후치*됨!)

☞ 종속접속사 weil과 결합하는 부문장이 앞에, 주문장은 뒤에 오는 형식:

「 Weil 주어 ... 동사 , 동사 + 주어 ... 」
부문장 (*후치*!) 주문장 (*도치*!)

- 둘째 문장 "Das Kleid ist zu teuer"는 '이유'에 해당함. → Weil과 결합하여 *부문장*이 됨!
  따라서 동사 ist는 *후치*됨: Weil *das Kleid* ... *ist* , ...
- 첫째 문장 "Ich habe es nicht gekauft"는 '결과'에 해당함. → *주문장*이 됨!
  앞에 부문장이 오므로 *도치*됨: Weil ... ist , *habe ich* ... gekauft.

2. (괄호 문장 1) Mein Mann freut sich auf den Urlaub.

✹ **해석** 나의 남편은 휴가 갈 것에 대해 기뻐한다.

✹ **어휘** der Mann 남편 (die Männ*er*) ▌「freuen sich⁴ auf + 4격」 [4격 재귀동사] (*미래의*) ...에 대해 기뻐하다 (3 기본형 *규칙* 변화: freu*en* - freu*te* - *ge*freu*t*) <주의> 「freuen sich⁴ *über* + 4격」 (*현재, 과거의*) ...에 대해 기뻐하다 → die Freude (주로 단수) 기쁨 (die Freude*n*) ▌der Urlaub (주로 단수) 휴가 (die Urlaub*e*)

► 주어인 Mein Mann은 남성의 er('그는')에 해당하므로 4격 재귀대명사는 *sich*임.
주어가 ***1, 2***인칭, 즉 ***ich, du*** ; ***wir, ihr***가 아닌 나머지 모든 경우, 3격 및 4격 재귀대명사 모두 ***sich***임.

► 「... freut sich *auf den Urlaub*」:
어순: sich는 재귀*대명사*이므로 auf den Urlaub보다 앞에 위치함!

(괄호 문장 2) Mein Mann kann sich dann endlich einmal erholen.

✹ **해석** 나의 남편은 그렇게 되면 마침내 한번 휴양할 수 있다.

✹ **어휘** der Mann 남편, 성인 남자 (die Männ*er*) ▌「kann ... erholen」 (화법조동사 können의 *현재* 시제) ⇒ 「können ... 동사 원형」 ...할 수 있다 (현재 시제: ich kann ; du kann*st* ; er kann ; wir könn*en* ; ...) (3 기본형: können - konnte - gekonnt, können ※완료형은 「haben ... *pp*」: ① 동사 원형 *없을* 때: 「haben ... *gekonnt*」; ② 동사 원형 *있을* 때: 「haben ... *동사 원형 können*」) ▌dann [부사어] 그러면 (영. then) ▌endlich [부사어] 마침내 ▌einmal [부사어] 한번 ▌「erholen sich⁴」 [4격 재귀동사] 휴양하다, 원기 회복하다 (3 기본형 *규칙* 변화: *er*hol*en* - *er*hol*te* - *er*hol*t* ※형태가 *er*-이므로 pp형에서 *ge- 탈락*! 즉, er*ge*holt 아님!) ⇐ holen [타동사] ...을 가져오다 (3 기본형: hol*en* - hol*te* - *ge*hol*t*)

► 주어가 Mein Mann, 즉 단수 3인칭 er에 해당하므로 4격 재귀대명사는 *sich*임.

► 「... kann sich *dann endlich einmal* erholen」:
어순: sich는 재귀*대명사*이므로 대명사가 아닌 dann, endlich, einmal보다 앞에 위치함!

정답 Mein Mann freut sich auf den Urlaub , weil er sich dann endlich einmal erholen kann .

✹ **해석** 나의 남편은 휴가 갈 것에 대해 기뻐하는데, (왜냐하면) 그렇게 되면 그는 마침내 한번 휴양할 수 있기 때문이다.

✹ **어휘** weil [종속접속사] ...이기 때문에 (영. because) (뒤에 오는 문장은 부문장이므로 *후치*됨!)

☞ 주문장이 앞에 오고, 종속접속사 weil과 결합하는 부문장이 뒤에 오는 형식:

「 주어 + 동사 ... , weil 주어 ... 동사 」
주문장 (정치!) 부문장 (*후치*!)

- 첫째 문장 "Mein Mann freut sich ..."는 '결과'에 해당함. → *주문장*이 됨!
- 둘째 문장 "Mein Mann kann sich ... erholen"은 '이유'에 해당함. → 종속접속사 weil과 결합하여 *부문장*이 되므로 *후치*됨: ... , weil *er* sich ... erholen *kann*.

3. (괄호 문장 1) Man ist krank.

✱ **해석** 사람들은 아프다.

✱ **어휘** man [부정대명사] 사람들은 (항상 *주어*임! 3인칭 단수 *er* 취급!) (영. people, one) ▌ist (동사 sein의 *현재* 시제) ⇒ sein [자동사] (*형용사* 혹은 *명사 보어*와 함께) '...이다' (3 기본형: sein - war - gewesen ; 완료형 「*sein* ... pp」) ▌krank [형용사] 아픈↔ gesund 건강한

► 주어인 Man은 3인칭 단수 er 취급하므로 동사 sein의 형태는 *ist*임.

(괄호 문장 2) Man geht zum Arzt und lässt sich untersuchen.

✱ **해석** 사람들은 의사에게 가서 진찰 받는다.

✱ **어휘** man [부정대명사] 사람들은 (항상 *주어*이며, 3인칭 단수 *er* 취급!) (영. people, one) ▌gehen [자동사] 가다 (3 기본형: gehen - ging - gegangen ; '*장소 이동* 자동사 → 완료형 「*sein* ... pp」) ▌「zu + 사람(3격)」 (방향) *누구*에게로 : zum Arzt 의사*에게로* ▌der Arzt 의사 (die Ärzt*e*) ▌lässt (동사 lassen의 *현재* 시제: 주어가 *du* 혹은 *er*, *sie*, *es*일 때) ⇒ lassen (영. let) : 「lassen sich[4] ... 동사 원형(*타동사*)」 [4격 재귀동사] 자신이 ...*되도록* 하다 (현재 시제: du lässt ; er lässt) (3 기본형: lassen - ließ - gelassen) <주의> 「lassen + 4격 ... 동사 원형」 '*4격*으로 하여금 ...*하도록* 하다' : Die Mutter lässt ihren Sohn einkaufen. '어머니는 아들이 쇼핑 *하도록* 한다.' ▌untersuchen [타동사] ...을 검사하다, 조사하다 (3 기본형 *규칙* 변화: *unter*such*en* - *unter*such*te* - *unter*such*t* ※형태가 *unter*-로서 pp형에서 *ge-* *탈락*! 즉, unter*ge*sucht 아님!) ⇐ suchen [타동사] ...을 구하다, 찾다 (3 기본형: such*en* - such*te* - *ge*such*t*)

► 접속사 und 뒤 문장의 주어는 앞 문장과 동일한 man이므로 생략됨:

... und (man) lässt sich untersuchen.

'(사람들은) 자신이 진찰*되도록* 한다', 즉 '*진찰 받는다*'

► 주어인 man은 er 취급하므로 4격 재귀대명사는 *sich*임.

정답 Wenn man krank ist , geht man zum Arzt und lässt sich untersuchen.

✱ **해석** 사람들은 아프면 의사에게 가서 진찰 받는다.

✱ **어휘** wenn [종속접속사] 만약 ...일 경우 (영. when, if) (뒤에 오는 문장은 부문장이므로 *후치*됨!)

☞ 종속접속사 wenn과 결합하는 부문장이 앞에 오고, 주문장이 뒤에 오는 형식:

「 Wenn 주어 ... 동사 , 동사 + 주어 ... 」
부문장 (*후치*!) 주문장 (*도치*!)

- 첫째 문장 "Man ist krank"는 '조건'에 해당함. → Wenn과 결합하는 *부문장*이 됨! 따라서 동사 ist는 *후치*됨: Wenn *man* ... *ist* , ...
- 문장 "Man geht ... und lässt ..."는 '결과'에 해당 → *주문장*이 됨! wenn-부문장이 앞에 오므로 도치됨: Wenn ... ist , *geht man* ... und *lässt* ...

► 부정대명사 man을 뒤에서 받을 경우 다시 *man*을 사용함 (즉, er로 받지 않음!):
Wenn *man* ... ist, geht *man* ...
(즉, "Wenn *man* ... ist, geht *er* ..." 아님!)

4. (괄호 문장 1) Ich bin spät am Abend noch nicht zu Hause.

✷ **해석** 나는 늦은 저녁임에도 아직 집에 와 있지 않다.

✷ **어휘** bin (동사 sein의 *현재* 시제) ⇒ sein [자동사] 있다, 존재하다 (3 기본형: sein - war - gewesen ; 완료형은 「*sein* ... pp」) ▌spät [형용사] 늦은, (부사적) 늦게 ▌「am + 남성 · 중성 3격」 (*시간*적 의미) ~에 : am Abend 저녁에 ▌der Abend 저녁 (die Abend*e*) ▌noch [부사어] 아직, 여전히 ▌das Haus 집 (die Häus*er*) : zu Haus(e) (위치) 집에, 집에서 → zu Haus(e) sein 집에 있다

(괄호 문장 2) Meine Eltern machen sich Sorgen.

✷ **해석** 나의 부모님은 걱정하신다.

✷ **어휘** die Eltern (항상 복수) 부모 ▌machen [타동사] (3 기본형 *규칙* 변화: mach*en* - mach*te* - *ge*mach*t*) : 「machen sich[3] Sorge*n*」 걱정하다 ▌die Sorge 걱정, 염려 (die Sorge*n*) (주로 복수형이 사용됨!) <참고> 「sorgen sich[4] um + 4격」 ...을 걱정하다 → besorgt [과거분사, 즉 '*수동*의 형용사] 걱정하는, 염려하는

► 「Mein*e* Eltern」:
명사 Eltern은 *복수*이며, *주어*이므로 *복수 1격!!*
따라서 소유대명사 Mein-('나의')은 *복수 1격* 정관사 di*e*처럼 어미변화 하여 Mein*e*임.

► 주어인 Meine Eltern은 복수 3인칭 sie('그들은')에 해당하므로 3격 재귀대명사는 *sich*임.

정답 Meine Eltern machen sich Sorgen , wenn ich spät am Abend noch nicht zu Hause bin.

✷ **해석** 내가 만약 늦은 저녁임에도 아직 집에 와 있지 않을 경우, 나의 부모님은 걱정하신다.

✷ **어휘** wenn [종속접속사] 만약 ...라면 (영. when, if) (뒤에 오는 문장은 부문장이므로 *후치*됨!)

☞ 주문장이 앞에 오고, 종속접속사 wenn과 결합하는 부문장이 뒤에 오는 형식:

「 주어 + 동사 ... , weil 주어 ... 동사 」
주문장 (정치!) 부문장 (*후치*!)

- 둘째 문장 "Meine Eltern machen ..."은 '결과'에 해당함. → *주문장*이 됨!
- 첫째 문장 "Ich bin ..."은 '조건'에 해당함. → wenn과 결합하여 *부문장*이 되므로 동사 bin은 *후치*됨: ... , wenn *ich* ... *bin.*

IV. 괄호 안에 주어진 동사의 알맞은 형태는? (17과, 기초문제: 교재 98쪽)

1. Wenn du im Winter wirklich in die Schweiz zum Wintersport fahren willst, musst du bald buchen.

✹ **해석** 만약 네가 겨울에 정말로 겨울 스포츠를 위해서 스위스로 가려고 한다면 빨리 예약해야만 해.

✹ **어휘** wenn [종속접속사] 만약 ...일 경우, 만약 ...하면 (영. whenever, if) (뒤에 오는 문장은 부문장이므로 *후치*됨: Wenn 주어 ... *동사*, ...) ▌「im + 계절」: im Winter 겨울에 ▌der Winter (주로 단수) 겨울 (die Winter) ▌wirklich [형용사] 정말의, 실제의, (부사적) 정말로, 실제로 ▌in [*3·4격* 전치사] (*4격* 지배: *방향*) ~안으로, ~로 : in die Schweiz 스위스*로* ← *die* Schweiz 스위스 (국가 명이지만 *정관사*가 앞에 옴!) : in *der* Schweiz 스위스*에서* ▌zu [*3격* 전치사] ~을 위하여 → 「zum + 남성·중성 3격」: zum Sport 스포츠를 위해 ▌der Sport 스포츠, 운동 (복수 없음) ▌fahren [자동사] (차 타고) 가다 (3 기본형: fahren - fuhr - gefahren ; '*장소 이동* 자동사 → 완료형 「*sein* ... pp」) (현재 시제: du fäh*rst* ; er fäh*rt*) <참고> '장소 이동' 동사 fahren과 함께 오는 3·4격 전치사는 *4격* 지배임! ▌「wollen ... 동사 원형」 [화법조동사] ...하려고 한다 (현재 시제: ich will ; du will*st* ; er will ; wir woll*en* ; ...) (3 기본형: wollen - wollte - gewollt, wollen ※완료형은 「haben ... *pp*」: ① 동사 원형 *없을* 때: 「haben ... *gewollt*」; ② 동사 원형 *있을* 때: 「haben ... *동사 원형* *wollen*」) ▌「musst ... buchen」(화법조동사 müssen의 *현재* 시제) ⇒ 「müssen ... 동사 원형」 ...해야 한다 (현재 시제: ich muss ; du muss*t* ; er muss ; wir müss*en* ; ...) (3 기본형: müssen - musste - gemusst, müssen ※완료형은 「haben ... *pp*」: ① 동사 원형 *없을* 때: 「haben ... *gemusst*」; ② 동사 원형 *있을* 때: 「haben ... *동사 원형* *müssen*」) ▌bald [부사어] 곧, 머지않아 ▌buchen [타동사/자동사] (...을) 예약하다 (3 기본형 *규칙* 변화: buch*en* - buch*te* - *ge*buch*t*)

☞ 내용상 *현재* 시제이어야 함: 주어가 du이므로 화법조동사 wollen의 형태는 will*st*임.

► 「Wenn *du* ... fahren *willst* , ... 」:
화법조동사 문장 "*Du willst* ... fahren"이 종속접속사 wenn과 결합하여 후치된 형태임.

2. Warum willst du dich scheiden lassen? - Weil wir uns nicht mehr verstehen.

✹ **해석** 왜 너는 이혼하려고 하니? - 왜냐하면 우리는 더 이상 서로를 이해하지 못하기 때문이야.

✹ **어휘** warum [의문사] 왜? ▌「willst ... lassen」 (화법조동사 wollen의 *현재* 시제) ⇒ 「wollen ... 동사 원형」 ...하려고 한다 (현재 시제: ich will ; du will*st* ; er will ; wir woll*en* ; ...) (3 기본형: wollen - wollte - gewollt, wollen ※완료형은 「haben ... *pp*」: ① 동사 원형 *없을* 때: 「haben ... *gewollt*」; ② 동사 원형 *있을* 때: 「haben ... *동사 원형* *wollen*」) ▌lassen [타동사] : 「lassen + 4격 ... 동사 원형」 *4격*으로 하여금 ...하도록 하다 (영. let) → 「lassen sich[4] scheiden」 '*자신*으로 하여금 헤어지도록 하다', 즉 '이혼하다' (현재 시제: du läss*t* ; er lässt) (3 기본형: lassen - ließ - gelassen) ⇐ scheiden [타동사] ...을 분리하다 (3 기본형: scheiden - schied - geschieden) → geschieden [형용사] 이혼한 ▌weil [종속접속사] ...이기 때문에 (영. because) (뒤에 오는 문장은 부문장이므로 *후치*됨: Weil 주어 ... *동사*, ...) ▌「nicht mehr ...」 더 이상 ... 않다 ▌verstehen [타동사] ...을 이해하다 → 「주어(*복수*) + verstehen sich[4]」 서로를 이해하다 (3 기본형: *ver*stehen - *ver*stand - *ver*standen ※형태가 *ver*-이므로 pp형에서 *ge*- *탈락*! 즉, ver*ge*standen 아님!) ⇐ stehen [자동사] 서 있다 (3 기본형: stehen - stand - gestanden)

문장 1

► 주어가 du이므로 4격 재귀대명사 *dich* 가 사용됨.
주어가 du일 때 3격 재귀대명사는 ***dir***이며, 4격 재귀대명사는 ***dich***임.

► 「... willst ... scheiden lassen?」:
동사 lassen의 문장 형식 「lassen ... scheiden」이 화법조동사 willst와 결합함.
따라서 동사 lassen은 문장 맨 뒤에 원형으로 옴: ... willst ... scheiden *lassen*?

문장 2

☞ 내용상 *현재* 시제이어야 함: 주어가 wir이므로 동사 형태는 versteh*en*임.

► 「Weil *wir* uns nicht mehr *verstehen*.」:
문장 "Wir *verstehen* uns nicht mehr"가 종속접속사 Weil과 결합하여 후치된 형태임.

► 주어가 wir이므로 4격 재귀대명사 *uns* 가 사용됨.
주어가 wir일 때 3격과 4격 재귀대명사 모두 ***uns***임.

<주의>
어순: uns는 재귀*대명사*이므로 대명사가 아닌 nicht mehr보다 앞에 위치함.

3. Hat er sich gefreut, dass du ihn angerufen hast ? - Nein, im Gegenteil, er hat sich schrecklich geärgert, weil es schon so spät war .

✷ **해석** 네가 그에게 전화한 것에 대해 그가 기뻐했니? - 아니, 그 반대야. 그때가 이미 아주 늦은 시각이었기 때문에 그는 몹시 화를 냈어.

✷ **어휘** 「Hat ... gefreut?」 (동사 freuen의 *현재완료* 시제) ▌*ge*freu*t* (동사 freuen의 *pp형*) ⇒ freuen [4격 재귀동사] : 「freuen sich[4], dass ...」 '...라는 사실에 대해 기뻐하다' (3 기본형 *규칙* 변화: freu*en* - freu*te* - *ge*freu*t*) ▌dass [종속접속사] '...라는 사실', '...라는 것' (영. that) (뒤에 오는 문장은 부문장이므로 *후치*됨: ... , dass 주어 ... *동사*) ▌ihn [인칭대명사] er의 *4격* 형임. (3격 형은 *ihm*) ▌「... angerufen hast」 (분리동사 *an*rufen의 *현재완료* 시제, *후치*됨!) ▌*an*gerufen (분리동사 *an*rufen의 *pp형*) ⇒ *an*rufen [분리동사] : 「rufen + 4격 ... *an*」 '...에게 전화 걸다' (*4격* 요구 동사!) (3 기본형: *an*rufen - *an*rief - *an*gerufen) ⇐ rufen [타동사] ...을 부르다 (3 기본형: rufen - rief - gerufen) ▌das Gegenteil 반대 (주로 단수) : im Gegenteil 반대로 ← gegen [*4격* 전치사] ~에 역하여 (영. against) + der Teil 부분 (die Teil*e*) (영. part) ▌「hat ... geärgert」 (동사 ärgern의 *현재완료* 시제) ▌*ge*ärger*t* (동사 ärgern의 *pp형*) ⇒ ärgern [4격 재귀동사] : 「ärgern sich[4] über + 4격」 '...에 대해 화나다' (3 기본형

규칙 변화: ärger*n* - ärger*te* - *ge*ärger*t*) ← der Ärger 화, 분노 (복수 없음) ▌schrecklich [형용사] 경악스러운, (부사적) 경악스럽게 ⇐ schrecken [타동사] (문어체) ...을 경악하게 만들다 (3 기본형 *규칙* 변화: schreck*en* - schreck*te* - *ge*schreck*t*) ▌weil [종속접속사] ...이기 때문에 (영. because) (뒤에 오는 문장은 부문장이므로 *후치*됨: ... , weil 주어 ... *동사*) ▌schon [부사어] 이미, 벌써 ▌so [부사어] 그렇게 (영. so) : 「so + 형용사 (부사)」 '그렇게 (아주) ...한' ▌spät [형용사] 늦은, (부사적) 늦게 ▌war (동사 sein의 *과거* 시제: 주어가 *ich* 혹은 *er*, *sie*, *es*일 때) ⇒ sein [자동사] ...이다 (3 기본형: sein - war - gewesen ; 완료형 「*sein* ... pp」)

문장 1

► 주어가 er이므로 4격 재귀대명사는 *sich* 임.
주어가 er일 때 3격과 4격 재귀대명사 모두 ***sich***임.

☞ 현재완료 형식 「haben ... pp」임: 주어가 du이므로 haben의 형태는 *hast*임.

► 「... , dass *du* ... angerufen hast 」:
현재완료 문장 "Du hast ... angerufen"이 종속접속사 dass와 결합하여 *후치*된 형태!

문장 2

☞ 내용상 *과거* 시제이어야 함!
따라서 동사 sein의 과거형 *war*가 사용됨: 주어가 es이므로 어미 없이 그대로 *war_*임.

► 「... , weil *es* ... so spät war 」:
과거 시제 문장 "Es war ... so spät"가 종속접속사 weil와 결합하여 *후치*된 형태!

► 부문장의 주어인 es는 '시간'을 뜻하는 비인칭 주어임.

unit 02

심화문제

I. 문장을 완성하시오. (17과, 심화문제: 교재 100쪽)

1. Er hat mir gesagt, dass er mir hilft .

(Er hilft mir.)

✹ 해석 그는 나를 돕겠다고 나에게 말했다.

✹ 어휘 「hat ... gesagt」 (동사 sagen의 *현재완료* 시제) ▌ *gesagt* (동사 sagen의 *pp형*) ⇒ 「sagen + 3격(사람) , dass ...」 *누구*에게 ...라고 말하다 (영. say that ...) (3 기본형 *규칙* 변화: sag*en* - sag*te* - *ge*sag*t*) ▌ mir [인칭대명사] ich의 *3격* 형임. (4격 형은 *mich*) ▌ dass [종속접속사] '...라는 사실', '...라는 것' (뒤에 오는 문장은 부문장이므로 *후치*됨: ... , dass 주어 ... *동사*) ▌ hilft (동사 helfen의 *현재* 시제: 주어가 *er*, *sie*, *es*일 때) ⇒ 「helfen + 3격(사람)」 *누구*를 돕다 (*3격* 요구 동사!) (현재 시제: du hilf*st* ; er hilf*t*) (3 기본형: helfen - half - geholfen)

► 「hat *mir* gesagt, ...」:
동사 gesagt, 즉 sagen의 3격 목적어이므로 ich의 3격 형 *mir*가 사용됨.

☞ 괄호 안에 주어진 문장은: Er hilft mir. '그는 나를 돕는다.'
이 문장이 종속접속사 dass와 결합하여 *부문장*이 되므로 동사 hilft는 *후치*됨!
→ 따라서 정답은: ... , dass *er* mir *hilft*. (종속접속사 부문장은 *콤마*로 구분함!)

► 「Er hilft *mir*」:
동사 hilft, 즉 helfen의 3격 목적어이므로 ich의 3격 형 *mir*가 사용됨.

2. Können Sie mir sagen, ob ein Bus um diese Zeit noch fährt ?

(Fährt um diese Zeit noch ein Bus?)

✹ 해석 (지금) 이 시간 무렵에 아직 버스가 다니는지 여부를 저에게 말씀해 주실 수 있나요?

✹ 어휘 「Können ... sagen?」 (화법조동사 können의 *현재* 시제) ⇒ 「können ... 동사 원형」 ...할 수 있다 (현재 시제: ich kann ; du kann*st* ; er kann ; wir könn*en* ; ...) (3 기본형: können - konnte - gekonnt, können ※완료형은 「haben ... *pp*」: ① 동사 원형 *없을* 때: 「haben ... gekonnt」; ② 동사 원형 *있을* 때: 「haben ... *동사 원형* können」) ▌ mir [인칭대명사] ich의 *3격* 형임. (4격 형은 *mich*) ▌ sagen [타동사] ...을 말하다 (영. say) : 「sagen + 3격(사람) , ob ...」 *누구*에게 ...인지 여부를 말하다 (3 기본형 *규칙* 변화: sag*en* - sag*te* - *ge*sag*t*) ▌ ob [종속접속사] ...인지 여부 (영. whether, if) (뒤에 오는 문장은 부문장이므로 *후치*됨: ... , ob 주어 ... *동사*) ▌ Fährt

(동사 fahren의 *현재* 시제: 주어가 *er*, *sie*, *es*일 때) ⇒ fahren [자동사] (차 타고) 가다 (현재 시제: du fährs*t* ; er fähr*t*) (3 기본형: fahren - fuhr - gefahren ; '*장소 이동* 자동사 → 완료형 「*sein* ... pp」) ▌「dies- + 명사」 '이 ...' (지시대명사 dies-는 *정관사 d-* 어미변화!) ▌um [*4격* 전치사] (시간적 의미) ~에 : um diese Zeit 지금 이 시간 무렵에 (대략의 시각을 표현!) <참고> um (공간적 의미) ~주위에 (영. around) ▌die Zeit (주로 단수) 시간 (die Zeit*en*) ▌noch [부사어] 아직 ▌der Bus 버스 (die Bus*se*)

► 「Können ... *mir* sagen, ... 」:
동사 sagen의 3격 목적어이므로 ich의 3격 형 *mir*가 사용됨.

☞ 괄호 안에 주어진 문장은: Fährt um diese Zeit noch ein Bus?
'이 시간 무렵 아직 버스가 다니나요?'
이 문장이 종속접속사 ob과 결합하여 *부문장*이 되므로 동사 Fährt는 *후치*됨!
→ 따라서 정답은: ... , ob *ein Bus* um diese Zeit noch *fährt*? (ob-부문장 앞에는 *콤마*!)

3. Sie kriegen keine neuen Bücher mehr, bevor Sie die alten Bücher zurückgegeben haben.
(Sie haben die alten Bücher zurückgegeben.)

✺ **해석** 당신은 이전 책들을 반납하시기 전에는 더 이상 새 책들을 받지 못하십니다.

✺ **어휘** kriegen [타동사] (구어체) ...을 얻다, 쟁취하다 (= bekommen) (3 기본형 *규칙* 변화: krieg*en* - krieg*te* - *ge*krieg*t*) → der Krieg 전쟁 (die Krieg*e*) ▌neu [형용사] 새, 새로운 ▌das Buch 책 (die Büch*er*) ▌「kein- ... mehr」 더 이상 ... 않다 ▌bevor [종속접속사] ...하기 전에 (영. before) (뒤에 오는 문장은 부문장이므로 *후치*됨: ... , bevor 주어 ... *동사*) ▌alt [형용사] 낡은, 옛 ▌「haben ... zurückgegeben 」 (분리동사 *zurück*geben의 *현재완료* 시제) ▌*zurück*gegeben (분리동사 *zurück*geben의 *pp형*) ⇒ *zurück*geben [분리동사&타동사] ...을 되돌려 주다 (3 기본형: *zurück*geben - *zurück*gab - *zurück*gegeben) (현재 시제: du gib*st* ... *zurück* ; er gib*t* ... *zurück*) ⇐ geben [타동사] ...을 주다 (3 기본형: geben - gab - gegeben) (현재 시제: du gib*st* ; er gib*t*) <참고> zurück [부사어] 뒤로, 되돌아 (영. back)

► 「kein*e* neu*en* Büch*er*」:
- 명사 Büch*er*는 *복수*이며, 동사 kriegen의 *4격* 목적어이므로 *복수 4격!!*
  따라서 kein-은 *복수 4격* 정관사 di*e*처럼 어미변화 하여 kein*e*임.
  소유대명사 mein-, dein-, ihr- ... 및 부정어 kein-은
  원칙적으로 ***부정관사 ein-*** 어미변화 하지만, 복수의 경우는 ***정관사 d-*** 어미변화 함!
- 형용사 neu 앞에 복수 4격 di*e*에 일치하는 kein*e*가 옴.
  → 따라서 kein*e* neu *en* Bücher
  (근거: 복수 1, 4격 die, mein*e*, ihr*e*, unser*e*, eur*e*, kein*e*, dies*e* + 형용사 *-en*)

☞ 괄호 안에 주어진 문장은: Sie haben die alten Bücher zurückgegeben.
'당신은 이전 책들을 반납하였다.'
이 문장이 종속접속사 bevor와 결합하여 *부문장*이 되므로 동사 haben은 *후치*됨!

→ 따라서 정답은: ... , bevor *Sie* die alten Bücher zurückgegeben *haben*.

(종속접속사 부문장은 콤마로 구분함. → 따라서 bevor 앞에는 *콤마*!)

► 「die alten Bücher」:

- 명사 Bücher는 *복수*이며, 동사 zurückgegeben의 *4격* 목적어이므로 *복수 4격!!* 따라서 *복수 4격* 정관사 di*e*가 앞에 옴.
- 형용사 neu 앞에 복수 4격 di*e*가 있음.

  → 따라서 di*e* alt *en* Bücher

  (근거: 복수 1, 4격 die, mein*e*, ihr*e*, unser*e*, eur*e*, kein*e*, dies*e* + 형용사 *-en*)

4. Obwohl der Zug erst in einer Stunde abfährt , ist Jochen schon auf dem Bahnhof.

(Der Zug fährt erst in einer Stunde ab.)

✽ **해석** 비록 그 기차는 한 시간 후에야 비로소 출발함에도 불구하고, 요헨은 벌써 역에 나와 있다.

✽ **어휘** obwohl [종속접속사] 비록 ...일지라도 (영. though, although) (뒤에 오는 문장은 부문장이므로 *후치* 됨: Obwohl 주어 ... *동사* , ...) ▌ist (동사 sein의 *현재* 시제) ⇒ sein [자동사] 있다, 존재하다 (3 기본형: sein - war - gewesen ; 완료형 「*sein* ... pp」) ▌schon [부사어] 이미, 벌써 ▌auf [*3・4격* 전치사] (*3격* 지배: *위치*) ~위에서, ~에서 : auf dem Bahnhof 역*에*, 역*에서* ▌der Bahnhof 역, 기차역 (die Bahnhöf*e*) ← die Bahn 기차 (die Bahn*en*) + der Hof 마당 (die Höf*e*) ▌der Zug 기차 (die Züg*e*) ▌erst [부사어] 비로소 ▌「in + 시간명사(3격)」 ~후에 : in einer Stunde 한 시간 *후에* ▌die Stunde 시간 (die Stunde*n*) ▌「fährt ... ab」 (분리동사 *ab*fahren의 *현재* 시제: 주어가 *er*, *sie*, *es*일 때) ⇒ *ab*fahren [분리동사&자동사] (차 타고) 출발하다 (현재 시제: du fährs*t* ... *ab* ; er fähr*t* ... *ab*) (3 기본형: *ab*fahren - *ab*fuhr - *ab*gefahren ; '*장소 이동* 자동사 → 완료형 「*sein* ... pp」) ⇐ fahren [자동사] (차 타고) 가다 (현재 시제: du fährs*t* ; er fähr*t*) (3 기본형: fahren - fuhr - gefahren ; '*장소 이동* 자동사 → 완료형 「*sein* ... pp」)

☞ 괄호 안에 주어진 문장은: Der Zug fährt erst in einer Stunde ab.

'그 기차는 한 시간 후에야 비로소 출발한다.'

이 문장이 종속접속사 obwohl과 결합하여 *부문장*이 되므로 분리동사 "fährt ... *ab*"은 *후치*됨!

→ 따라서 정답은: Obwohl *der Zug* erst in einer Stunde *abfährt* , ...

분리동사가 후치될 때 전철과 동사가 다시 결합함:
즉, *ab*fährt임 (주의: *ab* fährt 아님!)

(부문장은 *콤마*로 구분! → 후치된 동사 abfährt 뒤에 콤마!)

5. Herr Meier muss zum Arzt, denn er hat seit Tagen Kopfschmerzen .

(Er hat seit Tagen Kopfschmerzen.)

✽ **해석** 마이어씨는 며칠 전부터 두통이 있기 때문에 의사에게 가봐야 한다.

✸ 어휘 「muss ... 」 (화법조동사 müssen의 *현재* 시제, *동사 원형 생략*됨!) ⇒ 「müssen ... (동사 원형)」... 해야 한다 (현재 시제: ich muss ; du musst ; er muss ; wir müssen ...) (3 기본형: müssen - musste - gemusst, müssen ※완료형은 「haben ... *pp* 」: ① 동사 원형 *없을* 때: 「haben ... *gemusst* 」; ② 동사 원형 *있을* 때: 「haben ... *동사 원형* *müssen* 」) ▌「zu + 사람(3격)」 (방향) 누구에게로 : zum Arzt 의사에게로 ▌der Arzt 의사 (die Ärzte) ▌denn [등위접속사] ...하기 때문에 <주의> 등위접속사이므로 뒤에 오는 문장은 후치법이 아니라, *정치법*임: ... , denn 주어 + *동사* ... (denn 앞에는 반드시 *콤마*!) ▌seit [*3격* 전치사] ~이래 (영. since) ▌der Tag 날, 낮 (die Tage) ▌der Kopfschmerz 두통 (die Kopfschmerzen) <주의> 보통 복수형 -schmerzen이 사용됨! ← der Kopf 머리 (die Köpfe) + der Schmerz 통증 (die Schmerzen)

► 「Herr Meier *muss* zum Arzt, ...」:
화법조동사 muss와 함께 와야 할 동사 원형이 생략됨!
'방향'을 뜻하는 zum Arzt('의사*에게로*')가 있는 점을 고려할 때, gehen, fahren ... 등의 '장소 이동' 동사가 생략된 것으로 볼 수 있음: Herr Meier *muss* zum Arzt (gehen), ...

☞ 괄호 안에 주어진 문장은 : Er hat seit Tagen Kopfschmerzen.
'그는 며칠 전부터 두통이 있다.'
이 문장이 등위접속사 denn과 결합함. → denn 뒤에 오는 문장은 정치법: 「주어 + 동사」
→ 따라서 정답은: ... , denn *er hat* seit Tagen Kopfschmerzen. (denn 앞에는 *콤마*!)

<참고>
동일한 의미의 종속접속사 weil과 결합할 경우 → 부문장이 되므로 동사 hat는 후치됨!
즉: ... , weil *er* seit Tagen Kopfschmerzen *hat*.

► 「seit Tagen 」:
명사 Tage는 *복수*이며, *3격* 전치사 seit와 결합하므로 *복수 3격!!*
명사가 *복수 3격*일 때 형태는 *-n*이므로 Tagen임.

6. Da ich morgen eine Prüfung habe , kann ich heute nicht zum Sport gehen.
(Ich habe morgen eine Prüfung.)

✸ 해석 나는 내일 시험이 있기 때문에 오늘 운동하러 갈 수 없다.

✸ 어휘 da [종속접속사] ...이기 때문에 (= weil) (영. because) (뒤에 오는 문장은 부문장이므로 *후치*됨: Da 주어 ... *동사* , ...) ▌「kann ... gehen」 (화법조동사 können의 *현재* 시제) ⇒ 「können ... 동사 원형」 ...할 수 있다 (현재 시제: ich kann ; du kannst ; er kann ; wir können ; ...) (3 기본형: können - konnte - gekonnt, können ※완료형은 「haben ... *pp* 」: ① 동사 원형 *없을* 때: 「haben ... *gekonnt* 」; ② 동사 원형 *있을* 때: 「haben ... *동사 원형* *können* 」) ▌heute [부사어] 오늘 ▌zu [*3격* 전치사] ~을 위해 : zum Sport 운동*을 위해* ▌der Sport 스포츠, 운동 (복수 없음) ▌gehen [자동사] 가다 (3 기본형: gehen - ging - gegangen ; '*장소 이동*' 자동사 → 완료형 「*sein* ... pp 」) : zum Sport gehen 운동하러 가다 ▌morgen [부사어] 내일 ▌die Prüfung 시험 (die Prüfungen) : eine Prüfung haben 시험을 치르다 ▌haben [타동사] ...

을 가지고 있다 (3 기본형: haben - hatte - gehabt)

☞ 괄호 안에 주어진 문장은 : Ich habe morgen eine Prüfung. '나는 내일 시험을 치른다.' 이 문장이 종속접속사 da와 결합하여 부문장이 되므로 동사 habe는 후치됨!

→ 따라서 정답은: Da *ich morgen eine Prüfung habe* , ...

(부문장과 주문장은 콤마로 구분함. → 부문장 끝의 후치된 동사 habe 뒤에 *콤마*!)

II. 알맞은 표현을 〈보기〉에서 선택하시오. (17과, 심화문제: 교재 100쪽)

<보기> wann, warum, was, wer, wie, wo, wovon, ob

1. Wo ist hier die Auskunft? - Ich kann Ihnen auch nicht sagen, wo hier die Auskunft ist.

   ✱ **해석** 여기 어디에 안내실이 있습니까? - 저 역시 여기 어디에 안내실이 있는지를 당신에게 말해줄 수 없네요.

   ✱ **어휘** wo [의문사] 어디에(서)? ▌ist (동사 sein의 *현재* 시제) ⇒ sein [자동사] 있다, 존재하다 (3 기본형: sein - war - gewesen ; 완료형 「*sein* ... pp」) ▌hier [부사어] 여기에(서) ▌die Auskunft 안내, 안내실 (Auskünft*e*) ▌「kann ... sagen 」 (화법조동사 können의 *현재* 시제) ⇒ 「können ... 동사 원형」 ...할 수 있다 (현재 시제: ich kann ; du kann*st* ; er kann ; wir könn*en* ...) (3 기본형: können - konnte - gekonnt, können ※완료형은 「haben ... *pp*」: ① 동사 원형 *없을* 때: 「haben ... *gekonnt* 」; ② 동사 원형 *있을* 때: 「haben ... *동사 원형* *können*」) ▌Ihnen [인칭대명사] 격식칭 Sie('당신은, 당신들은')의 *3격* 형임. (4격 형은 *Sie*) ▌auch [부사어] 역시, ...도 ▌「sagen + 3격(사람) + 4격」 [타동사] *누구*에게 ...을 말하다 (3 기본형 *규칙* 변화: sag*en* - sag*te* - *ge*sag*t*)

문장 2

► 동사 sagen의 3격 목적어이므로 3격 형 *Ihnen* 이 사용됨.

☞ • '장소'를 묻는 질문에 대한 답변으로서 빈칸에 의문사 *wo*가 와야 함.

• 의문사와 결합하는 부문장은 *명사적* 용법임! → 여기서는 앞의 동사 sagen의 목적어임.

즉: ... sagen , wo hier die Auskunft ist .
부문장 전체는 앞의 동사 sagen의 4격 목적어에 해당!

► ... , wo hier *die Auskunft* ist
부문장이므로 동사 ist는 후치되어 맨 뒤에 옴!

2. Ich verstehe nicht, warum du so lange geblieben bist. Du hast doch gesagt, dass es sehr langweilig war.

✻ **해석** 나는 네가 왜 그렇게 오랫동안 머물렀는지 이해하지 못하겠어. 너는 그것이 매우 지루했다고 말했잖아.

✻ **어휘** verstehen [타동사] ...을 이해하다 (3 기본형: *ver*stehen - *ver*stand - *ver*standen ※형태가 *ver*-이므로 pp형에서 *ge-* *탈락*! 즉, ver*ge*standen 아님!) ⇐ stehen [자동사] 서 있다 (3 기본형: stehen - stand - gestanden) ▌ warum [의문사] 왜? ▌「so + 형용사 (부사)」 '그렇게 (아주) ...한' : so lange 그렇게나 오랫동안 ▌ lange [부사어] 오랫동안 ▌「... geblieben bist」 (동사 bleiben의 *현재완료* 시제, *후치*됨!) ▌ geblieben (동사 bleiben의 *pp형*) ⇒ bleiben [자동사] 머무르다 (완료형「*sein* ... pp」; 3 기본형: bleiben - blieb - geblieben) ▌ bist (조동사 sein의 *현재* 시제) ⇒ sein [조동사] 완료 형식「*sein* ... pp」에 사용됨. (*현재* 시제 *불규칙* 변화: ich bin ; du bist ; er ist ; wir sind ; ihr seid ; sie, Sie sind) ▌「hast ... gesagt」 (동사 sagen의 *현재완료* 시제) ▌ *gesagt* (동사 sagen의 *pp형*) ⇒ sagen [타동사] ...을 말하다 (영. say) : 「sagen, dass ...」 '...라고 말하다' (3 기본형 *규칙* 변화: sag*en* - sag*te* - *ge*sag*t*) ▌ dass [종속접속사] ...라는 사실 (뒤에 오는 문장은 부문장이므로 *후치*됨: ... , dass 주어 ... *동사*) ▌ doch [부사어] 상대방을 설득하기 위해 일정 내용을 환기시키는 표현 ("... 잖아") ▌ sehr [부사어] 매우 ▌ langweilig [형용사] 지루한 → die Langeweile 지루함 (항상 단수!) ▌ war (동사 sein의 *과거* 시제: 주어가 *ich* 혹은 *er*, *sie*, *es*일 때) ⇒ sein [자동사] ...이다 (3 기본형: sein - war - gewesen ; 완료형「*sein* ... pp」)

문장 1

☞ • 내용상 의문사 *warum*이 빈칸에 와야 함.
• 의문사와 결합하는 부문장은 *명사적* 용법임! → 여기서는 앞의 동사 verstehe의 목적어임.
즉: ... verstehe ... , warum du so lange geblieben bist .
부문장 전체는 앞에 나온 동사 verstehe의 4격 목적어에 해당!

► ... , warum *du* so lange geblieben *bist* .
현재완료 형식「***bist*** ... geblieben」에서 동사 ***bist***가 후치됨!

문장 2

► 「... , dass es ... *war*」:
• 문장 Es *war* sehr langweilig가 종속접속사 dass와 결합하여 부문장이 됨.
(부문장이므로 동사 war는 후치되어 문장 맨 뒤에 옴!)
• 이 부문장「dass es ... war」는 앞에 나온 동사 gesagt의 목적어임.

3. Glaubst du, dass ich nicht weiß, was du vorhast? Hältst du mich für so dumm?

✻ **해석** 네가 무엇을 계획하고 있는지를 내가 알지 못할 것이라고 너는 생각하니? 너는 내가 그렇게 우둔하다고 생각하니?

✻ **어휘** glauben [타동사] ...을 믿다 : 「glauben, dass ...」 '...라고 믿다, ...라고 생각하다' (영. believe that ...) (3 기본형 *규칙* 변화: glaub*en* - glaub*te* - *ge*glaub*t*) ▌ dass [종속접속사] '...라는 사실', '...라는 것' (뒤에 오는 문장은 부문장이므로 *후치*됨: ... , dass 주어 ... *동사*) ▌ weiß (동

사 wissen의 *현재* 시제: 주어가 *ich* 혹은 *er, sie, es*일 때) ⇒ wissen [타동사] ...을 알다 (영. know) (*현재* 시제, *주어가 단수*일 때 *불규칙* 변화: ich weiß ; du weiß*t* ; er weiß ; wir wiss*en* ; ihr wiss*t* ; sie, Sie wiss*en*) (3 기본형: wissen - wusste - gewusst) ▌was [의문사] 무엇을? (*4격* 형) (영. what?) ▌「... *vor*hast」 (분리동사 *vor*haben의 *현재* 시제, *후치*됨!) ⇒ *vor*haben [분리동사&타동사] ...을 계획하다 (현재 시제: du hast ... *vor* ; er hat ... *vor*) (3 기본형: *vor*haben - *vor*hatte - *vor*gehabt) ⇐ haben [타동사] ...을 가지고 있다 (현재 시제: du hast ; er hat) (3 기본형: haben - hatte - gehabt) ▌Hältst (동사 halten의 *현재* 시제: 주어가 *er, sie, es*일 때) ⇒ 「halten + 4격 + für + 형용사」 *4격*이 ...하다고 생각하다 (현재 시제: du hält*st* ; er hält*t*) (3 기본형: halten - hielt - gehalten) ▌mich [인칭대명사] ich의 *4격* 형임. (3격 형은 *mir*) ▌so [부사어] 그렇게 ▌dumm [형용사] 어리석은 (= doof)

문장 1

► 「Glaubst ... , dass ich nicht *weiß* , ...?」:
문장 "Ich *weiß* nicht"가 종속접속사 dass와 결합하여 부문장이 됨.
(부문장이므로 동사 weiß는 후치되어 문장 맨 뒤에 옴!)

<주의>
이 부문장 「dass ich ... weiß」는 앞에 나온 동사 Glaubst의 목적어임.

☞ • 내용상 의문사 *was*가 빈칸에 와야 함.
• 의문사와 결합하는 부문장은 *명사적* 용법! → 여기서는 앞의 동사 weiß의 목적어임.
즉: ... weiß , was du vorhast ?
부문장 전체는 앞에 나온 동사 weiß의 4격 목적어에 해당함.

► ... , was du *vorhast* ?
부문장이므로 동사는 후치되어 맨 뒤에 옴!
분리동사는 후치될 경우, 전철 *vor*-와 기본동사 -hast가 다시 결합함 (즉, *vor* hast 아님!)

문장 2

► 동사 Hältst의 4격 목적어이므로 ich의 4격 형 *mich*가 사용됨

4. Können Sie mir sagen, wie ich am besten zum Bahnhof komme?

✻ **해석** 제가 어떻게 하면 최선의 방법으로 역에 가는지를 저에게 말씀해 주실 수 있으신지요?

✻ **어휘** 「Können ... sagen」 (화법조동사 können의 *현재* 시제) ⇒ 「können ... 동사 원형」 ...할 수 있다 (현재 시제: ich kann ; du kann*st* ; er kann ; wir könn*en* ; ...) (3 기본형: können - konnte - gekonnt, können ※완료형은 「haben ... *pp*」: ① 동사 원형 *없을* 때: 「haben ... *gekonnt*」; ② 동사 원형 *있을* 때: 「haben ... *동사 원형 können*」) ▌mir [인칭대명사] ich의 *3격* 형임. (4격 형은 *mich*) ▌sagen [타동사] ...을 말하다 (영. say) (3 기본형 *규칙* 변화: sag*en* - sag*te* - *ge*sag*t*) ▌wie [의문사] 어떻게? (영. how?) ▌best [형용사: gut의 최상급] 가장 좋은, 최선의, (부사적) 가장 좋게, 최선으로 → 「am + 최상급 *-en*」 가장 ...한, 가장 ...하게: am best*en* 가장 잘, 최선으로 ▌zu [*3격* 전치사] (방향) ~로 : zum Bahnhof 역으로 ▌der Bahnhof 기차역 (die Bahnhöf*e*) ▌kommen [자동사] 오다 (3 기본형: kommen - kam - gekommen ; '*장소 이동*' 자동사 → 완료형 「*sein* ... pp」)

► 동사 sagen의 3격 목적어로서 ich의 3격 형 *mir*가 옴.

☞ • 내용상 의문사 *wie*가 빈칸에 와야 함.

• 의문사와 결합하는 부문장은 *명사적* 용법! → 여기서는 앞에 나온 동사 sagen의 목적어임.

즉: ... sagen , wie ich am besten zum Bahnhof komme ?
부문장 전체는 앞에 나온 동사 sagen의 4격 목적어에 해당.

► ... , wie *ich* am besten zum Bahnhof *komme* ?
부문장이므로 동사 komme는 후치되어 맨 뒤에 옴!

5. Bist du sicher, dass du die Briefe auf den Schreibtisch gelegt hast? - Ehrlich gesagt, weiß ich auch nicht, ob ich sie wirklich auf den Schreibtisch gelegt habe.

✸ **해석** 너는 네가 그 편지들을 책상 위에 두었다고 확신하니? - 솔직히 말해서, 내가 그것들을 정말로 책상 위에 두었는지 나도 모르겠어.

✸ **어휘** Bist (동사 sein의 *현재* 시제) ⇒ sein [자동사] ...이다 (3 기본형: sein - war - gewesen ; 완료형 「*sein* ... pp」) ▌sicher [형용사] 확실한, 확신하는 : 「주어 + 동사 sein + sicher, dass ... 」 *주어는* ...라고 확신하다 ▌dass [종속접속사] '...라는 사실', '...라는 것' (뒤에 오는 문장은 부문장이므로 *후치*됨: ... , dass 주어 ... *동사*) ▌der Brief 편지 (die Brief*e*) ▌auf [*3 · 4격* 전치사] (*4격* 지배: *방향*) ~위로, ~로 : auf den Schreibtisch 책상 위*로* ▌der Schreibtisch 책상 (die Schreibtisch*e*) ← schreiben [타동사/자동사] (...을) 쓰다 + der Tisch 탁자 (die Tisch*e*) ▌「... gelegt hast」(동사 legen의 *현재완료* 시제, *후치*됨!) ▌*gelegt* (동사 legen의 *pp형*) ⇒ legen [타동사] ...을 놓다 (3 기본형 *규칙* 변화: leg*en* - leg*te* - *ge*leg*t*) <주의> 동사 legen과 함께 오는 3 · 4격 전치사는 *4격* 지배! ▌hast ⇒ haben [조동사] 현재완료 형식 「haben ... pp」에 사용됨. (현재 시제: du hast ; er hat) (3 기본형: haben - hatte - gehabt) ▌ehrlich [형용사] 솔직한, (부사적) 솔직히 : ehrlich gesagt 솔직히 말하면 (영. frankly speaking) ▌weiß (동사 wissen의 *현재* 시제: 주어가 *ich* 혹은 *er, sie, es*일 때) ⇒ wissen [타동사] ...을 알다 (*현재* 시제, *주어가 단수*일 때 *불규칙* 변화: ich weiß ; du weiß*t* ; er weiß ; wir wiss*en* ; ihr wiss*t* ; sie, Sie wiss*en*) (3 기본형: wissen - wusste - gewusst) ▌auch [부사어] ...도, 역시 ▌ob [종속접속사] ...인지 여부 (뒤에 오는 문장은 부문장이므로 *후치*됨: ... , ob 주어 ... *동사*) → 「wissen, ob ...」 '...인지 여부를 알다' (영. know whether ...) ▌「... gelegt habe」 (동사 legen의 *현재완료* 시제, *후치*됨!) ▌sie [인칭대명사] 복수의 sie('그것들은')의 *4격* 형임. (3격 형은 *ihnen*) ▌wirklich [형용사] 정말의, 실제의, (부사적) 정말로, 실제로

문장 1

► 「... , dass du ... gelegt *hast* 」:
현재완료 문장 "Du *hast* ... gelegt"가 종속접속사 dass와 결합하여 부문장이 됨.
(부문장이므로 동사 hast는 후치되어 문장 맨 뒤에 옴!)

문장 2

☞ 내용상 종속접속사 *ob*이 빈칸에 와야 함.
(여기서 부문장 「ob ich ... habe」는 앞에 나온 동사 weiß의 목적어임!)

► ... , ob *ich* sie wirklich auf den Schreibtisch gelegt _*habe*_.
부문장이므로 현재완료 형식 「***habe*** ... gelegt」에서
동사 ***habe***가 후치되어 맨 뒤에 옴!

► 동사 gelegt의 4격 목적어이므로 4격 형 *sie*('그것들을')가 사용됨.
(여기서 sie는 앞 문장 안의 복수명사 die Briefe를 받음.)

6. Ich habe keine Ahnung, _wann_ er zurückgekommen ist.

✹ **해석** 나는 언제 그가 돌아왔는지를 알지 못한다.

✹ **어휘** haben [타동사] ...을 가지고 있다 (3 기본형: haben - hatte - gehabt) ▌die Ahnung 예견, 예감 (die Ahnung*en*) : keine Ahnung haben 모르다 ← ahnen [타동사] ...을 예견하다 (3 기본형 *규칙* 변화: ahn*en* - ahn*te* - *ge*ahn*t*) ▌wann [의문사] 언제? (영. when?) ▌「... zurückgekommen ist」 (분리동사 *zurück*kommen의 *현재완료* 시제, *후치*됨!) ▌*zurück*gekommen (분리동사 *zurück*kommen의 *pp형*) ⇒ *zurück*kommen [분리동사] 돌아오다 (영. come back) (3 기본형: *zurück*kommen - *zurück*kam - *zurück*gekommen ; '*장소 이동*' 자동사 → 완료형은 「*sein* ... pp」) ⇐ kommen [자동사] 오다 (영. come) (3 기본형: kommen - kam - gekommen ; '*장소 이동*' 자동사 → 완료형 「*sein* ... pp」) <참고> zurück [부사어] 뒤로, 되돌려 (영. back)

☞ • 내용상 의문사 *wann*이 빈칸에 와야 함.
• 의문사와 결합하는 부문장은 *명사적* 용법!
→ 여기서는 앞에 나온 「habe keine Ahnung」('모르다')의 목적어임.
즉: ... habe keine Ahnung , _wann er zurückgekommen ist_.
부문장 전체는 앞에 나온 「habe keine Ahnung」의 목적어에 해당.

► ... , wann *er* zurückgekommen _*ist*_.
부문장이므로 현재완료 형식 「***ist*** ... zurückgekommen」에서
동사 ***ist***가 후치되어 맨 뒤에 옴!

7. Ich weiß nicht, _wovon_ er eben geredet hat. - Ich habe auch kein Wort verstanden.

✹ **해석** 나는 그가 방금 무엇에 관해 이야기했는지를 모르겠어. - 나 역시 한 마디도 이해하지 못했어.

✹ **어휘** weiß (동사 wissen의 *현재* 시제: 주어가 *ich* 혹은 *er*, *sie*, *es*일 때) ⇒ wissen [타동사] ...을 알다 (*현재* 시제, *주어가 단수*일 때 *불규칙* 변화: ich weiß ; du weiß*t* ; er weiß ; wir wiss*en* ; ihr wiss*t* ; sie, Sie wiss*en*) (3 기본형: wissen - wusste - gewusst) ▌wovon [의문사] 무엇에 관하여? ← von [3격 전치사] ~에 관하여 + was [의문사] 무엇? ※의문사 was가 전치사와 결합할 때 "wo(*r*) +*전치사*" 형태임! ▌eben [부사어] 막, 방금 ▌「... geredet hat」(동사 reden의 *현재완료* 시제, *후치*됨!) ▌*ge*rede*t* (동사 reden의 *pp형*) ⇒ reden [타동사/자동사] (...을) 말하다 (3 기본형 *규칙* 변화: reden - red*ete* - *ge*rede*t* ※re*d*en은 어간 끝이 *-d*이므로 발음상 -e- 첨가!) ▌「habe ... verstanden」(동사 verstehen의 *현재완료* 시제) ▌*ver*standen (동사 verstehen의 *pp형*) ⇒ verstehen [타동사] ...을 이해하다 (3 기본형: *ver*stehen - *ver*stand - *ver*standen ※형태가 *ver-*이므로 pp형에서 *ge- 탈락*! 즉, ver*ge*standen 아님!) ⇐ stehen [자동사] 서 있다 (3 기본형:

stehen - stand - gestanden) ▌auch [부사어] ...도, 역시 ▌das Wort 낱말 (die Wört*er*)

문장 1

☞ • 내용상 의문사 *wovon*이 빈칸에 와야 함.

• 의문사와 결합하는 부문장은 *명사적* 용법! → 여기서 앞에 나온 동사 weiß의 목적어임.

즉: ... weiß ... , wovon er eben geredet hat .

부문장 전체는 앞에 있는 동사 weiß의 4격 목적어에 해당.

► ... , wovon *er* eben geredet *hat* .

부문장이므로 현재완료 형식 「***hat*** ... geredet」에서 동사 ***hat***가 후치되어 맨 뒤에 옴!

문장 2

► 「kein_ Wort」:

명사 Wort는 *중성*이며, 동사 verstanden의 *4격* 목적어이므로 *중성 4격!!*

따라서 부정어 kein-은 *중성 4격* 부정관사 ein_처럼 어미 없이 kein_임.

8. Weißt du, wer diesen Roman geschrieben hat?

✺ **해석** 누가 이 소설을 썼는지를 너는 아니?

✺ **어휘** Weißt (동사 wissen의 *현재* 시제: 주어가 *du*일 때) ⇒ wissen [타동사] ...을 알다 (*현재* 시제, *주어가 단수*일 때 *불규칙* 변화: ich weiß ; du weiß*t* ; er weiß ; wir wiss*en* ; ihr wiss*t* ; sie, Sie wiss*en*) (3 기본형: wissen - wusste - gewusst) ▌wer [의문사] 누가? ▌dies- [지시대명사] '이 ...' (*정관사 d-* 어미변화!) (영. this ...) ▌der Roman (장편)소설 (die Roman*e*) ▌「... geschrieben hat」 (동사 schreiben의 *현재완료* 시제, *후치*됨!) ▌geschrieben (동사 schreiben의 *pp형*) ⇒ schreiben [타동사/자동사] (...을) 쓰다 (영. write) (3 기본형: schreiben - schrieb - geschrieben)

☞ • 내용상 의문사 *wer*가 빈칸에 와야 함.

• 의문사와 결합하는 부문장은 *명사적* 용법! → 여기서는 앞에 나온 동사 Weißt의 목적어임.

즉: Weißt ... , wer diesen Roman geschrieben *hat* ?

부문장 전체는 앞에 나온 동사 Weißt의 4격 목적어에 해당.

<주의>

이 부문장의 주어인 wer('누가')는 3인칭 단수 er('그는')에 해당하므로

동사 haben의 형태는 *hat*임.

► ... , *wer* diesen Roman geschrieben *hat* ?

부문장이므로 현재완료 형식 「***hat*** ... geschrieben」에서 동사 ***hat***가 후치되어 맨 뒤에 옴!

► 「dies*en* Roman」:

명사 Roman은 *남성*이며, 동사 geschrieben의 *4격* 목적어이므로 *남성 4격!!*

따라서 지시대명사 dies-는 *남성 4격* 정관사 d*en*처럼 어미변화 하여 dies*en*임.

III. 괄호 안에 주어진 낱말을 사용하여 같은 의미의 문장을 만드시오.

(17과, 심화문제: 교재 100쪽)

1. Frau Schmidt hat das Zimmer vermietet, weil sie Geld braucht. (denn)

✸ **해석** 슈미트 부인은 돈이 필요하기 때문에 그 방을 세놓았다.

✸ **어휘** 「hat ... vermietet」 (동사 vermieten의 *현재완료* 시제) ▌ *vermietet* (동사 vermieten의 *pp형*) ⇒ vermieten [타동사] ...을 세놓다 (3 기본형 *규칙* 변화: *vermieten* - *vermietete* - *vermietet* ※vermie*t*en은 어간 끝이 *-t*이므로 발음상 -e- 첨가! ; 형태가 *ver-*이므로 pp형에서 *ge- 탈락*! 즉, ver*ge*mietet 아님!) ⇐ mieten [타동사] ...을 세 들다 (3 기본형 *규칙* 변화: miet*en* - miet*ete* - *ge*miet*et*) ▌ das Zimmer 방 (die Zimmer) ▌ weil [종속접속사] ...이기 때문에 (영. because) (뒤에 오는 문장은 부문장이므로 *후치*됨: ... , weil 주어 ... *동사*) ▌ das Geld (주로 단수) 돈 (die Geld*er*) ▌ brauchen [타동사] ...을 필요로 하다 (영. need) (3 기본형 *규칙* 변화: brauch*en* - brauch*te* - *ge*brauch*t*) ▌ denn [등위접속사] ...이기 때문에 (앞에는 반드시 *콤마*가 오며, 뒤에 오는 문장은 후치법이 아닌 *정치법*)

► ... , weil sie ... *braucht*
종속접속사 weil 뒤에 오는 부문장이므로
동사 braucht는 *후치*되어 문장 맨 뒤에 옴.

정답 Frau Schmidt hat das Zimmer vermietet, *denn* sie braucht Geld.

✸ **해석** 슈미트 부인은 그 방을 세놓았는데, (왜냐하면) 돈이 필요하기 때문이다.

☞ '이유 및 원인'을 나타낼 경우 종속접속사 weil 혹은 등위접속사 denn을 사용할 수 있음.

「 ... , weil 주어 ... 동사 」 = 「 ... , denn 주어 + 동사 ... 」
후치법 / 정치법

<참고>

이 밖에도 종속접속사 da 역시 '이유 및 원인'을 나타냄:

Da Frau Schmidt Geld *braucht* , hat sie das Zimmer vermietet.
종속접속사 Da의 뒤에 오는 부문장이므로
동사 braucht는 *후치*되어 맨 뒤에 옴.

2. Obwohl es stark regnet, geht er im Park spazieren. (trotzdem)

✸ **해석** 비록 세차게 비가 내리고 있지만, 그는 공원에서 산책한다.

✸ **어휘** obwohl [종속접속사] 비록 ...일지라도 (영. though) (뒤에 오는 문장은 부문장이므로 *후치*됨: Obwohl 주어 ... *동사* , ...) ▌ stark [형용사] 강한, (부사적) 강하게 ▌ regnen [자동사] 비오다 ('날씨' 동사로서 주어는 항상 비인칭 주어 *es*임!) (3 기본형 *규칙* 변화: regn*en* - regn*ete* - geregn*et* ※re*gn*en은 어간 끝이 *-gn*이므로 발음상 -e- 첨가!) ▌ 「geht ... spazieren」 ⇒ *spazieren* gehen [자동사] 산책하다 <주의> 문장 안에서 *spazieren*은 마치 분리전철처럼 분리되어 문장 맨 뒤에 옴! (3 기본형: *spazieren* gehen - *spazieren* ging - *spazieren* gegangen ; '*장소 이동*' 자동사 → 완료형 「*sein* ... pp」) ⇐ gehen [자동사] 가다 (3 기본형: gehen - ging - gegangen ; '*장소 이동*' 자동사 → 완료형 「*sein* ... pp」) ⇐ spazieren [자동사] 산책하다 (3 기본형 규칙 변화: spazier*en* -

spazier*te* - spazier*t* ※형태가 *-ieren*이므로 pp형에서 *ge- 탈락*! 즉, gespaziert 아님! ; 동사 spazieren은 '*장소 이동*' 자동사 → 완료형「*sein* ... pp」) (= einen Spaziergang machen 산책하다) ▌「im + 남성 · 중성 3격」 (위치) ~안에서, ~에서 : im Park 공원에서 ▌der Park 공원 (die Park*s*) ▌trotzdem [부사어] 그럼에도 불구하고 (= dennoch)

► Obwohl *es* ... regnet , geht *er* ... spazieren.
부문장이므로 ***후치***됨! 앞에 부문장이 오므로 ***도치***됨!

► 부문장 안의 주어 es는 날씨를 나타내는 비인칭 주어임.
('날씨' 동사 regnen은 주어가 항상 es임!)

정답 Es regnet stark, *trotzdem* geht er im Park spazieren.

✺ **해석** 비가 세차게 내리는데, 그럼에도 불구하고 그는 공원에서 산책한다.

☞ 「Obwohl A , B 」 '비록 A일지라도, B이다.'
= 「A , trotzdem B」 'A이지만, 그럼에도 불구하고 B이다.'

► ... , trotzdem geht *er* ... spazieren.
앞에 부사어 trotzdem이 오므로 ***도치***됨!

unit 03

마무리 문제

I. 괄호 안의 낱말을 사용하여 독일어로 옮기시오. (17과, 마무리문제: 교재 101쪽)

1. 나는 그 원피스가 너무 비싸서 사지 않았다.

(ich, das Kleid, nicht, es, zu teuer, sein, weil, kaufen)

✺ **어휘** das Kleid 원피스 (die Kleid*er*) ▌「zu + 형용사 (부사)」 '너무 ...한, 너무 ...하게' : zu teuer 너무 비싼 ▌ teuer [형용사] 비싼 (↔ billig 값싼, preiswert 저렴한) ▌ sein [자동사] ...이다 (3 기본형: sein - war - gewesen ; 완료형 「*sein* ... pp」) ▌ weil [종속접속사] ...이기 때문에 (뒤에 오는 문장은 부문장이므로 *후치*됨: ... , weil 주어 ... *동사*) ▌ kaufen [타동사] ...을 사다 (3 기본형 *규칙* 변화: kauf*en* - kauf*te* - *ge*kauf*t*) ↔ verkaufen [타동사] ...을 팔다 (3 기본형 *규칙* 변화: verkauf*en* - verkauf*te* - verkauf*t* ※형태가 *ver*-이므로 pp형에서 *ge- 탈락*! 즉 ver*ge*kauft 아님!)

정답 Ich habe das Kleid nicht gekauft, weil es zu teuer war.

► 주문장: "*나는* ... *사지 않았다*."
부문장 (종속접속사 weil): "... *그 원피스가 너무 비싸서* ..."

① 주문장: 동사 kaufen('...을 사다')의 *현재완료* 시제 「haben ... pp」임.
주어가 "*나는*", 즉 ich이므로 haben의 형태는 hab*e*이며, kaufen의 pp형은 *ge*kauf*t*이므로
즉, 「*Ich* habe ... gekauft , ... 」

② 부문장: 동사 sein('...이다')의 *과거* 시제로서 sein의 과거형 *war*가 어미변화 함.
주어인 "*그 원피스*", 즉 das Kleid는 es에 해당하므로
war는 어미 없이 그대로 *war_*임.
즉, 「... , weil *das Kleid* ... war. 」(후치됨!)

→ 따라서 ①, ②를 연결하면 정답임:

Ich habe das Kleid nicht gekauft (*주문장*) , weil *es* zu teuer *war* (*부문장*) .
(*후치*되어 동사 war는 문장 맨 뒤에 옴!)

기타 정답

Weil *das Kleid* zu teuer *war* (*부문장*) , *habe ich* es nicht gekauft (*주문장*) .
(앞에 부문장이 오므로 *도치*됨!)

2. 그가 언제 도착하는지 아니? - 나도 그가 언제 오는지 몰라.

(du, er, wann, *an*kommen, wissen)

(ich, auch, keine Ahnung, haben, wann, er, ankommen)

✵ 어휘 wann [의문사] 언제? ▌*an*kommen [분리동사&자동사] 도착하다 (3 기본형: *an*kommen - *an*kam - *an*gekommen ; '*장소 이동*' 자동사 → 완료형「*sein* ... pp」) ⇐ kommen [자동사] 오다 (3 기본형: kommen - kam - gekommen ; '*장소 이동*' 자동사 → 완료형「*sein* ... pp」) ▌wissen [타동사] ...을 알다 (*현재* 시제, *주어가 단수*일 때 *불규칙* 변화: ich weiß ; du weiß*t* ; er weiß ; wir wiss*en* ; ihr wiss*t* ; sie, Sie wiss*en*) (3 기본형: wissen - wusste - gewusst) ▌auch [부사어] 역시, ...도 ▌die Ahnung 예견 (die Ahnung*en*) : keine Ahnung haben 모르다 ▌haben [타동사] ...을 가지고 있다 (3 기본형: haben - hatte - gehabt)

정답 Weißt du, wann er ankommt? - Ich habe auch keine Ahnung, wann er ankommt.

문장 1

► "그가 언제 도착하는지 아니?" = "너는 그가 언제 도착하는지를 아니?"
주문장: "*너는* ... *아니*?"
부문장 (의문사 wann): "*그가 언제 도착하는지를* ..."

① 주문장: 동사 wissen('...을 알다')의 *현재* 시제임.
주어가 "*너는*", 즉 du이므로 wissen의 현재 시제 형태는 weiß*t*임.
즉,「Weißt *du* , ...?」

② 부문장: 분리동사 *an*kommen('도착하다')의 *현재* 시제임.
주어는 "*그가*", 즉 er이므로 동사 형태는 *an*komm*t*임.
즉,「... , wann *er* *an*komm*t*.」(후치됨!)

→ 결국 ①, ②를 연결하면 정답임:

Weißt du (*주문장*) , wann *er* *an*komm*t* (*부문장*) ?
(*후치*되어 동사 *an*komm*t*는 문장 맨 뒤에 옴!)

문장 2

► "나도 그가 언제 오는지 몰라." = "나 역시 그가 언제 오는지를 몰라."
주문장: "*나 역시* ... *몰라*."
부문장 (의문사 wann): "*그가 언제 오는지를* ..."

① 주문장: 문장 형식「keine Ahnung haben」('...을 모르다')의 *현재* 시제임.
주어가 "*나*", 즉 ich이므로 동사 haben의 현재 시제 형태는 *habe*임.
즉,「*Ich* habe auch keine Ahnung , ...」

② 부문장: 분리동사 *an*kommen('도착하다')의 *현재* 시제임.
주어는 "*그가*", 즉 er이므로 동사 형태는 *an*komm*t*임.

즉, 「... , wann *er* *an*komm*t*.」(후치됨!)

→ 결국 ①, ②를 연결하면 정답임:

Ich habe auch keine Ahnung (*주문장*) , wann *er* *an*komm*t* (*부문장*) ?
(***후치***되어 동사 *an*komm*t*는 맨 뒤에 옴!)

3. 네가 여름에 나에게 오면, 함께 바다로 가자.

(du, im Sommer, ans Meer, zu mir, kommen, wenn, zusammen, fahren)

✷ 어휘 「im + 계절」: im Sommer 여름에 ▌ der Sommer 여름 (die Sommer) ▌ an [*3 · 4격* 전치사] (*4격* 지배: *방향*) ~옆으로, ~로 → 「ans + 중성 4격」 (ans = an + das) : ans Meer 바닷*가로* ▌ das Meer 바다, 대양 (die Meer*e*) <참고> die See 바다 (die See*n*), das Ozean 대양 (die Ozean*e*) ▌ 「zu + 사람(3격)」 (방향) *누구*에게로 : zu mir 나에게로 ▌ mir [인칭대명사] ich의 *3격* 형임. (4격 형은 *mich*) ▌ kommen [자동사] 오다 (3 기본형: kommen - kam - gekommen ; '*장소 이동* 자동사 → 완료형 「*sein* ... pp」) ▌ wenn [종속접속사] 만약 ...라면, ...일 경우 (영. if, whenever) (뒤에 오는 문장은 부문장이므로 *후치*됨: Wenn 주어 ... *동사* , ...) ▌ zusammen [부사어] 함께 ▌ fahren [자동사] (차 타고) 가다 (3 기본형: fahren - fuhr - gefahren ; '*장소 이동* 자동사 → 완료형 「*sein* ... pp」) (현재 시제: du fähr*st* ; er fähr*t*)

정답 Wenn du im Sommer zu mir kommst, fahren wir zusammen ans Meer!

► 부문장 (종속접속사 wenn): "*네가 여름에 나에게 오면* ..."
주문장: "... *함께 바다로 가자*."

① 부문장: 동사 kommen('오다')의 *현재* 시제임.
주어는 "*네가*", 즉 du이므로 kommen의 형태는 komm*st*임.
즉, 「Wenn *du* ... kommst , ... 」(후치됨!)

② 주문장: 「동사 원형 wir ...!」'...하자, ...합시다' (함께 ...할 것을 제안하는 표현임.)
동사 fahren('차로 가다')이 적용되므로 「... , fahren *wir* ...! 」

→ 따라서 ①, ②를 연결하면 정답임:

Wenn *du* ... komm*st* (*부문장*) , fahren wir ...! (*주문장*)
(***후치***되어 동사 kommst는 문장 맨 뒤에 옴!) (앞에 부문장이 오므로 ***도치***됨!)

기타 정답

Fahren *wir* zusammen ans Meer (*주문장*) , wenn *du* im Sommer zu mir komm*st* (*부문장*) !

4. 한국 전쟁이 발발했을 때, 그는 미국에 있었다.

(der Koreakrieg, in den USA, ausbrechen, als, er, sein)

✺ 어휘 der Koreakrieg 한국 전쟁 ← Korea [고유명사] 한국 + der Krieg 전쟁 (die Krieg*e*) <참고> kriegen [타동사] (구어체) ...을 쟁취하다, 얻다 (= bekommen) ▌in [*3·4격* 전치사] (*3격* 지배: *위치*) ~안에서, ~에서 : in den USA 미국에서 ▌die USA (복수형) 미국 <참고> die Vereinigten Staaten von Amerika 미합중국 → vereinigt [과거분사, 즉 '*수동*의 형용사] 통일된 + der Staat 나라, 국가 (die Staat*en*) (영. state) + von [*3격* 전치사] ~의 (영. of) + Amerika [고유명사] 아메리카 ▌*aus*brechen [분리동사&자동사] (전쟁, 화재, 질병 등이) 발생하다 (영. break out) (3 기본형: *aus*brechen - *aus*brach - *aus*gebrochen ; '*상태 변화*' 자동사 → 완료형 「*sein* ... pp」) (현재 시제: du brich*st* ... *aus* ; er bricht ... *aus*) ⇐ brechen [타동사] ...을 깨다, 부수다 (영. break) (3 기본형: brechen - brach - gebrochen) (현재 시제: du brich*st* ; er brich*t*) ▌als [종속접속사] (과거의 한 시점) ...했을 때, ...였을 때 (영. when, as) (뒤에 오는 문장은 부문장이므로 *후치*됨: Als 주어 ... *동사* , ...) ▌sein [자동사] 있다, 존재하다 (3 기본형: sein - war - gewesen ; 완료형 「*sein* ... pp」)

정답 Als der Koreakrieg ausbrach, war er in den USA.

► 부문장 (종속접속사 als): "*한국 전쟁이 발발했을 때* ..."
주문장: "... *그는 미국에 있었다*."

① 부문장:
분리동사 *aus*brechen('발생하다')의 *과거* 시제로서 과거형 *aus*brach가 어미변화 함.
주어가 "*한국 전쟁*", 즉 der Koreakrieg은 er에 해당하므로
*aus*brach는 어미 없이 그대로 *aus*brach_임.
즉, 「Als *der Koreakrieg* *aus*brach , ... 」(*후치*됨!)

② 주문장:
동사 sein('있다, 존재하다')의 *과거* 시제로서 과거형 *war*가 어미변화 함.
주어가 "*그는*", 즉 er이므로 war는 어미 없이 그대로 *war*_임.
즉, 「... , war *er* ... 」(도치됨!)

→ 따라서 ①, ②를 연결하면 정답임:

Als *der Koreakrieg* ausbrach , war *er* ...
부문장 (과거 시제 동사 *aus*brach가 ***후치***되어 맨 뒤에 옴)
주문장 (앞에 부문장이 오므로 ***도치***됨!)

기타 정답

Er *war* in den USA , als *der Koreakrieg* *aus*brach .
주문장 *부문장*

5. 그들은 결정을 내리기 전에 항상 오랫동안 토론한다.

(sie, eine Entscheidung treffen, bevor, immer, lange, diskutieren)

✺ 어휘 die Entscheidung 결정 (die Entscheidung*en*) : eine Entscheidung treffen 결정을 내리다 ⇐ treffen [타동사] ...을 만나다, 맞히다 (3 기본형: treffen - traf - getroffen) (현재

시제: du triffst ; er trifft) ▌bevor [종속접속사] 하기 전에 (영. before) (뒤에 오는 문장은 부문장이므로 *후치*됨: Bevor 주어 ... *동사* , ...) ▌immer [부사어] 항상 ▌lange [부사어] 오랫동안 ▌「diskutieren (über + 4격)」 (...에 대해) 토론하다 (3 기본형 *규칙* 변화: diskutier*en* - diskutier*te* - diskutier*t* ※형태가 *-ieren*이므로 pp형에서 *ge- 탈락*! 즉, *ge*diskutiert 아님!) → die Diskussion 토론 (die Diskussion*en*)

정답 Bevor sie eine Entscheidung treffen, diskutieren sie immer lange.

► 부문장 (종속접속사 bevor): "*그들은 결정을 내리기 전에* ..."
주문장: "... *항상 오랫동안 토론한다*."

① 부문장: 「eine Entscheidung treffen」('결정을 내리다')의 *현재* 시제임.
주어가 "*그들은*", 즉 복수의 sie이므로 동사는 원형 형태의 treff*en*임.
즉, 「Bevor *sie* eine Entscheidung treffen , ... 」(후치됨!)

② 주문장: 동사 diskutieren('토론하다')의 *현재* 시제임.
부문장의 주어 sie('그들은')가 여기서도 주어이므로 동사는 원형 형태의 diskutier*en*임.
즉, 「... , diskutieren *sie* ... 」(도치됨!)

→ 따라서 ①, ②를 연결하면 정답임:

Bevor *sie* eine Entscheidung *treffen* , *diskutieren sie* immer lange.
부문장 (후치되어 동사 treffen이 문장 맨 뒤에 옴.) / *주문장* (앞에 부문장이 오므로 *도치*됨!)

기타 정답

Sie diskutieren immer lange , bevor *sie* eine Entscheidung *treffen* .
주문장 / *부문장*

<참고>
타동사 treffen은 특정 명사들과 관용적으로 결합한다:
die Entscheidung 결정 → eine Entscheidung treffen 결정하다
「entscheiden über + 4격」 '...에 대하여 결정하다'
die Verabredung 약속 → eine Verabredung treffen 약속하다
「verabredeb sich[4] mit + 3격(사람) 」 '*누구*와 만날 약속하다'
die Vereinbarung 합의 → eine Vereinbarung treffen 합의하다
「vereinbaren + 4격 + mit + 3격(사람) 」 '*누구*와 ...을 합의하다'
die Vorbereitung 준비 → Vorbereitungen treffen 준비하다
분리동사 *vor*bereiten : 「bereiten sich[4] auf + 4격 ... vor 」 '...을 준비하다'
die Wahl 선택 → eine Wahl treffen 선택하다
분리동사 *aus*wählen : 「wählen + 4격 ... *aus* 」 '...을 선택, 선발하다'

II. 잘못된 부분(들)을 고쳐서 다시 적으시오. (17과, 마무리문제: 교재 101쪽)

1. Wenn[오류1] ich in die Schule kam[오류2], war ich sechs Jahre alt.

✺ **해석** 내가 학교에 들어갔을 때 나는 6살이었다.

✹ **어휘** wenn [종속접속사] ...일 경우, ...일 때 (영. when, if) (뒤에 오는 문장은 부문장이므로 *후치*됨: Wenn 주어 ... *동사* , ...) ▌in [3·4격 전치사] (4격 지배: *방향*) ~안으로, ~로 : in die Schule 학교로 ▌die Schule 학교 (die Schule*n*) ▌kommen [자동사] 오다 (3 기본형: kommen - kam - gekommen ; '*장소 이동* 자동사 → 완료형 「*sein* ... pp」) ▌war (동사 sein의 *과거* 시제: 주어가 *ich* 혹은 *er*, *sie*, *es*일 때) ⇒ sein [자동사] ...이다 (3 기본형: sein - war - gewesen ; 완료형 「*sein* ... pp」) ▌sechs 6 ▌das Jahr 해, 년 (die Jahr*e*) ▌alt [형용사] 늙은, 낡은 : 「주어 + 동사 sein ... Jahr*e* alt」 *주어는* 나이가 ...살이다

<오류> 1

내용상 과거에 *한번* 발생한 일을 나타내는 종속접속사 als('...*하였을 때*')가 와야 옳음!
(종속접속사 wenn('...할 경우')의 의미는 사실상 '...할 때*마다*', 혹은 '...했을 때*마다*'로서 *반복적으로* 발생하는 일을 나타내므로 이 예문에서는 옳지 않음!)

<오류> 2

「주어 + gehen in die Schule」'*주어는* 학교에 입학하다'
→ 따라서 동사 *kommen*이 아니라 *gehen*이 와야 옳음!

정답 *Als* ich in die Schule *ging*, war ich sechs Jahre alt.

► 종속접속사 als-부문장 「Als *ich* ... *ging* , ... 」:
동사 gehen의 *과거* 시제이므로 gehen의 과거형 *ging*이 어미변화 함.
주어가 ich이므로 어미 없이 그대로 *ging_*이 옴. (부문장이므로 *후치*됨!)

► 주문장 「... , *war* *ich* ... 」:
동사 sein의 *과거* 시제이므로 sein의 과거형 *war*가 어미변화 함.
주어가 ich이므로 어미 없이 그대로 *war_*가 옴. (앞에 부문장이 있으므로 *도치*됨!)

2. Trotzdem[오류] sie erkältet war, ging sie zur Arbeit.

✹ **해석** 그녀는 비록 감기에 걸렸지만 일하러 갔다.

✹ **어휘** trotzdem [부사어] 그럼에도 불구하고 (= dennoch) ▌erkältet [과거분사, 즉 '*수동*의 형용사] 감기 걸린 ⇐ 「erkälten sich[4]」 [4격 재귀동사] 감기 들다 (3 기본형 *규칙* 변화: *er*kält*en* - *er*kält*ete* - *er*kält*et* ※*er*käl*t*en은 어간 끝이 *-t*이므로 발음상 -e- 첨가! ; 형태가 *er*-이므로 pp형에서 *ge- 탈락*! 즉, er*ge*kältet 아님!) → die Erkältung 감기 (die Erkältung*en*) : eine Erkältung haben 감기 들다 ▌war (동사 sein의 *과거* 시제: 주어가 *ich* 혹은 *er*, *sie*, *es*일 때) ⇒ sein [자동사] ...이다 (3 기본형: sein - war - gewesen ; 완료형 「*sein* ... pp」) ▌ging (동사 gehen의 *과거* 시제: 주어가 *ich* 혹은 *er*, *sie*, *es*일 때) ⇒ gehen [자동사] 가다 (3 기본형: gehen - ging - gegangen ; '*장소 이동* 자동사 → 완료형 「*sein* ... pp」) ▌zu [*3격* 전치사] (방향) ~로 → 「zur + 여성 3격」: zur Arbeit gehen 일하러 가다, 출근하다 ▌die Arbeit 일, 작업 (die Arbeit*en*)

<오류>

trotzdem('그럼에도 불구하고')은 종속접속사가 아니라 *부사어*이므로 뒤에 부문장이 올 수 없음!
→ 따라서 종속접속사 *obwohl*('비록 ...이지만')이 와야 옳음!

(정답) *Obwohl* sie erkältet war, ging sie zur Arbeit.

► 종속접속사 obwohl-부문장 「Obwohl *sie* ... *war* , ... 」:
동사 sein의 *과거* 시제이므로 sein의 과거형 *war*가 어미변화 함.
주어가 여성의 sie('그녀는')이므로 어미 없이 그대로 *war_*임. (부문장이므로 *후치*됨!)

► 주문장 「... , *ging sie* ... 」:
동사 gehen의 *과거* 시제이므로 gehen의 과거형 *ging*이 어미변화 함.
주어가 sie('그녀는')이므로 어미 없이 그대로 *ging_*임. (앞에 부문장이 있으므로 *도치*됨!)

(기타 정답)

Sie war erkältet , *trotzdem ging sie* zur Arbeit.
부사어 trotzdem이 앞에 오므로 ***도치***됨!

3. Er konnte nicht kommen, denn er krank war[오류].

✺ **해석** 그는 올 수 없었는데, 왜냐하면 아팠기 때문이다.

✺ **어휘** 「konnte ... kommen」 (화법조동사 können의 *과거* 시제: 주어가 *ich* 혹은 *er*, *sie*, *es*일 때) ⇒ 「können ... 동사 원형」 '...할 수 있다' (3 기본형: können - konnte - gekonnt, können ※완료형은 「haben ... *pp* 」: ① 동사 원형 *없을* 때: 「haben ... *gekonnt* 」; ② 동사 원형 *있을* 때: 「haben ... *동사 원형* *können* 」) (현재 시제: ich kann ; du kann*st* ; er kann ; wir könn*en* ; ...) ▌ kommen [자동사] 오다 (3 기본형: kommen - kam - gekommen ; '*장소 이동* 자동사 → 완료형 「*sein* ... pp」) ▌ denn [등위접속사] 왜냐하면 (뒤에 오는 문장은 후치법이 아닌 *정치법* : ... , denn 주어 + *동사* ...) ▌ krank [형용사] 아픈 ▌ war (동사 sein의 *과거* 시제: 주어가 *ich* 혹은 *er*, *sie*, *es*일 때) ⇒ sein [자동사] ...이다 (3 기본형: sein - war - gewesen ; 완료형 「*sein* ... pp」)

<오류>

denn('...이기 때문에')은 *종속접속사*가 아니라 *등위접속사*임.
→ 따라서 뒤에 오는 문장의 어순은 ***후치법***이 아니라 *정치법*임.

(정답) Er konnte nicht kommen, denn *er war krank.*

► 「*Er konnte* ... kommen, ... 」:
화법조동사 können의 *과거* 시제이므로 können의 과거형 *konnte*가 어미변화 함.
주어가 Er이므로 어미 없이 그대로 *konnte_*임.

► 「... , denn *er war* ... 」:
동사 sein의 *과거* 시제이므로 sein의 과거형 *war*가 어미변화 함.
주어가 er이므로 어미 없이 그대로 *war_*임.

(기타 정답)

Er konnte nicht kommen , weil *er* krank *war* .
종속접속사 ***weil***에 의한 부문장이므로 ***후치***됨!

4. Bist du sicher, ob[오류] er morgen kommt? - Ja, ich bin ganz sicher.

✵ **해석** 너는 그가 내일 온다는 것을 확신하니? - 응, 나는 아주 확신해.

✵ **어휘** Bist (동사 sein의 *현재* 시제) ⇒ sein [자동사] ...이다 (3 기본형: sein - war - gewesen ; 완료형 「*sein* ... pp」) ▌sicher [형용사] 확실한, (부사어) 틀림없이 : 「주어 + 동사 sein + sicher, dass ...」 *주어는* ...라고 확신하다 ▌ob [종속접속사] ...인지 여부 (영. whether, if) (뒤에 오는 문장은 부문장이므로 *후치*됨: ... , ob 주어 ... *동사*) ▌morgen [부사어] 내일 ▌kommen [자동사] 오다 (3 기본형: kommen - kam - gekommen ; '*장소 이동* 자동사 ⇒ 완료형 「*sein* ... pp」) ▌bin (동사 sein의 *현재* 시제) ⇒ sein [자동사] ...이다 ▌ganz [부사어] 아주, 완전히 (뒤에 오는 형용사, 부사를 수식함!)

<오류>

내용상 "*...라는 것*을 확신하다"이어야 하므로 종속접속사 ob('...인지 여부')이 아니라 *dass*('...라는 사실, ...라는 점)가 와야 옳음!

정답 Bist du sicher, *dass* er morgen kommt? - Ja, ich bin ganz sicher.

5. Als[오류] er samstags zu uns kam, haben wir immer Karten gespielt.

✵ **해석** 그가 토요일에 우리에게 오게 되면 우리는 늘 카드놀이를 했다.

✵ **어휘** als [종속접속사] (*과거*의 한 시점) ...했을 때 (영. als, when) (뒤에 오는 문장은 부문장이므로 *후치*됨: Als 주어 ... *동사* , ...) ▌samstag*s* [부사어] 토요일에 ← der Samstag 토요일 (die Samstag*e*) <참고> 형태가 -*s*인 시간 부사어: morgen*s* 아침에 ← der Morgen 아침 ; abend*s* 저녁에 ← der Abend 저녁 ; nacht*s* 밤에 ← die Nacht 밤 ▌「zu + 사람(3격)」 (방향) *누구*에게로 : zu uns 우리에게로 ▌uns [인칭대명사] wir의 *3격* 형임. (4격 형 역시 *uns*) ▌kam (동사 kommen의 *과거* 시제: 주어가 *ich* 혹은 *er*, *sie*, *es*일 때) ⇒ kommen 오다 (3 기본형: kommen - kam - gekommen ; '*장소 이동* 자동사 → 완료형 「*sein* ... pp」) ▌「haben ... gespielt」 (동사 spielen의 *현재완료* 시제) ▌*gespielt* (동사 spielen의 *pp형*) ⇒ spielen [자동사] 놀다, 게임하다 (영. play) (3 기본형 *규칙* 변화: spiel*en* - spiel*te* - *ge*spiel*t*) ▌immer [부사어] 항상 ▌die Karte 카드 (die Karte*n*) : Karten spielen 카드놀이 하다

<오류>

뒤에 오는 주문장 안의 부사어 immer('항상, 늘')를 고려할 때,
내용상 '과거에 *한번* 일어난 일'을 나타내는 종속접속사 als('...하였을 때')가 아니라,
'*반복적*으로 일어나는 일'을 나타내는 종속접속사 *wenn*('...할 경우')이 와야 옳음!

정답 *Wenn* er samstags zu uns kam, haben wir immer Karten gespielt.

► 「Wenn *er* ... *kam* , ... 」:
동사 kommen의 *과거* 시제이므로 kommen의 과거형 *kam*이 어미변화 함.
주어가 er이므로 어미 없이 그대로 *kam_*임.

► 「... , *haben* *wir* ... *gespielt*. 」:

동사 spielen의 *현재완료* 시제로서 완료 형식 「haben ... pp」가 사용됨.

- 주어가 wir이므로 조동사 haben은 원형 형태의 hab*en*임.
- spielen의 pp형은 *ge*spiel*t*임.

→ 따라서 「... , haben *wir* ... *gespielt* 」임.
앞에 부문장이 오므로 ***도치***됨!

► 「*Wenn* ... , ... *immer* ... 」 = 「*Immer wenn* ... , ... 」:

Wenn er samstags zu uns kam , haben wir *immer* Karten gespielt.

= *Immer wenn* er samstags zu uns kam , haben wir Karten gespielt.

6. Du kannst deine Freunde treffen, nachdem du deine Hausaufgaben machst[오류].

✸ **해석** 너는 네 숙제를 하고난 후에 너의 친구들을 만날 수 있어.

✸ **어휘** 「kannst ... treffen」 (화법조동사 können의 *현재* 시제) ⇒ 「können ... 동사 원형」 ...할 수 있다 (현재 시제: ich kann ; du kann*st* ; er kann ; wir könn*en* ; ...) (3 기본형: können - konnte - gekonnt, können ※완료형은 「haben ... *pp*」: ① 동사 원형 *없을* 때: 「haben ... *gekonnt*」; ② 동사 원형 *있을* 때: 「haben ... *동사 원형* *können* 」) ▌der Freund 친구 (die Freund*e*) ▌treffen [타동사] ...을 만나다 (3 기본형: treffen - traf - getroffen) (현재 시제: du tr*i*ff*st* ; er tr*i*ff*t*) ▌nachdem [종속접속사] ...한 후에 (뒤에 오는 문장은 부문장이므로 ***후치***됨: ... , nachdem 주어 ... *동사*) ▌die Hausaufgabe (학교 수업 후에 집에서 수행하는) 숙제 (die Hausaufgabe*n*) (보통 복수형이 사용됨!) : die Hausaufgabe*n* machen 숙제를 하다 ← das Haus 집 (die Häus*er*) + die Aufgabe 임무, 과제 (die Aufgabe*n*) ▌machen [타동사] ...을 하다, 행하다 (3 기본형 *규칙* 변화: mach*en* - mach*te* - *ge*mach*t*)

<오류>

종속접속사 nachdem('...하고 난 *후에*')의 뒤에 오는 부문장의 시제는 주문장의 시제보다 *한 단계 더 과거*이어야 함.

→ 따라서 주문장 Du *kannst* ...이 *현재* 시제이므로 nachdem-부문장은 *현재완료*이어야 옳음!

정답 Du kannst deine Freunde treffen, nachdem du deine Hausaufgaben gemacht hast.

► 「... , nachdem *du* ... *gemacht hast*. 」:

동사 machen의 *현재완료* 시제로서 완료 형식 「haben ... pp」가 사용됨.

- 주어가 du이므로 조동사 haben의 형태는 *hast*임.
- machen의 pp형은 *ge*mach*t*임.

→ 따라서 「... , nachdem *du* ... *gemacht* hast 」임.
부문장이므로 완료 형식 「***hast*** ... gemacht」가 ***후치***되어 동사 ***hast***가 맨 뒤에 옴!

Lektion 18

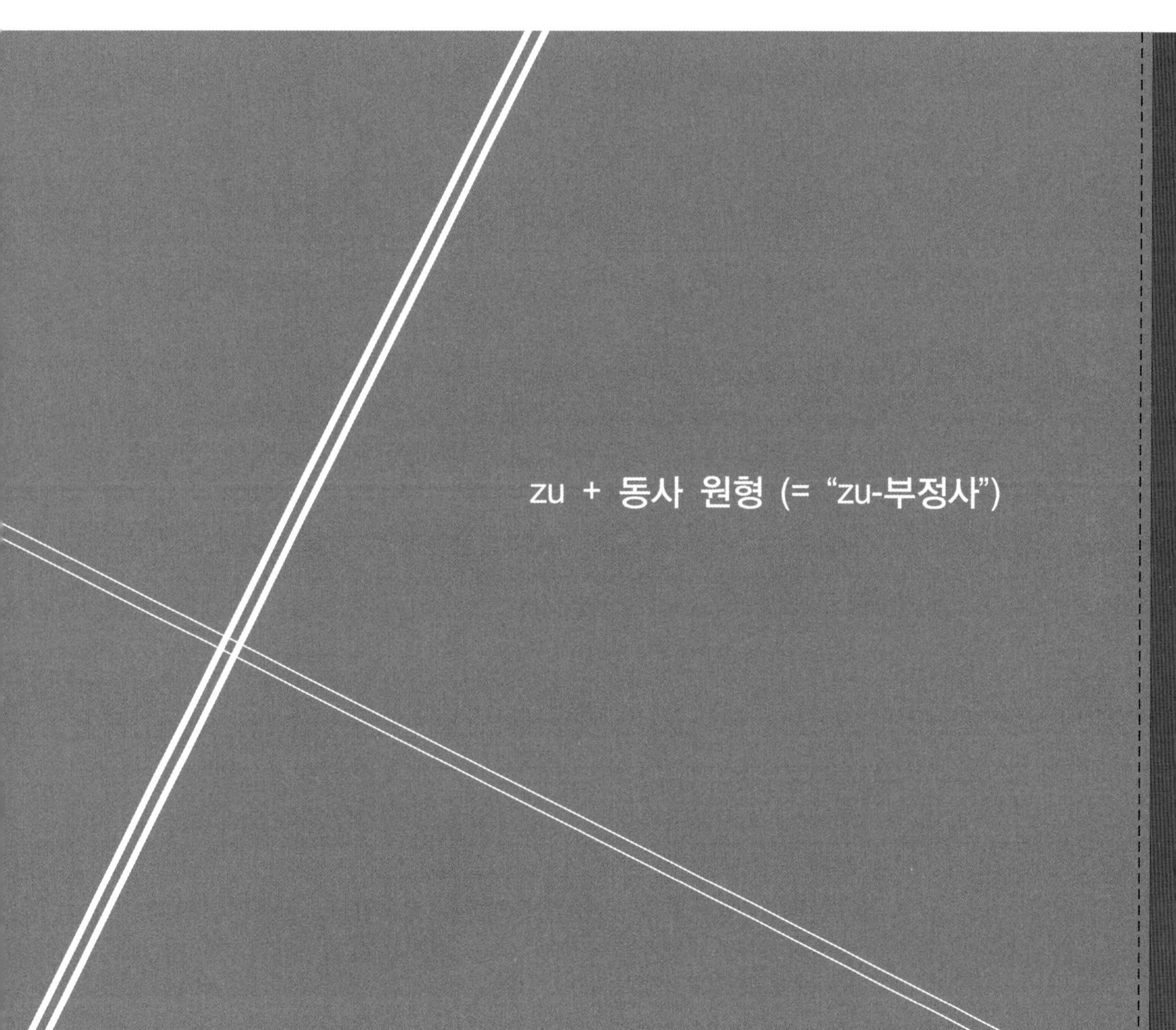

01

기초문제

I. 괄호 안에 주어진 문장을 zu-부정사로 바꾸시오. (18과, 기초문제: 교재 103~104쪽)

1. Linda hofft, die Prüfung zu bestehen.

(Sie besteht die Prüfung.)

✱ 해석 린다는 그 시험을 통과하기를 희망한다.
(그녀는 그 시험을 통과한다.)

✱ 어휘 hoffen [타동사] ...을 희망하다 (= 「hoffen auf + 4격」) → 「hoffen , ... zu 동사 원형」 '...하기를 희망하다' (3 기본형 *규칙* 변화: hoff*en* - hoff*te* - *ge*hoff*t*) → die Hoffnung 희망 (die Hoffnung*en*) ▌bestehen [타동사] (시험 등을) 통과하다 (3 기본형: *be*stehen - *be*stand - *be*standen ※형태가 *be*-이므로 pp형에서 *ge- 탈락!*) ⇐ stehen [자동사] 서 있다 (3 기본형: stehen - stand - gestanden) ▌die Prüfung 시험 (die Prüfung*en*) : eine Prüfung bestehen 시험에 합격하다 ↔ bei einer Prüfung *durch*fallen 시험에 떨어지다 <참고> prüfen [타동사] ...을 시험하다, 검사하다

☞ • zu-부정사 형식: 「, ... zu 동사 원형」 (zu-부정사 앞에는 *콤마*가 옴!)
→ 따라서 정답은: ... , die Prüfung zu bestehen.

• 여기서 zu-부정사 「die Prüfung zu bestehen」은 *명사적* 용법:
앞에 나온 동사 hofft의 4격 목적어에 해당함.

2. Man muss versuchen, die jungen Leute zu verstehen.

(Man versteht die jungen Leute.)

✱ 해석 우리는 젊은 사람들을 이해하려고 노력해야 한다.
(사람들은 젊은 사람들을 이해한다.)

✱ 어휘 man [부정대명사] 사람들은 (항상 *주어*이며, 단수 3인칭 *er* 취급!) ▌「muss verstehen」 (화법조동사 müssen의 *현재* 시제) ⇒ 「müssen ... 동사 원형」 ...해야 한다 (현재 시제: ich muss ; du muss*t* ; er muss ; wir müss*en* ; ...) (3 기본형: müssen - musste - gemusst, müssen) ▌versuchen [타동사] ...을 노력하다, 추구하다 (영. try) → 「versuchen , ... zu 동사 원형」 '...하려고 노력하다' (3 기본형 *규칙* 변화: *ver*such*en* - *ver*such*te* - *ver*such*t* ※형태가 *ver*-이므로 pp형에서 *ge- 탈락!*) ⇐ suchen [타동사] ...을 구하다, 찾다 (3 기본형 *규칙* 변화: such*en* - such*te* - *ge*such*t*) ▌verstehen [타동사] ...을 이해하다, 파악하다 (3 기본형: *ver*stehen -

*ver*stand - *ver*standen ※형태가 *ver*-이므로 pp형에서 *ge-* *탈락*!) ⇐ stehen [자동사] 서 있다 (3 기본형: stehen - stand - gestanden) ▌jung [형용사] 젊은 ▌die Leute (항상 복수) 사람들

► 부정대명사 man은 특정인이 아니라 막연히 불특정 다수를 뜻함.
따라서 '사람들은' 혹은 '우리는'으로 해석되며, 때로는 굳이 해석하지 않아도 됨.

☞ • zu-부정사 형식은 「, ... zu 동사 원형」 (zu-부정사 앞에는 *콤마*가 옴!)
→ 따라서 정답은: ... , die jungen Leute zu verstehen.
• 여기서 zu-부정사 「die jungen Leute zu bestehen」은 *명사적* 용법임:
앞에 나온 동사 versuchen의 4격 목적어에 해당함.

► 「di*e* jung*en* Leute」:
• 명사 Leute는 *복수*이며, 동사 verstehen의 *4격* 목적어이므로 *복수 4격!!*
따라서 *복수 4격* 정관사 di*e*가 앞에 옴.
• 형용사 jung 앞에 *복수 4격* 정관사 di*e*가 있음.
→ 따라서 di*e* jung *en* ...
(근거: 복수 1, 4격 di*e*, mein*e*, ihr*e*, unser*e*, kein*e*, dies*e* ... + 형용사 *-en*)

3. Er hat seiner Tochter vorgeschlagen, Ärztin zu werden .
(Sie wird Ärztin.)

❋ **해석** 그는 자신의 딸에게 (여)의사가 될 것을 제안했다.
(그녀는 여의사가 된다.)

❋ **어휘** 「hat ... vorgeschlagen」 (분리동사 *vor*schlagen의 *현재완료* 시제) ▌*vor*geschlagen (분리동사 *vor*schlagen의 *pp형*) ⇒ *vor*schlagen [분리동사&타동사] ...을 제안하다 → 「schlagen + 3격 (사람) ... *vor* , ... zu 동사 원형」 *누구*에게 ...할 것을 제안하다 (3 기본형: *vor*schlagen - *vor*schlug - *vor*geschlagen) (현재 시제: du schl*ä*g*st* ... *vor* ; er schl*ä*g*t* ... *vor*) ⇐ schlagen [타동사] ...을 치다, 때리다 (영. strike, hit) (3 기본형: schlagen - schlug - geschlagen) (현재 시제: du schl*ä*g*st* ; er schl*ä*g*t*) ▌die Tochter 딸 (die Töcht*er*) ▌wird (동사 werden의 *현재* 시제: 주어가 *er*, *sie*, *es*일 때) ⇒ werden [자동사] (동사 sein처럼 *형용사* 혹은 *명사 보어*와 함께) '...되다' (영. become) (현재 시제: du wirst ; er wird) ('*상태 변화*' 자동사 → 완료형 「*sein* ... pp」; 3 기본형: werden - wurde - geworden) ▌die Ärzt*in* 여의사 (die Ärztin*nen*) ↔ der Arzt 의사, 남자 의사 (die Ärzt*e*)

문장 1

► 「sein*er* Tochter」:
명사 Tochter는 *여성*이며, 동사 vorgeschlagen의 *3격* 목적어이므로 *여성 3격!!*
따라서 소유대명사 sein-('그의')은 *여성 3격* 어미 *-er* 가 붙어 sein*er*임.
3격 어미: 남성·중성 ***-em*** ; 여성 ***-er*** ; 복수 ***-en***

☞ • zu-부정사 형식: 「, ... zu 동사 원형」 (zu-부정사 앞에는 *콤마*가 옴!)
→ 따라서 정답은: ... , Ärztin zu werden.
• 여기서 zu-부정사 「Ärztin zu werden」은 *명사적* 용법:
앞에 나온 동사 vorgeschlagen의 4격 목적어임.

► Sie wird Ärztin. '그녀는 의사가 된다.'
'신분'을 언급하므로 관사 없음.
(즉, Sie wird *eine* Ärztin. 아님!)

4. Wir haben vor, an einem Tanzkurs teilzunehmen.

(Wir nehmen an einem Tanzkurs teil.)

✱ **해석** 우리는 한 댄스 강습에 참가할 것을 계획하고 있다.
(우리는 한 댄스 강습에 참가한다.)

✱ **어휘** 「haben *vor*」 (분리동사 *vor*haben의 *현재* 시제) ⇒ *vor*haben [분리동사&타동사] ...을 계획하다 (= planen) (현재 시제: du hast ... *vor* ; er hat ... *vor*) (3 기본형: *vor*haben - *vor*hatte - *vor*gehabt) ▌「nehmen ... teil」 (분리동사 *teil*nehmen의 *현재* 시제) ⇒ *teil*nehmen [분리동사 &자동사] : 「nehmen an + 3격 ... *teil*」 '...에 참가하다, 참여하다' (= 「beteiligen sich[4] an + 3격」) (3 기본형: *teil*nehmen - *teil*nahm - *teil*genommen) (현재 시제: du nimm*st* ... *teil* ; er nimm*t* ... *teil*) ⇐ nehmen [타동사] ...을 취하다, 갖다 (영. take) (3 기본형: nehmen - nahm - genommen) (현재 시제: du nimm*st* ; er nimm*t*) ▌der Tanzkurs 댄스 강습 (die Tanzkurs*e*) ← der Tanz 댄스, 춤 (die Tänz*e*) + der Kurs 강습, 교습 (die Kurs*e*)

☞ • zu-부정사 형식: 「, ... zu 동사 원형」 (zu-부정사 앞에는 *콤마*가 옴!)
→ 따라서 정답은 : ... , an einem Tanzkurs teil*zu*nehmen.
분리동사 *teil*nehmen이 zu와 결합!
zu가 전철 *teil*-과 동사 -nehmen 사이에 옴.
(즉, *zu teil*nehmen 아님!)

• 여기서 zu-부정사 「an einem Tanzkurs teilzunehmen」은 *명사적* 용법:
앞에 나온 분리동사 「haben vor」, 즉 *vor*haben의 4격 목적어에 해당함.

5. Ich freue mich, heute hier bei euch sein zu dürfen.

(Ich darf heute hier bei euch sein.)

✱ **해석** 내가 오늘 여기 너희 집에 있어도 되어서 기뻐.
(나는 오늘 여기 너희 집에 있어도 된다.)

✱ **어휘** freuen [4격 재귀동사] : 「freuen sich[4], ... zu 동사 원형」 '...해서 기쁘다' (3 기본형 *규칙* 변화: freu*en* - freu*te* - *ge*freu*t*) → die Freude (주로 단수) 기쁨 (die Freude*n*) ▌mich [*4격* 재귀대명사] 주어가 Ich이므로 4격 재귀대명사는 *mich* (3격 재귀대명사는 *mir*) ▌「darf ... sein」 (화법조동사 dürfen의 *현재* 시제) ⇒ 「dürfen ... 동사 원형」 ...해도 된다 (현재 시제: ich darf ; du darf*st* ; er darf ; wir dürf*en* ; ...) (3 기본형: dürfen - durfte - gedurft, dürfen) ▌heute [부사어] 오늘 ▌hier [부사어] 여기에 ▌「bei + 사람(3격)」 (위치) 누구 집에서 : bei euch 너희 집에서 ▌euch [인칭대명사] ihr('너희는')의 *3격* 형임. (4격 형 역시 *euch*) ▌sein [자동사] 있다, 존재하다 (3 기본형: sein - war - gewesen ; 완료형 「*sein* ... pp」)

► 주어가 Ich이므로 4격 재귀대명사 *mich*가 사용됨.

☞ • zu-부정사 형식: 「, ... zu 동사 원형」 (zu-부정사 앞에는 *콤마*가 옴!)

→ 따라서 정답은 : ... , heute hier bei euch *sein* _*zu* dürfen_.

화법조동사 문장 형식 「***dürfen*** ... sein」에서
동사에 해당하는 ***dürfen***이 zu와 결합. → 「... sein ***zu*** **dürfen**」

• 여기서 zu-부정사 「heute hier ... sein zu dürfen」은 *명사적* 용법:
앞에 나온 재귀동사 freut sich의 목적어임.

► 3격 전치사 bei와 결합하므로 ihr('너희는')의 3격 형 *euch*가 사용됨.

기타 정답

Ich freue mich, _heute hier bei euch *zu* sein_.
('나는 오늘 여기 너희 집에 있어서 기뻐.')

► 화법조동사 dürfen 없이 zu-부정사를 구성할 수도 있음.

6. Ich freue mich, _Sie heute Abend endlich kennen gelernt zu haben_.

(Ich habe Sie heute Abend endlich kennen gelernt.)

✵ **해석** 저는 오늘 저녁 마침내 당신을 알게 되어서 기쁩니다.
(나는 당신을 오늘 저녁에 마침내 사귀었다.)

✵ **어휘** 「freuen sich[4] , ... zu 동사 원형」 '...해서 기뻐하다' (3 기본형 *규칙* 변화: freu*en* - freu*te* - *ge*freu*t*) ⇐ freuen [타동사] : 「주어(사물) + freuen + 4격(사람)」 *주어는 4격을* 기쁘게 만들다 ▌「habe ... kennen gelernt」 (동사 *kennen* lernen의 *현재완료* 시제) ▌*kennen* ge*lern*t (동사 *kennen* lernen의 *pp형*) ⇒ *kennen* lernen [타동사] ...을 사귀다 <주의> 문장 안에서 kennen은 마치 분리전철처럼 분리되어 문장 맨 뒤에 옴: 「lernen + 4격 ... *kennen*」 (3 기본형 *규칙* 변화: *kennen* lern*en* - *kennen* lern*te* - *kennen* *ge*lern*t*) ⇐ lernen [타동사] ...을 배우다 (3 기본형 *규칙* 변화: lern*en* - lern*te* - *ge*lern*t*) <참고> kennen [타동사] 누구를 알다 (3 기본형: kennen - kannte - gekannt) ▌Sie [인칭대명사] 격식칭 Sie('당신은, 당신들은')의 *4격* 형임. (3격 형은 *Ihnen*) ▌heute Abend 오늘 저녁 ← heute [부사어] 오늘 + der Abend 저녁 (die Abend*e*) ▌endlich [부사어] 마침내, 드디어

☞ • zu-부정사 형식: 「, ... zu 동사 원형」 (zu-부정사 앞에는 *콤마*가 옴!)

→ 따라서 정답은: ... , Sie heute Abend endlich _kennen gelernt *zu* haben_.

완료 형식 「haben ... kennen ***gelernt***」에서
동사 haben이 zu와 결합: 「... kennen ***gelernt zu*** **haben**」

• 여기서 zu-부정사 「heute Abend ... kennen gelernt zu haben」은 *명사적* 용법:
앞에 나온 재귀동사 freut sich의 목적어임.

<참고>

• 완료 형식 「haben (sein) ... pp」가 zu-부정사를 구성할 때 (= "완료 부정사"):
「, ... pp *zu* haben」 혹은 「, ... pp *zu* sein」

• 이러한 완료 부정사는 시간적으로 주문장보다 앞선 과거의 사건을 표현함:

Ich freue mich , Sie heute Abend endlich *kennen gelernt zu* haben .
주문장 / 완료 부정사

여기서 주문장의 내용('내가 기뻐하고 있는 것')은 *현재*의 일을 뜻하며,
완료 부정사의 내용('오늘 저녁 마침내 당신을 사귄 것')은 이미 벌어진 *과거*의 일을 뜻함으로써 주문장의 내용보다 시간적으로 앞선다!

► ... , *Sie heute Abend endlich* kennen gelernt zu haben
어순: 동사 kennen gelernt의 4격 목적어인 Sie는 인칭*대명사*이므로
부사어인 heute Abend 및 endlich보다 앞에 옴.

7. Bevor meine Mutter anfängt, das Mittagessen zu machen , muss ich noch schnell was einkaufen.
(Sie macht das Mittagessen.)

✻ **해석** 내 어머니가 점심식사 준비를 시작하시기 전에 나는 뭔가를 신속히 사와야 한다.
(그녀는 점심식사를 준비한다.)

✻ **어휘** bevor [종속접속사] ...하기 전에 (뒤에 오는 문장은 부문장이므로 *후치*됨: Bevor 주어 ... *동사* , ...) ▌ die Mutter 어머니 (die Mütter) ▌ anfängt (분리동사 *an*fangen의 *현재* 시제: 주어가 *er, sie, es* 일 때) ⇒ *an*fangen [분리동사] 시작하다 (현재 시제: du fäng*st* ... *an* ; er fäng*t* ... *an*) (3 기본형: *an*fangen - *an*fing - *an*gefangen) ⇐ fangen [타동사] ...을 붙잡다 (현재 시제: du fäng*st* ; er fäng*t*) (3 기본형: fangen - fing - gefangen) ▌「muss ... einkaufen」 (화법 조동사 müssen의 *현재* 시제) ⇒ 「müssen ... 동사 원형」 ...해야 한다 (현재 시제: ich muss ; du muss*t* ; er muss ; wir müss*en* ; ...) (3 기본형: müssen - musste - gemusst, müssen) ▌ noch [부사어] 아직, 여전히 ▌ schnell [형용사] 빠른, (부사적) 빨리 ▌ was = etwas [부정대명사] 뭔가 ▌ *ein*kaufen [분리동사&타동사] (식품 등의 일상의 물품) ...을 사다, 쇼핑하다 (3 기본형 *규칙* 변화: *ein*kauf*en* - *ein*kauf*te* - *einge*kauf*t*) ⇐ kaufen [타동사] ...을 사다 (3 기본형: kauf*en* - kauf*te* - *ge*kauf*t*) ▌ machen [타동사] ...을 만들다 (3 기본형 *규칙* 변화: mach*en* - mach*te* - *ge*mach*t*) ▌ das Mittagessen 점심식사 (die Mittagessen) ← der Mittag 정오 + das Essen 식사

► 종속접속사 Bevor와 결합하는 부문장이므로 동사 *an*fängt가 후치되어 맨 뒤에 옴:
Bevor *meine Mutter* *an*fängt , ...
분리동사가 후치되어 문장 맨 뒤에 올 경우 전철과 기본동사는 다시 결합함!
전철 *an*-과 기본동사 -fängt가 다시 결합하여 *an*fängt임. (즉, *an* fängt 아님!)

☞ • zu-부정사 형식: 「, ... zu 동사 원형」 (zu-부정사는 *콤마*로 구분함!)
→ 따라서 정답은: ... , das Mittagessen *zu* machen , ...

• 여기서 zu-부정사 「das Mittagessen zu machen」은 *명사적* 용법:
앞에 나온 분리동사 *an*fängt의 목적어임.

► was는 동사 einkaufen의 4격 목적어임.

8. Ich habe ganz vergessen, in die Stadt zu gehen und ein Geschenk für meinen Sohn zu kaufen.

(Ich gehe in die Stadt und kaufe ein Geschenk für meinen Sohn.)

✺ **해석** 나는 시내로 가서 내 아들을 위한 선물을 구입한다는 것을 완전히 잊어버렸다.
(나는 시내로 가서 내 아들을 위해 선물 하나를 산다.)

✺ **어휘** 「habe ... vergessen」 (동사 vergessen의 *현재완료* 시제) ▌vergessen (동사 vergessen의 *pp형*) ⇒ vergessen [타동사] ...을 잊다 (3 기본형: vergessen - vergaß - vergessen) (현재 시제: du vergiss*t* ; er vergiss*t*) ▌ganz [부사어] 완전히 ▌gehen [자동사] 가다 (영. go) (3 기본형: gehen - ging - gegangen ; '*장소 이동* 자동사 → 완료형 「*sein* ... pp」) ▌in [*3 · 4격* 전치사] (*4격* 지배: *방향*) ~안으로, ~로 : in die Stadt gehen 시내로 가다 ▌die Stadt 도시, 시내 (die Städt*e*) ▌kaufen [타동사] ...을 사다, 구입하다 (3 기본형 *규칙* 변화: kauf*en* - kauf*te* - *ge*kauf*t*) ▌das Geschenk 선물 (die Geschenk*e*) ← 「schenken + 3격(사람) + 4격」 *누구*에게 ...을 선물하다 (3 기본형 *규칙* 변화: schenk*en* - schenk*te* - *ge*schenk*t*) ▌für [*4격* 전치사] ~을 위해 ▌der Sohn 아들 (die Söhn*e*)

☞ • zu-부정사 형식: 「, ... zu 동사 원형」 (zu-부정사 앞에는 *콤마*가 옴!)
→ 따라서 정답은:
... , in die Stadt zu gehen und ein Geschenk für meinen Sohn zu kaufen.
두 개의 동사 gehen과 kaufen이 각각 독립적으로 zu와 결합하여 부정사를 구성함!

• 여기서 zu-부정사 「in die Stadt zu gehen und ... zu kaufen」은 *명사적* 용법: 앞에 나온 동사 vergessen의 목적어임.

► 「für mein*en* Sohn」:
명사 Sohn은 *남성*이며, *4격* 전치사 für의 목적어이므로 *남성 4격!!*
따라서 소유대명사 mein-('나의')은 *남성 4격* 부정관사 ein*en*처럼 어미변화 하여 mein*en*임.

9. Frau Zimmermann möchte sich gern mit ihrem Nachbarn unterhalten.
Leider hat sie aber keine Zeit, sich mit ihm zu unterhalten.
(Sie unterhält sich mit ihm.)

✺ **해석** 침머만 부인은 자신의 이웃 남자와 대화 나누기를 좋아한다. 그런데 유감스럽게도 그녀는 그와 이야기를 나눌 시간이 없다.
(그녀는 그와 이야기를 나눈다.)

✺ **어휘** 「möchte ... unterhalten」 (화법조동사 möchten의 *현재* 시제) ⇒ 「möchten ... 동사 원형」 ...하고 싶다 (현재 시제: ich möchte ; du möchte*st* ; er möchte ; wir möchte*n* ; ...) ▌gern [부사어] 즐겨, 기꺼이 (화법조동사 möchten과 함께 올 경우 우리말 해석 필요 없음!) ▌der Nachbar 이웃사람 (die Nachbar*n*) <주의> 주어를 제외한 *단수 2, 3, 4격*이 모두 복수형처럼 Nachbar*n*인 *약변화* 명사! ▌leider [부사어] 유감스럽게도 ▌hat (동사 haben의 *현재* 시제) ⇒ haben [타동사] ...을 가지고 있다 (3 기본형: haben - hatte - gehabt) ▌aber [부사어] 보통의

경우와 다르거나 예상과 어긋나는 일을 표현할 때 사용됨. ("그런데") <주의> 여기서 aber는 문장 가운데 위치하는 *부사어*임. (즉, 문장 앞에 위치하는 *등위 접속사* aber가 아님!) ▌die Zeit (주로 단수) 시간 (die Zeit*en*) : keine Zeit haben 시간이 없다 ▌「unterhalten sich[4] mit + 3격(사람) + über + 4격」 [4격 재귀동사] *누구*와 *4격*에 대하여 담화를 나누다 (3 기본형: *unter*halten - *unter*hielt - *unter*halten ※형태가 *unter-*로서 pp형에서 *ge- 탈락!*) (현재 시제: du unterhältst dich ; er unterhält sich) ⇐ halten [타동사] ...을 붙잡아 두다, 보유하다 (영. hold) (3 기본형: halten - hielt - gehalten) (현재 시제: du hältst ; er hält) ▌mit [*3격* 전치사] ~와 함께 (영. with) ▌ihm [인칭대명사] er의 *3격* 형임. (4격 형은 *ihn*)

문장 1

► 주어가 Frau Zimmermann, 즉 여성의 sie('그녀는')에 해당하므로 4격 재귀대명사는 *sich*임. (어순: sich는 재귀*대명사*이므로 부사어 gern 및 mit ihrem Nachbarn 보다 앞에 위치함.)

► 「mit ihr*em* Nachbar*n*」:

- 명사 Nachbar는 *남성*이며, *3격* 전치사 mit의 목적어이므로 *남성 3격!!* 따라서 소유대명사 ihr-('그녀의')는 *남성 3격* 어미 *-em* 이 붙어 ihr*em*임.
  3격 어미 : 남성 · 중성 ***-em*** ; 여성 ***-er*** ; 복수 ***-en***
- Nachbar는 약변화 명사로서 여기서는 주어가 아닌 단수 3격이므로 복수형과 동일하게 어미 *-n*이 붙어 Nachbar*n*임.

문장 2

☞ • zu-부정사 형식: 「, ... zu 동사 원형」 (zu-부정사 앞에는 *콤마*가 옴!)
→ 따라서 정답은: ... , sich mit ihm zu unterhalten .
unter-는 분리 전철이 아니므로 zu가 동사 앞에 옴.
(즉, unter*zu*halten 아님!)

- 여기서 zu-부정사 「sich mit ihm zu unterhalten」은 *형용사적* 용법임: 앞에 나온 명사 Zeit를 수식함.

<참고> 「haben (keine) Zeit , ... zu 동사 원형」 '...할 시간이 있다(없다)'

10. Jan geht in sein Zimmer zurück, weil er keine Lust mehr hat, mit den Kollegen zu reden .

(Er redet mit den Kollegen.)

✺ **해석** 더 이상 얀은 동료들과 이야기할 생각이 없어서 자신의 방으로 되돌아간다. (그는 동료들과 이야기 한다.)

✺ **어휘** 「geht ... zurück」 (분리동사 *zurück*gehen의 *현재* 시제) ⇒ *zurück*gehen [분리동사&자동사] 되돌아가다 (3 기본형: *zurück*gehen - *zurück*ging - *zurück*gegangen ; '*장소 이동*' 자동사 → 완료형 「*sein* ... pp」) ⇐ gehen [자동사] 가다 (3 기본형: gehen - ging - gegangen ; '*장소 이동*' 자동사 → 완료형 「*sein* ... pp」) <참고> zurück [부사어] 되돌아, 다시 (영. back) ▌in [*3 · 4격* 전치사] (*4격* 지배: *방향*) ~안으로, ~로 : in das Zimmer 방 안*으로* ▌das Zimmer 방 (die Zimmer) ▌weil [종속접속사] ...이기 때문에 (뒤에 오는 문장은 부문장이므로 *후치*됨: ... , weil 주어 ... *동사* , ...) ▌die Lust (주로 단수) 의향, 욕망 (die Lüst*e*) : 「주어 + haben keine Lust ,

... zu 동사 원형」 *주어는* ...할 의향이 없다, ...하고 싶지 않다 ▌「kein- ... mehr」 더 이상 ... 않다 ▌ hat (동사 haben의 *현재* 시제) ⇒ haben [타동사] ...을 가지고 있다 (3 기본형: haben - hatte - gehabt) ▌「reden mit + 3격(사람)」 *누구*와 이야기하다 (3 기본형 *규칙* 변화: red*en* - red*ete* - *ge*rede*t* ※reden은 어간 끝이 -*d*이므로 발음상 -e- 첨가!) ▌ mit [*3격* 전치사] ~와 함께 ▌ der Kollege 동료 (die Kolleg*en*) <주의> 주어를 제외한 *단수 2, 3, 4격*이 모두 복수형과 동일하게 Kolleg*en*인 *약변화* 명사!

► '장소 이동' 동사와 함께 오는 3・4격 전치사는 '방향'을 나타내므로 *4격 지배*임:

... *geht* *in* sein Zimmer *zurück* , ...
'장소 이동' 동사 「geht ... *zurück*」과 함께 오므로 in은 ***4격 지배***임!

► 「in sein_ Zimmer」:

명사 Zimmer는 *중성*이며, 전치사 in의 *4격* 목적어이므로 *중성 4격!!*

따라서 소유대명사 sein-('그의')은 *중성 4격* 부정관사 ein_처럼 어미 없이 sein_임.

► ... , weil *er* keine Lust mehr hat , ...
종속접속사 weil과 결합하는 ***부문장***이므로
동사 hat가 ***후치***되어 맨 뒤에 옴. (부문장은 ***콤마***로 구분함!)

☞ • zu-부정사 형식: 「, ... zu 동사 원형」(zu-부정사 앞에는 *콤마*가 옴!)

→ 따라서 정답은: ... , mit den Kollegen *zu* reden.

• 여기서 zu-부정사 「mit den Kollegen zu reden」은 *형용사적* 용법임:

앞에 나온 명사 Lust를 수식함.

<참고>

「haben (keine) Lust , ... zu 동사 원형」 '...할 의향이 있다(없다)'

II. zu-부정사를 사용하여 표현하시오. (18과, 기초문제: 교재 104쪽)

1. Sascha hat versprochen, ...

(Er ruft mich morgen an.)

(정답) Sascha hat versprochen, mich morgen anzurufen .

✺ **해석** 자샤는 매일 나에게 전화하겠다고 약속했다.

✺ **어휘** 「hat versprochen」 (동사 versprechen의 *현재완료* 시제) ▌ *ver*sprochen (동사 versprechen의 *pp형*) ⇒ versprechen [타동사] ...을 약속하다 (3 기본형: *ver*sprechen - *ver*sprach - *ver*sprochen ※형태가 *ver*-이므로 pp형에서 *ge- 탈락!*) (현재 시제: du versprich*st* ; er versprich*t*) ⇐ sprechen [타동사/자동사] (...을) 말하다 (3 기본형: sprechen - sprach - gesprochen) (현재 시제: du sprich*st* ; er sprich*t*) ▌「ruft ... *an*」 (분리동사 *an*rufen의 *현재* 시제) ⇒ *an*rufen [분리동사&타동사] : 「rufen + 4격 ... *an*」 '...에게 전화 걸다' (*4격* 요구 동사!) (3 기본형: *an*rufen - *an*rief - *an*gerufen) ⇐ rufen [타동사] ...을 부르다 (3 기본형: rufen - rief - gerufen) ▌ mich [인칭대명사] ich의 *4격* 형 (3격 형은 *mir*) ▌ morgen [부사어] 내일 → übermorgen 모레

☞ • zu-부정사 형식: 「, ... zu 동사 원형」 (zu-부정사 앞에는 *콤마*가 옴!)

→ 따라서 정답은: ... , mich morgen an*zu*rufen .

분리동사 *an*rufen이 zu와 결합!
전철 *an*-과 동사 -rufen 사이에 zu가 옴. (즉, *zu* anrufen 아님!)

• 여기서 zu-부정사 「mich morgen anzurufen」은 *명사적* 용법임:
앞의 동사 「hat versprochen」, 즉 versprechen의 4격 목적어에 해당함.

<참고>

「versprechen , ... zu 동사 원형」 '...할 것을 약속하다'

► ... ruft mich *morgen* an
어순: 인칭***대명사***이므로 부사어 morgen보다 앞에 옴!)

2. Franka hat keine Lust, ...

(Sie möchte nicht schwimmen gehen.)

정답 Franka hat keine Lust, schwimmen zu gehen .

✺ 해석 프랑카는 수영하러 갈 의향이 없다.

✺ 어휘 hat (동사 haben의 *현재* 시제) ⇒ haben [타동사] ...을 가지고 있다 (3 기본형: haben - hatte - gehabt) ▌die Lust (주로 단수) 의향, 욕망 (die Lüst*e*) : 「주어 + haben keine Lust , ... zu 동사 원형」 *주어는* ...할 의사가 없다 <참고> 「Lust auf + 4격」 ...할 의사, 의향 ▌「möchte ... gehen」 (화법조동사 möchten의 *현재* 시제) ⇒ 「möchten ... 동사 원형」...하고 싶다 (현재 시제: ich möchte ; du möchte*st* : er möchte ; wir möchte*n* ; ...) ▌「... schwimmen gehen」⇒ 「gehen ... 동사 원형」 '...하러 가다' : gehen ... schwimmen 수영하러 가다 (3 기본형: gehen - ging - gegangen ; '*장소 이동* 자동사 → 완료형 「*sein* ... pp」) ⇐ schwimmen [자동사] 수영하다, 수영해서 가다 (3 기본형: schwimmen - schwamm - geschwommen ; '*장소 이동* 자동사 → 완료형 「*sein* ... pp」)

☞ • zu-부정사 형식: 「, ... zu 동사 원형」 (zu-부정사 앞에는 *콤마*가 옴!)

→ 따라서 정답은 : ... , schwimmen *zu* gehen .

문장 형식 「gehen ... schwimmen」이 zu-부정사를 이룸.
즉, gehen이 zu와 결합 → 「... schwimmen ***zu*** **gehen** 」

• 여기서 zu-부정사 「schwimmen zu gehen」은 *형용사적* 용법임:
앞에 나온 명사 Lust를 수식 설명함.

<참고>

「haben (keine) Lust , ... zu 동사 원형」 '...할 의향이 있다 (없다)'

► ... möchte ... schwimmen gehen .
문장 형식 「gehen ... schwimmen」이 화법조동사 möchte와 결합함!
따라서 동사에 해당하는 gehen이 ***문장 맨 뒤에 원형***으로 옴: möchte ... schwimmen ***gehen***.

3. Ingo hat keine Zeit, ...

(Er kann sich nicht um seine kleine Schwester kümmern.)

정답 Ingo hat keine Zeit, sich um seine kleine Schwester zu kümmern .

✺ 해석 잉고는 자신의 어린 여동생을 보살필 시간이 없다.

✺ 어휘 hat (동사 haben의 *현재* 시제) ⇒ haben [타동사] ...을 가지고 있다 (3 기본형: haben - hatte - gehabt) ▌die Zeit (주로 단수) 시간 (die Zeit*en*) : 「주어 + haben keine Zeit , ... zu 동사 원형」 *주어는* ...할 시간이 없다 ▌「kann ... kümmern」 (화법조동사 können의 *현재* 시제) ⇒ 「können ... 동사 원형」 ...할 수 있다 (현재 시제: ich kann ; du kann*st* ; er kann ; wir könn*en* ; ...) (3 기본형: können - konnte - gekonnt, können) ▌「kümmern sich[4] um + 4격」 ...을 돌보다, 보살피다 (3 기본형 *규칙* 변화: kümmer*n* - kümmer*te* - *ge*kümmer*t*) ▌um [*4격* 전치사] ~주위에 (영. around) ▌sich [*4격* 재귀대명사] 주어가 Er이므로 4격 재귀대명사는 *sich* (3격 재귀대명사 역시 *sich*) <참고> 주어가 *1, 2인칭*이 아닐 경우, 즉 주어가 ich, du ; wir, ihr가 아닌 나머지 모든 경우, *3격* 및 *4격 재귀대명사* 모두 *sich*임. ▌klein [형용사] 작은 ▌die Schwester 누이 (die Schwester*n*)

► 주어가 Ingo, 즉 er에 해당하므로 4격 재귀대명사 *sich*가 사용됨.
(어순: sich는 재귀*대명사*이므로 "um seine kleine Schwester"보다 앞에 위치함!)

☞ • zu-부정사 형식: 「, ... zu 동사 원형」 (zu-부정사 앞에는 *콤마*가 옴!)

→ 따라서 정답은 : ... , sich um seine kleine Schwester *zu* kümmern .

재귀동사 형식 「kümmern sich[4] um + 4격」에서
동사 kümmern이 zu와 결합!

• 여기서 zu-부정사 「sich um ... zu kümmern」은 *형용사적* 용법임:
앞에 나온 명사 Zeit를 수식 설명함.

<참고>

「haben (keine) Zeit , ... zu 동사 원형」 '...할 시간이 있다 (없다)'

► 「um sein*e* klein*e* Schwester」:

• 명사 Schwester는 *여성*이며, *4격* 전치사 um의 목적어이므로 *여성 4격!!*
따라서 소유대명사 sein-('그의')은 *여성 4격* 부정관사 ein*e*처럼 어미변화 하여 sein*e*임.

• 형용사 klein 앞에 *여성 4격* ein*e*에 일치하는 sein*e*가 있음.

→ 따라서 um sein*e* klein *e* ...

(근거: 여성 1, 4격 di*e*, ein*e*, mein*e*, sein*e*, ihr*e*, kein*e*, dies*e* ... + 형용사 *-e*)

III. 「um ... zu 동사 원형」을 사용하여 두 문장을 연결하시오. (18과, 기초문제: 교재 104쪽)

1. Er fährt zum Bahnhof. Er will seine Freundin abholen.

✺ 해석 그는 역으로 간다. 그는 자신의 여자 친구를 마중 나가 데려오려고 한다.

✺ 어휘 fährt (동사 fahren의 *현재* 시제: 주어가 *er*, *sie*, *es*일 때) ⇒ fahren [자동사] (차량을 타고) 가다 (현재 시제: du fährst ; er fährt) (3 기본형: fahren - fuhr - gefahren ; '*장소 이동* 자동사 → 완료형 「sein ... pp」) ▌zu [*3격* 전치사] (방향) ~로 : zum Bahnhof 역으로 ▌der Bahnhof 기차 역 (die Bahnhöfe) ▌「will ... abholen」 (화법조동사 wollen의 *현재* 시제) ⇒ 「wollen ... 동사 원형」 ...하려고 한다 (현재 시제: ich will ; du willst ; er will ; wir wollen ; ...) (3 기본형: wollen - wollte - gewollt, wollen) ▌die Freund*in* 여자 친구 (die Freundin*nen*) ▌*ab*holen [분리동사&타동사] ...을 마중 나가 데려오다 (영. pick up) (3 기본형 *규칙* 변화: *ab*hol*en* - *ab*hol*te* - *abge*hol*t*) ⇐ holen [타동사] ...을 가져오다, 데려오다 (3 기본형: hol*en* - hol*te* - *ge*hol*t*)

정답 Er fährt zum Bahnhof, um seine Freundin abzuholen .

✺ 해석 그는 자신의 여자 친구를 데려오기 위해서 역으로 간다.

☞ 「, um ... zu 동사 원형」 (*목적*) '...하기 위해' (앞에는 *콤마*가 옴!)

내용상 둘째 문장 "Er will ... abholen"이 부정사 「um ... zu ...」로 전환됨.

→ 따라서 정답은 : ... , *um* seine Freundin *abzu*holen .

분리동사 *ab*holen이 zu와 결합!

전철 *ab*-과 기본동사 -holen 사이에 zu가 옴. (즉, *zu* *ab*holen 아님!)

<주의>

내용상 화법조동사 will은 배제됨! (즉, 「um ... abholen zu wollen 」은 틀림!)

2. Wir sparen Geld. Wir wollen im Frühling eine Reise machen.

✺ 해석 우리는 돈을 저축한다. 우리는 봄에 여행을 하려고 한다.

✺ 어휘 sparen [타동사] (돈, 에너지 등) ...을 저축하다 (3 기본형 *규칙* 변화: spar*en* - spar*te* - *ge*spar*t*) ▌das Geld (주로 단수) 돈 (die Geld*er*) ▌「wollen ... machen」 (화법조동사 wollen의 *현재* 시제) ⇒ 「wollen ... 동사 원형」 ...하려고 한다 (현재 시제: ich will ; du willst ; er will ; wir woll*en* ; ...) (3 기본형: wollen - wollte - gewollt, wollen) ▌「im + 계절」: im Frühling 봄에 ▌der Frühling 봄 (die Frühling*e*) ▌die Reise 여행 (die Reise*n*) : eine Reise machen 여행하다 ▌machen [타동사] ...을 하다, 행하다 (3 기본형 *규칙* 변화: mach*en* - mach*te* - *ge*mach*t*)

정답 Wir sparen Geld, um im Frühling eine Reise zu machen .

✺ 해석 우리는 봄에 여행을 하기 위해서 돈을 저축한다.

☞ 「, um ... zu 동사 원형」 (*목적*) '...하기 위해' (앞에는 *콤마*가 옴!)

내용상 둘째 문장 "Wir wollen ... machen"이 부정사 「um ... zu ...」로 전환됨.

→ 따라서 정답은 : ... , *um* im Frühling eine Reise *zu* machen.

<주의>

내용상 화법조동사 wollen은 배제됨! (즉, 「um ... machen zu wollen 」은 틀림!)

3. Ich muss mich beeilen. Ich möchte den Zug noch erreichen.

✹ 해석 나는 서둘러야 한다. 나는 기차에 늦지 않게 도착하고 싶다.

✹ 어휘 「muss ... beeilen」 (화법조동사 müssen의 *현재* 시제) ⇒ 「müssen ... 동사 원형」 ...해야 한다 (현재 시제: ich muss ; du musst ; er muss ; wir müss*en* ; ...) (3 기본형: müssen - musste - gemusst, müssen) ▌「beeilen sich[4]」 [4격 재귀동사] 서두르다 (3 기본형 *규칙* 변화: *beeilen* - *beeilte* - *beeilt* ※형태가 *be*-이므로 pp형에서 *ge- 탈락!*) ▌mich [*4격* 재귀대명사] 주어가 ich이므로 4격 재귀대명사는 *mich* (3격 재귀대명사는 *mir*) ▌「möchten ... erreichen」 (화법조동사 möchten의 *현재* 시제) ⇒ 「möchten ... 동사 원형」 ...하고 싶다 (현재 시제: ich möchte ; du möchtest ; er möchte ; wir möcht*en* ; ...) ▌der Zug 기차 (die Züge) ▌noch [부사어] 아직, 여전히 ▌erreichen [타동사] ...에 도달하다 (3 기본형 *규칙* 변화: *erreichen* - *erreichte* - *erreicht* ※형태가 *er*-이므로 pp형에서 *ge- 탈락!*)

(정답) Ich muss mich beeilen, um den Zug noch zu erreichen.

✹ 해석 나는 기차에 늦지 않게 도착하기 위해서 서둘러야 한다.

► 주어가 ich이므로 4격 재귀대명사 *mich*가 사용됨.

☞ 「, um ... zu 동사 원형」 (*목적*) '...하기 위해' (앞에는 *콤마*가 옴!)

내용상 둘째 문장 "Ich möchte ... erreichen"이 부정사 「um ... zu ...」로 전환됨.

→ 따라서 정답은 : ... , *um* den Zug noch *zu* erreichen.

<주의>

내용상 화법조동사 möchten은 배제됨! (즉, 「um ... erreichen zu möchten 」은 틀림!)

IV. 밑줄 친 zu-부정사의 용법을 설명하시오. (18과, 기초문제: 교재 104쪽)

1. Peter ist gekommen, um mit Thomas zu reden, aber der war nicht zu Haus.

✹ 해석 페터는 토마스와 이야기하기 위해서 왔지만, 그는 집에 없었다.

✹ 어휘 「ist gekommen 」 (동사 kommen의 *현재완료* 시제) ▌gekommen (동사 kommen의 *pp형*) ⇒ kommen 오다 (3 기본형: kommen - kam - gekommen ; '*장소 이동* 자동사 → 완료형 「*sein* ... pp」) ▌「, um ... zu 동사 원형」 (목적) '...하기 위해' : 「, um ... *zu* reden」 '... 이야기하기 위해' (동사 reden의 zu-부정사!) ⇒ reden [자동사] 말하다, 이야기하다 : 「reden mit + 3격(사람) 」 *누구*와 이야기하다 (3 기본형 규칙 변화: red*en* - red*ete* - gered*et* ※re*d*en은 어간 끝이 *-d*이므로 발음상 *-e-* 첨가!) ▌smit [*3격* 전치사] ~와 함께 ▌der [지시대명사] 앞에 나온 *남성*명사를 받으며, *1격* 형임. ▌war (동사 sein의 *과거* 시제: 주어가 *ich* 혹은 *er*, *sie*, *es*일 때) ⇒ sein [자동사] 있다, 존재하다 (3 기본형: sein - war - gewesen ; 완료형 「*sein* ... pp」) ▌zu Haus(e) (위치) 집에, 집에서 : zu Haus(e) sein 집에 있다

접속사 aber 앞 문장

► 「*Peter* ist gekommen , ... 」: 동사 kommen의 *현재완료* 시제!
kommen은 '장소 이동' 자동사이므로 완료 형식은 「*sein* ... pp」임:
- 주어가 Peter, 즉 er이므로 동사 sein의 형태는 *ist*임.
- 동사 kommen의 pp형은 *gekommen*임.

☞ 밑줄 친 「um ... zu ...」 부정사는 *부사적* 용법임!
즉, 앞에 나온 동사 「ist gekommen」의 내용을 수식・설명함:
... ist gekommen , *um* mit Thomas *zu* reden , ... ('*Thomas와 이야기하기 위해서* 왔다.')

접속사 aber 뒤 문장

► 지시대명사 *der*는 바로 앞에 언급된 남자 인물 Thomas를 받음.

<주의>
인칭대명사 *er*를 사용할 경우, 주어인 Peter를 받게 됨!

► 「... , aber *der* war ... 」동사 sein의 *과거* 시제!
과거 시제이므로 sein의 3 기본형 가운데 과거형 *war*가 사용됨:
주어가 3인칭 단수 der이므로 어미 없이 그대로 *war_*임.

정답 부사적 용법: 앞에 나온 동사를 수식함. (내용적으로 '목적'을 나타냄!)

2. Ich hatte vor, ihn einzuladen, und dann habe ich es doch ganz vergessen.

✵ **해석** 나는 그를 초대하는 것을 계획했고, 그런 다음 그것을 완전히 잊었다.

✵ **어휘** 「hatte ... vor」 (분리동사 *vor*haben의 *과거* 시제: 주어가 *ich* 혹은 *er*, *sie*, *es*일 때) ⇒ *vor*haben [분리동사&타동사] ...을 계획하다 (= planen) : 「주어 + haben ... *vor* , ... zu 동사 원형」 *주어는* ...할 계획이다 (3 기본형: *vor*haben - *vor*hatte - *vor*gehabt) ⇐ haben [타동사] ...을 가지고 있다 (3 기본형: haben - hatte - gehabt) ▌「, ... ein*zu*laden」 (분리동사 *ein*laden의 zu-부정사) ⇒ *ein*laden [분리동사&타동사] ...을 초대하다 (3 기본형: *ein*laden - *ein*lud - *ein*geladen) (현재 시제: du lädst ... *ein* ; er lädt ... *ein*) ⇐ laden [타동사] (짐을) 싣다 (영. load) (3 기본형: laden - lud - geladen) (현재 시제: du lädst ; er lädt) ▌ihn [인칭대명사] er의 *4격* 형임. (3격 형은 *ihm*) ▌dann [부사어] 그런 다음 (영. then) ▌「habe ... vergessen 」 (동사 vergessen의 *현재완료* 시제) ▌vergessen (동사 vergessen의 *pp형*) ⇒ vergessen [타동사] ...을 잊다 (3 기본형: vergessen - vergaß - vergessen) (현재 시제: du vergisst ; er vergisst) ▌es [인칭대명사] es의 *4격* 형임. (3격 형은 *ihm*) ▌doch [부사어] 그럼에도 불구하고 (= dennoch, trotzdem) <주의> 이 의미의 doch는 항상 *강세*가 주어짐! ▌ganz [부사어] 완전히

접속사 und 앞 문장

► 「Ich hatte vor , ...」: 분리동사 「haben ... *vor*」의 *과거* 시제!
과거 시제이므로 기본동사 haben의 3 기본형 가운데 과거형 *hatte*가 사용됨:
주어가 Ich이므로 어미 없이 그대로 *hatte_*임.

☞ 밑줄 친 zu-부정사는 *명사적* 용법임!

즉, 앞에 나온 분리동사 「hatte *vor*」의 4격 목적어에 해당함:

... hatte vor , ihn *einzu*laden , ... ('*그를 초대하는 것*을 계획했다')

분리동사 *ein*laden이 zu와 결합!

전철 *ein*-과 동사 -laden 사이에 zu가 옴. (즉, zu *ein*laden 아님!)

► ihn은 zu와 결합한 분리동사 *ein*laden의 4격 목적어임.

접속사 und 뒤 문장

► es는 현재완료 동사 「habe ... vergessen」, 즉 동사 vergessen의 4격 목적어임. (여기서 es는 앞에서 언급된 zu-부정사의 내용을 받음. 즉, "그를 초대하는 것"을 뜻함!)

<참고>

인칭대명사 es는 기본적으로 앞에 나온 *중성명사*를 받지만, *앞 문장의 일부 혹은 전체*의 내용을 받을 수도 있음.

정답 명사적 용법: 앞에 나온 동사의 목적어.

3. Hier ist die Speisekarte. Möchten Sie vielleicht schon etwas zu trinken bestellen? - Ja, ich möchte einen Orangensaft.

✺ **해석** 여기에 메뉴판이 있습니다. 손님께서는 혹시 마실 것을 먼저 주문하시기 원하시는지요? - 예, 저는 오렌지 주스를 원해요.

✺ **어휘** hier [부사어] 여기에 ▌die Speisekarte 메뉴판 (die Speisekarte*n*) ← die Speise 메뉴 (die Speise*n*) + die Karte 카드 (die Karte*n*) ▌「Möchten ... bestellen?」 (화법조동사 möchten의 *현재* 시제) ⇒ 「möchten ... 동사 원형」 ...하고 싶다 (현재 시제: ich möchte ; du möchte*st* ; er möchte ; wir möchte*n* ; ...) ▌vielleicht [부사어] 혹시, 어쩌면 (영. perhaps) ▌schon [부사어] 이미, 벌써 ▌etwas [부정대명사] 뭔가 (영. something) ▌「*zu* trinken」 (동사 trinken의 zu-부정사) ⇒ trinken [타동사] ...을 마시다 (3 기본형: trinken - trank - getrunken) ▌bestellen [타동사] ...을 주문하다 (3 기본형 *규칙* 변화: *be*stell*en* - *be*stell*te* - *be*stell*t* ※형태가 *be*-이므로 pp형에서 *ge- 탈락*!) ⇐ stellen [타동사] ...을 세워 놓다 (3 기본형 *규칙* 변화: stell*en* - stell*te* - *ge*stell*t*) ▌「möchten + 4격」 [타동사] ...을 원하다 <주의> 어미변화 방식은 화법조동사 möchten과 동일함! ▌der Orangensaft 오렌지 주스 (die Orangensäft*e*) ← die Orange 오렌지 (die Orange*n*) + der Saft 주스, 즙 (die Säft*e*)

문장 2

☞ 밑줄 친 zu-부정사는 *형용사적* 용법임!

즉, 앞에 나온 부정대명사 etwas를 수식・설명함:

... etwas *zu* trinken ... ('*마실* 뭔가를 ...')

zu 앞에 올 요소, 즉 동사 원형 trinken과 관련된 요소가 없는 경우 ***콤마 없음***!

(즉, ... etwas , zu trinken ... 틀림!)

► etwas는 동사 bestellen의 4격 목적어임.

문장 3

► einen Orangensaft는 타동사 möchte의 4격 목적어임.

<주의>

Orangensaft('오렌지 주스')는 물질명사로서 원칙적으로 부정관사 ein-과 결합할 수 없지만, 여기서는 식당 등에서 대화가 이루어지는 맥락을 고려할 때 오렌지 주스 "한 *잔*" 혹은 "한 *병*" 등의 개체화된 대상을 뜻하므로 부정관사 ein-과 결합함.

정답 형용사적 용법: 앞에 나온 부정대명사를 수식함.

4. Es fängt an zu regnen.

✱ **해석** 비가 오기 시작한다.

✱ **어휘** 「fängt an」 (분리동사 *an*fangen의 *현재* 시제: 주어가 *er*, *sie*, *es*일 때) ⇒ *an*fangen [분리동사] 시작하다 : 「fangen ... *an* , ... zu 동사 원형」 '...하기 시작하다' (현재 시제: du fäng*st* ... *an* ; er fäng*t* ... *an*) (3 기본형: *an*fangen - *an*fing - *an*gefangen) ⇐ fangen [타동사] ...을 붙잡다 (영. catch) (현재 시제: du fäng*st* ; er fäng*t*) (3 기본형: fangen - fing - gefangen) ▌「*zu* regnen」 (동사 regnen의 zu-부정사) ⇒ regnen [자동사] 비오다 (3 기본형 *규칙* 변화: regn*en* - regn*ete* - *ge*regn*et* ※동사 re*gn*en은 어간 끝이 *-gn*이므로 발음상 -e- 첨가!) <주의> 동사 regnen은 '날씨' 동사이므로 주어는 항상 *비인칭 주어* es임! <참고> der Regen 비 (복수 없음)

► Es는 '날씨'의 비인칭 주어임.

☞ 밑줄 친 zu-부정사는 *명사적* 용법임!

즉, 앞에 나온 분리동사 「fängt *an*」의 목적어임:

Es fängt *an* *zu* regnen . ('*비오는 것*을 시작하다')

동사 regnen과 연관되어 zu 앞에 나올 요소가 없는 경우 콤마 없음!
(즉, ... fängt *an* , zu regnen 아님!)

정답 명사적 용법: 앞에 나온 동사의 목적어.

5. Ich habe keine Lust auszugehen. Ich bleibe lieber zu Haus.

✱ **해석** 저는 외출할 의사가 없어요. 저는 오히려 집에 머물러 있겠어요.

✱ **어휘** die Lust (주로 단수) 의향, 의사 (die Lüst*e*) : 「주어 + haben keine Lust , ... zu 동사 원형」 *주어는* ...할 의향이 없다, ...하고 싶지 않다 ⇐ haben [타동사] ...을 가지고 있다 (3 기본형: haben - hatte - gehabt) ▌aus*zu*gehen (분리동사 *aus*gehen의 zu-부정사) ⇒ *aus*gehen [분리동사&자동사] 외출하다 (3 기본형: *aus*gehen - *aus*ging - *aus*gegangen ; '*장소 이동* 자동사 → 완료형 「*sein* ... pp」) ⇐ gehen [자동사] 가다 (3 기본형: gehen - ging - gegangen ; '*장소 이동* 자동사 → 완료형 「*sein* ... pp」) ▌bleiben [자동사] 머무르다 (완료형 「*sein* ... pp」; 3 기본형: bleiben - blieb - geblieben) ▌lieber [부사어] '(오히려) ...하고 싶다' (부사어 gern(e)의 비교급!) ▌zu Haus(e) 집에, 집에서

문장 1

☞ 밑줄 친 zu-부정사는 *형용사적* 용법임!

즉, 앞에 나온 명사 Lust의 내용을 수식・설명함:

... habe keine Lust *auszu*gehen . ('*외출할* 의향이 없다')

① 분리동사로서 전철 *aus*-와 기본동사 -gehen 사이에 zu가 옴. (즉, *zu ausgehen* 틀림!)
② zu 앞에 나올 요소가 없는 경우 콤마 없음! (즉, ... keine Lust , *aus*zugehen 틀림!)

정답 형용사적 용법: 앞에 나온 명사를 수식함.

unit 02

심화문제

I. 동사 brauchen을 사용하여 동일한 내용을 표현하시오. (18과, 심화문제: 교재 106쪽)

1. Die Kinder müssen heute nicht früh ins Bett gehen.

✺ **해석** 아이들은 오늘 일찍 잠자리에 들 필요가 없다.

✺ **어휘** das Kind 아이, 어린이 (die Kind*er*) ▌「müssen ... gehen」 (화법조동사 müssen의 *현재* 시제) ⇒ 「müssen ... 동사 원형」 ...해야 한다 <주의> müssen의 부정문은 '...*할 필요 없다*' (영. must not ...) (현재 시제: ich muss ; du muss*t* ; er muss ; wir müss*en* ; ...) (3 기본형: müssen - musste - gemusst, müssen) ▌heute [부사어] 오늘 ▌früh [형용사] 이른, (부사적) 일찍 ▌「ins + 중성 4격」 (방향) ~안으로, ~로 (ins = in das) : ins Bett gehen '침대로 가다' 즉, '잠자리에 들다' ▌das Bett 침대 (die Bett*en*) ▌gehen [자동사] 가다 (3 기본형: gehen - ging - gegangen ; '*장소 이동*' 자동사 → 완료형 「*sein* ... pp」)

정답 Die Kinder brauchen heute nicht früh ins Bett zu gehen .

✺ **어휘** brauchen [타동사] ...을 필요로 하다 (영. need) (3 기본형 *규칙* 변화: brauch*en* - brauch*te* - *ge*brauch*t*) → 「brauchen *nicht* ... zu 동사 원형」 '...할 필요 없다' <참고> gebrauchen [타동사] ...을 사용하다 (3 기본형 *규칙* 변화: gebrauch*en* - gebrauch*te* - gebrauch*t* ※형태가 *ge*-이므로 pp형에서 *ge- 탈락!*)

☞ 「müssen *nicht* ... 동사 원형」 = 「brauchen *nicht* ... zu 동사 원형」 '...*할 필요 없다*' :
→ 따라서 정답은 : Die Kinder *brauchen* heute *nicht* früh ins Bett *zu gehen.*

<주의>
부정문이 아닌 긍정문은 nur, bloß 등과 함께 올 경우만 가능함:
「brauchen ... *nur* (*bloß*) ... zu 동사 원형」 '단지 ...하기만 하면 된다'

2. Du musst mich nicht am Flughafen abholen.

✺ **해석** 너는 나를 데리러 공항으로 나올 필요가 없다.

✺ **어휘** 「musst ... abholen」 (화법조동사 müssen의 *현재* 시제) ⇒ 「müssen ... 동사 원형」 ...해야 한다 (현재 시제: ich muss ; du muss*t* ; er muss ; wir müss*en* ; ...) (3 기본형: müssen - musste - gemusst, müssen) ▌mich [인칭대명사] ich의 *4격* 형임. (3격 형은 *mir*) ▌「am + 남성 · 중성 3격」 ~옆에, ~에 (am = an dem) : am Flughafen 공항에서 ▌der Flughafen 공항 (die Flughäfen) ← der Flug 비행 (die Flüg*e*) + der Hafen 항구 (die Häfen) ▌

*ab*holen [분리동사&타동사] 누구를 마중 나가 데려오다 (3 기본형 *규칙* 변화: *ab*hol*en* - *ab*hol*te* - *abge*hol*t*) ⇐ holen [타동사] ...을 가져오다, 데려오다 (3 기본형: hol*en* - hol*te* - *ge*hol*t*)

► *mich*는 문장 맨 뒤 동사 원형 abholen의 4격 목적어임.
(어순: mich는 인칭*대명사*이므로 nicht 및 am Flughafen보다 앞에 옴.)

정답 Du brauchst mich nicht am Flughafen abzuholen .

✳ **어휘** brauchen [타동사] ...을 필요로 하다 (영. need) (3 기본형 *규칙* 변화: brauch*en* - brauch*te* - *ge*brauch*t*) → 「brauchen *nicht* ... zu 동사 원형」 '...할 필요 없다'

☞ 「müssen *nicht* ... 동사 원형」 = 「brauchen *nicht* ... zu 동사 원형」 '...*할 필요 없다*' :

→ 따라서 정답은 : Du *brauchst* mich *nicht* am Flughafen *abzu*holen.
분리동사 *ab*holen이 zu와 결합!
전철 *ab*-과 기본동사 -holen 사이에 zu가 옴. (즉, *zu* *ab*holen 아님!)

II. 「um ... zu +부정사」 또는 종속접속사 damit을 사용하여 두 문장을 결합하시오.

(18과, 심화문제: 교재 106쪽)

1. Ich kaufe mir ein Fahrrad. Ich will damit zur Arbeit fahren.

✳ **해석** 나는 자전거 한 대를 산다. 나는 그것을 타고 일하러 가려 한다.

✳ **어휘** 「kaufen sich³ + 4격」 [3격 재귀동사] (자신이 갖기 위해) ...을 구입하다 ⇐ 「kaufen + 3격(사람) + 4격」 ~~누구~~에게 ...을 사 주다 ▌mir [*3격* 재귀대명사] 주어가 Ich이므로 3격 재귀대명사는 *mir* (4격 재귀대명사는 *mich*) ▌das Fahrrad 자전거 (die Fahrr*ä*d*er*) ▌「will ... fahren」 (화법조동사 wollen의 *현재* 시제) ⇒ 「wollen ... 동사 원형」 (의지) ...하려고 한다 (현재 시제: ich will ; du will*st* ; er will ; wir woll*en* ; ...) (3 기본형: wollen - wollte - gewollt, wollen) ▌damit 그것을 타고 ← mit [*3격* 전치사] ...을 타고 + das [지시대명사] 그것 ▌zu [*3격* 전치사] (방향) ~로 → 「zur + 여성 3격」 (zur = zu der) : zur Arbeit fahren (차 타고) 일하러 가다, 출근하다 ▌die Arbeit 일, 작업 (die Arbeit*en*) ▌fahren [자동사] (차 타고) 가다 (3 기본형: fahren - fuhr - gefahren ; '*장소 이동*' 자동사 → 완료형 「*sein* ... pp」) (현재 시제: du f*ä*hr*st* ; er f*ä*hr*t*)

문장 2

► damit('*그것*을 타고')는 앞 문장의 ein Fahrrad를 받음.

<주의>
전치사와 지시대명사 das의 결합 형태인 "da(r) + 전치사"는 '사람'은 받지 못함:
Gleich kommt *ein Freund* zu mir. Ich gehe mit ihm zusammen ins Museum.
앞 문장에 나온 ein Freund, 즉 '사람'을 받음
따라서 damit는 틀림!

(정답) Ich kaufe mir ein Fahrrad, um damit zur Arbeit zu fahren.

✺ **해석** 나는 그것을 타고 일하러 가기 위해 자전거 하나를 구입한다.

✺ **어휘** 「, um ... zu 동사 원형」 (목적) '...하기 위해' ▌damit [종속접속사] ...하기 위해 (영. so that ...)

☞ 뒤 문장 "Ich will ... fahren"은 '목적'의 zu-부정사 「um ... zu 동사 원형」으로 변형 가능!

<주의>
'의지'를 뜻하는 화법조동사 will은 '목적'의 의미와 겹치므로 사용할 수 없음!
즉, 「... , um damit zur Arbeit *fahren* zu wollen 」은 *틀림*!

2. Frau Müller ist zum Arzt gegangen. Sie wollte sich untersuchen lassen.

✺ **해석** 뮐러 부인은 의사에게 갔다. 그녀는 진찰 받으려고 했다.

✺ **어휘** 「ist ... gegangen」 (동사 gehen의 *현재완료* 시제) ▌gegangen (동사 gehen의 *pp형*) ⇒ gehen [자동사] 가다 (3 기본형: gehen - ging - gegangen ; '*장소 이동* 자동사 → 완료형 「*sein* ... pp」) ▌zu [*3격* 전치사] → 「zu + 사람(3격)」 (방향) 누구에게로 : zum Arzt 의사*에게로* ▌der Arzt 의사 (die Ärzt*e*) ▌「wollte ... lassen」 (화법조동사 wollen의 *과거* 시제: 주어가 *ich* 혹은 *er, sie, es*일 때) ⇒ 「wollen ... 동사 원형」 ...하려고 하다 (3 기본형: wollen - wollte - gewollt, wollen) (현재 시제: ich will ; du will*st* ; er will ; wir woll*en* ; ...) ▌sich [*4격* 재귀대명사] 주어가 여성의 sie('그녀는')이므로 4격 재귀대명사는 *sich* (3격 재귀대명사 역시 *sich*) ▌「... wollte sich untersuchen lassen 」⇒ 「lassen sich[4] ... untersuchen」 [4격 재귀동사] '자신이 조사*되도록* 하다', 즉 '진찰 받다' ⇐ 「lassen + 4격 ... 동사 원형(*타동사*)」 *4격*이 ...*되도록* 하다 (영. let) (3 기본형: lassen - ließ - gelassen) (현재 시제: du läss*t* ; er läss*t*) ▌untersuchen [타동사] ...을 조사하다 (3 기본형 *규칙* 변화: *unter*such*en* - *unter*such*te* - *unter*such*t* ※형태가 *unter*-로서 pp형에서 *ge- 탈락*!) ⇐ suchen [타동사] ...을 구하다, 찾다 (3 기본형: such*en* - such*te* - *ge*such*t*)

문장 2

► 「*Sie* wollte ... lassen」: 화법조동사 wollen의 *과거* 시제임!
과거 시제이므로 wollen의 3 기본형 가운데 과거형 *wollte*가 어미변화 함:
주어가 앞 문장의 Frau Müller를 받는 여성의 sie('그녀는')이므로 어미 없이 그대로 *wollte_*임.

► 주어가 여성의 sie('그녀는')이므로 4격 재귀대명사 *sich*가 옴.

► Sie *wollte* sich untersuchen *lassen* .
문장 형식 「lassen sich ... untersuchen」이 화법조동사 wollte와 결합함.
따라서 동사 lassen은 ***원형*** 형태로 ***문장 맨 뒤***에 위치함.

(정답) Frau Müller ist zum Arzt gegangen, um sich untersuchen zu lassen.

❋ 해석 뮐러 부인은 진찰 받기 위해서 의사에게 갔다.

❋ 어휘 「, um ... zu 동사 원형」 (목적) ...하기 위해 ▌damit [종속접속사] ...하기 위해 (영. so that ...)

☞ 뒤 문장 "Sie wollte ... lassen"은 '목적' 을 뜻하는 「um ... zu 동사 원형」으로 변형 가능!

<주의>
'의지'를 뜻하는 화법조동사 wollte는 '목적'의 의미와 겹치므로 생략되어야 함!
즉, 「... , um sich untersuchen *lassen zu wollen* 」은 *틀림*!

3. Beeil dich bitte! Wir dürfen den Zug nicht verpassen.

❋ 해석 서둘러! 우리는 기차를 놓쳐서는 안 돼.

❋ 어휘 「Beeil dich ...! 」 (du-명령문) ⇒ 「beeilen sich[4]」 [4격 재귀동사] 서두르다 (3 기본형 *규칙* 변화: *beeilen* - *beeilte* - *beeilt* ※형태가 *be*-이므로 pp형에서 *ge- 탈락*!) <참고> eilig [형용사] 급한, 시급한 : Dieser Brief ist eilig. "이 편지는 급하다." ▌dich [*4격* 재귀대명사] du-명령문의 주어는 du이므로 4격 재귀대명사는 *dich* (3격 재귀대명사는 *dir*) ▌bitte [부사어] 명령문에서 정중한 요구를 표현함. (우리말 해석 필요 없음!) ▌「dürfen ... verpassen」 (화법조동사 dürfen의 *현재* 시제) ⇒ 「dürfen ... 동사 원형」 ...해도 된다 (현재 시제: ich darf ; du darf*st* ; er darf ; wir dürf*en* ; ...) (3 기본형: dürfen - durfte - gedurft, dürfen) <주의> dürfen의 부정문은 '*...해서는 안 된다*' (금지) (영. may not) ▌der Zug 기차 (die Züge) ▌verpassen [타동사] ...을 놓치다 (3 기본형 *규칙* 변화: *verpassen* - *verpasste* - *verpasst* ※형태가 *ver*-이므로 pp형에서 *ge- 탈락*!)

문장 1

► du-명령문: 「동사 어간 ...!」 '...해라.'
동사 beeil*en*의 어간은 beeil-임 → Beeil ...!

► Beeil *dich* bitte!
du-명령문의 주어는 ***du***임!
따라서 4격 재귀대명사는 ***dich***임!

<참고>
Sie-명령문은 「동사 원형 Sie ...!」: Beeilen Sie *sich* bitte!
Sie-명령문의 주어는 ***Sie***임!
따라서 4격 재귀대명사는 ***sich***임!

정답 Beeil dich bitte, damit wir den Zug nicht verpassen!

❋ 해석 우리가 기차를 놓치지 않도록 서둘러라.

❋ 어휘 「, um ... zu 동사 원형」 (목적) ...하기 위해 ▌damit [종속접속사] ...하기 위해 (영. so that ...)

☞ 뒤 문장 "Wir dürfen ... verpassen"은 '목적'을 뜻하는 damit-부문장으로 변형 가능!

<주의>
「um ... zu 동사 원형」은 불가능함!

Beeil dich bitte, um den Zug nicht zu verpassen! ('기차를 놓치지 않도록 서둘러라.')
이 문장의 내용은 '*우리 모두*'가 아니라, 단지 '*너 혼자*'가 기차를 놓치지 않도록 하려는 목적을 뜻하게 되므로 완전히 다른 내용을 지니게 됨!

III. 알맞은 「da(r) + 전치사」는? (18과, 심화문제: 교재 106쪽)

1. Ich habe gar nicht <u>daran</u> gedacht, Sie am Flughafen abzuholen.

✹ **해석** 저는 당신을 공항에 마중 나가 데려오는 것을 전혀 생각하지 않았어요.

✹ **어휘** 「habe ... gedacht」 (동사 denken의 *현재완료* 시제) ▌ gedacht (동사 denken의 *pp형*) ⇒ 「denken an + 4격」 ...을 생각하다 (영. think of ...) (3 기본형: denken - dachte - gedacht) → der Gedanke 생각 (die Gedanke*n*) ▌ gar [부사어] : 「gar nicht ...」, 「gar kein- ...」 전혀 ... 않다 (부정의 의미를 강조함!) ▌ Sie [인칭대명사] 격식칭 Sie('당신은')의 *4격* 형임. (3격 형은 *Ihnen*) ▌ 「am + 남성 · 중성 3격」 (위치) ~옆에, ~에 (am = an dem) : am Flughafen 공항*에서* ▌ der Flughafen 공항 (die Flughäfen) ▌ 「, ... ab<u>zu</u>holen」 (분리동사 *ab*holen의 zu-부정사) ⇒ *ab*holen [분리동사&타동사] ...을 마중 나가 데려오다 (영. pick up) (3 기본형 *규칙* 변화: *ab*hol*en* - *ab*hol*te* - *abge*hol*t*) ⇐ holen [타동사] ...을 가져오다, 누구를 데려오다 (3 기본형: hol*en* - hol*te* - *ge*hol*t*)

► zu-부정사 : ... , <u>Sie</u> am Flughafen <u>ab*zu*holen</u> .
  - Sie: 뒤에 오는 동사 *ab*holen의 4격 목적어임.
  - ab*zu*holen: 분리동사 *ab*holen이 zu-부정사를 구성함. zu는 분리전철 *ab*-과 기본동사 -holen 사이에 위치함.

☞ 「전치사 + das('그것')」을 뜻하는 "da(*r*)-"는 뒤에 오는 zu-부정사를 받을 수 있음!

즉: ... habe ... <u>da*r*an</u> gedacht , Sie am Flughafen ab*zu*holen.
da*r*an '그것을' = ***an*** '...을' + ***das*** '그것'
1. 여기서 전치사 ***an***은 동사 형식 「denken <u>***an***</u> ...」('...<u>을</u> 생각하다')에 근거함! 즉, 바로 뒤의 동사 gedacht와 연관됨.
2. 여기서 ***das***는 뒤에 오는 zu-부정사 「Sie ... ab<u>zu</u>holen」을 받음.

2. Achte bitte <u>darauf</u>, diesen Fehler nicht zu wiederholen.

✹ **해석** 이 실수를 반복하게 되는 것에 주의해라.

✹ **어휘** 「Achte ...」 (du-명령문) ⇒ 「achten auf + 4격」 ...에 주의하다 (영. pay attention to ...) (3 기본형 *규칙* 변화: acht*en* - acht<u>*e*</u>*te* - *ge*acht<u>*e*</u>*t* ※동사 ach<u>*t*</u>en은 어간 끝이 *-t*이므로 발음상 -e- 첨가!) ▌ bitte [부사어] 명령문에서 정중한 요구를 표현함. (우리말 해석 필요 없음!) ▌ 「dies- + 명사」 '이 ...' (지시대명사 dies-는 *정관사 d-* 어미변화!) ▌ der Fehler 실수, 오류 (die Fehler) ▌ wiederholen [타동사] ...을 반복하다 (3 기본형 *규칙* 변화: *wieder*hol*en* - *wieder*hol*te* - <u>*wieder*hol*t*</u> ※형태가 *wieder*-로서 pp형에서 *ge- 탈락*!) ⇐ holen [타동사] ...을 가져오다, 누구를 데려오다 (3 기본형 *규칙* 변화: hol*en* - hol*te* - *ge*hol*t*)

► du-명령문 형식은 「동사 어간 ...!」
그러나 동사의 어간이 *-t* , *-d* 일 경우 발음상 *-e*를 붙임:
ach*t*en → Ach*te* ...! / antwor*t*en → Antwor*te* ...! / re*d*en → Re*de* ...!

<주의>
명령문은 일반적으로 느낌표(!)를 사용하지만 마침표(.)도 가능함.

► zu-부정사 : ... , diesen Fehler nicht *zu* wiederholen .
동사 wiederholen은 분리동사 아님! (즉, wieder-는 분리전철 아님!)
따라서 ***zu***가 wieder-와 -holen 사이에 위치한 wieder***zu***holen은 틀림!

☞ 「전치사 + das('그것') 」을 뜻하는 "da(*r*)-"는 뒤에 오는 zu-부정사를 받음!

즉: Achte ... da*r*auf , diesen Fehler nicht *zu* wiederholen.
da*r*auf '그것에' = ***auf*** '...에' + ***das*** '그것'
1. 여기서 전치사 ***auf***는 동사 형식 「achten ***auf*** ...」('...***에*** 주의하다')에 근거함!
즉, 앞의 동사 Achte와 연관됨.
2. 여기서 ***das***는 뒤에 오는 zu-부정사 「diesen Fehler ... *zu* wiederholen」을 받음.

3. Ich freue mich darüber , dass du die Stelle bekommen hast.

✺ **해석** 나는 네가 그 일자리를 얻게 되어 기뻐.

✺ **어휘** 「freuen sich[4] über + 4격」 [4격 재귀동사] (과거 혹은 현재의) ...에 대해 기뻐하다 (3 기본형 *규칙* 변화: freu*en* - freu*te* - *ge*freu*t*) ▌mich [*4격* 재귀대명사] 주어가 Ich이므로 4격 재귀대명사는 *mich* (3격 재귀대명사는 *mir*) ▌dass [종속접속사] '...라는 사실', '...라는 것' (뒤에 오는 문장은 부문장이므로 *후치*됨: ... , dass 주어 ... *동사*) ▌die Stelle 직위 (die Stelle*n*) ▌「... bekommen hast」 (동사 bekommen의 *현재완료* 시제, *후치*됨!) ▌*be*kommen (동사 bekommen의 *pp형*) ⇒ bekommen [타동사] ...을 받다, 얻다 (3 기본형: *be*kommen - *be*kam - *be*kommen ※형태가 *be*-이므로 pp형에서 *ge*- *탈락*!) ⇐ kommen [자동사] 오다 (3 기본형: kommen - kam - gekommen ; '*장소 이동* 자동사 → 완료형 「*sein* ... pp」)

► dass-부문장: ... , dass *du* die Stelle bekommen *hast*
부문장이므로 ***후치***되어야 함!
따라서 현재완료 형식 「***hast*** ... bekommen」에서
동사 ***hast***가 문장 맨 뒤에 옴: ... bekommen ***hast***

☞ 「전치사 + das('그것') 」을 뜻하는 "da(*r*)-"는 뒤에 오는 dass-부문장을 받음!

즉: Ich freue mich da*r*über , dass du die Stelle bekommen hast.
da*r*über '그것에 대하여' = ***über*** '...에 대하여' + ***das*** '그것'
1. 여기서 전치사 ***über***는 「freuen sich4 ***über*** ...」('...***에 대하여*** 기뻐하다')에 근거함!
즉, 앞에 나온 동사 형식 "freue mich"와 연관됨.
2. 여기서 ***das***는 뒤에 오는 dass-부문장 「***dass*** du ... hast」을 받음.

4. Ich habe ihn darum gebeten, mir dabei zu helfen.

✺ **해석** 나는 그에게 내가 그 일을 하는 데 도와줄 것을 부탁했어.

✺ **어휘** 「habe ... gebeten」 (동사 bitten의 *현재완료* 시제) ▌gebeten (동사 bitten의 *pp형*) ⇒ 「bitten + 4격(사람) + um + 4격」 *누구*에게 ...을 요청하다 (3 기본형: bitten - bat - gebeten) ← die Bitte 청, 요청 (die Bitte*n*) <참고> bieten [타동사] ...을 제공하다 (3 기본형: bieten

- bot - geboten) ▌um [*4격* 전치사] ~의 주위에, ~을 빙 둘러 (영. around) ▌ihn [인칭대명사] er의 *4격* 형임. (3격 형은 *ihm*) ▌「helfen + 3격(사람) + bei + 3격」 *누구*를 ...할 때 돕다 (3 기본형: helfen - half - geholfen) (현재 시제: du hilf*st* ; er hilf*t*) ▌mir [인칭대명사] ich의 *3격* 형임. (4격 형은 *ihn*) ▌bei [*3격* 전치사] (시간적) ~일 때 : dabei 그것을 할 때 ← bei [3격 전치사] ~일 때 + das [지시대명사] 그것

► Ich habe ihn darum *gebeten* , ...
뒤에 오는 동사 gebeten, 즉 bitten의 ***4격 목적어***임.
(어순: 인칭***대명사***이므로 darum보다 앞에 위치함!)

► zu-부정사 : ... , mir dabei zu helfen.
dabei '그것 할 때' = ***bei*** '...할 때' + ***das*** '그것'
1. 여기서 전치사 ***bei***는 동사 형식 「helfen ... ***bei*** ...」('...***할 때*** 돕다')에 근거함! 즉, 바로 뒤에 오는 동사 helfen과 연관됨.
2. 여기서 ***das***는 문맥 안에서 파악될 수 있는 특정 상황을 가리킴. (이 예문에서는 구체적으로 나타나지 않음!)

► ... , mir dabei zu *helfen.*
뒤에 오는 동사 helfen의 ***3격 목적어***임.
(어순: 인칭***대명사***이므로 dabei보다 앞에 위치함!)

☞ 「전치사 + das('그것')」을 뜻하는 "da(*r*)-"는 뒤에 오는 zu-부정사를 받을 수 있음!

즉: Ich habe ... da*r*um gebeten , mir dabei *zu* helfen.
da*r*um '그것을' = ***um*** '...을' + ***das*** '그것'
1. 여기서 전치사 ***um***는 동사 형식 「bitten + 4격 + ***um*** ...」('...***을*** 부탁하다')에 근거함! 즉, 바로 뒤에 있는 동사 gebeten과 연관됨.
2. 여기서 ***das***는 뒤에 오는 zu-부정사 「mir ... *zu* helfen」을 받음.

5. Er kann sich nicht daran erinnern, wann seine Freundin Geburtstag hat.

✹ **해석** 그는 자신의 여자 친구의 생일이 언제인지를 기억할 수 없다.

✹ **어휘** 「kann ... erinnern」 (화법조동사 können의 *현재* 시제) ⇒ 「können ... 동사 원형」 ...할 수 있다 (현재 시제: ich kann ; du kann*st* ; er kann ; wir könn*en* ; ...) (3 기본형: können - konnte - gekonnt, können) ▌sich [*4격* 재귀대명사] 주어가 Er이므로 4격 재귀대명사는 *sich* (3격 재귀대명사 역시 *sich*) <참고> 주어가 1, 2인칭이 아닐 경우, 즉 주어가 ich, du ; wir, ihr가 아닌 나머지 모든 경우, *3격* 및 *4격 재귀대명사* 모두 *sich*임! ▌「erinnern sich[4] an + 4격」 [4격 재귀동사] ...을 기억하다 ⇐ 「erinnern + 4격(사람) + an + 4격」 *누구*에게 ...을 기억하도록 하다 (영. remind) (3 기본형 *규칙* 변화: *er*inner*n* - *er*inner*te* - *er*inner*t* ※형태가 *er*-이므로 pp형에서 *ge- 탈락*!) → die Erinnerung 기억 (die Erinnerung*en*) ▌wann [의문사] 언제? ▌die Freund*in* 여자 친구 (die Freundin*nen*) ▌der Geburtstag 생일 ← die Geburt 출생, 탄생 (die Geburt*en*) + der Tag 날 (die Tag*e*) : 「주어 + haben Geburtstag」 *주어*는 생일이다. ▌hat (동사 haben의 *현재* 시제) ⇒ haben [타동사] ...을 가지고 있다 (3 기본형: haben - hatte - gehabt)

► 의문사 부문장 : ... , wann *seine Freundin* Geburtstag hat .
의문사 wann과 결합되는 부문장이므로 ***후치***되어야 함.
따라서 문장 「Seine Freundin ***hat*** Geburtstag」에서
동사 ***hat***가 맨 뒤에 옴: ... Geburtstag ***hat***

☞ 「전치사 + das('그것')」을 뜻하는 "da(r)-"는 뒤에 오는 의문사 부문장을 받을 수 있음!

즉: Er kann sich ... daran erinnern , *wann* seine Freundin Geburtstag hat.

daran '그것을' = ***an*** '...을' + ***das*** '그것'

1. 여기서 전치사 ***an***은 「erinnern sich[4] ***an*** ...」('...을 기억하다')에 근거함!
   즉, 바로 뒤에 있는 동사 erinnern과 연관됨.
2. 여기서 ***das***는 뒤에 오는 wann-부문장 「wann seine Freundin ... hat」를 받음.

IV. 「sein ... zu +부정사」 구문으로 바꾸시오. (18과, 심화문제: 교재 106쪽)

1. Man kann diesen Mann einfach nicht verstehen.

✻ **해석** 우리는 이 남자를 (더 이상 말이 필요 없이 그저) 이해할 수 없을 따름이다.

✻ **어휘** man [부정대명사] 사람들은 (항상 *주어*이며, 단수 3인칭 *er* 취급!) ▌「kann ... verstehen」 (화법조동사 können의 *현재* 시제) ⇒ 「können ... 동사 원형」 ...할 수 있다 (현재 시제: ich kann ; du kann*st* ; er kann ; wir könn*en* ; ...) (3 기본형: können - konnte - gekonnt, können) ▌「dies- + 명사」 '이 ...' (지시대명사 dies-는 *정관사 d-* 어미변화!) (영. this) ↔ 「jen- + 명사」 '저 ...' (*정관사 d-* 어미변화!) (영. that) ▌der Mann 남자, 남편 (die Männ*er*) ▌einfach[1] [부사어] 더 이상 논의의 여지없이 확실하다는 것을 표현함. ("그저 ...할 따름이야") ; [2] [형용사] 단순한 (영. simple) ▌verstehen [타동사] ...을 이해하다 (3 기본형: *ver*stehen - *ver*stand - *ver*standen ※형태가 *ver*-이므로 pp형에서 *ge- 탈락!*) ⇐ stehen [자동사] 서 있다 (3 기본형: stehen - stand - gestanden)

► 주어가 man, 즉 er에 해당하므로 화법조동사 können의 형태는 *kann*임.

► 여기서 einfach는 어조사로서 문장 내용 전체에 대한 화자의 입장이나 태도를 표현함.

<주의>
만약 einfach가 동사 verstehen만을 수식할 경우 어순이 달라짐:
Man kann diesen Mann *nicht einfach* verstehen.
'우리는 이 남자를 *쉽게 이해할 수 없다.*'

정답 Dieser Mann ist einfach nicht zu verstehen .

✻ **해석** 그냥 이 남자는 (더 이상 말이 필요 없이) 이해될 수 없을 따름이야.

✻ **어휘** 「sein ... zu 동사 원형(*타동사*)」[1] (수동의 *가능*) '...될 수 있다' ; [2] (수동의 *필연*) '...되어야 한다'

☞ 타동사 verstehen('...을 이해하다')이 사용되어 '수동의 가능'을 나타냄:
「... *ist* ... *zu* verstehen」 '이해*될 수 있다*'

2. Man kann diese Tür nicht mehr öffnen.

✻ **해석** 사람들은 이 문을 더 이상 열 수 없다. (= 이 문은 더 이상 열 수 없다.)

✵ **어휘** man [부정대명사] 사람들은 (항상 *주어*이며, 단수 3인칭 *er* 취급!) ▌「kann ... öffnen」 (화법조동사 können의 *현재* 시제) ⇒ 「können ... 동사 원형」 ...할 수 있다 (현재 시제: ich kann ; du kann*st* ; er kann ; wir könn*en* ; ...) (3 기본형: können - konnte - gekonnt, können) ▌dies- [지시대명사] '이 ...' (*정관사 d-* 어미변화!) ▌die Tür 문 (die Tür*en*) ▌「nicht mehr ...」 더 이상 ... 않다 ▌öffnen [타동사] ...을 열다 (= *auf*machen) (3 기본형 *규칙* 변화: öffn*en* - öffn*ete* - *ge*öffn*et* ※동사 öf*fn*en은 어간 끝이 *-fn*이므로 발음상 -e- 첨가!) ↔ schließen [타동사] ...을 닫다 (= *zu*machen) (3 기본형: schließen - schloss - geschlossen)

(**정답**) Diese Tür ist nicht mehr zu öffnen .

✵ **해석** 이 문은 더 이상 열리지 않는다.

✵ **어휘** 「sein ... zu 동사 원형(*타동사*)」 [1] (수동의 *가능*) ...될 수 있다 ; [2] (수동의 *필연*) ...되어야 한다

► 문장을 직역하면 "이 문은 더 이상 *열려질 수 없다*",
즉 "이 문은 더 이상 *열리지 않는다*"가 됨.

☞ 타동사 öffnen('...을 열다')이 사용되어 '수동의 가능'을 나타냄:
「... *ist* ... *zu* öffnen」 '열려*질 수 있다*'

3. Dieser Ausdruck ist nur schwer übersetzbar.

✵ **해석** 이 표현은 번역하기 어렵다.

✵ **어휘** 「dies- + 명사」 '이 ...' (지시대명사 dies-는 *정관사 d-* 어미변화!) (영. this) ▌der Ausdruck 표현 (die Ausdrück*e*) ⇐ *aus*drücken [분리동사&타동사] ...을 표현하다 (3 기본형 *규칙* 변화: *aus*drück*en* - *aus*drück*te* - *ausge*drück*t*) ▌nur [부사어] 단지 (= bloß, lediglich) (영. only) ▌schwer [형용사] 어려운, (부사적) 어렵게 ▌übersetz*bar* [형용사] 번역될 수 있는 ⇐ übersetzen [타동사] ...을 번역하다 (3 기본형 *규칙* 변화: *über*setz*en* - *über*setz*te* - *über*setz*t* ※형태가 *über*-로서 pp형에서 *ge-* *탈락*!) → die Übersetzung 번역 (die Übersetzung*en*)

<참고>
「*타동사* 어간 + *-bar*」 '...될 수 있는' (수동의 가능성) :
essen [타동사] ...을 먹다 → ess*bar* '먹어질 수 있는', 즉 '식용인'
reparieren [타동사] ...을 수리하다 → reparier*bar* '수리될 수 있는'

► 이 문장을 직역하면 "이 표현은 단지 어렵게만 번역될 수 있다",
즉 "쉽게는 번역되지 않는다"임. 따라서 의역하면 "번역하기 어렵다"가 됨.

(**정답**) Dieser Ausdruck ist nur schwer zu übersetzen .

✵ **해석** 이 표현은 번역하기 어렵다.

✵ **어휘** 「sein ... zu 동사 원형(*타동사*)」 [1] (수동의 *가능*) ...될 수 있다 ; [2] (수동의 *필연*) ...되어야 한다

► ... ist nur schwer *zu* übersetzen .
동사 übersetzen은 분리동사 아님! (즉, über-는 분리전철 아님!)
따라서 ***zu***가 über-와 - setzen 사이에 위치할 경우, 즉 über***zu***setzen은 틀림!

☞ 타동사 übersetzen('...을 번역하다')이 사용되어 '수동의 가능'을 나타냄:
「... *ist* ... *zu* übersetzen」 '번역*될 수 있다*'

V. 밑줄 친 es의 용법을 설명하시오. (18과, 심화문제: 교재 106쪽)

1. Es macht mir viel Spaß, zusammen mit ihm spazieren zu gehen.

✸ 해석 그와 함께 산책하는 것은 내게 아주 재미있어.

✸ 어휘 「주어 + machen + 3격(사람) + (viel) Spaß」 *주어는 누구*에게 (매우) 재미있다 ← der Spaß 재미 (Späß*e*) ▌mir [인칭대명사] ich의 *3격* 형임. (4격 형은 *mich*) ▌viel 많이 (영. much) ▌zusammen [부사어] 함께 (영. together) ▌mit [*3격* 전치사] ~와 함께 (영. with) ▌ihm [인칭대명사] er의 *3격* 형임. (4격 형은 *ihn*) ▌「, ... spazieren *zu* gehen」 (동사 *spazieren* gehen의 zu-부정사) ⇒ *spazieren* gehen [자동사] 산책하다 <주의> *spazieren*은 분리전철처럼 문장 맨 뒤에 옴: 「gehen ... spazieren」 (3 기본형: *spazieren* gehen - *spazieren* ging - *spazieren* gegangen ; '*장소 이동* 자동사 → 완료형 「*sein* ... pp」) ⇐ gehen [자동사] 가다 ('*장소 이동* 자동사 → 완료형 「*sein* ... pp」; 3 기본형: gehen - ging - gegangen)

☞ Es는 실질적인 의미 없는 형식적인 주어(= "가주어")로서 뒤에 나오는 zu-부정사를 가리킴.

► zu-부정사 : ... , zusammen mit ihm *spazieren zu gehen*
문장 형식 「***gehen*** ... spazieren」이 zu-부정사를 이룸!
따라서 동사 ***gehen***이 문장 맨 뒤에서 zu와 결합함: ... spazieren zu ***gehen***

정답 뒤에 나오는 zu-부정사를 받는 비인칭 주어.

2. Es fängt an zu regnen.

✸ 해석 비가 오기 시작한다.

✸ 어휘 「fängt *an*」 (분리동사 *an*fangen의 *현재* 시제: 주어가 *er*, *sie*, *es*일 때) ⇒ *an*fangen [분리동사&자동사] 시작하다 (= beginnen) (현재 시제: du fäng*st* ... *an* ; er fäng*t* ... *an*) (3 기본형: *an*fangen - *an*fing - *an*gefangen) ⇐ fangen [타동사] ...을 붙잡다 (현재 시제: du fäng*st* ; er fäng*t*) (3 기본형: fangen - fing - gefangen) ▌「*zu* regnen」 (동사 regnen의 zu-부정사) ⇒ regnen [자동사] 비오다 (3 기본형 *규칙* 변화: regn*en* - regn*ete* - *ge*regn*et* ※동사 regnen은 어간 끝이 *-gn*이므로 발음상 -e- 첨가!) <주의> regnen은 '날씨' 동사이므로 주어는 항상 *비인칭 주어* *es*임!

☞ Es는 문장 뒤의 zu-부정사 안에 있는 '날씨' 동사 regnen의 비인칭 주어임.

정답 '날씨'를 나타내는 비인칭 주어.

3. Gibt es einen Aufzug in dem Haus? Es ist mir zu anstrengend, jeden Tag die Treppen hochzusteigen.

✹ **해석** 그 집에 엘리베이터가 있나요? 매일 계단을 높이 올라가는 것이 저에게는 너무 힘들어요.

✹ **어휘** Gibt (동사 geben의 *현재* 시제: 주어가 *er*, *sie*, *es*일 때) ⇒ geben [타동사] ...을 주다 : 「es gibt + 4격」 '...이 있다' (현재 시제: du gib*st* ; er gib*t*) (3 기본형: geben - gab - gegeben) ▌der Aufzug 엘리베이터 (die Aufzüg*e*) ▌in [*3·4격* 전치사] (*3격* 지배: *위치*) ~안에, ~에 : in dem Haus 집 안에 ▌das Haus 집 (die Häus*er*) ▌mir [인칭대명사] ich의 *3격* 형임. (4격 형은 *mich*) ▌「zu + 형용사 (부사)」 '너무 ...한, 너무 ...하게' : zu anstrengend 너무 힘든 ▌anstrengend [형용사, 현재분사] 힘든, 고된 <참고> *an*strengen [분리동사&타동사] : 「주어(*사물*) + strengen + 4격(*사람*) ... *an*」 *무엇은 누구*를 힘들게 만들다 ▌「jed- + *단수*명사」 '매 ...', '모든 ...' (부정대명사 jed-는 *정관사 d-* 어미변화!) (영. every, each) : jeden Tag 매일매일 (*4격*의 시간 부사어) ▌der Tag 날, 하루 (die Tag*e*) ▌die Treppe 계단 (die Treppe*n*) ▌「, ... hoch*zu*steigen」 (분리동사 *hoch*steigen의 zu-부정사) ⇒ *hoch*steigen [분리동사&자동사] 높이 올라가다 (3 기본형: *hoch*steigen - *hoch*stieg - *hoch*gestiegen ; '*장소 이동* 자동사 → 완료형 「*sein* ... pp」) ⇐ steigen [자동사] 올라가다 (3 기본형: steigen - stieg - gestiegen ; '*장소 이동* 자동사 → 완료형 「*sein* ... pp」) ← hoch [형용사] 높은, (부사적) 높게

문장 1

☞ 반드시 비인칭 주어 es가 사용되는 관용적 표현들:

「*Es* gibt + 4격」 '...이 있다' ;

「*Es* kommt auf + 4격 ... *an*」 '...이 중요하다', '...이 결정적이다' ;

「*Es* handelt sich um + 4격」 = 「*Es* geht um + 4격」 '...에 관한 것이다', '...에 관한 문제이다'

문장 2

☞ Es는 실질적인 의미를 지니지 않은 형식적인 주어(= "가주어")로서 뒤에 오는 zu-부정사 혹은 dass-부문장 등을 가리킴.

► 동사 원형 + *-d* = 현재분사 (능동 의미의 *형용사* : '...하는') (영. 동사 원형 + -ing)
anstrengen '힘들게 하다' + *-d* = anstrengen*d* '힘들게 하는, 힘든'
spannen '긴장시키다' + *-d* = spannen*d* '긴장시키는', 즉 '흥미진진한'

► zu-부정사 : ... , jeden Tag die Treppen hoch*zu*steigen .
분리동사 *hoch*steigen이 zu-부정사를 구성함.
zu는 분리전철 *hoch*-와 기본동사 -steigen 사이에 위치함.

정답 관용적으로 사용되는 비인칭 주어. / 뒤에 나오는 zu-부정사를 받는 비인칭 주어.

4. Wir wandern nach Amerika aus, damit es unsere Kinder einmal besser haben.

✹ 해석 우리는 우리의 아이들이 언젠가는 한번 (지금보다) 더 잘 생활할 수 있도록 미국으로 이주한다.

✹ 어휘 「wandern ... aus」 (분리동사 *aus*wandern의 *현재* 시제) ⇒ *aus*wandern [분리동사&자동사] 이주해 나가다 (3 기본형 *규칙* 변화: *aus*wander*n* - *aus*wander*te* - *ausge*wander*t* ; '*장소 이동*' 자동사 → 완료형 「*sein* ... pp」) (↔ *ein*wandern 이주해 들어오다) ⇐ wandern [자동사] (자연 속에서) 산책하다, 걸어 다니다 (3 기본형: wander*n* - wander*te* - *ge*wander*t* ; '*장소 이동*' 자동사 → 완료형 「*sein* ... pp」) ▌「nach + 국가」 (방향) ~로 : nach Amerika 아메리카로 ← Amerika 미국, 아메리카 ▌damit [종속접속사] ...하기 위해 (종속접속사 뒤에 오는 문장은 *후치*됨: ... , damit 주어 ... *동사*) ▌「주어(사람) + haben es gut」 누구는 잘 지내다 (생활 환경, 조건 등이 좋음을 나타냄!) ↔ 「주어(사람) + haben es schwer」 누구는 어렵게 지내다 <주의> 여기서 es는 "*비인칭 목적어*"! ▌besser [형용사: gut('좋은')의 비교급] 더 좋은, (부사적) 더 좋게 (영. better) ▌das Kind 아이 (die Kind*er*) ▌einmal [부사어] (과거 혹은 미래의) 언젠가 한번 ▌haben [타동사] ...을 가지고 있다 (3 기본형: haben - hatte - gehabt)

☞ es는 관용적 표현 「주어 + haben es gut」등에서 형식적으로 사용되는 목적어임.

► 「unser*e* Kind*er*」:
명사 Kinder는 *복수*이며, (부문장 안에서) *주어*이므로 *복수 1격!!*
따라서 소유대명사 unser-('우리의')는 *복수 1격 정관사* di*e*처럼 어미변화 하여 unser*e*임.
소유대명사는 원칙적으로 ***부정관사 ein-*** 어미변화 하지만,
복수일 경우는 ***정관사 d-*** 어미변화 함.

► damit-부문장 : ... , damit es *unsere Kinder* einmal besser haben
주어 / 동사 (부문장이므로 ***후치***됨!)

<주의>
어순: 형식적 목적어 es는 비인칭 *대명사*이므로 주어인 unsere Kinder보다 앞에 위치함!

정답 관용적으로 사용되는 비인칭 목적어.

5. Die meisten Leute halten es für normal, dass der Mann berufstätig ist und die Frau für den Haushalt sorgt.

✹ 해석 사람들은 대부분 남자는 직업 생활을 하고, 여자는 집안 살림을 돌보는 것을 정상적인 것으로 여기고 있다.

✹ 어휘 meist [형용사: viel, viele의 최상급] 대부분의 (영. most) : 「meist- + *복수*명사」 '대부분의 ...' ▌die Leute (항상 복수) 사람들 ▌「halten + 4격 + für + 형용사」 *4격*이 ...라고 생각하다 (영. consider) (3 기본형: halten - hielt - gehalten) (현재 시제: du h*ä*lt*st* ; er h*ä*l*t*) ▌normal [형용사] 정상적인 ▌dass [종속접속사] '...라는 사실', '...라는 것' (뒤에 오는 문장은 부문장이므로 *후치*됨: ... , dass 주어 ... *동사*) ▌der Mann 남자, 남편 (die M*ä*nn*er*) ▌berufstätig [형용사] 직업을 가진 ← der Beruf 직업 (die Beruf*e*) + tätig [형용사] 활동하는 ▌die Frau 여자, 부인 (die Frau*en*) ▌der Haushalt (주로 단수) 살림살이, 가계 (die

Haushalt*e*) ▌「sorgen für + 4격」 '...을 돌보다' (= 「kümmern sich[4] um + 4격」)

(3 기본형 *규칙* 변화: sorg*en* - sorg*te* - *ge*sorg*t*) ▌ für [*4격* 전치사] ~을 위해

► 「Die meist*en* Leute」:

- 명사 Leute는 *복수*이며, *주어*이므로 *복수 1격!!*
  따라서 *복수 1격* 정관사 Di*e*가 앞에 옴.
- 형용사 meist 앞에 *복수 1격* 정관사 Di*e*가 있음.
  → 따라서 Di*e* meist*en* ...
  (근거: 복수 1, 4격 di*e*, mein*e*, dein*e*, ihr*e* ... kein*e*, dies*e* + 형용사 *-en*)

☞ es는 실질적인 의미를 지니지 않은 형식적인 목적어(= "가목적어")로서
뒤에 오는 dass-부문장 혹은 zu-부정사 등을 가리킴.

► dass-부문장: 두 개의 개별 문장, 즉 "der Mann ist berufstätig."와 "Die Frau sorgt für den Haushalt"가 (등위)접속사 und에 의해 연결됨.

즉: ... , dass *der Mann* berufstätig ist und *die Frau* für den Haushalt sorgt .

부문장이므로 동사 ***ist***는 ***후치***됨!　　부문장이므로 동사 ***sorgt***는 ***후치***됨!

정답 뒤에 나오는 dass-부문장을 받는 비인칭 목적어.

마무리 문제

I. 괄호 안의 낱말을 사용하여 독일어로 옮기시오. (18과, 마무리문제: 교재 107쪽)

1. 나는 오늘 독일어를 공부하고 싶은 생각이 없다.

(ich, heute, Deutsch, lernen, zu, kein-, Lust, haben)

✺ 어휘 heute [부사어] 오늘 ▌Deutsch 독일어 (고유명사 관사 없음!) ▌lernen [타동사] ...을 배우다 (3 기본형 *규칙* 변화: lern*en* - lern*te* - *ge*lern*t*) ↔ lehren [타동사] ...을 가르치다 (3 기본형 *규칙* 변화: lehr*en* - lehr*te* - *ge*lehr*t*) ▌die Lust (주로 단수) 의향, 의도 (die Lüst*e*) : 「주어 + haben keine Lust , ... zu 동사 원형」 *주어는* ...할 의향이 없다, ...하고 싶지 않다 ▌haben [타동사] ...을 가지고 있다 (3 기본형: haben - hatte - gehabt)

(정답) Ich habe heute keine Lust, Deutsch zu lernen.

► "...하고 싶은 생각이 없다" = "...*하려는 의향이 없다*", 즉 "...하고 싶지 않다"
→ 문장 형식「haben keine Lust , ... *zu* 동사 원형」을 사용함.

2. 나는 오늘 그와 이야기할 기회가 없었다.

(ich, heute, er, mit, sprechen, zu, die Gelegenheit, haben)

✺ 어휘 heute [부사어] 오늘 ▌mit [*3격* 전치사] ~와 함께 ▌「sprechen mit + 3격(사람)」 *누구*와 이야기하다 (현재 시제: du spr<u>i</u>ch*st* ; er spr<u>i</u>ch*t*) (3 기본형: sprechen - sprach - gesprochen) ▌die Gelegenheit 기회 (die Gelegenheit*en*) = die Chance (die Chance*n*) : 「주어 + haben keine Gelegenheit (혹은 Chance) , ... zu 동사 원형」 *주어는* ...할 기회가 없다 ▌haben [타동사] ...을 가지고 있다 (3 기본형: haben - hatte - gehabt)

(정답) Ich hatte heute keine Gelegenheit, mit ihm zu sprechen.

► "...*할 기회가 없었다*"
→ 문장 형식「haben keine Gelegenheit , ... zu 동사 원형」을 사용하며, *과거* 시제임!

► "... *그와 이야기 할 기회*가 없었다"
따라서: ... keine Gelegenheit , mit *ihm* zu sprechen
3격 전치사 mit와 결합하므로
er의 ***3격*** 형 ***ihm***이 옴.

► *Ich* hatte ... :
동사 haben의 과거 시제이므로 과거형 *hatte*가 어미변화 함:
주어가 Ich이므로 hatte는 어미 없이 그대로 *hatte_*임.

3. 나는 공무원 시험을 볼 작정이다.

(ich, die Beamtenprüfung, machen, vorhaben)

✺ **어휘** die Beamtenprüfung 공무원 시험 ← der Beamte 공무원 (die Beamte*n*) + die Prüfung 시험 (die Prüfung*en*): eine Prüfung machen 시험 치다 ▌machen [타동사] ...을 행하다 (3 기본형 *규칙* 변화: mach*en* - mach*te* - *ge*mach*t*) ▌*vor*haben [분리동사&타동사] ...을 계획하다 (= planen) : 「주어 + haben ... *vor* , ... zu 동사 원형」 *주어는* ...할 계획이다 (현재 시제: du hast ... *vor* ; er hat ... *vor*) (3 기본형: *vor*haben - *vor*hatte - *vor*gehabt) ⇐ haben [타동사] ...을 가지고 있다 (3 기본형: haben - hatte - gehabt)

정답 Ich habe vor, die Beamtenprüfung zu machen.

► "... 시험을 볼 *작정이다*" = "... 시험을 볼 *계획이다*"
→ 분리동사 *vor*haben의 형식 「haben ... *vor* , ... zu 동사 원형」을 사용함.

4. 집에 가기 전에 컴퓨터를 끄는 것을 잊지 마라.

(nach Hause, gehen, bevor, der Computer, nicht, ausschalten, zu, vergessen)

✺ **어휘** nach Haus(e) (방향) 집으로 ↔ zu Haus(e) (위치) 집에서, von zu Haus(e) (위치) 집으로부터 ▌gehen [자동사] 가다, 걸어가다 (3 기본형: gehen - ging - gegangen ; '*장소 이동* 자동사 → 완료형 「*sein* ... pp」) : nach Haus(e) gehen 집으로 가다 ▌bevor [종속접속사] ...하기 전에 (영. before) (뒤에 오는 문장은 부문장이므로 *후치*됨: ... , bevor 주어 ... *동사*) ▌der Computer 컴퓨터 (die Computer) ▌*aus*schalten [분리동사&타동사] (기계, 기구를) 끄다 (3 기본형 *규칙* 변화: *aus*schalt*en* - *aus*schalt*ete* - *ausge*schalt*et* ※동사 *aus*schal*t*en은 어간 끝이 -*t*이므로 발음상 -e- 첨가!) ↔ *ein*schalten (기계, 기구를) 켜다 ▌vergessen [타동사] ...을 잊다, 망각하다 (현재 시제: du vergiss*t* ; er vergiss*t*) (3 기본형: vergessen - vergaß - vergessen) : 「주어 + vergessen , ... zu 동사 원형」 *주어는* ...하는 것을 잊다

정답 Vergiss nicht, den Computer auszuschalten, bevor du nach Hause gehst.

► "... 것을 *잊지 마라*" → 동사 vergessen의 du-명령문임.

따라서: Vergiss nicht ...

du-명령문 형식: 「동사 어간 ...!」 '...해라.'

① 어간 모음 e → ***i*** 혹은 e → ***ie***일 경우 어간 모음 ***변화함!***
vergessen : Verg*i*ss ...! / sehen : S*ie*h ...!

② 어간 모음 a → ***ä***일 경우 어간 모음 ***변화 없음!***
fahren : F*a*hr ...! (즉, F*ä*hr ...! 아님!)

► "... *끄는 것을 잊지* 마라" → 「vergessen , ... zu 동사 원형」을 사용함.

따라서: Vergiss nicht , den Computer aus*zu*schalten , ...

분리동사의 zu-부정사: zu가 전철과 기본 동사 사이에 옴.
따라서 aus***zu***schalten임. (즉, ***zu*** *aus*schalten 아님!)

► "집에 가기 *전에* ..." → 종속접속사 bevor를 사용하여 부문장을 구성함.
따라서: ... , bevor *du* ... gehst
부문장이므로 동사 gehst가 ***후치***되어 문장 맨 뒤에 옴.

5. 나의 부모님께서는 내가 혼자 여행 떠나는 것을 허락하지 않으신다.

(mein-, die Eltern, ich, nicht, allein, verreisen, zu, erlauben)

✵ 어휘 die Eltern (항상 복수) 부모 ▌allein [부사어] 홀로 ▌verreisen [자동사] 여행 떠나다 (3 기본형 *규칙* 변화: *ver*reis*en* - *ver*reis*te* - *ver*reis*t* ※형태가 *ver*-이므로 pp형에서 *ge*- *탈락*! ; '*장소 이동* 자동사 → 완료형「*sein* ... pp」) ▌erlauben [타동사] ...을 허락하다 : 「erlauben + 3격(사람) , ... zu 동사 원형」 *누구*에게 ...하는 것을 허락하다 (3 기본형 *규칙* 변화: *er*laub*en* - *er*laub*te* - *er*laub*t* ※형태가 *er*-이므로 pp형에서 *ge*- *탈락*!) ↔ 「verbieten + 3격(사람) , ... zu 동사 원형」 *누구*에게 ...하는 것을 금지하다 (3 기본형: *ver*bieten - *ver*bot - *ver*boten ※형태가 *ver*-이므로 pp형에서 *ge*- *탈락*!) ⇐ bieten [타동사] ...을 제공하다 (3 기본형: bieten - bot - geboten) <참고> erlaubt [과거분사, 즉 '*수동*의 형용사] 허락된 ↔ verboten [과거분사, 즉 '*수동*의 형용사] 금지된

(정답) Meine Eltern erlauben mir nicht, allein zu verreisen.

► 「Mein*e* Eltern」:
명사 Eltern은 *복수*이며, *주어*이므로 *복수 1격!!*
따라서 소유대명사 mein-('나의')은 *복수 1격* 정관사 di*e*처럼 어미변화 하여 Mein*e*임.
소유대명사 mein-, dein- ... 및 부정어 kein-은
원칙적으로 부정관사 ein- 어미변화 하지만,
복수일 경우는 (부정관사가 없으므로) ***정관사 d-*** 어미변화 함!

► "... *내가* ...하는 것을 *허락하지 않으신다*" = "... *나에게* ...하는 것을 *허락하지 않으신다*"
따라서 문장 형식「erlauben + 3격(사람) , ... zu 동사 원형」이 사용됨. (부정문임!):
... erlauben mir nicht , ... zu verreisen.
동사 erlauben의 3격 목적어이므로
ich의 ***3격*** 형 ***mir***가 옴.

6. 감기에 걸리지 않도록 두꺼운 외투를 입어라.

(sich erkälten, nicht, damit, dick, der Mantel, $sich^3$ anziehen)

✵ 어휘 「erkälten $sich^4$」 [4격 재귀동사] 감기 들다 → die Erkälrung 감기 (die Erkältung*en*), die Grippe 독감 (die Gripp*en*) ; erkältät [과거분사, 즉 '*수동*의 형용사] 감기 걸린 ▌damit [종속접속사] ...하도록 (영. so that ...) (뒤에 오는 문장은 부문장이므로 *후치*됨: ... , damit 주어 ... *동사*) ▌dick [형용사] 두꺼운 ↔ dünn 얇은 ▌der Mantel 외투 (die Mäntel) ▌*an*ziehen [분리동사] : 「ziehen $sich^3$ + 4격(의복) ... *an*」 ...을 입다 ⇐ 「ziehen + 3격(사람) + 4격(의복) ... *an*」 *누구*에게 ...을 입히다 <참고> 「ziehen $sich^4$ ... *an*」 옷을 입다 (3 기본형: *an*ziehen - *an*zog - *an*gezogen) ⇐ ziehen [타동사] ...을 끌다 (영. draw, pull) (3 기본형: ziehen - zog - gezogen)

(정답) Zieh dir einen dicken Mantel an, damit du dich nicht erkältest.

► "... 입어라" → 분리동사이면서 3격 재귀동사인 *an*ziehen의 du-명령문임.

따라서: Zieh dir ... *an* , ...

du-명령문의 주어는 (생략되어 나타나지 않을 뿐) ***du***임.
따라서 3격 재귀대명사는 ***dir***임.

► "감기에 걸리지 *않도록* ..." → 종속접속사 damit을 사용하여 부문장을 만듦. (부정문!)

따라서: ... , damit *du* ... erkältest

부문장이므로 동사 erkältest가 ***후치***되어 문장 맨 뒤에 옴.

► 「ein*en* dick*en* Mantel」:

- 명사 Mantel은 *남성*이며, 분리동사 "Zieh ... *an*"의 *4격* 목적어이므로 *남성 4격!!*
  따라서 *남성 4격* 부정관사 ein*en*이 앞에 옴.
- 형용사 dick 앞에 *남성 4격*의 ein*en*이 있음.
  → 따라서 ein*en* dick*en* ...
  (근거: 남성 4격 ein*en*, d*en*, mein*en*, dein*en*, ihr*en* ... kein*en*, dies*en* 형용사 -*en*)

► ... , damit *du* dich ... erkältest

주어가 ***du***이므로 4격 재귀대명사는 ***dich***임.

► 이 예문에서는 damit-부문장이 「, um ... *zu* 동사 원형」으로 변형될 수 있음!

즉: ... , damit du dich nicht erkältest = ... , um dich nicht zu *erkälten*

II. 잘못된 부분(들)을 고쳐서 다시 적으시오. (18과, 마무리문제: 교재 107쪽)

1. Sie brauchen diesen Kurs nicht wieder zu holen[오류].

✹ **해석** 당신은 이 과정을 반복하실 필요가 없습니다.

✹ **어휘** brauchen [타동사] ...을 필요로 하다 → 「brauchen *nicht* , ... zu 동사 원형」 '...할 필요가 없다' (영. need not to ...) ▌「dies- + 명사」 '이 ...' (지시대명사 dies-는 *정관사 d-* 어미변화!) ▌ der Kurs 강좌 (die Kurs*e*) (영. course) ▌ wiederholen [타동사] ...을 반복하다 (3 기본형 *규칙* 변화: *wieder*hol*en* - *wieder*hol*te* - *wieder*hol*t* ※형태가 *wieder*-로서 pp형에서 *ge- 탈락*!) ← wieder [부사어] 다시, 재차 ⇐ holen [타동사] ...을 가져오다 (3 기본형 *규칙* 변화: hol*en* - hol*te* - *ge*hol*t*)

<오류>

동사 *wieder*holen의 *wieder*-는 *분리전철이 아님*!
따라서 zu-부정사 형태는 「... *zu* wiederholen」이어야 옳음!

정답 Sie brauchen diesen Kurs nicht *zu wiederholen.*

► 「brauchen *nicht* , ... zu 동사 원형」= 「müssen *nicht* ... 동사 원형」:
Sie brauchen diesen Kurs nicht zu wiederholen
= Sie müssen diesen Kurs *nicht wiederholen.*

2. Ich freue mich, Sie[오류1] zu[오류2] helfen können.

✹ **해석** 당신을 도울 수 있어서 저는 기뻐요.

✹ **어휘** 「freuen sich[4] , ... zu 동사 원형」 [4격 재귀동사] ...해서 기쁘다 (3 기본형 *규칙* 변화: freu*en* - freu*te* - *ge*freu*t*) ▌Sie [인칭대명사] 격식칭 Sie의 *4격* 형임. (3격 형은 *Ihnen*) ▌helfen [자동사] : 「주어 + helfen + 3격(사람) 」 *주어는 3격을 돕다* (*3격* 요구 동사!) (현재 시제: du h*i*lf*st* ; er h*i*lf*t*) (3 기본형: helfen - half - geholfen) → die Hilfe 도움 (die Hilfe*n*) ▌können [화법조동사] ...할 수 있다 (현재 시제: ich kann ; du kann*st* ; er kann ; wir könn*en* ; ...) (3 기본형: können - konnte - gekonnt, können)

<오류> 1

동사 helfen은 *3격 요구 동사*임!
따라서 helfen의 3격 목적어이므로 격식칭 Sie의 *3격* 형 *Ihnen*이 와야 옳음!
(Sie는 4격 형이므로 옳지 않음.)

<오류> 2

화법조동사 형식 「können ... helfen」이 zu-부정사 형식을 이룸.
따라서 zu가 können 앞에 와야 옳음!
즉: ... , ... helfen *zu können*

<주의>
영어에서는 조동사 can, must, will ...등은 to-부정사 형식을 이룰 수 없지만,
독일어에서는 화법조동사 können, müssen, wollen ... 등의 zu-부정사 형식이 가능함!

정답 Ich freue mich, Ihnen helfen zu können.

► Ich freue mich , ...
주어가 ***Ich***이므로 4격 재귀대명사 ***mich***가 옴.
(주어가 ich일 때 3격 재귀대명사는 ***mir***임.)

3. Ansgar passt heute auf die Kinder auf, um[오류] ich ins Kino gehen zu[오류] können.

✹ **해석** 안스가는 내가 영화관에 갈 수 있도록 오늘 아이들을 보살핀다.

✱ **어휘** 「passt ... auf」 (분리동사 *auf*passen의 *현재* 시제) ⇒ *auf*passen [분리동사] : 「passen auf + 4격 ... *auf*」 *4격*에 주의하다, 주목하다 (영. pay attention) (3 기본형 *규칙* 변화: *auf*pass*en* - *auf*pass*te* - *aufge*pass*t*) ▌heute [부사어] 오늘 ▌das Kind 아이 (die Kind*er*) ▌「, um ... zu 동사 원형」 (목적) ...하기 위해 ▌「ins + 중성 4격」 (방향) ~안으로, ~로 : ins Kino gehen 영화관으로 가다 ▌das Kino 영화관 (die Kino*s*) ▌gehen [자동사] 가다 (3 기본형: gehen - ging - gegangen ; '*장소 이동* 자동사 → 완료형「*sein* ... pp」) ▌können [화법조동사] ...할 수 있다 (현재 시제: ich kann ; du kann*st* ; er kann ; wir könn*en* ; ...) (3 기본형: können - konnte - gekonnt, können)

<오류>

「, um ... zu 동사 원형」 형식 안에 주어에 해당하는 ich가 있는 것은 오류임.
*damit-부문장*이 와야 옳음!

<주의>

만약 주어에 해당하는 ich 없이 「, um ... zu 동사 원형」형식을 올바르게 사용할 경우,
"영화관에 갈 수 있는" 주체가 ich가 아닌 Ansgar가 되므로 문장의 의미는 완전히 달라짐:
Ansgar passt heute auf die Kinder auf , um ins Kino gehen zu *können*.
'안스가는 (*자기 자신이*) 영화관에 갈 수 있도록 오늘 아이들을 보살핀다.'

정답 Ansgar passt heute auf die Kinder auf, *damit* ich ins Kino gehen kann.

4. Denk[오류] bitte, ihn anzurufen!

✱ **해석** 그에게 전화하는 것을 기억해라.

✱ **어휘** 「Denk ...!」 (du-명령문) ⇒ 「denken an + 4격」 ...을 생각하다 (영. think of ...) (3 기본형: denken - dachte - gedacht) ▌bitte [부사어] 정중한 명령문에 사용됨. (우리말 해석 필요 없음!) ▌ihn [인칭대명사] er의 *4격* 형임. (3격 형은 *ihm*) ▌「, ... an*zu*rufen」 (분리동사 *an*rufen의 zu-부정사) ⇒ *an*rufen [분리동사] : 「rufen + 4격 ... *an*」 *4격*에게 전화하다 (*4격* 요구 동사!) (3 기본형: *an*rufen - *an*rief - *an*gerufen) ⇐ rufen [타동사] ...을 부르다 (3 기본형: rufen - rief - gerufen)

<오류>

동사 denken의 목적어로 zu-부정사가 직접 올 수 없음!

정답 *Denk* bitte *daran*, ihn anzurufen!

► Denk bitte da*r*an , ihn an*zu*rufen!

da*r*an '그것을' = ***an*** '...을' + ***das*** '그것'

1. 전치사 ***an***은 동사 형식 「denken ***an*** ...」('...을 생각하다')에 근거함!
2. 지시대명사 ***das***는 뒤에 오는 zu-부정사 "ihn an*zu*rufen"을 받음.

► ... , ihn anzurufen
분리동사 *an*rufen의 zu-부정사 형식이므로
zu가 분리전철 *an*-과 기본 동사 -rufen 사이에 옴.

5. Dieses Ziel ist man[오류] nicht zu erreichen.

✺ **해석** 이 목표는 도달될 수 없다.

✺ **어휘** dies- [지시대명사] '이 ...' (*정관사 d-* 어미변화!) (영. this ...) ▌das Ziel 목표 (die Ziel*e*) ▌「... ist ... *zu* erreichen」 (zu-부정사) ⇒ 「주어 + sein ... zu 동사 원형」 [1] (*수동*의 *가능*) '*주어는* ...될 수 있다' ; [2] (*수동*의 *의무*) '*주어는* ...되어야 한다' <참고> 「주어 + haben ... zu 동사 원형」 (의무) '*주어는* ...해야 한다' (영. have to ...) ▌man [부정대명사] 사람들은 (항상 *주어*로만 사용되며, 단수 3인칭 *er* 취급 함.) ▌erreichen [타동사] : 「erreichen + 4격」 '...에 도달하다' (*4격* 요구 동사!) (3 기본형 *규칙* 변화: *er*reich*en* - *er*reich*te* - *er*reich*t* ※형태가 *er*-이므로 pp형에서 *ge*- *탈락*!)

<오류>
「sein ... zu 동사 원형」 형식이 사용됨.
부정대명사 man이 온 것은 오류로서, man이 없어야 문장 구조상 옳음!

정답 Dieses Ziel ist nicht zu erreichen.

► 「sein ... zu 동사 원형」은 화법조동사 können을 통해 동일한 내용의 문장을 만들 수 있음:
Dieses Ziel ist nicht zu erreichen. '이 목표는 도달*될* 수 없다.'
= *Man* kann dieses Ziel nicht erreichen. '사람들은(= 우리는) 이 목표에 도달*할* 수 없다.'

Lektion 19

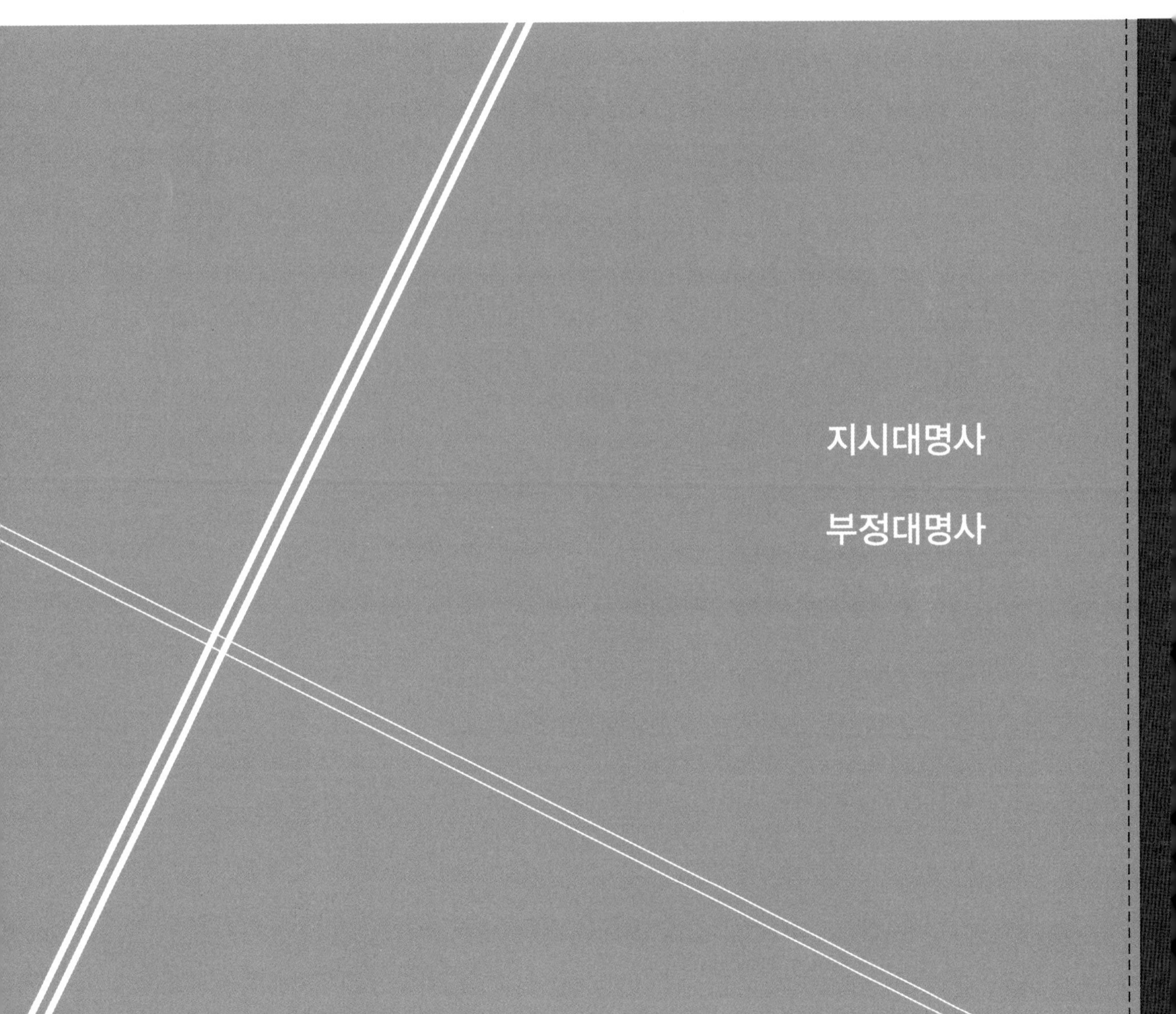

unit 01

기초문제

Ⅰ. 밑줄 친 곳에 알맞은 어미는? (19과, 기초문제: 교재 110쪽)

1. Wie findest du diese Hose? - Di<u>e</u> gefällt mir ganz gut.

✵ **해석** 너는 이 바지를 어떻게 생각하니? - 그것이 나에게는 아주 마음에 들어.

✵ **어휘** wie [의문사] 어떻게? (영. how?) ▌「finden + 4격 + 형용사」 *4격*이 ...하다고 생각하다, 여기다 (3 기본형: finden - fand - gefunden) ▌「dies- + 명사」 '이 ...' (지시대명사 dies-는 *정관사 d-* 어미변화!) ▌die Hose 바지 (die Hose*n*) ▌die [지시대명사] 그것 (앞에 나온 *여성*명사를 받으며, *1격* 혹은 *4격* 형임.) ▌gefällt (동사 gefallen의 *현재* 시제: 주어가 *er*, *sie*, *es*일 때) ⇒ 「gefallen + 3격(사람) + (gut)」 *누구*의 마음에 (매우) 들다 (현재 시제: du gef<u>ä</u>ll*st* ; er gef<u>ä</u>ll*t*) (3 기본형: *gefallen* - *gefiel* - <u>*gefallen*</u> ※형태가 *ge*-이므로 pp형에서 *ge- 탈락!*) ⇐ fallen [타동사] ...을 발견하다 (현재 시제: du f<u>ä</u>ll*st* ; er f<u>ä</u>ll*t*) (3 기본형: fallen - fiel - fallen) ▌mir [인칭대명사] ich의 *3격* 형임. (4격 형은 *mich*) ▌ganz [부사어] 매우, 아주 ▌gut [형용사] 좋은, (부사적) 잘, 좋게

문장 1

► 「dies<u>*e*</u> Hose」:

명사 Hose는 *여성*이며, 동사 findest의 *4격* 목적어이므로 <u>*여성 4격!!*</u>

따라서 지시대명사 dies-('이 ...')는 *여성 4격* 정관사 di<u>*e*</u>처럼 어미변화 하여 dies<u>*e*</u>임.

문장 2

☞ 앞에 나온 *여성*명사 Hose를 받으며, 동사 gefällt의 *주어*이므로 <u>*여성 1격!!*</u>

따라서 *여성 1격*의 <u>지시대명사 Di*e*</u> 가 정답임.

「정관사 ***d-*** + 명사」, 즉 "***<u>Die</u>*** Hose"의 축약형으로 볼 수 있음.

<참고>

① *여성 1격*의 「정관사 d- + 명사」 형식인 *Die* Hose를 대신 사용할 수 있음:
<u>*Die Hose*</u> gefällt mir ganz gut.

② *여성 1격*의 인칭대명사 *sie*('그녀는')도 사용 가능함:
<u>*Sie*</u> gefällt mir ganz gut.

2. Wie gefällt dir Anja? - Di<u>e</u> kann ich überhaupt nicht leiden.

✵ **해석** 아냐가 네 마음에 드니? - 그녀를 나는 전혀 좋아하지 않아.

✵ **어휘** wie [의문사] 어떻게? ▌gefällt (동사 gefallen의 *현재* 시제: 주어가 *er*, *sie*, *es*일 때) ⇒ 「gefallen

+ 3격(사람) + (gut)」 누구의 마음에 (매우) 들다 (현재 시제: du gefällst ; er gefällt) (3 기본형: gefallen - gefiel - gefallen ※형태가 ge-이므로 pp형에서 ge- 탈락!) ⇐ fallen [자동사] 떨어지다 (현재 시제: du fällst ; er fällt) (3 기본형: fallen - fiel - gefallen) ▌die [지시대명사] 그녀 (앞에 나온 여성명사를 받으며, 1격 혹은 4격 형임.) ▌「kann ... leiden」 (화법조동사 können의 현재 시제) ⇒ 「können ... 동사 원형」 ...할 수 있다 (현재 시제: ich kann ; du kannst ; er kann ; wir können ; ...) (3 기본형: können - konnte - gekonnt, können) ▌「überhaupt nicht ...」, 「überhaupt kein- ...」 도저히 ...않다 (부정의 의미를 강조함!) ▌leiden [타동사] ...을 참다, 견디다 → 「können + 4격 + nicht leiden」...을 참지 못하다, ...을 좋아하지 않다 (3 기본형: leiden - litt - gelitten) <참고> 「leiden an + 3격(병, 질병)」 '...로 고생하다' ; 「leiden unter + 3격」 '...로 인해 어려움을 겪다'

문장 1

▸ dir는 동사 gefällt의 3격 목적어임.
(어순: dir는 인칭*대명사*이므로 주어인 Anja보다 앞에 위치함!)

문장 2

☞ 앞에 나온 *여자* 인물 Anja를 받으며, 동사 leiden의 *4격* 목적어이므로 *여성 4격!!*
따라서 *여성 4격*의 지시대명사 Die 가 정답임.
「정관사 ***d-*** + 명사」, 즉 "***Die*** Anja"의 축약형으로 볼 수 있음.

<참고>
여성 1격 인칭대명사 *sie*('그녀는')도 사용 가능함:
Sie kann ich überhaupt nicht leiden.

3. Wo sind die Damen? - Die sind schon in den Garten gegangen.

✹ **해석** 그 숙녀 분들은 어디에 있나요? - 그들은 벌써 정원으로 갔어요.

✹ **어휘** wo [의문사] 어디에? ▌die Dame 숙녀 (die Damen) ↔ der Herr 신사 (die Herren) <주의> 주어를 제외한 *단수 2, 3, 4격*이 Herrn임! ▌die [지시대명사] 그들, 그것들 (앞에 나온 *복수*명사를 받으며, *1격* 혹은 *4격* 형.) ▌「sind ... gegangen」 (동사 gehen의 *현재완료* 시제) ▌gegangen (동사 gehen의 *pp형*) ⇒ gehen [자동사] 가다 (영. go) (3 기본형: gehen - ging - gegangen ; '*장소 이동*' 자동사 → 완료형 「*sein* ... gegangen」) ▌schon [부사어] 이미, 벌써 ▌in [*3·4격* 전치사] (*4격* 지배: *방향*) ~안으로, ~로 : in den Garten 정원 (안)으로 ▌der Garten 정원 (die Gärten)

문장 2

☞ 앞에 나온 *복수*명사 Damen을 받으며, 동사 sind의 *주어*이므로 *복수 1격!!*
따라서 *복수 1격*의 지시대명사 Die 가 정답임.
「정관사 ***d-*** + 명사」, 즉 "***Die*** Damen"의 축약형으로 볼 수 있음.

<참고>
① *복수 1격*의 「정관사 + 명사」 형식인 *Die* Damen을 대신 사용할 수 있음:
Die Damen sind ... gegangen.

② *복수 1격*의 인칭대명사 *sie*('그들은')도 사용 가능함:
Sie sind ... gegangen.

4. Wo ist mein Kuli? - Der_ liegt auf deinem Schreibtisch.

✹ **해석** 내 볼펜이 어디에 있지? - 그것은 네 책상 위에 놓여 있어.

✹ **어휘** wo [의문사] 어디에? ▌der Kuli (구어체) 볼펜 (die Kulis) = der Kugelschreiber (die Kugelschreiber) ▌der [지시대명사] 그 사람 (앞에 나온 *남성*명사를 받으며, *1격* 형임.) ▌liegen [자동사] (물건이) 놓여 있다, (사람이) 누워 있다 (3 기본형: liegen - lag - gelegen) <주의> 동사 *liegen*과 함께 오는 3·4격 전치사는 '위치'를 뜻하므로 *3격 지배*! ↔ legen [타동사] 물건을 놓다, 사람을 눕혀 놓다 (3 기본형: leg*en* - leg*te* - *ge*leg*t*) <주의> 동사 *legen*과 함께 오는 3·4격 전치사는 '방향'을 뜻하므로 *4격 지배*! ▌auf [*3·4격* 전치사] (*3격* 지배: *위치*) ~위에, ~에 : auf deinem Schreibtisch 네 책상 *위에* ▌der Schreibtisch 책상 (die Schreibtisch*e*) ← schreiben [타동사/자동사] (...을) 쓰다 + der Tisch 탁자, 테이블 (die Tisch*e*)

문장 1

► 「mein_ Kuli」:
명사 Kuli는 *남성*이며, *주어*이므로 *남성 1격!!*
따라서 소유대명사 mein-('나의')은 *남성 1격* 부정관사 ein_처럼 어미 없이 mein_임.

문장 2

☞ 앞에 나온 *남성*명사 Kuli를 받으며, 동사 liegt의 *주어*이므로 *남성 1격!!*
따라서 *남성 1격*의 지시대명사 Der 가 정답임.
「정관사 *d-* + 명사」, 즉 "***Der*** Kuli"의 축약형으로 볼 수 있음.

<참고>

① *남성 1격*의 「정관사 + 명사」 형식인 *Der* Kuli를 대신 사용할 수 있음:
Der Kuli liegt auf deinem Schreibtisch.

② *남성 1격*의 인칭대명사 *Er*도 사용 가능함:
Er liegt auf deinem Schreibtisch.

► 「auf dein*em* Schreibtisch」:
명사 Schreibtisch는 *남성*이며, 전치사 auf의 *3격* 목적어이므로 *남성 3격!!*
따라서 소유대명사 dein-('너의')은 *남성 3격* 어미 *-em* 이 붙어 dein*em*임.
3격 어미 : 남성·중성 ***-em*** ; 여성 ***-er*** ; 복수 ***-en***

5. Hast du deinen Schlüssel gefunden? - Nein, den_ habe ich noch nicht gefunden.

✹ **해석** 너는 네 열쇠를 찾았니? - 아니, 그것을 아직 찾지 못했어.

✹ **어휘** 「Hast ... gefunden?」 (동사 finden의 *현재완료* 시제) ▌gefunden (동사 finden의 *pp형*) ⇒ finden [타동사] ...을 발견하다 (3 기본형: finden - fand - gefunden) ▌der Schlüssel 열쇠 (die Schlüssel) ▌den [지시대명사] 그것 (앞에 나온 *남성*명사를 받으며, *4격* 형임.) ▌「habe ... gefunden」 (동사 finden의 *현재완료* 시제) ▌noch [부사어] 아직 : 「noch nicht ...」 아직 ... 않다

문장 1

► 「dein*en* Schlüssel」:

명사 Schlüssel은 *남성*이며, 동사 gefunden의 *4격* 목적어이므로 *남성 4격!!*

따라서 소유대명사 dein-('너의')은 *남성 4격* 부정관사 ein*en*처럼 어미변화 하여 dein*en*임.

문장 2

☞ 앞에 나온 *남성*명사 Schlüssel을 받으며, 동사 gefunden의 *4격* 목적어이므로 *남성 4격!!*

따라서 *남성 4격*의 지시대명사 d*en* 이 정답임.

「정관사 *d-* + 명사」, 즉 "***den*** Schlüssel"의 축약형으로 볼 수 있음.

<참고>

① *남성 4격*의 「정관사 + 명사」 형식인 *den* Schlüssel을 대신 사용할 수 있음:

Nein, *den Schlüssel* habe ich ... gefunden.

② *남성 4격*의 인칭대명사 *ihn*도 사용 가능함:

Nein, *ihn* habe ich ... gefunden.

6. Das sind meine Freunde. D*ie* sind alle nett.

✹ **해석** 이것은 나의 친구들이야. 그들은 모두가 친절해.

✹ **어휘** 「Das sind + *복수* 1격」 '이것은 ...들이다' ▌der Freund 친구 (die Freund*e*) ▌die [지시대명사] 그들 (앞에 나온 *복수*명사를 받으며, *1격* 혹은 *4격* 형임.) ▌alle [부정대명사] 모든 사람들 (*복수* 취급!) ↔ alles 모든 것 (*단수* 취급!) ▌nett [형용사] 친절한, 괜찮은

문장 1

► 「mein*e* Freund*e* 」:

명사 Freund*e*는 *복수*이며, 동사 sind의 *주격* 보어이므로 *복수 1격!!*

따라서 소유대명사 mein-('나의')은 *복수 1격* 정관사 di*e*처럼 어미변화 하여 mein*e*임.

소유대명사 mein-, dein- ...등은 원래 ***부정관사 ein-*** 어미변화 하지만, ***복수***일 경우는 ***정관사 d-*** 어미변화 함.

문장 2

☞ 앞에 나온 *복수*명사 Freund*e*를 받으며, 동사 sind의 *주어*이므로 *복수 1격!!*

따라서 *복수 1격*의 지시대명사 D*ie* 가 정답임.

「정관사 *d-* + 명사」, 즉 "***Die*** Freunde"의 축약형으로 볼 수 있음.

<참고>

① *복수 1격*의 「정관사 + 명사」 형식인 *Die* Freunde를 대신 사용할 수 있음:

Die Freunde sind alle nett.

② *복수 1격*의 인칭대명사 *sie*('그들은')도 사용 가능함:

Sie sind alle nett.

► *Die* sind alle nett.

앞에 있는 ***복수 주어 Die***와 동격! ('그들은 ***모두*** 친절하다.')

7. Wo ist deine Brille? - Oh, die habe ich vergessen.

✹ 해석 네 안경은 어디에 있지? - 아, 그것을 나는 잊고 안 가져왔네.

✹ 어휘 wo [의문사] 어디에? ▌die Brille 안경 (die Brille*n*) ▌oh [감탄사] 오!, 아! ▌die [지시대명사] 그것 (앞에 나온 *여성*명사를 받으며, *1격* 혹은 *4격* 형임.) ▌「habe ... vergessen」 (동사 vergessen의 *현재완료* 시제) ▌vergessen (동사 vergessen의 *pp형*) ⇒ vergessen [타동사] ...을 잊다 (3 기본형: vergessen - vergaß - vergessen) (현재 시제: du vergiss*t* ; er vergiss*t*)

문장 1

► 「dein*e* Brille」:

명사 Brille는 *여성*이며, 문장의 *주어*이므로 *여성 1격!!*

따라서 소유대명사 dein-('너의')은 *여성 1격* 부정관사 ein*e*처럼 어미변화 하여 dein*e*임.

문장 2

☞ 앞에 나온 *여성*명사 Brille를 받으며, vergessen의 *4격* 목적어이므로 *여성 4격!!*

따라서 *여성 4격*의 지시대명사 d*ie* 가 정답임.

「정관사 *d-* + 명사」, 즉 "***Die*** Brille"의 축약형으로 볼 수 있음.

<참고>

① *여성 4격*의 「정관사 + 명사」 형식인 *die* Brille를 대신 사용할 수 있음:
Oh, *die Brille* habe ich vergessen.

② *여성 4격*의 인칭대명사 *sie*('그녀')도 사용 가능함:
Oh, *sie* habe ich vergessen.

8. Kann man diesen Fernseher noch reparieren? - Nein, der ist nicht mehr zu reparieren.

✹ 해석 이 텔레비전을 아직 수리할 수 있을까요? - 아니오, 그것은 더 이상 수리가 불가능해요.

✹ 어휘 「Kann ... reparieren?」 (화법조동사 können의 *현재* 시제) ⇒ 「können ... 동사 원형」 ...할 수 있다 (현재 시제: ich kann ; du kann*st* ; er kann ; wir könn*en* ; ...) (3 기본형: können - konnte - gekonnt, können) ▌man [부정대명사] 사람들은 (항상 *주어*이며, 단수 3인칭 *er* 취급!) ▌dies- [지시대명사] '이 ...' (*정관사 d-* 어미변화!) (영. this ...) ↔ jen- '저 ...' (영. that ...) ▌der Fernseher (기계로서) 텔레비전 (die Fernseher) ⇐ *fern*sehen [분리동사/자동사] 텔레비전을 시청하다 ▌noch [부사어] 아직 ▌der [지시대명사] 그것 (앞에 나온 *남성*명사를 받으며, *1격* 형임.) ▌「ist ... *zu* reparieren」 (zu-부정사) ⇒ 「sein ... *zu* 동사 원형」[1] (수동의 *가능*) ...될 수 있다 ; [2] (수동의 *필연*) ...되어야 한다 ▌reparieren [타동사] ...을 수리하다 (3 기본형: repariere*n* - reparier*te* - reparier*t* ※형태가 *-ieren*이므로 pp형에서 *ge- 탈락!*) ▌「nicht mehr ...」 '더 이상 ... 않다'

문장 1

► 「dies*en* Fernseher」:

명사 Fernseher는 *남성*이며, 동사 reparieren의 *4격* 목적어이므로 *남성 4격!!*

따라서 지시대명사 dies-('이 ...')는 *남성 4격* 정관사 d*en*처럼 어미변화 하여 dies*en*임.

문장 2

☞ 앞에 나온 *남성*명사 Fernseher를 받으며, 동사 ist의 *주어*이므로 *남성 1격!!*
따라서 *남성 1격*의 지시대명사 d*er* 가 정답임.
「정관사 *d-* + 명사」, 즉 "***Der*** Fernseher"의 축약형으로 볼 수 있음.

<참고>

① *남성 1격*의 「정관사 + 명사」 형식인 *der* Fernseher를 대신 사용할 수 있음:
Nein, *der Fernseher* ist nicht mehr zu reparieren.

② *남성 1격*의 인칭대명사 *er*도 사용 가능함:
Nein, *er* ist nicht mehr zu reparieren.

II. 밑줄 친 곳에 알맞은 어미는? (19과, 기초문제: 교재 110쪽)

1. Haben Sie hier ein*e* Tasche gesehen? - Ja, dort liegt ein*e* .

✺ **해석** 당신 여기서 가방 하나 보셨나요? - 예, 저기에 하나가 놓여 있어요.

✺ **어휘** 「Haben ... gesehen?」 (동사 sehen의 *현재완료* 시제) ▌ gesehen (동사 sehen의 *pp형*) ⇒ sehen [타동사] ...을 보다 (3 기본형: sehen - sah - gesehen) (현재 시제: du sieh*st* ; er sieh*t*) ▌ dort [부사어] 저기에 (= da) ▌ liegen [자동사] (사물이) 놓여 있다, (사람이) 누워 있다 (3 기본형: liegen - lag - gelegen) <주의> 동사 *liegen*과 함께 오는 3·4격 전치사는 '위치'를 나타내므로 *3격 지배*임! ▌ ein*e* [부정대명사] 그것 한 개 (앞에 나온 *여성*명사를 받으며, *1격* 혹은 *4격* 형임.)

문장 1

☞ 여기서 ein-은 뒤에 명사가 나오므로 *부정관사*임:
뒤에 오는 명사 Tasche가 *여성*이며, 동사 gesehen의 *4격* 목적어이므로
여성 4격 부정관사 ein*e*가 정답임.

문장 2

☞ 여기서 ein-은 뒤에 명사 없이 홀로 나오므로 *부정대명사*임:
앞 문장에 나온 *여성*명사 Tasche를 받으며, 동사 liegt의 *주어*이므로 *여성 1격!!*
따라서 *여성 1격*의 부정대명사 ein*e* 가 정답임.
「부정관사 *ein-* + 명사」, 즉 "***eine*** Tasche"의 축약형으로 볼 수 있음.

<참고>

*여성 1격*의 「부정관사 + 명사」 형식인 *eine* Tasche 역시 사용될 수 있음!
즉: Ja, dort liegt *eine Tasche*.

2. Hast du noch Geld? - Nein, ich habe kein*s* mehr.

✺ **해석** 너 아직 돈이 있니? - 아니, 이제는 전혀 없어.

✱ 어휘 Hast (동사 haben의 *현재* 시제) ⇒ haben [타동사] ...을 가지고 있다 (3 기본형: haben - hatte - gehabt) ▌noch [부사어] 아직, 여전히 ▌das Geld (주로 단수) 돈 (die Geld*er*) ▌kein*s* [부정대명사] 아무것도 ... 않다 (앞에 나온 *중성*명사를 받으며, *1격* 혹은 *4격* 형임.) ▌「... keins mehr」 더 이상 아무것도 ... 않다

문장 2

☞ 여기서 kein-은 뒤에 명사 없이 홀로 사용된 *부정대명사*임!
앞 문장에 나온 *중성*명사 Geld를 받으며, 동사 habe의 *4격* 목적어이므로 *중성 4격!!*
따라서 *중성 4격*의 부정대명사 kein*s* 가 정답임.
「부정어 ***kein-*** + 명사」, 즉 "***kein*** Geld"의 축약형으로 볼 수 있음.

<참고>
*중성 4격*의 「kein- + 명사」 형식인 *kein_* Geld 역시 사용될 수 있음!
즉: Nein, ich habe *kein Geld* mehr.

3. Wir brauchen noch ein*en* Stuhl. Hol bitte ein*en* aus der Küche!

✱ 해석 우리는 의자 하나를 더 필요로 해. 부엌으로부터 하나를 가져 와라.

✱ 어휘 brauchen [타동사] ...을 필요로 하다, 요구하다 (3 기본형: brauch*en* - brauch*te* - *ge*brauch*t*) ▌noch [부사어] 아직 ▌der Stuhl 걸상 (die Stühl*e*) ▌「Hol ...! 」 (du-명령문) ⇒ holen [타동사] ...을 가져오다 (3 기본형: hol*en* - hol*te* - *ge*hol*t*) ▌bitte [부사어] 명령문에서 요구 내용을 정중하게 표현함. ▌ein*en* [부정대명사] 그것 한 개 (앞에 나온 *남성*명사를 받으며, *4격* 형임.) ▌aus [*3격* 전치사] ~로부터 (영. out of) ▌die Küche 부엌 (die Küche*n*)

문장 1

☞ 여기서 ein-은 뒤에 명사가 나오므로 *부정관사*임:
뒤에 오는 명사 Stuhl이 *남성*이며, 동사 brauchen의 *4격* 목적어이므로 *남성 4격!!*
따라서 *남성 4격 부정관사* ein*en*이 정답임.

문장 2

► du-명령문은 「동사 어간 ...!」 '...해라.'
hol*en* → Hol ...!

☞ 여기서 ein-은 뒤에 명사 없이 홀로 사용되므로 *부정대명사*임:
앞 문장에 나온 *남성*명사 Stuhl을 받으며, 동사 Hol의 *4격* 목적어이므로 *남성 4격!!*
따라서 *남성 4격*의 부정대명사 ein*en* 이 정답임.
「부정관사 ***ein-*** + 명사」, 즉 "***einen*** Stuhl"의 축약형으로 볼 수 있음.

<참고>
*남성 4격*의 「부정관사 + 명사」 형식인 *einen* Stuhl 역시 사용될 수 있음!
즉: Hol bitte *einen Stuhl* aus der Küche!

4. Kaufen wir die Lampe? - Ja, wir brauchen unbedingt ein*e* .

✱ 해석 우리 그 전등을 살까? - 응. 우리는 전등이 하나 꼭 필요해.

✵ **어휘** kaufen [타동사] ...을 사다 (3 기본형: kauf*en* - kauf*te* - *ge*kauf*t*) → der Käufer 구매인, 사는 사람 (die Käufer) ▌die Lampe 등불 (die Lampe*n*) ▌brauchen [타동사] ...을 필요로 하다 (영. need) (3 기본형: brauch*en* - brauch*te* - *ge*brauch*t*) ▌unbedingt [형용사] 무조건적인, (부사적) 무조건 <참고> die Bedingung 조건 (die Bedingung*en*) ▌ein*e* [부정대명사] 그것 하나 (앞에 나온 *여성*명사를 받으며, *1격* 혹은 *4격* 형임.)

문장 2

☞ 여기서 ein-은 뒤에 명사 없이 홀로 사용되므로 *부정대명사*임:
앞 문장에 나온 *여성*명사 Lampe를 받으며, 동사 brauchen의 *4격* 목적어이므로 *여성 4격!!*
따라서 *여성 4격*의 부정대명사 ein*e* 가 정답임.
「부정관사 ***ein-*** + 명사」, 즉 "***eine*** Lampe"의 축약형으로 볼 수 있음.

<참고>
*여성 4격*의 「부정관사 + 명사」 형식인 *eine* Lampe 역시 사용될 수 있음!
즉: Ja, wir brauchen unbedingt *eine Lampe*.

5. Gibt es hier auch Ledersofas? - Nein, hier gibt es kein*e*.

✵ **해석** 여기 소파들도 있나요? - 아니오, 여기는 하나도 없어요.

✵ **어휘** Gibt (동사 geben의 *현재* 시제: 주어가 *er*, *sie*, *es*일 때) ⇒ geben [타동사] ...을 주다 : 「es gibt + 4격」 '...이 있다' (현재 시제: du gib*st* ; er gib*t*) (3 기본형: geben - gab - gegeben) ▌hier [부사어] 여기, 여기에 ▌auch [부사어] ...도, 역시 ▌das Ledersofa 가죽 소파 (die Ledersofa*s*) ← die Leder 가죽 (복수 없음) + das Sofa 소파 (die Sofa*s*) ▌kein*e* [부정대명사] 아무 것도 ... 않다 (앞의 *복수*명사를 받으며, *1격* 혹은 *4격* 형임!) (영. no one, nothing)

문장 2

☞ 여기서 kein-은 뒤에 명사 없이 홀로 사용된 *부정대명사*임:
앞 문장의 *복수*명사 Ledersofa*s*를 받으며, 「es gibt ...」와 결합하여 *4격*이므로 *복수 4격!!*
따라서 *복수 4격*의 부정대명사 kein*e* 가 정답임.
「부정어 ***kein-*** + 명사」, 즉 "***keine*** Ledersofas"의 축약형으로 볼 수 있음.

<참고>
*복수 4격*의 「kein- + 명사」 형식인 *keine* Ledersofa*s* 역시 사용될 수 있음!
즉: Nein, hier gibt es *keine Ledersofas*.

6. Wählen Sie ein*s* von den beiden Bildern!

✵ **해석** 그 두 개의 그림 가운데 하나를 선택하세요.

✵ **어휘** 「Wählen Sie ...! 」 (Sie-명령문) ⇒ wählen [타동사] ...을 선택하다 (3 기본형: wähl*en* - wähl*te* - *ge*wähl*t*) ← die Wahl 선택 (복수 없음) : eine Wahl treffen 선택하다 ▌ein*s* [부정대명사] 그것 한 개 (*중성*명사를 받으며, *1격* 혹은 *4격* 형임.) ▌von [*3격* 전치사] ~중에서 (영. of) ▌beid(e) [형용사] 둘의, 양자의 (영. both) ▌das Bild 그림 (die Bild*er*)

► Sie-명령문「동사 원형 Sie ...!」'...하세요.'
wählen → Wählen Sie ...!

☞ 여기서 ein-은 명사 없이 홀로 나오므로 *부정대명사*임:
내용상 "두 개의 그림 가운데 하나"는 결국 "두 개의 그림 가운데 하나의 *그림*"를 뜻함.
따라서 ein-은 *중성*명사 Bild를 받는데, 동사 Wählen의 *4격* 목적어이므로 *중성 4격!!*
따라서 *중성 4격*의 부정대명사 ein*s* 가 정답임.
「부정관사 ***ein-*** + 명사」, 즉 "***ein*** Bild"의 축약형으로 볼 수 있음.

►「von d*en* beid*en* Bild*ern*」:
• 명사 Bild*er*는 *복수*이며, *3격* 전치사 von의 목적어이므로 *복수 3격!!*
따라서 *복수 3격* 정관사 d*en* 이 앞에 옴.
3격 어미 : 남성 · 중성 ***-em*** ; 여성 ***-er*** ; 복수 ***-en***

• 형용사 beid(e) 앞에 *복수 3격*의 d*en*이 있음:
→ 따라서 von d*en* beid*en* ...
(근거: *3격 어미*를 지닌 관사, 소유대명사 ...등의 뒤에 오는 형용사는 무조건 *-en*임!)

• *복수 3격* 명사의 형태는 *-n*임.
여기서도 *복수 3격*이므로 어미 *-n*이 붙어 Bilder*n*임.

7. Gestern hatte er noch hohes Fieber. Heute hat er kein*s* mehr.

✺ **해석** 그는 어제는 여전히 열이 높았다. 오늘은 전혀 없다.

✺ **어휘** gestern [부사어] 어제 ▌hatte (동사 haben의 *과거* 시제: 주어가 *ich* 혹은 *er*, *sie*, *es*일 때) ⇒ haben [타동사] ...을 가지고 있다 (3 기본형: haben - hatte - gehabt) ▌noch [부사어] 아직, 여전히 ▌hoh- [형용사] 높은 (뒤에 오는 명사를 *수식*하는 용법만 있음!) <주의> 동사 sein 등의 *형용사 보어*, *부사어* 등일 경우 형태는 *hoch*임. ▌das Fieber 열 (복수 없음) ▌heute [부사어] 오늘 ▌kein*s* [부정대명사] 아무것도 ... 않다 (앞에 나온 *중성*명사를 받으며, *1격* 혹은 *4격* 형임.) ▌「... keins mehr」 더 이상 아무것도 ... 않다

문장 1

►「Gestern hatte er ...」: 동사 haben의 *과거* 시제임!
과거 시제이므로 haben의 3 기본형 가운데 *과거형* hatte가 어미변화 함:
주어가 er이므로 어미 없이 그대로 hatte_임.

►「hoh*es* Fieber」:
명사 Fieber는 *중성*이며, 동사 hatte의 *4격* 목적어이므로 *중성 4격!!*
따라서 형용사 hoh-는 *중성 4격 정관사* d*as*처럼 어미변화 하여 hoh*es*임.
형용사 앞에 관사, 소유대명사, 지시대명사 ... 등이 없을 경우,
형용사 자체가 ***정관사 d-*** 어미변화 함!

문장 2

☞ 여기서 kein-은 뒤에 명사 없이 홀로 사용된 *부정대명사*임:
앞 문장에 나온 *중성*명사 Fieber를 받으며, 동사 hat의 *4격* 목적어이므로 *중성 4격!!*
따라서 *중성 4격*의 부정대명사 kein*s* 가 정답임.
「부정어 ***kein-*** + 명사」, 즉 "***kein*** Fieber"의 축약형으로 볼 수 있음.

<참고>
*중성 4격*의 「kein- + 명사」 형식인 *kein_* Fieber 역시 사용될 수 있음!
즉: Heute hat er *kein Fieber* mehr.

III. 지시대명사 der, das, die ...? 혹은 부정대명사 (k)einer, (k)eine, (k)eins ...?

(19과, 기초문제: 교재 110쪽)

1. Kennst du den Mann dort? - Nein, den kenne ich nicht.

❋ **해석** 너 저기 저 남자를 아니? - 아니, 그를 나는 알지 못해.

❋ **어휘** kennen [타동사] ...을 알다 (3 기본형: kennen - kannte - gekannt) ▌der Mann 남자, 남편 (die Männ*er*) ▌dort [부사어] 저기, 저기에 ▌den [지시대명사] 그 사람 (앞에 나온 *남성*명사를 받으며, *4격* 형임.)

문장 2

☞ 내용상, 앞 문장에 나온 Mann을 받아 "*그 남자*를", 즉 "*그*를"이 되어야 함.
따라서 특정 대상을 가리키므로 지시대명사 *d-* 형태가 빈칸에 와야 함!
즉, 앞에 나온 *남성*명사 Mann을 받으며, 동사 kenne의 *4격* 목적어이므로 *남성 4격!!*
따라서 *남성 4격*의 지시대명사 d*en* 이 정답임.
「정관사 ***d-*** + 명사」, 즉 "***den*** Mann"의 축약형으로 볼 수 있음.

<참고>
① *남성 4격*의 「정관사 d- + 명사」 형식인 *den* Mann도 가능함:
Nein, *den Mann* kenne ich nicht.
② *남성 4격*의 인칭대명사 *ihn*도 가능함:
Nein, *ihn* kenne ich nicht.

2. Hast du die Männer getroffen? - Nein, Ich habe keinen von ihnen getroffen.

❋ **해석** 너 그 남자들을 만났니? - 아니, 그들 가운데 아무도 만나지 않았어.

❋ **어휘** 「Hast ... getroffen?」 (동사 treffen의 *현재완료* 시제) ▌getroffen (동사 treffen의 *pp형*) ⇒ treffen [타동사] ...을 만나다 (3 기본형: treffen - traf - getroffen) (현재 시제: du triff*st* ; er triff*t*) ▌der Mann 남자, 남편 (die Männ*er*) ▌kein*en* [부정대명사] 아무도 ... 않다 (앞에 나온 *남성*명사를 받으며, *4격* 형임.) ▌von [3격 전치사] ~중에서 (영. of) ▌ihnen [인칭대명사] 복수의 sie('그들은, 그것들은')의 *3격* 형임. (4격 형은 *sie*)

문장 2

☞ 내용상 "(*그 남자들* 가운데) *아무도* ... 않다"이므로 부정대명사 *kein-* 형태가 빈칸에 와야 함. 즉, 앞에 나온 *남성*명사 Mann을 받으며, 동사 getroffen의 *4격* 목적어이므로 *남성 4격!!* 따라서 *남성 4격*의 d*en*처럼 어미변화 한 부정대명사 kein*en* 이 정답임.
「부정어 ***kein-*** + 명사」, 즉 "***keinen*** Mann"의 축약형으로 볼 수 있음.

3. Wenn die Geschäfte zu sind, können Sie sich Zigaretten aus einem Automaten holen. Da vorne an der Ecke ist einer .

✸ **해석** 만약 상점들이 문을 닫게 되면, 당신은 자동판매기에서 담배를 가져올 수 있어요. 저기 앞 쪽 구석에 하나가 서있어요.

✸ **어휘** wenn [종속접속사] ...일 경우, 만약 ...라면 (영. if, whenever) (뒤에 오는 문장은 부문장이므로 *후치* 됨: Wenn 주어 ... *동사* , ...) ▌das Geschäft 가게, 상점 (die Geschäft*e*) = der Laden (die Läden) ▌zu [부사어] 닫힌 : 「주어 + 동사 sein + zu」 (구어체) *주어*가 닫혀 있다 ↔ auf [부사어] 열린 : 「주어 + 동사 sein + auf」 *주어*가 열려 있다 ▌「können ... holen」(화법조동사 können의, *현재* 시제) ⇒ 「können ... 동사 원형」 ...할 수 있다 (현재 시제: ich kann ; du kann*st* ; er kann ; wir könn*en* ; ...) (3 기본형: können - konnte - gekonnt, können) ▌sich [*3격* 재귀대명사] 주어가 격식칭 Sie('당신은, 당신들은')이므로 3격 재귀대명사는 *sich* (4격 재귀대명사 역시 *sich*) ▌die Zigarette 담배 (die Zigarett*en*) ▌aus [*3격* 전치사] ~로부터 (영. out of) ▌der Automat 자동판매기 (die Automat*en*) <주의> 주어를 제외한 *단수 2, 3, 4격*이 모두 복수형처럼 Automat*en*인 *약변화* 명사! ▌「holen sich^3 + 4격」 [3격 재귀동사] ...을 얻다, 쟁취하다 (3 기본형: holt*en* - hol*te* - *ge*hol*t*) <참고> holen [타동사] ...을 가져오다 ▌da vorne 저기 앞에 ← da [부사어] 저기 + vorn(e) [부사어] 앞에 ▌an [*3·4격* 전치사] (*3격* 지배: *위치*) ~옆에, ~에 : an der Ecke 구석*에* ▌die Ecke 구석 (die Ecke*n*) ▌ein*er* [부정대명사] 아무것도 ... 않다 (앞에 나온 *남성*명사를 받으며, *1격* 형임.)

문장 1

► Wenn *die Geschäfte* ... sind , können Sie ... :
wenn-부문장이므로 동사 sind는 ***후치***됨. / wenn-부문장이 앞에 오므로 주문장은 ***도치***됨.

► 「aus ein*em* Automat*en* 」:

- 명사 Automat는 *남성*이며, *3격* 전치사 aus의 목적어이므로 *남성 3격!!*
따라서 *남성 3격* 어미 부정관사 ein*em* 이 앞에 옴.
3격 어미 : 남성·중성 ***-em*** ; 여성 ***-er*** ; 복수 ***-en***
- 명사 Automat는 약변화 명사임!
여기서는 주어가 아닌 *단수 3격*이므로 복수형처럼 *-en*이 붙어 Automat*en*임.

문장 2

☞ 내용상 앞 문장에 나온 Automat를 받아 "그것 *하나*가"이므로 부정대명사 *ein-* 이 빈칸에 와야 함.

즉, 앞에 나온 *남성*명사 Automat를 받으며, 동사 ist의 *주어*이므로 *남성 1격!!*
따라서 *남성 1격*의 d*er*처럼 어미변화 한 부정대명사 ein*er* 가 정답임.
「부정관사 ***ein-*** + 명사」, 즉 "***ein*** Automat"의 축약형으로 볼 수 있음.

<참고>
*남성 1격*의 「부정관사 ein- + 명사」 형식인 *ein* Automat도 가능함:
Da vorne an der Ecke ist *ein Automat*.

► ... an der Ecke *ist* ...
동사 ***ist***와 함께 와서 내용상 "...***에*** 있다", 즉 '위치'를 나타내므로
3 · 4격 전치사 an은 ***3격*** 지배임!

4. Möchtest du noch ein Stück Kuchen? - Nein, ich möchte keins mehr. Ich bin schon satt.

✻ **해석** 너 케이크 한 조각 더 원하니? - 아니, 나는 더 이상 아무것도 원하지 않아. 나는 이미 배가 불러.

✻ **어휘** möchten [타동사] ...을 원하다 (현재 시제: ich möchte ; du möchte*st* ; er möchte ; wir möchte*n* ...) ▌noch [부사어] 아직 → 「noch ein- ... 」 '... 하나 더' ▌das Stück 조각 (die Stück*e*) : ein Stück Kuchen 케이크 한 조각 ▌der Kuchen [*물질*명사] 케이크, 빵 (die Kuchen) ▌kein*s* [부정대명사] 아무것도 ... 않다 (앞에 나온 *중성*명사를 받으며, *1격* 혹은 *4격* 형임.) : 「... kein*s* mehr」 아무것도 더 이상 ... 않다 ▌schon [부사어] 이미, 벌써 ▌satt [형용사] 배부른

문장 2

☞ 내용상, 앞 문장에 나온 Stück를 받으면서 "*아무것도* ... 않다"임.
따라서 부정대명사 *kein-* 형태가 빈칸에 와야 함.
즉, 앞에 나온 *중성*명사 Stück를 받으며, 동사 möchte의 *4격* 목적어이므로 *중성 4격!!*
따라서 *중성 4격*의 da*s*처럼 어미변화 한 부정대명사 kein*s* 가 정답임. (kein*es* 아님!)
「부정어 ***kein-*** + 명사」, 즉 "***kein*** Stück"의 축약형으로 볼 수 있음.

<참고>
*중성 4격*의 「kein- + 명사」 형식인 *kein_* Stück도 가능함:
Nein, ich möchte *kein Stück* mehr.

5. Haben Sie daran gedacht, den Brief zur Post zu bringen? Der ist sehr wichtig.

✻ **해석** 그 편지를 우체국에 가져갈 것을 기억했나요? 그것은 매우 중요한 것이에요.

✻ **어휘** 「Haben ... gedacht? 」 (동사 denken의 *현재완료* 시제) ▌gedacht (동사 denken의 *pp형*) ⇒ 「denken an + 4격」 '...을 생각하다' (3 기본형: denken - dachte - gedacht) ▌da*r*an 그것을 ← an [전치사] (동사 denken과 함께 올 경우) ...을 + das [지시대명사] 그것 ▌der Brief 편지 (die Brief*e*) ▌zu [*3격* 전치사] (방향) ~로 → 「zur + 여성 3격」: zur Post 우체국*으로* (= auf die Post) ▌die Post 우체국 (복수 없음) ▌「, ... *zu* bringen」 (zu-부정사) ⇒ bringen [타동사] ...을 가져오다 (3 기본형: bringen - brachte - gebracht) ▌der [지시대명사]

그것 (앞에 나온 *남성*명사를 받으며, *1격* 형임.) ▌sehr [부사어] 매우 ▌wichtig [형용사] 중요한 ↔ *un*wichtig 중요하지 않은

문장 1

► Haben ... daran gedacht , ... *zu* bringen?

daran '그것을' = ***an*** '...을' + ***das*** '그것'

1. 여기서 전치사 ***an***은 동사 형식 「denken ***an*** ...」('...을 생각하다')에 근거함! 즉, 바로 뒤에 나온 동사 gedacht와 연관됨.
2. 여기서 ***das***는 뒤에 오는 zu-부정사 「den Brief zur Post ***zu*** bringen」을 받음.

문장 2

☞ 내용상, 앞 문장에 나온 Brief을 받아 "*그 편지는*", 즉 "*그것은*"이 되어야 함.
따라서 특정 대상을 가리키는 지시대명사 *d-* 형태가 빈칸에 와야 함!
즉, 앞에 나온 *남성*명사 Brief를 받으며, 동사 ist의 *주어*이므로 *남성 1격!!*
따라서 *남성 1격*의 지시대명사 Der 가 정답임.

「정관사 ***d-*** + 명사」, 즉 "***Der*** Brief"의 축약형으로 볼 수 있음.

<참고>

① *남성 1격*의 「정관사 d- + 명사」 형식인 *Der* Brief도 가능함:
Der Brief ist sehr wichtig.

② *남성 1격*의 인칭대명사 *Er*도 가능함:
Er ist sehr wichtig.

6. Nina, hast du denn schon ein Fahrrad? - Ja, seit ein paar Wochen habe ich eins . Das habe ich von meinen Eltern zum Geburtstag bekommen.

✻ **해석** 니나야, 너 이미 자전거가 있니? - 응, 몇 주 전부터 하나 가지고 있어. 그것을 나는 부모님으로부터 생일 선물로 받았어.

✻ **어휘** hast (동사 haben의 *현재* 시제) ⇒ haben [타동사] ...을 가지고 있다 (3 기본형: haben - hatte - gehabt) ▌denn [부사어] 의문문에 사용되어, 질문을 자연스럽게 유도함. (우리말 해석 필요 없음!) ▌schon [부사어] 이미, 벌써 ▌das Fahrrad 자전거 (die Fahrräd*er*) ▌seit [*3격* 전치사] ~이후로 (영. since) ▌「ein paar + *복수*명사」 '몇몇의 ...' (= 「einige + *복수*명사」) <주의> das Paar 쌍, 부부 (die Paar*e*) ▌die Woche 주, 주일 (die Woche*n*) ▌ein*s* [부정대명사] 그것 한 개 (앞에 나온 *중성*명사를 받으며, *1격* 혹은 *4격* 형임.) ▌das [지시대명사] 그것 (앞에 나온 *중성*명사를 받으며, *1격* 혹은 *4격* 형임.) ▌「habe ... bekommen 」 (동사 bekommen의 *현재완료* 시제) ▌bekommen (동사 bekommen의 *pp형*) ⇒ bekommen [타동사] ...을 받다, 얻다 (3 기본형: *be*kommen - *be*kam - *be*kommen ※형태가 *be*-이므로 pp형에서 *ge- 탈락*!) ⇐ kommen [자동사] 오다 (3 기본형: kommen - kam - gekommen ; '*장소 이동* 자동사 → 완료형 「*sein* ... gekommen」) ▌von [*3격* 전치사] ~로부터 (영. from) ▌die Eltern (항상 복수) 부모 ▌zu [*3격* 전치사] ~을 위해 → 「zum + 남성·중성 3격」: zum Geburtstag 생일을 위해 ▌der Geburtstag 생일 (die Geburtstag*e*)

문장 2

☞ 내용상, 앞 문장에 나온 Fahrrad를 받아 "*자전거 하나*를", 즉 "*그것 하나*를"을 뜻해야 함.
따라서 불특정 대상을 나타내는 부정대명사 *ein-* 형태가 빈칸에 와야 함.
즉, 앞에 나온 *중성*명사 Fahrrad를 받으며, 동사 habe의 *4격* 목적어이므로 중성 4격!!
따라서 *중성 4격*의 da*s*처럼 어미변화 한 부정대명사 ein*s* 가 정답임. (ein*es* 아님!)
「부정관사 ***ein-*** + 명사」, 즉 "***ein*** Fahrrad"의 축약형으로 볼 수 있음.

<참고>
*중성 4격*의 「부정관사 ein- + 명사」 형식인 *ein* Fahrrad도 가능함:
Ja, seit ein paar Wochen habe ich *ein Fahrrad*.

문장 3

☞ 앞 문장에 나온 부정대명사 ein*s*,를 받아야 하는데, 이 eins는 다시 그 앞 문장의 Fahrrad를 받으므로 내용상 "*그 자전거*를", 즉 "*그것*을"이 되어야 함.
따라서 특정 대상을 가리키는 지시대명사 *d-* 형태가 빈칸에 와야 함!
즉, 앞에 나온 *중성*명사 Fahrrad를 받으며, 동사 bekommen의 *4격* 목적어이므로 *남성 4격!!*
따라서 *중성 4격*의 지시대명사 D*as* 가 정답임.
「정관사 ***d-*** + 명사」, 즉 "***Das*** Fahrrad"의 축약형으로 볼 수 있음.

<참고>
① *중성 4격*의 「정관사 d- + 명사」 형식인 *Das* Fahrrad도 가능함:
Das Fahrrad habe ich ... bekommen.
② *중성 4격*의 인칭대명사 *Es*도 가능함:
Es habe ich ... bekommen.

► 「von mein*en* Eltern」:
명사 Eltern은 *복수*이며, *3격* 전치사 von의 목적어이므로 *복수 3격!!*
따라서 소유대명사 mein-('나의')은 *복수 3격 어미 -en* 이 붙어 mein*en*임.
3격 어미 : 남성·중성 ***-em*** ; 여성 ***-er*** ; 복수 ***-en***

7. Ist Stefan da? - Nee, der ist vor einer halben Stunde zum Essen gegangen. Komm doch in etwa einer Stunde wieder! Dann ist er bestimmt zurück.

✸ **해석** 슈테판이 있니? - 아니, 그는 30분 전에 식사하러 갔어. 대략 한 시간 후에 다시 와 봐. 그러면 그가 틀림없이 돌아와 있을 거야.

✸ **어휘** nee (구어체) 아니요, 아니 (= nein) ▌der [지시대명사] 그것 (앞에 나온 *남성*명사를 받으며, *1격* 형임.) ▌「ist ... gegangen」 (동사 gehen의 *현재완료* 시제) ▌gegangen (동사 gehen의 *pp형*) ⇒ gehen [자동사] 가다 (3 기본형: gehen - ging - gegangen ; '*장소 이동* 자동사 → 완료형 「sein ... gegangen」) ▌「vor + 시간 명사(3격)」 ~전에 : vor einer halben Stunde 반시간 전에 ▌halb [형용사] 반의, 1/2의 ▌die Stunde 시간 (die Stunde*n*) <참고> die Minute (die Minute*n*) 분 ; die Sekunde 초 (die Sekunde*n*) ▌zu [*3격* 전치사] (목적) ~을 위해 → 「zum + 남성, 중성 3격」 (zum = zu dem) : zum Essen gehen 식사를 위해 가다, 식사하러 가다 ▌das Essen 식사 (die Essen) ▌「Komm ... *wieder*!」 (du-명령문) ⇒

*wieder*kommen [분리동사&자동사] 다시 오다 (3 기본형: *wieder*kommen - *wieder*kam - *wieder*gekommen ; '*장소 이동* 자동사 → 완료형「*sein* ... pp」) ⇐ kommen [자동사] 오다 (3 기본형: kommen - kam - gekommen ; '*장소 이동* 자동사 → 완료형「*sein* ... gekommen」) ← wieder [부사어] 다시, 반복해서 (영. again) ▌「in + 시간 명사(3격)」 ~후에 : in einer Stunde 한 시간 후에 ↔ vor einer Stunde 한 시간 전에 ▌etwa [부사어] 대략, 약 (= ungefähr) ▌dann [부사어] (논리적 귀결) 그러면 (영. then) ▌bestimmt [부사어] 틀림없이 (= sicher, gewiss) (영. surely) ▌zurück [부사어] 되돌아, 뒤로 (영. back) :「주어 + 동사 sein + (von + 3격) zurück」 *주어는* (...로부터) 돌아와 있다

문장 2

☞ 내용상, 앞 문장에 나온 Stefan을 받아 "*그는*"이 되어야 함.

따라서 특정 대상을 가리키는 지시대명사 *d-* 형태가 빈칸에 와야 함!

즉, 앞에 나온 *남자* 인물 Stefan을 받으며, 동사 ist의 *주어*이므로 *남성 1격!!*

따라서 *남성 1격*의 지시대명사 d*er* 가 정답임.

「정관사 ***d-*** + 명사」, 즉 "**der** Stefan"의 축약형으로 볼 수 있음.

<참고>

*남성 1격*의 인칭대명사 *er*도 가능함:

Nee, *er* ist ... gegangen.

► 「vor ein*er* halb*en* Stunde」:

- 명사 Stunde는 *여성*이며, 전치사 vor의 *3격* 목적어이므로 *여성 3격!!*

  따라서 *여성 3격* 부정관사 ein*er* 가 앞에 옴.

  3격 어미 : 남성 · 중성 ***-em*** ; 여성 ***-er*** ; 복수 ***-en***

- 형용사 halb- 앞에 *여성 3격*의 ein*er*가 있음.

  → 따라서 vor ein*er* halb*en* Stunde

  (근거: *3격 어미*를 지닌 관사, 소유대명사 ... 등의 뒤에 오는 형용사는 무조건 *-en*임)

unit 02

심화문제

I. 밑줄 친 곳에 알맞은 의문사 표현은? (19과, 심화문제: 교재 112쪽)

1. Wessen Lexikon ist das? - Das ist meins.

✻ 해석 이것은 누구의 사전이니? - 그것은 내 것이야.

✻ 어휘 「wessen + 명사」 누구의 ...? (의문사 wer의 *2격* 형!) (영. whose ...?) ▌das Lexikon 사전 (die Lexik*a*) ▌「Das ist + *단수* 1격」 '이것은 ...이다' ▌mein*s* [소유대명사] 나의 것 (앞에 나온 *중성*명사를 받으며, *1격* 혹은 *4격* 형임.)

문장 1

☞ 내용상 '*누구의* ...?'가 되어야 함. → 따라서 wer의 2격 형 Wessen이 정답임.

문장 2

► mein*s* :

- 소유대명사 mein-('나의') 뒤에 명사가 없는 형태로서 「mein- + 명사」의 축약형임! ("*나의 것*"으로 해석되는데, 앞 문장의 Lexikon을 받으므로 결국 '나의 사전'을 뜻함.)
- 앞 문장에 나온 *중성*명사 Lexikon을 받으며, 동사 ist의 *주격* 보어이므로 *중성 1격!!* 따라서 *중성 1격*의 da*s*처럼 어미변화 하여 mein*s*임.

<참고>

mein*s* 대신 「mein- + 명사」 형식도 가능함: Das ist *mein Lexikon*.

2. Wem gehört der blaue Pullover hier? - Der gehört mir. (Das ist meiner.)

✻ 해석 여기 이 파란 색 스웨터는 누구 것이니? - 그것은 내 소유야. (그것은 내 것이야.)

✻ 어휘 wem [의문사] 누구에게? (wer의 *3격* 형!) ▌「gehören + 3격(사람)」 누구에게 속하다, 누구의 소유이다 (3 기본형: *gehör*en* - *gehört*e* - *gehört* ※형태가 *ge*-이므로 pp형에서 *ge- 탈락*!) ⇐ hören [타동사] ...을 듣다 (3 기본형: hör*en* - hör*te* - *ge*hör*t*) ▌blau [형용사] 파란색의 ▌der Pullover 스웨터 (die Pullover) ▌hier [부사어] 여기 ▌der [지시대명사] 그것 (앞에 나온 *남성*명사를 받으며, 주어로서 *1격* 형임.) ▌mir [인칭대명사] ich의 *3격* 형임. (4격 형은 *mich*) ▌mein*er* [소유대명사] 나의 것 (앞에 나온 *남성*명사를 받으며, *1격* 형임.)

문장 1

☞ 동사 gehört의 3격 목적어이므로 wer의 3격 형 Wem이 정답임.

► 「d*er* blau*e* Pullover」:

- 명사 Pullover는 남성이며, 주어이므로 남성 1격!!

따라서 남성 1격 정관사 der가 앞에 옴.

• 형용사 blau 앞에 남성 1격의 der가 있음.

→ 따라서 d*er* blau*e* Pullover

(근거: 남성 1격의 d*er*, dies*er* + 형용사 *-e*)

문장 2

► Der는 정관사가 아니라, *지시대명사*임. (「*Der* Pullover」의 축약형으로 볼 수 있음.) 앞에 나온 *남성*명사 Pullover를 받으며, 동사 gehört의 *주어*이므로 *남성 1격!!* 따라서 *남성 1격*의 D*er*가 됨.

<참고>

① *남성 1격*의 「정관사 d- + 명사」 형식인 *Der* Pullover도 가능함:

Der Pullover gehört mir.

② 남성 1격의 인칭대명사 *Er*도 가능함:

Er gehört mir.

► 「Das ist mein*er* 」:

• 소유대명사 mein-('나의') 뒤에 명사가 없는 형태로서 「mein Pullover」의 축약형임! ("*나의 것*"으로 해석되는데, 앞 문장의 Pullover를 받으므로 결국 '나의 스웨터'를 뜻함.)

• 앞 문장에 나온 *남성*명사 Pullover를 받으며, 동사 ist의 *주격* 보어이므로 *남성 1격!!* 따라서 *남성 1격*의 d*er*처럼 어미변화 하여 mein*er*임.

<참고>

mein*er* 대신 「mein- + 명사」 형식도 가능함: Das ist *mein* Pullover.

3. Was für eine Tasche suchen Sie? - Eine große Ledertasche.

✺ **해석** 당신은 어떤 종류의 가방을 찾고 계십니까? - 커다란 가죽 가방입니다.

✺ **어휘** 「was für ein- + 명사?」 [의문사] '어떤 종류의 ...?', '어떤 ...?' (영. what kind of ...?) <주의> 뒤에 명사가 *있을* 때 ein-은 *부정관사 ein-* 어미변화! (즉, ein-은 "부정관사") ; 뒤에 명사가 *없을* 때 ein-은 *정관사 d-* 어미변화! (즉, ein-은 "부정대명사"!) ▌die Tasche 가방, 핸드백 (die Tasche*n*) ▌suchen [타동사] ...을 찾다, 구하다 (3 기본형: such*en* - such*te* - *ge*such*t*) ▌groß [형용사] 큰, 커다란 ▌die Ledertasche 가죽 핸드백 (die Ledertasche*n*) ← die Leder [물질명사] 가죽 (복수 없음) + die Tasche 가방, 핸드백 (die Tasche*n*) <참고> der Koffer (여행용) 큰 가방 (die Koffer)

문장 1

☞ • 내용상 '어떤 종류의 ...?'을 뜻하는 의문사 「was für ein-」이 와야 함.

• 「was für ein-」 뒤에 명사가 옴. → 이 경우 ein-은 *부정관사* : 뒤에 오는 명사 Tasche는 *여성*이며, 동사 suchen의 *4격* 목적어이므로 *여성 4격!!* 따라서 *여성 4격*의 부정관사 ein*e*가 와서 정답은 Was für ein*e*임.

<주의>

의문사 「was *für* ein-」에서 für는 형식적인 요소로서 4격 전치사 아님!
따라서 이를 4격 전치사로 오해하여 「Was für ein- ...」이 무조건 4격을 이루는 것으로 이해하면 안 됨!

<참고>

의문사 「was für ein-」은 뒤에 명사 없이도 올 수 있음. → 이 경우 ein-은 *부정대명사* :
Ich brauche ein neues Handy. - Was für eins möchtest du?
'나는 새 휴대폰이 필요해.' - '*어떤 종류의 것*을 원하니?'
여기서 ein-은 앞에 나온 중성명사 Handy를 받으며, 동사 möchtest의 4격 목적어임.
따라서 *중성 4격*의 das처럼 어미변화 한 부정대명사 eins가 됨.

문장 2

► 「Eine großе Ledertasche」:

- 명사 Ledertasche는 *여성*이며, 생략된 동사 suche 의 *4격* 목적어이므로 *여성 4격!!*
  본래의 문장은 : Eine große Ledertasche (**suche ich**).

  따라서 *여성 3격* 부정관사 eine가 앞에 옴.
- 형용사 groß 앞에 *여성 4격*의 eine가 있음!
  → 따라서 Eine große ...
  (근거: 여성 1, 4격 eine, die, meine, ihre, keine, diese ... + 형용사 *-e*)

4. Für wen ist dieser Brief? - Der ist für mich.

✺ **해석** 이 편지는 누구에게 온 것이니? - 그것은 나에게 온 것이야.

✺ **어휘** für [*4격* 전치사] ~을 위해 ▌wen [의문사] 누구를? (wer의 *4격* 형) ▌dies- [지시대명사] '이 ...' (*정관사 d-* 어미변화!) ▌der Brief 편지 (die Briefe) ▌der [지시대명사] 그것 (앞에 나온 *남성*명사를 받으며, *1격* 형임.) ▌mich [인칭대명사] ich의 *4격* 형임. (3격 형은 *mir*)

문장 1

☞ 4격 전치사 Für와 결합하므로 wer의 4격 형 wen이 정답임.

문장 2

► Der는 정관사가 아니라, *지시대명사*임. (「*Der* Brief」의 축약형으로 볼 수 있음.) :
앞에 나온 *남성*명사 Brief를 받으며, 동사 ist의 *주어*이므로 *남성 1격!!*
따라서 *남성 1격*의 Der가 됨.

<참고>

① *남성 1격*의 「정관사 d- + 명사」 형식인 *Der* Brief도 가능함:
Der Brief ist für mich.
② *남성 1격*의 인칭대명사 *Er*도 가능함:
Er ist für mich.

5. Welche Blume gefällt dir besser? Die hier oder die da?

✽ **해석** 어떤 꽃이 당신 마음에 더 드시나요? 여기 이것, 아니면 저기 저것?

✽ **어휘** 「welch- + 명사」 '어떤 ...?' (의문사 welch-는 *정관사 d-* 어미변화!) (영. which ...?) ▌die Blume 꽃 (die Blume*n*) ▌gefällt (동사 gefallen의 *현재* 시제: 주어가 *er*, *sie*, *es*일 때) ⇒ 「gefallen + 3격(사람) + (gut)」 ~~누구~~에게 마음에 (매우) 들다 (현재 시제: du gef<u>ä</u>ll*st* ; er gef<u>ä</u>ll*t*) (3 기본형: *ge*fallen - *ge*fiel - *ge*fallen ※형태가 *ge*-이므로 pp형에서 *ge*- *탈락*!) ⇐ fallen [자동사] 떨어지다 (3 기본형: fallen - fiel - gefallen ; '*장소 이동* 자동사 → 완료형 「*sein* ... gefallen」) ▌besser [형용사: gut의 *비교급*!] 더 좋은, (부사적) 더 잘, 더 좋게 (영. better) ▌die [지시대명사] 그것 (앞에 나온 *여성*명사를 받으며, *1격* 혹은 *4격* 형임.) ▌hier [부사어] 여기 ▌oder [등위접속사] 혹은, 또는 (영. or) ▌da [부사어] 저기

문장 1

☞ • 내용상 '어떤 ...?' 혹은 '어느 쪽 ...?'을 뜻하는 의문사 welch-가 와야 함.

• 의문사 welch-는 정관사 d- 어미변화 함:
뒤에 오는 명사 Blume가 *여성*이며 동사 gefällt의 *주어*이므로 <u>*여성 1격!!*</u>
따라서 *여성 1격* 정관사 di<u>e</u>처럼 어미변화 하여 Welch<u>e</u>가 정답임.

<참고>
의문사 welch-는 뒤에 명사 없이 홀로 사용될 수도 있음:
Kann ich kurz dein Buch haben? - Welch<u>es</u> meinst du? Das hier?
'잠시 너의 책을 가져도 되겠니?' - '*어떤 것*을 말하니? 여기 이것 말이야?'
여기서 Welch-는 앞에 나온 *중성*명사 Buch를 받으며 동사 meinst의 4격 목적어임.
따라서 *중성 4격* 정관사 d<u>as</u>처럼 어미변화 하여 Welch<u>es</u>가 됨.

문장 2

► Die는 정관사가 아니라, *지시대명사*임. ("<u>Die</u> Blume"의 축약형으로 볼 수 있음.)
앞에 나온 *여성*명사 Blume를 받으며 *주어*이므로 <u>*여성 1격!!*</u>
따라서 *여성 1격*의 *Die*가 됨.

<참고>
① *여성 1격*의 「정관사 d- + 명사」 형식인 *Die* Blume도 가능함:
<u>*Die Blume*</u> hier oder ...?
② 여성 1격의 지시대명사 Dies<u>e</u>도 가능함:
<u>*Diese*</u> hier oder ...?
※그러나 여기서는 *여성 1격* 인칭대명사 sie('그녀는')는 사용할 수 없음!
즉, "<u>*Sie*</u> hier oder ...?"는 틀림!

6. Was für eine Musik hörst du gern? - Ich höre gern klassische Musik.

✽ **해석** 어떤 종류의 음악을 너는 즐겨 듣니? - 나는 고전 음악을 즐겨 들어.

✽ **어휘** 「was für ein- + 명사」 [의문사] '어떤 종류의 ...?', '어떤 ...?' (영. what kind of ...?) <주의> 뒤에 명사가 *있을* 때 ein-은 *부정관사 ein-* 어미변화! (즉, ein-은 "부정관사"!) ; 뒤에 명사가 *없을* 때 ein-은 *정관사 d-* 어미변화! (즉, ein-은 "부정대명사"!) ▌die Musik 음악 (die Musik*en*) ▌hören [타동

사] ...을 듣다 (3 기본형: hör*en* - hör*te* - *ge*hör*t*) ▌gern(e) [부사어] 즐겨, 기꺼이 ▌klassisch [형용사] 고전적인 ↔ modern 현대적인

문장 1

☞ • 내용상 '어떤 종류의 ...?'를 뜻하는 의문사 「was für ein-」이 와야 함.

• 의문사 「was für ein-」 뒤에 명사가 옴. → 이 경우 ein-은 *부정관사*임:
뒤에 오는 명사 Musik은 *여성*이며, 동사 hörst의 *4격* 목적어이므로 *여성 4격!!*
따라서 *여성 4격*의 부정관사 ein*e*가 되어 정답은 Was für ein*e*임.

문장 2

► 「klassisch*e* Musik」:
명사 Musik은 *여성*이며, 동사 höre의 *4격* 목적어이므로 *여성 4격!!*
따라서 형용사 klassisch는 *여성 4격 정관사* di*e* 처럼 어미변화 하여 klassisch*e*임.
형용사 앞에 정관사, 소유대명사 ... 등이 없을 때,
형용사는 ***정관사 d-*** 어미변화 함!

기타 정답

Was für Musik hörst du gern? - Ich höre gern klassische Musik.

► 명사 Musik('음악')은 개별 '음악 종류'로서가 아니라 보편적인 '음악 자체'를 뜻할 경우 *셀 수 없는 명사*가 되므로 부정관사 ein-과 결합하지 않음.

<참고>

이와 같이 「was für ein-」 뒤에 오는 명사가 부정관사 ein-과 결합할 수 없을 경우,
ein-이 없이 「was für + 명사」 형식이 된다.
이에 해당하는 대표적 경우는 뒤에 오는 명사가 *복수*일 때이다:

Was für Bücher sind das? - Das sind deutsche Bilderbücher für Kinder.
'그것은 *어떤 종류의 책들*이니? - 어린이용 독일 그림책들이야.'

원칙적으로 *물질*명사나 *추상*명사 역시 셀 수 없는 명사이므로 부정관사 ein- 없이
「was für + 명사」 형식이 되어야 하겠지만,
의문사 「was für (ein-)」 자체가 "어떤 *종류*의 ...?"를 뜻함으로써 개별 *종류*를 질문하는
경우이므로 이들 *물질*명사 및 *추상*명사의 경우 역시 일반적으로 ein-이 포함된
「was für *ein-* + 명사」 형식이 사용됨. 예를 들어 물질명사 Wein의 경우:

Was für einen Wein möchtest du? - Ich möchte einen französischen Rotwein.
'*어떤 종류의 포도주*를 원하니? - 프랑스산 붉은 포도주를 원해.'

II. 밑줄 친 곳에 알맞은 형태는? (19과, 심화문제: 교재 112쪽)

1. Gib mir bitte die Blume! Das ist mein*e* .

✺ **해석** 그 꽃을 내게 줘. 그것은 내 것이야.

✺ **어휘** 「Gib ...!」 (동사 geben의 du-명령문) ⇒ 「geben + 3격(사람) + 4격」 *누구*에게 ...을 주다 (현재 시제: du gib*st* ; er gib*t*) (3 기본형: geben - gab - gegeben) ▌mir [인칭대명사] ich의

3격 형임. (4격 형은 *mich*) ▌bitte [부사어] 명령문에서 정중한 요구를 표현함. (굳이 우리말 해석 필요 없음!) ▌die Blume 꽃 (die Blume*n*) ▌「Das *ist* + *단수* 1격」 '그것은 ...이다' ↔ 「Das *sind* + *복수* 1격」 '그것은 ...들이다' ▌mein*e* [소유대명사] 내 것 (앞에 나온 *여성*명사를 받으며, *1격* 혹은 *4격* 형임)

문장 1

► du-명령문 형식: 「동사 어간 ...!」 '...해라.'
geben : Gib ...! (즉, Geb ...! 아님!)

<참고>

① 어간 모음 변화 유형 e → ie 및 e → i 인 경우 *어간 모음 변화함*!
sehen : Sieh ...!
helfen : Hilf ...!

② 어간 모음 변화 유형 a → ä 인 경우 *어간 모음 변화 없음*!
fahren : Fahr ...! (즉, Fähr ...! 아님!)

문장 2

☞ • 소유대명사 mein-('나의') 뒤에 명사가 없는 형태로서 「mein- + 명사」의 축약형임! ("*나의 것*"으로 해석됨.)

• 앞 문장에 나온 *여성*명사 Blume를 받으며, 동사 ist의 *주격* 보어이므로 *여성 1격!!*
따라서 *여성 1격*의 di*e*처럼 어미변화 한 mein*e*가 정답임.

<참고>

meine 대신 「mein- + 명사」 형식도 가능함: Das ist meine Blume.

2. Mit welch*er* Hand schreibst du, mit der rechten oder mit der linken?

✹ **해석** 너는 어떤 손으로 글 쓰니? 오른손으로, 아니면 왼손으로?

✹ **어휘** mit [*3격* 전치사] ~을 가지고 (영. with) ▌「welch- +명사」 '어떤 ...?' (의문사 welch-는 *정관사 d-* 어미변화!) (영. which ...?) ▌die Hand 손 (die Händ*e*) ▌schreiben [자동사] 글쓰다 (영. write) (3 기본형: schreiben - schrieb - geschrieben) ▌recht [형용사] 오른쪽의 → rechts [부사어] 오른쪽에 ▌oder [등위접속사] 혹은, 또는 (영. or) ▌link [형용사] 왼쪽의 → links [부사어] 왼쪽에

☞ 의문사 welch-는 *정관사 d-* 어미변화 함:
뒤에 오는 명사 Hand가 *여성*이며, 문장 맨 앞의 *3격* 전치사 Mit의 목적어이므로 *여성 3격!!*
따라서 *여성 3격* 정관사 d*er*처럼 어미변화 하여 welch*er*가 정답임.

► 「mit d*er* recht*en* (Hand)」:

• 생략된 명사 Hand는 *여성*이며, *3격* 전치사 mit의 목적어이므로 *여성 3격!!*
따라서 *여성 3격* 정관사 d*er* 가 앞에 옴.
3격 어미 : 남성 · 중성 ***-em*** ; 여성 ***-er*** ; 복수 ***-en***

• 형용사 recht 앞에 *여성 3격* 정관사 d*er*가 있음!

→ 따라서 mit d*er* recht*en* ...
(근거: *3격 어미*를 지닌 관사, 소유대명사 ... 등의 뒤에 오는 형용사는 무조건 *-en*임)

3. Ich habe kein__ Handy. Kann ich deins_ kurz haben?

✺ **해석** 나는 휴대폰이 없어. 네 것을 잠시 사용할 수 있겠니?

✺ **어휘** haben [타동사] ...을 가지고 있다 (3 기본형: haben - hatte - gehabt) ▌das Handy 휴대폰 (die Handy*s*) ▌「Kann ... haben?」 (화법조동사 können의 *현재* 시제) ⇒ 「können ... 동사원형」 ...할 수 있다 (현재 시제: ich kann ; du kann*st* ; er kann ; wir könn*en* ; ...) (3 기본형: können - konnte - gekonnt, können) ▌dein*s* [소유대명사] 너의 것 (앞에 나온 *중성*명사를 받으며, *1격* 혹은 *4격* 형임.) ▌kurz [형용사] 짧은, (부사적) 짧게

문장 1

☞ 부정어 kein- 뒤에 명사가 옴. 이 경우 kein-은 *부정관사 ein-* 어미변화!
(단, 복수일 경우는 *정관사 d-* 어미변화!) :
뒤에 오는 명사 Handy는 *중성*이며, 동사 habe의 *4격* 목적어이므로 *중성 4격!!*
따라서 *중성 4격*의 ein_처럼 어미 없이 kein_이 정답임.

문장 2

☞ • 소유대명사 dein-('너의') 뒤에 명사가 없는 형태로서 「dein- + 명사」의 축약형임!
(“*너의 것*”으로 해석됨.)
• 이 경우 *정관사 d-*와 동일한 어미변화 함:
앞 문장에 나온 *중성*명사 Handy를 받으며, 동사 haben의 *4격* 목적어이므로 *중성 4격!!*
따라서 *중성 4격*의 da*s*처럼 어미변화 한 dein*s*가 정답임. (dein*es* 아님!)

<참고>
dein*s* 대신 「dein- + 명사」 형식도 가능함: Kann ich dein Handy kurz haben?

4. Was für ein__ Mensch ist er? - Er ist sehr höflich und bescheiden.

✺ **해석** 그는 어떤 사람이니? - 그는 매우 공손하고 겸손해.

✺ **어휘** 「was für ein- + 명사」 [의문사] '어떤 종류의 ...?' (영. what kind of ...?) <주의> 뒤에 명사가 *있을* 때 ein-은 *부정관사 ein-* 어미변화 (즉, ein-은 "부정관사"!) ; 뒤에 명사가 *없을* 때 ein-은 *정관사 d-* 어미변화 (즉, ein-은 "부정대명사"!) ▌der Mensch 사람, 인간 (die Mensch*en*) <주의> 주어를 제외한 *단수 2, 3, 4격*이 모두 복수형처럼 Mensch*en*인 *약변화* 명사! ▌sehr [부사어] 매우 ▌höflich [형용사] 공손한, 예의 바른 ↔ *un*höflich 불손한 ▌bescheiden [형용사] 겸손한 (= zurückhaltend)

문장 1

☞ 의문사 「Was für ein-」 뒤에 명사가 옴. → 이 경우 ein-은 *부정관사*임:
뒤에 오는 명사 Mensch는 *남성*이며, 동사 ist의 *주격* 보어이므로 *남성 1격!!*
따라서 *남성 1격*의 부정관사 ein_이 정답임.

<주의>

「Was *für* ein-」에서 für를 4격 전치사로 오해하여
남성 4격의 Was für ein*en* Mensch ...로 답하면 틀림!

5. Er braucht ein**en** dick**en** Pullover. Sein**er** ist zu dünn.

✹ **해석** 그는 두터운 스웨터 하나를 필요로 해. 그의 것은 너무 얇아.

✹ **어휘** brauchen [타동사] ...을 필요로 하다 (3 기본형: brauch*en* - brauch*te* - *ge*brauch*t*) (영. need) ▌dick [형용사] [1] 두꺼운 ; [2] 뚱뚱한 (↔ schlank 날씬한) ▌der Pullover 스웨터 (die Pullover) ▌sein*er* [소유대명사] 그의 것 (앞에 나온 *남성*명사를 받으며, *1격* 형임.) ▌「zu + 형용사 (부사)」 '너무 ...한, 너무 ...하게' (영. too ...) ▌dünn [형용사] 얇은

문장 1

☞ 여기서 ein-은 뒤에 명사 Pullover가 오므로 *부정관사*임!

「ein*en* dick*en* Pullover」:

- 명사 Pullover는 *남성*이며, 동사 braucht의 *4격* 목적어이므로 *남성 4격*!!
  따라서 *남성 4격*의 부정관사 ein*en*이 옴.
- 형용사 dick 앞에 *남성 4격* 부정관사 ein*en*이 있음.
  → 따라서 ein*en* dick*en* ...임.
  (근거: 남성 4격의 d*en*, ein*en*, mein*en*, kein*en*, dies*en* + 형용사 *-en*)

문장 2

☞ • 소유대명사 sein-('그의') 뒤에 명사가 없는 형태로서 「sein- + 명사」의 축약형임!
("*그의 것*"으로 해석됨.)

- 이 경우 *정관사 d-*와 동일한 어미변화 함:
  앞 문장에 나온 *남성*명사 Pullover를 받으며, 동사 ist의 *주어*이므로 *남성 1격!!*
  따라서 *남성 1격*의 d*er*처럼 어미변화 한 Sein*er*가 정답임.

<참고>

Sein*er* 대신 「sein- + 명사」 형식도 가능함: Sein Pullover ist zu dünn.

6. Was für ein__ schrecklich**es** Wetter! Schnee im April!

✹ **해석** 웬 끔찍한 날씨야! 4월에 눈이라니!

✹ **어휘** 「was für ein- + 명사」 [의문사] '어떤 ...?' (영. what kind of ...?) <주의> 뒤에 명사가 *있을* 때 ein-은 *부정관사 ein-* 어미변화 ; 뒤에 명사가 *없을* 때 ein-은 *정관사 d-* 어미변화 ▌schrecklich [형용사] 끔찍한, 경악스러운 (= furchtbar, entsetzlich) ▌das Wetter 날씨 (복수 없음) ▌der Schnee 눈 (복수 없음) (영. snow) ▌「im + 월 명」: im April 4월에 ▌der April (주로 단수) 4월 (Aprile)

문장 1

► 감탄문으로서 축약된 문장임: Was für ein schreckliches Wetter (*ist es*)!

☞ 의문사 「Was für ein-」 뒤에 명사가 옴. → 이 경우 ein-은 *부정관사*임:

「Was für ein_ schrecklich*es* Wetter (ist es)! 」:

- 뒤에 오는 명사 Wetter는 *중성*이며, 생략된 동사 ist의 *주격* 보어이므로 *중성 1격!!* 따라서 *중성 1격*의 부정관사 ein_이 앞에 옴.
- 형용사 schrecklich 앞에 *중성 1격*의 ein_이 있음.

→ 따라서 ... ein_ schrecklich*es* ...임.

(근거: 중성 1, 4격 ein_ , mein_ , dein_ , kein_ ... + 형용사 *-es*)

III. 지시대명사 der, die, das ...? 혹은 부정대명사 (k)einer, (k)eine, (k)eins ...?

(19과, 심화문제: 교재 112쪽)

1. Wie gefällt dir der Mantel hier? Du wolltest doch einen kaufen. - Ja, aber jetzt brauche ich keinen mehr. Der Winter ist schon fast vorbei.

✺ **해석** 여기 이 외투 네 마음에 드니? 너 하나 구입하려고 했잖아. - 응, 하지만 이제 나는 더 이상 필요로 하지 않아. 벌써 겨울이 거의 지나갔어.

✺ **어휘** wie [의문사] 어떻게? (영. how?) ▌gefällt (동사 gefallen의 *현재* 시제: 주어가 *er, sie, es*일 때) ⇒ 「gefallen + 3격(사람)」 *누구*에게 마음에 들다 (현재 시제: du gefäll*st* ; er gefäll*t*) (3 기본형: *ge*fallen - *ge*fiel - *ge*fallen ※형태가 *ge*-이므로 pp형에서 *ge- 탈락!*) ⇐ fallen [자동사] 떨어지다 (3 기본형: fallen - fiel - gefallen ; '*장소 이동*' 자동사 → 완료형 「*sein* ... gefallen」) (현재 시제: du fäll*st* ; er fäll*t*) ▌der Mantel 외투 (die Mäntel) ▌hier [부사어] 여기(에) ▌「wolltest ... kaufen」 (화법조동사 wollen의 *과거* 시제: 주어가 *du*일 때) ⇒ 「wollen ... 동사원형」 ...하려고 한다 (3 기본형: wollen - wollte - gewollt, wollen) (현재 시제: ich will ; du will*st* ; er will ; wir woll*en* ; ...) ▌doch [부사어] 대화 상대방을 설득하기 위해 일정 내용을 환기시키는 표현 ("너도 알다시피 ... 잖아") ▌ein*en* [부정대명사] 그것 한 개 (앞에 나온 *남성*명사를 받으며, *4격* 형임.) ▌kaufen [타동사] ...을 사다 (3 기본형: kauf*en* - kauf*te* - *ge*kauf*t*) ▌jetzt [부사어] 지금 ▌brauchen [타동사] ...을 필요로 하다, 요구하다 (3 기본형: brauch*en* - brauch*te* - *ge*brauch*t*) ▌kein*en* [부정대명사] 아무 것도 ... 않다 (앞에 나온 *남성*명사를 받으며, *4격* 형임.) ▌「... kein- mehr」 더 이상 ... 않다 ▌der Winter 겨울 (die Winter) ▌schon [부사어] 이미, 벌써 ▌fast [부사어] 거의 ▌vorbei [부사어] 끝난 (= zu Ende, vorüber) : 「주어 + 동사 sein + vorbei」 *주어*는 끝났다, 지나갔다 (영. be over)

문장 1

► Wie gefällt *dir* der Mantel hier?

어순 : 3격 형 ***dir***는 인칭*대명사*이므로 주어인 der Mantel보다 앞에 옴.

문장 2

☞ 내용상 앞 문장에 나온 Mantel을 받아 "그것 *하나*를"이 되어야 함.

따라서 부정대명사 *ein-* 이 빈칸에 와야 함.

즉, 앞에 나온 *남성*명사 Mantel을 받으며, 동사 kaufen의 *4격* 목적어이므로 *남성 4격!!*

따라서 *남성 4격*의 d*en*처럼 어미변화 한 부정대명사 ein*en* 이 정답임.

「부정관사 ***ein-*** + 명사」, 즉 "***einen*** Mantel"의 축약형으로 볼 수 있음.

<참고>

*남성 4격*의 「ein- + 명사」 형식인 *einen* Mantel도 가능함:

Du wolltest doch *einen Mantel* kaufen.

문장 3

☞ 내용상 앞 문장들에서 언급된 Mantel을 받으면서 "(그것들의) *아무것도* ... *않다*"임.

따라서 부정대명사 *kein-* 형태가 빈칸에 와야 함.

즉, 앞에 나온 *남성*명사 Mantel을 받으며, 동사 brauche의 *4격* 목적어이므로 *남성 4격!!*

따라서 *남성 4격*의 d*en*처럼 어미변화 한 부정대명사 kein*en* 이 정답임.

「부정어 ***kein-*** + 명사」, 즉 "***keinen*** Mantel"의 축약형으로 볼 수 있음.

<참고>

*남성 4격*의 「kein- + 명사」 형식인 *keinen* Mantel도 가능함:

Ja, aber jetzt brauche ich *keinen Mantel* mehr.

2. Haben Sie keinen Zettel auf dem Schreibtisch gesehen? - Doch, den habe ich Herrn Meier gegeben.

✻ **해석** 책상 위에서 쪽지 하나 보지 못하셨나요? - 아니오 (봤어요), 그것을 마이어씨에게 주었어요.

✻ **어휘** 「Haben ... gesehen?」 (동사 sehen의 *현재완료* 시제) ▌gesehen (동사 sehen의 *pp형*) ⇒ sehen [타동사] ...을 보다, 만나다 (3 기본형: sehen - sah - gesehen) (현재 시제: du sieh*st* ; er sieh*t*) ▌der Zettel 쪽지, 메모지 (die Zettel) ▌auf [*3 · 4격* 전치사] (*3격* 지배: *위치*) ~위에, ~에 : auf dem Schreibtisch 책상 *위에* ▌der Schreibtisch 책상 (die Schreibtisch*e*) ← schreiben [자동사/타동사] (...을) 쓰다 + der Tisch 탁자, 테이블 (die Tisch*e*) ▌doch [부사어] 천만에요, 아니요 (*부정 질문*에 대한 *긍정* 답변!) ▌den [지시대명사] 그것 (앞에 나온 *남성*명사를 받으며, *4격* 형임.) ▌「habe ... gegeben」 (동사 geben의 *현재완료* 시제) ▌gegeben (동사 geben의 *pp형*) ⇒ 「geben + 3격(사람) + 4격」 *누구*에게 ...을 주다 (3 기본형: geben - gab - gegeben) (현재 시제: du gib*st* ; er gib*t*) ▌Herr ... (남자 호칭) '...씨' <주의> 주어를 제외한 *단수 2, 3, 4격*이 모두 Herr*n*임!

문장 2

☞ 내용상, 앞 문장에 나온 Zettel을 받아 "*그 쪽지*를", 즉 "*그것*을"이 되어야 함.

따라서 특정 대상을 가리키므로 지시대명사 *d-* 형태가 빈칸에 와야 함!

즉, 앞에 나온 *남성*명사 Zettel을 받으며, 동사 gegeben의 *4격* 목적어이므로 *남성 4격!!*

따라서 *남성 4격*의 지시대명사 d*en* 이 정답임.

「정관사 ***d-*** + 명사」, 즉 "***den*** Zettel"의 축약형으로 볼 수 있음.

<참고>

① *남성 4격*의 「정관사 d- + 명사」 형식인 *den* Zettel도 가능함:

Doch, *den Zettel* habe ich Herrn Meier gegeben.

② *남성 4격*의 인칭대명사 *ihn*도 가능함:
Doch, *ihn* habe ich Herrn Meier gegeben.

3. Die Fotos sind sehr hübsch. Möchten Sie __eins__? - Nein, mir gefällt __keins__ davon.

✺ **해석** 그 사진들은 매우 예뻐요. 하나 원하십니까? - 아니오, 제게는 그것들 가운데 아무것도 마음에 들지 않아요.

✺ **어휘** das Foto 사진 (die Foto*s*) ▌sehr [부사어] 매우, 아주 ▌hübsch [형용사] 예쁜, 귀여운 ▌möchten [타동사] ...을 원하다, ...하고 싶다 (현재 시제: ich möchte ; du möchte*st* ; er möchte ; wir möchte*n* ; ihr möchte*t* ; sie, Sie möchte*n*) ▌eins [부정대명사] 그것 한 개 (앞에 나온 *중성*명사를 받으며, *1격* 혹은 *4격* 형임.) ▌mir [인칭대명사] ich의 *3격* 형임. (*4격* 형은 *mich*) ▌gefällt (동사 gefallen의 *현재* 시제: 주어가 *er*, *sie*, *es*일 때) ⇒「gefallen + 3격(사람)」 *누구*에게 마음에 들다 (현재 시제: du gefäll*st* ; er gefäll*t*) (3 기본형: *ge*fallen - *ge*fiel - *ge*fallen ※형태가 *ge*-이므로 pp형에서 *ge- 탈락*!) ⇐ fallen [자동사] 떨어지다 (3 기본형: fallen - fiel - gefallen ; '*장소 이동* 자동사 → 완료형「*sein* ... gefallen」) (현재 시제: du fäll*st* ; er fäll*t*) ▌keins [부정대명사] 아무것도 ... 않다 (앞에 나온 *중성*명사를 받으며, *1격* 혹은 *4격* 형임.) ▌davon 그것 중에서 ← von [3격 전치사] ~중에서 + das [지시대명사] 그것

문장 2

☞ 내용상 앞 문장에 나온 Foto를 받아 "그것 *하나*"가 되어야 함.
따라서 부정대명사 *ein-* 이 빈칸에 와야 함.
즉, 앞에 나온 *중성*명사 Foto를 받으며, 동사 Möchten의 *4격* 목적어이므로 *중성 4격!!*
따라서 *중성 4격*의 da*s*처럼 어미변화 한 __부정대명사 ein*s*__ 가 정답임.
「부정관사 ***ein-*** + 명사」, 즉 "***ein*** Foto"의 축약형으로 볼 수 있음.

<참고>
*중성 4격*의「ein- + 명사」형식인 *ein* Foto도 가능함:
Möchten Sie *ein Foto*?

문장 3

☞ 내용상 "(*그것들* 가운데) *아무것도* ... *않다*"이므로 부정대명사 *kein-* 형태가 빈칸에 와야 함.
즉, 앞에 나온 *중성*명사 Foto를 받으며, 동사 gefällt의 *주어*이므로 *중성 1격!!*
따라서 *중성 1격*의 da*s*처럼 어미변화 한 __kein*s*__ 가 정답임.
「부정어 ***kein-*** + 명사」, 즉 "***kein*** Foto"의 축약형으로 볼 수 있음.

IV. 〈보기〉에서 알맞은 표현을 선택하시오. (19과, 심화문제: 교재 112쪽)

<보기> man, etwas, nichts, jemand, niemand

1. Muss ich Herrn Kim etwas davon sagen? - Nein, Sie brauchen ihm __nichts__ zu sagen.

   ✵ **해석** 제가 Mr. 김에게 그것에 관해 뭔가를 말해야 하나요? - 아니오, 당신은 그에게 아무것도 말할 필요 없어요.

   ✵ **어휘** 「Muss ... sagen?」 (화법조동사 müssen의 *현재* 시제) ⇒ 「müssen ... 동사 원형」 ...해야 한다 (현재 시제: ich muss ; du muss*t* ; er muss ; wir müss*en* ; ...) (3 기본형: müssen - musste - gemusst, müssen) ▌Herr ... (남자 호칭) '...씨' (영. Mr.) <주의> 주어를 제외한 *단수 2, 3, 4격*이 모두 Herr*n*임! ▌etwas [부정대명사] 뭔가 (영. something) ▌davon 그것에 관해서 ← von [3격 전치사] ~에 관해서 + das [지시대명사] 그것 ▌「sagen + 3격(사람) + 4격」 *누구*에게 ...을 말하다 (영. say) (3 기본형: sag*en* - sag*te* - *ge*sag*t*) ▌「brauchen ... zu 동사 원형」 ...할 필요가 있다 (영. need to ...) (3 기본형: brauch*en* - brauch*te* - *ge*brauch*t*) ▌ihm [인칭대명사] er의 *3격* 형임. (4격 형은 *ihn*) ▌nichts [부정대명사] 아무것도 ... 않다 (영. nothing)

문장 2

☞ 내용상 '*아무것도 ... 않다*'의 의미를 지니는 부정대명사 *nichts*가 와야 함.
(여기서 nichts는 뒤에 오는 「... zu sagen」, 즉 동사 sagen의 *4격 목적어*임.)

2. Bevor __man__ über die Kreuzung geht, muss __man__ zuerst nach links und dann nach rechts sehen.

   ✵ **해석** 교차로를 건너가기 전에 우선은 왼쪽을, 다음에는 오른쪽을 보아야 한다.

   ✵ **어휘** bevor [종속접속사] ...하기 전에 (뒤에 오는 문장은 부문장이므로 *후치*됨: Bevor 주어 ... *동사* , ...) ▌man [부정대명사] 사람들은, 우리는 (항상 *주어*이며, 단수 3인칭 *er* 취급!) ▌「über + 4격」 ~을 건너 (영. over) : über die Kreuzung 교차로를 건너 ▌die Kreuzung 교차로 (die Kreuzung*en*) ▌gehen [자동사] 가다, 걸어가다 (3 기본형: gehen - ging - gegangen ; '*장소 이동*' 자동사 → 완료형 「*sein* ... gegangen」) ▌「muss ... sehen」 (화법조동사 müssen의 *현재* 시제) ⇒ 「müssen ... 동사 원형」 ...해야 한다 (현재 시제: ich muss ; du muss*t* ; er muss ; wir müss*en* ; ...) (3 기본형: müssen - musste - gemusst, müssen) ▌zuerst [부사어] 우선은, 먼저 ▌links [부사어] 왼쪽에 : nach links 왼쪽으로 ← link [형용사] 왼쪽의 ▌dann [부사어] 그런 다음에 ▌rechts [부사어] 오른쪽에 : nach rechts 오른쪽으로 ← recht [형용사] 오른쪽의 ▌sehen [타동사] ...을 보다 (영. see) (현재 시제: du s*ie*h*st* ; er s*ie*h*t*) (3 기본형: sehen - sah - gesehen)

☞ 내용상 특정인들이 아니라 막연히 "*사람들은* ..."이므로 부정대명사 *man*이 와야 함.

<주의>

① man은 1격 형으로서 항상 *주어*임.
Das soll *man* wissen!
'그것을 *사람들은* 알아야 한다!'

② man의 3격 형은 ein*em*, 4격 형은 ein*en*임 (2격 형은 없음!)
Das kann ein*em* sicher viel Spaß machen. (*3격*)
'그것은 틀림없이 *사람들에게* 많은 재미를 줄 수 있을 것이다.'
Dieses Wetter macht ein*en* melancholisch. (*4격*)
'이 날씨는 *사람들을* 우울하게 만든다.'

③ man이 주어일 경우 3격 및 4격 재귀대명사 모두 *sich*임!
Hier kann *man* *sich* gut erholen.
'여기서 사람들은 잘 휴양할 수 있다.'

☞ 부정대명사 man을 뒤에서 받을 경우, 다시 *man*을 사용함. (즉, er로 받으면 틀림!)

► Bevor *man* ... geht (부문장 (후치!)), muss *man* ... (주문장 (도치!)) :

3. Was hat er gesagt? Hast du vielleicht etwas verstanden? - Nein, ich habe auch nichts verstanden.

✵ **해석** 그가 무엇을 말했니? 너 혹시 뭔가를 알아들었니? - 아니, 나 역시 아무것도 이해하지 못했어.

✵ **어휘** was [의문사] 무엇을? (*4격* 형) ▌「hat ... gesagt」 (동사 sagen의 *현재완료* 시제) ▌ *ge*sag*t* (동사 sagen의 *pp형*) ⇒ sagen [타동사] ...을 말하다 (3 기본형: sag*en* - sag*te* - *ge*sag*t*) ▌「Hast ... verstanden?」 (동사 verstehen의 *현재완료* 시제) ▌ *ver*standen (동사 verstehen의 *pp형*) ⇒ verstehen [타동사] ...을 이해하다 (3 기본형: *ver*stehen - *ver*stand - *ver*standen ※형태가 *ver*-이므로 pp형에서 *ge-* *탈락!*) ⇐ stehen [자동사] 서 있다 (3 기본형: stehen - stand - gestanden) ▌ vielleicht [부사어] 혹시, 아마도 (영. perhaps) ▌ etwas [부정대명사] 뭔가 (영. something) ▌「habe ... verstanden」 (동사 verstehen의 *현재완료* 시제) ⇒ verstehen ▌ auch [부사어] ...도, 역시 ▌ nichts [부정대명사] 아무것도 ... 않다 (영. nothing)

문장 2

☞ 내용상 '*뭔가*'의 의미를 지니는 부정대명사 *etwas*가 와야 함.
(여기서 etwas는 「Hast ... verstanden」, 즉 동사 verstehen의 4격 목적어임.)

문장 3

☞ 내용상 etwas('*뭔가*')를 부정하는 nichts('*아무것도 ... 않다*')가 와야 함.
(여기서 nichts는 「habe ... verstanden」, 즉 동사 verstehen의 4격 목적어임.)

4. Ist da jemand? - Nein, da ist niemand.

✵ **해석** 그곳에 누군가 있습니까? - 아니오, 거기에는 아무도 없어요.

✵ **어휘** Ist (동사 sein의 *현재* 시제) ⇒ sein [자동사] 있다, 존재하다 (3 기본형: sein - war - gewesen ; 완료형 「*sein* ... gewesen」) : 「주어 + 동사 sein + da」 *주어*가 있다, 존재한다 ▌ jemand [부정대명사] 누군가 (영. somebody) ▌ niemand [부정대명사] 아무도 ... 않다 (영. nobody)

문장 1

☞ 내용상 '*누군가*'의 의미를 지니는 부정대명사 *jemand*가 와야 함.
(여기서 jemand는 동사 Ist의 주어임.)

<참고>
jemand는 1격 형으로서 *항상 주어*임!
(2격: jemand*es* 혹은 jemand*s* / 3격: jemand*em* / 4격: jemand*en*)

문장 2

☞ 내용상 jemand('*누군가*')를 부정하는 niemand('*누구도 ... 않다*')가 와야 함.
(여기서 niemand는 동사 ist의 주어임.)

<참고>
niemand는 1격 형으로서 *항상 주어*임!
(2격: niemand*es* 혹은 niemand*s* / 3격: niemand*em* / 4격: niemand*en*)

5. Liebe Karin, wie geht's dir? Ich habe lange nichts von dir gehört.

✻ **해석** 사랑하는 카린에게, 어떻게 지내니? 나는 오랫동안 너로부터 아무런 소식도 듣지 못했어.

✻ **어휘** 「lieb- + 명사」 '사랑하는 ...에게' (편지 등의 서두에서 수신인을 부르는 형식임.) ▌Wie geht's dir? "어떻게 지내니?" ▌dir [인칭대명사] du의 *3격* 형임. (4격 형은 *dich*) ▌「habe ... gehört」 (동사 hören의 *현재완료* 시제) ▌*ge*hör*t* (동사 hören의 *pp형*) ⇒ hören [타동사] ...을 듣다 (3 기본형: hör*en* - hör*te* - *ge*hör*t*) ▌lange [부사어] 오랫동안 ▌nichts [부정대명사] 아무것도 ... 않다 ▌von [*3격* 전치사] (특히 편지 문맥에서) ~로부터

문장 1

► 편지의 서두:
① 수신인이 *여자*일 경우:
Lieb*e* Karin / (Sehr) geehrt*e* Frau Meier
② 수신인이 *남자*일 경우:
Lieb*er* Thomas / (Sehr) geehrt*er* Herr Meier

문장 2

☞ 내용상 '*아무것도 ... 않다*'의 의미를 지니는 부정대명사 *nichts*가 와야 함.
(여기서 nichts는 「habe ... gehört」, 즉 동사 hören의 4격 목적어임.)

unit 03

마무리 문제

I. 괄호 안의 낱말을 사용하여 독일어로 옮기시오. (19과, 마무리문제: 교재 113쪽)

1. 이 양복 어때? - 그것은 내 마음에 들어.

(du, dieser Anzug, wie, finden) (d-, ich, gefallen)

✺ 어휘 dies- [지시대명사] '이 ...' (dies-는 *정관사 d-* 어미변화!) ▌der Anzug (남성용) 정장, 양복 (die Anzüg*e*) ▌wie [의문사] 어떻게? (영. how?) ▌「finden + 4격 + 형용사」 *4격*이 ...하다고 생각하다, 여기다 (3 기본형: finden - fand - gefunden) ▌「gefallen + 3격(사람)」 *누구*에게 마음에 들다 (현재 시제: du gefäll*st* ; er gefäll*t*) (3 기본형: *ge*fallen - gefiel - *ge*fallen ※형태가 *ge*-이므로 pp형에서 *ge-* *탈락*!) ⇐ fallen [자동사] 떨어지다 (현재 시제: du fäll*st* ; er fäll*t*) (3 기본형: fallen - fiel - gefallen ; '*장소 이동* 자동사 → 완료형 「*sein* ... pp」)

정답 Wie findest du diesen Anzug? - Der gefällt mir.

문장 2

► 여기서 "*그것은*"은 앞 문장의 *남성*명사 Anzug을 받으며 *주어*이므로 *남성 1격*의 지시대명사 *Der* 를 사용할 수 있음.
「*정관사* + 명사」, 즉 "***Der*** Anzug"의 축약형으로 볼 수 있음!

<참고>
인칭대명사 남성 1격의 *Er*를 사용해도 됨: *Er* gefällt mir.

► Der gefällt *mir*.
동사 gefällt의 3격 목적어이므로 ich의 ***3격*** 형 ***mir***가 옴.
(참고: ich의 4격 형은 ***mich***임.)

2. 저기 있는 여자 알아? - 응, 알아. 마이어 씨야.

(du, dort, Frau, kennen) (ich, ja, d-, kennen) (das, Frau Meier, sein)

✺ 어휘 dort [부사어] 저기(에) ▌die Frau [1] 부인, 여자 (die Frau*en*) ; [2] (여자 호칭) Frau ... '... 부인, ...씨' (영. Mrs. 혹은 Miss) ▌kennen [타동사] ...을 알다 (3 기본형: kennen - kannte - gekannt) ▌「Das ist + *단수* 1격」 '그것은 ...이다'

정답 Kennst du die Frau dort? - Ja, die kenne ich. Das ist Frau Meier.

문장 2

► "응, 알아." → "응, (그녀를) 알아."

생략된 "그녀를"은 앞 문장의 *여성*명사 Frau를 받으며 동사 kenne의 *4격* 목적어이므로 *여성 4격*의 지시대명사 *die* 를 사용할 수 있음.

「***정관사*** + 명사」, 즉 "***die*** Frau"의 축약형으로 볼 수 있음!

<참고>

인칭대명사 여성 1격의 *sie*를 사용해도 됨: Ja, *sie* kenne ich.

3. 이것이 네 우산이니? - 아니, 그것은 내 것이 아냐. 그것은 프랑크 것이야.

(das, dein Schirm, sein) (nein, d-, mein-, nicht, sein) (d-, Frank, gehören)

✵ 어휘 「Das ist + *단수* 1격」 '그것은 ...이다' ↔ 「Das sind *복수* 1격」 '그것은 ...들이다' ▌der Schirm 우산 (die Schirm*e*) = der Regenschirm (die Regenschirm*e*) ▌「gehören + 3격(사람)」 *누구*에게 속하다, *누구*의 소유이다 (3 기본형: gehör*en* - gehör*te* - gehör*t* ※형태가 *ge*-이므로 pp형에서 *ge- 탈락!*) ⇐ hören [타동사] ...을 듣다 (영. hear) (3 기본형: hör*en* - hör*te* - *ge*hör*t*)

정답 Ist das dein Schirm? - Nein, der ist nicht meiner. Der gehört Frank.

문장 2

► "아니, 그것은 내 것이 아냐."

여기서 "그것은"은 앞 문장의 *남성*명사 Schirm을 받으며 *주어*이므로 *남성 1격*의 지시대명사 *der* 를 사용할 수 있음.

「***정관사*** + 명사」, 즉 "***der*** Schirm"의 축약형으로 볼 수 있음!

<참고>

*인칭대명사 남성 1격*의 *er*를 사용해도 됨: Ja, *er* ist nicht meiner.

► "아니, 그것은 내 것이 아냐."

여기서 "내 것"은 "내 *우산*"이므로 「소유대명사 *mein-* + 명사 Schirm」이 올 수 있음.

즉: Nein, der ist *mein* Schirm .

명사 Schirm이 ***남성***이며, 동사 ist의 ***주격*** 보어이므로
mein-('나의')은 ***남성 1격*** 부정관사 ***ein_***처럼 어미 없이 ***mein_*** 임.

그러나 이 경우 명사 Schirm이 반복되므로 생략할 수 있음.

즉: Nein, der ist mein*er* .

소유대명사 mein-, dein- ... 등이 뒤에 명사 없이 홀로 올 경우
소유대명사 자체가 ***정관사 d-*** 어미변화 함:
여기서도 mein- 자체가 ***남성 1격*** 정관사 d**er**처럼 어미변화 하여 mein***er***임.

문장 3

► "그것은 프랑크 것이야."

여기서도 "그것은"은 앞에 나온 *남성*명사 Schirm을 받으며 *주어*이므로 *남성 1격*의 지시대명사 *Der* 를 사용함.

「***정관사*** + 명사」, 즉 "***Der*** Schirm"의 축약형으로 볼 수 있음!

<참고>
인칭대명사 남성 1격의 *Er*를 사용해도 됨: *Er* gehört Frank.

4. 누가 내 열쇠 봤어? - 여기 하나 있는데. 이것이 네 것이니?

(jemand, mein Schlüssel, sehen) (ein-, hier, liegen) (das, dein-, sein)

✵ 어휘 jemand [부정대명사] 누군가 (영. somebody) ▌der Schlüssel 열쇠 (die Schlüssel) ▌sehen [타동사] ...을 보다 (현재 시제: du s*ieh*s*t* ; er s*ieh*t) (3 기본형: sehen - sah - gesehen) ▌hier [부사어] 여기, 여기에 ▌liegen [자동사] (사물이) 놓여있다, (사람이) 누워있다 (3 기본형: liegen - lag - gelegen) ↔ legen [타동사] (사물을) 놓다, (사람을) 눕혀 놓다 (3 기본형: leg*en* - leg*te* - *ge*leg*t*) ▌「Das ist + *단수* 1격」 '이것(그것)은 ...이다'

정답 Hat jemand meinen Schlüssel gesehen? - Hier liegt einer. Ist das deiner?

문장 2

▸ "여기 *하나* 있는데."

여기서 "하나"는 "*열쇠* 하나"이므로 「부정관사 *ein-* + 명사 Schlüssel」이 올 수 있음.

즉: Hier liegt *ein* Schlüssel .
명사 Schlüssel이 ***남성***이며, 동사 liegt의 ***주어***이므로
남성 1격 부정관사 ***ein***이 옴.

그러나 이 경우 명사 Schlüssel이 반복되므로 생략하여 *부정대명사 ein-*을 사용할 수 있음.

즉: Hier liegt ein*er* .
부정관사 ein-이 뒤에 명사 없이 홀로 올 경우
ein- 자체가 ***정관사 d-*** 어미변화 함:
여기서도 ein- 자체가 ***남성 1격*** 정관사 d*er*처럼 어미변화 하여 ein*er*임.

문장 3

▸ "이것이 *네 것*이니?"

여기서 "네 것"은 "네 *열쇠*"이므로 「소유대명사 *dein-* + 명사 Schlüssel」이 올 수 있음.

즉: Ist das *dein* Schlüssel ?
명사 Schlüssel이 ***남성***이며, 동사 Ist의 ***주격*** 보어이므로
dein-('너의')은 ***남성 1격*** 부정관사 ***ein_***처럼 어미 없이 ***dein_***임.

그러나 이 경우 명사 Schlüssel이 반복되므로 생략할 수 있음.

즉: Ist das dein*er* .
소유대명사 mein-, dein- ... 등이 뒤에 명사 없이 홀로 올 경우
소유대명사 자체가 ***정관사 d-*** 어미변화 함:
여기서도 dein- 자체가 ***남성 1격*** 정관사 d*er*처럼 어미변화 하여 dein***er***임.

5. 그가 그 시험에 합격했다. 얼마나 좋은 소식인가!

(er, die Prüfung, bestehen) (was für ein-, gut, Nachricht)

✵ 어휘 die Prüfung 시험 (die Prüfung*en*) : eine Prüfung bestehen 시험에 통과하다 ⇐ bestehen (3 기본형: *be*stehen - *be*stand - *be*standen ※형태가 *be*-이므로 pp형에서 *ge- 탈락*!) ⇐ stehen [자동사] 서 있다 (3 기본형: stehen - stand - gestanden) ▌「was für ein- + 명사」 '어떤 종류의 ...?', '어떤 ...?' (영. what kind of ...?) <주의> ① 「Was für *ein-* + 명사」:

뒤에 명사가 올 경우 ein-은 *부정관사*임. ; ② 「Was für *ein-*」: *뒤에 명사가 오지 않을* 경우 ein-은 *부정대명사*, 즉 「ein- + 명사」의 축약형임.) ▌gut [형용사] 좋은 ▌die Nachricht 소식 (die Nachricht*en*)
<참고> 복수형 Nachricht*en*은 '(방송, 신문의) 뉴스'라는 의미를 지닐 수 있음.

정답 Er hat die Prüfung bestanden. Was für eine gute Nachricht!

문장 2

► "얼마나 좋은 소식인가!" → 「*Was für ein-* ...!」 형식의 감탄문임.
즉: Was für ein*e* gut*e* Nachricht (ist das)!
- 명사 Nachricht는 *여성*이며, 생략된 동사 ist의 *주어*이므로 *여성 1격!!*
  따라서 *여성 1격* 부정관사 ein*e* 가 앞에 옴.
- 형용사 gut 앞에 *여성 1격* ein*e*가 있음.
  → 따라서 eine gut*e* ...
  (근거: 여성 1, 4격 ein*e*, di*e*, mein*e*, dein*e*, ihr*e* ... kein*e*, dies*e* + 형용사 *-e*)

6. 어떤 버스로 가니? - 18번.

(du, welcher Bus, mit, fahren) (die Nummer 18, mit)

✺ **어휘** 「welch- + 명사」 '어떤 ...?' (welch-는 *정관사 d-* 어미변화 함!) (영. which?) ▌der Bus 버스 (die Bus*se*) ▌mit [*3격* 전치사] ~을 타고 ▌fahren (차량을 타고) 가다 (현재 시제: du fähr*st* ; er fähr*t*) (3 기본형: fahren - fuhr - gefahren ; '*장소 이동* 자동사 → 완료형 「*sein* ... gefahren」) ▌die Nummer 번호, 숫자 (die Nummer*n*) ▌achtzehn 18

정답 Mit welchem Bus fährst du? - Mit der Nummer achtzehn.

문장 1

► "*어떤 버스로* ...?" → 의문사 welch-를 사용함!
즉: 「Mit welch*em* Bus ...? 」:
뒤에 오는 명사 Bus가 *남성*이며, *3격* 전치사 mit의 목적어이므로 *남성 3격!!*
따라서 welch-는 *남성 3격* 어미 *-em* 이 붙어 welch*em*임.
3격 어미: 남성, 중성 ***-em*** ; 여성 ***-er*** ; 복수 ***-en***

II. 잘못된 부분(들)을 고쳐서 다시 적으시오. (19과, 마무리문제: 교재 113쪽)

1. Was für einen Menschen[오류] ist er? - Er ist ein sehr arroganter Typ.

✺ **해석** 그는 어떤 사람입니까? - 그는 매우 거만한 타입이에요.

✷ **어휘** 「was für ein- + 명사」 '어떤 종류의 ...?, 어떤 ...?' (영. what kind of ...?) <주의> ① 「Was für *ein-* + 명사」: *뒤에 명사가 올* 경우 ein-은 *부정관사*임. ; ② 「Was für *ein-* 」: *뒤에 명사가 오지 않을* 경우 ein-은 *부정대명사*, 즉 「ein- + 명사」의 축약형임.) ▌der Mensch 사람, 인간 (die Mensch*en*) <주의> 주어를 제외한 *단수 2, 3, 4격*이 모두 복수형과 동일하게 Mensch*en*인 *약변화* 명사! ▌sehr [부사어] 매우 ▌arrogant [형용사] 거만한 ↔ bescheiden 겸손한 ▌der Typ 타입, 유형 (die Typ*en*)

<오류>

의문사 「Was für ein- + 명사」에서 für를 4격 전치사로 오해하여
뒤에 오는 "ein- + 명사"를 4격 형으로 보면 틀림! (이 예문에서도 이러한 오류가 나타남!)
따라서 옳은 형태는: Was für ein Mensch ist er?
명사 Mensch는 *남성*이며, 동사 ist의 *주격* 보어이므로
*남성 1격*의 ein_이 옴.

정답 Was für *ein Mensch* ist er? - Er ist ein sehr arroganter Typ.

문장 2

► 「ein sehr arrogant*er* Typ」:

• 명사 Typ은 *남성*이며, 동사 ist의 *주격* 보어이므로 *남성 1격!!*
따라서 *남성 1격* 부정관사 *ein_*이 앞에 옴.

• sehr는 뒤에 오는 형용사 arrogant를 수식하는 *부사어*이므로 *어미변화 없음*!

• 형용사 arrogant 앞에 *남성 1격 ein_*이 있음.
→ 따라서 ein_ ... arrogant*er* ...
(근거: 남성 1격 ein_ , mein_ , dein_ , ihr_ , unser_ ... kein_ 형용사 *-er*)

2. Siehst du die Kirche dort? - Ja, das[오류1] siehe[오류2] ich.

✷ **해석** 너 저기 저 교회가 보이니? - 응, 보여.

✷ **어휘** Siehst (동사 sehen의 *현재* 시제: 주어가 *du*일 때) ⇒ sehen [타동사] ...을 보다 (현재 시제: du sieh*st* ; er sieh*t*) (3 기본형: sehen - sah - gesehen) ▌die Kirche 교회 (die Kirche*n*) ▌dort [부사어] 저기(에)

<오류> 1

지시대명사 das가 온 것은 오류임.
즉, 앞 문장의 *여성*명사 Kirche를 받으며 동사 sehe의 *4격* 목적어이므로
*여성 4격*의 지시대명사 *die* 가 와야 옳음!
「*정관사* + 명사」, 즉 "***die*** Kirche"의 축약형으로 볼 수 있음!

<오류> 2

주어가 ich이므로 동사 sehen의 *현재* 시제 형태는 seh*e*이어야 옳음!
(현재 시제에서 sehen의 어간 모음이 e→*ie*로 불규칙 변화하여 sieh- 형태가 되는 것은
주어가 단수 2, 3인칭, 즉 *du* 혹은 *er*, *sie*, *es*일 경우뿐임!)

정답 Siehst du die Kirche dort? - Ja, *die sehe* ich.

3. Hast du niemanden gesehen? - Nein[오류], ich habe jemanden gesehen.

✺ **해석** 너 아무도 만나지 못했니? - 아니, 나는 누군가를 만났어.

✺ **어휘** 「Hast ... gesehen?」 (동사 sehen의 *현재완료* 시제) ▌gesehen (동사 sehen의 *pp형*) ⇒ sehen [타동사] ...을 보다 (영. see) (현재 시제: du sieh*st* ; er sieh*t*) (3 기본형: sehen - sah - gesehen) ▌niemand*en* [부정대명사] 아무도 ...않다 (*4격* 형) (영. nobody) (1격: niemand, 2격: niemand*s* 혹은 niemand*es*, 3격: niemand*em*, 4격: niemand*en*) <참고> 구어체에서는 3격 및 4격이 어미 없이 *niemand*도 가능함!) ▌「Habe ... gesehen?」 (동사 sehen의 *현재완료* 시제) ▌jemand [부정대명사] 누군가 (영. somebody) (1격: jemand, 2격: jemand*s* 혹은 jemand*es*, 3격: jemand*em*, 4격: jemand*en*) <참고> 구어체에서는 3격 및 4격이 어미 없이 *jemand*도 가능함!)

<오류>

앞 문장은 niemand*en*('아무도 ... *않다*')이 사용된 *부정* 질문인데,
이에 대한 *긍정 답변*이므로 *doch*가 와야 옳음!

<참고>

*부정 질문*일 경우, 긍정 답변은 *doch*,("천만에요" 혹은 "아니오"), 부정 답변은 *nein*("예")이 옴.
(따라서 *ja*는 사용되지 않음!)

정답 Hast du niemanden gesehen? - *Doch*, ich habe jemanden gesehen.

4. Außer Ihnen darf das keins[오류1] wissen. - Das wissen doch schon alles[오류2].

✺ **해석** 당신 이외에는 아무도 그것을 알아서는 안 돼요. - 그것은 벌써 모두가 알고 있는데요.

✺ **어휘** außer [*3격* 전치사] ~이외에 (영. except) <참고> außerhalb [*2격* 전치사] ~밖에 ▌Ihnen [인칭대명사] 격식칭 Sie('당신은, 당신들은')의 *3격* 형임. (4격 형은 *Sie*) ▌「darf ... wissen」 (화법조동사 dürfen의 *현재* 시제) ⇒ 「dürfen ... 동사 원형」 (허가, 허락) ...해도 된다 (현재 시제: ich darf ; du darf*st* ; er darf ; wir dürf*en* ; ...) (3 기본형: dürfen - durfte - gedurft, dürfen) ▌das [지시대명사] 그것 (*앞 문장 내용 전체*를 받을 수 있으며, *1격* 혹은 *4격* 형임.) ▌kein*er* [부정대명사] 아무도 ... 않다 (= niemand) (영. nobody, no one) ▌wissen [타동사] ...을 알다 (*현재* 시제, *주어가 단수*일 때 *불규칙* 변화: ich weiß ; du weiß*t* ; er weiß ; wir wiss*en* ; ihr wiss*t* ; sie, Sie wiss*en*) (3 기본형: wissen - wusste - gewusst) ▌doch [부사어] 명령 등의 요구된 내용을 거부하거나 반박할 때 사용됨. ("...잖아") ▌schon [부사어] 이미, 벌써 ▌all*e* 모든 사람들 (복수 취급!) ↔ all*es* 모든 것 (단수 취급!)

<오류> 1

화법조동사 darf의 주어로서 kein*er*가 와야 옳음!

<오류> 2

동사 wissen의 주어로서 '사람'을 뜻하는 all*e*가 와야 옳음!
('사물'을 뜻하는 all*es*는 옳지 않음!)

정답 Außer Ihnen darf das *keiner* wissen. - Das wissen doch schon *alle*.

문장 1

► Außer Ihnen darf das keiner wissen.
↓ ↳ 문장의 *주어*임. (달리 말하면, 화법조동사 darf의 *주어*이기도 함!)
동사 wissen의 *4격 목적어*임.

► 화법조동사 dürfen의 *부정문*은 '...*해서는 안 된다*', 즉 '*금지*'를 의미함! (영. may not)
... darf das *keiner* wissen. '... 아무도 그것을 알아서는 *안 돼요*.'

문장 2

► Das wissen doch schon alle.
↳ 동사 wissen의 *4격 목적어*임. ↳ 동사 wissen의 *주어*임.

5. Ich habe zwei Brüder. Ein[오류] ist schon verheiratet.

✺ **해석** 내게는 남자 형제가 둘이 있다. 한 명은 이미 결혼했다.

✺ **어휘** haben [타동사] ...을 가지고 있다 (3 기본형: haben - hatte - gehabt) ▌zwei 2 ▌der Bruder 남자 형제 (die Brüder) ▌schon [부사어] 이미, 벌써 ▌verheiratet [형용사] 결혼한, 기혼인 ↔ unverheiratet 미혼인, ledig 홀몸인, geschieden 이혼한 <참고> 「heiraten + 4격(사람)」 *누구*와 결혼하다 (*4격* 요구 동사!)

<오류>

여기서는 앞 문장에서 언급된 "두 명의 남자 형제" 가운데 "한 명"으로서
'*지정된* 한 명'을 뜻하므로 D*er* eine 이어야 옳음! (여기서 ein-은 *형용사 어미변화* 함!)
부정대명사 ein-은 '지정된 하나'가 아니라 '임의의 하나'를 뜻하므로 여기서는 옳지 않음.

<참고>

d*er* (di*e*, d*as*) ein*e* ... '둘 중의 하나 ...' (영. the one)
d*er* (di*e*, d*as*) ander*e* ... '둘 중의 나머지 하나 ...' (영. the other)
z.B. Di*e* ein*e* Schwester lebt in Amerika und di*e* ander*e* hier in Korea.
'*누이 한 명*은 미국에서 살고 있으며, *나머지 한 명*은 여기 한국에서 살고 있다.

정답 Ich habe zwei Brüder. *Der eine* ist schon verheiratet.

Lektion 20

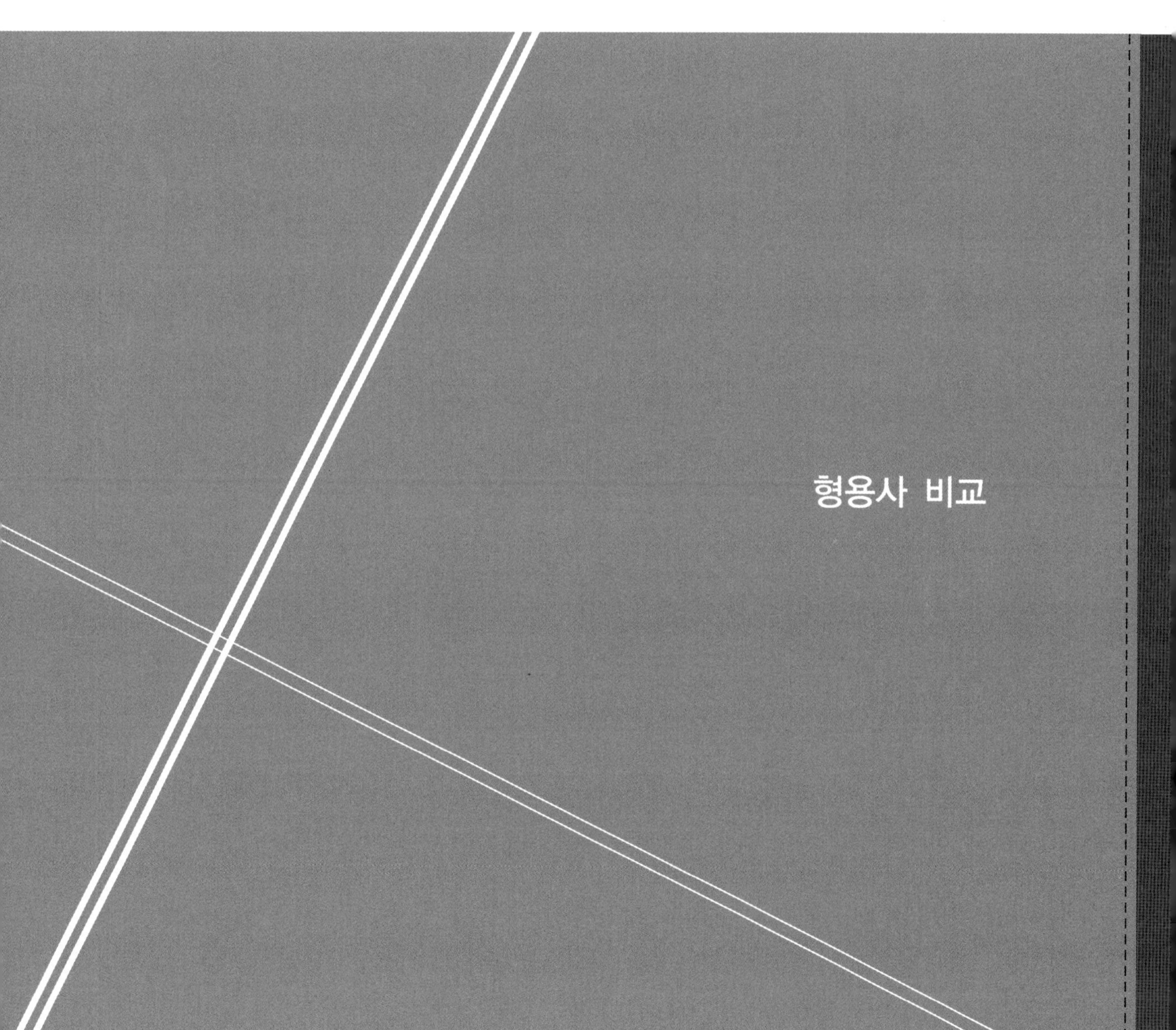

unit 01

기초문제

I. 주어진 형용사의 원급, 비교급, 최상급의 올바른 형태는? (20과, 기초문제: 교재 116쪽)

1. Köln ist _schön_. Hamburg ist noch _schöner_ als Köln. München ist _am schönsten_.

✱ **해석** 쾰른은 아름답다. 함부르크는 쾰른보다도 더 아름답다. 뮌헨은 가장 아름답다.

✱ **어휘** schön [형용사] 아름다운 (3 비교형: schön - schön*er* - schön*st*-) ▌Köln [고유명사] 쾰른 (독일 중부의 대도시) ▌Hamburg [고유명사] 함부르크 (독일 북부의 대도시) ▌als [접속사] : 「A 비교급 *als* B」 'A는 B보다 더 ...하다' (즉, A > B) ▌「noch + 비교급」 '...*보다도* 더 ...한' <참고> 비교되는 대상도 이미 "높은 정도"이지만, "그*보다도* 더 높은 정도"임을 표현함. (영. 「even + 비교급」) ▌München [고유명사] 뮌헨 (독일 남부의 대도시) ▌「am + 최상급 *-en*」 '가장 ...한', (부사적) '가장 ...하게'

문장 1

☞ 형용사 원급 schön이 와야 함.
(여기서 원급 schön은 동사 ist의 *형용사 보어*임!)

문장 2

☞ 뒤에 접속사 als('...*보다* 더...')가 있으므로 형용사 schön의 비교급 schön*er*가 와야 함.
(여기서 비교급 schön*er*는 동사 ist의 *형용사 보어*임!)

► 비교급 형용사 앞에 noch가 올 경우:
「... noch schön*er* als Köln」
'(*비교 대상인 쾰른도 아름답지만*, 이와 같은) 쾰른보다도 더 아름답다.'

문장 3

☞ 내용상 형용사 schön의 최상급 schön*st*가 사용되어야 함.
즉, 「am 최상급 *-en*」 '가장 ...한' : am schön*sten* '가장 아름다운'
(여기서 「am schönsten」은 동사 ist의 *형용사 보어*임!)

2. Eva spricht _gut_ Französisch, aber Englisch spricht sie noch _besser_.
Am besten spricht sie Spanisch.

✱ **해석** 에파는 프랑스어를 잘 하지만, 영어는 더 잘 한다. 가장 잘 하는 것은 스페인어이다.

✱ **어휘** gut [형용사] 좋은, (부사적) 좋게, 잘 (3 비교형 *불규칙* 변화: gut - *besser* - *best*-) ▌spricht (동사 sprechen의 *현재* 시제: 주어가 *er*, *sie*, *es*일 때) ⇒ sprechen [타동사] ...을 말하다 (현재

시제: du spri*chst* ; er spri*cht*) (3 기본형: sprechen - sprach - gesprochen) ▌gut [형용사] 좋은, (부사적) 좋게, 잘 (3 비교형 *불규칙* 변화: gut - *besser* - *best-*) ▌Französisch 프랑스어 <참고> Frankreich 프랑스 ; französisch [형용사] 프랑스의, 프랑스어의 ; der Franzose 프랑스인 (die Franzose*n*) <주의> 주어를 제외한 *단수 2, 3, 4격*이 모두 복수형처럼 Franzose*n*인 *약변화* 명사! ▌aber [등위접속사] 그러나, 하지만 (앞에는 *콤마*!) ▌Englisch 영어 <참고> England 영국 ; englisch [형용사] 영국의, 영어의 ; der Engländer 영국인 (die Engländer) ▌als [접속사] ...보다 : 「A 비교급 *als* B」 'A는 B보다 더 ...하다' (즉, A > B) ▌「noch + 비교급」 '...*보다도* 더 ...한' ▌Spanisch 스페인어 <참고> Spanien 스페인 ; spanisch [형용사] 스페인의, 스페인어의 ; der Spanier 스페인 사람 (die Spanier) ▌「am + 최상급 *-en* 」 '가장 ...한', (부사적) '가장 ...하게'

문장 1

☞ 원급 gut이 와야 함.

(여기서 gut은 동사 spricht를 수식하는 *부사적* 용법임: ... spricht *gut* ... '*잘* 말한다')

문장 2

☞ 내용상 gut의 비교급 *besser*가 와야 함.

(여기서 besser는 동사 spricht를 수식하는 *부사적* 용법임:

... spricht ... *besser* '*더 잘* 말한다')

► 비교대상은 앞 문장에 나온 Französisch임. → 비교대상이 무엇인지 분명하므로 *생략*됨!

즉: Aber Englisch spricht sie noch besser (als Französisch).

문장 3

☞ 내용상 gut의 최상급 *best*가 사용되어야 함.

즉, 「am 최상급 *-en* 」 '가장 ...하게' : am *besten* '가장 잘, 가장 좋게'

(여기서 Am besten은 동사 spricht를 수식하는 *부사적* 용법임:

Am besten spricht ... '*가장 잘* 말한다')

3. Die Alpen sind ein __hohes__ Gebirge. Der Kaukasus ist ein noch __höheres__ Gebirge. Der Himalaya ist das __höchste__ Gebirge der Welt.

✷ **해석** 알프스는 높은 산이다. 카우카수스는 더 높은 산이다. 히말라야는 세계에서 가장 높은 산이다.

✷ **어휘** 「hoh- + 명사」 [형용사] '높은 ...' <주의> 동사 sein, werden 등의 *주격 보어* 및 *부사어*로 사용될 경우는 hoch임! (3 비교형 *불규칙* 변화: hoch (혹은 hoh-) - *höher* - *höchst-*) ↔ niedrig 낮은 (3 비교형 변화: niedrig - niedrig*er* - niedrig*st-*) ▌die Alp*en* (복수형) 알프스산 ▌「noch + 비교급」 '...*보다도* 더 ...한' ▌das Gebirge 산, 산맥 (die Gebirge) <주의> Gebirge는 *집합적* 개념임! *개별적* '산'은 der Berg (die Berg*e*) ▌die Welt (주로 단수) 세계 (die Welt*en*)

문장 1

☞ 형용사 원급 *hoh-*가 와야 함. → 뒤에 오는 명사 Gebirge를 수식!
따라서 어미변화 함!
(뒤에 오는 명사를 수식하므로 형태는 hoch가 아니라 hoh-임!)
「ein_ hoh*es* Gebirge」:

- 명사 Gebirge는 *중성*이며, 동사 ist의 *주격* 보어이므로 *중성 1격!!*
  따라서 *중성 1격* 부정관사 ein_이 앞에 옴.
- 형용사 hoh- 앞에 중성 1격의 ein이 있음.
  → 따라서 ein hoh*es*_ ...임.
  (근거: 중성 1, 4격 ein_ , mein_ , dein_ , ihr_ , kein_ ... + 형용사 *-es*)

문장 2

☞ 형용사 hoh-의 비교급 *höher*가 와야 함. → 뒤에 오는 명사 Gebirge를 수식!
「ein_ *höheres* Gebirge」:

- 명사 Gebirge는 *중성*이며, 동사 ist의 *주격* 보어이므로 *중성 1격!!*
  따라서 *중성 1격* 부정관사 ein_이 앞에 옴.
- 비교급 형용사 *höher* 앞에 *중성 1격*의 ein이 있음.
  → 따라서 ein *höheres*_ ...임.
  (근거: 중성 1, 4격 ein_ , mein_ , dein_ , ihr_ , kein_ ... + 형용사 *-es*)

► 비교대상은 앞 문장에 나온 die Alpen임. → 비교대상이 무엇인지 분명하므로 *생략*됨!
즉: Der Kaukasus ist ein noch höheres Gebirge (als die Alpen).

문장 3

☞ 형용사 hoh-의 최상급 *höchst*가 와야 함. → 뒤에 오는 명사 Gebirge를 수식!
따라서 어미변화 함!
「das *höchste* Gebirge」:

- 명사 Gebirge는 *중성*이며, 동사 ist의 *주격* 보어이므로 *중성 1격!!*
  따라서 *중성 1격* 정관사 das 가 앞에 옴.
  최상급의 의미인 '***가장 ... 한***' 것은 이미 정해진 특정 대상이므로,
  최상급 형용사 앞에는 보통 ***정관사***가 옴!
- 최상급 형용사 *höchst* 앞에 *중성 1격*의 das가 있음.
  → 따라서 das *höchste*_ ...임.
  (근거: 중성 1, 4격 d*as* , dies*es* ... + 형용사 *-e*)

► 최상급의 의미('가장 ...한')는 일정한 관련 범위를 전제로 한다.
즉 "*... 에서* 가장 ...한" 혹은 "*... 안에서* 가장 ..."이어야 하는데,
이러한 관련 범위는 일반적으로 *2격* 형을 사용하여 표현될 수 있음!
「... Gebirge d*er* Welt 」:

- 명사 Welt는 *여성*이며, 최상급의 관련 범위를 표현하는 *2격*이므로 *여성 2격!!*
  따라서 *여성 2격 정관사* der 가 앞에 옴.
  2격 어미: 남성, 중성 ***-es*** (즉, d*es*, ein*es*, mein*es* ... kein*es*, dies*es* ...)
  여성, 복수 ***-er*** (즉, d*er*, ein*er*, mein*er*, ... kein*er*, dies*er* ...)
- 명사 Welt는 *여성*이므로 2격 명사 어미 -s, -es 가 *붙지 않음.*
  2격 ***명사*** 어미: ***남성*** 및 ***중성***명사의 2격은 어미 ***-s*** 혹은 ***-es***가 붙지만,
  여성 및 ***복수***명사는 붙지 않음!

II. 주어진 형용사의 알맞은 비교급 형태는? (20과, 기초문제: 교재 116쪽)

1. Früher war die Seefahrt viel _gefährlicher_ als heute.

✸ **해석** 과거에는 바다 항해가 오늘날보다 훨씬 더 위험했다.

✸ **어휘** gefährlich [형용사] 위험한 (3 비교형: gefährlich - gefährlich*er* - gefährlich*st*-) ← die Gefahr 위험 (die Gefahr*en*) ▌früher [부사어] 전에, 과거에 ↔ später 나중에, 미래에 ▌war (*과거* 시제: 주어가 *ich* 혹은 *er*, *sie*, *es*일 때) ⇒ sein [자동사] ...이다 (3 기본형: sein - war - gewesen ; 완료형 「*sein* ... pp」) ▌die Seefahrt 바다 항해 ← die See 바다 (die See*n*) + die Fahrt (주로 단수) 운행 (die Fahrt*en*) ▌als [접속사] : 「A 비교급 *als* B」 'A는 B보다 더 ...하다' (즉, A > B) ▌「viel + 비교급」 '*훨씬* 더 ...한' (영. 「much + 비교급」) ▌heute [부사어] 오늘

☞ 비교급: gefährlich*er* '*더* 위험한'

여기서 비교급 형용사 gefährlich*er*는 동사 war의 *형용사 보어*임.

따라서 *어미변화 없이* 비교급 형태 그대로 gefährlich*er*_가 정답임.

2. Diese Wohnung ist mir zu klein. Ich brauche eine _größere_.

✸ **해석** 이 아파트는 나에게 너무 작다. 나는 더 큰 것을 필요로 한다.

✸ **어휘** groß [형용사] 큰, 커다란 (3 비교형: groß - grö*ßer* - grö*ßt*- ※gro*ß*는 -*ß*로 끝나므로 발음상 최상급 어미는 -*st*가 아니라 -*t*임! 즉 größ*st* 아님!) ▌「dies- + 명사」 '이 ...' (지시대명사 dies-는 *정관사 d*- 어미변화!) ▌die Wohnung 아파트, 집 (die Wohnung*en*) ▌mir [인칭대명사] ich의 *3격* 형임. (4격 형은 *mich*) ▌「zu + 형용사 (부사)」 '너무 ...한', '너무 ...하게' : zu klein 너무 작은 ← klein [형용사] 작은 (3 비교형: klein - klein*er* - klein*st*-) ▌brauchen [타동사] ...을 필요로 하다 (3 기본형: brauch*en* - brauch*te* - *ge*brauch*t*)

문장 2

☞ 비교급: größ*er* '*더* 큰'

여기서 비교급 형용사 größ*er*는 뒤에 생략된 명사 Wohnung을 *수식하는* 용법임.

따라서 비교급 형태 größ*er*에 추가로 *어미변화* 함!

즉: 「ein*e* größer*e* (Wohnung)」

- 생략된 명사 Wohnung은 *여성*이며, 동사 brauche의 *4격* 목적어이므로 *여성 4격!!*
  따라서 *여성 4격* 부정관사 ein*e*가 앞에 옴.
- 비교급 형용사 größer 앞에 *여성 4격*의 ein*e*가 있음.
  → 따라서 ein*e* größer*e* ...
  (근거: 여성 1, 4격 ein*e*, di*e*, mein*e*, dein*e*, ihr*e* ... kein*e*, dies*e* + 형용사 -*e*)

3. Ist der Fernseher da drüben teuer? - Nein, er ist _billiger_ als dieser hier.

✸ **해석** 저기 건너편에 있는 TV는 가격이 비싼가요? - 아니오, 그것은 여기 이것보다 더 저렴해요.

✵ 어휘 billig [형용사] 값싼, 저렴한 (3 비교형: billig - billiger - billigst-) ▌der Fernseher (기계로서) 텔레비전 (die Fernseher) ⇐ fernsehen [분리동사&자동사] TV를 시청하다 (3 기본형: fernsehen - fernsah - ferngesehen) (현재 시제: du siehst ... fern ; er sieht ... fern) ▌da drüben 저기 건너편에 ← da [부사어] 저기 + drüben [부사어] 건너편에 ▌teuer [형용사] 값비싼 (3 비교형: teuer - teurer - teuerst- ※비교급에서 어간의 -e-가 탈락함! 즉 teuerer 아님!) ▌als [접속사] : 「A 비교급 *als* B」 'A는 B보다 더 ...하다' (즉, A > B) ▌dieser [지시대명사] 이것 (앞에 나온 *남성*명사를 받으며, *1격* 형임.) ▌hier [부사어] 여기, 여기에

문장 2

☞ 비교급: billig*er* '*더* 값싼'

여기서 비교급 형용사 billig*er*는 동사 ist의 *형용사 보어*임!

따라서 *어미변화 없이* 비교급 형태 그대로 billig*er* 가 정답임.

► 지시대명사 dies*er* '이것'

앞 문장에 나온 *남성*명사 Fernseher를 받으며, *주어*인 er와 동격 이므로 *남성 1격!!*

비교 문장 「A ... 비교급 als B」에서
비교되는 두 개의 대상 A와 B는 격이 일치함!

따라서 *남성 1격*의 정관사 d*er*처럼 어미변화 하여 dies*er* 임.

「*dies-* + 명사」, 즉 "***dieser*** Fernseher"의 축약형으로 볼 수 있음.

4. Heute haben die jungen Leute viel <u>mehr</u> Probleme als früher.

✵ 해석 오늘날 젊은 사람들은 과거보다 훨씬 더 많은 문제점들을 가지고 있다.

✵ 어휘 viel, viele : 「viel + 셀 수 *없는* 명사」, 「viel*e* + *복수*명사 (셀 수 *있는* 명사) 」 '많은 ...' (3 비교형 *불규칙* 변화: viel(e) - *mehr* - *meist-*) <주의> 비교급 mehr는 *어미변화 없음*! ▌heute [부사어] 오늘 ▌haben [타동사] ...을 가지고 있다 (3 기본형: haben - hatte - gehabt) ▌jung 젊은 (3 비교형: jung - jünger - jüngst-) ▌die Leute (항상 복수) 사람들 ▌「viel + 비교급」 '*훨씬* 더 ... 한' (영. 「much + 비교급」) ▌das Problem 문제, 문제점 (die Problem*e*) <참고> problematisch [형용사] 문제 있는 ← das Problem 문제 (die Problem*e*) ▌als [접속사] ~보다 : 「A 비교급 *als* B」 'A는 B보다 더 ...하다' (즉, A > B) ▌früher [부사어] 전에는, 과거에는 (형용사 früh('이른, 일찍')의 *비교급* 형태임!)

► 「di*e* jung*en* Leute」:

- 명사 Leute는 *복수*이며, 동사 haben의 *주어*이므로 *복수 1격!!*
  따라서 *복수 1격* 정관사 di*e*가 앞에 옴.
- 형용사 jung 앞에 *복수 1격*의 di*e*가 있음.
  → 따라서 di*e* jung*en* ...
  (근거: 복수 1, 4격 di*e*, kein*e*, dies*e* ... 형용사 *-en*)

☞ 비교급: *mehr* '*더* 많은'

여기서 비교급 형용사 *mehr*는 뒤에 오는 복수명사 Probleme를 *수식하는* 용법임.

그러나 *mehr*는 명사를 수식하더라도 *어미변화 없음*!

따라서 *어미변화 없이* 비교급 형태 그대로 *mehr*_가 정답임. (즉, mehr*e* Probleme 아님!)

<참고>

비교급과 관련 없는 별개의 낱말 mehrer-('몇몇의')와 혼동하지 말것!

즉, 「mehrer- + 복수」 '몇몇의 ...':

Sie probiert mehrer*e* Hosen an. '그녀는 바지 *몇몇*을 입어본다.'

5. Das ist wirklich ein gutes Restaurant. - Ja, ein __besseres__ können Sie hier nur schwer finden.

✻ **해석** 그것은 정말로 좋은 음식점입니다. - 맞아요, (그것보다도) 더 좋은 곳을 여기서는 찾기가 어려워요.

✻ **어휘** gut [형용사] 좋은, (부사적) 잘, 좋게 (3 비교형 *불규칙* 변화: gut - *besser* - *best-*) ▌「Das ist + *단수* 1격」 이것은 ...이다 ▌ wirklich [형용사] 실제의, (부사적) 실제로 (영. real, really) ▌ das Restaurant 음식점 (die Restaurant*s*) ▌「können ... finden」 (화법조동사 können의 *현재* 시제) ⇒ 「können ... 동사 원형」 (능력, 가능성) ...할 수 있다 (현재 시제: ich kann ; du kann*st* ; er kann ; wir könn*en* ; ...) (3 기본형: können - konnte - gekonnt, können) ▌ hier [부사어] 여기, 여기서 ▌ nur [부사어] 단지, 오로지 ▌ schwer [형용사] 어려운, (부사적) 어렵게 (3 비교형: schwer - schwer*er* - schwer*st-*) ▌ finden [타동사] ...을 발견하다 (3 기본형: finden - fand - gefunden)

문장 1

► 「ein_ gut*es* Restaurant」:

- 명사 Restaurant는 *중성*이며, 동사 ist의 *주격* 보어이므로 *중성 1격!!*
  따라서 *중성 1격* 부정관사 ein_이 앞에 옴.
- 형용사 gut 앞에 *중성 1격* ein_이 있음.
  → 따라서 ein_ gut*es* ...
  (근거: 중성 1, 4격 ein_ , mein_ , dein_ , ihr_ ... kein_ + 형용사 *-es*)

문장 2

☞ 비교급: *besser* '*더* 좋은'

여기서 비교급 형용사 *besser*는 뒤에 생략된 명사 Restaurant을 *수식하는* 용법임.

따라서 비교급 형태 *besser*에 추가로 *어미변화* 함!

즉, 「ein besser*es* (Restaurant)」:

- 생략된 명사 Restaurant은 *중성*이며, 동사 finden의 *4격* 목적어이므로 *중성 4격!!*
  따라서 *중성 4격* 부정관사 ein_이 앞에 옴.
- 비교급 형용사 besser 앞에 *중성 4격*의 ein_이 있음.
  → 따라서 ein_ besser*es* ...
  (근거: 중성 1, 4격 ein_ , mein_ , dein_ , ihr_ ... kein_ + 형용사 *-es*)

<참고>

문맥상 '(비교 대상이 이미 *좋은* 식당이지만, 그보다도) *더 좋은* 식당'을 뜻하므로 「*noch* + 비교급」 형식을 사용할 수 있음!

즉: Ja, ein (noch) besser*es* können Sie ...

III. 주어진 형용사의 알맞은 최상급 형태는? (20과, 기초문제: 교재 116쪽)

1. Der Mensch ist der größte Feind des Menschen.

✻ **해석** 그 사람은 인간의 가장 큰 적이다.

✻ **어휘** groß [형용사] 큰 (3 비교형 *불규칙* 변화: groß - gr*ö*ß*er* - größ*t-* ※gro*ß*는 *-ß*로 끝나므로 발음상 최상급 어미는 *-st*가 아니라 *-t*임! 즉 größ*st* 아님!) ▌der Mensch 인간, 인류 (die Mensch*en*) <주의> 주어를 제외한 *단수 2, 3, 4격*이 모두 복수형과 동일하게 Mensch*en*인 *약변화* 명사! ▌der Feind 적, 원수 (die Feind*e*) → feindlich [형용사] 적의, 적대적인 ↔ freundlich 친절한, 우호적인

☞ 최상급: größ*t* '*가장* 큰'

여기서 최상급 형용사 *größt*는 뒤에 오는 명사 Feind를 *수식하는* 용법임.

따라서 최상급 형태 *größt*에 추가로 *어미변화* 함!

즉, 「d*er* größt*e* Feind」:

- 명사 Feind는 *남성*이며, 동사 ist의 *주격* 보어이므로 *남성 1격!!*
  따라서 *남성 1격* 정관사 d*er*가 앞에 옴.
- 최상급 형용사 größt 앞에 *남성 1격*의 d*er*가 있음.
  → 따라서 d*er* größt*e* ...
  (근거: 남성 1격 d*er*, dies*er* ... 형용사 *-e* 」)

► 「... Feind d*es* Mensch*en* 」:

- 명사 Mensch는 *남성*이며, 바로 앞 명사 Feind를 수식하는 *2격* 형이므로 *남성 2격!!*
  따라서 *남성 2격 정관사* d*es* 가 앞에 옴.
  2격 어미 : 남성, 중성 ***-es*** (즉, d*es*, ein*es*, mein*es* ... kein*es*, dies*es* ...)
  여성, 복수 ***-er*** (즉, d*er*, ein*er*, mein*er*, ... kein*er*, dies*er* ...)
- 명사 Mensch는 단수 2, 3. 4격이 복수형처럼 *-en*인 *약변화* 명사!
  여기서는 *단수 2격*이므로 어미 *-en*이 붙어 Mensch*en*임.

2. Heute ist der längste Tag des Jahres.

✻ **해석** 오늘은 1년 중의 가장 긴 날이다.

✻ **어휘** lang [형용사] 긴 (3 비교형: lang - l*ä*ng*er* - l*ä*ng*st-*) ↔ kurz 짧은 (3 비교형: kurz - k*ü*rz*er* - k*ü*rz*est-*) ▌heute [부사어] 오늘 ▌der Tag 날, 낮 (die Tag*e*) ▌das Jahr 해, 년 (die Jahr*e*)

☞ 최상급: läng*st* '*가장* 긴'

여기서 최상급 형용사 läng*st*는 뒤에 오는 명사 Tag을 *수식하는* 용법임.

따라서 최상급 형태 läng*st*에 추가로 *어미변화* 함!

즉, 「d*er* läng*ste* Tag」:

- 명사 Tag은 *남성*이며, 동사 ist의 *주어*이므로 *남성 1격!!*
  따라서 *남성 1격* 정관사 d*er*가 앞에 옴.
- 최상급 형용사 läng*st* 앞에 *남성 1격*의 d*er*가 있음.
  → 따라서 d*er* läng*ste* ...
  (근거: 남성 1격 d*er*, dies*er* ... 형용사 *-e*)

► 「... d*es* Jahr*es* 」:

- 명사 Jahr는 *중성*이며, 최상급의 관련 범위를 표현하는 *2격* 형이므로 *중성 2격!!*
  따라서 *중성 2격* 정관사 d*es* 가 앞에 옴.
- 명사 Jahr는 *중성*이므로 2격 명사 어미 *-es* 가 붙어 Jahr*es*임.
  2격 ***명사*** 어미: ***남성*** 및 ***중성***명사의 2격은 어미 ***-s*** 혹은 ***-es***가 붙지만,
  여성 및 ***복수***명사는 어미 없음!

<참고>

명사 Jahr는 *1 음절*이므로 2격 명사 어미는 보통 *-es*이지만, *-s*도 가능함 (즉, Jahr*s* 가능!)

3. Die Alpen sind das <u>höchste</u> Gebirge Europas.

✷ **해석** 알프스는 유럽에서 가장 높은 산이다.

✷ **어휘** hoch, hoh- [형용사] 높은 (3 비교형 *불규칙* 변화: hoch (hoh-) - *höher* - *höchst-*) <주의> 명사 앞에서 *수식어*로 사용될 경우는 hoh- 형태임! ▌die Alp*en* (복수형) 알프스산 ▌das Gebirge (집합적) 산, 산맥 (die Gebirge) ▌Europa [고유명사] 유럽

<참고>

① der Kontinent 대륙 (die Kontinent*e*) :
Asien 아시아, Afrika 아프리카, Europa 유럽, Nordamerika 북미, Südamerika 남미, Australien 호주

② der Ozean 대양 (die Ozean*e*) :
der Pazifische Ozean 태평양 (= der Pazifik),
der Atlantische Ozean 대서양 (= der Atlantik),
der Indische Ozean 인도양 (= der Indik)

☞ 최상급: *höchst* '*가장* 높은'

여기서 최상급 형용사 *höchst*는 뒤에 오는 명사 Gebirge를 *수식하는* 용법임.

따라서 최상급 형태 *höchst*에 추가로 *어미변화* 함!

즉, 「*das* höchst*e* Gebirge」:

- 명사 Gebirge는 *중성*이며, 동사 sind의 *주격* 보어이므로 *중성 1격!!*
  따라서 *중성 1격* 정관사 *das*가 앞에 옴.

- 최상급 형용사 höchst 앞에 *중성 1격*의 d*as*가 있음.
  → 따라서 d*as* höchst*e* ...
  (근거: 중성 1, 4격 d*as*, dies*es* ... 형용사 *-e*)

► 「... Gebirge Europa*s* 」:
명사 Europa('유럽')는 최상급의 관련 범위를 표현하는 *2격* 형임.
*고유명사*이므로 정관사는 없고, 단지 *2격 어미 -s*만 붙어 Europa*s*임.

<참고>
고유명사의 2격 형: 「고유명사 + *-s* 」'...*의*'
Ich habe gestern *Frau Meiers* Sohn getroffen.
'나는 어제 *마이어 부인의 아들*을 만났다.'
Berlin ist die Hauptstadt *Deutschlands* . = Berlin ist *Deutschlands* Hauptstadt.
'베를린은 *독일의* 수도이다.'

4. Welche Uhr gefällt Ihnen __am besten__? - Die Uhr hier.

✺ **해석** 어떤 시계가 너에게 가장 마음에 드니? - 여기 이 시계야.

✺ **어휘** gut [형용사] 좋은, (부사적) 좋게, 잘 (3 비교형 *불규칙* 변화: gut - *besser* - *best-*) ▌「welch- + 명사」 '어떤 ...?' (의문사 welch-는 *정관사 d-* 어미변화!) (영. which ...?) ▌die Uhr 시계 (die Uhr*en*) ▌gefällt (동사 gefallen의 *현재* 시제: 주어가 *er, sie, es*일 때) ⇒ 「gefallen + 3격(사람)」 *누구*에게 마음에 들다 (현재 시제: du gefäll*st* ; er gefäll*t*) (3 기본형: gefallen - gefiel - gefallen ※형태가 *ge*-이므로 pp형에서 *ge- 탈락*!) ⇐ fallen [자동사] 떨어지다 (현재 시제: du fäll*st* ; er fäll*t*) (3 기본형: fallen - fiel - gefallen ; '*장소 이동* 자동사 → 완료형 「*sein* ... pp」) ▌Ihnen [인칭대명사] 격식칭 Sie('당신은, 당신들은')의 *3격* 형임. (4격 형은 *Sie*) ▌「am + 최상급 *-en*」 가장 ...한, (부사적) 가장 ...하게 ▌hier [부사어] 여기, 여기에

문장 1

► 「Welch*e* Uhr」:
명사 Uhr는 *여성*이며, *주어*이므로 *여성 1격!!*
따라서 의문사 Welch-는 *여성 1격 정관사* di*e*처럼 어미변화 하여 Welch*e*임.

► 주어인 Welche Uhr는 여성의 sie('그녀는')에 해당하므로 동사 gefallen의 형태는 gefäll*t*임.

☞ 최상급: *best* '*가장* 좋은'
여기서 최상급 형용사 *best*는 동사 gefällt를 수식하는 *부사어*이어야 함.
따라서 최상급 형식 「am 최상급 *-en*」('*가장* ...한, *가장* ...하게')가 사용됨!
즉, 정답은: am best*en* '가장 잘'

5. Lisa ist meine __beste__ Freundin. Susanne ist auch eine gute Freundin von mir.

✺ **해석** 리자는 나의 가장 좋은 여자 친구이다. 수잔네 역시 나의 좋은 여자 친구이다.

✱ 어휘 gut [형용사] 좋은, (부사적) 좋게, 잘 (3 비교형 *불규칙* 변화: gut - *besser* - *best-*) ▌die Freund*in* 여자 친구 (die Freundin*nen*) ▌auch [부사어] 역시, ...도 ▌von [*3격* 전치사] ~의 (*소유격*의 의미!) (영. of) ▌mir [인칭대명사] ich의 *3격* 형임. (4격 형은 *mich*)

문장 1

☞ 최상급: *best* '*가장* 좋은'

여기서 최상급 형용사 *best*는 뒤에 오는 명사 Freundin을 *수식하는* 용법임.

따라서 최상급 형태 *best*에 추가로 *어미변화* 함!

즉, 「mein*e* best*e* Freundin」:

- 명사 Freundin은 *여성*이며, 동사 ist의 *주격* 보어이므로 *여성 1격!!*
  따라서 소유대명사 mein-('나의')은 *여성 1격* 부정관사 ein*e*처럼 mein*e*임.
- 최상급 형용사 best 앞에 *여성 1격*의 mein*e*가 있음.
  → 따라서 mein*e* best*e* ...
  (근거: 여성 1, 4격 di*e*, ein*e*, mein*e*, ihr*e* ... kein*e* , dies*e* + 형용사 *-e*)

6. Keine andere Stadt ist schöner als Paris. Paris ist also __am schönsten__.

✱ 해석 다른 그 어떤 도시도 파리보다 더 아름답지 않다. 따라서 파리는 가장 아름답다.

✱ 어휘 schön [형용사] 아름다운 (3 비교형: schön - schön*er* - schön*st-*) ▌「ander- + 명사」 '다른 ...' <주의> *ander-*는 명사 앞에 오는 *수식어*로만 사용됨! 동사 sein, werden 등의 *주격 보어* 및 *부사어*로 사용될 경우는 *anders*임! ▌die Stadt 시, 도시 (die Städt*e*) ▌als [접속사] ~보다 : 「A 비교급 *als* B」 'A는 B보다 더 ...하다' (즉, A > B) ▌Paris [고유명사] 파리 (프랑스의 수도) ▌also [부사어] 그러므로 (논리적 귀결!) ▌「am + 최상급 *-en*」 가장 ...한, (부사적) 가장 ...하게

문장 1

► 「Kein*e* ander*e* Stadt」:

- 명사 Stadt는 *여성*이며, 문장의 *주어*이므로 *여성 1격!!*
  따라서 부정어 kein-은 *여성 1격* 부정관사 ein*e*처럼 kein*e*임.
- 형용사 ander- 앞에 *여성 1격*의 kein*e*가 있음.
  → 따라서 mein*e* best*e* ...
  (근거: 여성 1, 4격 di*e*, ein*e*, mein*e*, ihr*e* ... kein*e* , dies*e* + 형용사 *-e*)

► 「... ist schön*er* *als* Paris」:

비교 형식 「비교급 *als* ...」가 적용됨.

문장 2

☞ 최상급: schön*st* '*가장* 아름다운'

여기서 최상급 형용사 schön*st*는 동사 ist의 *주격 보어*이어야 함.

따라서 최상급 형식 「am 최상급 *-en*」('*가장* ...한, *가장* ...하게')가 사용됨!

즉, 정답은: am schön*sten* '가장 아름다운'

<참고>

「am 최상급 *-en*」의 두 가지 용법:

① 동사 sein, werden 등의 *형용사 보어*

Ute *ist* am schönsten, wenn sie ein Lied singt.

'우테는 노래를 부를 때 *가장 아름답다.*'

② 동사를 수식하는 *부사어*

Ute *singt* am schönsten von allen.

'우테는 모든 이들 중에서 *가장 아름답게* 노래한다.'

7. Meine Studienzeit war wirklich die schönste Zeit meines Lebens.

✱ **해석** 나의 학창 시절은 정말로 내 인생에서 가장 아름다운 시기이다.

✱ **어휘** schön [형용사] 아름다운 (3 비교형: schön - schön*er* - schön*st*-) ▌die Studienzeit (대학) 학창시절 ← das Studi*um* 대학 공부 (die Studi*en*) + die Zeit (주로 단수) 시간, 시절 (die Zeit*en*) ▌war (동사 sein의 *과거* 시제: 주어가 *ich* 혹은 *er, sie, es*일 때) ⇒ sein [자동사] ...이다 (3 기본형: sein - war - gewesen ; 완료형 「*sein* ... pp」) ▌wirklich [형용사] 실제의, 현실의 (부사적) 정말로, 실제로 (= echt) ▌das Leben 생활, 생애 (die Leben) ⇐ leben [자동사] 살다, 생활하다 (3 기본형: leb*en* - leb*te* - *ge*leb*t*)

☞ 최상급: schön*st* '*가장* 아름다운'

여기서 최상급 형용사 schön*st*는 뒤에 오는 명사 Zeit를 *수식하는* 용법임.

따라서 최상급 형태 schön*st*에 추가로 *어미변화* 함!

즉, 「di*e* schön*ste* Zeit」:

- 명사 Zeit는 *여성*이며, 동사 war의 *주격* 보어이므로 *여성 1격!!*
  따라서 *여성 1격* 정관사 di*e*가 앞에 옴.
- 최상급 형용사 schön*st* 앞에 *여성 1격*의 di*e*가 있음.
  → 따라서 di*e* schön*ste* ...
  (근거: 여성 1, 4격 di*e*, ein*e*, mein*e*, ihr*e* ... kein*e* , dies*e* + 형용사 *-e*)

► 「... mein*es* Leben*s*」:

- 명사 Leben은 *중성*이며, 최상급의 관련 범위를 표현하는 *2격* 형이므로 *중성 2격!!*
  따라서 소유대명사 mein-('나의')은 *중성 2격* 어미 *-es* 가 붙어 mein*es*임.
  2격 어미 : 남성, 중성 ***-es*** (즉, d*es*, ein*es*, mein*es* ... kein*es*, dies*es* ...)
  여성, 복수 ***-er*** (즉, d*er*, ein*er*, mein*er*, ... kein*er*, dies*er* ...)
- 명사 Leben은 *중성*이므로 2격 명사 어미 *-s* 가 붙어 Leben*s*임.
  2격 명사 어미: ***남성*** 및 ***중성***명사의 2격은 어미 ***-s*** 혹은 ***-es***가 붙지만,
  여성 및 ***복수***명사는 어미 없음!

<참고>

명사 Leben은 *2 음절*이므로 2격 명사 어미는 *-s*임. (Leben*es*는 틀림!)

IV. 부사어 gern(e)의 알맞은 형태는? (20과, 기초문제: 교재 116쪽)

1. Wir feiern __lieber__ zu Hause als im Restaurant.

✺ **해석** 우리는 식당보다는 오히려 집에서 파티를 하고 싶다.

✺ **어휘** gern(e) [부사어] 즐겨, 기꺼이 (3 비교형 *불규칙* 변화: gern(e) - *lieber* - *liebst-*) ▌feiern [타동사/자동사] (...을 기념하여) 파티를 열다 (3 기본형: feier*n* - feier*te* - *ge*feier*t*) → die Feier 축하 파티 (die Feier*n*) ▌zu Haus(e) 집에, 집에서 ▌als [접속사] ~보다 : 「A 비교급 *als* B」 'A는 B보다 더 ...하다' (즉, A > B) ▌in [*3 · 4격* 전치사] (*3격* 지배: *위치*) ~안에서, ~에서 → 「im + 남성 · 중성 3격」: im Restaurant 음식점*에서* ▌das Restaurant 음식점, 레스토랑 (die Restaurant*s*)

☞ 비교 형식 「비교급 *als* ...」가 사용됨.
따라서 정답은 gern의 비교급 형태인 *lieber*임.

<참고>
비교급 lieber가 있을 경우, 직역하면 "*더 기꺼이* ...하다"이므로
이를 "*오히려 ...하고 싶다*" 혹은 "*오히려 ...하기를 더 좋아하다*" 등으로 해석할 수 있음.

2. Was möchten Sie __lieber__, Mineralwasser oder Orangensaft? - Ich möchte __lieber__ Mineralwasser. Orangensaft mag ich nicht so gern.

✺ **해석** 당신은 무엇을 더 원하십니까? 광천수인가요? 아니면 오렌지 주스인가요? - 저는 광천수를 더 원해요. 오렌지 주스는 그다지 좋아하지 않아요.

✺ **어휘** gern(e) [부사어] 즐겨, 기꺼이 (3 비교형 *불규칙* 변화: gern(e) - *lieber* - *liebst-*) ▌was [의문사] 무엇을? (*4격* 형) ▌möchten [타동사] ...을 원하다 (현재 시제: __ich möchte__ ; __du möchtest__ ; __er möchte__ ; wir möchte*n* ...) ▌das Mineralwasser [*물질*명사: 주로 *단수*] 광천수, 미네랄 워터 ← das Mineral 광물질 (die Mineral*ien*) + das Wasser [*물질*명사: 주로 *단수*] 물 (복수 없음) ▌der Orangensaft [*물질*명사: 주로 *단수*] 오렌지 주스 (die Orangensäft*e*) ← die Orange 오렌지 (die Orange*n*) + der Saft [*물질*명사: 주로 *단수*] 즙, 주스 (die Säft*e*) ▌mag (동사 mögen의 *현재* 시제) ⇒ mögen [타동사] ...을 좋아하다 (*현재* 시제, *주어가 단수*일 때 *불규칙* 변화: __ich mag__ ; __du mag*st*__ ; __er mag__ ; wir mög*en* ...) (3 기본형: mögen - mochte - gemocht) ▌「so + 형용사 (부사)」 '그렇게 ...한' → 「nicht so + 형용사 (부사)」 '그다지 ...하지 않은'

문장 1

☞ 두 종류의 음료수, 즉 Mineralwasser와 Orangensaft 중에 무엇을 *더 원하는지*를 묻고 있음.
→ 따라서 정답은 비교급 *lieber*임.

► Mineralwasser('광천수')와 Orangensaft('오렌지 주스')는 셀 수 없는 *물질*명사임!
내용상 *특정* '광천수'나 '오렌지 주스'가 아니므로 원래 부정관사 ein-이 와야 하겠지만
물질명사로서 부정관사가 올 수 없으므로 생략됨!

문장 2

☞ 앞 문장 질문에 대한 답변으로서, 두 종류 음료수 가운데 *더 원하는 것*을 진술함.
→ 따라서 여기서도 정답은 비교급 *lieber*임.

문장 3

► 문장 맨 앞의 Orangensaft는 동사 mag의 4격 목적어임.
(동사 mag의 주어는 ich임.)

3. Wenn ich Zeit habe, lese ich gern. Am liebsten lese ich Liebesromane.

✺ **해석** 나는 시간이 있으면 즐겨 독서를 합니다. 애정 소설을 가장 즐겨 읽어요.

✺ **어휘** gern(e) [부사어] 즐겨, 기꺼이 (3 비교형 *불규칙* 변화: gern(e) - *lieber* - *liebst-*) ▌wenn [종속접속사] 만약 ...일 경우 (영. if, whenever) (종속접속사 뒤에 오는 문장은 *후치*됨: Wenn *ich* ... habe , ...) ▌die Zeit (주로 단수) 시간 (die Zeit*en*) ▌haben [타동사] ...을 가지고 있다 (3 기본형: haben - hatte - gehabt) ▌lesen [타동사] ...을 읽다 (현재 시제: du lie*st* ; er lie*st*) (3 기본형: lesen - las - gelesen) ▌「am + 최상급 *-en*」 가장 ...한, (부사적) 가장 ...하게 ▌der Liebesroman 애정소설 (die Liebesroman*e*) ← die Liebe 사랑, 애정 (복수 없음) + der Roman (장편)소설 (die Roman*e*)

문장 1

► Wenn *ich* ... *habe* , *lese ich* ...
부문장: ***후치***됨! 주문장: 앞에 부문장이 오므로 ***도치***됨!

문장 2

☞ 내용상 Liebesroman*e*, 즉 애정소설들을 "*가장 즐겨* 읽는다"가 되어야 함.
따라서 최상급 형식 「am 최상급 *-en*」('*가장* ...하게')가 사용됨.
따라서 정답은 *Am* liebsten임.

<주의>
비교급 Lieber도 언뜻 가능할 듯하지만, 이 경우:
Lieber lese ich Liebesromane. '오히려 나는 애정소설을 *더 즐겨* 읽는다.'
비교대상이 없으므로 문맥 내용에 맞지 않음! → 따라서 비교급 lieber는 정답이 될 수 없음.

► Liebesroman*e* ('애정소설*들*')는 *복수*명사임!
내용상 *특정* '애정소설들'이 아니므로 원래 부정관사 ein-이 와야 하겠지만
복수명사로서 부정관사가 올 수 없으므로 생략됨!

4. Die Sonne scheint. Ich gehe jetzt spazieren. Kommst du mit? - Nein, ich sehe lieber fern.

✺ **해석** 태양이 빛난다. 나는 지금 산책 간다. 너 함께 가겠니? - 아니, 나는 오히려 텔레비전을 시청하고 싶어.

✽ 어휘 gern(e) [부사어] 즐겨, 기꺼이 (3 비교형 *불규칙* 변화: gern(e) - *lieber* - *liebst-*) ▌die Sonne 태양 (die Sonne*n*) → der Mond 달 (die Mond*e*), der Stern 별 (die Stern*e*) ▌scheinen [자동사] 빛나다 (3 기본형: scheinen - schien - geschienen) ▌「gehen ... spazieren」 (동사 spazieren gehen의 *현재* 시제) ⇒ *spazieren* gehen [자동사] 산책하다, 산책가다 ('*장소 이동*' 자동사 → 완료형 「*sein* ... pp」; 3 기본형: *spazieren* gehen - *spazieren* ging - *spazieren* gegangen ※문장 안에서 *spazieren*은 마치 분리전철처럼 *문장 맨 뒤에* 옴: Ich gehe ... *spazieren*.) ⇐ gehen [자동사] 가다 3 기본형: gehen - ging - gegangen ; '*장소 이동*' 자동사 → 완료형 「*sein* ... pp」) ⇐ spazieren [자동사] 산책하다 ('*장소 이동*' 자동사 → 완료형 「*sein* ... pp」; 3 기본형: spazier*en* - spazier*te* - spazier*t* ※형태가 *-ieren*이므로 pp형에서 *ge- 탈락!*) ▌jetzt [부사어] 지금 ▌「Kommst ... mit? 」 (분리동사 *mit*kommen의 *현재* 시제) ⇒ *mit*kommen [분리동사&자동사] 함께 가다, 함께 오다 (3 기본형: *mit*kommen - *mit*kam - *mit*gekommen ; '*장소 이동*' 자동사 → 완료형 「*sein* ... pp」) ⇐ kommen [자동사] 오다 (3 기본형: kommen - kam - gekommen ; '*장소 이동*' 자동사 → 완료형 「*sein* ... pp」) ▌mit [분리전철, 부사어] 함께 ▌「sehe ... fern 」 (분리동사 *fern*sehen의 *현재* 시제) ⇒ *fern*sehen [분리동사&자동사] TV를 시청하다 (현재 시제: du s*ie*h*st* ... *fern* ; er s*ie*h*t* ... *fern*) (3 기본형: *fern*sehen - *fern*sah - *fern*gesehen) ⇐ sehen [타동사] ...을 보다 (현재 시제: du s*ie*h*st* ; er s*ie*h*t*) (3 기본형: sehen - sah - gesehen) ▌fern [형용사] 먼, (부사적) 멀리 : 「fern von + 3격」 '...로부터 먼, 멀리'

문장 4

☞ 앞 문장에서 '함께 산책가기'를 제안하자,
여기서는 그것보다 'TV 시청하기'를 *더 선호한다*고 말하며 제안을 거절하는 내용임.
따라서 비교급 *lieber*가 정답임.

unit 02
심화문제

I. 문맥에 맞는 형용사 gut의 형태는? (20과, 심화문제: 교재 118쪽)

1. Ich glaube, es ist besser , wenn ich jetzt gehe. Ich habe Angst, die letzte U-Bahn zu verpassen.

✹ **해석** 지금 가는 것이 더 좋겠다고 나는 생각해. 마지막 지하철을 놓칠까봐 걱정 돼.

✹ **어휘** gut [형용사] 좋은 (3 비교형 *불규칙* 변화: gut - *besser* - *best-*) ▌glauben [타동사] ...라고 믿다, 생각하다 (3 기본형: glaub*en* - glaub*te* - *ge*glaub*t*) ▌wenn [종속접속사] 만약 ...일 경우 (종속접속사 뒤에 오는 문장은 *후치*됨: ... , wenn *ich* ... gehe) ▌jetzt [부사어] 지금 ▌gehen [자동사] 가다 (3 기본형: gehen - ging - gegangen ; '*장소 이동* 자동사 → 완료형「*sein* ... pp」) ▌haben [타동사] ...을 가지고 있다 (3 기본형: haben - hatte - gehabt) ▌die Angst 두려움 (die Ängst*e*) :「주어 + haben Angst , ... zu 동사 원형」 *주어는* ...하는 것에 두려움이 있다 <참고>「Angst vor + 3격」'...에 대한 두려움' ▌letzt- [형용사] 마지막의, 최근의 (명사 앞에 오는 *수식어*로만 사용됨!) (영. last) ▌die U-Bahn 지하철 (die U-Bahn*en*) ▌「, ... *zu* verpassen」 (동사 verassen의 zu-부정사) ⇒ verpassen [타동사] ...을 놓치다 (3 기본형: *ver*passen - *ver*pass*te* - *ver*pass*t* ※형태가 *ver*-이므로 pp형에서 *ge-* *탈락*!) ⇐ passen [자동사] :「주어(옷, 의복 등) + passen + 3격(사람)」 *주어는 누구*에게 맞다 ;「passen zu + 3격」 '...에 알맞다, 적합하다' (3 기본형: pass*en* - pass*te* - *ge*pass*t*)

문장 1

☞「Es ist *besser* , wenn ...」'...한다면 *더 좋다*'

► ... , es ist besser , wenn *ich* ... gehe .
뒤에 오는 wenn-부문장을 받음 (= "가주어") / wenn-부문장이므로 동사 gehe가 ***후치***됨!

문장 2

► ... Angst , die letzte U-Bahn *zu* verpassen.
zu-부정사: 앞에 나온 명사 Angst를 수식하는 "***형용사적*** 용법"임.

►「di*e* letzt*e* U-Bahn」:

- 명사 U-Bahn은 *여성*이며, 뒤에 오는 동사 verpassen의 *4격* 목적어이므로 *여성 4격!!*
따라서 *여성 4격* 정관사 di*e*가 앞에 옴.

• 형용사 letzt- 앞에 *여성 4격* die가 있음.
  → 따라서 die letzte_ ...
  (근거: 여성 1, 4격 die, eine, meine, deine ... keine , diese + 형용사 -e)

2. Das ist das __beste__ Restaurant der Stadt.

✹ **해석** 그것은 그 도시에서 가장 좋은 식당이다.

✹ **어휘** gut [형용사] 좋은 (3 비교형 *불규칙* 변화: gut - *besser* - *best-*) ▌「Das ist + *단수* 1격」 이것은 ...이다 ▌ das Restaurant 음식점 (die Restaurant*s*) ▌ die Stadt 시, 도시 (die Städt*e*)

☞ 최상급의 관련 범위를 표현하는 2격 명사 der Stadt('그 도시에서')가 뒤에 옴.
→ 따라서 "그 도시에서 *가장* ...하다"는 내용이므로 최상급 *best*가 와야 함.
여기서 최상급 *best*는 뒤에 오는 명사 Restaurant를 *수식하는* 용법임!
즉, 「d*as* best*e* Restaurant」:

• 명사 Restaurant은 *중성*이며, 동사 ist의 *주격* 보어이므로 *중성 1격!!*
  따라서 *중성 1격*의 정관사 d*as*가 앞에 옴.
• 최상급 형용사 best 앞에 *중성 1격* d*as*가 있음.
  → 따라서: d*as* best*e*_ ...
  (근거: 중성 1, 4격 d*as*, dies*es* ... + 형용사 *-e*)

► 「... d*er* Stadt」:

• 명사 Stadt는 *여성*이며, 최상급의 관련 범위를 표현하는 *2격* 형이므로 *여성 2격!!*
  따라서 *여성 2격 정관사* d*er*가 앞에 옴.
• 명사 Stadt는 *여성*이므로 2격 명사 어미 -s, -es가 *붙지 않음*!

3. Dafür ist mein Computer nicht gut genug. Ich brauche einen __besseren__.

✹ **해석** 그것을 위해서는 내 컴퓨터가 충분하지 않아. 나는 더 좋은 것이 하나 필요해.

✹ **어휘** gut [형용사] 좋은 (3 비교형 *불규칙* 변화: gut - *besser* - *best-*) ▌ dafür 그것을 위해 ← für [4격 전치사] ~을 위해 + das [지시대명사] 그것 ▌ der Computer 컴퓨터 (die Computer) ▌ 「형용사 + genug」 '충분히 ...한' (영. 「형용사 + enough」) : gut genug 충분히 좋은 ▌ brauchen [타동사] ...을 필요로 하다 (3 기본형: brauch*en* - brauch*te* - *ge*brauch*t*)

문장 2

☞ 앞 문장에서 언급된 "지금의 내 컴퓨터"와 비교하여 "그것*보다 더 좋은 것*"을 내용으로 함.
→ 따라서 비교급 *besser*가 와야 함.
여기서 비교급 *besser*는 뒤에 생략된 명사 Computer를 *수식하는* 용법임!
즉, 「ein*en* besser*en* (Computer)」:

• 생략된 명사 Computer는 *남성*이며, 동사 brauche의 *4격* 목적어이므로 *남성 4격!!*
  따라서 *남성 4격*의 부정관사 ein*en*이 앞에 옴.
• 비교급 형용사 besser 앞에 *남성 4격* ein*en*이 있음.
  → 따라서: ein*en* besser*en*_ ...
  (근거: 남성 4격 ein*en*, d*en*, mein*en*, dein*en* ... kein*en*, dies*en* + 형용사 *-en*)

4. Was meinst du? Soll ich den schwarzen oder den blauen Rock kaufen? - Ich finde den schwarzen besser .

✺ **해석** 너는 어떻게 생각하니? 내가 이 검정색 치마를, 아니면 이 청색 치마를 사야 할까? - 나는 검정색 것이 더 좋다고 생각해.

✺ **어휘** gut [형용사] 좋은 (3 비교형 *불규칙* 변화: gut - *besser* - *best-*) ▌was [의문사] 무엇을? (*4격* 형) ▌meinen [타동사] ...을 의도하다 (영. mean) (3 기본형: mein*en* - mein*te* - *ge*mein*t*) → die Meinung 의견 (die Meinung*en*) ▌「Soll ... kaufen?」 (화법조동사 sollen의 *현재* 시제) ⇒ 「sollen ... 동사 원형」 ...해야 한다 (현재 시제: ich soll ; du soll*st* ; er soll ; wir soll*en* ; ...) (3 기본형: sollen - sollte - gesollt , sollen) ▌schwarz [형용사] 검정색의 ▌oder [등위접속사] 혹은, 또는 (영. or) ▌blau [형용사] 청색의 ▌der Rock 치마 (die Röck*e*) ▌kaufen [타동사] ...을 사다 (3 기본형: kauf*en* - kauf*te* - *ge*kauf*t*) ▌「finden + 4격 + 형용사」 *4격*을 ...하다고 생각하다 (3 기본형: finden - fand - gefunden) ▌schwarz [형용사] 검정색의

문장 2

► 「*Soll ich* ... 동사 원형?」:
"내가 ...해야 할까?"로 해석됨. → 대화 상대자의 의견 및 의사를 묻는 표현임.

► 두 개의 명사 구문, 즉 "den schwarzen Rock"과 "den blauen Rock"이 접속사 oder에 의해 연결됨. (따라서 명사 Rock이 반복되므로 앞 구문에서는 생략됨!)
「d*en* schwarz*en* (Rock) oder d*en* blau*en* Rock」:

- 명사 Rock은 *남성*이며, 동사 kaufen의 *4격* 목적어이므로 *남성 4격!!*
  따라서 *남성 4격* 정관사 d*en*이 각각 앞에 옴.
- 형용사 schwarz 및 blau 앞에 각각 *남성 4격*의 d*en*이 있음.
  → 따라서 d*en* schwarz*en* (Rock) oder d*en* blau*en* Rock
  (근거: 남성 4격 d*en*, ein*en*, mein*en*, dein*en* ... kein*en*, dies*en* + 형용사 *-en*)

문장 3

☞ 앞 문장에서 언급된 "검정색 치마"와 "청색 치마"를 비교하는 내용임.
→ 따라서 비교급 *besser*가 와야 함.
여기서는 「finden + 4격 + 형용사」 형식에 따라 어미변화 없이 그대로 *besser*가 정답임.

► Ich finde den schwarzen (Rock) besser.
반복되므로 명사 Rock이 생략됨!

5. Entschuldigen Sie, wie komme ich am besten zum Hotel *Europa*?

✺ **해석** 실례합니다만, '오이로파' 호텔로 가려면 어떻게 가는 것이 제일 좋습니까?
※ 이 예문은 길을 묻는 전형적인 표현 방식이다.

✺ **어휘** gut [형용사] 좋은 (3 비교형 *불규칙* 변화: gut - *besser* - *best-*) ▌entschuldigen [타동사] ...을 용서하다 : Entschuldigen Sie! "용서하세요!", 즉 "실례합니다!" → 「Entschuldigen Sie, ...」 "죄송하지만 ..." (*정중하게 말을 걸 때* 사용하는 표현!) (3 기본형: *ent*schuldig*en* -

*ent*schuldig*te* - *ent*schuldig*t* ※형태가 *ent*-이므로 pp형에서 *ge- 탈락*!) ▌wie [의문사] 어떻게? (영. how?) ▌kommen [자동사] 오다 (영. come) (3 기본형: kommen - kam - gekommen ; '*장소 이동*' 자동사 → 완료형「*sein* ... pp」) ▌「am + 최상급 *-en*」 가장 ...한, (부사적) 가장 ...하게 ▌zu [*3격* 전치사] (방향) ~로 → 「zum + 남성 · 중성 3격」: zum Hotel 호텔*로* ▌das Hotel 호텔 (die Hotel*s*) ▌Europa [고유명사] 유럽 → europäisch [형용사] 유럽의

☞ 앞에 am이 있음. → 따라서 「am 최상급 *-en* 」형식에 따라 정답은 best*en*임.
여기서 am besten('*가장 잘*')은 동사 komme를 수식하는 부사어임.

6. Warum kommst du nicht mit? Hast du vielleicht etwas <u>Besseres</u> vor?

✺ **해석** 왜 너는 함께 가지 않니? 너 혹시 뭔가 더 좋은 것을 계획하고 있니?

✺ **어휘** gut [형용사] 좋은 (3 비교형 *불규칙* 변화: gut - *besser* - *best-*) ▌warum [의문사] 왜? (= wieso?) ▌「kommst ... *mit*」 (분리동사 *mit*kommen의 *현재* 시제) ⇒ *mit*kommen [분리동사&자동사] 함께 가다 (3 기본형: *mit*kommen - *mit*kam - *mit*gekommen ; '*장소 이동*' 자동사 → 완료형「*sein* ... pp」) ⇐ kommen [자동사] 오다 (3 기본형: kommen - kam - gekommen ; '*장소 이동*' 자동사 → 완료형「*sein* ... pp」) ▌「Hast ... *vor*?」 (분리동사 *vor*haben의 *현재* 시제) ⇒ *vor*haben [분리동사&타동사] ...을 계획하다 (현재 시제: du hast ... *vor* ; er hat ... *vor*) (3 기본형: *vor*haben - *vor*hatte - *vor*gehabt) = planen (3 기본형: plan*en* - plan*te* - *ge*plan*t*) ▌vielleicht [부사어] 아마도, 혹시 (영. perhaps) ▌etwas [부정대명사] 뭔가 (영. something)

문장 2

☞ 앞 문장에서 언급된 "함께 가는 것"보다 "*더 좋은* 뭔가"를 계획하는지 여부를 묻고 있음.
→ 따라서 비교급 *besser*가 와야 함.
여기서 비교급 *besser*는 부정대명사 etwas를 수식하는 용법임!
즉, 「etwas <u>B</u>esser*<u>es</u>* 」:

- etwas를 수식하는 형용사는 *뒤에 위치*함!
- 형용사의 맨 앞 철자는 *대문자*로 표기함!
- 형용사 어미 *-es*가 붙음!

따라서 정답은: <u>B</u>esser*es*

7. Ist der Junge schwer verletzt? - Es sieht nicht so <u>gut</u> aus, aber man muss erst die Untersuchung abwarten, bevor man Genaueres sagen kann.

✺ **해석** 그 소년이 심하게 부상당했니? - 그렇게 좋아 보이지는 않지만, 보다 정확한 것을 말할 수 있으려면 우선은 검사 결과를 기다려야만 해.

✺ **어휘** gut [형용사] 좋은 (3 비교형 *불규칙* 변화: gut - *besser* - *best-*) ▌der Junge 소년 (die Junge*n*) <주의> 주어를 제외한 *단수 2, 3, 4격*이 복수형처럼 Junge*n*인 *약변화* 명사! ↔ das Mädchen [축소명사] 소녀, 아가씨 (die Mädchen) ▌schwer [형용사] 무거운, (부사적) 무겁게, 심하게 ▌

verletzt [과거분사, 즉 '*수동*'의 형용사] 부상당한, 다친 ⇐ verletzen [타동사] ...을 다치게 하다 : 「verletzen sich[3] + 4격(몸의 일부)」 [3격 재귀동사] ...을 다치다 (3 기본형: *ver*letz*en* - *ver*letz*te* - *ver*letz*t* ※형태가 *ver*-이므로 pp형에서 *ge- 탈락!*) ▌「sieht ... aus」 (분리동사 *aus*sehen의 *현재* 시제: 주어가 *er, sie, es*일 때) ⇒ *aus*sehen [분리동사] (외모가) ...해 보인다 (영. look) (현재 시제: du sieh*st* ... *aus* ; er sieh*t* ... *aus*) (3 기본형: *aus*sehen - *aus*sah - *aus*gesehen) ⇐ sehen [타동사] ...을 보다 (현재 시제: du sieh*st* ; er sieh*t*) (3 기본형: sehen - sah - gesehen) ▌「so + 형용사 (부사)」 그렇게 ...한, 그렇게 ...하게 ▌「muss ... abwarten」 (화법조동사 müssen의 *현재* 시제) ⇒ 「müssen ... 동사 원형」 ...해야 한다 (현재 시제: ich muss ; du muss*t* ; er muss ; wir müss*en* ; ...) (3 기본형: müssen - musste - gemusst, müssen) ▌erst [부사어] 우선, 먼저 ▌die Untersuchung 조사, 진찰 (die Untersuchung*en*) ⇐ untersuchen [타동사] ...을 조사하다, 검사하다 (3 기본형: *unter*such*en* - *unter*such*te* - *unter*such*t* ※형태가 *unter*-로서 pp형에서 *ge- 탈락!*) ⇐ suchen [타동사] ...을 구하다, 찾다 (3 기본형: such*en* - such*te* - *ge*such*t*) ▌*ab*warten [분리동사&타동사] ...을 기다리다, 기대하다 (3 기본형: *ab*wart*en* - *ab*wart*ete* - *abge*wart*et* ※abwarten은 어간 끝이 *-t*이므로 발음상 -e- 첨가!) ⇐ 「warten auf + 4격」 ...을 기다리다 (3 기본형: wart*en* - wart*ete* - *ge*wart*et*) ▌bevor [종속접속사] ...하기 전에 (뒤에 오는 문장은 부문장이므로 *후치*됨: ... , bevor *man* ... kann) ▌man [부정대명사] 사람들은 (항상 *주어*로 사용되며, 단수 3인칭 *er* 취급!) ▌genau [형용사] 정확한, (부사적) 정확히 (3 비교형: genau - genau*er* - genau(*e*)*st*-) ▌「... sagen kann」 (화법조동사 können의 *현재* 시제, *후치*됨!) ⇒ 「können ... 동사 원형」 ...할 수 있다 (현재 시제: ich kann ; du kann*st* ; er kann ; wir könn*en* ; ...) (3 기본형: können - konnte - gekonnt, können) ▌sagen [타동사] ...을 말하다 (3 기본형: sag*en* - sag*te* - *ge*sag*t*)

문장 1

► *타동사*의 과거분사(= pp형)는 '*수동*' 의미의 *형용사!*

verletzen [*타동사*] '...을 다치게 하다' → 과거분사 *ver*letz*t* [*형용사*] '다친, 부상당한'

문장 2

☞ 내용상 "...*보다 더* ...하다" 혹은 "*가장* ...하다" 등의 구체적인 *비교*가 이루어지지 않음!

→ 따라서 정답은: 원급의 *gut*

► Es sieht nicht so gut aus.

여기서 Es는 비인칭 주어임! → 구체적 대상이 아니라, 상황이나 사건을 막연히 표현함.

예를 들면:

Es sieht gut aus. '(*상황이*) 좋아 보인다.' ↔ Er sieht gut aus. '*그는* 좋아 보인다.'
비인칭 주어 (= 막연한 상태 및 상황) — 비인칭 주어 *아님!* (= 구체적 대상)

Es klingelt. '울리는 소리가 난다.' ↔ Das Telefon klingelt. '*전화기가* 울린다.'
비인칭 주어 (= 막연한 상태 및 상황) — 비인칭 주어 *아님!* (= 구체적 대상)

► ... , bevor man ... sagen *kann*.

부문장이므로 화법조동사 형식 「***kann*** ... sagen」이 후치됨!
즉, 동사 ***kann***이 문장 맨 뒤에 위치함.

► Genau*eres* :

형용사 genau('정확한')의 비교급 genau*er*가 *중성*명사화 함: Genau*eres* '더 정확한 것'

<참고>

형용사의 앞 철자를 *대문자로 표기*하고, *어미변화* 하면 명사화!
이 경우 *중성*명사화 하면 '사물' 혹은 '추상적 개념'이 됨:
형용사 schön '아름다운' → *das* Schön*e* '아름다움, 미'
형용사 alt '낡은, 옛날의' → *das* Alt*e* '옛것, 옛 관습'

II. 〈보기〉에서 알맞은 것을 선택하여 비교급 형태를 넣으시오.

(20과, 심화문제: 교재 118쪽)

<보기> gut, klein, ruhig, teuer, viel(e)

1. Frau Hörmanns Freundin findet, dass eine Hausfrau <u>mehr</u> Probleme hat als eine berufstätige Frau.

✸ **해석** 회어만 부인의 여자 친구는 직장 생활하는 여성보다 가정주부가 더 많은 문제점들을 가지고 있다고 생각한다.

✸ **어휘** die Freund*in* 여자 친구 (die Freundin*nen*) ▌「finden, dass ...」'...라고 생각하다' (영. think that ...) (3 기본형: finden - fand - gefunden) ▌dass [종속접속사] ...라는 사실, ...라는 것 (영. that) (뒤에 오는 문장은 부문장이므로 *후치*됨: ... , dass *eine Frau* ... <u>hat</u> ...) ▌die Hausfrau 가정주부 (die Hausfrau*en*) ← das Haus 집 (die Häus*er*) + die Frau 부인, 여자 (die Frau*en*) ▌「viel*e* + *복수*명사」 많은 ...들 (영. many) (3 비교형 *불규칙* 변화: viel(e) - *mehr* - *meist-*) ▌das Problem 문제, 문제점 (die Problem*e*) ▌hat (동사 haben의 *현재* 시제) ⇒ haben [타동사] ...을 가지고 있다 (3 기본형: haben - hatte - gehabt) ▌als [접속사] ~보다 : 「A 비교급 *als* B」 'A는 B보다 더 ...하다' (즉, A > B) ▌berufstätig [형용사] 직업 활동 하는 ← der Beruf 직업 (die Beruf*e*) + tätig [형용사] 활동하는

☞ 뒤에 오는 명사 Probleme를 수식하여 내용상 "*더 많은* 문제점들"이 되어야 함.
→ 따라서 viele('많은')의 비교급 *mehr*('더 많은')가 정답임.

<주의>

비교급 형용사 mehr는 어미변화 없음! (즉, mehr*e* Probleme 틀림!)

► ... , dass <u>*eine Frau*</u> (주어) mehr Probleme <u>hat</u> (동사 (부문장이므로 *후치*됨!)) als ...

2. Der Pullover ist dir zu groß. Du brauchst einen kleineren .

✺ **해석** 그 스웨터는 너에게 너무 커. 너는 (그것보다는) 작은 것이 하나 필요해.

✺ **어휘** der Pullover 스웨터 (die Pullover) ▌dir [인칭대명사] du의 *3격* 형임. (4격 형은 *dich*) ▌「zu + 형용사 (부사)」 '너무 ...한, 너무 ...하게' (영. 「too + 형용사」) ▌groß [형용사] 큰, 커다란 (3 비교형: groß - größ*er* - größ*t*- ※최상급 größ*st* 아님!) ▌brauchen [타동사] ...을 필요로 하다 (영. need) (3 기본형: brauch*en* - brauch*te* - *ge*brauch*t*) <참고> gebrauchen [타동사] ...을 사용하다 (3 기본형: *ge*brauch*en* - *ge*brauch*te* - *ge*brauch*t* ※형태가 *ge*-이므로 pp형에서 *ge*- 탈락!) ▌klein [형용사] 작은 (3 비교형: klein - klein*er* - klein*st*-)

문장 2

☞ 내용상 "(앞 문장에서 언급된 스웨터보다) *더 작은* 것"이 되어야 함.
→ 따라서 klein('작은')의 비교급 klein*er*('더 작은')가 와야 함.
여기서 비교급 형용사 klein*er*는 뒤에 생략된 명사 Pullover를 수식하므로 어미변화 함!
즉, 「ein*en* klein*eren* (Pullover)」:

- 생략된 명사 Pullover는 *남성*이며, 동사 brauchst의 *4격* 목적어이므로 *남성 4격!!* 따라서 *남성 4격* 부정관사 ein*en*이 앞에 옴.
- 비교급 형용사 klein*er* 앞에 *남성 4격* ein*en*이 있음.
  → 따라서 ein*en* klein*eren* ...임.
  (근거: 남성 4격 ein*en*, d*en*, mein*en*, dein*en* ... kein*en*, dies*en* + 형용사 *-en*)

3. Dieses Zimmer ist mir zu laut. - Wir haben leider kein ruhigeres .

✺ **해석** 이 방은 나에게 너무 시끄러워요. - 유감이지만 우리는 (그것보다) 조용한 것은 하나도 없어요.

✺ **어휘** dies- [지시대명사] '이 ...' (*정관사 d*- 어미변화!) ▌das Zimmer 방 (die Zimmer) ▌mir [인칭대명사] ich의 *3격* 형임. (4격 형은 *mich*) ▌「zu + 형용사 (부사)」 '너무 ...한, 너무 ...하게' : zu laut 너무 시끄러운 ▌laut [형용사] (소리가) 큰, 시끄러운 (3 비교형: laut - laut*er* - laut*est*- ※lau*t*는 *-t*로 끝나므로 발음상 최상급 어미는 *-st*가 아니라 *-est*임! 즉, laut*st* 아님!) ▌haben [타동사] ...을 가지고 있다 (3 기본형: haben - hatte - gehabt) ▌leider [부사어] 유감스럽게도, 아쉽게도 ▌ruhig [형용사] 조용한 (3 비교형: ruhig - ruhig*er* - ruhig*st*-)

문장 1

► 「Dies*es* Zimmer」:
명사 Zimmer는 *중성*이며, 문장의 *주어*이므로 *중성 1격!!*
따라서 지시대명사 Dies-는 *중성 1격 정관사* d*as*처럼 어미변화 하여 Dies*es*임.

문장 2

☞ 내용상 "(앞 문장에서 언급된 방보다) *더 조용한* 것"이 되어야 함.
→ 따라서 ruhig('조용한')의 비교급 ruhig*er*('더 조용한')가 와야 함.
여기서 비교급 형용사 ruhig*er*는 뒤에 생략된 명사 Zimmer를 수식하므로 어미변화 함!

즉, 「kein_ ruhiger*es* (Zimmer) 」:

- 생략된 명사 Zimmer는 *중성*이며, 동사 haben의 *4격* 목적어이므로 *중성 4격!!*
  따라서 부정어 kein-은 *중성 4격* 부정관사 ein_처럼 어미 없이 kein_임.
- 비교급 형용사 ruhig*er* 앞에 *중성 4격*의 kein_이 있음.
  → 따라서 kein_ ruhiger*es* 임.
  (근거: 중성 1, 4격 ein_ , kein_ , mein_ , dein_ , ihr_ ... + 형용사 *-es*)

4. Ich habe gehört, Sie waren krank. - Ja, aber jetzt geht es mir schon wieder besser . Ich habe Ferien gemacht und mich gut erholt.

✸ **해석** 저는 당신이 편찮으셨다고 들었어요. - 예, 하지만 지금은 다시 (그 때보다는) 좋아졌어요. 저는 휴가를 가졌고, 잘 쉬었어요.

✸ **어휘** 「habe gehört」 (동사 hören의 *현재완료* 시제) ▌*ge*hör*t* (동사 hören의 *pp형*) ⇒ hören [타동사] ...을 듣다 (3 기본형: hör*en* - hör*te* - *ge*hör*t*) ▌waren (동사 sein의 *과거* 시제: 주어가 *wir* 혹은 *sie*('그들은'), *Sie*일 때) ⇒ sein [자동사] (형용사 혹은 명사 보어와 함께) ...이다 (3 기본형: sein - war - gewesen ; 완료형 「*sein* ... pp」) ▌krank [형용사] 아픈 ▌jetzt [부사어] 지금 ▌「Es geht + 3격(사람) + gut」 *누구*는 잘 지낸다 ▌mir [인칭대명사] ich의 *3격* 형임. (4격 형은 *mich*) ▌schon [부사어] 이미, 벌써 ▌wieder [부사어] 다시, 재차 ▌gut [형용사] 좋은, (부사적) 잘, 좋게 (3 비교형 *불규칙* 변화: gut - *besser* - *best-*) ▌die Ferien (항상 복수) 휴가 : Ferien machen = Ferien haben 휴가 갖다 ▌「habe ... gemacht und ... erholt」(동사 machen 및 erholen의 *현재완료* 시제) ▌*ge*mach*t* (동사 machen의 *pp형*) ⇒ machen [타동사] ...을 하다, 행하다 (3 기본형: mach*en* - mach*te* - *ge*mach*t*) ▌mich [*4격* 재귀대명사] 주어가 Ich이므로 4격 재귀대명사는 *mich* (3격 재귀대명사는 *mir*) ▌*er*hol*t* (동사 erholen의 *pp형*) ⇒ 「erholen sich[4]」 [4격 재귀동사] 휴식하다, 원기 회복하다 (3 기본형: *er*hol*en* - *er*hol*te* - *er*hol*t* ※형태가 *er*-이므로 pp형에서 *ge*- *탈락*!) ⇐ holen [타동사] ...을 가져오다 (3 기본형: hol*en* - hol*te* - *ge*hol*t*)

문장 1

► Ich habe gehört , Sie waren krank .
전형적인 ***구어체***임.
(종속접속사 부문장이 아니므로 ***정치법***!

= Ich habe gehört , *dass* Sie krank waren .
dass-부문장은 원래 ***문어체***이지만, 구어체에서도 사용됨.
(부문장이므로 ***후치법***!)

► ... , Sie war*en* krank. :
과거 시제이므로 동사 sein의 3 기본형 가운데 ***과거형 war***가 어미변화 함.
주어가 격식칭 Sie('당신은, 당신들은')이므로 어미 ***-en***이 붙어 war*en*임.

문장 2

☞ 내용상 "(앞 문장에서 언급된 상태보다) *더 잘* 지낸다"는 것이어야 함.
→ 따라서 gut('잘, 좋게')의 비교급 *besser*('더 잘, 더 좋게')가 와야 함.
여기서 비교급 형용사 besser는 뒤에 오는 명사를 수식하는 것이 아니라 *부사어*임!
따라서 어미변화 없이 그대로 *besser*가 정답임.

5. Das Obst ist zu teuer. Es ist in dieser Woche schon wieder __teurer__ geworden.

❋ **해석** 과일이 너무 비싸요. 그것은 이번 주에 또 다시 (이전보다) 비싸졌어요.

❋ **어휘** das Obst 과일 (복수 없음) ▌「zu + 형용사 (부사)」 '너무 ...한, 너무 ...하게' : zu teuer 너무 비싼 ▌teuer [형용사] 비싼 (3 비교형: teuer - teur*er* - teuer*st*- ※비교급 teuerer 아님!) ▌「ist ... geworden」 (동사 werden의 *현재완료* 시제) ▌geworden (동사 werden의 *pp형*) ⇒ werden [자동사] (동사 sein처럼 *형용사* 및 *명사 보어*와 함께) '... 되다' (영. become) (3 기본형: werden - wurde - geworden ; '*상태 변화* 자동사 → 완료형 「*sein* ... pp」) ▌dies- [지시대명사] 이 ... (*정관사 d-* 어미변화!) ▌in [*3·4격* 전치사] (*3격* 지배: *시간적* 의미) ~에 : in dieser Woche 이번 주에 ▌die Woche 주, 주일 (die Woche*n*) ▌schon [부사어] 이미, 벌써 ▌wieder [부사어] 다시

문장 2

► 주어인 Es는 앞 문장의 중성명사 Das Obst를 받음.

☞ 내용상 "과일 가격이 (이번 주 이전보다) *더 비싸졌다*"는 것을 나타냄.

→ 따라서 teuer('비싼')의 비교급 teur*er*('더 비싼')가 와야 함.

여기서는 teur*er*가 동사 geworden, 즉 werden('...되다')의 *형용사 보어*이므로 어미변화 없이 그대로 teur*er*가 정답임.

► Es __ist ... geworden__.

동사 werden의 현재완료 형식 「***sein*** ... pp」가 적용됨:

- 주어가 Es이므로 동사 sein의 형태는 ***ist***임.
- werden의 pp형 ***geworden***이 맨 뒤에 옴.

III. 주어진 표현의 알맞은 비교 형태는? (20과, 심화문제: 교재 118쪽)

1. Sind die Menschen heute __höflicher__ als früher?

❋ **해석** 오늘날 인간들은 과거보다 더 공손한가?

❋ **어휘** höflich [형용사] 공손한 (3 비교형: höflich - höflich*er* - höflich*st*-) ↔ unhöflich 불손한 ▌der Mensch 사람 (die Mensch*en*) <주의> 주어를 제외한 *단수 2, 3, 4격*이 모두 복수형과 동일하게 Mensch*en*인 *약변화* 명사! ▌heute [부사어] 오늘 ▌als [접속사] ~보다 : 「A 비교급 *als* B」 'A는 B보다 더 ...하다' (즉, A > B) ▌früher [부사어] 과거에, 전에 (형용사 früh의 *비교급 형태*로서 독립적인 부사어로 사용됨!) ← früh [형용사] 이른, 일찍 (3 비교형: früh - früh*er* - früh*est*- ※früh는 발음이 *모음*으로 끝나므로 발음상 최상급 어미는 *-st*가 아니라 *-est*임! 즉, 최상급 früh*st* 아님!)

☞ 「비교급 *als* ...」 형식임. → 따라서 비교급 höflich*er*('*더* 공손한')가 와야 함.

여기서는 비교급 höflich*er*가 동사 sind('...이다')의 *형용사 보어*임.

따라서 *어미변화 없이* 그대로 höflich*er*가 정답임.

2. Das ist ja viel teurer, als ich dachte.

✹ 해석 그것은 내가 생각했던 것보다 훨씬 더 비싸구먼.

✹ 어휘 teuer [형용사] 비싼 (3 비교형: teuer - teur*er* - teuer*st-* ※비교급은 teu*e*rer 아님!) ▌「Das ist + *단수* 1격」 그것은 ...이다 ▌ja [부사어] 화자의 놀람을 표현함. (우리말 해석 필요 없음!) ▌「viel + 비교급」 '*훨씬* 더 ... 한' (영. 「much + 비교급」) : viel teurer 훨씬 더 비싼 ▌als [접속사] ~보다 : 「A 비교급 *als* B」 'A는 B보다 더 ...하다' (즉, A > B) ▌dachte (동사 denken의 *과거* 시제: 주어가 *ich* 혹은 *er*, *sie*, *es*일 때) ⇒ denken [타동사] 생각하다 (3 기본형: denken - dachte - gedacht)

☞ 「비교급 *als* ...」 형식임. → 따라서 비교급 teur*er*('*더* 값비싼')가 와야 함. (teu*e*r*er* 아님!) 여기서는 비교급 teur*er*가 동사 ist('...이다')의 *형용사 보어*임. 따라서 *어미변화 없이* 그대로 teur*er*가 정답임.

► ... teurer , als ich *dachte* .

비교급 접속사 als 뒤에 오는 문장은 부문장으로서 ***후치***됨!
여기서는 ***과거*** 시제: 동사 denken의 과거형 dachte에서 주어가 ich이므로 어미 없이 그대로 ***dachte***_임.

<참고>

= ... teurer , als ich *gedacht habe* .

여기서는 ***현재완료*** 시제: 현재완료 형식 「***habe*** ... gedacht」에서
동사 ***habe***가 ***후치***되어 맨 뒤에 옴. (즉: ... gedacht ***habe***.)

3. Zuerst kam er oft, dann immer seltener.

✹ 해석 그는 처음에는 자주 왔지만, 나중에는 점점 뜸해졌다.

✹ 어휘 selten [형용사] 드문, (부사적) 드물게 (3 비교형: selten - selten*er* - selten*st-*) ▌zuerst [부사어] 우선은, 처음에 (영. first) : 「zuerst ... , dann ...」 우선 ... 그 다음에 ... ▌dann [부사어] 그 다음에, 그런 뒤에 (영. then) ▌kam (동사 kommen의 *과거* 시제: 주어가 *ich* 혹은 *er*, *sie*, *es*일 때) ⇒ kommen [자동사] 오다 (3 기본형: kommen - kam - gekommen ; '*장소 이동* 자동사 → 완료형 「*sein* ... pp」) ▌oft [부사어] 자주 (= häufig) (3 비교형: oft - öft*er* - öft*est-* ※of*t*는 *-t*로 끝나므로 발음상 최상급 어미는 *-st*가 아니라 *-est*임! 즉, öft*st* 아님!) ▌immer [부사어] 항상, 언제나 : 「immer + 비교급」 = 「비교급 und 비교급」 '점점 더 ...한' (영. 「비교급 and 비교급」)

► Zuerst kam *er* oft, ...

과거 시제: 동사 kommen의 과거형 ***kam***에서 주어가 er이므로 어미 없이 그대로 ***kam***_임.

☞ 「immer + 비교급」 형식임. → 따라서 비교급 selten*er*('*더* 드문')가 와야 함. 여기서는 비교급 selten*er*가 동사 앞에 나온 동사 kam을 수식하는 *부사어*임. 따라서 *어미변화 없이* 그대로 selten*er*가 정답임.

4. Frau Schmidt findet, dass die neue Wohnung praktischer ist als die alte.

✹ 해석 슈미트 부인은 새 아파트가 이전 것보다 더 실용적이라고 생각한다.

✵ 어휘 praktisch [형용사] 실용적인 (3 비교형: praktisch - praktisch*er* - praktisch*st*-) ▌「finden, dass ...」 '...라고 생각하다' (3 기본형: finden - fand - gefunden) ▌dass [종속접속사] ...라는 사실 (뒤에 오는 문장은 *후치*됨: ... , dass *die neue Wohnung* ... ist ...) ▌neu [형용사] 새, 새로운 (3 비교형: neu - neu*er* - neu*est*- ※neu는 모음 -u로 끝나므로 최상급 어미는 -st가 아니라 -est임! 즉, neu*st* 아님) ▌die Wohnung 집, 아파트 (die Wohnung*en*) ▌als [접속사] ~보다 : 「A 비교급 *als* B」 'A는 B보다 더 ...하다' (즉, A > B) ▌alt [형용사] 늙은, 낡은 (3 비교형: alt - ält*er* - ält*est*- ※alt는 -t로 끝나므로 발음상 최상급 어미는 -st가 아니라 -est임! 즉, ält*st* 아님!)

☞ 「비교급 *als* ...」 형식임. → 따라서 비교급 praktisch*er*('*더* 실용적인')가 와야 함.
여기서는 비교급 praktisch*er*가 동사 ist('...이다')의 *형용사 보어*임.
따라서 *어미변화 없이* 그대로 praktisch*er*가 정답임.

► 「di*e* neu*e* Wohnung」:
- 명사 Wohnung은 *여성*이며, dass-부문장 안의 *주어*이므로 *여성 1격!!*
  따라서 *여성 1격* 정관사 di*e*가 앞에 옴.
- 형용사 neu 앞에 *여성 1격*의 di*e*가 있음.
  → 따라서 die neu*e* ...
  (근거: 여성 1, 4격 di*e*, ein*e*, mein*e*, dein*e*, ihr*e* ... kein*e*, dies*e* + 형용사 -*e*)

► ... , dass *die neue Wohnung* praktischer __*ist*__ als ...
dass-부문장이므로 동사 ***ist***는 ***후치***되어 뒤에 옴!

► ... , dass *die neue Wohnung* praktischer ist als __die alte (Wohnung)__ .
dass-부문장의 주어인 *die neue Wohnung*과 비교되는 대상임.
따라서 주어와 ***동격***이므로 역시 *1격*임!

「di*e* alt*e* (Wohnung) 」:
- 생략된 명사 Wohnung은 *여성*이며, die neue Wohnung과 *동격*이므로 *여성 1격!!*
  따라서 *여성 1격* 정관사 di*e*가 앞에 옴.
- 형용사 alt 앞에 *여성 1격*의 di*e*가 있음.
  → 따라서 die neu*e* ...
  (근거: 여성 1, 4격 di*e*, ein*e*, mein*e*, dein*e*, ihr*e* ... kein*e*, dies*e* + 형용사 -*e*)

5. Ich glaube, Udo ist nicht so __klug__ wie Bernd. - Ja, ich finde auch, Bernd ist __klüger__ als Udo.

✵ 해석 나는 우도가 베른트만큼 명석하지는 않다고 생각해. - 맞아, 나 역시 베른트가 우도보다 더 똑똑하다고 생각해.

✵ 어휘 klug [형용사] 명석한, 머리 좋은 (3 기본형: klug - klüg*er* - klüg*st*) ▌「glauben, ...」 (구어체) '...라고 생각하다, 믿다' (= 「glauben, dass ... 」) (3 기본형: glaub*en* - glaub*te* - *ge*glaub*t*) ▌so [부사어] 그렇게 (영. so) ▌wie [접속사] ~처럼 (영. as) : 「A so 원급 wie B」 (동등 비교) 'A는 B처럼 그렇게 ...하다', 즉 'A는 B와 똑같이 ...하다' (즉, A = B) → 부정문: 「A *nicht* so 원급 wie B」 'A는 B처럼 그렇게 ...하지 *않다*' (즉, A< B) ▌

「finden, ...」 (구어체) '...라고 생각하다' (= 「finden, dass ...」) (3 기본형: finden - fand - gefunden) ▌auch [부사어] ...도, 역시▶ als [접속사] ~보다 : 「A 비교급 *als* B」 'A는 B보다 더 ...하다' (즉, A > B)

문장 1

☞ 동등비교의 부정문 형식 「nicht so 원급 wie ...」가 사용됨.
→ 따라서 형용사 원급 klug이 와야 함.
여기서 형용사 원급 klug이 동사 ist('...이다')의 *형용사 보어*임.
따라서 *어미변화 없이* 그대로 klug이 정답임.

<참고>
동등비교 형식에서도 원급 형용사가 뒤에 오는 명사를 수식할 경우 *어미변화*가 이루어짐:
Ich habe ein *so* groß*es* Haus *wie* du. '나는 너처럼 그렇게 큰 집을 가지고 있다.'

► Ich glaube , Udo ist nicht so klug wie Bernd .
전형적인 ***구어체***임. (종속접속사 부문장이 아니므로 ***정치법!***)

= Ich glaube , dass Udo nicht so klug wie Bernd ist .
daß-부문장은 원래는 ***문어체***이지만, 구어체에서도 사용됨.
(종속접속사 부문장이므로 ***후치법!***)

문장 2

☞ 「비교급 *als* ...」 형식임. → 따라서 비교급 klüg*er*('*더* 영리한')가 와야 함.
여기서는 비교급 klüg*er*가 동사 ist('...이다')의 *형용사 보어*임.
따라서 *어미변화 없이* 그대로 klüg*er*가 정답임.

► Ja, ich finde auch , Bernd ist klüger als Udo .
전형적인 ***구어체***임. (종속접속사 부문장이 아니므로 ***정치법!***)

= Ja, ich finde auch , dass Bernd klüger als Udo ist .
daß-부문장은 원래는 ***문어체***이지만, 구어체에서도 사용됨.
(종속접속사 부문장이므로 ***후치법!***)

6 Soll ich mit dem Taxi fahren oder den Bus nehmen? - Am besten nimmst du den Bus.

✺ **해석** 내가 택시 타고 가야할까? 아니면 버스를 타야할까? - 가장 좋기로는 버스를 타는 것이야.

✺ **어휘** gut [형용사] 좋은, (부사적) 잘 (3 비교형 *불규칙* 변화: gut - *besser* - *best-*) ▌「Soll ... fahren oder ... nehmen?」 (화법조동사 sollen의 *현재* 시제) ⇒ 「sollen ... 동사 원형」 ...해야 한다 → 「*Soll* ich ...?」 "내가 ...해야 할까?" (상대방의 의사를 물어보는 표현!) (현재 시제: ich soll ; du soll*st* ; er soll ; wir soll*en* ; ...) (3 기본형: sollen - sollte - gesollt , sollen) ▌「mit + 차량(3격)」 '...을 타고' : mit dem Taxi fahren 택시 타고 가다 ▌das Taxi 택시 (die Taxi*s*) ▌fahren [자동사] (차 타고) 가다 (3 기본형: fahren - fuhr - gefahren ; '*장소 이동* 자동사 → 완료형 「*sein* ... pp」) (현재 시제: du fähr*st* ; er fähr*t*) ▌der Bus 버스 (die Bus*se*) ▌nehmen [타동사] (차량) ...을 타다 (영. take) (현재 시제: du nimm*st* ; er nimm*t*) (3 기본형: nehmen - nahm - genommen) ▌「am + 최상급 *-en*」 가장 ...한, (부사적) 가장 ...하게 ▌nimmst (동사 nehmen의 *현재* 시제: 주어가 *er, sie, es*일 때) ⇒ nehmen

문장 2

☞ 최상급 형식 「am 최상급 *-en*」이 사용됨.

→ 따라서 형용사 gut의 최상급 *best*에 어미 *-en*이 붙은 best*en*이 정답임.

<참고>

여기서 Am besten(‘*가장* 잘, *가장* 좋게’)은 *부사적* 용법임.

7. Die Deutschen sind nicht so __arrogant__, wie viele meinen.

✺ **해석** 독일인들은 많은 사람들이 생각하는 것처럼 그렇게 거만하지는 않다.

✺ **어휘** arrogant [형용사] 거만한 (3 비교형: arrogant - arrogant*er* - arrogant*est-* ※arrogan*t*는 *-t*로 끝나므로 발음상 최상급 어미는 *-st*가 아니라 *-est*임! 즉, arrogant*st* 아님!) ▌deutsch [형용사] 독일의 → Deutsch- 독일인 (형용사 deutsch의 *명사화*!) ▌so [부사어] 그렇게 (영. so) ▌wie [접속사] ~처럼 (영. as) : 「A so 원급 wie B」 (동등 비교) ‘A는 B처럼 그렇게 ...하다’, 즉 ‘A는 B와 똑같이 ...하다’ (즉, A = B) → 부정문: 「A *nicht* so 원급 wie B」 ‘A는 B처럼 그렇게 ...하지 않다’ (즉, A< B) ▌viel*e* 많은 사람들 (*복수* 취급) ↔ viel*es* 많은 것 (*단수* 취급) ▌meinen [타동사] ...을 생각하다, 의도하다 (3 기본형: mein*en* - mein*te* - *ge*mein*t*) → die Meinung 의견 (die Meinung*en*)

► Die Deutsch*en* ‘독일 *사람들*’ :

형용사 deutsch(‘독일의’)를 *복수*명사화 함.

<참고>

형용사의 명사화: 앞 철자를 *대문자로 표기*하고, *어미변화* 함!

z.B. 형용사 deutsch ‘독일의’ :

*남성*명사화 → ‘남자’ : der Deutsch*e* ‘그 독일 남자’ / ein Deutsch*er* ‘한 독일 남자’

*여성*명사화 → ‘여자’ : die Deutsch*e* ‘그 독일 여자’ / ein*e* Deutsch*e* ‘한 독일 여자’

*중성*명사화 → ‘추상적 개념’ : das Deutsch*e* ‘독일적임, 독일적인 것’

*복수*명사화 → ‘사람들’ : die Deutsch*en* ‘그 독일 사람들’ / Deutsch*e* ‘독일 사람들’

☞ 동등비교의 부정문 형식 「nicht so 원급 wie ...」가 사용됨.

→ 따라서 형용사 원급 arrogant가 와야 함.

여기서 원급 arrogant는 동사 sind(‘...이다’)의 *형용사 보어*임.

따라서 *어미변화 없이* 그대로 arrogant가 정답임.

► ... nicht so arrogant , wie __viele *meinen*__.

동등비교의 접속사 wie 뒤에 오는 문장은 부문장으로서 ***후치***됨!

unit 03

마무리 문제

I. 괄호 안의 낱말을 사용하여 독일어로 옮기시오. (20과, 마무리문제: 교재 119쪽)

1. 제주도는 서울보다 더 따뜻하다.

(auf Jejudo, Seoul, als, warm, sein, es)

✺ 어휘 auf [*3 · 4격* 전치사] [1] (*3격* 지배: *위치*) ~위에, ~에 ; [2] (*4격* 지배: *방향*) ~위로, ~로 → 「auf + 섬」: auf Jejudo 제주도*에서* <참고> die Insel 섬 (die Insel*n*) : auf einer Insel leben 섬에서 살다 ▌als [접속사] ...보다 : 「A 비교급 *als* B」 'A는 B보다 더 ...하다' (즉, A > B) ▌warm [형용사] 따뜻한 (3 비교형: warm - wärm*er* - wärm*st*-) ↔ kalt 차가운 (3 비교형: kalt - kält*er* - kält*est*-) ▌sein [자동사] ...이다 (3 기본형: sein - war - gewesen ; 완료형: 「*sein* ... pp」) ▌es [비인칭 대명사] '날씨'를 표현할 때 사용되는 비인칭 주어

(정답) Auf Jejudo ist es wärmer als in Seoul.

► "제주도는 서울보다 더 따뜻하다." → "제주도*에서는* 날씨가 서울(*에서*)보다 더 따뜻하다."
따라서: *Auf Jejudo* ist es wärmer als *in Seoul*.
'날씨'를 표현하므로 비인칭 주어 ***es***가 주어로 사용됨.

2. 한라산은 남한에서 가장 높은 산이다.

(Hallasan, Südkorea, in, hoch, Berg, sein)

✺ 어휘 Südkorea 남한 ← Süd- [접두어] 남쪽의 <참고> Nord- 북쪽의, Ost- 동쪽의, Süd- 남쪽의 ▌in [*3 · 4격* 전치사] [1] (*3격* 지배: *위치*) ~안에, ~에 ; [2] (*4격* 지배: *방향*) ~안으로, ~로 ▌hoch [형용사] 높은 (3 비교형: hoch (혹은 hoh-) - *höher* - *höchst*-) <주의> 명사 앞에 오는 *수식어*일 때 형태는 hoh-임: 「hoh- + 명사」 '높은 ...' ▌der Berg 산 (die Berg*e*) ▌sein [자동사] ...이다 (3 기본형: sein - war - gewesen ; 완료형: 「*sein* ... pp」)

(정답) Hallasan ist der höchste Berg in Südkorea.

► "... *가장 높은 산*이다."
「d*er* höchs*te* Berg」:
• 명사 Berg는 *남성*이며, 동사 ist의 *주격* 보어이므로 *남성 1격!!*
따라서 *남성 1격* *정관사* d*er* 가 앞에 옴.
최상급 형용사는 원칙적으로 ***정관사 d-***와 결합함.

- 최상급 형용사 höch*st* 앞에 *남성 1격*의 d*er*가 있음.
  → 따라서 d*er* höch*ste* ...
  (근거: 남성 1격 d*er*, dies*er*, jed*er* ... 형용사 *-e*)

3. 조금 더 천천히 그리고 더 분명하게 말해주세요.

(etwas, langsam, und, deutlich, sprechen, Sie)

✺ **어휘** etwas [부사어] 약간, 조금 (= ein bisschen, ein wenig) ▌langsam [형용사] 느린, (부사적) 천천히 (3 비교형: langsam - langsam*er* - langsam*st-*) ↔ schnell 빠른, 빨리 (3 비교형: schnell - schnell*er* - schnell*st-*) ▌und [등위 접속사] 그리고 (영. and) ▌deutlich [형용사] 분명한, 명확한, (부사적) 분명하게, 명확하게 (3 비교형: deutlich - deutlich*er* - deutlich*st-*) ▌sprechen [타동사/자동사] (...을) 말하다 (현재 시제: du spr<u>i</u>ch*st* ; er spr<u>i</u>ch*t*) (3 기본형: sprechen - sprach - gesprochen)

(정답) Sprechen Sie etwas langsamer und deutlicher!

► "... *말해 주세요.*" → Sie-명령문 형식 : 「동사 원형 Sie ...!」 '...하세요.'
동사 sprechen '말하다' : Sprechen Sie ...! "... 말하세요."

► Sprechen Sie etwas langsam*er* und deutlich*er* !
비교급 형용사가 ***부사어***로 사용됨! ↳ 비교급 형용사가 ***부사어***로 사용됨!

4. 오늘날 사람들은 점점 더 오래 산다.

(heutzutage, Mensch, immer, lange, leben)

✺ **어휘** heutzutage [부사어] 오늘날, 요즈음 ▌der Mensch 인간, 인류 (die Mensch*en*) <주의> 주어를 제외한 *단수 2, 3, 4격*이 모두 복수형처럼 Mensch*en*인 *약변화* 명사! ▌immer [부사어] 항상, 언제나 → 「immer + 비교급」 = 「비교급 und 비교급」 '점점 더 ...한', '점점 더 ...하게' ▌lange [부사어] 오랫동안 (3 비교형: lange - l<u>ä</u>ng*er* - l<u>ä</u>ng*st-*) ▌leben [자동사] 살다 (3 기본형: leb*en* - leb*te* - *ge*leb*t*)

(정답) Heutzutage leben Menschen immer länger.

5. 네 남동생은 무엇을 하니?

(dein-, jung, Bruder, was, machen)

✺ **어휘** jung [형용사] 젊은, 어린 (3 비교형: jung - j<u>ü</u>ng*er* - j<u>ü</u>ng*st-*) ↔ alt 늙은, 낡은 (3 비교형: alt - <u>ä</u>lt*er* - <u>ä</u>lt*est-* ※최상급 ält*st* 아님!) ▌der Bruder 남자 형제 (die Br<u>ü</u>der) ↔ die Schwester 여자 형제 (die Schwester*n*) ▌was [의문사] 무엇을? (*4격* 형) ▌machen [타동사] ...을 행하다 (3 기본형: mach*en* - mach*te* - *ge*mach*t*)

(정답) Was macht dein jüngerer Bruder?

▸ "남동생" → "(*나보다*) *어린* 남자 형제" : 「jung의 비교급 jünger + Bruder」
"*네 남동생은* ..."
「*dein* jüngerer Bruder」:

- 명사 Bruder는 *남성*이며, 문장의 *주어*이므로 *남성 1격!!*
  따라서 소유대명사 dein-('너의')은 *남성 1격* 부정관사 ein_처럼 어미 없이 dein_임.
- 비교급 형용사 jünger 앞에 *남성 1격*의 dein_이 있음.
  → 따라서 dein_ jüngerer_ ...
  (근거: 남성 1격 ein_ , mein_ , dein_ , ihr_ , unser_ ... kein_ 형용사 *-er*)

II. 잘못된 부분(들)을 고쳐서 다시 적으시오. (20과, 마무리문제: 교재 119쪽)

1. Er ist viel starker[오류] als ich.

✵ **해석** 그는 나보다 훨씬 더 강하다.

✵ **어휘** 「viel + 비교급」 '*훨씬* 더 ...한' (영. 「much + 비교급」) ▌stark [형용사] 강한 (3 비교형: stark - stärk*er* - stärk*st-*) ↔ schwach [형용사] 약한 (3 비교형: schwach - schwäch*er* - schwäch*st-*) ▌als [접속사] ~보다 : 「A 비교급 *als* B」 'A는 B보다 더 ...하다' (즉, A > B)

<오류>

형용사 stark의 비교급 형태는 stärk*er*이어야 옳음!

<참고>

형용사(부사)가 모음 a, o, u로 구성된 1개의 음절일 때, 비교급 및 최상급에서 *변모음* 됨:
① a → ä : alt '늙은' - älter - ältest / lang '긴' - länger - längst
② o → ö : groß '큰' - größer - größt / hoch (hoh-) '높은' - höher - höchst
③ u → ü : jung '젊은' - jünger - jüngst / kurz '짧은' - kürzer - kürzest

정답 Er ist viel *stärker* als ich.

2. Es gibt in Korea kein[오류1] höcher[오류2] Berg als der[오류3] Baekdusan.

✵ **해석** 한국에는 백두산보다 더 높은 산이 없다.

✵ **어휘** gibt (동사 geben의 *현재* 시제: 주어가 *er*, *sie*, *es*일 때) ⇒ geben [타동사] ...을 주다 : 「es gibt + 4격」 '...이 있다' (현재 시제: du gib*st* ; er gib*t*) (3 기본형: geben - gab - gegeben) ▌「in + 국가」: in Korea 한국에서 ▌hoch, hoh- [형용사] 높은 (3 비교형 *불규칙* 변화: hoch (hoh-) - *höher* - *höchst-*) <주의> 명사 앞에 오는 *수식어*일 경우: 「hoh- + 명사」 ▌der Berg 산 (die Berg*e*) <참고> das Gebirge (*집합적* 의미) 산, 산맥 (die Gebirge) ▌als [접속사] ~보다 : 「A 비교급 *als* B」 'A는 B보다 더 ...하다' (즉, A > B)

<오류> 1

「Es gibt + 4격」 형식이므로 "kein- ..."은 *4격*이어야 옳음!

즉, 「kein*en* höher*en* Berg」:

- 명사 Berg는 *남성*이며, 「Es gibt ...」 형식에 의거하여 *4격*이므로 *남성 4격!!*
  따라서 kein-은 *남성 4격* 부정관사 ein*en*처럼 어미변화 하여 kein*en*임.
- 비교급 형용사 höh*er* 앞에 *남성 4격*의 kein*en*이 있음.
  → 따라서 kein*en* höher*en* ...
  (근거: 남성 4격 d*en*, ein*en*, mein*en*, dein*en* ... kein*en*, dies*en* + 형용사 *-en*)

<오류> 2

형용사 hoch, hoh-('높은')의 비교급 형태는 höh*er*임.

따라서 "... höh*eren* ..."이어야 옳음!

<오류> 3

비교급비교의 경우, 비교되는 두 대상은 *동일한 격*을 지녀야 함.

따라서 앞에 나온 Berg와 동일하게 *4격*이어야 하므로 *남성 4격* 정관사 *den*이어야 옳음!

정답 Es gibt in Korea *keinen höheren* Berg als *den* Baekdusan.

3. Dieses Motorrad ist sehr[오류] teurer als ein Auto.

✷ **해석** 이 오토바이는 자동차보다 훨씬 더 비싸다.

✷ **어휘** 「dies- + 명사」 '이 ...' (지시대명사 dies-는 *정관사 d-* 어미변화!) ▌das Motorrad 오토바이 (die Motorräd*er*) ← das Rad 바퀴 (die Räd*er*) <참고> das Fahrrad 자전거 (die Fahrräd*er*) ▌sehr [부사어] 매우, 아주 ▌「viel + 비교급」 '*훨씬* 더 ...한' ▌teuer [형용사] 비싼 (3 비교형: teuer - teur*er* - teuer*st-* ※비교급에서 -e- 탈락함! 즉, teue*rer* 아님!) ↔ billig 값싼 (3 비교형: billig - billig*er* - billig*st-*) ▌als [접속사] ~보다 : 「A 비교급 *als* B」 'A는 B보다 더 ...하다' (즉, A > B) ▌das Auto 자동차 (die Auto*s*)

<오류>

비교급 형용사를 수식하는 부사어는 sehr가 아니라 *viel*임.

즉, viel teur*er* '훨씬 더 비싼'

정답 Dieses Motorrad ist *viel* teurer als ein Auto.

► 비교되는 두 대상 "Dieses Motorrad"와 "ein Auto"는 동일하게 *1격*임.

4. Der Film ist mehr interessant[오류] als das Buch.

✷ **해석** 그 영화는 그 책보다 더 재미있다.

✷ **어휘** der Film 영화, 필름 (die Film*e*) ▌ mehr (viel, viele의 *비교급*) ⇒ viel(e) 많은 (3 비교형 *불규칙* 변화: viel, viele - *mehr* - *meist-*) ↔ wenig 적은 (3 비교형: wenig - wenig*er* 혹은 *minder* - wenig*st-* 혹은 *mindest-*) ▌ interessant [형용사] 흥미로운, 재미있는 (3 비교형: interessant - interessant*er* - interessant*est-* ※interessan*t*는 *-t*로 끝나므로 발음상 최상급 어미는 *-st*가 아니라 *-est*임! 즉, 최상급 interessant*st* 아님!) ▌ als [접속사] ~보다 : 「A 비교급 *als* B」 'A는 B보다 더 ...하다' (즉, A > B) ▌ das Buch 책 (die Büch*er*)

<오류>

형용사 interessant의 비교급 형태는 interessant*er*이어야 옳음!

<주의>

영어에서는 2 음절 이상 형용사의 비교급은 "more ..." 이며, 최상급은 "most ..."이지만,
독일어에서는 음절 수에 관계없이 항상 비교급은 *-er*이며, 최상급은 -(e)*st*임!

정답 Der Film ist *interessanter* als das Buch.

▸ 비교되는 두 대상 "Der Film"과 "das Buch"는 동일하게 *1 격*임.

5. Die Arbeit ist viel schwerer, als wir haben[오류] erwartet.

✷ **해석** 그 일은 우리가 예상했던 것보다 훨씬 더 어렵다.

✷ **어휘** die Arbeit 일, 작업 (die Arbeit*en*) ▌ 「viel + 비교급」 '*훨씬* 더 ...한' : viel schwer*er* 훨씬 더 어려운 ▌ schwer [형용사] 무거운, 어려운 (3 비교형: schwer - schwer*er* - schwer*st-*) ↔ leicht 가벼운, 쉬운 (3 비교형: leicht - leicht*er* - leicht*est-* ※최상급 leicht*st* 아님!) ▌ als [접속사] ~보다 : 「A 비교급 *als* B」 'A는 B보다 더 ...하다' (즉, A > B) ▌ 「haben ... erwartet」 (동사 erwarten의 *현재완료* 시제) ▌ *er*warte*t* (동사 erwarten의 *pp형*) ⇒ erwarten [타동사] ...을 예상하다, 기대하다 (영. expect) (3 기본형: *er*wart*en* - *er*wart*ete* - *er*warte*t* ※형태가 *er-*이므로 pp형에서 *ge- 탈락*!) ⇐ warten [자동사] : 「warten auf + 4격」 ...을 기다리다 (3 기본형: wart*en* - wart*ete* - *ge*warte*t*)

<오류>

비교급비교의 접속사 als 뒤에 오는 문장은 *부문장*이므로 *후치*되어야 함.
따라서 "... , als wir *erwartet haben*"이어야 옳음!

정답 Die Arbeit ist viel schwerer, als wir erwartet *haben*.

▸ ... viel schwerer , als wir *erwartet* haben .

현재완료 시제 형식 「haben ... erwartet」가 *후치*되므로
동사 haben이 문장 맨 뒤로 와서 「... erwartet **haben**」임.

6. Bitte, komm pünktlich; lass mich nicht wieder so länger[오류] warten wie das letzte Mal.

✵ **해석** 부탁하건대, 정확한 시각에 와라. (그래서) 나로 하여금 또 다시 지난번처럼 그렇게 오랫동안 기다리지 않도록 해 줘.

✵ **어휘** bitte [부사어] 정중한 명령문에서 사용됨. (우리말 해석 필요 없음!) ▌「..., komm ...」 (동사 kommen의 du-명령문) ⇒ kommen [자동사] 오다 (3 기본형: kommen - kam - gekommen ; '*장소 이동* 자동사 → 완료형「*sein* ... pp」) ▌pünktlich [형용사] (시간이) 정확한, (부사적) 시간 정확히, 정각에 (3 비교형: pünktlich - pünktlich*er* - pünktlich*st*-) ← der Punkt 점 (die Punkt*e*) ▌「... lass ...」 (동사 lassen의 du-명령문) ⇒ lassen [타동사] : 「lassen + 4격 ... 동사 원형」 '*4격*으로 하여금 ...하도록 하다' (3 기본형: lassen - ließ - gelassen, lassen ※완료형「haben ... *pp*」: ① 동사 원형 *없을* 때: 「haben ... *gelassen*」; ② 동사 원형 *있을* 때: 「haben ... *동사 원형* *lassen*」) ▌mich [인칭대명사] ich의 *4격* 형임. (3격 형은 *mir*) ▌wieder [부사어] 다시, 반복해서 (영. again) ▌so [부사어] 그렇게 : 「A so 원급 wie B」 (동등 비교) 'A는 B처럼 그렇게 ...하다', 즉 'A는 B와 똑같이 ...하다' (즉, A = B) ▌lang [형용사] 긴 (3 비교형: lang - läng*er* - läng*st*-) ↔ kurz 짧은 (3 비교형: kurz - kürz*er* - kürz*est*- ※kurz는 *-z*로 끝나므로 발음상 최상급 어미는 *-st*가 아니라 *-est*임. 즉, 최상급 kürz*st* 아님!) ▌warten [자동사] : 「warten auf + 4격」 '...을 기다리다' (3 기본형: wart*en* - wart*ete* - *ge*wart*et*) ▌「letzt- + 명사」 [형용사] '지난 ...', '마지막 ...' (영. last) <주의> letzt-는 명사의 *수식어*로만 사용됨. ▌das Mal 번, 기회 (die Mal*e*) : das letzte Mal 지난 번에 (*4격*의 시간 부사어!) <참고> das nächste Mal 다음 번에 ; zum letzten Mal 마지막으로

<오류>

동등비교「... *so* 원급 *wie* ...」 형식이므로 형용사 원급 *lange*가 와야 옳음!

정답 Bitte, komm pünktlich; lass mich nicht wieder so *lange* warten wie das letzte Mal.

세미콜론 앞 문장

▸ du-명령문 형식: 「동사 어간 ...!」 '...해라.'
동사 komm*en* '오다' → Komm ...! '와라.'

세미콜론 뒤 문장

▸ du-명령문 형식: 「동사 어간 ...!」 '...해라.'
lassen → Lass ...!

<참고>

현재 시제, 단수 2, 3인칭에서 어간 모음이 변화하는 동사의 du-명령문:

① 유형 a → ä 인 경우 *어간 모음 변화 없음*!
lassen : Lass ...! (즉, Läss ...! 아님!)
fahren : Fahr ...! (즉, Fähr ...! 아님!)

② 변화 유형 e → ie 및 e → i 인 경우 *어간 모음 변화함*!
sehen : Sieh ...! (즉, Seh ...! 아님!)
helfen : Hilf ...! (즉, Help ...! 아님!)

► 「lassen + 4격 ... 동사 원형」 '*4격*으로 하여금 ...하도록 하다'
... ; lass *mich* ... *warten* ...
해석: "*mich*로 하여금 *warten* 하도록 하다", 즉 "*내가* ... *기다리도록* 하다"

Lektion 21

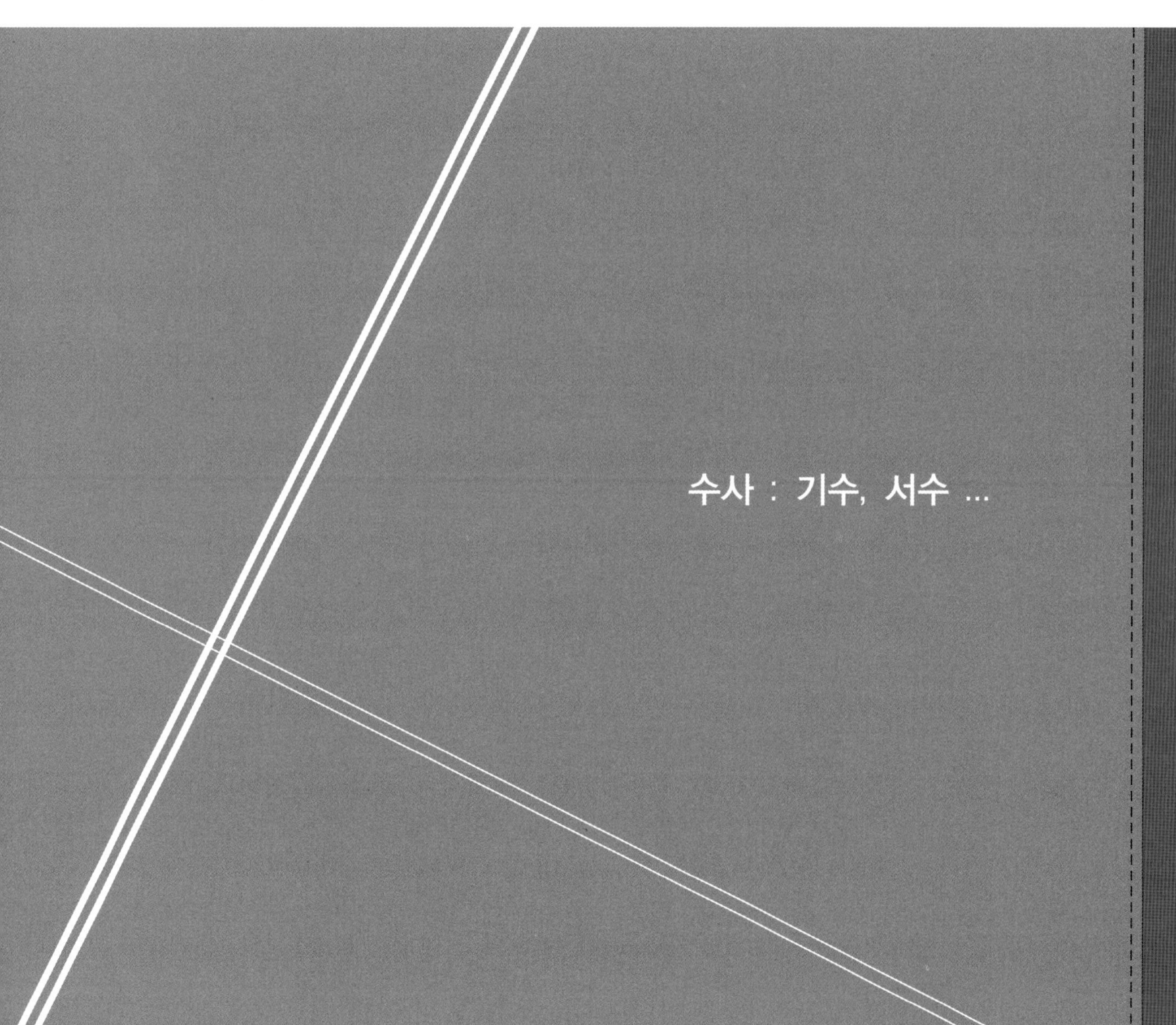

unit 01

기초문제

I. 다음 숫자를 독일어로 적으시오. (21과, 기초문제: 교재 122쪽)

1. Um wie viel Uhr fängt der Film an? - Er beginnt um neun Uhr.

✵ 해석 몇 시에 그 영화가 시작합니까? - 그것은 9시에 시작해요.

✵ 어휘 「Um wie viel Uhr ...?」 몇 시에? ← 「um ... Uhr」 ...시에 <참고> 「wie viel + 셀 수 없는 명사」 (영. How much ...?) ; 「wie viel*e* + 복수명사」 얼마나 많은 ...? (영. How many ...?) ▌「fängt ... an」 (분리동사 *an*fangen의 *현재* 시제: 주어가 *er*, *sie*, *es*일 때) ⇒ *an*fangen [분리동사&자동사] 시작하다 (= beginnen) (현재 시제: du fängs*t* ... *an* ; er fäng*t* ... *an*) (3 기본형: *an*fangen - *an*fing - *an*gefangen) ⇐ fangen [타동사] ...을 붙잡다 (현재 시제: du fängs*t* ; er fäng*t*) (3 기본형: fangen - fing - gefangen) ▌der Film 영화, 필름 (die Film*e*) ▌beginnen [자동사] 시작하다 (3 기본형: beginnen - begann - begonnen) ▌「um ... Uhr」 '...시에'

문장 2

☞ neun 9

2. Wie war das Wetter? - Es war sehr warm. Wir hatten dreißig Grad.

✵ 해석 날씨가 어떠했나요? - 매우 더웠어요. 30도였어요.

✵ 어휘 wie [의문사] 어떻게? (영. how?) ▌war (동사 sein의 *과거* 시제: 주어가 *ich* 혹은 *er*, *sie*, *es*일 때) ⇒ sein [자동사] ...이다 (3 기본형 : sein - war - gewesen ; 완료형 「*sein* ... gewesen」) ▌das Wetter 날씨 (복수 없음!) ▌warm [형용사] 따뜻한 (3 비교형: warm - wärm*er* - wärm*st*-) <참고> heiß 뜨거운, warm 따뜻한, lauwarm 미지근한, kühl 시원한, kalt 차가운 ▌hatte*n* (동사 haben의 *과거* 시제: 주어가 *wir* 혹은 *sie*('그들은'), *Sie*일 때) ⇒ haben [타동사] ...을 가지고 있다 (3 기본형 : haben - hatte - gehabt) ▌der Grad [1] (온도, 각도의 단위) ...도 (복수 없음) ; [2] 정도, 강도 (die Grad*e*) (영. grade)

문장 3

☞ dreißig 30

3. Was kostet der Schrank hier? - Der ist nicht teuer. Der kostet nur fünfundvierzig Euro.

✵ 해석 여기 이 장롱은 가격이 얼마입니까? - 그것은 비싸지 않아요. 그것은 단지 45 유로에

불과합니다.

✵ 어휘 was [의문사] 무엇? ▌kosten [자동사] (가격, 비용이) ...이다 : 「주어 + kosten + 가격」 주어는 가격이 ...이다 (3 기본형: kost*en* - kost*ete* - *ge*kost*et*) ▌der Schrank 장, 장롱 (die Schränk*e*) ▌der [지시대명사] 그것은 (앞에 나온 *남성*명사 Schrank를 받으며, 주어로서 *1격* 형임.) ▌teuer [형용사] 비싼 (3 비교형: teuer - teur*er* - teuer*st-* ※비교급 teuerer 아님!) ↔ billig 값싼 (3 비교형: billig - billig*er* - billig*st-*) ▌nur [부사어] 단지 (영. only) ▌der Euro (화폐 단위) 유로 (금액을 말할 때 복수 없음!)

<참고>

der Bücherschrank 책장 / der Geldschrank 금고 / der Geschirrschrank 그릇장, 찬장
der Kleiderschrank 옷장 / der Schuhschrank 신발장 / der Küchenschrank 부엌 장
der Schlafzimmerschrank 침실 장 / der Wandschrank 벽장

문장 2

► *Der* ist nicht teuer :
지시대명사 Der는 “***Der*** Schrank”의 축약형으로 볼 수 있음.
(인칭대명사 *Er*도 올 수 있음: *Er* ist nicht teuer.)

문장 3

☞ fünfundvierzig 45 (← fünf 5 ; vierzig 40)

4. Seit zwanzig Minuten warten wir darauf, dass Frau Schmitt uns die Papiere bringt.

✵ 해석 20분 전부터 우리는 슈미트 부인이 우리에게 서류를 가져다주기를 기다리고 있어요.

✵ 어휘 seit [*3격* 전치사] ~이래, ~이후 ▌Minute (시간) 분 (die Minute*n*) ▌「warten auf + 4격」 '...을 기다리다' (3 기본형: wart*en* - wart*ete* - *ge*wart*et*) ▌darauf → 전치사 auf + 지시대명사 das ▌dass [종속접속사] ...라는 사실 (영. that) (뒤에 오는 부문장은 *후치*됨: ... , dass *Frau Schmidt* ... bringt) ▌uns [인칭대명사] wir의 *3격* 형임. (4격 형도 *uns*) ▌die Papier*e* (주로 복수) 서류, 문서 ← das Papier [*물질*명사] 종이 ▌bringen [타동사] ...을 가져오다 : 「bringen + 3격(사람) + 4격」 누구에게 ...을 가져오다 (3 기본형 : bringen - brachte - gebracht)

► ... warten wir *darauf* , dass ... :
da*r*auf '그것을' = *auf* '...을' + *das* '그것'
1. 여기서 전치사 *auf*는 동사 형식 「warten *auf* ...」('...을 기다리다')에 근거함!
2. 여기서 *das*는 뒤에 오는 dass-부문장을 받음.

☞ zwanzig 20

5. Herr Nolting lässt seine Tochter nicht allein verreisen, obwohl sie schon siebzehn Jahre alt ist.

✵ 해석 놀팅씨는 자신의 딸이 벌써 나이가 17살임에도 불구하고 혼자 여행가도록 허락하지 않는다.

✺ 어휘 「lässt ... verreisen」 (동사 lassen의 *현재* 시제: 주어가 *du* 혹은 *er, sie, es*일 때) ⇒ 「lassen + 4격 ... 동사 원형」 *4격*이 ...하도록 하다 (현재 시제: du lässt ; er lässt) (3 기본형 : lassen - ließ - gelassen, lassen ※완료형은 「haben ... *pp*」: ① 동사 원형 *없을* 때: 「haben ... gelassen」; ② 동사 원형 *있을* 때: 「haben ... *동사 원형* lassen」) ▌die Tochter 딸 (die Töchter) ▌allein [형용사] 혼자인, (부사적) 홀로, 혼자 ▌verreisen [자동사] 여행 떠나다 (3 기본형: *ver*reis*en* - *ver*reis*te* - *ver*reis*t* ; '*장소 이동* 자동사 → 완료형 「*sein* ... verreist」) ⇐ reisen [자동사] 여행하다 (3 기본형: reis*en* - reis*te* - *ge*reis*t* ; '*장소 이동* 자동사 → 완료형 「*sein* ... gereist」) ▌obwohl [종속접속사] 비록 ...이지만 (영. though, although) (뒤에 오는 부문장은 *후치*됨: ... , obwohl *sie* ... ist) ▌das Jahr 해, 년 (die Jahr*e*) ▌alt [형용사] 늙은, 낡은 (3 비교형: alt - ält*er* - ält*est*- ※최상급 ältst 아님!) ↔ jung 젊은, neu 새, 새로운 (3 비교형: jung - jüng*er* - jüng*st*-)

☞ siebzehn 17

II. 다음 서수를 독일어로 적으시오. (21과, 기초문제: 교재 122쪽)

1. Der fünfte Mai ist in Korea Kindertag.

✺ 해석 5월 5일은 한국에서는 어린이날이다.

✺ 어휘 fünf*t*- [서수] 다섯째, 제 5의 (← fünf 5) <주의> 서수는 *형용사 어미변화* 함! ▌der Mai 5월 (die Mai*e*) (주로 단수!) ▌in [*3·4격* 전치사] (*3격* 지배: *위치*) ~안에서, ~에서 : in Korea 한국에서 ▌Korea [고유명사] 한국 (고유명사 *관사 없음*!) ▌der Kindertag 어린이날 → das Kind 아이 (die Kind*er*) + der Tag 날, 일 (die Tag*e*)

☞ 「D*er* fünft*e* Mai」:

- '날짜'로서 *남성*이며, 동사 ist의 *주어*이므로 *남성 1격!!*
  따라서 *남성 1격* 정관사 D*er*가 앞에 옴.
- 서수 fünft- 앞에 *남성 1격* D*er*가 있음.
  → 따라서 D*er* fünft*e* ...
  (근거: 남성 1격 d*er*, dies*er* 형용사 *-e*)

2. Der dritte Oktober ist der Tag der deutschen Einheit.

✺ 해석 10월 3일은 독일 통일의 날이다.

✺ 어휘 *dritt*- [서수] 셋째, 제 3의 (← drei 3) <주의> 서수는 *형용사 어미변화* 함! ▌der Oktober 10월 (die Oktober) (주로 단수!) ▌der Tag 날, 일 (die Tag*e*) ▌deutsch [형용사] 독일어의, 독일어의 ▌die Einheit 하나 됨, 통일 (복수 없음!)

☞ 「Der dritte Oktober」:

- '날짜'로서 *남성*이며, 동사 ist의 *주어*이므로 *남성 1격!!*
  따라서 *남성 1격* 정관사 Der가 앞에 옴.
- 서수 *dritt-* 앞에 *남성 1격* Der가 있음.
  → 따라서 Der dritte ...
  (근거: 남성 1격 der, dieser 형용사 *-e*)

► 「... Tag der deutschen Einheit」:

- 명사 Einheit는 *여성*이며, 앞의 명사 Tag을 수식하는 *2격* 형이므로 *여성 2격!!*
  따라서 *여성 2격* 정관사 der 가 앞에 옴.
  2격 어미 : 남성, 중성 ***-es*** ; 여성, 복수 ***-er***
- 형용사 deutsch 앞에 *여성 2격* der가 있음.
  → 따라서 ... der deutschen ...
  (근거: *2격*의 정관사, 소유대명사, 지시대명사 ... 뒤에 오는 형용사는 *-en*임.)
- 명사 Einheit는 *여성*이므로 2격 명사 어미 *-s*, *-es* *없음*! (즉, Einheits 아님!)

3. Wann hast du Geburtstag? - Ich habe am vierundzwanzigsten siebten Geburtstag.

✻ **해석** 언제 너는 생일이니? - 나는 7월 24일이 생일이야.

✻ **어휘** wann [의문사] 언제? (영. when?) ▌ hast (동사 haben의 *현재* 시제) ⇒ haben [타동사] ...을 가지고 있다 (3 기본형: haben - hatte - gehabt) ▌ der Geburtstag 생일 (die Geburtstage) → die Geburt 탄생, 태어남 (die Geburten) + der Tag 날, 일 (die Tage) : 「주어 + haben Geburtstag」 *주어는* 생일이다 ▌ 「am + 서수 *-en* 」 (날짜) '...일에' ▌ vierundzwanzig*st*- [서수] 24번째의 (← vierundzwanzig 24) <주의> 서수는 *형용사 어미변화* 함! ▌ sieb*t*- 혹은 sieben*t*-, [서수] 일곱째, 제 7의 (← sieben 7)

<참고>

서수: 기수 *-t* < 20 ≦ 기수 *-st*

1. *erst-* 2. zwei*t-* 3. *dritt-* 4. vier*t-* ... 18. achzehn*t-* 19. neunzehn*t-*
20. zwanzig*st-* 21. einundzwanzig*st-* ... 100. hundert*st-* ...

문장 2

☞ am vierundzwanzig*sten* sieb*ten*

(= *am* vierundzwanzigst*en* *Juli*)

4. Fahren Sie an der dritten Kreuzung rechts!

✻ **해석** 세 번째 교차로에서 오른쪽으로 가세요.

✻ **어휘** 「Fahren Sie ...!」 (Sie-명령문) ⇒ fahren [자동사] (차 타고) 가다 (현재 시제: du fähr*st* ; er fähr*t*) (3 기본형: fahren - fuhr - gefahren ; '*장소 이동* 자동사 → 완료형 「*sein* ... gefahren」) ▌ an [*3·4격* 전치사] (*3격* 지배: *위치*) ~옆에서, ~에서 : an der dritten Kreuzung 셋째 교차로*에서* ▌ *dritt-* [서수] 셋째, 제 3의 (← drei 3) <주의> 서수는 *형용사 어미변화* 함! ▌ die

Kreuzung 교차로 (die Kreuzung*en*) ← kreuzen [타동사] ...을 교차시키다, 겹치게 하다 (3 기본형: kreuz*en* - kreuz*te* - *ge*kreuz*t*) ▌rechts [부사어] 오른쪽에 (↔ links 왼쪽에)
<참고> recht [형용사] 오른쪽의 (↔ link 왼쪽의)

☞ 「an d*er* dritt*en* Kreuzung」:

- 명사 Kreuzung은 *여성*이며, 전치사 an의 *3격* 목적어이므로 *여성 3격!!*
  따라서 *여성 3격* 정관사 d*er* 가 앞에 옴.
  3격 어미: 남성・중성 *-em* ; 여성 *-er* ; 복수 *-en*
- 서수 *dritt-* 앞에 *여성 3격* d*er*가 있음.
  → 따라서 an d*er dritten* ...
  (근거: *3격* 어미가 붙은 관사, 소유대명사 ... 등의 뒤에 오는 형용사는 *-en*임)

<주의>
만약 Kreuzung('교차로')이 동사 fahren('차로 *가다*')의 목적지였다면,
즉, "세 번째 교차로*로* 가세요!"였다면, 3・4격 전치사 an은 *4격 지배*임!
따라서 an d*ie* dritt*e* Kreuzung이었을 것임.

5. Sie haben Zimmer 604. Nehmen Sie einfach den Aufzug in den sechsten Stock.

✹ **해석** 당신은 604호실입니다. 간단히 엘리베이터를 타고 7층으로 가세요.

✹ **어휘** das Zimmer 방 (die Zimmer) ▌sechshundertvier 604 (← sechs 6 ; hundert 100 ; vier 4) ▌「Nehmen Sie ...」 (Sie-명령문) ⇒ nehmen [타동사] (차량) ...을 타다 (현재 시제: du nimm*st* ; er nimm*t*) (3 기본형: nehmen - nahm - genommen) ▌einfach [형용사] 간단한, 단순한, (부사적) 간단히, 단순히 ▌der Aufzug 엘리베이터 (die Aufz*ü*g*e*) ▌in [*3・4격* 전치사] (*4격* 지배: *방향*) ~안으로, ~로 : in den sechsten Stock 7층*으로* ▌sech*st-* [서수] 여섯째, 제 6의 (← sechs 6) ▌der Stock (건물의) 층 (die Stock)

문장 2

☞ Nehmen Sie ... den Aufzug *in* den sechsten Stock!
해석: "7층*으로* 가는 엘리베이터를 타세요!"
→ 따라서 3・4격 전치사 in은 여기서 '*방향*'을 나타내므로 *4격* 지배임!

「in d*en* sechs*ten* Stock」:

- 명사 Stock은 *남성*이며, 전치사 in의 *4격* 목적어이므로 *남성 4격!!*
  따라서 *남성 4격* 정관사 d*en*이 앞에 옴.
- 서수 sechs*t-* 앞에 *남성 4격* d*en*이 있음.
  → 따라서 in d*en* sechs*ten* ...
  (근거: 남성 4격 d*en*, ein*en*, mein*en*, ihr*en* ... kein*en*, dies*en* + 형용사 *-en*)

► in den sechs*ten* Stock "*6번째 층*으로", 즉 "*7층*으로"임.

III. 밑줄 친 금액을 아라비아 숫자로 적으시오. (21과, 기초문제: 교재 122쪽)

1. Was kostet denn die Miete? - Sechshundertfünfzig Euro im Monat.

✺ 해석 임대료가 얼마지요? - 1 개월에 650 유로입니다.

✺ 어휘 was [의문사] 무엇? ▌kosten [자동사] (가격, 비용이) ...이다 : 「주어 + kosten + 금액」 *주어는* 가격(비용)이 ...이다 (3 기본형: kost*en* - kost*ete* - gekost*et*) ▌denn [부사어] 의문문에서 질문을 자연스럽게 유도함. (우리말 해석 필요 없음!) ▌die Miete 임대료 (die Miete*n*) ← mieten [타동사] ...을 임대하다, 세 들다 (3 기본형: miet*en* - miet*ete* - *ge*miet*et*) ↔ vermieten [타동사] ...을 세놓다, 임대하다 (3 기본형: *ver*miet*en* - *ver*miet*ete* - *ver*miet*et*) ▌der Euro (화폐 단위) 유로 (복수 없음!) ▌「im + 남성・중성 3격」 (*시간적* 의미) ~에 : im Monat 한 달에, 개월 당 ▌der Monat 달, 개월 (die Monat*e*)

문장 1

► 「*Was* kostet + 주어?」 = 「*Wie viel* kostet + 주어?」 *주어는* 가격(비용)이 얼마인가?

문장 2

☞ 정답: 650

※ sechshundertfünfzig 650

⇒ *sechs*hundert 600 + fünfzig 50

↳ sechs 6 / hundert 100

2. Ich kann dir siebzig Euro leihen. Reicht das? - Ja, danke! Mehr brauche ich gar nicht.

✺ 해석 나는 너에게 70 유로를 빌려줄 수 있어. 그것이면 충분하겠니? - 응, 고마워! 그 이상은 전혀 필요 없어.

✺ 어휘 「kann ... leihen」 (화법조동사 können의 *현재* 시제) ⇒ 「können ... 동사 원형」 ...할 수 있다 (현재 시제: ich kann ; du kann*st* ; er kann ; wir könn*en* ; ...) (3 기본형: können - konnte - gekonnt, können) ▌dir [인칭대명사] du의 *3격* 형임. (4격 형은 *dich*) ▌der Euro (화폐 단위) 유로 (금액을 말할 때 복수 없음!) ▌「leihen + 3격(사람) + 4격」 *누구*에게 ...을 빌려 주다 (3 기본형: leihen - lieh - geliehen) <참고> 「leihen sich³ + 4격」 [3격 재귀동사] ...을 빌리다 ▌reichen [자동사] 충분하다 <참고> 「주어 + reichen + 3격(사람)」, 「주어 + reichen + für + 4격(사람)」 *주어는 누구*에게 충분하다 ▌Danke (schön 혹은 sehr)! (구어체) "(매우) 고마워!" <참고> 「danken + 3격(사람) + für + 4격」 *누구*에게 ...에 대해 감사하다 ▌mehr [형용사: viel, viele의 *비교급*] 더 많은, 더 많이 (3 비교형 *불규칙* 변화: viel(e) - *mehr* - *meist-*) ▌brauchen [타동사] ...을 필요로 하다 (3 기본형: brauch*en* - brauch*te* - *ge*brauch*t*) ▌gar [부사어] 부정어 nicht, kein- 등의 의미를 강화함: 「... gar nicht」, 「gar kein- ...」 전혀 ... 않다

문장 1

☞ 정답: 70

3. Die Reise nach Wien hat dreihundertneunundneunzig Euro gekostet.

✺ **해석** 비엔나로 가는 여행은 399 유로의 비용이 들었다.

✺ **어휘** die Reise 여행 (die Reise*n*) ▌nach [*3격* 전치사] (방향) ~을 향하여 : 「nach + 도시, 국가」 ~로 : nach Wien 비엔나*로* ▌Wien [고유명사] 비엔나 (오스트리아의 수도!) <참고> Österreich 오스트리아 ▌「hat ... gekostet」 (동사 kosten의 *현재완료* 시제) ▌*ge*koste*t* (동사 kosten의 *pp형*) ⇒ kosten [자동사] (가격, 비용이) ...이다 : 「주어 + kosten + 금액」 *주어는* 가격(비용)이 ...이다 (3 기본형: kost*en* - kost*ete* - *ge*koste*t*) ▌der Euro (화폐 단위) 유로 (금액을 말할 때 복수 없음!)

☞ 정답: 399

※ dreihundertneunundneunzig 399

⇒ *drei*hundert 300 + neun*und*neunzig 99
↳ drei 3 / hundert 100 ↳ neun 9 / neunzig 90

4. Hier haben wir ein Fahrrad für zwölfhundert Euro. - Das ist mir zu teuer.

✺ **해석** 여기 1,200 유로짜리 자전거가 있습니다. - 그것은 나에게는 너무 비싸요.

✺ **어휘** haben [타동사] ...을 가지고 있다 (3 기본형: haben - hatte - gehabt) ▌das Fahrrad 자전거 (die Fahrräd*er*) ▌für [*4격* 전치사] (가격) ~에 : für zwölfhundert Euro '1200 유로에' ▌der Euro (화폐 단위) 유로 (복수 없음!) ▌mir [인칭대명사] ich의 *3격* 형임. (4격 형은 *mich*) ▌「*zu* + 형용사 (부사)」 너무 ...한, 너무 ...하게 : zu teuer 너무 비싼 ▌teuer 비싼 (3 비교형: teuer - teur*er* - teuer*st*- ※비교급 teu*erer* 아님!) ↔ billig 값싼, preiswert 값이 저렴한

문장 1

☞ 정답: 1 200

※ zwölfhundert 1200 (= '100이 12개 있음')
↳ zwölf 12 / hundert 100

<참고>

(ein)tausendzweihundert 1200

⇒ (ein)tausend 1000 + zweihundert 200
↳ zwei 2 / hundert 100

5. Die Reparatur hat über fünfhundert Euro gekostet.

✺ **해석** 수리 비용이 500 유로 이상 들었다.

✸ 어휘 die Reparatur 수리, 수선 (die Reparatur*en*) ← reparieren [타동사] ...을 수리하다, 수선하다) (3 기본형: reparier*en* - reparier*te* - reparier*t*) ▌「hat ... gekostet」 (동사 kosten의 *현재완료* 시제) ▌*gekostet* (동사 kosten의 *pp형*) ⇒ kosten [자동사] (가격, 비용이) ...이다 : 「주어 + kosten + 금액」 *주어는* 가격(비용)이 ...이다 (3 기본형: kost*en* - kost*ete* - gekost*et*) ▌über [*3 · 4격* 전치사] (영. over) : 「über + 3격」 ~을 넘어서는, ~이상 (= mehr als) : über fünfhundert Euro '500 유로 이상' ▌der Euro (화폐 단위) 유로 (금액을 말할 때 복수 없음!)

<참고>

형태가 *-ur*인 명사는 *여성*이며, 복수형은 *-en*임:

die Literat*ur* 문학 (die Literatur*en*) / *die* Kult*ur* 문화 (die Kultur*en*)

die Fris*ur* 헤어스타일 (die Frisur*en*) / *die* Nat*ur* (보통 단수) 자연

☞ 정답: 500

※ fünfhundert 500
↳ fünf 5 / hundert 100

► *über* 500 Euro = *mehr als* 500 Euro '500 유로 이상'

6. Das macht sechzehn Euro dreißig.

✸ 해석 (그것은) 가격이 16 유로 30 센트입니다.

✸ 어휘 「주어 + machen + 금액」 *주어는* 가격이 ...이다 (3 기본형: mach*en* - mach*te* - *ge*mach*t*) ▌der Euro (화폐 단위) 유로 (금액을 말할 때 복수 없음!) <참고> der Dollar 달러

☞ 정답: 16 / 30

7. Einhundertfünfzigtausend Won sind zurzeit etwa einhundertzwanzig Euro.

✸ 해석 지금은 15만원이 대략 120 유로에 해당한다.

✸ 어휘 der Won (화폐 단위) 원 (금액을 말할 때 복수 없음!) ▌zurzeit [부사어] 현재, 지금은 (= im Moment, jetzt) ▌etwa 대략 = ungefähr, zirka (축약형: ca.) ▌der Euro (화폐 단위) 유로 (금액을 말할 때 복수 없음!)

<참고>

「zur Zeit + *2격*」 '...의 시점에, ...의 시대에' :

zur Zeit *der* Reformation 종교개혁의 시대에 / zur Zeit Goethe*s* 괴테의 시대에

☞ 정답: 150 000

※ (ein)hundertfünfzigtausend 15만 (= '1000이 150개 있음')
↳ *(ein)hundert*fünfzig 150 / tausend 1000
↳ (ein)hundert 100 + fünfzig 50

☞ 정답: 120

※ (ein)hundertzwanzig 120
⇒ (ein)hundert 100 + zwanzig 20

IV. 다음 숫자를 독일어로 적으시오. (21과, 기초문제: 교재 122쪽)

1. Auf der Autobahn darf man bis 110 Stundenkilometer (km/h) fahren.

✻ **해석** 고속도로에서는 시속 110 km까지 운행할 수 있다.

✻ **어휘** auf [*3 · 4격* 전치사] (*3격* 지배: *위치*) ~위에, ~위에서 : auf der Autobahn 고속도로*에서* ▌die Autobahn 고속도로 (die Autobahn*en*) ← das Auto 자동차 (die Auto*s*) + die Bahn 경로 (die Bahn*en*) (영. course) ▌「darf ... fahren」(화법조동사 dürfen의 *현재* 시제) ⇒ 「dürfen ... 동사 원형」 (허락, 승낙) ...해도 된다 (현재 시제: ich darf ; du darf*st* ; er darf ; wir dürf*en* ; ...) (3 기본형: dürfen - durfte - gedurft, dürfen) <주의> dürfen의*부정문*은 '금지'의 의미임: '...해서는 *안 된다*' ▌man [부정대명사] 사람들은, 우리는 (항상 *주어*이며, 단수 3인칭 *er*처럼 취급!) (영. people, one) ▌bis [*4격* 전치사] ~까지 ▌der Stundenkilometer (속도 단위) 시속 ... 킬로미터 (km/h) ← die Stunde 시간 (die Stunde*n*) + der Kilometer (거리 단위) 킬로미터 (km) (die Kilometer) <참고> der Meter 미터 (m) ; der Zentimeter 센티미터 (cm) ▌fahren [자동사] (차 타고) 가다 (현재 시제: du fähr*st* ; er fähr*t*) (3 기본형: fahren - fuhr - gefahren ; '*장소 이동* 자동사 → 완료형 「*sein* ... gefahren」)

☞ 정답: (ein)hundertzehn 110

⇒ (ein)hundert 100 + zehn 10

2. Wie groß ist deine neue Wohnung? - Sie ist 120 Quadratmeter (m^2) groß.

✻ **해석** 너의 새 아파트는 얼마나 크니? - 그것의 크기는 120m^2야.

✻ **어휘** wie groß [의문사] 얼마나 큰? (영. how large?) ← wie [의문사] 어떻게? + groß [형용사] 큰 ▌neu [형용사] 새, 새로운 (3 비교형: neu - neu*er* - neu*est*- ※최상급 neu*st* 아님!) ↔ alt 낡은, 옛 (3 비교형: alt - ält*er* - ält*est*- ※최상급 ält*st* 아님!) ▌die Wohnung 집, 아파트 (die Wohnung*en*) ▌der Quadratmeter 제곱미터 (m^2) ← das Quadrat 정사각형 (die Quadrat*e*) <참고> der Kubikmeter 세제곱미터 (m^3) ▌groß [형용사] 큰 (3 비교형: groß - größ*er* - größ*t*- ※최상급 größ*st* 아님!) ↔ klein 작은 (3 비교형: klein - klein*er* - klein*st*-)

문장 1

► 「dein*e* neu*e* Wohnung」:

- 명사 Wohnung은 *여성*이며, *주어*이므로 *여성 1격!!*
  따라서 소유대명사 dein-('너의')은 *여성 1격* 부정관사 ein*e*처럼 어미변화 하여 dein*e*임.
- 형용사 neu 앞에 *여성 1격*의 dein*e*가 있음.
  → 따라서 dein*e* neu*e* ...
  (근거: 여성 1, 4격 ein*e*, di*e*, mein*e*, dein*e*, ihr*e* ... kein*e*, dies*e* + 형용사 -*e*)

문장 2

☞ 정답: (ein)hundertzwanzig 120

⇒ (ein)hundert 100 + zwanzig 20

► 해석: Sie ist 120m^2 groß. "그것은 120m^2 *만큼* 크다" 즉, "그것의 크기는 120m^{2}이다."

<참고>

A ist 25 Jahre alt. 'A는 25년 *만큼* 늙었다', 즉 'A의 나이는 25세이다.'

A ist 100m hoch. 'A는 100m *만큼* 높다.' 즉 'A의 높이는 100m이다.'

V. 다음 숫자를 독일어로 적으시오. (21과, 기초문제: 교재 122쪽)

131 ⇒ 정답: (ein)hunderteinunddreißig

⇒ (ein)hundert 100 + ***ein***unddreißig 31

502 ⇒ 정답: fünfhundertzwei

⇒ fünfhundert 500 + zwei 2

1076 ⇒ 정답: (ein)tausendsechsundsiebzig

⇒ (ein)tausend 1000 + sechs*und*siebzig 76

264 391 538

⇒ 정답: zweihundertvierundsechzig *Millionen*
dreihunderteinundneunzig*tausend*fünfhundertachtunddreißig

✺ 어휘 die Million 백만 (die Million*en*) = '1000개의 tausend들'

<참고>

die Milliarde 10억 (die Milliarde*n*) = '1000개의 Million들'

die Billion 1조 (die Billion*en*) = '1000개의 Milliarde들'

☞ 개념적으로 : 264개의 Million들 ① + 391개의 tausend들 ② + 538 ③

① zweihundertvierundsechzig *Millionen* ※ Million은 명사이므로 *복수*형 Million*en*임!

↳ 264 = zweihundert 200 + vierundsechzig 64

② dreihunderteinundneunzig*tausend*

↳ 391 = dreihundert 300 + einundneunzig 91

③ fünfhundertachtunddreißig

↳ 538 = fünfhundert 500 + achtunddreißig 38

unit 02

심화문제

I. 숫자를 독일어로 읽으시오. (21과, 심화문제: 교재 124쪽)

1. Ich finde es nicht klug, dass du schon mit 18 heiraten willst.

✹ 해석 네가 18세에 벌써 결혼하려고 하는 것은 현명하지 못하다고 생각해.

✹ 어휘 finden [타동사] [1] 「finden + 4격 + 형용사」 *4격*이 ...하다고 여기다 ; [2] ...을 발견하다 (3 기본형: finden - fand - gefunden) ▌es [인칭대명사] es의 *4격* 형임. (3격 형은 *ihm*) ▌klug 영리한 (↔ dumm, doof 우둔한, 어리석은) ▌dass [종속접속사] ...라는 사실, ...라는 것 (뒤에 오는 부문장은 후치됨: ... , dass *du* ... willst) ▌mit [*3격* 전치사] [1] ~을 가지고 ; [2] ~와 함께 (영. with) : mit 18 (연령) '18세에' ▌heiraten [타동사/자동사] (...와) 결혼하다 (3 기본형: heirat*en* - heirat*ete* - *ge*heirate*t*) ▌「... heiraten willst 」 (화법조동사 wollen의 *현재* 시제, *후치*됨!) ⇒ 「wollen ... 동사 원형」 (의지) ...하려고 하다 (현재 시제: ich will ; du will*st* ; er will ; wir woll*en* ; ...) (3 기본형: wollen - wollte - gewollt, wollen)

► es는 뒤에 오는 dass-부문장의 내용을 받음.

☞ 정답: achtzehn

2. Sieh mal den hohen Turm da! - Wie hoch ist er denn? - Er ist genau 112 Meter hoch.

✹ 해석 저기 저 높은 탑을 한번 바라 봐! - 그것은 높이가 얼마나 되니? - 그것의 높이는 정확히 112 미터야.

✹ 어휘 「Sieh ...!」 (du-명령문) ⇒ sehen [타동사] ...을 보다, 만나다 (현재 시제: du sieh*st* ; er sieh*t*) (3 기본형: sehen - sah - gesehen) ▌mal [부사어] 명령문에서 정중한 요구를 위해 사용됨. (우리말 해석 필요 없음!) ▌hoh- [형용사] 높은 (뒤에 오는 명사를 *수식*하여 어미변화 할 때!) <주의> 동사 sein, werden 등의 *형용사 보어*, *부사어*일 때: *hoch* (3 비교형 *불규칙* 변화: hoh-, hoch - *höher* - *höchst-*) ▌der Turm 탑 (die Türm*e*) ▌da [부사어] 저기, 저기에 ▌wie hoch [의문사] 얼마나 높은? (영. how high?) → wie [의문사] 어떻게? + hoch [형용사] 높은 ▌denn [부사어] 의문문에서 질문을 자연스럽게 유도함. (우리말 해석 필요 없음!) ▌genau [형용사] 정확한, (부사적) 정확히 (3 비교형: genau - genau*er* - genau(e)*st-*) ▌der Meter 미터 (m) (die Meter) ▌hoch [형용사] 높은 ↔ niedrig 낮은 (3 비교형: niedrig - niedrig*er* - niedrig*st-*)

문장 3

☞ 정답: (ein)hundertzwölf

⇒ (ein)hundert 100 + zwölf 12

► Er ist ... 112 Meter hoch. "그것은 112m *만큼* 높다." 즉, "그것의 높이는 112m이다."

3. Wie viele Kilometer sind es von Seoul nach Gwangju? - Etwa 320 Kilometer.

✺ 해석 서울에서 광주까지 거리가 몇 킬로미터 되니? - 대략 320 킬로미터야.

✺ 어휘 「wie viele + *복수*명사」 얼마나 많은 ...? (영. how many?) ← wie [의문사] 어떻게? (영. how?) + viele 많은 (영. many) <참고> 「wie viel + 셀 수 없는 명사(*물질*, *추상*명사)」 얼마나 많은 ...? (영. how much?) (3 비교형 *불규칙* 변화: viel(e) - *mehr* - *meist-*) ▌der Kilometer 킬로미터 (km) (die Kilometer) ▌es [비인칭 대명사] 거리, 시간 등을 표현할 때 사용되는 비인칭 주어! ▌von [*3격* 전치사] ~로부터 ▌nach [*3격* 전치사] ~을 향해 ▌etwa [부사어] 대략 <주의> etwas [부정대명사] 뭔가

문장 2

☞ 정답: dreihundertzwanzig

⇒ dreihundert 300 + zwanzig 20

4. Wie hoch ist der Hallasan-Berg? - 1.950 Meter.

✺ 해석 한라산은 얼마나 높니? - 1950 미터야.

✺ 어휘 wie hoch [의문사] 얼마나 높은? (영. How high?) → wie [의문사] 어떻게? + hoch [형용사] 높은 <주의> 뒤에 오는 명사를 *수식*하여 어미변화 할 때: *hoh-* (3 비교형 *불규칙* 변화: hoch (hoh-) - *höher* - *höchst-*) ▌der Berg 산 (die Berg*e*) ▌der Meter 미터 (m) (die Meter)

문장 2

☞ 정답: (ein)tausendneunhundertfünfzig

⇒ (ein)tausend 1000 + neunhundert 900 + fünfzig 50

<주의>

독일어에서 숫자에 사용되는 *점*(.)은 소수점이 아니라 *천 단위* 표시임.
(한국어에서는 *콤마*가 천 단위 표시!)
예를 들면: (독일어) 1.950 = (한국어) 1,950

5. Wie hoch fliegt das Flugzeug? - Es fliegt 12,500 Meter hoch.

✺ 해석 그 비행기는 얼마나 높이 비행하니? - 12,500 미터 높이로 비행해.

✺ 어휘 wie hoch [의문사] 얼마나 높은? (영. How high?) ▌wie [의문사] 어떻게? ▌hoch [형용사] 높은, (부사적) 높이 <주의> 뒤에 오는 명사를 *수식*하여 어미변화 할 때: *hoh-* (3 비교형 *불규칙* 변화: hoch (hoh-) - *höher* - *höchst-*) ▌fliegen [자동사] 날아가다 (3 기본형: fliegen - flog - geflogen ; '*장소 이동* 자동사 → 완료형 「*sein* ... geflogen」) ▌das Flugzeug 비행기 (die

Flugzeug*e*) ← der Flug (주로 단수) 비행 + -zeug '...하는 물건, 기계' <참고> das Fahrzeug 운송기관, 차량 (die Fahrzeug*e*) ▌der Meter 미터 (m) (die Meter)

문장 2

☞ 정답: zwölftausendfünfhundert

⇒ zwölftausend 12 000 + fünfhundert 500

6. Sie möchten zum Chef? Da müssen Sie rauf in den 13. Stock!

✹ **해석** 당신은 사장님께 가시기를 원하십니까? 그렇다면 14층으로 올라가셔야 합니다.

✹ **어휘** 「möchten ...」 (화법조동사 möchten의 *현재* 시제: 문장 맨 뒤 *동사 원형 생략!*) ⇒ 「möchten ... 동사 원형」 (소망, 바램) ...하고 싶다 (현재 시제: ich möchte ; du möchte*st* ; er möchte ; wir möchte*n* ; ...) ▌「*zu* + 사람(3격)」 (*방향*) 누구에게로 → 「zum + 남성, 중성 3격」: zum Chef 사장님*에게로* ▌da [부사어] (앞 문장 내용을 받아) 그와 관련하여 ▌「... müssen ...」 (화법조동사 müssen의 *현재* 시제: 문장 맨 뒤 *동사 원형 생략!*) ⇒ 「müssen ... 동사 원형」 ...해야 한다 (현재 시제: ich muss ; du muss*t* ; er muss ; wir müss*en* ; ...) (3 기본형: müssen - musste - gemusst, müssen) ▌rauf [부사어] '방향'의 부사어인 herauf('여기 위로') 혹은 hinauf('저기 위로')를 대신하는 구어체 표현. ▌in [*3 · 4격* 전치사] (*4격* 지배: *방향*) ~안으로, ~로 : in den 13. Stock 14층으로 ▌dreizehn*t*- [서수] 제 13의, 열셋째 <주의> 서수는 형용사 어미변화 함! ← dreizehn 13 ▌der Stock (건물의) 층 (die Stock) = die Etage [-ʒə] (die Etage*n*)

<참고>

'*방향*'의 부사어:

① her [부사어] 여기로 (*화자 쪽* 방향)

her*unter* 여기 아래로 / her*aus* 여기 밖으로 / her*ein* 여기 안으로 / her*über* 여기 건너편으로

② hin [부사어] 저기로, 그리로 (*화자의 반대쪽* 방향)

hin*unter* 저기 아래로 / hin*aus* 저기 밖으로 / hin*ein* 저기 안으로 / hin*über* 저기 건너편으로

문장 1

► 「Sie möchten *zum Chef* (gehen)?」:

'방향'을 나타내는 표현 "zum Chef('사장님***에게로***')"가 있는 점을 고려할 때 '장소 이동' 동사 *gehen* 등이 생략된 것으로 볼 수 있음.

문장 2

► 「Da müssen Sie *rauf in den 13. Stock* (gehen)?」:

'방향'을 나타내는 표현 "rauf in den 13. Stock('위 14층***으로***')"가 있는 점을 고려할 때 '장소 이동' 동사 *gehen* 등이 생략된 것으로 볼 수 있음.

☞ 정답: dreizehn*ten*

► 「in d*en* dreizehnt*en* Stock」:

• 명사 Stock은 *남성*이며, 전치사 in의 *4격* 목적어이므로 *남성 4격!!*

따라서 *남성 4격* 정관사 d*en*이 앞에 옴.

- 수사 dreizehn*t*- 앞에 *남성 4격* d*en*이 있음.
  → 따라서 in d*en* dreizehn*ten* ...
  (근거: 남성 4격 d*en*, ein*en*, mein*en*, dein*en* ... kein*en*, dies*en* + 형용사 *-en*)

II. 다음 밑줄 친 부분을 독일어로 읽으시오. (21과, 심화문제: 교재 124쪽)

1. Ich feiere am Samstag meinen Geburtstag. Hast du Lust zu kommen? - Gerne. Wann fängt die Party an? - Um halb 7.

✻ **해석** 나는 토요일에 내 생일 파티를 열어. 너 올 의향이 있니? - 물론이지. 언제 파티가 시작되니? - 6시 30분이야.

✻ **어휘** feiern [타동사] ...을 축하하는 파티를 열다 (3 기본형: feier*n* - feier*te* - *ge*feier*t*) ← die Feier 파티, 축제 (die Feier*n*) ▌「am + 요일」 : am Samstag 토요일에 ▌der Samstag 토요일 (die Samstag*e*) = der Sonnabend 토요일 (die Sonnabend*e*) ▌der Geburtstag 생일 (die Geburtstag*e*) ← die Geburt 출생 (die Geburt*en*) + der Tag 날, 일 (die Tag*e*) ▌haben [타동사] ...을 가지고 있다 (3 기본형: haben - hatte - gehabt) ▌die Lust 흥미, 의사 (복수 없음!) : 「주어 + haben Lust , ... zu 동사 원형」 *주어는* ...할 의향이 있다 <참고> 「Lust auf + 4격」 '...에 대한 흥미' ▌「zu kommen」 (동사 kommen의 zu-부정사) ⇒ kommen [자동사] 오다 (3 기본형: kommen - kam - gekommen ; '*장소 이동*' 자동사 → 완료형 「*sein* ... gekommen」) ▌gern(e) [부사어] 기꺼이, 즐겨 (3 비교형 *불규칙* 변화: gern(e) - *lieber* - *liebst-*) ▌wann [의문사] 언제? ▌「fängt ... an」(분리동사 *an*fangen의 *현재* 시제: 주어가 *er, sie, es*일 때) ⇒ *an*fangen [분리동사&자동사] 시작하다 (현재 시제: du f**ä**ng*st* ... *an* ; er f**ä**ng*t* ... *an*) (3 기본형: *an*fangen - *an*fing - *an*gefangen) ⇐ fangen [타동사] ...을 붙잡다 (영. catch) (현재 시제: du f**ä**ng*st* ; er f**ä**ng*t*) (3 기본형: fangen - fing - gefangen) ▌die Party 파티 (die Party*s*) ▌「um ... (Uhr)」 (시간 표현) '...시에' ▌halb [형용사] 반의, 1/2의 ▌sieben 7

문장 2

► Hast du Lust *zu* kommen ? :
zu-부정사 형식 「, ... *zu* 동사 원형」에서
콤마와 zu 사이에 올 요소가 없을 경우 ***콤마 없음!***

문장 3

☞ 정답: um halb *sieben*

<참고>

시간 표현:

① 두 요소가 *전치사 없이* 연결 : halb sieben '7시를 *향해* 반 갔음!', 즉 '6시 반'

② 두 요소가 전치사 *vor*에 의해 연결 : zehn *vor* sieben '7시 *이전* 10분', 즉 '6시 50분'
③ 두 요소가 전치사 *nach*에 의해 연결 : fünf *nach* sieben '7시 *이후* 5분', 즉 '7시 5분'

2. Können Sie heute um Viertel vor 11 mit der Übersetzung fertig sein?

✻ **해석** 오늘 10시 45분에 그 번역을 끝내실 수 있나요?

✻ **어휘** 「Können ... sein?」(화법조동사 können의 *현재* 시제) ⇒ 「können ... 동사 원형」...할 수 있다 (현재 시제: ich kann ; du kann*st* ; er kann ; wir könn*en* ; ...) (3 기본형: können - konnte - gekonnt, können) ▌「um ... (Uhr)」'...시에' : um Viertel vor elf '11시 15분 전에' ▌das Viertel 1/4, 15분 (die Viertel) (영. quarter) ▌「vor + 시간(3격)」~전에 ▌elf 11 ▌mit [*3격* 전치사] ~와 함께, ~을 가지고 ▌die Übersetzung 번역 (die Übersetzung*en*) ← übersetzen [타동사] ...을 번역하다 (3 기본형: *über*setz*en* - *über*setz*te* - *über*setz*t*) ▌fertig [형용사] (동사 sein, werden 등의 *형용사 보어*로서) 완료한, 준비된 : 「주어 + 동사 sein + mit + 3격 + fertig」*주어는* ...을 완료하다, 끝내다 <주의> 형용사 fertig는 뒤에 오는 명사를 수식하는 용법 없음!

<참고>

분수 : 「분자(*기수*) + 분모(*서수* + *-el*) 」

분자 *ein* + 분모 (*dritt-* + *-el*) ⇒ ein dritt*el* 1/3
분자 *zwei* + 분모 (viert- + *-el*) ⇒ zwei viert*el* 2/4
분자 *drei* + 분모 (fünft- + *-el*) ⇒ drei fünft*el* 2/5
halb '1/2, 반' (독립적인 형용사!)

☞ 정답: um Viertel vor *elf*

3. Passt es dir, wenn ich gegen 18 Uhr zu dir ins Büro komme?

✻ **해석** 내가 18시 경에 너에게 사무실로 들러도 괜찮겠니?

✻ **어휘** passen [자동사] : 「주어 + passen + 3격(사람)」 *주어는 누구*에게 맞다 → 「Passt es dir, wenn ...?」(구어체) "만약 ...할 경우, 그것이 너에게 맞겠니?", 즉 "...하더라도 네게 괜찮겠니?" = 「Ist es dir recht, wenn ...?」 (3 기본형: pass*en* - pass*te* - *ge*pass*t*) ▌es [비인칭대명사] 뒤에 오는 wenn-부문장을 받는 비인칭주어(= "가주어")임! ▌dir [인칭대명사] du의 *3격* 형임. (4격 형은 *dich*) ▌wenn [종속접속사] 만약 ...할 경우 (뒤에 오는 부문장은 *후치*됨: ... , wenn *ich* ... komme?) ▌「gegen ... Uhr」 (대략의 시각) '...시 경에' ↔ 「um ... Uhr」 (정확한 시각) '...시에' ▌achtzehn 18 ▌「zu + 사람(3격)」 (방향) *누구*에게로 : zu dir 너*에게(로)* ▌「ins + 중성 4격」 (방향) ~안으로, ~로 : ins Büro 사무실로 ▌das Büro 사무실 (die Büro*s*) ▌kommen [자동사] 오다 (3 기본형: kommen - kam - gekommen ; '*장소 이동* 자동사 → 완료형 「*sein* ... gekommen」)

☞ 정답: gegen *achtzehn* Uhr

4. Entschuldigen Sie, ich brauche eine Information. Wann fährt der nächste Zug nach Dresden ab? - Er fährt um 16.17 Uhr ab.

✹ **해석** 실례하지만, 문의 사항이 하나 있어요. 드레스덴으로 가는 다음 기차가 언제 출발합니까? - 16시 17분에 출발합니다.

✹ **어휘** 「Entschuldigen Sie, ...」, 「Entschuldigung, ...」 "실례지만, ..." (정중하게 말을 거는 표현임!) <참고> entschuldigen [타동사] ...을 용서하다 (3 기본형: *ent*schuldig*en* - *ent*schuldig*te* - *ent*schuldig*t*) → die Entschuldigung 용서 (die Entschuldigung*en*) ▌brauchen [타동사] ...을 필요로 하다 (3 기본형: brauch*en* - brauch*te* - *ge*brauch*t*) ▌die Information 정보 (die Information*en*) <참고> 「informieren + 4격(사람) + über + 4격」 누구에게 ...에 관해 정보를 주다 ; 「informieren + sich⁴ + über + 4격」 ...에 관해 정보를 얻다 ▌wann [의문사] 언제? ▌「fährt ... ab」 (분리동사 *ab*fahren의 *현재* 시제: 주어가 *er, sie, es*일 때) ⇒ *ab*fahren [분리동사&자동사] (차 타고) 출발하다, 떠나다 (현재 시제: du fährs*t* ... *ab* ; er fähr*t* ... *ab*) (3 기본형: *ab*fahren - *ab*fuhr - *ab*gefahren ; '*장소 이동* 자동사 → 완료형 「*sein* ... abgefahren」) ▌nächst- [형용사] 다음의 (원래는 형용사 nah(e)의 *최상급* 형태!) <참고> nah(e) [형용사] 가까운 (3 비교형 *불규칙* 변화: nah(e) - *näher* - *nächst-*) ▌der Zug 기차 (die Z*ü*g*e*) ▌「nach + 도시」 (방향) ~로 : nach Dresden 드레스덴으로 ▌Dresden [고유명사] 드레스덴 (독일의 도시!) ▌「um ... Uhr」 (정확히) '...시에' ▌sechzehn 16 ▌siebzehn 17

☞ 정답: um *sechzehn Uhr siebzehn*

5. Er bleibt bis zum 30. 6.

✹ **해석** 그는 6월 30일까지 머무른다.

✹ **어휘** bleiben [자동사] 머무르다 (영. remain, stay) (3 기본형: bleiben - blieb - geblieben ; 완료형 「*sein* ... geblieben」) ▌「bis zum + 서수 *-en*」 (날짜) '...일까지' ← bis [*4격* 전치사] ~까지 ▌dreißig*st-* [서수] 제 30의, 30번째 ← dreißig 30 ▌sechs*t-* [서수] 제 6의, 여섯째 ← sechs 6

☞ 정답: zum dreißig*sten* sech*sten* 혹은 zum dreißig*sten* Juni

<주의>
월 표시를 서수로 표현할 때 *정관사 생략*함! 즉, zum dreißigs*ten* den sech*ten* 틀림!

6. Danke für Ihren Brief vom 3. 9. !

✹ **해석** 귀하의 9월 3일자 서신에 감사드립니다.

✹ **어휘** 「Danke für + 4격 !」 (구어체) "...에 대해 감사해요!" ← für [*4격* 전치사] ~을 위해 ▌der Brief 편지 (die Brief*e*) ▌「A vom + 서수 *-en*」 (날짜) '...일자의 A' ← von [*3격* 전치사] ~의 (영. of) ▌*dritt-* [서수] 셋째의, 제 3의 ← drei 3 ▌neun*t-* [서수] 제 9의, 아홉째 ← neun 9

☞ 정답: vom *dritten* neun*ten* 혹은 vom *dritten* September

7. Wann haben Sie Geburtstag? - Am 13. 8.

✷ **해석** 당신은 생일이 언제입니까? - 8월 13일입니다.

✷ **어휘** wann [의문사] 언제? (영. when?) ▌「주어 + haben Geburtstag」 *주어는* 생일이 ...이다 ← der Geburtstag 생일 (die Geburtstag*e*) ▌「am + 서수 *-en*」 (날짜) '...일에' ▌ dreizehn*t-* [서수] 열셋째의, 제 13의 ← dreizehn 13 ▌ ach*t-* [서수] 제 8의, 여덟째 ← acht 8

문장 2

☞ 정답: Am dreizehn*ten* ach*ten* 혹은 Am dreizehn*ten* August

▸ 이 문장 "Am 13. 8."는 축약형임!
본래는: "Am 13. 8. (*habe ich Geburtstag.*)" 혹은 "(*Ich habe*) am 13. 8. (*Geburtstag.*)"

8. Ich mache das Examen am 1. 11. im nächsten Jahr.

✷ **해석** 나는 내년 11월 1일에 졸업시험을 치른다.

✷ **어휘** machen [타동사] ...을 행하다 (3 기본형: mach*en* - mach*te* - *ge*mach*t*) ▌ das Examen 졸업 시험 (die Examen) : das Examen machen 졸업 시험을 치르다 ▌「am + 서수 *-en*」 (날짜) '...일에' ▌ *erst-* [서수] 첫째의, 제 1의 ← eins 1 ▌ elf*t-* [서수] 열한 번째, 제 11의 ← elf 11 ▌「im + 남성 · 중성 3격」 (*시간적* 의미) ~에 : im nächsten Jahr 내년*에* ▌ nächst- [형용사] 다음의 (뒤에 오는 명사를 수식하여 어미변화 하는 용법뿐임!) ▌ das Jahr 해, 년 (die Jahr*e*)

<참고>

① 「im + *달*」
im nächsten Monat 다음 달에 (← *der* Monat) / im Juli 7월에 (← *der* Juli)

② 「im + *계절*」
im Frühling 봄에
(*der* Frühling 봄, *der* Sommer 여름, *der* Herbst 가을, *der* Winter 겨울)

③ 「im + *해*, *세기*」
im letzten Jahr 작년에 (← *das* Jahr)
im 21. (einundzwanzig*sten*) Jahrhundert 21세기에 (← *das* Jahrhundert)

☞ 정답: am *ersten* elf*ten* 혹은 am *ersten* November

9. Dieser Wein hat 12,5% Alkoholgehalt.

✷ **해석** 이 포도주는 알코올 함유량이 12.5 퍼센트입니다.

✻ 어휘 dies- [지시대명사] '이 ...' (dies-는 *정관사 d-* 어미변화!) ▌der Wein [물질명사] 포도주 (die Wein*e*) ▌hat (동사 haben의 *현재* 시제) ⇒ haben [타동사] ...을 가지고 있다 (3 기본형: haben - hatte - gehabt) ▌zwölf 12 ▌das Komma 콤마 (die Komma*ta*) (독일어 숫자 표현에서 콤마는 *소수점*을 표시함!) ▌fünf 5 ▌das Prozent 퍼센트 (die Prozent) ▌der Alkoholgehalt 알콜 함유량 → das Alkohol [물질명사] 알코올, 술 (die Alkohol*e*) + der Gehalt (주로 단수) 몫, 함유량

☞ 정답: zwölf *Komma* fünf *Prozent*

10. Nehmen Sie 1/4 Liter Milch!

✻ 해석 1/4 리터의 우유를 드세요.

✻ 어휘 「Nehmen Sie ...!」 (Sie-명령문) ⇒ nehmen [타동사] ...을 먹다, 섭취하다 (영. take) (현재 시제: du nimm*st* ; er nimm*t*) (3 기본형: nehmen - nahm - genommen) ▌das Viertel 1/4 (die Viertel) (분수 "ein viertel"이 *독립적인 명사*로 굳어짐!) ▌der Liter (단위) 리터 (die Liter) ▌die Milch [물질명사] 우유 (복수 없음!)

☞ 정답: *ein viertel* Liter / *ein Viertel* Liter

11. Goethe hat von 1749 bis 1832 gelebt.

✻ 해석 괴테는 1749년부터 1832년까지 살았다.

✻ 어휘 Goethe → Johann Wolfgang von *Goethe* [고유명사] 독일의 문학가 ▌「hat ... gelebt」 (동사 leben의 *현재완료* 시제) ▌*gelebt* (동사 leben의 *pp형*) ⇒ leben [자동사] 살다, 생존하다 (3 기본형: leb*en* - leb*te* - *ge*leb*t*) ▌von [*3격* 전치사] ~부터 ▌bis [*4격* 전치사] ~까지

☞ 정답: von siebzehn*hundert*neunundvierzig bis achtzehn*hundert*zweiunddreißig

<참고>

① 연도는 *100 단위로* 끊어 읽음:
1749년: "17 hundert 49", 즉 "siebzehn*hundert*neunundvierzig"
1832년: "18 hundert 32", 즉 "achtzehn*hundert*zweiunddreißig"

② 2000년 이후 연도는 *숫자 그대로* 읽음:
2001년: zweitausendeins
2010년: zweitausendzehn

12. Wann ist denn Inge geboren? - Sie ist am 20. 2. 1987 geboren.

✻ 해석 잉에는 언제 태어났니? - 그녀는 1987년 2월 20일에 태어났어.

✻ 어휘 wann [의문사] 언제? ▌denn [부사어] 의문문을 자연스럽게 유도함. (우리말 해석 필요 없음!) (영. then, now) ▌geboren [형용사] 태어난, 출생한 → 「주어 + 동사 sein ... geboren」 *주어는* ... 출생했다 <참고> geboren은 gebären의 *과거분사*(= pp형)임: gebären [타동사] ...을 낳다, 출산하다 (3 기본형: gebären - gebar - geboren) ▌「am + 서수 *-en* 」 (날짜) '...일에'

☞ 정답: am zwanzig*sten* *zweiten* neunzehn*hundert*siebenundachtzig 혹은
am zwanzig*sten* Februar neunzehn*hundert*siebenundachtzig

III. 다음 시간을 독일어로 표현하시오. (21과, 심화문제: 교재 124쪽)

1. 3시 15분 : drei Uhr fünfzehn / Viertel nach drei
2. 4시 30분 : vier Uhr dreißig / halb fünf
3. 7시 45분 : sieben Uhr fünfundvierzig / Viertel vor acht
4. 17시 20분 : siebzehn Uhr zwanzig
5. 20시 55분 : zwanzig Uhr fünfundfünfzig
6. 22시 10분 : zweiundzwanzig Uhr zehn

마무리 문제

I. 괄호 안의 낱말을 사용하여 독일어로 옮기시오. (숫자는 독일어로 표현!)

(21과, 마무리문제: 교재 125쪽)

1. 그 비행기는 8시 20분에 출발한다.

(die Maschine, gehen)

✷ 어휘 die Maschine (die Maschine*n*) [1] 기계, 기구 ; [2] 비행기 ▌gehen [자동사] (기차, 버스, 비행기 등이 운행 시간표에 따라) 운행하다, 가다 (3 기본형: gehen - ging - gegangen ; '*장소 이동* 자동사 → 완료형「*sein* ... gegangen」)

정답 ① Die Maschine geht um zwanzig nach acht.

② Die Maschine geht um acht Uhr zwanzig.

► "8시 20분에":

um *zwanzig nach acht* 혹은 um *acht Uhr zwanzig*

<참고>

8 acht / 20 zwanzig

► 일상 언어적 표현일 경우 전치사 um을 생략할 수 있음!

즉: Die Maschine geht *zwanzig nach acht*.

2. 한국은 1945년에 일본으로부터 해방되었다.

(Korea, frei, Japan, wieder, von, werden)

✷ 어휘 Korea [고유명사] 한국 (관사 없음!) → koreanisch [형용사] 한국의, 한국어의 ▌frei [형용사] 자유로운, 해방된 (3 비교형: frei - frei*er* - frei(e)*st*-) ▌Japan [고유명사] 일본 → japanisch [형용사] 일본의, 일본어의 ▌wieder [부사어] 다시 ▌von [*3격* 전치사] ~으로부터 (영. from) ▌werden [자동사] (동사 sein처럼 *형용사* 및 *명사 보어*와 함께) '...되다' (영. become) (현재 시제: du wirst ; er wird) (3 기본형: werden - wurde - geworden ; '*상태 변화* 자동사 → 완료형「*sein* ... geworden」)

정답 ① Korea wurde *im Jahr neunzehnhundertfünfundvierzig* wieder frei von Japan.

② Korea wurde *neunzehnhundertfünfundvierzig* wieder frei von Japan.

► "한국은 ...로부터 *해방되었다*" = "한국은 ...로부터 *자유롭게 되었다*"

따라서: Korea wurde ... frei von ...

동사 werden의 ***과거*** 시제임: 주어가 Korea, 즉 es이므로 **과거형** ***wurde***는 어미 없이 그대로 ***wurde_***임.

↳ 동사 wurde의 형용사 보어임.

► "1945년에"

im Jahr neunzehn*hundert*fünfundvierzig 혹은

(*연도*만 언급하여) neunzehn*hundert*fünfundvierzig

<참고>

19 neun*zehn* / 100 hundert / 45 fünf*und*vierzig

<주의>

영어 표현 방식에 따른 "in 1945", 즉 "*in* neunzehn*hundert*fünfundvierzig"는 틀림!

3. 나는 5층에 산다.

(ich, Stock, in, wohnen)

✺ **어휘** der Stock (건물의) 층 (die Stock) ▌ in [*3·4격* 전치사] [1] (*3격* 지배: *위치*) ~안에서, ~에서 ; [2] (*4격* 지배: *방향*) ~안으로, ~로 ▌ wohnen 살다, 거주하다 (3 기본형: wohn*en* - wohn*te* - *ge*wohn*t*)

정답 Ich wohne im vierten Stock.

► "5 층에" → "(1층을 제외한) *4번 째* 층에"

따라서: im vier*ten* Stock

서수는 ***형용사 어미변화*** 함!

따라서 vier*t* ('넷째의') 앞에 ***im***(= in dem)이 오므로 어미 ***-en***이 붙어 vier*ten*임.

<참고>

*서수*의 형태 : 기수 *-t* < 20 ≦ 기수 *-st*

즉: *erst* , zwei*t* , *dritt* ... achzehn*t* , neunzehn*t* , zwanzig*st* , einundzwanzig*st* ...
1. 2. 3. 18. 19. 20. 21.

4. 물가가 지난해 3.5% 인상되었다.

(die Preise, letztes Jahr, Prozent, um, steigen)

✺ **어휘** die Preis*e* (*복수형*임!) 물가 ← 단수형은 der Preis 가격 ▌ letzt- [형용사] 지난, 마지막의 (명사 앞에 오는 *수식어*로만 사용됨!) (영. last) ▌ das Jahr 해, 년 (die Jahr*e*) : letztes Jahr 지난 해에, 작년에 (*4격*의 시간 부사어!) ▌ das Prozent 퍼센트 (die Prozent) ▌ steigen [자동사] 오르다, 올라가다 (3 기본형: steigen - stieg - gestiegen ; '*장소 이동* 자동사 → 완료형「*sein* ... gestiegen」) →「주어 + steigen um + 수치」*주어*가 ...만큼 오르다 ▌ um [*4격* 전치사] ~주위에, ~를 돌아 (영. around)

정답 Die Preise stiegen letztes Jahr um drei Komma fünf Prozent.

► "물가가 ... *인상되었다*" = "물가가 *올라갔다*"

따라서: Die Preise <u>stiegen</u> ...

동사 steigen의 ***과거*** 시제임:
주어가 Die Preis*e*, 즉 복수의 sie이므로 **과거형** **stieg**에 어미 *-en*이 붙어 **stieg***en*임.

► "물가가 ... *3.5%* 인상되었다" → "물가가 *3.5% 만큼* 올라갔다"

따라서: ... <u>um</u> *drei Komma fünf* Prozent.
'...만큼'

<참고>

3 drei / 5 fünf / 3.5 "drei <u>*Komma*</u> fünf"
독일어에서 소수점은 콤마(",")로 표현함!
das Komma 콤마, 쉼표 (die Komma***ta***)

► letztes Jahr = im letzten Jahr '작년에, 지난 해에'

기타 정답

Die Preise <u>*sind*</u> letztes Jahr um drei Komma fünf Prozent <u>*gestiegen*</u>.

► *과거* 시제 대신 *현재완료* 시제도 가능함:
동사 steigen은 '장소 이동' 자동사이므로 현재완료 형식은 「<u>sein</u> ... pp」,
즉, 「*Die Preise* <u>sind</u> ... *gestiegen*」임.

5. 한국에는 약 4천 8백 20만 명의 인구가 살고 있다.

(Korea, etwa, der Mensch, leben)

✻ 어휘 etwa [부사어] 약, 대략 = ungefähr, zirka (축약형 ca.) ▌der Mensch 사람, 인간 (die Mensch*en*) <주의> 주어를 제외한 *단수 2, 3, 4격*이 복수형처럼 Mensch*en*인 *약변화* 명사! → die Menschheit (주로 단수) 인류 ▌leben [자동사] 살다 (3 기본형: leb*en* - leb*te* - *ge*leb*t*)

정답 <u>In Korea leben etwa achtundvierzig Millionen zweihunderttausend Menschen.</u>

► "4천 8백 20만" = 48,200,000
→ '48개의 백만 + 200개의 천'

따라서: <u>acht*und*vierzig Million*en*</u> <u>zweihundert*tausend*</u>
'48개의 Million('백만')들' '200개의 tausend('천')'

<참고>

48 achtundvierzig / 200 zwei*hundert* ← zwei 2 ; hundert 100
die Million 백만 (die Million*en*) / tausend [수사] 천, 1000

6. 그 시험은 11월 10일 전국적으로 실시된다.

(die Prüfung, landesweit, stattfinden)

✻ 어휘 die Prüfung 시험 (die Prüfung*en*) ← prüfen [타동사] ...을 시험하다 (3 기본형: prüf*en* - prüf*te* - *ge*prüf*t*) ▌landesweit [형용사] 전국적인, 국가적인, (부사적) 전국적으로, 국가적으로 → das Land 국가, 나라 (die Länd*er*) + 형용사화 어미 *-weit* ▌*statt*finden [분리동사&자동사] 개최되다, 열리다 (3 기본형: *statt*finden - *statt*fand - *statt*gefunden) ⇐ finden [타동사] ...을 발견하다 (3 기본형: finden - fand - gefunden)

<참고>
bundes*weit* 연방 범위의 / europa*weit* 전 유럽 범위의 / welt*weit* 전 세계적인

정답 ① Die Prüfung findet landesweit am zehnten elften statt.

② Die Prüfung findet landesweit am zehnten November statt.

► "11월 10일(에)"

am zehn*ten* elf*ten* 혹은 *am* zehn*ten* November

<참고>
「am + 서수 *-en*」 (날짜) '...일에'
zehn*t*- [서수] 열 번째의 ← zehn 10 / elf*t*- [서수] 열한 번째의 ← elf 11

II. 잘못된 부분(들)을 고쳐서 다시 적으시오. (숫자는 독일어로 표현!)

(21과, 마무리문제: 교재 125쪽)

1. Wie spät ist es? - Es ist um eins Uhr[오류].

✺ **해석** 몇 시입니까? - 1시입니다.

✺ **어휘** wie spät [의문사] '얼마나 늦은?' '몇 시?' → wie [의문사] 어떻게? + spät [형용사] 늦은 (3 비교형: spät - spät*er* - spät*est*- ※spä*t*는 *-t*로 끝나므로 발음상 최상급 어미는 *-st*가 아니라 *-est*임. 즉, spät*st* 아님!) ▌es [비인칭대명사] '시각'을 표현하는 문장은 항상 *비인칭 주어 es*가 주어로 옴. ▌「um ... Uhr」 '...시에' <참고> die Uhr 시계 (die Uhr*en*) ▌eins 1, 하나

<오류>
「um ... Uhr」는 '...시*에*'라는 의미로서 문법적으로 *부사어*에 해당하므로 옳지 않음.
여기서는 시간 표현이 동사 ist의 *주격 보어*가 되므로 단순히 *eins* 혹은 *ein Uhr*이어야 옳음!

정답 Wie spät ist es? - Es ist *eins*. / Es ist ein *Uhr*.

문장 1

► *Wie spät* ist es? = *Wie viel Uhr* ist es? '몇 시입니까?'

문장 2

► Es ist *ein* Uhr.

"ein*e* Uhr"는 '한 개의 시계'라는 의미로서 틀림!

2. Deutschland wurde Ende des 20[오류1] Jahrhunderten[오류2] wiedervereinigt.

✷ **해석** 독일은 20세기 말에 다시 통일 되었어요.

✷ **어휘** Deutschland [고유명사] 독일 (고유명사 관사 없음!) ▌wurde (동사 werden의 *과거* 시제: 주어가 *ich* 혹은 *er, sie, es*일 때) ⇒ werden [자동사] (동사 sein처럼 *형용사* 및 *명사 보어*와 함께) '...되다' (영. become) (현재 시제: du wirst ; er wird) (3 기본형: werden - wurde - geworden ; '*상태 변화* 자동사 → 완료형「*sein* ... geworden」) ▌das Ende (주로 단수) 끝 (die Ende*n*) ↔ der Anfang = der Beginn 시작 <참고> enden [자동사] 끝나다 (3 기본형: end*en* - end*ete* - *ge*end*et*) ; beenden [타동사] ...을 끝내다 (3 기본형: *be*end*en* - *be*end*ete* - *be*end*et*) ▌zwanzig*st-* [서수] 제 20의, 스무 번째 ← zwanzig 20 ▌das Jahrhundert 세기, 100년 (die Jahrhundert*e*) ▌wiedervereinigt [과거분사, 즉 '*수동*의 형용사] 재통일된 → wieder [부사어] 다시 + vereinigt [동사 vereinigen의 과거분사, 즉 '*수동*의 형용사] 하나 된, 합쳐진 ← vereinigen [타동사] ...을 합치다, 통합하다 (3 기본형: *ver*einig*en* - *ver*einig*te* - *ver*einig*t*)

<참고>

① 「Ende + 시간 표현(주로 *2격*)」 = 「am Ende + 시간 표현(*2격*)」'...의 말엽에'
Ende nächster Woche 다음 주 말에 / Ende des Monats 이 달 말에 / Ende Januar 1월 말에

② 「Anfang + 시간 표현(주로 *2격*)」 = 「am Anfang + 시간 표현(*2격*)」'...의 초엽에'
Anfang nächster Woche 다음 주 초에 / Anfang Juli 7월 초에

<오류> 1

독일어에서는 *서수*를 표현할 때 아라비아 숫자 뒤에 *마침표*(".")를 사용함.
여기서도 20은 *서수*이어야 하므로 *마침표*와 함께 "20."이어야 옳음!

<오류> 2

명사 Jahrhundert('세기')가 *복수형*으로 온 것은 오류임.
*단수형*이어야 옳음!

정답 Deutschland wurde Ende des *20. Jahrhunderts* wiedervereinigt.

► 「Ende d*es* zwanzigst*en* Jahrhundert*s*」:

- 명사 Jahrhundert는 *중성*이며, 앞에 나온 명사 Ende를 수식하는 *2격* 형이므로 *중성 2격!!*
  따라서 *중성 2격* 정관사 d*es* 가 앞에 옴.
  2격 어미: 남성, 중성 *-es* ; 여성, 복수 *-er*
- 서수 zwanzig*st* 앞에 *남성 2격*의 d*es*가 있음.
  → 따라서 d*es* zwanzig*sten* ...
  (근거: *2격* 어미를 지닌 관사, 소유대명사, 지시대명사 뒤에 오는 형용사는 *-en*임.)
- Jahrhundert는 *남성 2격*이므로 *2격* 명사 어미 *-s* 가 붙어 Jahrhundert*s*임.
  *남성, 중성*명사 2격은 *-s* 혹은 *-es*가 붙음!
  (*여성, 복수*명사는 2격 명사 어미 *없음!*)

► Deutschland wurde ... wiedervereinigt .
동사 werden의 ***과거*** 시제임: ↳ 동사 wurde의 형용사 보어임.
주어가 Deutschland, 즉 es이므로
과거형 *wurde*는 어미 없이 그대로 ***wurde_*** 임.

3. Das Paket ist 5.6[오류] Kilogramm schwer.

✺ **해석** 그 소포는 무게가 5.6 킬로그램이다.

✺ **어휘** das Paket 소포 (die Pakete) ▌fünf 5 ▌das Komma 콤마 (die Kommata) ▌sechs 6 ▌der Kilogramm (무게 단위) 킬로그램, 1000 그램 (die Kilogramm) ← das Gramm 그램 (die Gramm) ▌schwer [형용사] 무거운 (3 비교형: schwer - schwerer - schwerst-) ↔ leicht 가벼운 (3 비교형: leicht - leichter - leichtest- ※leicht는 -t로 끝나므로 발음상 최상급 어미는 -st가 아니라 -est임. 즉, leichtst 아님!)

<오류>

독일어에서 소수점은 콤마(",")로 표현함!
따라서 5,6("fünf *Komma* sechs")이어야 옳음!

정답 Das Paket ist *5,6* Kilogramm schwer.

► '무게'를 표현할 때 형용사 schwer가 옴:
Das Paket ist 5,6 Kilogramm *schwer*.

<참고>

① '높이' : A ist ... *hoch*. 'A는 *높이*가 ...이다.'
② '키' : A ist ... *groß*. 'A는 *키*가 ...이다.'
③ '깊이' : A ist ... *tief*. 'A는 *깊이*가 ...이다.'
④ '폭' : A ist ... *breit*. 'A는 *폭*이 ...이다.'
⑤ '길이' : A ist ... *lang*. 'A는 *길이*가 ...이다.'
⑥ '나이' : A ist ... *alt*. 'A는 *나이*가 ...이다.'

4. Meine Schwester ist 1994, 7. 21.[오류1] geboren. Sie ist sechszehn[오류2] Jahre alt.

✺ **해석** 나의 여동생은 1994년 7월 21일에 태어났다. 그녀는 나이가 16살이다.

✺ **어휘** die Schwester 누이, 여자 형제 (die Schwestern) ▌siebt- 혹은 sebent- [서수] 제 7의, 일곱 번째의 ← sieben 7 ▌einundzwanzigst- [서수] 제 21의, 스물한 번째 ← einundzwanzig 21 ▌geboren [동사 gebären의 과거분사, 즉 '*수동*의 형용사] 태어난, 출생한 : 「주어 + 동사 sein ... geboren」 '*주어는* ... 태어났다' → gebären [타동사] ...을 낳다, 출산하다 (3 기본형: gebären - gebar - geboren) ▌16 sechzehn ▌das Jahr 해, 년 (die Jahre) ▌alt [형용사] 늙은, 낡은 (3 비교형: alt - älter - ältest- ※ alt는 -t로 끝나므로 발음상 최상급 어미는 -st가 아니라 -est임! 즉, ältst 아님!) ↔ jung [형용사] 젊은 (3 비교형: jung - jünger - jüngst-)

<오류> 1

독일어에서는 "일, 월, 년" 순서로 표현함.

따라서 "*am 21. 7. 1994*"이어야 옳음!

<오류> 2

16은 독일어로 sech*s*zehn이 아니라 sechzehn이어야 옳음!

<주의>

기수 13 ~ 19 : "-*zehn*"

drei*zehn* , vier*zehn* , fünf*zehn* , sech*zehn* , sieb*zehn* , acht*zehn* , neun*zehn*

sechs*zehn* 아님! ↳ **sieben***zehn* 아님!

정답 Meine Schwester ist *am 21. 7. 1994* geboren. Sie ist *sechzehn* Jahre alt.

문장 1

► "am 21. 7. 1994"

→ "am einundzwanzig*sten* sieb*ten* neunzehn*hundert*vierundneunzig" 혹은

"am einundzwanzig*sten* *Juli* neunzehn*hundert*vierundneunzig"

<참고> 1

「am + 서수 *-en* 」 (날짜) '...일에'

<참고> 2

월 명 (모두 ***남성***명사임!) :

Januar 1월 / Februar 2월 / März 3월 / April 4월 / Mai 5월 / Juni 6월 / Juli 7월

August 8월 / September 9월 / Oktober 10월 / November 11월 / Dezember 12월

5. Das Unternehmen hat im ersten Quartal 3 Million[오류] Euro Verlust gemacht.

✵ **해석** 그 회사는 1/4분기에 3백만 유로의 손실을 입었다.

✵ **어휘** das Unternehmen 회사 (die Unternehmen) = die Firma (die Firm*en*), der Betrieb (die Betrieb*e*) ▌「hat ... gemacht」(동사 machen의 *현재완료* 시제) ▌ *gemacht* (동사 machen의 *pp형*) ⇒ machen [타동사] ...을 행하다 (3 기본형: mach*en* - mach*te* - *ge*mach*t*) ▌「im + 남성 · 중성 3격」 (*시간적* 의미) ~에 (im = in dem) : im ersten Quartal '1년의 첫째 1/4 기간에' (= '1/4분기에') ▌erst [서수] 첫째의, 제 1의 ▌das Quartal 1년의 1/4 기간 (die Quartal*e*) ▌drei 3 ▌der Euro (화폐 단위) 유로 (die Euro) ▌die Million 백만 (die Million*en*) ▌der Verlust (주로 단수) 손실, 재정적 적자 : Verlust machen 재정적 적자를 보다 ↔ der Gewinn (주로 단수) 이익, 재정적 흑자

<오류>

3과 결합하므로 명사 Million의 *복수형* Million*en*이 와야 옳음!

정답 Das Unternehmen hat im ersten Quartal 3 *Millionen* Euro Verlust gemacht.

Lektion 22

시제 (2): 과거 / 과거완료 / 미래

unit 01

기초문제

Ⅰ. 다음 문장들을 "과거" 시제로 바꾸시오. (22과, 기초문제: 교재 128쪽)

1. Wir antworten sofort auf den Brief unseres Lehrers.

✻ 해석 우리는 우리 선생님의 편지에 곧바로 답장한다.

✻ 어휘 「antworten auf + 4격」 *4격*에 답하다 (3 기본형: antwort*en* - antwort*ete* - *ge*antwort*et*) <참고> 「beantworten + 4격」 [타동사] ...에 답하다 (3 기본형: *be*antwort*en* - *be*antwort*ete* - *be*antwort*et*) ▌sofort [부사어] 곧, 즉시 ▌der Brief 편지 (die Brief*e*) ▌der Lehrer (die Lehrer) [1] (남녀 구분 없이 일반적) 선생님 ; [2] 남자 선생님

(정답) Wir *antworteten* sofort auf den Brief unseres Lehrers.

✻ 해석 우리는 우리 선생님의 편지에 곧바로 *답장했다*.

☞ 동사 antworten의 *과거* 시제이므로 3 기본형 가운데 과거형 antwort*ete*가 어미변화 함: 주어가 Wir이므로 어미 *-n*이 붙어 antwort*eten*임.
과거 시제 동사 어미변화: 주어가 ***wir*** 혹은 복수의 ***sie***('그들은'), 격식칭 ***Sie***('당신은')일 때 어미 ***-n***이나 ***-en***이 붙음!

► 「... Brief unser*es* Lehrer*s*」:

- 명사 Lehrer는 *남성*이며, 앞에 있는 명사 Brief를 수식하는 *2격* 형이므로 *남성 2격!!* 따라서 소유대명사 unser-('우리의')는 *남성 2격* 어미 *-es* 가 붙어 unser*es*임.
2격 어미: 남성・중성 ***-es*** ; 여성, 복수 ***-er***
- Lehrer는 *남성*이므로 2격 명사 어미 *-s*가 붙어 Lehrer*s*임. (Lehrer*es* 틀림!)

2. Der Junge sitzt an seinem Tisch und liest in einem Buch.

✻ 해석 그 소년은 자신의 책상에 앉아서 책을 읽고 있다.

✻ 어휘 der Junge 소년 (die Junge*n*) <주의> 주어를 제외한 *단수 2, 3, 4격*이 복수형처럼 Junge*n*인 *약변화* 명사! ↔ das Mädchen [축소명사] 소녀 (die Mädchen) ▌sitzen [자동사] 앉아 있다 (3 기본형: sitzen - saß - gesessen) <주의> 동사 sitzen과 함께 오는 3・4격 전치사는 '위치'를 나타내므로 *3격 지배*임! ↔ setzen [타동사] ...을 앉히다 (3 기본형: setz*en* - setz*te* - *ge*setz*t*) <주의> 동사 setzen과 함께 오는 3・4격 전치사는 '방향'을 나타내므로 *4격 지배*임! ▌an [*3・4격* 전치사] (*3격* 지배: *위치*) ~옆에, ~에 : an seinem Tisch sitzen 그의 책상 *옆에* 앉아 있다 ▌der Tisch 책상 (die Tisch*e*) ▌liest (동사 lesen의 *현재* 시제: 주어가 *du* 혹은 *er*, *sie*, *es*일 때) ⇒ lesen [1] [타동사] ...을 읽다 ; [2] [자동사] 「lesen in + 3격」 '...안의 한 부분을 읽다' (현재 시제:

du l*ie*s*t* ; er l*ie*s*t*) ▌in [*3·4격* 전치사] (*3격* 지배: *위치*) ~안에, ~에 : in einem Buch lesen 책을 들여다 보다 ▌das Buch 책 (die Büch*er*)

정답 Der Junge *saß* an seinem Tisch und *las* in einem Buch.

✳ 해석 그 소년은 자신의 책상에 *앉았고,* 책을 *읽었다.*

접속사 und 앞 문장

☞ 동사 sitzen의 *과거* 시제이므로 3 기본형 가운데 과거형 *saß*가 어미변화 함:
주어인 Der Junge는 er에 해당하므로 saß는 어미 없이 그대로 *saß* 임.
과거 시제 동사 어미변화:
주어가 ***ich*** 혹은 ***er, sie, es***일 때 ***어미 없음!***

접속사 und 뒤 문장

☞ 동사 lesen의 *과거* 시제이므로 3 기본형 가운데 과거형 *las*가 어미변화 함:
접속사 und 앞 문장의 주어인 Der Junge가 여기서도 주어임.
즉, 주어가 er에 해당하므로 las는 어미 없이 그대로 *las* 임.
과거 시제 동사 어미변화:
주어가 ***ich*** 혹은 ***er, sie, es***일 때 ***어미 없음!***

3. Es regnet stark. Trotzdem geht sie durch den Stadtpark spazieren.

✳ 해석 세차게 비가 내린다. 그럼에도 불구하고 그녀는 시립 공원을 가로질러 산책한다.

✳ 어휘 es [비인칭대명사] '*날씨*'를 말하는 문장에 사용되는 *비인칭 주어*임. ▌regnen [자동사] 비오다 ('날씨' 동사이므로 주어는 항상 *비인칭 주어* es임!) (3 기본형: regn*en* - regn*ete* - *ge*regn*et*) ▌stark [형용사] 강한, 강하게 (3 비교형: stark - st*ä*rk*er* - st*ä*rk*st-*) ↔ schwach 약한, 약하게 (3 비교형: schwach - schw*ä*ch*er* - schw*ä*ch*st-*) ▌trotzdem [부사어] 그럼에도 불구하고 (= dennoch) ▌「geht ... spazieren」 ⇒ *spazieren* gehen [자동사] 산책하다 (*spazieren*은 마치 분리전철처럼 문장 맨 뒤에 위치함: gehen ... *spazieren*) ← gehen [자동사] (걸어)가다 (3 기본형: gehen - ging - gegangen ; '*장소 이동* 자동사 → 완료형「*sein* ... gegangen」) ▌durch [*4격* 전치사] ~을 가로질러 (영. through) ▌der Stadtpark 시립 공원 → die Stadt 시, 도시 (die St*ä*dt*e*) + der Park 공원 (die Park*s*)

정답 Es *regnete* stark. Trotzdem *ging* sie durch den Stadtpark spazieren.

✳ 해석 세차게 비가 *내렸다.* 그럼에도 불구하고 그녀는 시립 공원을 가로질러 *산책했다.*

문장 1

☞ 동사 regnen의 *과거* 시제이므로 3 기본형 가운데 과거형 regn*ete*가 어미변화 함:
주어가 '날씨'의 비인칭 주어 Es이므로 regn*ete*는 어미 없이 그대로 regn*ete* 임.
과거 시제 동사 어미변화:
주어가 ***ich*** 혹은 ***er, sie, es***일 때 ***어미 없음!***

문장 2

☞ 동사 gehen의 *과거* 시제이므로 3 기본형 가운데 과거형 *ging*이 어미변화 함:
주어가 여성의 sie('그녀는')이므로 ging은 어미 없이 그대로 *ging*_임.
과거 시제 동사 어미변화:
주어가 ***ich*** 혹은 ***er, sie, es***일 때 ***어미 없음***!

4. Zuerst kommt er oft, dann immer seltener.

✻ **해석** 처음에는 그가 자주 오다가, 나중에는 점점 뜸하게 온다.

✻ **어휘** zuerst [부사어] 우선은, 처음에 (영. at first) ▌kommen [자동사] 오다 (3 기본형: kommen - kam - gekommen ; '*장소 이동* 자동사 → 완료형「*sein* ... gekommen」) ▌oft [부사어] 자주, 빈번히 (3 비교형: oft - öft*er* - öft*est-* ※최상급 öft*st* 아님!) (= häufig) ▌dann [부사어] 그 다음에 :「zuerst ..., dann ...」'우선은 ..., 그 다음에는 ...' ▌immer [부사어] 항상 :「immer 비교급」'점점 더 ...한' : immer selten*er* 점점 더 드물게 ▌selten [형용사] 드문, (부사적) 드물게 (3 비교형: selten - selten*er* - selten*st-*)

정답 Zuerst *kam* er oft, dann immer seltener.

✻ **해석** 처음에는 그가 자주 *왔다가*, 나중에는 점점 *뜸해졌다*.

☞ 동사 kommen의 *과거* 시제이므로 3 기본형 가운데 과거형 *kam*이 사용됨!
주어가 er('그는')이므로 kam은 어미 없이 그대로 *kam*_임.
과거 시제 동사 어미변화:
주어가 ***ich*** 혹은 ***er, sie, es***일 때 ***어미 없음***!

Ⅱ. 괄호 안의 동사를 사용하여 문장을 "과거완료" 시제로 만드시오.

(22과, 기초문제: 교재 128쪽)

1. Sie hatte rote Augen. Sie (*weinen*) die ganze Nacht.

✻ **어휘** hatte (동사 haben의 *과거* 시제: 주어가 *ich* 혹은 *er, sie, es*일 때) ⇒ haben [타동사] ...을 가지고 있다 (3 기본형: haben - hatte - gehabt) ▌rot [형용사] 빨간색의 ▌das Auge 눈 (die Auge*n*) (영. eye) ▌weinen [자동사] 울다 (3 기본형: wein*en* - wein*te* - *ge*wein*t*) ↔ lachen [자동사] 웃다 (3 기본형: lach*en* - lach*te* - *ge*lach*t*) ▌ganz- [형용사] 전체의 (뒤에 오는 명사를 *수식*하여 *어미변화* 하는 용법뿐임!) (영. whole) ▌die Nacht 밤 (die Nächt*e*) : die ganze Nacht 밤새도록 (*4격*의 시간 부사어)

<참고>
색채어: schwarz 검정색의 / weiß 흰색의 / blau 청색의 / grün 녹색의 / gelb 노란색의 / braun 갈색의 / grau 잿빛의 / beige [be:ʃ] 베이지색의

정답 Sie hatte rote Augen. Sie *hatte* die ganze Nacht *geweint.*

✵ **해석** 그녀는 눈이 붉게 충혈 되었다. 그녀는 밤새도록 *울었었다.*

문장 1

► 「Sie *hatte* ... 」:

동사 haben의 *과거* 시제임. → haben의 과거형 *hatte*가 과거 시제 어미변화 함:

주어가 여성의 Sie('그녀는')이므로 hatte는 어미 없이 그대로 *hatte_*임.

과거 시제 동사 어미변화:
주어가 **ich** 혹은 ***er, sie, es***일 때 ***어미 없음!***

문장 2

☞ 동사 weinen은 '장소 이동, 상태 변화' 자동사가 아니므로 완료 형식은 「*haben* ... pp」!

따라서 *과거완료* 형식은 「*hatte* ... pp」임:

- 주어가 여성의 Sie('그녀는')이므로 hatte는 어미 없이 그대로 *hatte_*임.

  과거 시제 동사 어미변화:
  주어가 **ich** 혹은 ***er, sie, es***일 때 ***어미 없음!***

- 동사 weinen은 규칙변화 동사로서 pp형은 *ge*wein*t*임.

→ 따라서 정답은: hatte ... *ge*wein*t*

<주의>

뒤 문장의 내용은 앞 문장의 내용보다 *더 앞선 과거의 일*을 나타냄.

따라서 앞 문장이 *과거* 시제이므로 뒤 문장은 *과거완료* 시제를 사용함.

2. Das Kleid war viel teurer, als ich (*denken*). Ich habe ein anderes genommen.

✵ **어휘** das Kleid (여성 의복) 원피스, 드레스 (die Kleid*er*) ▌war (동사 sein의 *과거* 시제: 주어가 *ich* 혹은 *er, sie, es*일 때) ⇒ sein [자동사] ...이다 (3 기본형: sein - war - gewesen ; 완료형 「*sein* ... gewesen」) ▌「viel + 비교급」 '훨씬 더 ...한' : viel teur*er* 훨씬 더 비싼 ▌teur*er* (형용사 teuer의 *비교급*) ⇒ teuer [형용사] 비싼 (3 비교형: teuer - teur*er* - teuer*st*- ※비교급 teu*e*r*er* 아님!) ↔ billig 값싼 ▌als [접속사: 비교급 비교에 사용됨!] '...보다' (영. than) : 「A 비교급 *als* B」 'A는 B보다 더 ...하다' (즉, A > B) ▌denken [자동사/타동사] (...을) 생각하다 (영. think) (3 기본형: denken - dachte - gedacht) <참고> 「denken an + 4격」 *4격*을 생각하다 (영. think of ...) ▌ander- [형용사] 다른 (뒤에 오는 형용사를 *수식*하여 *어미변화* 하는 용법뿐임!) (영. other) ▌「habe ... genommen」 (동사 nehmen의 *현재완료* 시제) ▌genommen (동사 nehmen의 *pp형*) ⇒ nehmen [타동사] ...을 갖다, 취하다 (현재 시제: du nimm*st* ; er nimm*t*) (3 기본형: nehmen - nahm - genommen)

<참고>

ander- vs. anders

① ander-는 뒤에 오는 명사를 *수식*하여 *어미변화* 함:

Er hat eine *andere* Meinung als ich. '그는 나와는 *다른* 의견을 가지고 있다.'

② anders는 동사 sein, werden 등의 *형용사 보어* 및 *부사어*로 사용됨.

부사어 : Er denkt *anders* als ich. '그는 나와는 *달리* 생각한다.'

동사 sein, werden 등의 형용사 보어 : Er ist *anders* als ich. '그는 나와는 *다르다.*'

(정답) Das Kleid war viel teurer, als ich *gedacht hatte*. Ich habe ein anderes genommen.

✻ **해석** 그 원피스는 내가 *생각했었던* 것보다 훨씬 더 비쌌다. 나는 다른 것을 택했다.

문장 1

► 「Das Kleid *war* ... 」:

동사 sein의 *과거* 시제임. → sein의 과거형 *war*가 과거 시제 어미변화 함:

주어인 das Kleid는 중성의 es('그것은')에 해당하므로 war는 어미 없이 그대로 *war*_임.

과거 시제 동사 어미변화:
주어가 ***ich*** 혹은 ***er, sie, es***일 때 ***어미 없음!***

☞ 「... , als *ich* *gedacht hatte*」:

동사 denken의 완료 형식은 「*haben* ... pp」!

따라서 *과거완료* 형식은 「*hatte* ... pp」 임:

- 주어가 ich이므로 hatte는 어미 없이 그대로 *hatte*_이며,

  과거 시제 동사 어미변화:
  주어가 ***ich*** 혹은 ***er, sie, es***일 때 ***어미 없음!***

- 동사 denken의 pp형은 *gedacht*임.

따라서 *과거완료* 문장은: 「*hatte* ... *gedacht*」 임.

그런데 여기서는 접속사 als와 결합하여 *부문장*이 되므로 동사 hatte가 *후치*됨!

→ 따라서 정답은: ... , als ich gedacht hatte.

<주의> 1

비교급비교의 접속사 als는 뒤에 문장이 올 경우 *종속접속사*의 특성을 지님!
(따라서 뒤에 오는 문장은 부문장으로서 *후치*되며, als 앞에는 반드시 *콤마*가 옴!)

<주의> 2

접속사 als 뒤 부문장의 내용은 als 앞의 주문장의 내용보다 *더 앞선 과거의 일*을 나타냄.
따라서 앞의 주문장이 *과거* 시제이므로 뒤의 부문장은 *과거완료* 시제를 사용함.

문장 2

► 「*Ich* habe ... genommen」:

동사 nehmen의 *현재완료* 시제임. → nehmen은 타동사이므로 「*haben* ... pp」 임.

- 주어가 Ich이므로 haben의 형태는 hab*e*이며,
- 동사 nehmen의 pp형은 *genommen*임.

► 「ein_ ander*es* (Kleid)」:

- 생략된 명사 Kleid가 *중성*이며, 동사 genommen(= nehmen)의 *4격* 목적어이므로 *중성 4격!!*

  따라서 *중성 4격* 부정관사 ein_이 앞에 옴.

- 형용사 ander- 앞에 *중성 4격* ein_이 있음.

  따라서 ein_ ander*es* ...

  (근거: 중성 1, 4격 ein_ , mein_ , dein_ , ihr_ , unser_ ... kein_ + 형용사 *-es*)

3. Mein Vater ist vor drei Tagen gestorben. Letzten Monat (*feiern*) wir seinen 80. Geburtstag.

✻ 어휘 der Vater 아버지, 부친 (die Väter) ▌「ist ... gestorben」 (동사 sterben의 *현재완료* 시제) ▌ gestorben (동사 sterben의 *pp형*) ⇒ sterben [자동사] 죽다 (3 기본형: sterben - starb - gestorben ; '*상태 변화*' 자동사 → 완료형 「*sein* ... gestorben」) ▌「vor + 3격」 (*시간적* 의미) ~전에 : vor drei Tagen 3일 *전에* ↔ 「in + 시간명사(3격)」: in drei Tagen 3일 *후에* ; 「nach + 3격」 ~후에 : nach dem Unterricht 수업 *후에* ▌drei 3 ▌der Tag 날, 낮 (die Tag*e*) ▌letzt- [형용사] 지난, 마지막의 (뒤에 오는 명사를 *수식*하는 용법뿐임!) (영. last) : Letzten Monat 지난 달에 (*4격*의 시간 부사어!) ▌der Monat 달, 개월 (die Monat*e*) ▌ feiern [타동사] ...을 축하하는 파티를 열다 (3 기본형: feier*n* - feier*te* - *ge*feier*t*) ▌ achtzig*st*- [서수] 80번째 ← achtzig 80 ▌der Geburtstag 생일 (die Geburtstag*e*)

정답 Mein Vater ist vor drei Tagen gestorben. Letzten Monat *hatten* wir seinen 80. Geburtstag *gefeiert.*

✻ 해석 나의 아버지는 3일 전에 돌아가셨다. 지난 달 우리는 그의 80세 생신을 기념하는 파티를 *열었었다*.

문장 1

► 「vor drei Tag*en* 」:
*복수*명사 Tag*e*가 전치사 vor의 *3격* 목적어이므로 *복수 3격*임.
복수 3격 명사의 형태는 *-n*이므로 Tag*en*임.

문장 2

☞ 동사 feiern은 타동사이므로 완료 형식은 「*haben* ... pp」!
따라서 *과거완료* 형식은 「*hatte* ... pp」임:

- 주어가 wir이므로 hatte는 어미 *-n*이 붙어 *hatten*임.
  과거 시제 동사 어미변화:
  주어가 ***wir*** 혹은 복수의 ***sie***('그들은'), 격식칭 ***Sie***일 때 어미 ***-n*** 혹은 ***-en***임!
- 동사 feiern은 규칙변화 동사로서 pp형은 *ge*feier*t*임.

→ 따라서 정답은: hatte*n* ... *ge*feier*t*

<주의>
뒤 문장의 내용은 앞 문장의 내용보다 *더 앞선 과거의 일*을 나타냄.
따라서 앞 문장이 *현재완료* 시제이므로 뒤 문장은 *과거완료* 시제를 사용함.

► 「sein*en* achtzig*sten* Geburtstag」:

- 명사 Geburtstag은 *남성*이며, 동사 gefeiert(= feiern)의 *4격* 목적어이므로 *남성 4격!!*
  따라서 소유대명사 sein-('그의')은 *남성 4격* 부정관사 ein*en*처럼 어미변화 하여 sein*en*임.
- 서수 achtzig*st*- 앞에 *남성 4격*의 sein*en*이 있음.
  따라서 sein*en* achtzig*sten* ...
  (근거: 남성 4격 d*en*, ein*en*, mein*en*, ihr*en* ... kein*en*, dies*en* + 형용사 *-en*)

4. Am dritten Urlaubstag hatten wir kein Geld mehr. Wir (*ausgeben*) schon alles.

✺ **어휘** 「am + 날」 ~에 : am dritten Urlaubstag '셋째 휴가 날에', 즉 '휴가 3일 차에' ▌*dritt-* [서수] 셋째의, 제 3의 ← drei 3 ▌der Urlaubstag 휴가일 (die Urlaubstag*e*) → der Urlaub 휴가 (die Urlaub*e*) + der Tag 날 (die Tag*e*) ▌hatte*n* (동사 haben의 *과거* 시제: 주어가 *wir* 혹은 *sie*('그들은'), *Sie*일 때) ⇒ haben [타동사] ...을 가지고 있다 (3 기본형: haben - hatte - gehabt) ▌das Geld (주로 단수) 돈 (die Geld*er*) ▌「kein ... mehr」 더 이상 ... 않다 ▌*aus*geben [분리동사&타동사] ...을 지출하다 (영. expend) (현재 시제: du gib*st* ... *aus* ; er gib*t* ... *aus*) (3 기본형: *aus*geben - *aus*gab - *aus*gegeben) ⇐ geben [타동사] ...을 주다 (영. give) (현재 시제: du gib*st* ; er gib*t*) (3 기본형: geben - gab - gegeben) ▌alles [부정대명사] 모든 것 (*단수* 취급!) ↔ alle 모든 사람들 (*복수* 취급!)

<참고>

「주어 + haben Urlaub」 '*주어는* 휴가를 갖다' (= 「주어 + machen Urlaub」)

「주어 + 동사 sein + in Urlaub」 '*주어는* 휴가 중이다'

「주어 + fahren im Urlaub ans Meer」 '*주어는* 휴가에 바닷가로 가다'

정답 Am dritten Urlaubstag hatten wir kein Geld mehr. Wir *hatten* schon alles *ausgegeben*.

✺ **해석** 휴가 3일째 되는 날 우리는 더 이상 돈이 없었다. 우리는 이미 전부를 *지출했다*.

문장 1

► 「am *dritten* Urlaubstag」:

「축약형 *am* , *im* , *zum* , *zur* , *vom* + 형용사(서수) *-en*」임!

► 「... *hatten* wir ...」:

동사 haben의 *과거* 시제임. → haben의 *과거형* *hatte*가 과거 시제 어미변화 함:

주어가 wir이므로 hatte는 어미 *-n*이 붙어 hatte*n*임.

과거 시제 동사 어미변화:
주어가 ***wir*** 혹은 복수의 ***sie***('그들은'), 격식칭 ***Sie***일 때 어미 ***-n*** 혹은 ***-en***임!

문장 2

☞ 분리동사 *aus*geben은 타동사이므로 완료 형식은 「*haben* ... pp」!

따라서 *과거완료* 형식은 「*hatte* ... pp」임:

- 주어가 wir이므로 hatte는 어미 *-n*이 붙어 hatte*n*임.

  과거 시제 동사 어미변화:
  주어가 ***wir*** 혹은 복수의 ***sie***('그들은'), 격식칭 ***Sie***일 때 어미 ***-n*** 혹은 ***-en***임!

- 분리동사 *aus*geben의 pp형은 *aus*gegeben임.

→ 따라서 정답은: hatte*n* ... *aus*gegeben

<주의>

뒤 문장의 내용은 앞 문장의 내용보다 *더 앞선 과거의 일*을 나타냄.

따라서 앞 문장이 *과거* 시제이므로 뒤 문장은 *과거완료* 시제를 사용함.

5. Warum hast du keine Milch mitgebracht? Ich (*bitten*) dich extra darum.

✺ 어휘 warum [의문사] 왜? ▌die Milch 우유 (복수 없음) ▌「hast ... mitgebracht」 (분리동사 *mit*bringen의 *현재완료* 시제) ▌*mit*gebracht (분리동사 *mit*bringen의 *pp형*) ⇒ *mit*bringen [분리동사&타동사] *사람*을 함께 데려오다, *물건*을 지참해 오다 (3 기본형: *mit*bringen - *mit*brachte - *mit*gebracht) ⇐ bringen [타동사] ...을 가져오다 (3 기본형: bringen - brachte - gebracht) ▌bitten [타동사] ...을 요청하다 : 「bitten + 4격(사람) + um + 4격」 *누구*에게 ...을 청하다 (3 기본형: bitten - bat - gebeten) <주의> bi*e*ten [타동사] ...을 제공하다 (3 기본형: bieten - bot - geboten) ← um [4격 전치사] ~주위에 (영. around) ▌dich [인칭대명사] du의 *4격* 형임. (3격 형은 *dir*) ▌extra [부사어] (구어체) 특별히, 추가로 ▌da*r*um ← 전치사 um + 지시대명사 das('그것')

정답 Warum hast du keine Milch mitgebracht? Ich *hatte* dich extra darum *gebeten*.

✺ 해석 왜 너는 우유를 지참하지 않았니? 내가 너에게 특별히 그것을 *부탁했었는데.*

문장 1

► 「... hast *du* ... mitgebracht? 」:

분리동사 *mit*bringen의 *현재완료* 시제임. → *mit*bringen은 타동사이므로 「*haben* ... pp」임.

- 주어가 du이므로 haben의 형태는 *hast*이며,
- 분리동사 *mit*bringen의 pp형은 *mit*gebracht임.

문장 2

☞ 동사 bitten은 타동사이므로 완료 형식은 「*haben* ... pp」!

따라서 *과거완료* 형식은 「*hatte* ... pp」임:

- 주어가 Ich이므로 hatte는 어미 없이 그대로 *hatte* 임.

  과거 시제 동사 어미변화:
  주어가 ***ich*** 혹은 ***er***, ***sie***, ***es***일 때 ***어미 없음!***

- 동사 bitten의 pp형은 *gebeten*임.

→ 따라서 정답은: hatte ... *gebeten*

<주의>

뒤 문장의 내용은 앞 문장의 내용보다 *더 앞선 과거의 일*을 나타냄.
따라서 앞 문장이 *현재완료* 시제이므로 뒤 문장은 *과거완료* 시제를 사용함.

► 「Ich hatte dich ... da*r*um gebeten 」:

da*r*um '그것을' = 전치사 ***um*** '...을' + 지시대명사 ***das*** '그것'
1. 전치사 ***um***은 동사 형식 「bitten + 4격 + ***um*** ... 」 ('누구에게 ...***을*** 부탁하다')에 근거함!
2. 지시대명사 ***das***('***그것***')는 앞 문장의 내용을 받아 '우유를 가져오는 것'을 뜻함.

6. Als ich dort ankam, (*anfangen*) die Vorstellung schon.

✺ 어휘 als [종속접속사] ...하였을 때 (뒤에 오는 부문장은 *후치*됨: Als *ich* ... ankam , ...) ▌dort [부사어] 그곳에 ▌*an*kam (분리동사 *an*kommen의 *과거* 시제: 주어가 *ich* 혹은 *er*, *sie*, *es*일 때) ⇒

*an*kommen [분리동사&자동사] 도착하다 (3 기본형: *an*kommen - *an*kam - *an*gekommen ; '*장소 이동*' 자동사 → 완료형「*sein* ... angekommen」) ⇐ kommen [자동사] 오다 (3 기본형: kommen - kam - gekommen ; '*장소 이동*' 자동사 → 완료형「*sein* ... gekommen」) ▌ *an*fangen [분리동사&자동사] 시작하다 (3 기본형: *an*fangen - *an*fing - *an*gefangen) (현재 시제: du fäng*st* ... *an* ; er fäng*t* ... *an*) ⇐ fangen [타동사] ...을 잡다 (영. catch) (3 기본형: fangen - fing - gefangen) (현재 시제: du fäng*st* ; er fäng*t*) ▌ die Vorstellung (연극 등의) 공연 (die Vorstellung*en*) ← *vor*stellen [분리동사&타동사] (예술 작품, 상품 등) ...을 전시하다, 보이다 (3 기본형: *vor*stell*en* - *vor*stell*te* - *vorge*stell*t*)

정답 Als ich dort ankam, *hatte* die Vorstellung schon *angefangen.*

✹ **해석** 내가 그곳에 도착했을 때는 영화 상영이 이미 *시작했었다.*

► 「als *ich* dort ankam , ...」:

분리동사 *an*kommen의 *과거* 시제임!

따라서 *an*kommen의 3 기본형 가운데 과거형 *an*kam이 과거 시제 어미변화 함:

주어가 ich이므로 *an*kam은 어미 없이 그대로 *an*kam_임.

과거 시제 동사 어미변화:
주어가 ***ich*** 혹은 ***er, sie, es***일 때 ***어미 없음!***

☞ 분리동사 *an*fangen은 자동사이긴 하지만 '장소 이동, 상태 변화'가 아니므로 완료 형식은「*haben* ... pp」!

따라서 *과거완료* 형식은「*hatte* ... pp」임:

- 주어가 die Vorstellung, 즉 여성의 sie('그녀는')이므로
  hatte는 어미 없이 그대로 hatte_임.
  과거 시제 동사 어미변화:
  주어가 ***ich*** 혹은 ***er, sie, es***일 때 ***어미 없음!***
- 분리동사 *an*fangen의 pp형은 *an*gefangen임.

→ 따라서 정답은: ... , hatte ... angefangen. (앞에 부문장이 오므로 *도치*됨!)

<주의>

뒤에 온 주문장의 내용은 앞의 als-부문장의 내용보다 *한 단계 더 과거의 일*을 나타냄.
따라서 앞의 als-부문장이 *과거* 시제이므로 뒤의 주문장은 *과거완료* 시제를 사용함.

III. 괄호 안의 동사를 사용하여 문장을 "미래" 시제로 만드시오.

(22과, 기초문제: 교재 128쪽)

1. Er (*besuchen*) das Gymnasium in München.

✹ **어휘** besuchen [타동사] ...을 방문하다 (3 기본형: *be*such*en* - *be*such*te* - *be*such*t*) ⇐ suchen [타동사] ...을 찾다, 구하다 (3 기본형: such*en* - such*te* - *ge*such*t*) ▌ das Gymnasi*um* 인문계 고등학교 (die Gymnasi*en*) ▌ in [*3 · 4격* 전치사] (*3격* 지배: *위치*) ~안에서, ~에서 : in München 뮌헨 *에서* ▌ München [고유명사] (독일 도시) 뮌헨

정답 Er *wird* das Gymnasium in München *besuchen*.

✺ 해석 그는 뮌헨에서 고등학교를 다니게 *될 것이다.*

✺ 어휘 werden [1] [조동사] *미래* 시제 형식에 사용됨: 「werden ... 동사 원형」 ('*추측* 혹은 '*예정*) '...일 것이다' ; [2] [자동사] (동사 sein처럼 *형용사* 혹은 *명사 보어*와 함께) ...되다 (영. become) (현재 시제: du wirst ; er wird) (3 기본형: werden - wurde - geworden)

☞ *미래* 시제 형식은 「werden ... 동사 원형」:
주어가 Er이므로 werden의 형태는 *wird*임.
→ 따라서 정답은: *Er* wird ... besuchen.

2. Ich (*studieren*) Psychologie und Soziologie in Hamburg.

✺ 어휘 studieren [타동사] ...을 전공하다 (3 기본형: studier*en* - studier*te* - studier*t*) → das Studi*um* 대학 공부 (die Studi*en*) ▌die Psychologie 심리학 (복수 없음) → der Psychologe 심리학자 (die Psychologe*n*) <주의> 주어를 제외한 *단수 2, 3, 4격*이 복수형처럼 Psychologe*n*인 *약변화* 명사! ▌die Soziologie 사회학 (복수 없음) → der Soziologe 사회학자 (die Soziologe*n*) <주의> 주어를 제외한 *단수 2, 3, 4격*이 복수형처럼 Soziologe*n*인 *약변화* 명사! ▌in [*3 · 4격* 전치사] (*3격* 지배: *위치*) ~안에서, ~에서 : in Hamburg 함부르크*에서* ▌Hamburg [고유명사] (독일 도시) 함부르크

<참고>

① die Philosophie 철학 → der Philosoph 철학자 (die Philosoph*en*)
<주의> 주어를 제외한 *단수 2, 3, 4격*이 복수형처럼 Philosoph*en*인 *약변화* 명사!

② die Politikwissenschaft 정치학
die Politik 정치 + die Wissenschaft 과학, 학문 (die Wissenschaft*en*)
→ der Politikwissenschaftler 정치학자 (die Politikwissenschaftler)

③ die Wirtschaft*s*wissenschaft 경제학
die Wirtschaft 경제 + die Wissenschaft 과학, 학문
→ der Wirtschaft*s*wissenschaftler 경제학자 (die Wirtschaftswissenschaftler)

④ die Betriebswirtschaft = die Betriebswirtschaftslehre (= "BWL") 경영학
der Betrieb 회사 (die Betrieb*e*) + die Wirtschaft 경제 + -lehre '...학, ...론'

⑤ die Geschichtswissenschaft 역사학
die Geschichte 역사 (die Geschichte*n*) + die Wissenschaft 과학, 학문
→ der Geschichtswissenschaftler 역사학자 (die Geschichtswissenschaftler)

정답 Ich *werde* Psychologie und Soziologie in Hamburg *studieren*.

✺ 해석 나는 함부르크에서 심리학과 사회학을 공부하게 *될 것이다.*

✱ **어휘** werden [1] [조동사] *미래* 시제 형식에 사용됨: 「*werden* ... 동사 원형」 ('*추측*' 혹은 '*예정*') '...일 것이다' ; [2] [자동사] (동사 sein처럼 *형용사* 혹은 *명사 보어*와 함께) ...되다 (영. become) (현재 시제: du wirst ; er wird) (3 기본형: werden - wurde - geworden)

☞ *미래* 시제 형식은 「werden ... 동사 원형」:

주어가 Ich이므로 werden의 형태는 werde임.

→ 따라서 정답은: *Ich* werde ... studieren.

3. Der Schüler (*wiederholen*) die Prüfung morgen.

✱ **어휘** der Schüler [1] (남녀 구분 없이) 초 · 중 · 고등학생 ; [2] (남자) 초 · 중 · 고등학생 (die Schüler) ▌wiederholen [타동사] ...을 반복하다 <주의> *wieder*-는 분리전철 아님! (3 기본형: *wieder*hol*en* - *wieder*hol*te* - *wieder*hol*t*) ⇐ holen [타동사] ...을 가져오다 (3 기본형: hol*en* - hol*te* - *ge*hol*t*) ▌die Prüfung 시험 (die Prüfung*en*) ← prüfen [타동사] ...을 심사하다 (3 기본형: prüf*en* - prüf*te* - *ge*prüf*t*) ▌morgen [부사어] 내일

정답 Der Schüler *wird* die Prüfung morgen *wiederholen.*

✱ **해석** 그 학생은 시험을 내일 다시 보게 *될 것이다.*

✱ **어휘** werden [1] [조동사] *미래* 시제 형식에 사용됨: 「*werden* ... 동사 원형」 ('*추측*' 혹은 '*예정*') '...일 것이다' ; [2] [자동사] (동사 sein처럼 *형용사* 혹은 *명사 보어*와 함께) ...되다 (영. become) (현재 시제: du wirst ; er wird) (3 기본형: werden - wurde - geworden)

☞ *미래* 시제 형식은 「werden ... 동사 원형」:

주어가 der Schüler, 즉 er에 해당하므로 werden의 형태는 *wird*임.

→ 따라서 정답은: *Der Schüler* wird ... wiederholen.

4. Das Mädchen (*einladen*) ihre Freunde zur Party.

✱ **어휘** das Mädchen [*축소*명사] 소녀, 아가씨 (die Mädchen) <참고> 축소명사는 형태가 *-chen*으로서 항상 *중성*이며, 복수형은 *단수형과 동일*함! ▌*ein*laden [분리동사&타동사] : 「주어 + laden + 4격 + zu + 3격 ... *ein* 」 *주어는 4격*을 ...로 초대하다 (3 기본형: *ein*laden - *ein*lud - *ein*geladen) (현재 시제: du lä*dst* ... *ein* ; er lä*dt* ... *ein*) ⇐ laden [타동사] 짐을 싣다 (영. load) (3 기본형: laden - lud - geladen) (현재 시제: du lä*dst* ; er lä*dt*) ▌der Freund 친구, 남자 친구 (die Freund*e*) ▌「zur + 여성 3격」 (방향) ~로 : zur Party 파티로 ▌die Party 파티 (die Party*s*)

정답 Das Mädchen *wird* ihre Freunde zur Party *einladen.*

✱ **해석** 그 소녀는 자기 친구들을 파티에 초대*할 것이다.*

✱ **어휘** werden [1] [조동사] *미래* 시제 형식에 사용됨: 「*werden* ... 동사 원형」 ('*추측*' 혹은 '*예정*') '...일 것이다' ; [2] [자동사] (동사 sein처럼 *형용사* 혹은 *명사 보어*와 함께) ...되다 (영. become) (현재 시제: du wirst ; er wird) (3 기본형: werden - wurde - geworden)

☞ *미래* 시제 형식은 「werden ... 동사 원형」:

주어가 Das Mädchen, 즉 여성의 sie('그녀는')이므로 werden의 형태는 *wird*임.

das Mädchen('*소녀*')은 문법적으로 *중성*이지만 내용상 '*여자*'임이 분명하므로 인칭대명사는 ***sie***('그녀는'), 소유대명사는 ***ihr-***('그녀의')로 받음. (즉, es 혹은 sein- 아님!)

→ 따라서 정답은: *Das Mädchen* wird ... einladen.

► 「ihr*e* Freund*e*」:

명사 Freund*e*는 *복수*이며, 분리동사 *ein*laden의 *4격* 목적어이므로 *복수 4격!!*

따라서 소유대명사 ihr-('그녀의')는 *복수 4격 정관사* di*e*처럼 어미변화 하여 ihr*e*임.

소유대명사 mein-, dein-, ihr- ... 및 부정어 kein-은
원래 ***부정관사 ein-*** 어미변화 하지만, ***복수***일 경우는 ***정관사 d-*** 어미변화 함!

5. Meine Frau (*freuen*) sich sehr, Sie wiederzusehen.

✹ **어휘** die Frau 부인, 아내 (die Frau*en*) ▌「freuen sich[4] , ... zu 동사 원형」 [4격 재귀동사] '...해서 기쁘다' (3 기본형: freu*en* - freu*te* - *ge*freu*t*) ▌sich [*4격* 재귀대명사] 주어가 Meine Frau, 즉 여성의 sie('그녀는')이므로 4격 재귀대명사는 *sich*임. (3격 재귀대명사 역시 *sich*) <참고> 주어가 1, 2인칭, 즉 주어가 ich, du ; wir, ihr가 *아닌 나머지 모든 경우*, 3격 및 4격 재귀대명사 모두 *sich*임. ▌Sie [인칭대명사] 격식칭 Sie('당신은, 당신들은')의 *4격* 형임. (3격 형은 *Ihnen*) ▌「, ... *wieder*zusehen」 (분리동사 *wieder*sehen의 zu-부정사) ⇒ *wieder*sehen [분리동사&타동사] ...을 다시 만나다 (3 기본형: *wieder*sehen - *wieder*sah - *wieder*gesehen) (현재 시제: du s*ie*h*st* ... *wieder* ; er s*ie*h*t* ... *wieder*) ⇐ sehen [타동사] ...을 보다, 만나다 (3 기본형: sehen - sah - gesehen) (현재 시제: du s*ie*h*st* ; er s*ie*h*t*) ← wieder [부사어] 다시, 재차 (영. again)

정답 Meine Frau *wird* sich sehr *freuen* , Sie wiederzusehen.

✹ **해석** 내 아내는 당신을 다시 뵙게 되어 매우 기뻐*할 것입니다.*

✹ **어휘** werden [1] [조동사] *미래* 시제 형식에 사용됨: 「*werden* ... 동사 원형」 ('*추측*' 혹은 '*예정*') '...일 것이다' ; [2] [자동사] (동사 sein처럼 *형용사* 혹은 *명사 보어*와 함께) ...되다 (영. become) (현재 시제: du wirst ; er wird) (3 기본형: werden - wurde - geworden)

☞ *미래* 시제 형식은 「werden ... 동사 원형」:

주어가 Meine Frau, 즉 여성의 sie('그녀는')이므로 werden의 형태는 *wird*임.

→ 따라서 정답은: *Meine Frau* wird ... freuen , ...

► ... , Sie wieder*zu*sehen :

여기서 Sie는 뒤에 오는 zu-부정사 wieder***zu***sehen 안의 동사,
즉 wiedersehen의 4격 목적어임.

6. Ich (*sein*) traurig, wenn du gehst.

✹ **어휘** sein [자동사] ...이다 (3 기본형: sein - war - gewesen ; 완료형 「*sein* ... gewesen」) ▌traurig [형용사] 슬픈 → die Trauer 슬픔 (복수 없음!) ↔ froh 기쁜, glücklich 행복한 ▌wenn [종속접속사] ...일 경우 (영. if, when) (뒤에 오는 부문장은 *후치*됨: ... , wenn *du* gehst) ▌gehen [자동사] 가다 (3 기본형: gehen - ging - gegangen ; '*장소 이동* 자동사 → 완료형 「*sein* ...

gegangen 」)

(정답) Ich *werde* traurig *sein* , wenn du gehst.

✱ **해석** 네가 간다면 나는 슬퍼하게 *될 거야.*

✱ **어휘** werden [1] [조동사] *미래* 시제 형식에 사용됨: 「*werden* ... 동사 원형」 ('*추측*' 혹은 '*예정*') '...일 것이다' ; [2] [자동사] (동사 sein처럼 *형용사* 혹은 *명사 보어*와 함께) ...되다 (영. become) (현재 시제: du wirst ; er wird) (3 기본형: werden - wurde - geworden)

☞ *미래* 시제 형식은 「werden ... 동사 원형」:
주어가 Ich이므로 werden의 형태는 werd*e*임.
→ 따라서 정답은: *Ich* werde ... sein , ...

7. Wenn du jetzt nicht fleißig lernst, (*bereuen*) du es später einmal.

✱ **어휘** wenn [종속접속사] ...일 경우 (영. if, when) (뒤에 오는 부문장은 *후치*됨: Wenn *du* ... lernst , ...) ▌jetzt [부사어] 지금 ▌fleißig [형용사] 부지런한, (부사적) 부지런히 ▌lernen [타동사&자동사] (...을) 공부하다, 배우다 (3 기본형: lern*en* - lern*te* - *ge*lern*t*) ▌bereuen [타동사] ...을 후회하다 (3 기본형: *bereu*en - *bereu*te - *bereu*t) → die Reue 후회 (복수 없음!) ▌es [인칭대명사] es의 *4격* 형임. (3격 형은 *ihm*) <참고> es는 원칙적으로 앞에 나온 중성명사를 받지만, *앞 문장 전체 혹은 일부*를 받을 수도 있음. ▌später [부사어] 나중에, 후에 ↔ früher 전에, 과거에 ▌einmal [부사어] (과거 혹은 미래의) 언젠가 한번 (영. some day, once)

(정답) Wenn du jetzt nicht fleißig lernt, *wirst* du es später einmal *bereuen.*

✱ **해석** 너는 지금 열심히 공부하지 않는다면 나중에 언젠가 후회하게 *될 것이다.*

✱ **어휘** werden [1] [조동사] *미래* 시제 형식에 사용됨: 「*werden* ... 동사 원형」 ('*추측*' 혹은 '*예정*') '...일 것이다' ; [2] [자동사] (동사 sein처럼 *형용사* 혹은 *명사 보어*와 함께) '...되다' (영. become) (현재 시제: du wirst ; er wird) (3 기본형: werden - wurde - geworden)

☞ *미래* 시제 형식은 「werden ... 동사 원형」:
주어가 du이므로 werden의 형태는 *wirst*임.
→ 따라서 정답은: ... , wirst *du* ... bereuen.

► Wenn du jetzt nicht fleißig lernst , wirst du *es* ... bereuen :
여기서 es는 앞에 나온 ***wenn-부문장 내용***을 받아 '지금 열심히 공부하지 않는 것'을 뜻함.

IV. '추측'? 혹은 '예정 (미래의 일)'? (22과, 기초문제: 교재 128쪽)

1. Ich werde dir die Sache später erklären.

✷ **해석** 그 일을 나중에 네게 설명해 줄 게.

✷ **어휘** 「werde ... erklären」 (동사 erklären의 *미래* 시제) ⇒ *미래* 시제 형식: 「werden ... 동사 원형」 [1] (추측) ...일 것이다 ; [2] (예정) ...할 것이다 (불규칙 변화: du wirst ; er wird) ▌dir [인칭대명사] du의 *3격* 형임. (4격 형은 *dich*) ▌die Sache 일, 물건, ...것 (die Sache*n*) (영. thing) ▌später [부사어] 나중에, 추후에 <참고> 원래 형용사 spät('늦은')의 *비교급*이지만 독립적인 부사어로 굳어짐. ▌erklären [타동사] : 「erklären + 3격(사람) + 4격」 *누구*에게 ...을 설명하다 (3 기본형: *er*klär*en* - *er*klär*te* - *er*klär*t*)

정답 예정

☞ '시간'의 부사어 später('*나중에*')에서 알 수 있듯이 '추후에 설명해주겠다고 약속'하는 내용임.

→ 따라서 정답은: '*예정*'

2. Sieht er fern? - Er wird wohl gerade fernsehen.

✷ **해석** 그가 텔레비전을 보고 있을까? - 그는 아마도 지금 TV를 보고 있는 중일 거야.

✷ **어휘** 「Sieht ... fern?」 (분리동사 *fern*sehen의 *현재* 시제: 주어가 *er, sie, es*일 때) ⇒ *fern*sehen [분리동사&자동사] TV를 시청하다 (현재 시제: du s*ie*h*st* ... *fern* ; er s*ie*h*t* ... *fern*) (3 기본형: *fern*sehen - *fern*sah - *fern*gesehen) ⇐ sehen [타동사] ...을 보다 (현재 시제: du s*ie*h*st* ; er s*ie*h*t*) (3 기본형: sehen - sah - gesehen) <참고> fern [형용사] 먼, (부사적) 멀리 ▌「wird ... fernsehen」 (분리동사 *fern*sehen의 *미래* 시제) ⇒ *미래* 시제 형식: 「werden ... 동사 원형」 [1] (추측) ...일 것이다 ; [2] (예정) ...할 것이다 (불규칙 변화: du wirst ; er wird) ▌wird (동사 werden의 형태: 주어가 *er, sie, es*일 때) ⇒ werden [조동사: *미래* 시제] ▌wohl [부사어] (추측) 아마도, 어쩌면 (= vermutlich, wahrscheinlich) ▌gerade [부사어] 지금, 막 (= jetzt) (부사어 gerade가 있을 경우 "*지금 ...하고 있는 중이다*"로 해석!)

정답 추측

문장 2

☞ '추측'의 부사어 wohl('*아마도*')에서 알 수 있듯이 '그가 지금 무엇을 할지 추측'하는 내용임.

→ 따라서 정답은: '*추측*'

3. Im nächsten Jahr werde ich mit meinem Mann nach Australien fahren.

✷ **해석** 내년에 나는 내 남편과 함께 호주로 갈 거야.

✷ **어휘** 「im + 남성・중성 3격」 (*시간적* 의미) ~에 : im nächsten Jahr 내년에 ▌nächst- [형용사] 다음의 (뒤에 오는 *명사를 수식*하여 *어미변화* 하는 용법만 있음!) ▌das Jahr 해, 년 (die Jahr*e*) ▌「werde

... fahren」 (동사 fahren의 *미래* 시제) ⇒ *미래* 시제 형식: 「werden ... 동사 원형」[1] (추측) ...일 것이다 ; [2] (예정) ...할 것이다 (불규칙 변화: du wirst ; er wird) ▌mit [*3격* 전치사] ~와 함께 ▌der Mann 남편, 성인 남자 (die Männ*er*) ▌「nach + 국가」 (방향) ~로 : nach Australien 호주로 ▌Australien [고유명사] 호주 → der Australier 호주인 (die Australier) ; australisch [형용사] 호주의 ▌fahren [자동사] (차 타고) 가다 (현재 시제: du fähr*st* ; er fähr*t*) (3 기본형: fahren - fuhr - gefahren ; '*장소 이동* 자동사 → 완료형 「*sein* ... gefahren」) → die Fahrt 운행 (die Fahrt*en*) (보통은 단수 사용!)

정답 예정

☞ '시간'의 부사어 im nächsten Jahr('*내년에*')에서 알 수 있듯이
'내년에 행할 호주 여행'에 대한 내용임.
→ 따라서 정답은: '*예정*'

► 「im nächst*en* Jahr」:
「축약형 *am* , *im* , *zum* , *zur* , *vom* + 형용사 *-en*」임!

4. Haben Sie Herrn Müller gesehen? - Nein, er wird wohl in seinem Büro sein.

✱ **해석** 뮐러씨를 보셨나요? - 아니오, 그는 아마도 자신의 사무실에 있을 거에요.

✱ **어휘** 「Haben ... gesehen?」 (동사 sehen의 *현재완료* 시제) ▌gesehen (동사 sehen의 *pp형*) ⇒ sehen [타동사] ...을 보다, 만나다 (3 기본형: sehen - sah - gesehen) (현재 시제: du sieh*st* ; er sieh*t*) ▌Herr ... (남자 호칭) '...씨' <주의> Herr는 주어를 제외한 *단수 2, 3, 4격*이 Herr*n*임! ▌「wird ... sein」 (동사 sein의 *미래* 시제) ⇒ *미래* 시제 형식: 「werden ... 동사 원형」[1] (추측) ...일 것이다 ; [2] (예정) ...할 것이다 (불규칙 변화: du wirst ; er wird) ▌wird (동사 werden의 형태: 주어가 *er, sie, es*일 때) ⇒ werden [조동사: *미래* 시제] ▌wohl [부사어] (추측) 아마도, 어쩌면 ▌in [*3 · 4격* 전치사] (*3격* 지배: *위치*) ~안에, ~에 : in seinem Büro sein 그의 사무실 *안에* 있다 ▌das Büro 사무실 (die Büro*s*) ▌sein [자동사] 있다, 존재하다 (3 기본형: sein - war - gewesen ; 완료형 「*sein* ... gewesen」)

정답 추측

문장 1

► Haben Sie Herr*n* Müller gesehen? :
동사 gesehen(= sehen)의 *4격 목적어*이므로,
즉 주어가 아닌 ***단수 4격***이므로 Herr**n** Müller임.

문장 2

☞ '추측'의 부사어 wohl('*아마도*')에서 알 수 있듯이 '뮐러씨가 어디에 있을지 추측'하는 내용임.
→ 따라서 정답은: '*추측*'

5. Das ist wirklich ein gutes Café. - Ja, ein besseres werden Sie hier nur schwer finden.

✱ **해석** 그것은 정말로 좋은 카페입니다. - 맞아요, (그것보다도) 더 좋은 데는 여기서 찾기가 아주 힘들 겁니다.

✺ 어휘 「Das ist + *단수* 1격」 그것은 ...이다 ▌wirklich [형용사] 정말의, (부사적) 정말로 → die Wirklichkeit 현실, 실제 (die Wirklichkeit*en*) ▌gut [형용사] 좋은 (3 비교형 *불규칙* 변화: gut - *besser* - *best-*) ▌das Café 카페 (die Café*s*) ▌besser (형용사 gut의 *비교급*) ⇒ gut [형용사] 좋은 ▌「werden ... finden」 (동사 finden의 *미래* 시제) ⇒ *미래* 시제 형식: 「werden ... 동사 원형」[1] (추측) ...일 것이다 ; [2] (예정) ...할 것이다 (불규칙 변화: du wirst ; er wird) ▌nur [부사어] 단지, 오로지 ▌schwer [형용사] 무거운, 어려운, (부사적) 무겁게, 어렵게 (3 비교형: schwer - schwer*er* - schwer*st-*) ↔ leicht 가벼운, 쉬운 (3 비교형: leicht - leicht*er* - leicht*est-*) ▌finden [타동사] ...을 발견하다 (3 기본형: finden - fand - gefunden)

정답 추측

문장 2

► 「ein_ besser*es* (Café)」:

- 생략된 명사 Café가 *중성*이며, 동사 finden의 *4격* 목적어이므로 *중성 4격!!*
  따라서 *중성 4격* 부정관사 ein_이 앞에 옴.
- 형용사 besser 앞에 *중성 4격* ein_이 있음.
  따라서 ein_ besser*es*_ ...
  (근거: 중성 1, 4격 ein_ , mein_ , dein_ , ihr_ , unser_ ... kein_ + 형용사 *-es*)

☞ 내용상 '더 좋은 카페를 찾기 어려울 것이라고 추측'하는 내용임.
→ 따라서 정답은: '*추측*'

unit 02

심화문제

I. 밑줄 친 동사를 주어진 시제 형태로 표현하시오. (22과, 심화문제: 교재 130쪽)

1. Vor 30 Jahren geben(과거) es keine Computer. Heute geben(현재) es in den meisten Büros einen Computer.

✱ 어휘 「vor + 시간명사(3격)」 ~전에 : Vor 30 Jahren '30년 *전에*' ↔ 「in + 시간명사(3격)」 ~후에 ▌dreißig 30 ▌das Jahr 해, 년 (die Jahr*e*) ▌geben [타동사] ...을 주다 (현재 시제: du gib*st* ; er gib*t*) (3 기본형: geben - gab - gegeben) : 「es gibt + 4격」 '...이 있다' ▌der Computer 컴퓨터 (die Computer) ▌heute [부사어] 오늘 ▌in [*3 · 4격* 전치사] (*3격* 지배: *위치*) ~안에, ~에 : in den meisten Büros 대부분의 사무실들 *안에* ▌「meist- + *복수*명사」 '대부분의 ...' ▌das Büro 사무실 (die Büro*s*)

정답 Vor 30 Jahren *gab* es keine Computer. Heute *gibt* es in den meisten Büros einen Computer.

✱ 해석 30년 전에는 컴퓨터가 없었다. 오늘날에는 대부분의 사무실에 컴퓨터가 있다.

문장 1

► 「Vor dreißig Jahr*en*」:
*복수*명사 Jahr*e*가 전치사 Vor의 *3격* 목적어이므로 *복수 3격!!*
복수 3격 명사의 형태는 *-n*이므로 어미 *-n*이 붙어 Jahr*en*임.

☞ *과거* 시제이므로 동사 geben의 3 기본형 가운데 과거형 *gab*이 과거 시제 어미변화 함:
주어가 es이므로 어미 없이 그대로 *gab* 임.
과거 시제 동사 어미변화:
주어가 ***ich*** 혹은 ***er, sie, es***일 때 어미 없음!

→ 따라서 정답은: Vor 30 Jahren gab es ...

► 「kein*e* Computer」:
명사 Computer는 *복수*이며, 「es gab + 4격」 형식에 따라 4격이므로 *복수 4격!!*
따라서 부정어 kein-은 *복수 4격* 정관사 di*e* 어미변화 하여 kein*e*임.
소유대명사 mein-, dein-, ihr- ... 및 부정어 kein-은
원칙적으로 ***부정관사 ein-*** 어미변화 하지만, ***복수***의 경우 ***정관사 d-*** 어미변화 함!

문장 2

☞ 동사 geben은 *현재* 시제, *주어가 단수 2, 3인칭*일 때 어간 모음 e → i 로 불규칙 변화함.
여기서도 주어가 단수 3인칭 *es*이므로 geben의 형태는 gib*t*임. (즉, geb*t* 아님!)
→ 따라서 정답은: Heute gibt *es* ...

► 「in d*en* meist*en* Büro*s* 」:

- 명사 Büro*s*는 *복수*이며, 전치사 in의 *3격* 목적어이므로 *복수 3격!!* 따라서 *복수 3격* 정관사 d*en*이 앞에 옴.
- 형용사 meist- 앞에 *복수 3격* 정관사 d*en*이 있으므로 어미 *-en*이 붙어 meisten임.
  3격 어미 (남성 · 중성 ***-em*** ; 여성 ***-er*** ; 복수 ***-en***)을 지닌 관사, 소유대명사, 지시대명사 뒤에 오는 형용사는 모두 ***-en***임!
- 원칙적으로 *복수 3격* 명사의 형태는 *-n*이지만, Büro*s*와 같이 복수형이 *-s*인 경우는 예외적으로 어미 *-n*이 붙지 않음. (즉, Büro*sn* 아님!)

2. Klaus wollen(과거) in den Ferien mit seinen Freunden eine Reise in die Schweiz machen, aber sein Vater lassen(현재) ihn nicht fahren.

✷ 어휘 「wollen ... machen」 (화법조동사 wollen의 *현재* 시제) ⇒ 「wollen ... 동사 원형」 ...하려고 한다 (현재 시제: ich will ; du will*st* ; er will ; wir woll*en* ; ...) (3 기본형: wollen - wollte - gewollt, wollen) ▌「in + 3격」 (*시간적* 의미) ~에 : in den Ferien 방학 중에 ▌ die Ferien (항상 복수) 방학, 휴가 ▌ mit [*3격* 전치사] ~와 함께 ▌ der Freund 친구, 남자 친구 (die Freund*e*) ▌ die Reise 여행 (die Reise*n*) : eine Reise machen 여행을 하다 ▌ machen [타동사] ...을 행하다 (3 기본형: mach*en* - mach*te* - *ge*mach*t*) ▌ in [*3 · 4격* 전치사] (*4격* 지배: *방향*) ~안으로, ~로 : in die Schweiz 스위스로 ▌ die Schweiz (국가 명) 스위스 → der Schweizer 스위스인 (die Schweizer) <주의> Schweiz는 국가명이지만 *여성*명사로서 *정관사*와 함께 사용됨! ▌ aber [등위접속사] 그러나 ▌ der Vater 아버지 (die Väter) ▌「lassen ... fahren」 ⇒ 「lassen + 4격 ... 동사 원형」 *4격*으로 하여금 ...하도록 하다 (현재 시제: du läss*t* ; er läss*t*) (3 기본형: lassen - ließ - gelassen, lassen ※완료형은 「haben ... *pp*」: ① 동사 원형 *없을* 때: 「haben ... *gelassen*」; ② 동사 원형 *있을* 때: 「haben ... *동사 원형* *lassen*」)

<참고>

국가 명:

① 대부분은 *중성*명사이며, 고유명사로서 *관사 없음.*
Deutschland 독일 / Österreich 오스트리아 / Russland 러시아 / Brasilien 브라질

② *여성*명사인 경우 *정관사*와 결합함:
die Schweiz 스위스 / die Türkei 터키 / die Ukraine 우크라이나

③ *남성*명사인 경우 *관사 없이* 사용되거나, 혹은 *정관사*와 결합함:
(der) Irak 이라크 / (der) Iran 이란

④ *복수*명사일 경우 *정관사*와 결합함:
die Niederlande 네덜란드 / die USA 미국 (= die Vereinigten Staaten von Amerika)

정답 Klaus *wollte* in den Ferien mit seinen Freunden eine Reise in die Schweiz machen, aber sein Vater *lässt* ihn nicht fahren.

✷ 해석 클라우스는 방학 중에 자신의 친구들과 함께 스위스로 여행하려고 했지만, 그의 아버지는 그가 가도록 허락하지 않는다.

접속사 aber 앞 문장

☞ *과거* 시제이므로 화법조동사 wollen의 과거형 *wollte*가 과거 시제 어미변화 함:
주어가 Klaus, 즉 er이므로 과거형 wollte는 어미 없이 그대로 wollte_임.

과거 시제 동사 어미변화:
주어가 ***ich*** 혹은 ***er, sie, es***일 때 어미 없음!

→ 따라서 정답은: Klaus wollte ...

► 「mit mein*en* Freund*en*」:

- 명사 Freund*e*는 *복수*이며, 전치사 mit의 *3격* 목적어이므로 *복수 3격!!*
  따라서 소유대명사 mein-('나의')은 *복수 3격* 어미 *-en*이 붙어 mein*en*임.
- *복수 3격* 명사의 형태는 *-n*이므로 Freund*e*는 어미 *-n*이 붙어 Freund*en*임.

접속사 aber 뒤 문장

☞ 동사 lassen은 *현재* 시제, *주어가 단수 2, 3인칭*일 때 어간 모음 a → ä 로 불규칙 변화함.
여기서도 주어가 sein Vater, 즉 단수 3인칭 er이므로 lassen의 형태는 läss*t*임.
(즉, lass*t* 아님!)
→ 따라서 정답은: ..., aber *sein Vater* lässt ...

3. Obwohl ich der Firma vor dem Abflug meine Ankunftszeit *mit*teilen(과거완료), *ab*holen(현재완료) mich niemand am Flughafen.

✸ **어휘** obwohl [종속접속사] 비록 ...일지라도 (영. though, although) (뒤에 오는 부문장은 *후치*됨: Obwohl 주어 ... *동사* , ...) ▌die Firma 회사 (die Firm*en*) ▌「vor + 3격」 (*시간적* 의미) ~전에 : vor dem Abflug 비행기 출발 전에 ▌der Abflug 비행기 여행의 출발 (die Abflüg*e*) ← *ab*fliegen [분리동사&자동사] 비행기 여행을 출발하다 (3 기본형: *ab*fliegen - *ab*flog - *ab*geflogen ; '*장소 이동*' 자동사 → 완료형「*sein* ... abgeflogen」) <참고> der Flug 비행 (die Flüg*e*) ▌die Ankunftszeit 도착 시간 → die Ankunft 도착 (복수 없음) + die Zeit (주로 단수) 시간, 시각 ▌*mit*teilen [분리동사&타동사] : 「teilen + 3격(사람) + 4격 ... *mit*」 누구에게 *4격*을 알리다 (3 기본형: *mit*teil*en* - *mit*teil*te* - *mit*ge teil*t*) ⇐ teilen [타동사] ...을 나누다, 함께 하다 (영. share) (3 기본형: teil*en* - teil*te* - *ge*teil*t*) ▌*ab*holen [분리동사&타동사] (마중 나가) ...을 데려오다 (영. pick up) (3 기본형: *ab*hol*en* - *ab*hol*te* - *abge*hol*t*) ⇐ holen [타동사] ...을 가져오다 (3 기본형: hol*en* - hol*te* - *ge*hol*t*) ▌mich [인칭대명사] ich의 *4격* 형임. (3격 형은 *mir*) ▌niemand [부정대명사] 아무도 ... 않다 (영. nobody) ↔ jemand 누군가 (영. somebody) ▌「am + 남성 · 중성 3격」 (위치) ~에서, ~옆에서, ~가에서 : am Flughafen 공항*에서* ▌der Flughafen 공항 (die Flughäfen) ← der Flug 비행 (die Flüg*e*) + der Hafen 항구 (die Häfen)

정답 Obwohl ich der Firma vor dem Abflug meine Ankunftszeit *mitgeteilt hatte* , *hat* mich niemand am Flughafen *abgeholt*.

✸ **해석** 비행기로 출발하기에 앞서 회사에 나의 도착 시간을 알렸음에도 불구하고 공항으로 나를 마중 나온 사람이 아무도 없었다.

☞ 분리동사 *mit*teilen은 타동사이므로 완료 형식은 「haben ... pp」,
따라서 *과거완료* 형식은 「*hatte* ... pp」임:

- 주어가 ich이므로 hatte의 형태는 어미 없이 그대로 hatte_임.
  과거 시제 동사 어미변화:
  주어가 ***ich*** 혹은 ***er***, ***sie***, ***es***일 때 어미 없음!
- *mit*teilen의 pp형은 규칙 변화 하여 *mitge*teil*t*임.

즉, 과거완료 시제 형태는 「*hatte* ... *mitgeteilt*」임.

→ 따라서 정답은: Obwohl *ich* ... mitgeteilt hatte , ...
obwohl-부문장이므로 ***후치***됨!

☞ 분리동사 *ab*holen은 타동사이므로 *현재완료* 형식은 「*haben* ... pp」임:

- 주어가 niemand 이므로 haben의 형태는 *hat*임.

단수 3인칭 *er*처럼 취급!

- *ab*holen의 pp형은 규칙 변화 하여 *abge*hol*t*임.

즉, 현재완료 시제 형태는 「*hat* ... *abgeholt*」임.

→ 따라서 정답은: Obwohl ich ... hatte , hat ... *niemand* ... abgeholt.
obwohl-부문장이 앞에 있으므로
동사 ***hat***는 ***도치***되어 주어 niemand 보다 앞에 옴!

► 어순: mich는 *인칭*대명사이므로 *부정*대명사인 niemand보다 앞에 위치함.

<참고>

어순 규칙:

① *대명사* > 다른 품사 (명사, 부사어 ...)

② 동일한 대명사일 경우: *1격* > *4격* > *3격*

③ *인칭*대명사 > 다른 종류의 대명사 (부정대명사, 재귀대명사, 지시대명사 ...)

4. Frag ihn mal danach! Er helfen(미래) dir schon.

✸ **어휘** 「Frag ...!」 (du-명령문) ⇒ fragen [타동사] : 「fragen + 4격(사람) + nach + 3격」 *누구*에게 ...에 관해 묻다 (*4격* 요구 동사!) (3 기본형: frag*en* - frag*te* - *ge*frag*t*) ▌ihn [인칭대명사] er의 *4격* 형임. (3격 형은 *ihm*) ▌mal [부사어] 명령문을 정중히 표현함 (우리말 해석 필요 없음!) ▌danach '그것에 관해' ← 전치사 nach '...에 관해' + 지시대명사 das '그것' ▌helfen [자동사: *3격* 요구 동사] : 「helfen + 3격(사람)」 *누구*를 돕다 (현재 시제: du hi*l*f*st* ; er hi*l*f*t*) (3 기본형: helfen - half - geholfen) ▌dir [인칭대명사] du의 *3격* 형임. (4격 형은 *dich*) ▌schon [부사어] 미래의 일에 대한 추측에서 대화 상대자를 안심시키는 표현. ("틀림없이" 등으로 해석!)

정답 Frag ihn mal danach. Er *wird* dir schon *helfen*.

✸ **해석** 그것에 관해서 그에게 한번 물어 봐. 그가 (틀림없이) 너를 도와줄 거야.

문장 1

► Frag ihn mal <u>*danach*</u> !

danach = 전치사 ***nach*** + 지시대명사 ***das***

1. 여기서 전치사 *nach*는 동사 형식 「fragen + 4격 + <u>*nach*</u> ... 」에 근거함!
2. 여기서 *das*는 상황 문맥 안의 특정 대상을 가리킴.
   (이 예문에서는 구체적으로 알 수 없음!)

문장 2

☞ 미래 시제 형식은 「*werden* ... 동사 원형」임!

주어가 Er이므로 werden의 형태는 *wird*임.

→ 따라서 정답은: *Er* <u>wird</u> ... <u>helfen</u>.

II. 문맥을 고려할 때 괄호 안에 주어진 동사의 올바른 시제 형태는?

(22과, 심화문제: 교재 130쪽)

1. Die Kollegen (*kommen*) vor einer Woche hier (*an*). Sie sind also schon seit einer Woche hier.

✺ **어휘** der Kollege 동료, 남자 동료 (die Kollege*n*) <주의> 주어를 제외한 *단수 2, 3, 4격이* 복수형처럼 Kollege<u>*n*</u>인 *약변화* 명사! ▌「kommen ... an」⇒ *an*kommen [분리동사&자동사] 도착하다 (3 기본형: *an*kommen - *an*kam - *an*gekommen ; '*장소 이동*' 자동사 → 완료형 「*sein* ... angekommen」) ⇐ kommen [자동사] 오다 (3 기본형: kommen - kam - gekommen ; '*장소 이동*' 자동사 → 완료형 「*sein* ... gekommen」) ▌「vor + 시간명사(3격)」 ~전에 : vor einer Woche 일주일 *전에* ▌hier [부사어] 여기, 여기에 ▌die Woche 주, 주일 (die Woche*n*) ▌sind (동사 sein의 *현재* 시제) ⇒ sein [자동사] 있다, 존재하다 (3 기본형: sein - war - gewesen ; 완료형 「*sein* ... gewesen」) ▌also [부사어] (논리적 귀결) 그러므로 (영. therefore) ▌seit [*3격* 전치사] ~이래, ~이후

정답 <u>Die Kollegen *sind* vor einer Woche hier *angekommen*. Sie sind also schon seit einer Woche hier.</u>

✺ **해석** 동료들은 일주일 전에 이곳에 도착했다. 그러므로 그들은 벌써 일주일 전부터 여기에 있는 셈이다.

문장 1

☞ 분리동사 *an*kommen('도착하다')은 *현재완료* 시제이어야 함: "... 여기에 <u>*도착했다*</u>."

*an*kommen은 '장소 이동' 자동사이므로 현재완료 형식은 「*sein* ... pp」임:

- 주어가 Die Kollegen, 즉 복수의 sie('그들은')이므로 sein의 형태는 *sind*임.
- *an*kommen의 pp형은 *an*gekommen임.

→ 따라서 정답은: *Die Kollegen* <u>sind</u> ... <u>angekommen</u>.

2. Entschuldigung für die Störung! Wir (*wissen*) nicht, dass du so viel zu tun hast.

✺ 어휘 die Entschuldigung 용서 (보통 단수 사용!) : 「Entschuldigung für + 4격 !」 "...에 대해 용서하세요", 즉 "...해서 죄송합니다" ← entschuldigen [타동사] ...을 용서하다 (3 기본형: *ent*schuldig*en* - *ent*schuldig*te* - *ent*schuldig*t*) ▌ für [4격 전치사] ~을 위해 (영. for) ▌ die Störung 방해 (die Störung*en*) ← stören [타동사] ...을 방해하다 (3 기본형: stör*en* - stör*te* - *ge*stör*t*) ▌ wissen [타동사] ...을 알다 (*현재* 시제, *주어가 단수일 때 불규칙* 변화: ich weiß ; du weißt ; er weiß ; wir wiss*en* ; ihr wiss*t* ; sie, Sie wiss*en*) (3 기본형: wissen - wusste - gewusst) ▌ dass [종속접속사] ...라는 사실, ...라는 것 (뒤에 오는 부문장은 *후치*됨: ... , dass *du* ... hast) → 「wissen , dass ... 」 '...라는 사실을 알다' (영. know that ...) ▌ so viel 그렇게 많이 (영. so much) ▌ so [부사어] 그렇게 ▌ viel [부정수사] 많은, 많이 (영. much) (3 비교형 *불규칙* 변화: viel - *mehr* - *meist-*) ▌ tun [타동사] ...을 행하다 (영. do) : 「주어 + haben viel zu tun」 "*주어*는 행할 많은 것을 가지고 있다", 즉 "*주어*는 할 일이 많다." (3 기본형: tun - tat - getan) (현재 시제: ich tu*e* ; du tu*st* ; er tu*t* ; wir tu*n* ; iht tu*t* ; sie, Sie tu*n*) ▌ hast (동사 haben의 *현재* 시제) ⇒ haben [타동사] ...을 가지고 있다 (3 기본형: haben - hatte - gehabt)

(정답) Entschuldigung für die Störung. Wir *wussten* nicht, dass du so viel zu tun hast.

✺ 해석 방해해서 미안해. 우리는 네가 할 일이 그렇게나 많은지 알지 못했어.

문장 2

☞ 동사 wissen('...을 알다')은 *과거* 시제이어야 함: "...라는 것을 *알지 못했다*."
과거 시제이므로 wissen의 과거형 *wusste*가 과거 시제 어미변화 함:
주어가 Wir이므로 wusste는 어미 *-n*이 붙어 wusste*n*임.

과거 시제 동사 어미변화:
주어가 ***wir*** 혹은 복수의 ***sie***('그들은'), 격식칭 ***Sie***일 때 어미 ***-n*** 혹은 ***-en***이 붙음!

→ 따라서 정답은: *Wir* wussten nicht , dass ...

(기타 정답)

Entschuldigung für die Störung! Wir *haben* nicht *gewusst*, dass du so viel zu tun hast.

► 동사 wissen의 경우, *과거* 및 *현재완료* 시제 모두 일상 회화에서 사용됨!

3. Wo (*wohnen*) Stefan zuerst, als er nach München (*kommen*)? - In einer Pension.

✺ 어휘 wo [의문사] 어디에서? (영. where?) ▌ wohnen [자동사] 거주하다 (3 기본형: wohn*en* - wohn*te* - *ge*wohn*t*) ▌ zuerst [부사어] 우선, 먼저 ▌ als [종속접속사] (*과거*의 한 시점) ...하였을 때 (뒤에 오는 부문장은 *후치*됨: ... , als 주어 ... *동사*) ▌ 「nach + 도시, 국가」 (방향) ~로 : nach München 뮌헨으로 ▌ kommen [자동사] 오다 (3 기본형: kommen - kam - gekommen ; '*장소 이동*' 자동사 → 완료형 「*sein* ... gekommen 」) ▌ in [*3·4격* 전치사] (*3격* 지배: *위치*) ~안에서,

~에서 : In einer Pension 한 펜션*에서* ▌die Pension 펜션, 여행객 숙소 (die Pension*en*)

(정답) Wo *wohnte* Stefan zuerst, als er nach München *kam*? - In einer Pension.

✺ **해석** 뮌헨으로 왔을 때, 슈테판은 처음에 어디에서 거주했니? - 한 여관에서야.

문장 1

☞ '*과거의 한 시점에* 일어난 일'을 나타내는 종속접속사 als('...하였을 때')가 있으므로 내용상 wohnen 및 kommen 모두 *과거* 시제이어야 함: "...로 왔을 때 어디에서 *살았나?*"

① 주문장 안의 동사 wohnen의 경우:

과거 시제이므로 wohnen의 과거형 wohn*te*가 과거 시제 어미변화 함:

주어가 Stefan, 즉 er이므로 wohn*te*는 어미 없이 그대로 wohn*te*_임.

과거 시제 동사 어미변화:
주어가 ***ich*** 혹은 ***er, sie, es***일 때 어미 없음!

→ 따라서 정답은: ... wohnte *Stefan* ... , als ...?

② als-부문장 안의 동사 kommen의 경우:

과거 시제이므로 kommen의 과거형 *kam*이 과거 시제 어미변화 함:

주어가 er이므로 kam은 어미 없이 그대로 kam_임.

과거 시제 동사 어미변화:
주어가 ***ich*** 혹은 ***er, sie, es***일 때 어미 없음!

→ 따라서 정답은: ... , als *er* ... kam ?

als-부문장이므로 동사 kam이 *후치*되어 문장 맨 뒤로 옴.

4. Gestern (*sein*) ich in einem Restaurant. Als ich zahlen (*wollen*), (*merken*) ich, dass ich meine Brieftasche zu Haus (*vergessen*).

✺ **어휘** gestern [부사어] 어제 → vorgestern 그저께 ▌sein [자동사] 있다, 존재하다 (3 기본형: sein - war - gewesen ; 완료형「*sein* ... gewesen」) ▌in [*3 · 4격* 전치사] (*3격* 지배: *위치*) ~안에서, ~에서 : in einem Restaurant 한 식당*에서* ▌das Restaurant 음식점 (die Restaurant*s*) ▌als [종속접속사] (*과거*의 한 시점) ...하였을 때 (뒤에 오는 부문장은 *후치*됨: Als 주어 ... *동사*, ...) ▌zahlen [타동사/자동사] (...을) 지불하다 (3 기본형: zahl*en* - zahl*te* - *ge*zahl*t*) ▌「wollen ... 동사 원형」 [화법조동사] ...하려고 하다 (현재 시제: ich will ; du will*st* ; er will ; wir woll*en* ; ...) (3 기본형: wollen - wollte - gewollt, wollen) ▌merken [타동사] ...을 알아채다 (3 기본형: merk*en* - merk*te* - *ge*merk*t*) ▌dass [종속접속사] ...라는 사실, ...라는 점 (뒤에 오는 문장은 *후치*됨: ... , dass 주어 ... *동사*) → 「merken, dass ...」 '...라는 사실을 알아채다' ▌die Brieftasche 지갑 (die Brieftasche*n*) ← der Brief 편지 (die Brief*e*) + die Tasche 작은 가방 (die Tasche*n*) ▌zu Haus(e) (위치) 집에서, 집에 ▌vergessen [타동사] ...을 잊다 (영. forget) : 「vergessen + 4격 + 장소」 (깜박 잊고) *4격*을 *어디*에 두고 나오다 (3 기본형: vergessen - vergaß - vergessen) (현재 시제: du verg*i*ss*t* ; er verg*i*ss*t*)

정답 Gestern *war* ich in einem Restaurant. Als ich zahlen *wollte* , *habe* ich *gemerkt* , dass ich meine Brieftasche zu Haus *vergessen hatte*.

✺ **해석** 어제 나는 한 음식점에 있었다. 지불하려고 했을 때 나는 지갑을 집에 놔두고 왔음을 알아챘다.

문장 1

☞ 부사어 gestern('어제')과 함께 오므로 동사 sein은 *과거* 시제이어야 함: "어제 ...에 *있었다*."

지나간 과거의 일을 말할 때, 동사 ***sein***은 보통 *현재완료*가 아닌 ***과거*** 시제를 사용함.

동사 sein의 과거형 *war*가 과거 시제 어미변화 함:

주어가 ich이므로 과거형 war는 어미 없이 그대로 war_임.

과거 시제 동사 어미변화: 주어가 ***ich*** 혹은 ***er, sie, es***일 때 어미 없음!

→ 따라서 정답은: Gestern war *ich* ...

문장 2

☞ ① als-부문장 안의 화법조동사 wollen의 경우:

종속접속사 als('...하였을 때')와 결합하므로 wollen은 *과거* 시제 임: "지불하려고 *했을 때*"

지나간 과거의 일을 말할 때, ***wollen*** 등의 ***화법조동사***는 보통 *현재완료*가 아닌 ***과거*** 시제를 사용함.

과거 시제이므로 화법조동사 wollen의 과거형 *wollte*가 과거 시제 어미변화 함:

주어가 ich이므로 wollte는 어미 없이 그대로 wollte_임.

과거 시제 동사 어미변화: 주어가 ***ich*** 혹은 ***er, sie, es***일 때 어미 없음!

→ 따라서 정답은: Als *ich* zahlen wollte , ...

② 주문장 안의 동사 merken의 경우:

내용상 als-부문장과 동일한 시점이므로 *현재완료* 시제 이어야 함: "...임을 *알아챘다*"

일상 회화에서 지난 과거의 일을 말할 때 보통 ***현재완료*** 시제를 사용함.

동사 merken은 타동사이므로 *현재완료* 형식은 「*haben* ... pp」임:

- 주어가 ich이므로 haben의 형태는 hab*e*임.
- merken의 pp형은 규칙 변화 하여 *ge*merk*t*임.

즉, 현재완료 시제 형태는 「hab*e* ... *ge*merk*t*」임.

→ 따라서 정답은: Als ich ... wollte , habe *ich* ... gemerkt.

als-부문장이 앞에 있으므로 동사 ***habe***는 ***도치***되어 주어 ich보다 앞에 옴!

③ dass-부문장 안의 동사 vergessen의 경우:

내용상 동사 vergessen은 *과거완료* 시제 이어야 함!

dass-부문장의 내용 "...을 ***잊고 집에 놔둔 것***"은 ***현재완료*** 시제인 주문장의 내용 "...을 ***알아챈 것***"보다 한 단계 더 과거임.

vergessen은 타동사이므로 완료 형식은 「*haben* ... pp」,

따라서 *과거완료* 형식은 「*hatte* ... pp」임:

- 주어가 ich이므로 hatte의 형태는 어미 없이 그대로 hatte_임.
  과거 시제 동사 어미변화:
  주어가 ***ich*** 혹은 ***er, sie, es***일 때 어미 없음!
- 동사 vergessen의 pp형은 *vergessen*임.
  즉, 과거완료 시제 형태는 「*hatte ... vergessen*」임.

→ 따라서 정답은: ... , dass *ich* ... vergessen hatte .
dass-부문장이므로 ***후치***됨!

5. Ich konnte Herrn Frank leider nicht mehr erreichen. Er (*fahren*) schon nach Haus.

✺ **어휘** 「konnte ... erreichen」 (화법조동사 können의 *과거* 시제: 주어가 *ich* 혹은 3인칭 단수 *er, sie, es*일 때) ⇒ 「können ... 동사 원형」 ...할 수 있다 (3 기본형: können - konnte - gekonnt, können) (현재 시제: ich kann ; du kann*st* ; er kann ; wir könn*en* ; ...) ▌Herr ... (남자 호칭) '...씨' <주의> 주어를 제외한 *단수 2, 3, 4격*은 Herr*n* ...임! ▌leider [부사어] 유감스럽게도, 아쉽게도 ▌「nicht mehr ...」 '더 이상 ... 않다' (영. no more) ▌erreichen [타동사] ...에 도달하다 (영. reach) → 「erreichen + 4격(사람)」 누구에게 전화 연락이 닿다 (3 기본형: *er*reich*en* - *er*reich*te* - *er*reich*t*) ▌fahren [자동사] (차량을 타고) 가다 (3 기본형: fahren - fuhr - gefahren ; '*장소 이동*' 자동사 → 완료형 「*sein* ... gefahren」) (현재 시제: du fähr*st* ; er fähr*t*) ▌schon [부사어] 이미, 벌써 ▌nach Haus(e) (방향) 집으로 ← das Haus 집 (die Häus*er*)

정답 Ich konnte Herrn Frank leider nicht mehr erreichen. Er *war* schon nach Haus *gefahren.*

✺ **해석** 유감스럽게도 더 이상 프랑크씨와 전화통화 할 수 없었다. 그는 이미 집으로 가버렸다.

문장 1

► 「*Ich* konnte ... erreichen.」:
화법조동사 können의 *과거* 시제임!
과거 시제이므로 können의 과거형 *konnte*가 과거 시제 어미변화 함:
주어가 Ich이므로 과거형 konnte는 어미 없이 그대로 konnte_임.
과거 시제 동사 어미변화:
주어가 ***ich*** 혹은 ***er, sie, es***일 때 어미 없음!

► Ich konnte Herr*n* Frank ... erreichen. :
동사 erreichen의 *4격 목적어*이므로,
즉 주어가 아닌 ***단수 4격***이므로 Herr***n*** ...임.

문장 2

☞ 내용상 동사 fahren은 *과거완료* 시제 이어야 함!
이 둘째 문장은 앞 문장의 내용 "...와 ***통화할 수 없었던 것***"에 대한 ***이유***를 말하고 있는데,
과거 시제인 앞 문장보다 시간적으로 ***한 단계 더 과거***임.

fahren은 '장소 이동' 자동사이므로 완료 형식은 「*sein* ... pp」,
따라서 *과거완료* 형식은 「*war* ... pp」임:

- 주어가 Er이므로 war의 형태는 어미 없이 그대로 war_임.
  과거 시제 동사 어미변화:
  주어가 ***ich*** 혹은 ***er***, ***sie***, ***es***일 때 어미 없음!

- 동사 fahren의 pp형은 *gefahren*임.

→ 따라서 정답은: *Er* war ... gefahren.

6. Gestern Abend (*sein*) viele Leute im Theater; es (*geben*) kaum freie Plätze.

✷ 어휘 gestern Abend 어제 저녁 ▌ gestern [부사어] 어제 ↔ morgen 내일 ▌ der Abend 저녁 (die Abend*e*) ▌ sein [자동사] 있다, 존재하다 (3 기본형: sein - war - gewesen ; 완료형 「*sein* ... gewesen」) ▌ 「viel*e* + *복수*명사」 많은 ...들 (영. many) : viel*e* Leute 많은 사람들 ▌ die Leute (항상 복수) 사람들 ▌ 「im + 남성 · 중성 3격」 (위치) ~안에 : im Theater 극장 *안에* ▌ das Theater (연극 공연) 극장 (die Theater) ▌ 「es gibt + 4격」 '...이 있다' ⇒ geben [타동사] ...을 주다 (3 기본형: geben - gab - gegeben) (현재 시제: du gi*bst* ; er gi*bt*) ▌ kaum [부사어] 거의 ... 않다 (= fast nicht) (영. hardly, scarcely) ▌ frei [타동사] (좌석이) 빈 ↔ besetzt 차지된 ▌ der Platz 자리, 좌석 (die Pl*ä*tz*e*)

정답 Gestern Abend *waren* viele Leute im Theater; es *gab* kaum freie Plätze.

✷ 해석 어제 저녁 많은 사람들이 극장에 있었다. (그래서) 빈 좌석이 거의 없었다.

문장 1

☞ 부사어 gestern Abend('어제 저녁')과 함께 오므로 동사 sein은 *과거* 시제이어야 함:
"어제 저녁 ...이 *있었다*."
과거 시제이므로 동사 sein의 과거형 *war*가 과거 시제 어미변화 함:
주어가 viele Leute, 즉 복수의 sie('그들은')이므로 war는 어미 *-en*이 붙어 war*en*임.
과거 시제 동사 어미변화:
주어가 ***wir*** 혹은 복수의 ***sie***('그들은'), 격식칭 ***Sie***일 때 어미 ***-n*** 혹은 ***-en***이 붙음!

→ 따라서 정답은: Gestern Abend waren *viele Leute* ... ; ...

문장 2

☞ 내용상 앞에 나온 문장과 동일한 *과거* 시제이어야 함: "...이 거의 *없었다*."
과거 시제이므로 동사 geben의 과거형 *gab*이 과거 시제 어미변화 함:
주어가 es이므로 어미 없이 그대로 gab_임.
과거 시제 동사 어미변화:
주어가 ***ich*** 혹은 ***er***, ***sie***, ***es***일 때 어미 없음!

→ 따라서 정답은: ... ; *es* gab ...

► 「frei*e* Plätz*e*」:
명사 Plätz*e*는 *복수*이며, 문장 형식 「es gibt + 4격」의 *4격* 목적어이므로 *복수 4격!!*

따라서 형용사 frei는 *복수 4격 정관사* die처럼 어미변화 하여 freie임.
형용사 앞에 관사, 소유대명사, 지시대명사 ... 등이 없을 경우,
형용사 자체가 ***정관사 d-*** 어미변화 함!

7. Was (*machen*) Sie, wenn Sie mit dem Studium fertig (*sein*)?

✹ **어휘** was [의문사] 무엇을? (*4격* 형!) ▌machen [타동사] ...을 행하다 (3 기본형: mach*en* - mach*te* - *ge*mach*t*) ▌wenn [종속접속사] 만약 ...일 경우 (뒤에 오는 문장은 부문장이므로 *후치*됨: ... , wenn 주어 ... *동사*) ▌mit [*3격* 전치사] ~을 가지고 (영. with) ▌fertig [형용사] : 「주어(*사람*) + 동사 sein + mit + 3격 + fertig」 *누구*는 ...을 완료하다, 끝내다 <참고> 「주어(*사물*) + 동사 sein + fertig」 *무엇*이 완료되다, 끝나다 : Das Essen ist fertig "식사가 준비되었다." ▌das Studi*um* 학업, 대학 공부 (die Studi*en*) ▌sein [자동사] (*형용사* 혹은 *명사 보어*와 함께) ...이다 (3 기본형: sein - war - gewesen ; 완료형 「*sein* ... gewesen」)

정답 ① Was *machen* Sie, wenn Sie mit dem Studium fertig *sind*?
② Was *werden* Sie *machen*, wenn Sie mit dem Studium fertig *sind*?

✹ **해석** 당신은 대학 공부를 마치게 되면 무엇을 할 예정입니까?

☞ '미래의 예정된 일'을 말할 때 *현재* 혹은 *미래* 시제를 사용할 수 있음.

► 정답 ①의 경우: 주문장 및 부문장 모두 *현재* 시제임.

Was machen *Sie* , wenn *Sie* mit dem Studium fertig sind?

► 정답 ②의 경우: 주문장은 *미래* 시제, 부문장은 *현재* 시제임.

Was werden *Sie* machen , wenn *Sie* mit dem Studium fertig sind?
동사 machen의 ***미래*** 시제 형식 「**werden** ... 동사 원형」임:
주어가 격식칭 Sie이므로 werden은 원형 형태 werd***en***임.
→ 따라서 「... **werden** *Sie* ... ***machen*** , ... 」임.

<주의>
부문장에서 *미래* 시제를 사용할 경우,
즉 "... , wenn Sie ... *sein werden*"은 부자연스러움!

III. 의미상 알맞은 표현을 선택하시오. (22과, 심화문제: 교재 130쪽)

1. Ich fand die Vorlesung sehr gut, obwohl ich nicht alles verstanden habe.

✹ **해석** 나는 비록 전부 이해하지는 못했지만 그 강연이 매우 괜찮다고 생각했다.

✹ **어휘** fand (동사 finden의 *과거* 시제: 주어가 *ich* 혹은 3인칭 단수 *er, sie, es*일 때) ⇒ finden [타동사] : 「finden + 4격 + 형용사」 *4격*이 ...하다고 여기다, 생각하다 (3 기본형: finden - fand - gefunden) ▌die Vorlesung 강연, 강의 (die Vorlesung*en*) ← *vor*lesen [분리동사&타동사] : 「lesen + 3격(사람) + 4격 ... *vor*」 *누구*에게 ...을 읽어주다, 강연하다 (3 기본형: *vor*lesen - *vor*las - *vor*gelesen) (현재 시제: du l*ie*s*t* ... *vor* ; er l*ie*s*t* ... *vor*) ▌gut [형용사] 좋은, (부사적) 잘 (3 비교형 *불규칙* 변화: gut - *besser* - *best-*) ▌obwohl [종속접속사] 비록

...이지만 (뒤에 오는 부문장은 *후치*됨: ... , obwohl *ich* ... habe) ▌denn [*등위*접속사] (이유) ... 이기 때문에 (앞에는 반드시 *콤마*! 뒤에 오는 문장은 *후치법*이 아니라 *정치법*임!) ▌alles [부정대명사] 모든 것 (*단수* 취급!) ↔ alle 모든 사람들 (*복수* 취급!) ▌「... verstanden habe」 (동사 verstehen의 *현재완료* 시제, *후치*됨!) ▌*ver*standen (동사 verstehen의 *pp형*) ⇒ verstehen [타동사] ...을 이해하다 (3 기본형: *ver*stehen - *ver*stand - *ver*standen) ⇐ stehen [자동사] 서있다 (3 기본형: stehen - stand - gestanden)

☞ • 내용상 '*이유*'의 denn('...이기 때문에')이 아니라, '*양보*'에 해당하는 obwohl('비록 ...일지언정')이 와야 함.

• 뒤에 오는 문장이 *후치된 부문장*이므로 등위접속사인 denn은 올 수 없고, 종속접속사인 *obwohl*만이 가능함!

► *Ich* fand ... :
동사 finden의 ***과거*** 시제임!
주어가 Ich이므로 finden의 **과거형** ***fand***가 어미 없이 그대로 ***fand*_** 임.

► ... , obwohl *ich* ... verstanden habe :
동사 verstehen의 ***현재완료*** 시제임!
verstehen은 *타동사*이므로 완료 형식은 「***haben*** ... pp」임:
주어가 ich이므로 haben의 형태는 hab*e*이며, 동사 verstehen의 pp형은 *ver***standen**임.
따라서 「**habe** ... **verstanden** 」이지만, obwohl-부문장 안이므로 ***후치***됨!

2. Wenn Christian Zeit hatte, ging er immer ins Theater.

✺ **해석** 크리스티안은 시간이 있을 때면 항상 극장으로 갔다.

✺ **어휘** wenn [종속접속사] ...일 경우 (뒤에 오는 부문장은 *후치*됨: Wenn *Christian* ... hatte , ...) ▌als [종속접속사] (*과거*의 한 시점) ...하였을 때 (뒤에 오는 부문장은 *후치*됨!) ▌die Zeit (보통 단수) 시간 (die Zeit*en*) ▌hatte (동사 haben의 *과거* 시제: 주어가 *ich* 혹은 *er, sie, es*일 때) ⇒ haben [타동사] ...을 가지고 있다 (3 기본형: haben - hatte - gehabt) ▌ging (동사 gehen의 *과거* 시제: 주어가 *ich* 혹은 *er, sie, es*일 때) ⇒ gehen [자동사] 가다 (3 기본형: gehen - ging - gegangen ; '*장소 이동*' 자동사 → 완료형 「*sein* ... gegangen 」) ▌immer [부사어] 항상 (영. always) : 「Wenn ... , ... immer ... 」= 「Immer wenn ... , ... 」 '...할 때면 항상 ...하다' (영. whenever) ▌「ins + 중성 4격」 (방향) ~안으로, ~으로 : ins Theater gehen 극장으로 가다 ▌das Theater (연극 공연) 극장 (die Theater) <참고> das Kino (영화 상영) 극장 (die Kino*s*)

☞ als('...하였을 때')는 '과거에 *한번* 벌어진 일'을 기술하는 반면, wenn('...할 경우')은 '과거, 현재, 미래에 상관없이 *반복적으로* 이루어지는 일'을 나타냄. 이 예문에서는 주문장 안에 부사어 immer('언제나, 항상')가 있으므로 '반복적인' 일을 나타내므로 als가 아니라 *wenn*이 와야 함.

► Wenn *Christian* ... hatte , ... :
동사 haben의 ***과거*** 시제임!
주어가 Christian, 즉 er이므로 haben의 **과거형** ***hatte***가 어미 없이 그대로 ***hatte*_** 임.

► Obwohl ... hatte , ging *er* ... :
동사 gehen의 ***과거*** 시제임!
주어가 er이므로 gehen의 **과거형** ***ging***이 어미 없이 그대로 ***ging_***임.
(앞에 obwohl-부문장이 있으므로 주문장은 ***도치***됨!)

3. Wo hat Jana studiert, bevor sie nach Deutschland kam?

✵ **해석** 야나는 독일로 오기 전에 어디서 대학을 다녔니?

✵ **어휘** wo [의문사] 어디에서? (영. where?) ▌「hat ... studiert」(동사 studieren의 *현재완료* 시제) ⇒ studieren [자동사] 대학공부 하다 (3 기본형: studier*en* - studier*te* - studier*t*) ▌weil [종속접속사] (이유) ...이기 때문에 (뒤에 오는 부문장은 *후치*됨!) ▌bevor [종속접속사] ...하기 전에 (영. before) (뒤에 오는 부문장은 *후치*됨: ... , bevor *sie* ... kam) ▌「nach + 국가, 도시」(방향) ~로 : nach Deutschland 독일로 ▌Deutschland [고유명사] 독일 (고유명사 관사 없음!) ▌kam (동사 kommen의 *과거* 시제: 주어가 *ich* 혹은 *er, sie, es*일 때) ⇒ kommen [자동사] 오다 (3 기본형: kommen - kam - gekommen ; '*장소 이동*' 자동사 → 완료형「*sein* ... gekommen」)

► ... hat *Jana* studiert , ...? :
동사 studieren의 ***현재완료*** 시제임!
studieren의 완료 형식은「***haben*** ... pp」임:
주어가 Jana, 즉 여성의 sie('그녀는')이므로 haben의 형태는 ***hat***이며, 동사 studieren의 pp형은 studier***t***임.
따라서「**hat** ... **studiert**」임!

☞ 내용상 weil('...이기 때문에')이 아니라, *bevor*('...하기 전에')가 알맞음!

► ... , bevor *sie* ... kam :
동사 kommen의 ***과거*** 시제임!
주어가 여성의 sie('그녀는')이므로 kommen의 **과거형** ***kam***이 어미 없이 그대로 ***kam_***임.

4. Als Thomas heute zur Arbeit kam, war Martin noch nicht da.

✵ **해석** 오늘 토마스가 출근했을 때는 마르틴은 아직 와 있지 않았다.

✵ **어휘** wenn [종속접속사] ...일 경우, 만약 ...라면 (영. when, if) (뒤에 오는 부문장은 *후치*됨!) ▌als [종속접속사] ...하였을 때 (영. when, as) (뒤에 오는 부문장은 *후치*됨: Als *Thomas* ... kam , ...) ▌heute [부사어] 오늘 ▌「zur + 여성 3격」(방향) ~로 : zur Arbeit kommen 일하러 오다, 출근하다 ▌die Arbeit 일, 작업 (die Arbeit*en*) ▌kam (동사 kommen의 *과거* 시제: 주어가 *ich* 혹은 *er, sie, es*일 때) ⇒ kommen [자동사] 오다 (3 기본형: kommen - kam - gekommen ; '*장소 이동*' 자동사 → 완료형「*sein* ... gekommen」) ▌war (동사 sein의 *과거* 시제: 주어가 *ich* 혹은 3인칭 단수 *er, sie, es*일 때) ⇒ sein [자동사] 있다, 존재하다 (3 기본형: sein - war - gewesen ; 완료형「*sein* ... gewesen」) ▌「주어 + 동사 sein ... da」*주어는* 있다, *주어는* 출석해 있다 ▌noch [부사어] 아직 :「noch nicht ...」'아직 ... 않다'

☞ 내용상 '*반복적으로* 있는 일'이 아니라 '오늘 *한번* 있었던 일'을 나타내므로 종속접속사 wenn('...할 경우')이 아니라 *als*('...하였을 때')가 와야 함.

► Als *Thomas* ... kam , ... :
동사 kommen의 ***과거*** 시제임!
주어가 Thomas, 즉 er이므로 kommen의 **과거형** ***kam***이 어미 없이 그대로 ***kam_***임.

► Als ... kam , war *Martin* ... :
동사 sein의 ***과거*** 시제임!
주어가 Martin, 즉 er이므로 동사 sein의 **과거형** ***war***가 어미 없이 그대로 ***war_***임.

5. Nachdem wir gegessen hatten, gingen wir ins Kino.

✺ **해석** 우리는 식사를 하고 난 뒤에 영화관으로 갔다.

✺ **어휘** bevor [종속접속사] ...하기 전에 (영. before) (뒤에 오는 부문장은 *후치*됨!) ▌nachdem [종속접속사] ...한 뒤에, ...한 후에 (영. after) (뒤에 오는 부문장은 *후치*됨: Nachdem *wir* ... hatten , ...) ▌hatte*n* (동사 haben의 *과거* 시제: 주어가 *wir* 혹은 복수의 *sie*('그들은'), 격식칭 *Sie*일 때) ⇒ haben (3 기본형: haben - hatte - gehabt) ▌「... gegessen hatten」 (동사 essen의 *과거완료* 시제, *후치*됨: 주어가 *wir* 혹은 *sie*('그들은'), *Sie*일 때) ▌gegessen (동사 essen의 *pp형*) ⇒ essen [타동사] ...을 먹다 (3 기본형: essen - aß - gegessen) (현재 시제: du iss*t* ; er iss*t*) ▌ging*en* (동사 gehen의 *과거* 시제: 주어가 *wir* 혹은 복수의 *sie*('그들은'), 격식칭 *Sie*일 때) ⇒ gehen [자동사] 가다 (3 기본형: gehen - ging - gegangen ; '*장소 이동* 자동사 → 완료형「*sein* ... gegangen」) ▌「ins + 중성 4격」 (방향) ~으로, ~안으로 : ins Kino gehen 영화관으로 가다 ▌das Kino 영화관 (die Kino*s*)

☞ 앞의 부문장은 *과거완료* 시제이고, 뒤의 주문장은 *과거* 시제이므로 부문장의 내용은 주문장의 내용보다 *한 단계 더 앞선 과거*의 일임. 따라서 종속접속사 bevor('...하기 *전에*')가 아니라 nachdem('...한 *후에*')이 와야 내용상 옳음!

► Nachdem *wir* gegessen hatte , ... :
동사 essen의 ***과거완료*** 시제임!
essen은 *타동사*이므로 ***과거완료*** 형식은「***hatte*** ... pp」임:
주어가 wir이므로 hatte는 어미 ***-n***이 붙어 hatte***n***이며, 동사 essen의 pp형은 ***gegessen***임.
따라서「**hatte** ... **gegessen**」이지만, nachdem-부문장 안이므로 ***후치***됨!

► Nachdem ... hatten , gingen *wir* ... :
동사 gehen의 ***과거*** 시제임!
주어가 wir이므로 gehen의 **과거형** ***ging***에 어미 ***-en***이 붙어 ***gingen***임.
(앞에 nachdem-부문장이 있으므로 주문장은 ***도치***됨!)

6. Sie ist nicht sicher, ob sie sich das Theaterstück heute Abend ansehen wird.

✺ **해석** 그녀는 자신이 오늘 저녁 그 연극 작품을 관람하게 될지 여부를 확신하지 못하고 있다.

✵ 어휘 sicher [형용사] [1] 안전한 ; [2] 확신하는 : 「주어 + 동사 sein + nicht sicher , *ob* ...」 *주어는* ...인지 여부를 확신하지 못하다 ↔ 「주어 + 동사 sein + sicher , *dass* ...」 *주어는* ...라는 것을 확신하다 <참고> sicher [부사어] 틀림없이 (= gewiss) (영. surely) ▌ob [종속접속사] ...인지 여부 (영. whether, if) (뒤에 오는 부문장은 *후치*됨: ... , ob sie ... wird) ▌dass [종속접속사] ...라는 사실, ...라는 것 (영. that) (뒤에 오는 부문장은 *후치*됨!) ▌sich [*3격* 재귀대명사] 주어가 여성의 sie('그녀는')이므로 *3격* 재귀대명사는 *sich* (4격 재귀대명사 역시 *sich*) ▌das Theaterstück 연극 작품 → das Theater (die Theater) [1] 연극 공연 ; [2] 극장 + das Stück (die Stück*e*) [1] 조각 (영. piece) ; [2] 연극 작품 ▌heute Abend 오늘 저녁 → heute [부사어] 오늘 + der Abend 저녁 (die Abend*e*) ▌「... ansehen wird」(분리동사 *an*sehen의 *미래* 시제, *후치*됨!) ⇒ *an*sehen [분리동사&3격 재귀동사] : 「sehen sich[3] + 4격 ... *an*」 *4격*을 관람하다, 구경하다 (3 기본형: *an*sehen - *an*sah - *an*gesehen) (현재 시제: du sieh*st* dir ... *an* ; er sieh*t* sich ... *an*) ⇐ sehen [타동사] ...을 보다 (영. see) (3 기본형: sehen - sah - gesehen) (현재 시제: du sieh*st* ; er sieh*t*) ▌wird (*미래* 시제 조동사 werden의 형태: 주어가 *er, sie, es*일 때) ⇒ werden [조동사] *미래* 시제 형식: 「werden ... 동사 원형」 ('예정' 혹은 '추측') '...일 것이다' (형태: du wirst ; er wird)

► Sie ist ... :
동사 sein의 ***현재*** 시제임!

☞ 주문장의 내용이 부정문이므로 '...*인지 여부*를 확신하지 *못 한다*'이어야 함.
따라서 종속접속사 dass('...라는 사실')가 아니라 *ob*('...인지 여부')이 와야 함.

► ... , ob *sie* ... ansehen wird :
분리동사 *an*sehen의 ***미래*** 시제임!
미래 시제 형식은 「***werden*** ... 동사 원형」임:
주어가 여성의 sie('그녀는')이므로 werden의 형태는 ***wird***이며, 동사 원형 *an*sehen이 뒤에 옴.
따라서 「**wird** ... **ansehen**」이지만, ob-부문장 안이므로 ***후치***됨!

7. Ich hatte den ganzen Tag geputzt und aufgeräumt. Trotzdem hat sich mein Mann über die Unordnung beschwert.

✵ 해석 나는 온종일 닦고 정리했다. 그럼에도 불구하고 내 남편은 지저분하다고 불평했다.

✵ 어휘 「hatte ... geputzt und aufgeräumt」 (동사 putzen 및 분리동사 *auf*räumen의 *과거완료* 시제: 주어가 *ich* 혹은 *er, sie, es*일 때) ▌*ge*putz*t* (동사 putzen의 *pp형*) ⇒ putzen [타동사/자동사] (...을) 닦다 (3 기본형: putz*en* - putz*te* - *ge*putz*t*) ▌*aufge*räum*t* (분리동사 *auf*räumen의 *pp형*) ⇒ *auf*räumen [분리동사&타동사/자동사] (...을) 정돈하다 (3 기본형: *auf*räum*en* - *auf*räum*te* - *aufge*räum*t*) ▌ganz- [형용사] 전체의 (영. whole) <주의> 뒤에 오는 명사를 *수식*하는 용법만 있음! ▌der Tag 날, 일 (die Tag*e*) : den ganzen Tag 온종일 (*4격*의 시간 부사어!) ▌trotzdem [부사어] 그럼에도 불구하고 (= dennoch) (영. nevertheless) ▌aber [등위접속사] 그러나 (앞에는 항상 *콤마*!) ▌「hat ... beschwert」 (동사 beschweren의 *현재완료* 시제) ▌*be*schwer*t* (동사 beschweren의 *pp형*) ⇒ beschweren [4격 재귀동사] : 「beschweren sich[4] über + 4격」 *4격*에 대해 불평하다 (3 기본형: *be*schwer*en* - *be*schwer*te* - *be*schwer*t*) → die Beschwerde

불평, 불만 (die Beschwerde*n*) ▌sich [*4격* 재귀대명사] 주어인 mein Mann은 *er*에 해당하므로 *4격* 재귀대명사는 *sich* (3격 재귀대명사도 *sich*) ▌der Mann 남편, 성인 남자 (die Männ*er*) ▌die Unordnung 무질서함, 지저분함 (항상 단수!) = das Durcheinander

문장 1

► 뒤 문장이 *현재완료* 시제인데, 이보다 '한 단계 더 과거의 일'을 말하므로 *과거완료* 시제임!

즉: Ich <u>hatte</u> ... <u>*geputzt*</u> und <u>*aufgeräumt*</u>.

동사 putzen 및 분리동사 *auf*räumen의 ***과거완료*** 형식「**hatte** ... pp」임:
주어가 Ich이므로 **과거형 *hatte***는 어미 없이 그대로 ***hatte_***임.
→ 따라서「**hatte** ... *geputzt* und *aufgeräumt*」임.

문장 2

☞ 뒤에 오는 문장의 어순이 *도치*되었으므로 부사어 *trotzdem*이 와야 함.
(aber는 등위접속사이므로 뒤에 오는 문장은 *정치법*임!)

► ... <u>hat</u> ... *mein Mann* ... <u>*beschwert*</u>.

동사 beschweren의 ***현재완료*** 시제 형식「**haben** ... pp」임:
주어가 mein Mann, 즉 er이므로 haben의 형태는 ***hat***임.
→ 따라서「... **hat** ... *mein Mann* ... *beschwert*」임.

► ... hat <u>sich</u> *mein Mann* ... beschwert.

어순: sich는 재귀***대명사***이므로 대명사가 아닌 주어 mein Mann보다 앞에 옴!

8. <u>Als</u> meine Freundin das letzte Mal kam, blieb sie nur ein paar Stunden. Aber ich glaube, <u>wenn</u> sie das nächste Mal kommt, bleibt sie sicher eine ganze Woche.

✵ **해석** 내 여자 친구는 지난번 왔을 때는 단지 몇 시간 동안만 머물렀어. 하지만 그녀는 만약 다음번에 오게 되면 틀림없이 일주일 내내 머물 것이라고 생각해.

✵ **어휘** als [종속접속사] (*과거*의 한 시점) ...하였을 때 (뒤에 오는 부문장은 *후치*됨: Als *meine Freundin* ... <u>kam</u>, ...) ▌wenn [종속접속사] ...일 경우 (영. when, if) (뒤에 오는 부문장은 *후치*됨!) ▌die Freund*in* 여자 친구 (die Freund*innen*) ▌letzt- [형용사] 지난, 최근의 (영. last) <주의> 뒤에 오는 명사를 *수식*하는 용법만 있음! ▌das Mal ...번, ...차례 (die Mal*e*) : das letzte Mal 지난번 (*4격*의 시간 부사어!) ▌kam (동사 kommen의 *과거* 시제: 주어가 *ich*혹은 *er*, *sie*, *es*일 때) ⇒ kommen [자동사] 오다 (3 기본형: kommen - kam - gekommen ; '*장소 이동* 자동사 → 완료형「*sein* ... gekommen」) ▌blieb (동사 bleiben의 *과거* 시제: 주어가 *ich*혹은 *er*, *sie*, *es*일 때) ⇒ bleiben [자동사] 머무르다 (3 기본형: bleiben - blieb - geblieben ; 완료형「*sein* ... geblieben」) ▌nur [부사어] 단지 (영. only) ▌「ein paar + *복수* 명사」 '몇몇의 ...' : nur ein paar Stunden 단지 몇 시간 동안만 (*4격*의 시간 부사어!) ▌die Stunde 시간 (die Stunde*n*) ▌glauben [타동사] ...을 믿다, ...라고 생각하다 (영. believe) (3 기본형: glaub*en* - glaub*te* - *ge*glaub*t*) ▌nächst- [형용사] 다음의 (뒤에 오는 명사를 *수식*하는 용법만 있음!) : das nächste Mal 다음 번에 (*4격*의 시간 부사어!) ▌sicher [부사어] 틀림없이 (= gewiss) (영. surely) ▌ganz- [형용사] 전체의 (영. whole) <주의> 뒤에 오는 명사를 *수식*하는 용법만 있음! ▌die Woche 주, 주일 (die Woche*n*) : eine ganze Woche 일주일 내내 (*4격*의 시간 부사어!)

문장 1

☞ 내용상 '과거에 한번 일어난 일'이므로 종속접속사 *als*('...*하였을 때*')가 와야 함.

► Als *meine Freundin* ... kam , ...

동사 kommen의 ***과거*** 시제임:
주어가 meine Freundin, 즉 여성의 sie('그녀는')이므로
과거형 *kam*은 어미 없이 그대로 ***kam_***임. (부문장이므로 ***후치***되어 맨 뒤에 옴!)

► ... , blieb *sie* ...

동사 bleiben의 ***과거*** 시제임:
주어가 여성의 sie('그녀는')이므로 **과거형 *blieb***은 어미 없이 그대로 ***blieb_***임.
(앞에 부문장이 오므로 ***도치***됨!!)

문장 2

☞ 내용상 '과거에 한번 일어난 일'이 아니라 '추후에 반복적으로 일어날 일'이므로 종속접속사 *als*('...*하였을 때*')가 아니라 wenn('...*일 경우*')이 와야 함.

마무리 문제

I. 괄호 안의 낱말을 사용하여 독일어로 옮기시오. (22과, 마무리문제: 교재 131쪽)

1. 나는 열심히 공부했지만 그 시험에 합격하지 못했다.

(ich, fleißig, lernen, obwohl, nicht, die Prüfung, bestehen)

✺ 어휘 fleißig [형용사] 부지런한, 부지런히 (3 비교형: fleißig - fleißig*er* - fleißig*st*-) ▌lernen [타동사/자동사] (...을) 배우다 (3 기본형: lern*en* - lern*te* - *ge*lern*t*) ▌obwohl [종속접속사] (양보) 비록 ...이지만 (영. though, although) (뒤에 오는 부문장은 *후치*됨: Obwohl 주어 ... *동사*, ...) ▌die Prüfung 시험 (die Prüfung*en*) <참고> der Test 테스트, 시험 (die Test*e*) ; die Klausur (대학의) 필기시험 (die Klausur*en*) ▌bestehen [타동사] (시험) ...을 통과하다, 합격하다 (3 기본형: *be*stehen - *be*stand - *be*standen) ⇐ stehen [자동사] 서 있다 (3 기본형: stehen - stand - standen)

정답 Obwohl ich fleißig gelernt habe, habe ich die Prüfung nicht bestanden.

► "... 열심히 *공부했지만* ... 합격하지 *못했다*"

→ Obwohl 부문장 (*현재완료* 시제) , 주문장 (*현재완료* 시제) .

① 부문장:

Obwohl *ich* ... *gelernt* habe , ...
동사 lernen의 ***현재완료*** 형식 「**haben** ... pp」임:
주어가 ich이므로 haben의 형태는 hab*e*임.
→ 따라서 「**habe** ... *gelernt* 」이지만, 부문장 안이므로 ***후치***됨: ... *gelernt* **habe**

② 주문장:

... , habe *ich* ... *bestanden* .
동사 bestehen의 ***현재완료*** 형식 「**haben** ... pp」임:
주어가 ich이므로 haben의 형태는 hab*e*임.
→ 따라서 「... , **habe** *ich* ... *bestanden* 」임. (앞에 부문장이 오므로 ***도치***됨!)

2. 나는 입학 허가서를 받고 난 후에 비자를 신청할 수 있었다.

(ich, die Zulassung, erhalten, nachdem, das Visum, beantragen, können)

✺ 어휘 die Zulassung 허가, 허가서 (die Zulassung*en*) ← *zu*lassen [분리동사&타동사] ...을 허가하다, 승인하다 (3 기본형: *zu*lassen - *zu*ließ - *zu*gelassen) ▌erhalten [타동사] ...을 받다, 얻다 (영. receive) (3 기본형: *er*halten - *er*hielt - *er*halten) (현재 시제: du erhält*st* ; er erhäl*t*) ⇐ halten [타동사] ...을 잡다, 유지하다 (영. hold) (3 기본형: halten - hielt -

gehalten) (현재 시제: du hältst ; er hält) ▌nachdem [종속접속사] ...하고 난 후에 (영. after) (뒤에 오는 부문장은 *후치*됨: Nachdem 주어 ... *동사* , ...) ▌das Visum 비자 (die Visa 혹은 Visen) ▌beantragen [타동사] ...을 신청하다 (3 기본형: *be*antragen - *be*antrug - *be*antragen) (현재 시제: du beanträgst ; er beanträgt) ⇐ tragen [타동사] ...을 나르다, 운반하다 (영. carry) (3 기본형: tragen - trug - getragen) (현재 시제: du trägst ; er trägt) ▌「können ... 동사 원형」 [화법조동사] ...할 수 있다 (현재 시제: ich kann ; du kannst ; er kann ; wir können ; ...) (3 기본형: können - konnte - gekonnt, können)

정답 Nachdem ich die Zulassung erhalten hatte, konnte ich das Visum beantragen.

► "... *받고 난 후에* ... 신청할 수 *있었다*"

→ Nachdem 부문장 (*과거완료* 시제) , 주문장 (*과거* 시제) .

① 부문장:

Nachdem *ich* ... *erhalten* hatte , ...

동사 erhalten의 ***과거완료*** 형식 「**hatte** ... pp」임:
주어가 ich이므로 **과거형** ***hatte***는 어미 없이 그대로 ***hatte***_임.
→ 따라서 「**hatte** ... *erhalten*」이지만, 부문장 안에서 ***후치***됨: ... *erhalten* **hatte**

② 주문장:

... , konnte *ich* ... *beantragen*.

화법조동사 können의 ***과거*** 시제 형식 「**konnte** ... 동사 원형」임:
주어가 ich이므로 과거형 konnte는 어미 없이 그대로 ***konnte***_임.
→ 따라서 「... , **konnte** *ich* ... *beantragen*」임. (앞에 부문장이 오므로 ***도치***됨!)

3. 내 열쇠 봤니? - 아마도 네 잠바 주머니에 있을 거야.

(du, mein Schlüssel, sehen) (er, wohl, deine Jackentasche, in, sein)

✵ 어휘 der Schlüssel 열쇠 (die Schlüssel) ↔ das Schloss 자물쇠 (die Schlösser) ▌sehen [타동사] ...을 보다 (영. see) (3 기본형: sehen - sah - gesehen) (현재 시제: du siehst ; er sieht) ▌wohl [부사어] (추측) 아마도, 혹시 (= vermutlich, wahrscheinlich) ▌die Jackentasche 재킷 주머니 → die Jacke 재킷 (die Jacken) + die Tasche (옷의) 주머니 (die Taschen) ▌in [*3·4격* 전치사] [1] (*3격* 지배: *위치*) ~안에, ~에 ; [2] (*4격* 지배: *방향*) ~안으로, ~로 ▌sein [자동사] 있다, 존재하다 (3 기본형: sein - war - gewesen ; 완료형 「*sein* ... gewesen」)

정답 Hast du meinen Schlüssel gesehen? - Er wird wohl in deiner Jackentasche sein.

문장 1

► "... *봤니*?" → *현재완료* 시제!

따라서: Hast *du* ... *gesehen* ?

동사 sehen의 ***현재완료*** 형식 「**haben** ... pp」임:
주어가 du이므로 haben의 형태는 ***hast***임.
→ 따라서 「**Hast** *du* ... *gesehen*?」임.

문장 2

► "*아마도* ... *있을 거야*" → *미래* 시제 ('추측')!

따라서: *Er* wird ... *sein* .

동사 sein의 ***미래*** 시제 형식 「**werden** ... 동사 원형」임:
주어가 Er이므로 werden의 형태는 ***wird***임.
→ 따라서 「*Er* **wird** ... *sein*」임.

4. 축하합니다. 8개월 후에는 엄마가 될 것입니다.

(ich, gratulieren, Sie, 8, Monat, in, Mutter, sein)

✺ 어휘 「gratulieren + 3격(사람) + zu + 3격」 '*누구*에게 ...을 축하하다' (3 기본형: gratulier*en* - gratulier*te* - gratulier*t*) ▌acht 8 ▌der Monat 달, 개월 (die Monat*e*) ▌「in + 시간 단위(3격)」 ~후에 ▌die Mutter 엄마, 어머니 (die Mütter) ▌sein [자동사] (*형용사* 혹은 *명사 보어*와 함께) '...이다' (3 기본형: sein - war - gewesen ; 완료형 「*sein* ... gewesen」)

정답 Ich gratuliere Ihnen. Sie werden in acht Monaten Mutter sein.

문장 2

► "... *될 것입니다*" → *미래* 시제 ('예정')!

따라서: *Sie* werden ... *sein* .

동사 sein의 ***미래*** 시제 형식 「**werden** ... 동사 원형」임:
주어가 격식칭 Sie이므로 werden은 원형 형태 ***werden***임.
→ 따라서 「*Sie* **werden** ... *sein*」임.

► 「in acht Monat*en*」 '8 개월 후에':

명사 Monat*e*는 *복수*이며, 전치사 in의 *3격* 목적어이므로 *복수 3격!!*

따라서 어미 *-n*이 붙어 Monat*en*임.

복수 3격 명사의 형태는 항상 ***-n***임!

<주의>

① nach '~*후에*' :

시간 명사와 결합 못함! (즉, "*nach* 8 Monaten"은 *틀림*!)

nach dem Unterricht '수업 후에' / nach der Pause '휴식 후에' ...

② vor '~*전에*' :

vor 8 Monaten '8시간 전에'

vor dem Unterricht '수업 전에' / vor der Pause '휴식 전에' ...

5. 그가 우리 집에 오면, 우리는 항상 학창시절 이야기를 했다.

(er, uns, zu, kommen, wenn, wir, immer, die Schulzeit, über, sich unterhalten)

✺ 어휘 uns [인칭대명사] wir의 *3격* 및 *4격* 형임. ▌「zu + 사람(3격)」 (방향) *누구*에게로, *누구* 집으로 ▌kommen [자동사] 오다 (3 기본형: kommen - kam - gekommen ; '*장소 이동* 자동사 → 완료형 「*sein* ... gekommen」) ▌wenn [종속접속사] ...일 경우, ...일 때 (영. when, if) (뒤에 오는 부문장은 *후치*됨: Wenn 주어 ... *동사* , ...) ▌immer [부사어] 항상, 늘 : 「Immer wenn ... , ...」 혹은 「Wenn ... , ... immer ...」 '...할 때면 항상 ...이다' ▌die Schulzeit 학창 시절 → die

Schule 초 · 중 · 고등학교 (die Schule*n*) + die Zeit (주로 단수) 시간, 시절 ▌「über + 4격」 ~에 대하여 ▌「unterhalten sich[4] + mit + 3격(사람) + über + 4격」 [4격 재귀동사] '*누구*와 ...에 관해 이야기를 나누다' (3 기본형: *unter*halten - *unter*hielt - *unter*halten) (현재 시제: du unterhält*st* dich ; er unterhäl*t* sich) ⇐ halten [타동사] ...을 잡다, 유지하다 (영. hold) (3 기본형: halten - hielt - gehalten) (현재 시제: du hält*st* ; er häl*t*)

정답 Wenn er zu uns kam, haben wir uns immer über die Schulzeit unterhalten.

► "... 우리 집에 *오면*, ... 항상 ... 이야기를 *했다*"

→ Wenn 부문장 (*과거* 시제) , 주문장 (*현재완료* 시제) .

① 부문장:

Wenn *er* ... *kam* , ...
동사 kommen의 ***과거*** 시제임:
주어가 er이므로 **과거형** ***kam***은 어미 없이 그대로 ***kam***_임.
(부문장 안이므로 ***후치***됨!)

② 주문장:

... , haben *wir* ... *unterhalten* .
재귀동사 unterhalten의 ***현재완료*** 형식 「**haben** ... pp」임:
주어가 wir이므로 haben은 원형 형태 ***haben***임.
→ 따라서 「... , ***haben*** *wir* ... *unterhalten*」임. (앞에 부문장이 오므로 ***도치***됨!)

► ... , haben *wir* uns ... unterhalten.
주어가 ***wir***이므로 ***4격 재귀대명사***로서 ***uns***가 옴.
(주어가 wir일 때 3격 및 4격 재귀대명사 모두 ***uns***임!)

6. 내가 집에 가려고 했을 때, 비가 오기 시작했다.

(ich, Haus, nach, gehen, wollen, als, regnen, anfangen)

✺ **어휘** das Haus 집 (die Häus*er*) ▌nach [*3격* 전치사] ~을 향하여 : nach Haus(e) (방향) 집으로 ▌gehen [자동사] 가다 (3 기본형: gehen - ging - gegangen ; '*장소 이동* 자동사 → 완료형 「*sein* ... gegangen」) ▌「wollen ... 동사' 원형」 [화법조동사] (의지) ...하려고 한다 (현재 시제: ich will ; du will*st* ; er will ; wir woll*en* ; ...) (3 기본형: wollen - wollte - gewollt, wollen) ▌als [종속접속사] (과거의 한 시점) ...하였을 때 (뒤에 오는 부문장은 *후치*됨: Als 주어 ... *동사* , ...) ▌regnen [자동사] (날씨) 비오다 (3 기본형: regn*en* - regn*ete* - *ge*regn*et*) <주의> '날씨' 동사의 주어는 항상 *비인칭 주어* *es*임! ▌*an*fangen [분리동사&자동사] 시작하다 (3 기본형: *an*fangen - *an*fing - *an*gefangen) (현재 시제: du fäng*st* ... *an* ; er fäng*t* ... *an*) ⇐ fangen [타동사] ...을 붙잡다 (영. catch) (3 기본형: fangen - fing - gefangen) (현재 시제: du fäng*st* ; er fäng*t*)

정답 Als ich nach Haus gehen wollte, hat es angefangen zu regnen.

► "... 집에 가려고 *했을 때*, ... *시작했다*"

→ Als 부문장 (*과거* 시제) , 주문장 (*현재완료* 시제) .

① 부문장:

Als *ich* ... *gehen wollte* , ...
화법조동사 wollen의 ***과거*** 시제 형식 「**wollte** ... 동사 원형」임:
주어가 ich이므로 **과거형** ***wollte***은 어미 없이 그대로 ***wollte***_임.
따라서 「**wollte** ... *gehen*」이지만, 부문장 안이므로 ***후치***됨: ... *gehen* **wollte**

② 주문장:

... , hat *es* *angefangen* ...
분리동사 *an*fangen의 ***현재완료*** 형식 「**haben** ... pp」임:
주어가 es이므로 haben의 형태는 ***hat***임.
→ 따라서 「... , **hat** *es angefangen*」임. (앞에 부문장이 오므로 ***도치***됨!)

► ... , hat *es* *angefangen* *zu* regnen .
'날씨'의 비인칭 주어 ***es***임! 동사 regnen의 zu-부정사 형식임!
(zu 앞에 오는 요소가 없으므로 ***콤마 없음!***)

II. 잘못된 부분(들)을 고쳐서 다시 적으시오. (22과, 마무리문제: 교재 131쪽)

1. Gestern bin[오류] ich den ganzen Tag zu Hause.

✺ **해석** 어제 나는 온종일 집에 있었다

✺ **어휘** gestern [부사어] 어제 ▌bin (동사 sein의 *현재* 시제) ⇒ sein [자동사] 있다, 존재하다 (3 기본형: sein - war - gewesen ; 완료형 「*sein* ... gewesen」) ▌ganz- [형용사] 전체의 <주의> 뒤에 오는 명사를 *수식*하는 용법만 있음! ▌der Tag 날, 낮 (die Tag*e*) : den ganzen Tag 온종일 (*4격*의 시간 부사어!) ▌zu Haus(e) (위치) 집에, 집에서

<오류>

부사어 gestern('*어제*')이 있으므로 동사 sein의 *현재* 시제 형태인 bin이 온 것은 오류임.
과거 시제 형태 *war*가 와야 옳음!

정답 Gestern *war* ich den ganzen Tag zu Hause.

► Gestern war *ich* ...
동사 sein의 ***과거*** 시제임:
주어가 ich이므로 **과거형** ***war***는 어미 없이 그대로 ***war***_임.

2. Obwohl es sehr kalt war, ging[오류] wir spazieren.

✵ **해석** 비록 날씨가 매우 차가왔지만 우리는 산책 갔다.

✵ **어휘** obwohl [종속접속사] (양보) 비록 ...이지만 (뒤에 오는 부문장은 *후치*됨: Obwohl *es* ... war , ...) ▌kalt [형용사] 차가운, 추운 (3 비교형: kalt - käl*ter* - kält*est*- ※kalt는 -*t*로 끝나므로 발음상 최상급 어미는 -*st*가 아니라 -*est*임.) ▌war (동사 sein의 *과거* 시제: 주어가 *ich* 혹은 *er, sie, es*일 때) ⇒ sein [자동사] 있다, 존재하다 (3 기본형: sein - war - gewesen ; 완료형「*sein* ... gewesen」) ▌「ging ... spazieren」(동사 spazieren gehen의 *과거* 시제: 주어가 *ich* 혹은 *er, sie, es*일 때) ⇒ *spazieren* gehen [자동사] 산책가다 (3 기본형: *spazieren* gehen - *spazieren* ging - *spazieren* gegangen ; '*장소 이동* 자동사 → 완료형「*sein* ... *spazieren* gegangen」) <주의> *spazieren*은 문장 안에서 마치 분리전철처럼 *문장 맨 뒤에* 옴:「gehen ... *spazieren*」⇐ gehen [자동사] 가다 (3 기본형: gehen - ging - gegangen ; '*장소 이동* 자동사 → 완료형「*sein* ... gegangen」)

<오류>

동사 spazieren gehen의 기본 동사 gehen의 *과거* 시제임.

주어가 wir이므로 과거형 *ging*은 어미 -*en*이 붙어 ging*en*이어야 옳음!

정답 Obwohl es sehr kalt war, *gingen* wir spazieren.

► Obwohl *es* sehr kalt war , ...

동사 sein의 ***과거*** 시제임:
주어가 '날씨'의 비인칭 주어 es이므로 **과거형** ***war***는 어미 없이 그대로 ***war_***임.

3. Nachdem die Gäste gegangen sind[오류], habe ich aufgeräumt.

✵ **해석** 손님들이 가고 난 뒤에 나는 청소했다.

✵ **어휘** nachdem [종속접속사] (시간적) '...하고 난 후' (뒤에 오는 부문장은 *후치*됨: Nachdem 주어 ... *동사* , ...) ▌der Gast 손님, 방문객 (die Gäst*e*) ▌「... gegangen sind」(동사 gehen의 *현재완료* 시제, *후치*됨!) ▌gegangen (동사 gehen의 *pp형*) ⇒ gehen [자동사] 가다 (3 기본형: gehen - ging - gegangen ; '*장소 이동* 자동사 → 완료형「*sein* ... gegangen」) ▌「habe ... aufgeräumt」(분리동사 *auf*räumen의 *현재완료* 시제) ▌*aufge*räum*t* (분리동사 *auf*räumen의 *pp형*) ⇒ *auf*räumen [분리동사&자동사/타동사] (...을) 정돈하다, 청소하다 (3 기본형: *auf*räum*en* - *auf*räum*te* - *aufge*räum*t*)

<오류>

종속접속사 nachdem이 오는 문장「Nachdem A , B 」의 의미는 "A *이후에* B이다"이므로 논리상 *부문장* A의 시제는 *주문장* B의 시제보다 *한 단계 더 과거*이어야 함.

따라서 부문장의 시제가 *현재완료*("... *gegangen* sind")로서 주문장과 동일한 것은 오류임.

→ 부문장의 시제는 주문장의 *현재완료*보다 한 단계 더 과거인 *과거완료*이어야 옳음!

정답 Nachdem die Gäste gegangen *waren*, habe ich aufgeräumt.

► Nachdem *die Gäste* __gegangen waren__ , ...
동사 gehen의 ***과거완료*** 형식 「**war** ... pp」임:
주어가 die Gäste, 즉 복수의 sie('그들은')이므로 **과거형** ***war***는 어미 ***-en***이 붙어 war***en***임.
→ 따라서 「**waren** ... *gegangen*」이지만, 부문장 안에서 ***후치***됨: ... *gegangen* **waren**

► ... , __habe__ *ich* __*aufgeräumt*__ .
분리동사 *auf*räumen의 ***현재완료*** 시제 형식 「**haben** ... pp」임:
주어가 ich이므로 haben의 형태는 hab*e*임.
→ 따라서 「... , **habe** *ich* *aufgeräumt*」임. (앞에 부문장이 오므로 ***도치***됨!)

4. Als[오류] du morgen zu mir kommst, spielen wir zusammen Computerspiele.

✹ **해석** 네가 내일 내게 오면 우리는 함께 컴퓨터 게임들을 할 거야.

✹ **어휘** als [종속접속사] (과거의 한 시점) '...하였을 때' (뒤에 오는 부문장은 *후치*됨!) ▌morgen [부사어] 내일 ▌「zu + 사람(3격)」 (방향) ~~누구~~에게로, ~~누구~~ 집으로 ▌mir [인칭대명사] ich의 *3격* 형임. (4격 형은 *mich*) ▌kommen [자동사] 오다 (3 기본형: kommen - kam - gekommen ; '*장소 이동*' 자동사 → 완료형 「*sein* ... gekommen」) ▌spielen [타동사] (놀이, 게임) ...을 하다 (3 기본형: spiel*en* - spiel*te* - *ge*spiel*t*) ▌zusammen [부사어] 함께 (영. together) ▌das Computerspiel 컴퓨터 게임 ← der Computer 컴퓨터 (die Computer) + das Spiel 놀이, 게임 (die Spiel*e*)

<오류>
종속접속사 als('...*하였을 때*')는 '*과거*에 한번 일어난 일'을 표현할 때 사용함.
따라서 예문의 내용이 '*내일*, 즉 *미래*에 일어날 일'임을 고려할 때 als가 온 것은 오류임.
종속접속사 *wenn*('만약 ...일 경우')이 와야 옳음!

정답 __*Wenn* du morgen zu mir kommst, spielen wir zusammen Computerspiele.__

► Wenn *du* ... __kommst__ , ...
동사 kommen의 ***현재*** 시제임:
주어가 du이므로 kommen의 형태는 komm***st***임. (부문장 안이므로 ***후치***됨!)

► ... , __spielen__ *wir* ...
동사 spielen의 ***현재*** 시제임:
주어가 wir이므로 spielen은 원형 형태 spiel***en***임. (앞에 부문장이 오므로 ***도치***됨!)

5. Ich freue mich, Sie kennen zu lernen. Ich hatte[오류] schon viel von Ihnen gehört.

✹ **해석** 당신을 사귀게 되어 기뻐요. 저는 이미 당신에 관한 이야기를 많이 들었어요.

✹ **어휘** 「freuen sich[4], ... zu + 동사 원형」 [4격 재귀동사] '...하여서 기쁘다' (3 기본형: freu*en* - freu*te* - *ge*freu*t*) ▌mich [*4격* 재귀대명사] 주어가 Ich이므로 4격 재귀대명사는 *mich* (3격 재귀대명사는 *mir*) ▌「, ... kennen *zu* lernen」 (동사 kennen lernen의 zu-부정사) ⇒ *kennen* lernen [타동사] ...을 사귀다, 알게 되다 <주의> *kennen*은 문장 안에서 마치 분리전철처럼 *문장 맨 뒤에* 옴: 「lernen + 4격 ... *kennen*」 (3 기본형: *kennen* lern*en* - *kennen* lern*te* - *kennen* *ge*lern*t*) ⇐ lernen [타동사] ...을 배우다 (영. learn) (3 기본형: lern*en* - lern*te* - *ge*lern*t*) ▌「hatte ... gehört」 (동사 hören의 *과거완료* 시제) ▌hatte (동사 haben의 *과거* 시제: 주어가 *ich* 혹은 *er, sie, es*일 때) ⇒ haben (3 기본형: haben - hatte - gehabt) ▌*ge*hör*t* (동사 hören의 *pp형*) ⇒ hören [타동사/자동사] (...을) 듣다 : 「hören von + 3격」 '...에 관해 소식을 듣다' (3

기본형: hör*en* - hör*te* - *ge*hör*t*) ▌viel 많이 (영. much) (3 비교형 *불규칙* 변화: viel - *mehr* - *meist-*) ▌von [*3격* 전치사] ~에 관해 (영. of) ▌Ihnen [인칭대명사] 격식칭 Sie('당신은, 당신들은')의 *3격* 형임. (4격 형은 *Sie*)

<오류>

과거완료 시제는 *과거* 혹은 *현재완료* 시제보다 '한 단계 더 과거의 일'을 표현할 때만 사용함!
예문의 경우, 앞 문장의 *현재* 시제보다 '한 단계 더 과거의 일'을 표현해야 하므로
현재완료 (혹은 *과거*) 시제가 와야 옳음!

정답 Ich freue mich, Sie kennen zu lernen. Ich *habe* schon viel von Ihnen gehört.

문장 1

► Ich freue mich , Sie kennen *zu* lernen
동사 kennen lernen의 ***zu-부정사*** 형식임.
(Sie는 ***4격*** 형으로서, zu-부정사의 동사 kennen lernen의 ***4격 목적어***임.)

문장 2

► *Ich* habe ... *gehört* .
동사 hören의 ***현재완료*** 시제 형식 「**haben** ... pp」임:
주어가 ich이므로 haben의 형태는 hab*e*임.
→ 따라서 「*Ich* **habe** ... *gehört*」임.

Lektion 23

unit 01

기초문제

I. 알맞은 관계대명사는? (23과, 기초문제: 교재 134쪽)

1. Die Sekretärin, die mir bei meiner Arbeit hilft, sieht wirklich gut aus.

✻ 해석 일할 때 나를 돕고 있는 그 여비서는 정말로 잘 생겼다.

✻ 어휘 die Sekretär*in* 여자 비서 (die Sekretärin*nen*) ▌mir [인칭대명사] ich의 *3격* 형임. (4격 형은 *mich*) ▌bei [*3격* 전치사] ~일 때 ▌die Arbeit 일, 작업 (die Arbeit*en*) ▌hilft (동사 helfen의 *현재* 시제: 주어가 *er, sie, es*일 때) ⇒ helfen [자동사] : 「helfen + 3격(사람) + bei + 3격」 *누가* ...할 때 돕다 (현재 시제: du hilf*st* ; er hilf*t*) (3 기본형: helfen - half - geholfen) ▌「sieht ... aus」 (분리동사 *aus*sehen의 *현재* 시제: 주어가 *er, sie, es*일 때) ⇒ *aus*sehen [분리동사] (외모가) ...해 보이다 (영. look) (현재 시제: du sieh*st* ... *aus* ; er sieh*t* ... *aus*) (3 기본형: *aus*sehen - *aus*sah - *aus*gesehen) ⇐ sehen [타동사] ...을 보다 (영. see) (현재 시제: du sieh*st* ; er sieh*t*) (3 기본형: sehen - sah - gesehen) ▌wirklich [형용사] 정말의, 진짜의, (부사적) 정말로 ▌gut [형용사] 좋은, (부사적) 좋게, 잘 (3 비교형 *불규칙* 변화: gut - *besser* - *best-*)

☞ 앞에 나온 *여성*명사 Sekretärin을 받으며,
뒤에 오는 동사 hilft의 *주어*임.
→ 따라서 *여성 4격* 관계대명사 *die*가 빈칸에 옴.

► ... , die ... hilft , ... :
관계대명사 문장은 ***부문장***이므로 동사 hilft가 ***후치***되어 맨 뒤에 옴.

<주의>
관계대명사 부문장은 *콤마*로 주문장과 구분!

► Die Sekretärin , die ... hilft , sieht ... aus. :
뒤에 오는 주문장의 동사 「sieht ... aus」의 ***주어***임!

2. Jürgen hat einen Freund besucht, den er lange nicht mehr gesehen hatte.

✻ 해석 위르겐은 그가 오랫동안 만나지 못했던 한 친구를 방문했다.

✻ 어휘 「hat ... besucht」 (동사 besuchen의 *현재완료* 시제) ▌*be*such*t* (동사 besuchen의 *pp형*) ⇒ besuchen [타동사] ...을 방문하다 (3 기본형: *be*such*en* - *be*such*te* - *be*such*t*) ▌der Freund 친구, 남자 친구 (die Freund*e*) ▌lange [부사어] 오랫동안 (3 비교형: lange - läng*er* - läng*st-*) <참고> lang [형용사] (공간적, 시간적) 긴 (3 비교형은 부사어 lange와 동일함!) ↔ kurz 짧은 (3 비교형: kurz - kürz*er* - kürz*est-* ※최상급 kürz*st* 아님!) ▌「nicht mehr ...」 더 이상

... 않다 ▌「... gesehen hatte」 (동사 sehen의 *과거완료* 시제, *후치*됨!) ▌hatte (조동사 haben의 과거형: 주어가 *ich* 혹은 *er*, *sie*, *es*일 때) ⇒ haben [조동사] 완료 형식 「haben ... pp」에 사용되는 조동사. (3 기본형: haben - hatte - gehabt) ▌gesehen (동사 sehen의 *pp형*) ⇒ sehen [타동사] ...을 보다, 만나다 (3 기본형: sehen - sah - gesehen) (현재 시제: du siehs*t* ; er sieh*t*)

☞ 앞에 나온 *남성*명사 Freund를 받으며,

뒤에 오는 동사 gesehen(= sehen)의 *4격* 목적어임.

→ 따라서 *남성 4격* 관계대명사 *den*이 빈칸에 옴.

► ... , den *er* ... gesehen hatte :
관계대명사 문장은 ***부문장***이므로 동사는 ***후치***됨:
동사 sehen의 ***과거완료*** 시제 「***hatte*** ... gesehen」이 후치되어 「... gesehen ***hatte***」임.

<주의>

관계대명사 den 앞에 *콤마*가 옴!

<참고>

관계대명사 부문장의 내용('그가 친구를 더 이상 ***만나지 못했던 것***)은 앞의 주문장의 내용('위르겐이 친구를 ***방문한 것***)보다 시간적으로 *한 단계 더 과거*의 일임!

따라서 주문장의 *현재완료* 시제보다 한 단계 더 과거인 *과거완료* 시제가 부문장에서 사용됨.

3. Er möchte Ihnen von der Reise erzählen, die er gerade gemacht hat.

✵ 해석 그는 당신에게 그가 막 끝낸 여행에 관해 이야기하고 싶어 해요.

✵ 어휘 「möchte ... erzählen」 (화법조동사 möchten의 *현재* 시제) ⇒ 「möchten ... 동사 원형」 '...하고 싶다' (현재 시제: ich möchte ; du möchtes*t* ; er möchte ; wir möchte*n* ; ...) ▌erzählen [타동사/자동사] (...을) 이야기하다 → 「erzählen + 3격(사람) + von + 3격」 *누구*에게 ...에 관해 이야기하다 (3 기본형: *er*zähl*en* - *er*zähl*te* - *er*zähl*t*) ⇐ zählen ...을 세다, 헤아리다 (영. count) (3 기본형: zähl*en* - zähl*te* - *ge*zähl*t*) ▌Ihnen [인칭대명사] 격식칭 Sie('당신은, 당신들은')의 *3격* 형임. (4격 형은 *Sie*) ▌von [*3격* 전치사] ~에 관해 (영. of) ▌die Reise 여행 (die Reise*n*) ← reisen [자동사] 여행하다 (3 기본형: reis*en* - reis*te* - *ge*reis*t* ; '*장소 이동*' 자동사 → 완료형 「*sein* ... gereist」) ▌gerade [부사어] 막, 방금 ▌「... gemacht hat」 (동사 machen의 *현재완료* 시제, *후치*됨!) ▌*ge*mach*t* (동사 machen의 *pp형*) ⇒ machen [타동사] ...을 행하다 (3 기본형: mach*en* - mach*te* - *ge*mach*t*) : eine Reise machen 여행을 하다

☞ 앞에 나온 *여성*명사 Reise를 받으며,

뒤에 오는 동사 gemacht(= machen)의 *4격* 목적어임.

→ 따라서 *여성 4격* 관계대명사 *die*가 빈칸에 옴.

► ... , die *er* ... gemacht hat :
관계대명사 문장은 ***부문장***이므로 동사는 ***후치***됨:
동사 sehen의 ***현재완료*** 시제 「***hat*** ... gemacht」가 후치되어 「... gemacht ***hat***」임.

<주의>

관계대명사 die 앞에 *콤마*가 옴!

4. Das Mädchen, <u>dem</u> ich mein Buch gegeben habe, ist 16 Jahre alt.

✺ **해석** 내가 나의 책을 주었던 그 소녀는 16세이다.

✺ **어휘** das Mädchen [*축소*명사] 소녀 (die Mädchen) <참고> 형태가 *-chen*인 축소명사는 모두 *중성*이며, 복수형은 *단수형과 동일*함! ▌das Buch 책 (die Büch*er*) ▌「... gegeben habe」 (동사 geben의 *현재완료* 시제, *후치*됨!) ▌gegeben (동사 geben의 *pp형*) ⇒ geben [타동사] : 「geben + 3격(사람) + 4격」 *누구*에게 ...을 주다 (3 기본형: geben - gab - gegeben) (현재 시제: du gib*st* ; er gib*t*) ▌sechzehn 16 ▌das Jahr 해, 년 (die Jahr*e*) ▌alt [형용사] 늙은, 낡은 (3 비교형: alt - ält*er* - ält*est-* ※최상급 ält*st* 아님!) : 「주어 + 동사 sein + ... Jahr(e) alt」 *주어는* 나이가 ...살이다

☞ 앞에 나온 *중성*명사 Mädchen을 받으며,
뒤에 오는 동사 gegeben(= geben)의 *3격* 목적어임.
→ 따라서 *중성 3격* 관계대명사 *dem*이 빈칸에 옴.

► ... , dem *ich* ... <u>gegeben habe</u> , ... :
관계대명사 문장은 ***부문장***이므로 동사는 ***후치***됨:
동사 geben의 ***현재완료*** 시제 「***habe*** ... gegeben 」이 후치되어 「... gegeben ***habe*** 」임.

<주의>
관계대명사 부문장은 *콤마*로 주문장과 구분!

► <u>Das Mädchen</u> , dem ... habe , ist ... :
뒤에 오는 주문장의 동사 ist의 ***주어***임!

5. Die Zimmer, <u>die</u> ihm gut gefallen, sind alle zu weit von der Universität.

✺ **해석** 그의 마음에 매우 흡족하게 드는 방들은 모두 대학교로부터 너무 멀리 위치하고 있다.

✺ **어휘** das Zimmer 방 (die Zimmer) ▌ihm [인칭대명사] er의 *3격* 형임. (4격 형은 *ihn*) ▌gut [형용사] 좋은, (부사적) 잘 (3 비교형 *불규칙* 변화: gut - *besser* - *best-*) ▌gefallen [자동사] : 「주어 + gefallen + 3격(사람) + gut」 *주어는* *누구*의 마음에 잘 들다 (현재 시제: du gefäll*st* ; er gefäll*t*) (3 기본형: gefallen - gefiel - gefallen) ⇐ fallen [자동사] 떨어지다 (영. fall) (현재 시제: du fäll*st* ; er fäll*t*) (3 기본형: fallen - fiel - gefallen ; '*장소 이동* 자동사 → 완료형 「*sein* ... gefallen 」) ▌sind (동사 sein의 *현재* 시제) ⇒ sein [자동사] ...이다 (3 기본형: sein - war - gewesen ; 완료형 「*sein* ... gewesen 」) ▌alle (주어가 복수일 때 동격으로서) '... 모두' : *Die Zimmer* sind *alle* ... "그 방들 *모두*가 ...이다" ▌「zu + 형용사 (부사)」 너무 ...한, 너무 ...하게 : zu weit 너무 먼 ▌weit [형용사] (거리가) 먼 (3 비교형: weit - weit*er* - weit*est-* ※최상급 weit*st* 아님!) ↔ nah(e) 가까운 (3 비교형 *불규칙* 변화: nah(e) - *näher* - *nächst-*) ▌「weit von + 3격」 '...로부터 먼' ▌von [*3격* 전치사] ~로부터 (영. from) ▌die Universität 대학교 (die Universität*en*)

☞ 앞에 나온 *복수*명사 Zimmer를 받으며,
뒤에 오는 동사 gefallen의 *주어*임.
→ 따라서 *복수 1격* 관계대명사 *die*가 빈칸에 옴.

► ... , die ... gefallen , ... :
관계대명사 문장은 ***부문장***이므로 동사 gefallen은 ***후치***되어 맨 뒤에 옴.

<주의>
관계대명사 부문장은 *콤마*로 주문장과 구분!

► Die Zimmer , die ... gefallen , sind ... :
뒤에 오는 주문장의 동사 sind의 ***주어***임!

6. Hier auf dem Tisch liegt eine DVD, die sehr interessant ist.

✻ 해석 여기 테이블 위에 매우 흥미로운 디브이디 하나가 놓여 있다.

✻ 어휘 auf [*3 · 4격* 전치사] (*3격* 지배: *위치*) ~위에, ~위에서 : auf dem Tisch liegen 테이블 위에 놓여 있다 ▌der Tisch 테이블, 책상 (die Tisch*e*) ▌liegen [자동사] 놓여 있다 <주의> 동사 liegen과 함께 오는 3 · 4격 전치사는 *3격* 지배! (3 기본형: liegen - lag - gelegen) ↔ legen [타동사] ...을 놓다 <주의> 동사 legen과 함께 오는 3 · 4격 전치사는 *4격* 지배! (3 기본형: leg*en* - leg*te* - *ge*leg*t*) ▌die DVD [de:fau'de:] 디브이디 (die DVD*s*) ▌sehr [부사어] 매우 ▌interessant [형용사] 흥미로운 (3 비교형: interessant - interessant*er* - interessant*est-* ※최상급 interessant*st* 아님!)

☞ 앞에 나온 *여성*명사 DVD를 받으며,
뒤에 오는 동사 ist의 *주어*임.
→ 따라서 *여성 1격* 관계대명사 *die*가 빈칸에 옴.

► ... , die *er* ... ist :
관계대명사 문장은 ***부문장***이므로 동사 ist가 ***후치***되어 맨 뒤에 옴.

<주의>
관계대명사 die 앞에 *콤마*가 옴!

7. Das ist der beste Artikel über dieses Thema, den ich je gelesen habe.

✻ 해석 이것은 내가 지금까지 읽었던, 이 주제에 관한 최고의 논문이다.

✻ 어휘 「Das ist + *단수* 1격」 이것은 ...이다 ▌best [형용사: gut의 *최상급*] 최선의, 가장 좋은 (3 비교형 *불규칙* 변화: gut - *besser* - *best-*) ▌der Artikel (신문, 잡지 등의) 기고문, 기사, 논문 (die Artikel) ▌「über + 4격」 ~에 관해 ▌dies- [지시대명사] '이 ...' (*정관사 d-* 어미변화!) ↔ jen- '저 ...' ▌das Thema 테마, 주제 (die Them*en*) ▌je [부사어] (과거 혹은 미래의) 그 언젠가 (영. ever) = jemals ▌「... gelesen habe」 (동사 lesen의 *현재완료* 시제, *후치*됨!) ▌gelesen (동사 lesen의 *pp형*) ⇒ lesen [타동사] ...을 읽다 (3 기본형: lesen - las - gelesen) (*현재* 시제: du lies*t* ; er lies*t*)

► 「über dies*es* Thema」:
명사 Thema는 *중성*이며, 전치사 über의 *4격* 목적어이므로 *중성 4격!!*

따라서 지시대명사 dies-는 *중성 4격* 정관사 d*as*처럼 어미변화 하여 dies*es*임.

☞ 앞에 나온 *남성*명사 Artikel을 받으며,

뒤에 오는 동사 gelesen(= lesen)의 *4격* 목적어임.

→ 따라서 *남성 4격* 관계대명사 *den*이 빈칸에 옴.

► ... , den *ich* ... gelesen habe :
관계대명사 문장은 ***부문장***이므로 동사는 ***후치***됨:
동사 lesen의 ***현재완료*** 시제 「***habe*** ... gelesen 」이 후치되어 「... gelesen ***habe*** 」임.

<주의>

관계대명사 den 앞에는 *콤마*가 옴!

8. Er ist einer der besten Musiker, die wir kennen.

✹ **해석** 그는 우리가 알고 있는 최고의 음악가들 중의 한 명이다.

✹ **어휘** ein- [부정대명사] (관련 문맥 안의 특정 명사를 받아) '... 하나' (영. one) (ein-은 *정관사 d-* 어미변화 함!) : ein*er* der besten Musiker 최고의 음악가들 중의 하나 ▌best [형용사: gut의 *최상급*] 최선의, 가장 좋은 (3 비교형 *불규칙* 변화: gut - *besser* - *best-*) ▌der Musiker 음악가 (die Musiker) ← die Musik 음악 (die Musik*en*) ▌kennen [타동사] ...을 알다 (3 기본형: kennen - kannte - gekannt)

► 「ein- + der *복수 2격* 명사」 '...들 중의 하나' (영. "one of the ***복수***명사")
Er ist ein*er* der Musiker , ... '음악가들 중의 하나'

① 「Er ist ein*er* der Musiker , ... 」:
여기서 부정대명사 ein-은,
- "음악가들 중의 *하나*"이므로 "음악가", 즉 *남성*명사 Musiker를 받으며,
- 동사 ist의 *주격* 보어임.

→ 따라서 *남성 1격* 정관사 d*er*처럼 어미변화 하여 ein*er*임.

② 「Er ist ein*er* *der* Musiker , ... 」:
여기서 명사 Musiker는 *복수 2격* 명사이므로 *복수 2격* 정관사 *der*가 앞에 옴.

<참고>

ein*er* der Tisch*e* '그 책상들 중의 하나'
↳ 뒤에 오는 ***남성***명사 Tisch를 받음. → 따라서 *남성*의 d**er**처럼 어미변화 하여 ein**er**임.

ein*e* der Schule*n* '그 학교들 중의 하나'
↳ 뒤에 오는 ***여성***명사 Schule를 받음. → 따라서 *여성*의 di**e**처럼 어미변화 하여 ein**e**임.

ein*s* der Büch*er* '그 책들 중의 하나'
↳ 뒤에 오는 ***중성***명사 Buch를 받음. → 따라서 *중성*의 da**s**처럼 어미변화 하여 ein**s**임.

☞ 앞에 나온 *복수*명사 Musiker를 받으며,

뒤에 오는 동사 kennen의 *4격* 목적어임.

→ 따라서 *복수 4격* 관계대명사 *die*가 빈칸에 옴.

► ... , die *wir* kennen :
관계대명사 문장은 ***부문장***이므로 동사 kennen이 ***후치***되어 맨 뒤에 옴.

<주의>
관계대명사 die 앞에 *콤마*가 옴!

9. Was brauchen Sie am meisten? - Ein Mädchen, das sich um die Kinder kümmert.

✺ **해석** 당신은 무엇을 가장 필요로 하십니까? - 아이들을 돌보아 줄 아가씨입니다.

✺ **어휘** was [의문사] 무엇을? (*4격* 형) ▌brauchen [타동사] ...을 필요로 하다 (영. need, demand) (3 기본형: brauch*en* - brauch*te* - *ge*brauch*t*) ▌「am + 최상급 *-en*」 가장 ...하게 : am meisten 가장 많이 ▌meist [부정수사: viel 혹은 viele의 *최상급*] 가장 많은 (3 비교형 *불규칙* 변화: viel, viele - *mehr* - *meist-*) ▌das Mädchen [축소명사] 소녀, 아가씨 (die Mädchen) ▌「kümmern sich[4] um + 4격」 [4격 재귀동사] ...을 돌보다 (3 기본형: kümmer*n* - kümmer*te* - *ge*kümmer*t*) ▌sich [*4격* 재귀대명사] 주어가 Ein Mädchen, 즉 여성의 sie('그녀는')이므로 4격 재귀대명사는 *sich* (3격 재귀대명사 역시 *sich*) <참고> 주어가 1, 2인칭이 아닐 경우, 즉 주어가 *ich, du* ; *wir, ihr*가 아닌 나머지 모든 경우, *3격* 및 *4격 재귀대명사* 모두 동일하게 sich임! ▌um [*4격* 전치사] ~주위에 (영. around) ▌das Kind 아이, 어린이 (die Kind*er*)

문장 2

☞ 앞에 나온 *중성*명사 Mädchen을 받으며,
뒤에 오는 동사 kümmert의 *주어*임.
→ 따라서 *중성 1격* 관계대명사 *das*가 빈칸에 옴.

► ... , das ... kümmert :
관계대명사 문장은 ***부문장***이므로 동사 kümmert가 ***후치***되어 맨 뒤에 옴.

<주의>
관계대명사 das 앞에는 *콤마*가 옴!

► 둘째 문장은 축약된 형태임. 즉:
(Ich brauche) Ein Mädchen , das ... :
따라서 Ein Mädchen은 축약된 동사 brauche의 *4격* 목적어임.

II. 알맞은 관계대명사는? (23과, 기초문제: 교재 134쪽)

1. Wer ist die junge Dame, mit der Sie gestern im Theater waren?

✺ **해석** 당신이 어제 극장에서 함께 있었던 그 젊은 숙녀는 누구입니까?

✺ **어휘** wer [의문사] 누가? (*1격* 형) <참고> 2격: wessen 누구의 ...? ; 3격: wem 누구에게? ; 4격: wen 누구를? ▌ist (동사 sein의 *현재* 시제) ⇒ sein [자동사] ...이다 ▌jung [형용사] 젊은 (3 비교형: jung - jüng*er* - jüng*st-*) ▌die Dame 숙녀 (die Dame*n*) ↔ der Herr 신사 (die Herr*en*) (주어를 제외한 *단수 2, 3, 4격*은 Herr*n*임!) ▌mit [*3격* 전치사] ~와 함께 ▌gestern [부사

예] 어제 → vorgestern 그저께 ▌「im + 3격」 (위치) ~안에서, ~에서 : im Theater 극장 안*에서* ▌das Theater (연극 공연) 극장 (die Theater) ▌war*en* (*과거* 시제: 주어가 *wir* 혹은 *sie* ('그들은'), *Sie*일 때) ⇒ sein [자동사] 있다, 존재하다 (3 기본형: sein - war - gewesen ; 완료형 「*sein* ... gewesen」)

☞ 앞에 나온 *여성*명사 Dame를 받으며,

3격 전치사 mit와 결합함.

→ 따라서 *여성 3격* 관계대명사 *der*가 빈칸에 옴.

► ... , mit der *Sie* ... waren :
관계대명사 문장은 ***부문장***이므로 동사 waren이 ***후치***되어 맨 뒤에 옴!
동사 sein의 ***과거*** 시제이므로 **과거형** ***war***가 어미변화 함:
주어가 격식칭 Sie이므로 war에 어미 ***-en***이 붙어 war***en***임.

<주의>

관계대명사가 전치사와 결합할 경우 전치사는 *관계대명사 앞에* 옴!

2. Ich habe eine Deutsche besucht, die sehr klug ist und mit der ich mich gern unterhalte.

✺ **해석** 나는 한 독일 여자를 방문했는데, 그녀는 매우 영리하며, 그녀와 함께 대화 나누기를 나는 즐겨 한다.

✺ **어휘** 「habe ... besucht」 (동사 besuchen의 *현재완료* 시제) ▌*be*such*t* (동사 besuchen의 *pp형*) ⇒ besuchen [타동사] ...을 방문하다 (3 기본형: *be*such*en* - *be*such*te* - *be*such*t*) ⇐ suchen [타동사] ...을 구하다, 찾다 (3 기본형: such*en* - such*te* - *ge*such*t*) ▌*eine* Deutsch*e* 한 독일 여자 (형용사 deutsch의 *여성*명사화!) ▌klug [형용사] 영리한, 총명한 (3 비교형: klug - klüg*er* - klüg*st-*) ▌mit [*3격* 전치사] ~와 함께 ▌「unterhalten sich[4] mit + 3격(사람)」 [4격 재귀동사] *누구*와 대화하다 (3 기본형: *unter*halten - *unter*hielt - halten) (현재 시제: du *unter*hält*st* dich ; er *unter*häl*t* sich) ⇐ halten [타동사] ...을 잡다, 유지하다 (영. hold) (3 기본형: halten - hielt - halten) (현재 시제: du hält*st* ; er *unter*häl*t*) ▌mich [*4격* 재귀대명사] 주어가 ich이므로 4격 재귀대명사는 *mich* (3격 재귀대명사는 *mir*) ▌gern(e) [부사어] 즐겨, 기꺼이 (3 비교형 *불규칙* 변화: gern(e) - *lieber* - *liebst-*)

► *eine* Deutsch*e* '한 독일 여자' : 형용사 deutsch('독일의')의 *여성*명사화!
(여기서는 동사 besucht(= besuchen)의 *4격* 목적어로서 *여성 4격*임!)

☞ 두 개의 관계대명사 문장이 접속사 und에 의해 연결됨:

... , die ... ist *und* mit der ich ... unterhalte.
① ②

① 앞에 나온 *여성*명사 eine Deutsche를 받으며,

뒤에 오는 동사 ist의 *주어*임.

→ 따라서 *여성 1격* 관계대명사 *die*가 빈칸에 옴.

② 역시 동일한 *여성*명사 eine Deutsche를 받으며,
3격 전치사 mit와 결합함.
→ 따라서 *여성 3격* 관계대명사 *der*가 빈칸에 옴.

<주의>
관계대명사가 전치사와 결합할 경우 전치사는 *관계대명사 앞에* 옴!

► 관계대명사 문장은 *부문장*이므로 동사 ist 및 unterhalte가 *후치*되어 각각 맨 뒤에 옴:

... , die ... __ist__ und mit der *ich* ... __unterhalte__ .
현재 시제: 관계대명사 die가 주어이므로 동사 sein의 형태는 ***ist***임.
현재 시제: 주어가 ich이므로 어미 **-*e***가 붙어 unterhalt*e*임.

► ... und __*mit* der__ ich ... unterhalte :
전치사 mit는 동사 형식 「unterhalten sich[4] ***mit*** + 3격」에 근거함!

3. Gestern habe ich endlich den Brief bekommen, auf __den__ ich so lange gewartet hatte.

✷ **해석** 어제 나는 마침내 내가 그렇게나 오랫동안 기다리고 있었던 편지를 받았다.

✷ **어휘** gestern [부사어] 어제 → vorgestern 그저께 ▌「habe ... bekommen」 (동사 bekommen의 *현재완료* 시제) ▌ *be*kommen (동사 bekommen의 *pp형*) ⇒ bekommen [타동사] ...을 받다, 얻다 (3 기본형: *bekommen* - *bekam* - *bekommen*) ⇐ kommen [자동사] 오다 (3 기본형: kommen - kam - gekommen ; '*장소 이동* 자동사 → 완료형 「*sein* ... gekommen」) ▌ endlich [형용사] 궁극적인, (부사적) 마침내 ▌ der Brief 편지 (die Brief*e*) ▌「so + 형용사 (부사)」 그렇게 (아주) ...한 : so lange 그렇게 오랫동안 ▌ so [부사어] 그렇게 (영. so) ▌ lange [부사어] 오랫동안 (3 비교형: lange - läng*er* - läng*st-*) ▌「... gewartet hatte」 (동사 warten의 *과거완료* 시제, *후치*됨!) ▌ hatte (동사 haben의 *과거* 시제 형태: 주어가 *ich* 혹은 *er*, *sie*, *es*일 때) ⇒ haben [조동사] 완료 형식 「*haben* ... pp」에 사용됨 (3 기본형: haben - hatte - gehabt) ▌ *ge*warte*t* (동사 warten의 *pp형*) ⇒ warten [자동사] : 「warten auf + 4격」 ...을 기다리다 (3 기본형: wart*en* - wart*ete* - *ge*wart*et*)

☞ 앞에 나온 *남성*명사 Brief를 받으며,
전치사 auf의 *4격* 목적어임.
→ 따라서 *남성 4격* 관계대명사 *den*이 빈칸에 옴.

► ... , auf den *ich* ... __gewartet hatte__ :
관계대명사 문장은 ***부문장***이므로 동사는 ***후치***됨:
동사 warten의 ***과거완료*** 시제 「 __*hatte*__ ... gewartet 」가 후치되어 「... gewartet ***hatte*** 」임.
주어가 ich이므로
과거형 *hatte*는 어미 없이 그대로 ***hatte***_임.

<참고>
관계대명사 부문장의 내용('내가 편지를 ***기다렸던 것***')은 앞의 주문장의 내용('내가 어제 편지를 ***받은 것***')보다 시간적으로 *한 단계 더 과거*의 일임!
따라서 주문장의 *현재완료* 시제보다 한 단계 더 과거인 *과거완료* 시제가 부문장에서 사용됨.

► ... , *auf* den ich ... gewartet hatte :
전치사 ***auf***는 동사 형식 「warten ***auf*** + 4격」에 근거함!

4. Das ist der junge Mann, von dem ich dir so viel erzählt habe.

✵ 해석 이 사람이 바로 내가 그렇게 많이 이야기했던 그 청년이다.

✵ 어휘 「Das ist *단수* 1격」 이것은 ...이다 ▌jung [형용사] 젊은 (3 비교형: jung - jüng*er* - jüng*st*-) ▌der Mann 성인 남자 (die Männ*er*) ▌von [*3격* 전치사] ~에 관해 (영. of) ▌dir [인칭대명사] du의 *3격* 형임. (4격 형은 *dich*) ▌so [부사어] 그렇게 ▌viel 많은, 많이 (영. much) (3 비교형 *불규칙* 변화: viel - *mehr* - *meist*-) ▌「so + 형용사 (부사)」 그렇게 (아주) ...한 : so viel 그렇게 많이 <주의> soviel [종속접속사] ...하는 한 (영. so far as) ▌「... erzählt habe」 (동사 erzählen의 *현재완료* 시제, *후치*됨!) ▌*erzählt* (동사 erzählen의 *pp형*) ⇒ erzählen [자동사] : 「erzählen + 3격(사람) + von + 3격」 *누구*에게 ...에 관해 이야기하다 (3 기본형: *erzählen* - *erzählte* - *erzählt*) ⇐ zählen [타동사] ...을 세다, 헤아리다 (영. count) (3 기본형: zähl*en* - zähl*te* - *ge*zähl*t*)

☞ 앞에 나온 *남성*명사 Mann을 받으며,
3격 전치사 von의 목적어임.
→ 따라서 *남성 3격* 관계대명사 *dem*이 빈칸에 옴.

► ... , von dem *ich* ... erzählt habe :
관계대명사 문장은 ***부문장***이므로 동사는 ***후치***됨:
동사 erzählen의 ***현재완료*** 시제 「***habe*** ... erzählt」가 후치되어 「... erzählt ***habe***」임.

► ... , *von* dem ich ... erzählt habe :
전치사 ***von***은 동사 형식 「erzählen + 3격 + ***von*** + 3격」에 근거함!

III. 관계대명사를 사용하여 두 문장을 연결하시오. (23과, 기초문제: 교재 134쪽)

1. Ich muss ihm immer jedes Wort erklären. / Das Wort versteht er nicht.

✵ 해석 나는 그에게 항상 모든 낱말을 설명해야 한다. / 그 낱말을 그는 이해하지 못한다.

✵ 어휘 「muss ... erklären」 (화법조동사 müssen의 *현재* 시제) ⇒ 「müssen ... 동사 원형」 ...해야 한다 (현재 시제: ich muss ; du muss*t* ; er muss ; wir müss*en* ; ...) (3 기본형: müssen - musste - gemusst, müssen) ▌ihm [인칭대명사] er의 *3격* 형임. (4격 형은 *ihn*) ▌immer [부사어] 항상, 늘 ▌「jed- + *단수* 명사」 '모든 ..., 매 ...' (영. every, each) (jed-는 *정관사 d-* 어미 변화!) ▌das Wort 단어, 낱말 (die Wört*er*) ▌erklären [타동사] : 「erklären + 3격(사람) + 4격」 *누구*에게 ...을 설명하다 (3 기본형: *er*klär*en* - *er*klär*te* - *er*klär*t*) ⇐ klären [타동사] (문제점 등) ...을 해결하다 (3 기본형: klär*en* - klär*te* - *ge*klär*t*) ▌verstehen [타동사] ...을 이해하다 (3 기본형: *ver*stehen - *ver*stand - *ver*standen) ⇐ stehen [자동사] 서 있다 (영. stand) (3 기본형: stehen - stand - gestanden)

문장 1

► ihm은 동사 erklären의 *3격* 목적어임.

► 「jed*es* Wort」:

명사 Wort가 *중성*이며, 동사 erklären의 *4격* 목적어이므로 *중성 4격!!*

따라서 jed-는 *중성 4격* 정관사 d*as*처럼 어미변화 하여 jed*es*임.

문장 2

► 문장 맨 앞의 Das Wort는 동사 versteht의 4격 목적어임.

(동사 versteht의 주어는 뒤에 오는 *er* 임!)

er는 ***1격*** 형이므로 ***항상 주어***로만 사용됨!

정답 Ich muss ihm immer jedes Wort erklären , *das* er nicht versteht.

✺ **해석** 나는 항상 그에게 그가 이해하지 못하는 모든 낱말을 설명해 주어야 한다.

☞ 뒤 문장의 "Das Wort"는 앞 문장의 "jedes Wort"를 받음!

따라서 앞 문장의 "jedes Wort"가 *선행사*가 되며, 이를 받는 관계대명사가 뒤에 옴:

즉, 「... jedes Wort ... , das *er* ... *versteht.*」:

- *중성*명사 Wort를 받으며, 부문장 안의 동사 versteht의 *4격* 목적어이므로 *중성 4격* 관계대명사 *das*가 옴.
- *현재* 시제 동사 versteht가 *후치*되어 부문장 맨 뒤에 옴.
- 관계대명사 das 앞에는 *콤마*가 옴.

2. Das ist die ältere Frau. / Ich habe ihr bei der Übersetzung geholfen.

✺ **해석** 이 사람이 그 중년의 부인이다. / 나는 그녀가 번역할 때 도와주었다.

✺ **어휘** 「Das ist *단수* 1격」 이것은 ...이다 ▌ älter [형용사: alt의 *비교급*] [1] 중년의 ; [2] 더 나이 든 (3 비교형: alt - ält*er* - ält*est-* ※최상급 ält*st* 아님!) ▌ die Frau 성인 여자, 부인 (die Frau*en*) ▌ 「habe ... geholfen」 (동사 helfen의 *현재완료* 시제) ▌ geholfen (동사 helfen의 *pp형*) ⇒ helfen [자동사] : 「helfen + 3격(사람) + bei + 3격」 *누구*가 ...할 때 돕다 (3 기본형: helfen - half - geholfen) (현재 시제: du hilf*st* ; er hilf*t*) ▌ ihr [인칭대명사] 여성의 sie('그녀는')의 *3격* 형임. (4격 형은 *sie*) ▌ bei [*3격* 전치사] ~일 때 ▌ die Übersetzung 번역 (die Übersetzung*en*) ← übersetzen [타동사] ...을 번역하다 (3 기본형: *über*setz*en* - *über*setz*te* - *über*setz*t*) ⇐ setzen [타동사] ...을 앉히다, 놓다 (영. sit, put) (3 기본형: setz*en* - setz*te* - *ge*setz*t*)

문장 1

► 「di*e* älter*e* Frau」:

- 명사 Frau는 *여성*이며, 동사 ist의 *주격* 보어이므로 *여성 1격!!*

따라서 *여성 1격* 정관사 di*e*가 앞에 옴.

- 비교급 형용사 älter 앞에 *여성 1격* die가 있음.
  → 따라서 die ältere ...
  (근거: 여성 1, 4격 die, eine, meine, deine, ihre ... keine, diese + 형용사 -*e*)

문장 2

► ihr는 여성 인칭대명사 sie('그녀는')의 3격 형으로서,
현재완료 시제 동사 「habe ... *geholfen*」, 즉 helfen의 *3격 목적어*임.

정답 Das ist die ältere Frau , *der* ich bei der Übersetzung geholfen habe.

✹ **해석** 이 사람이 바로 내가 번역을 도와주었던 그 중년의 부인이다.

☞ 뒤 문장의 ihr는 앞 문장의 *여성*명사 "die ältere Frau"를 받음!
따라서 앞 문장의 "die ältere Frau"가 *선행사*가 되며, 이를 받는 관계대명사가 뒤에 옴:
즉, 「... die ältere Frau , der *ich* ... *geholfen habe.*」:

- *여성*명사 Frau를 받으며, 동사 geholfen(= helfen)의 *3격* 목적어이므로
  여성 3격 관계대명사 *der*가 옴.
- *현재완료* 시제 「habe ... geholfen」이 *후치*되어 「... geholfen habe」임.
- 관계대명사 der 앞에는 *콤마*가 옴.

3. Im Kino gibt es einen Film. / Ich möchte mir den Film ansehen.

✹ **해석** 영화관에 좋은 영화 하나가 있다. / 나는 그 영화를 관람하고 싶다.

✹ **어휘** 「im + 남성 · 중성 3격」 (위치) ~안에, ~에 : im Kino 영화관*에* ▌das Kino 영화관 (die Kino*s*) ▌gibt (동사 geben의 *현재* 시제: 주어가 *er, sie, es*일 때) ⇒ geben [타동사] ...을 주다 : 「es gibt + 4격」 ...이 있다 (현재 시제: du gib*st* ; er gib*t*) (3 기본형: geben - gab - gegeben) ▌der Film 영화, 필름 (die Film*e*) ▌「möchte ... ansehen」 (화법조동사 möchten의 *현재* 시제) ⇒ 「möchten ... 동사 원형」 ...하고 싶다 (현재 시제: ich möchte ; du möchte*st* ; er möchte ; wir möchte*n* ; ...) ▌mir [*3격* 재귀대명사] 주어가 Ich이므로 3격 재귀대명사는 *mir* (4격 재귀대명사는 *mich*) ▌*an*sehen [분리동사&3격 재귀동사] : 「sehen sich[3] + 4격 ... *an*」 ...을 관람하다, 시청하다 (현재 시제: du sieh*st* dir ... *an* ; er sieh*t* sich ... *an*) (3 기본형: *an*sehen - *an*sah - *an*gesehen) ⇐ sehen [타동사] ...을 보다 (영. see) (현재 시제: du sieh*st* ; er sieh*t*) (3 기본형: sehen - sah - gesehen)

정답 Im Kino gibt es einen Film , *den* ich mir ansehen möchte.

✹ **해석** 영화관에 내가 관람하고 싶은 영화가 하나 있다.

☞ 뒤 문장의 "den Film"은 앞 문장의 "einen Film"을 받음!
따라서 앞 문장의 "einen Film"이 *선행사*가 되며, 이를 받는 관계대명사가 뒤에 옴:
즉, 「... einen Film , den *ich* ... *ansehen möchte.*」:

- *남성*명사 Film을 받으며, 부문장 안의 동사 ansehen의 *4격* 목적어이므로 *남성 4격* 관계대명사 *den*이 옴.
- *화법조동사* 형식 「möchte ... ansehen」이 *후치*되어 「... ansehen möchte」임.
- 관계대명사 den 앞에는 *콤마*가 옴.

4. Wie heißt die Dame da drüben? / Sie hat uns gerade gegrüßt.

✹ **해석** 저기 건너편에 있는 숙녀는 이름이 어떻게 됩니까? / 그녀는 우리에게 방금 인사했다.

✹ **어휘** wie [의문사] 어떻게? (영. how?) ▌heißen [자동사] 이름이 ...이다 (3 기본형: heißen - hieß - geheißen) ▌die Dame 숙녀 (die Dame*n*) ↔ der Herr 신사 (die Herr*en*) ▌da [부사어] 저기 ▌drüben [부사어] 건너편에 : da drüben 저기 건너편에 <참고> von drüben 건너편으로부터, nach drüben 건너편으로 ▌「hat ... gegrüßt」 (동사 grüßen의 *현재완료* 시제) ▌*ge*grüß*t* (동사 grüßen의 *pp형*) ⇒ grüßen [타동사] : 「grüßen + 4격(사람)」 '...에게 인사하다' (*4격* 요구 동사!) (3 기본형: grüß*en* - grüß*te* - *ge*grüß*t*) ← der Gruß 인사 (die Grüß*e*) ▌uns [인칭대명사] wir의 *4격* 형임. (3격 형 역시 *uns*) ▌gerade [부사어] 막, 방금 (영. just) (= eben)

문장 2

► uns는 현재완료 동사 「hat ... gegrüßt」, 즉 grüßen의 4격 목적어임.

정답 Wie heißt die Dame da drüben , *die* uns gerade gegrüßt hat?

✹ **해석** 방금 우리에게 인사했던 저기 건너편에 있는 숙녀는 이름이 어떻게 됩니까?

☞ 뒤 문장의 주어 Sie는 *여성*의 sie('그녀는')로서 앞 문장의 *여성*명사 "die Dame"를 받음! 따라서 앞 문장의 "die Dame"가 *선행사*가 되며, 이를 받는 관계대명사가 뒤에 옴: 즉, 「... die Dame ... , die ... *gegrüßt hat* ?」:

- *여성*명사 Dame를 받으며, 부문장 안의 동사 hat의 *주어*이므로 *여성 1격* 관계대명사 *die*가 옴.
- *현재완료* 시제 「hat ... gegrüßt」는 *후치*되어 「... gegrüßt hat」임.
- 관계대명사 die 앞에는 *콤마*가 옴.

5. Der Schüler ist wieder gesund. / Er war schwer krank.

✹ **해석** 그 학생은 다시 건강한 상태이다. / 그는 심하게 병을 앓았다.

✹ **어휘** der Schüler 초・중・고등학생 (die Schüler) ▌ist (동사 sein의 *현재* 시제) ▌wieder [부사어] 다시, 반복해서 ▌gesund [형용사] 건강한 ▌war (동사 sein의 *과거* 시제: 주어가 *ich* 혹은 *er*, *sie*, *es*일 때) ⇒ sein [자동사] ...이다 (3 기본형: sein - war - gewesen) ▌schwer [형용사] 무거운, (부사적) 무겁게, 심하게 ▌krank [형용사] 아픈

문장 2

► 동사 sein의 *과거* 시제이므로 과거형 *war*가 과거 시제 어미변화 함.
주어가 Er이므로 *war*는 어미 없이 그대로 *war*_임.

정답 Der Schüler , *der* schwer krank war, ist wieder gesund.

✹ **해석** 심하게 병을 앓았던 그 학생은 다시 건강한 상태이다.

☞ 뒤 문장의 주어 Er는 앞 문장의 "Der Schüler"를 받음!
따라서 앞 문장의 "Der Schüler"가 *선행사*가 되며, 이를 받는 관계대명사가 뒤에 옴:
즉, 「Der Schüler , der ... *war* , ist ... 」:

- *남성*명사 Schüler를 받으며, 부문장 안의 동사 war의 *주어*이므로 *남성 1격* 관계대명사 *der*가 옴.
- *과거* 시제 동사 war는 *후치*되어 부문장의 맨 뒤에 옴.
- 관계대명사 부문장은 *콤마*를 통해 주문장과 구분됨.

6. Kennst du die Leute? / Sie stehen da vor der Tür.

✹ **해석** 너는 그 사람들을 아니? / 그들은 저기 문 앞에 서 있다.

✹ **어휘** kennen [타동사] ,,,을 알다 (3 기본형: kennen - kannte - gekannt) ▌die Leute (항상 복수) 사람들 ▌stehen [자동사] 서 있다 <주의> 동사 stehen과 함께 오는 3 · 4격 전치사는 *3격* 지배! (3 기본형: stehen - stand - gestanden) ↔ stellen [타동사] ...을 세워 놓다 <주의> 동사 stellen과 함께 오는 3 · 4격 전치사는 *4격* 지배! (3 기본형: stell*en* - stell*te* - *ge*stell*t*) ▌da [부사어] 저기, 저기에 (= dort) ▌vor [*3 · 4격* 전치사] (*3격* 지배: *위치*) ~앞에, ~앞에서 : vor der Tür stehen 문 앞*에* 서 있다 ▌die Tür 문, 대문 (die Tür*en*)

정답 Kennst du die Leute , *die* da vor der Tür stehen?

✹ **해석** 너는 저기 문 앞에 서 있는 사람들을 아니?

☞ 뒤 문장의 주어 Sie는 *복수*의 sie('그들은')로서 앞 문장의 *복수*명사 "die Leute"를 받음!
따라서 앞 문장의 "die Leute"가 *선행사*가 되며, 이를 받는 관계대명사가 뒤에 옴:
즉, 「... die Leute , die ... *stehen*? 」:

- *복수*명사 Leute를 받으며, 부문장 안의 동사 stehen*주어*이므로 *복수 1격* 관계대명사 *die*가 옴.
- *현재* 시제 동사 stehen은 *후치*되어 부문장 맨 뒤에 옴.
- 관계대명사 die 앞에는 *콤마*가 옴.

unit 02
심화문제

Ⅰ. 관계대명사를 사용하여 연결하시오. (23과, 심화문제: 교재 136쪽)

1. Die Kinder haben alle gelacht. / Ihnen habe ich das Foto gezeigt.

✵ 해석 아이들은 모두 웃었다. / 그들에게 나는 그 사진을 보여주었다.

✵ 어휘 das Kind 아이, 어린이 (die Kind*er*) ▌「haben ... gelacht」 (동사 lachen의 *현재완료* 시제) ▌ gelach*t* (동사 lachen의 *pp형*) ⇒ lachen [자동사] 웃다 (3 기본형: lach*en* - lach*te* - *ge*lach*t*) <참고> lächeln [자동사] 미소 짓다 (3 기본형: lächel*n* - lächel*te* - *ge*lächel*t*) ▌ alle (복수 주어의 *동격*으로서) '... 모두가' : *Die Kinder* haben *alle* ... "아이들이 *모두* ..." ▌ Ihnen [인칭대명사] 격식칭 Sie('당신은, 당신들은')의 *3격* 형임. (4격 형은 *Sie*) ▌「habe ... gezeigt」 (동사 zeigen의 *현재완료* 시제) ▌ *gezeigt* (동사 zeigen의 *pp형*) ⇒ zeigen [타동사] : 「zeigen + 3격(사람) + 4격」 *누구*에게 ...을 보여주다 (3 기본형: zeig*en* - zeig*te* - *ge*zeig*t*) ▌ das Foto 사진 (die Foto*s*) → fotografieren [타동사] ...을 사진찍다 (3 기본형: fotografier*en* - fotografier*te* - fotografier*t*)

문장 2

► Ihnen은 *복수* 인칭대명사 sie('그들은')의 3격 형으로서, *현재완료* 시제 동사 「habe ... gezeigt」, 즉 zeigen의 *3격 목적어*임.

정답 Die Kinder , *denen* ich das Foto gezeigt habe, haben alle gelacht.

✵ 해석 내가 그 사진을 보여주었던 그 아이들은 모두가 웃었다.

☞ 뒤 문장의 Ihnen은 앞 문장의 *복수*명사 "Die Kinder"를 받음!
따라서 앞 문장의 "Die Kinder"가 *선행사*가 되며, 이를 받는 관계대명사가 뒤에 옴:
즉, 「Die Kinder , denen ich ... *gezeigt habe* , haben alle ... 」:

- *복수*명사 Kinder를 받으며, 동사 gezeigt(= zeigen)의 *3격* 목적어이므로 *복수 3격* 관계대명사 *denen*이 옴.
  관계대명사는 대부분 정관사 d-와 동일한 형태이지만
  예외적으로 ***복수 3격***은 *den*이 아니라 ***denen***임.
- *현재완료* 시제 동사 「habe ... gezeigt」는 *후치*되어 「... gezeigt habe 」임.
- 관계대명사 부문장은 *콤마*를 통해 주문장과 구분됨.

2. Gehen Sie doch zu der Ärztin! / Ihre Praxis ist hier ganz in der Nähe.

✵ 해석 (그러지 말고) 그 여의사에게 가 보세요. / 그녀의 병원은 여기 아주 가까운 곳에 있어요.

✷ **어휘** 「Gehen Sie ...!」 (Sie-명령문) ⇒ gehen [자동사] 가다 (3 기본형: gehen - ging - gegangen ; '*장소 이동*' 자동사 → 완료형 「*sein* ... gegangen」) ▌doch [부사어] 명령문에서 요구 내용을 권유, 채근함. ("그러지 말고" 등으로 해석!) ▌「zu + 사람(3격)」 (방향) *누구*에게로, *누구* 집으로 ▌die Ärzt*in* 여의사 (die Ärztin*nen*) ↔ der Arzt 의사, 남자 의사 (die Ärzt*e*) ▌die Praxis (의료인, 법조인 등의 업무 공간) 진료실, 변호사 사무실 (die Prax*en*) ▌ist (동사 sein의 *현재* 시제) ⇒ sein [자동사] 있다, 존재하다 (3 기본형: sein - war - gewesen ; 완료형 「*sein* ... gewesen」) ▌ganz [부사어] 아주, 매우 ▌in [*3 · 4격* 전치사] (*3격* 지배: *위치*) ~안에, ~에 : in der Nähe sein 근처*에* 있다 ▌die Nähe 가까움, 이웃 (복수 없음) ← nah(e) [형용사] 가까운 (3 비교형 *불규칙* 변화: nah(e) - *näher* - *nächst-*)

정답 Gehen Sie doch zu der Ärztin , *deren* Praxis hier ganz in der Nähe ist!

✷ **해석** (그러지 말고) 여기 아주 가까운 곳에 병원이 있는 그 여의사에게 가 보세요.

☞ 뒤 문장의 주어 "Ihre Praxis"의 소유대명사 Ihr-는 *여성*의 ihr-('그녀의')로서
앞 문장의 *여성*명사 "... Ärztin"을 받음!
따라서 앞 문장의 "Ärztin"이 *선행사*가 되며, 이를 받는 관계대명사가 뒤에 옴:
즉, 「... zu der Ärztin , deren Praxis ... *ist*」:

- *여성*명사 Ärztin을 받으며, 바로 뒤에 오는 명사 Praxis를 수식하는 *2격* 형이므로
  여성 2격 관계대명사 *deren*이 옴.
  관계대명사는 대부분 정관사 d-와 동일한 형태이지만
  예외적으로 ***여성, 복수 2격***은 *der*가 아니라 ***deren***임.
- 동사 ist 는 *후치*되어 부문장 맨 뒤에 옴.
  주어는 "deren Praxis"임.
- 관계대명사 deren 앞에는 *콤마*가 옴.

3. Das ist die junge Studentin. / Sie isst gern chinesisch und trinkt lieber Wein als Bier.

✷ **해석** 이 사람이 그 젊은 여대생이다. / 그녀는 중국식으로 식사하기를 좋아하며, 맥주보다 포도주를 더 즐겨 마셔요.

✷ **어휘** 「Das ist + *단수* 1격」 이것은 (그것은) ...이다 ▌jung [형용사] 젊은 (3 비교형: jung - jüng*er* - jüng*st-*) ▌die Student*in* 여대생 (die Studentin*nen*) ▌isst (동사 essen의 *현재* 시제: 주어가 *er, sie, es*일 때) ⇒ essen [타동사] ...을 먹다 (현재 시제: du iss*t* ; er iss*t*) (3 기본형: essen - aß - gegessen) ▌gern(e) [부사어] 즐겨, 기꺼이 (3 비교형 *불규칙* 변화: gern(e) - *lieber* - *liebst-*) ▌chinesisch [형용사] 중국의, 중국식의, 중국어의 (부사적) 중국식으로 ← China [고유명사] 중국 ; der Chinese 중국인 (die Chinese*n*) ▌trinken [타동사] ...을 마시다 (3 기본형: trinken - trank - getrunken) ▌lieber [부사어: gern(e)의 *비교급*] 오히려 ...하기를 더 좋아하다 : 「lieber A als B」 'B보다 오히려 A를 더 좋아하다' ▌der Wein [*물질*명사: 주로 *단수*] 포도주 (die Wein*e*) ▌das Bier [*물질*명사: 주로 *단수*] 맥주 (die Bier*e*)

정답 Das ist die junge Studentin , *die* gern chinesisch isst und lieber Wein als Bier trinkt.

✺ 해석 이 사람이 바로 중국식으로 식사하기를 좋아하며, 맥주보다는 포도주를 더 즐겨 마시는 그 젊은 여대생입니다.

☞ 뒤 문장의 주어 Sie는 *여성*의 sie('그녀는')로서 앞 문장의 *여성*명사 "... Studentin"을 받음! 따라서 앞 문장의 "Studentin"이 *선행사*가 되며, 이를 받는 관계대명사가 뒤에 옴: 즉, 「... die junge Studentin , die ... *isst* und ... *trinkt*」:

- *여성*명사 Studentin을 받으며, 동사 isst 및 trinkt의 *주어*이므로 *여성 1격* 관계대명사 *die*가 옴.
- 관계대명사 부문장 2 개가 접속사 und에 의해 연결되는데, 동사 isst와 trinkt는 각각의 부문장 안에서 *후치*되어 맨 뒤에 옴.
- 관계대명사 die 앞에는 *콤마*가 옴.

4. Das ist der intelligente Mann. / Ich bin zusammen mit ihm nach Hamburg gefahren.

✺ 해석 이 사람이 바로 그 영리한 남자입니다. / 나는 그와 함께 함부르크로 갔어요.

✺ 어휘 「Das ist + *단수* 1격」 이것은 (그것은) ...이다 ▌ intelligent [형용사] 머리 좋은, 명석한 (3 비교형: intelligent - intelligent*er* - intelligent*est*- ※최상급 intelligent*st* 아님!) ▌ Mann 성인 남자 (die Männ*er*) ▌ 「bin ... gefahren」 (동사 fahren의 *현재완료* 시제) ▌ gefahren (동사 fahren의 *pp형*) ⇒ fahren [자동사] (차 타고) 가다 (3 기본형: fahren - fuhr - gefahren ; '*장소 이동*' 자동사→ 완료형 「*sein* ... gefahren」) (현재 시제: du fähr*st* ; er fähr*t*) ▌ zusammen [부사어] 함께 ▌ mit [*3격* 전치사] ~와 함께 ▌ 「nach + 도시, 국가」 (방향) ~로 (도시, 국가는 고유명사이므로 *관사 없음*!)

문장 2

► 3격 전치사 mit와 결합하므로 *남성* 인칭대명사 er의 3격 형인 ihm이 사용됨.

정답 Das ist der intelligente Mann , mit *dem* ich zusammen nach Hamburg gefahren bin.

✺ 해석 이 사람이 바로 내가 함께 함부르크로 갔던 그 영리한 남자입니다.

☞ 뒤 문장의 ihm은 앞 문장의 *남성*명사 "... Mann"을 받음! 따라서 앞 문장의 "Mann"이 *선행사*가 되며, 이를 받는 관계대명사가 뒤에 옴: 즉, 「... der intelligente Mann , *mit* dem ich ... *gefahren bin*」:

- *남성*명사 Mann을 받으며, *3격* 전치사 mit의 목적어이므로 *남성 3격* 관계대명사 *dem*이 옴. 전치사 mit는 관계대명사 dem ***앞에*** 위치함.
- *현재완료* 시제 동사 「bin ... gefahren」은 *후치*되어 「... gefahren bin」임.

• 관계대명사 부문장은 *콤마*를 통해 주문장과 구분됨.
(즉, 전치사 mit 앞에 콤마가 옴.)

5. Ich suche einen hübschen Jungen. / Der Name des Jungen beginnt mit A.

✱ **해석** 나는 한 귀여운 소년을 찾고 있어요. / 그 소년의 이름은 A로 시작합니다.

✱ **어휘** suchen [타동사] ...을 찾다, 구하다 (3 기본형: such*en* - such*te* - *ge*such*t*) ▌hübsch [형용사] 귀여운, 예쁜 (3 비교형: hübsch - hübsch*er* - hübsch*est-* ※최상급 hübsch*st* 아님!) ▌der Junge 소년 (die Junge*n*) <주의> 주어를 제외한 *단수 2, 3, 4격*이 복수형처럼 Junge*n*인 *약변화* 명사! = der Knabe (die Knabe*n*) ▌der Name 이름 (die Name*n*) ▌beginnen [자동사] : 「beginnen mit + 3격」 '...으로 시작하다 (3 기본형: beginnen - begann - begonnen) ▌mit [*3격* 전치사] ~을 가지고, ~와 함께 (영. with)

문장 1

► 「ein*en* hübsch*en* Junge*n*」:

• 명사 Junge는 *남성*이며, 동사 suche의 *4격* 목적어이므로 *남성 4격!!*
따라서 *남성 4격* 부정관사 ein*en*이 앞에 옴.

• 형용사 hübsch 앞에 *남성 4격* ein*en*이 있음.
→ 따라서 ein*en* hübsch*en* ...
(근거: 남성 4격 ein*en*, d*en*, mein*en*, ihr*en* ... kein*en*, dies*en* + 형용사 *-en*)

• 명사 Junge는 *약변화* 명사임!
따라서 *남성 4격*, 즉 주어가 아닌 *단수 4격*이므로 복수형과 동일하게 Junge*n*임.

문장 2

► 「... Name d*es* Junge*n*」:

• 명사 Junge는 *남성*이며, 앞의 명사 Name를 수식하는 2격 형이므로 *남성 2격!!*
따라서 *남성 2격* 정관사 d*es* 가 앞에 옴.
2격 어미: 남성, 중성 ***-es*** ; 여성, 복수 ***-er***

• 명사 Junge는 약변화 명사임!
따라서 *남성 2격*, 즉 주어가 아닌 *단수 2격*이므로 복수형과 동일하게 Junge*n*임.

정답 Ich suche einen hübschen Jungen **,** *dessen* Name mit A beginnt.

✱ **해석** 나는 이름이 A로 시작하는 한 귀여운 소년을 찾고 있어요.

☞ 뒤 문장의 2격 명사 "des Jungen"은 앞 문장의 동일한 명사 "... Jungen"을 받음!
따라서 앞 문장의 "... Jungen"이 *선행사*가 되며, 이를 받는 관계대명사가 뒤에 옴:
즉, 「... einen hübschen Jungen , dessen Name ... *beginnt*」:

• *남성*명사 Jungen을 받으며, 바로 뒤에 오는 명사 Name를 수식하는 *2격* 형이므로
남성 2격 관계대명사 *dessen*이 옴.
관계대명사는 대부분 정관사 d-와 동일한 형태이지만
예외적으로 ***남성, 중성 2격***은 *des*가 아니라 *des**sen***임.

- 동사 beginnt 는 *후치*되어 부문장 맨 뒤에 옴.
  주어는 "dessen Name"임.
- 관계대명사 dessen 앞에는 *콤마*가 옴.

6. Heute Nachmittag habe ich eine Verabredung. / Darauf freue ich mich sehr.

해석 오늘 오후 나는 약속이 있다. / 그것에 대해 나는 매우 기뻐하고 있다.

어휘 heute Nachmittag 오늘 오후 ▌heute [부사어] 오늘 ▌der Nachmittag 오후 (die Nachmittag*e*) ▌haben [타동사] ...을 가지고 있다 (3 기본형: haben - hatte - gehabt) ▌die Verabredung (누군가와 만날) 약속 (die Verabredung*en*) → 「주어 + haben eine Verabredung mit + 3격(사람)」 *주어는 누구*와 만날 약속이 있다 <참고> 「verabreden sich[4] mit + 3격(사람)」 [4격 재귀동사] *누구*와 만날 약속하다 ▌darauf 그것에 대해 → 전치사 auf '...에 대해' + 지시대명사 das '그것' ▌「freuen sich[4] auf + 4격」 [4격 재귀동사] (*미래*의) ...에 대해 기뻐하다 (3 기본형: freu*en* - freu*te* - *ge*freu*t*) <참고> 「freuen sich[4] *über* + 4격」 (*과거, 현재*의) ...에 대해 기뻐하다 ▌mich [*4격* 재귀대명사] 주어가 ich이므로 4격 재귀대명사는 *mich* (3격 재귀대명사는 *mir*)

문장 2

► Darauf '그것에 대하여' = 전치사 auf '...에 대하여' + 지시대명사 das '그것'
「freuen sich[4] ***auf*** ...」 '...*에 대하여* 기뻐하다' / 앞에 나온 "eine Verabredung"을 받음.

정답 Heute Nachmittag habe ich eine Verabredung , auf *die* ich mich sehr freue.

해석 오늘 오후 나는 약속이 있는데, 그것에 대해 나는 매우 기뻐하고 있다.

☞ 뒤 문장의 Darauf('*그것*에 대하여')는 앞 문장의 *여성*명사 "eine Verabredung"을 받음!
따라서 앞 문장의 "Verabredung"이 *선행사*가 되며, 이를 받는 관계대명사가 뒤에 옴:
즉, 「... eine Verabredung , *auf* die ich ... *freue*」:

- *여성*명사 Verabredung을 받으며, 전치사 auf의 *4격* 목적어이므로
  여성 4격 관계대명사 *die*가 옴.
  전치사 auf는 관계대명사 die *앞에* 위치함.
- 동사 freue는 *후치*되어 부문장의 맨 뒤에 옴.
- 관계대명사 부문장은 *콤마*를 통해 주문장과 구분됨.
  (즉, 전치사 auf 앞에 콤마가 옴.)

7. Ich kenne die Leute sehr gut. / Dieses Haus gehört ihnen.

해석 나는 그 사람들을 아주 잘 안다. / 이 집은 그들의 소유이다.

✹ **어휘** kennen [타동사] ...을 알다 (3 기본형: kennen - kannte - gekannt) ▌die Leute (항상 복수) 사람들 ▌gut [형용사] 좋은, (부사적) 잘, 좋게 (3 비교형 *불규칙* 변화: gut - *besser* - *best-*) ▌dies- [지시대명사] 이 ... (*정관사 d-* 어미변화!) ▌das Haus 집 (die Häus*er*) ▌gehören [자동사] : 「주어 + gehören + 3격(사람)」 *주어는 누구*의 소유이다 (3 기본형: gehör*en* - gehör*te* - gehör*t*) ⇐ hören [타동사] ...을 듣다 (영. hear) (3 기본형: hör*en* - hör*te* - *ge*hör*t*) ▌ihnen [인칭대명사] 복수의 sie('그들은')의 *3격* 형임. (4격 형은 *sie*)

문장 2

► ihnen은 복수 인칭대명사 sie('그들은')의 3격 형으로서 앞 문장의 *복수*명사 die Leute를 받음.

정답 Ich kenne die Leute sehr gut , *denen* dieses Haus gehört.

✹ **해석** 나는 이 집을 소유하고 있는 사람들을 아주 잘 안다.

☞ 뒤 문장의 ihnen은 앞 문장의 *복수*명사 "die Leute"를 받음!
따라서 앞 문장의 "die Leute"가 *선행사*가 되며, 이를 받는 관계대명사가 뒤에 옴:
즉, 「... die Leute ... , denen dieses Haus ... *gehört*」:

- *복수*명사 Leute를 받으며, 동사 gehört의 *3격* 목적어이므로
  복수 3격 관계대명사 *denen*이 옴.
  관계대명사는 대부분 정관사 d-와 동일한 형태이지만
  예외적으로 ***복수 3격***은 *den*이 아니라 *de**ne**n*임.
- 동사 gehört는 *후치*되어 부문장 맨 뒤에 옴.
- 관계대명사 denen 앞에는 *콤마*가 옴.

II. 밑줄 친 곳에 알맞은 말을 넣으시오. (23과, 심화문제: 교재 136쪽)

1. Dr. Braun braucht dringend jemanden, der sich um die Kinder kümmert.

✹ **해석** 브라운 박사님은 아이들을 돌보아 줄 누군가를 급히 필요로 한다.

✹ **어휘** Dr. = Doktor (호칭) '... 박사' <참고> der Doktor 박사 (die Doktor*en*) ▌brauchen [타동사] ...을 필요로 하다 (3 기본형: brauch*en* - brauch*te* - *ge*brauch*t*) ▌dringend [형용사, 현재분사] 급한, (부사적) 급하게 ▌jemand*en* [부정대명사] 누군가를 (*4격* 형) (영. somebody) <참고> 1격: jemand / 2격: jemand*s* 혹은 jemand*es* / 3격: jemand*em* ▌「kümmern sich[4] um + 4격」 [4격 재귀동사] ...을 돌보다 (3 기본형: kümmer*n* - kümmer*te* - *ge*kümmer*t*) ← die Kummer 근심, 걱정 (복수 없음) ▌sich [*4격* 재귀대명사] 주어가 die Kinder, 즉 복수의 sie('그들은')이므로 4격 재귀대명사는 *sich* (3격 재귀대명사 역시 *sich*) ▌um [*4격* 전치사] ~주위에 (영. around) ▌das Kind 아이, 어린이 (die Kind*er*)

☞ 앞에 나온 부정대명사 jemanden을 받으므로 *남성* 이며,
jemand는 단수 3인칭 *er* 취급함.

뒤에 오는 부문장 안의 동사 kümmert의 *주어*임.

→ 따라서 정답은: *남성 1격* 관계대명사 *der*임.

► 어순: sich는 재귀*대명사*이므로 대명사가 아닌 요소 "um die Kinder"보다 앞에 위치함.

2. Das sind unsere Bekannten, mit denen wir zusammen Urlaub gemacht haben.

✺ **해석** 이 사람들이 바로 우리가 함께 휴가 여행을 했던 우리의 친지들이다.

✺ **어휘** 「Das sind + *복수* 1격」 이것은 ...들이다 ▌Bekannt- 친지, 아는 사람 (형용사 bekannt의 *명사화*!) ← bekannt [형용사] 유명한, 알려진 (3 비교형: bekannt - bekannt*er* - bekannt*est*- ※최상급 bekannt*st* 아님!) ▌mit [*3격* 전치사] ~와 함께 ▌zusammen [부사어] 함께 ▌der Urlaub 휴가, 휴가 여행 (die Urlaub*e*) : Urlaub machen 휴가 여행을 하다 ▌「... gemacht haben」 (동사 machen의 *현재완료* 시제, *후치*됨!) ▌*ge*mach*t* (동사 machen의 *pp형*) ⇒ machen [타동사] ...을 행하다 (3 기본형: mach*en* - mach*te* - *ge*mach*t*)

► 「unser*e* Bekannt*en*」:

- 형용사 bekannt('알려진')를 *복수*명사화 하여 '아는 사람*들*', 즉 친지*들*이라는 뜻이 되며, 동사 sind의 *주격* 보어이므로 *복수 1격!!*
  따라서 소유대명사 unser-('우리의')는 *복수 1격* 정관사 di*e*처럼 어미변화 하여 unser*e*임.
- 형용사 Bekannt- 앞에 *복수 1격* 소유대명사 unser*e*가 있음.
  형용사를 명사화 하므로
  앞 철자가 ***대문자***로서 **B**ekannt-임.

  → 따라서 unser*e* Bekannt*en*

  (근거: 복수 1, 4격 die, mein*e*, ihr*e*, unser*e*, ... kein*e*, dies*e* + 형용사 *-en*)

☞ 형용사 bekannt를 *복수*명사화 한 "unsere Bekannten"을 받으며,
뒤에 오는 부문장의 내용을 고려할 때 *3격* 전치사 mit와 결합해야 함.

→ 따라서 정답은: *복수 3격* 관계대명사 *denen* 이 전치사 *mit*와 결합한 *mit denen*임.
관계대명사는 대부분 정관사 d-와 동일한 형태이지만
예외적으로 ***복수 3격***은 *den*이 아니라 *den**en***임.

3. Das ist das Beste, was ich Ihnen im Moment anbieten kann.

✺ **해석** 이것이 바로 제가 현재 당신에게 제공해 드릴 수 있는 최선의 것입니다.

✺ **어휘** 「Das ist + *단수* 1격」 이것은 ...이다 ▌*das* Best*e* 가장 좋은 것, 최선의 것 (최상급 형용사 best의 *중성*명사화!) ← best [형용사: gut의 *최상급*] 가장 좋은, 최선의 (3 비교형 *불규칙* 변화: gut - *besser* - *best*-) ▌Ihnen [인칭대명사] 격식칭 Sie('당신은, 당신들은')의 *3격* 형임. (4격 형은 *Sie*) ▌「im + 남성 · 중성 3격」 (시간적) ~에 : im Moment 지금, 현재로서 (= im Augenblick) ▌der Moment 순간 (die Moment*e*) = der Augenblick (die Augenblick*e*) ▌「... anbieten kann」 (화법조동사 können의 *현재* 시제, *후치*됨!) ⇒ 「können ... 동사 원형」 ...할 수 있다 (현재 시제: ich kann ; du kann*st* ; er kann ; wir könn*en* ; ...) (3 기본형: können

- konnte - gekonnt, können) ▌*an*bieten [분리동사&타동사] : 「bieten + 3격(사람) + 4격 ... *an*」 누구에게 ...을 제공하다 (3 기본형: *an*bieten - *an*bot - *an*geboten) ⇐ bieten [타동사] ...을 마련해 주다 (3 기본형: bieten - bot - geboten)

► 「*das* Beste」:

• 최상급 형용사 best('최선의')를 *중성*명사화 하여 '최선의 *것*'이라는 뜻이 되며,
동사 ist의 *주격* 보어이므로 *중성 1격!!*
따라서 *중성 1격* 정관사 *das*가 앞에 옴.

• 형용사 Best- 앞에 *중성 1격* 정관사 *das*가 있음.
형용사를 명사화 하므로
앞 철자가 ***대문자***로서 Best-임.

→ 따라서 *das* Beste

(근거: 중성 1, 4격 d*as*, dies*es* + 형용사 *-e*)

☞ *중성명사화* 한 최상급 형용사 "das Beste"를 받으며,
뒤에 오는 부문장 안의 동사 anbieten의 *4격* 목적어임.
→ 따라서 정답은: 관계대명사 was 의 4격 형 *was*임.
중성명사화 한 형용사는 관계대명사 ***was***로 받음.

► 어순: Ihnen은 인칭*대명사*이므로 대명사가 아닌 요소 "im Moment"보다 앞에 위치함.

4. Dieser Schüler ist der intelligenteste, den ich je unterrichtet habe.

✸ **해석** 이 학생은 내가 지금까지 가르쳤던 학생들 가운데 가장 영리한 학생이다.

✸ **어휘** dies- [지시대명사] 이 ... (*정관사 d-* 어미변화!) ▌der Schüler 초 · 중 · 고등학생 (die Schüler) ▌intelligent*est* [형용사 *최상급*] ⇒ intelligent [형용사] 머리 좋은, 명석한 (3 비교형: intelligent - intelligent*er* - intelligent*est-* ※최상급 intelligent*st* 아님!) ▌je [부사어] (과거, 미래의) 그 언젠가 (= jemals) ▌「... unterrichtet habe」 (동사 unterrichten의 *현재완료* 시제, *후치* 됨!) ▌*unter*richte*t* (동사 unterrichten의 *pp형*) ⇒ unterrichten [타동사] ...을 가르치다 (3 기본형: *unter*richt*en* - *unter*richt*ete* - *unter*richt*et*) ← der Unterricht 수업 (die Unterrichte)

► 「d*er* intelligent*este* (Schüler)」:

• 생략된 명사 Schüler가 *남성*이며, 동사 ist의 *주격* 보어이므로 *남성 1격!!*
따라서 *남성 1격* 정관사 d*er*가 앞에 옴.

• 최상급 형용사 intelligent*est* 앞에 *남성 1격* 정관사 d*er*가 있음.

→ 따라서 d*er* intelligent*este*

(근거: 남성 1격 d*er*, dies*er* + 형용사 *-e*)

☞ 생략된 *남성*명사 "der intelligenteste (Schüler)"를 받으며,
뒤에 오는 부문장 안의 동사 unterrichtet(즉, unterrichten)의 *4격* 목적어임.
→ 따라서 정답은: *남성 4격* 관계대명사 *den*임.

5. Kennen Sie überhaupt niemanden, __der__ Französisch kann?

✺ 해석 당신은 프랑스어를 할 수 있는 사람을 전혀 알지 못하시나요?

✺ 어휘 kennen [타동사] ...을 알다 (3 기본형: kennen - kannte - gekannt) ▌「überhaupt + 부정어 nicht, kein-, niemand ...」 부정 내용을 강조함. ("전혀 ... 않다") ▌ niemand*en* [부정대명사] 아무도 ... 않다 (*4격* 형) (영. nobody) <참고> 1격: niemand / 2격: niemand*s* 혹은 niemand*es* / 3격: niemand*em* ▌ Französisch [고유명사] 프랑스어 <참고> Frankreich 프랑스 ; der Franzose 프랑스인 (die Franzose*n*) ; französisch [형용사] 프랑스의, 프랑스어의, 프랑스인의 ▌「... kann」 (화법조동사 können의 *현재* 시제: *동사 원형 생략*됨! ; *후치*됨!) ⇒ 「können ... 동사 원형」...할 수 있다 (현재 시제: ich kann ; du kann*st* ; er kann ; wir könn*en* ; ...) (3 기본형: können - konnte - gekonnt, können)

☞ 앞에 나온 부정대명사 niemanden을 받으므로 __*남성*__ 이며,
niemand는 단수 3인칭 *er* 취급함.
뒤에 오는 부문장 안의 화법조동사 kann의 *주어*임.
→ 따라서 정답은: *남성 1격* 관계대명사 __*der*__ 임.

► ... Französisch (sprechen) *kann* :
화법조동사 kann과 함께 와야 할 동사 원형 sprechen이 생략됨.

6. Meine Kollegin hat ein kleines Kind, __um__ __das__ sie sich kümmern muss.

✺ 해석 내 여자 동료는 자신이 돌보아야 할 어린 아이가 한 명 있다.

✺ 어휘 die Kolleg*in* 여자 동료 (die Kollegin*nen*) ▌ hat (동사 haben의 *현재* 시제) ⇒ haben [타동사] ...을 가지고 있다 (3 기본형: haben - hatte - gehabt) ▌ klein [형용사] 작은 ↔ groß 큰 (3 비교형: groß - gr*ö*ß*er* - gr*ö*ß*t*- ※최상급 größ*st* 아님!) ▌ das Kind 아이, 어린이 (die Kind*er*) ▌「... kümmern muss」(화법조동사 müssen의 *현재완료* 시제, *후치*됨!) ⇒ 「müssen ... 동사 원형」 [화법조동사] ...해야 한다 (현재 시제: ich muss ; du muss*t* ; er muss ; wir müss*en* ; ...) (3 기본형: müssen - musste - gemusst, müssen) ▌「kümmern sich⁴ um + 4격」 [4격 재귀동사] ...을 돌보다 (3 기본형: kümmer*n* - kümmer*te* - *ge*kümmer*t*) ▌ um [*4격* 전치사] ~주위에 ▌ sich [*4격* 재귀대명사] 주어가 여성의 sie('그녀는')이므로 4격 재귀대명사는 *sich* (3격 재귀대명사 역시 *sich*)

☞ 앞에 나온 *중성*명사 "... Kind"를 받으며,
뒤에 오는 부문장 안의 재귀동사 형식 「kümmern sich⁴ *um* ...」에 근거하여
전치사 um의 *4격* 목적어이어야 함.
→ 따라서 정답은: *중성 4격* 관계대명사 *das*가 전치사 *um*과 결합한 형태 *um das*임.

7. Wie gefällt dir denn die Krawatte, __die__ ich dir geschenkt habe?

✺ 해석 내가 당신에게 선물했던 그 넥타이가 얼마나 마음에 드시나요?

✹ **어휘** wie [의문사] 어떻게? (영. how?) ▌ gefällt (동사 gefallen의 *현재* 시제: 주어가 *er, sie, es*일 때) ⇒ gefallen [자동사] : 「주어 + gefallen + 3격(사람)」 *주어는 누구*의 마음에 들다 (현재 시제: du gef<u>ä</u>ll*st* ; er gef<u>ä</u>ll*t*) (3 기본형: *g*efallen - *g*efiel - *g*efallen) ⇐ fallen [자동사] 떨어지다 (영. fall) (현재 시제: du f<u>ä</u>ll*st* ; er f<u>ä</u>ll*t*) (3 기본형: fallen - fiel - gefallen) ▌ dir [인칭대명사] du의 *3격* 형임. (4격 형은 *dich*) ▌ denn [부사어] 의문문에 사용되어 질문을 자연스럽게 유도함. (우리말 해석 필요 없음!) ▌ die Krawatte 넥타이 (die Krawatte*n*) ▌ 「... geschenkt habe」(동사 schenken의 *현재완료* 시제, *후치*됨!) ▌ *g*eschenk*t* (동사 schicken의 *pp형*) ⇒ schenken [타동사] : 「schenken + 3격(사람) + 4격」 *누구*에게 ...을 선물하다 (3 기본형: schenk*en* - schenk*te* - *ge*schenk*t*) → das Geschenk 선물 (die Geschenk*e*)

☞ 앞에 나온 *여성*명사 "die Krawatte"를 받으며,
뒤에 오는 부문장 안의 동사 geschenkt(즉, schenken)의 *4격* 목적어이어야 함.
→ 따라서 정답은: *여성 4격* 관계대명사 *die*임.

8. Ich kenne einen jungen Franzosen, <u>der</u> seit drei Jahren in München studiert.

✹ **해석** 나는 젊은 프랑스 남자 한 명을 알고 있는데, 그는 3년 전부터 뮌헨에서 대학을 다니고 있다.

✹ **어휘** kennen [타동사] ...을 알다 (3 기본형: kennen - kannte - gekannt) ▌ jung [형용사] 젊은 (3 비교형: jung - j<u>ü</u>ng*er* - j<u>ü</u>ng*st-*) ↔ alt 늙은 (3 비교형: alt - <u>ä</u>lt*er* - <u>ä</u>lt*est-* ※최상급 ält*<u>st</u>* 아님!) ▌ der Franzose 프랑스인, 프랑스 남자 (die Franzose*n*) <주의> 주어를 제외한 *단수 2, 3, 4격*이 복수형처럼 Franzose*<u>n</u>*인 *약변화* 명사! ▌ seit [*3격* 전치사] ~이래, ~이후 ▌ drei 3 ▌ das Jahr 해, 년 (die Jahr*e*) ▌ 「in + (관사 없이) 도시, 국가」 (위치) ~에서 ▌ studieren [자동사] 대학공부 하다 (3 기본형: studier*en* - studier*te* - studier*t*) → das Studium 대학 공부 (die Studi*en*)

► 「ein*<u>en</u>* jung*<u>en</u>* Franzose*<u>n</u>*」:

- 명사 Franzose는 *남성*이며, 동사 kenne의 *4격* 목적어이므로 *<u>남성 4격!!</u>*
  따라서 *남성 4격* 부정관사 ein*<u>en</u>*이 앞에 옴.
- 형용사 jung 앞에 *남성 4격* 부정관사 ein*en*이 있음.
  → 따라서 ein*en* jung*<u>en</u>* ...
  (근거: 남성 4격 einen, d*en*, mein*en*, ihr*en*, ... kein*en*, dies*en* + 형용사 *-en*)
- 명사 Franzose는 주어를 제외한 *단수 2, 3, 4격*이 복수형처럼 *-n*인 *약변화* 명사!
  여기서도 *남성 4격*, 즉 *단수 4격*이므로 어미 *-n*이 붙어 Franzose*<u>n</u>*임.

☞ 앞에 나온 *남성*명사 "... Franzosen"을 받으며,
뒤에 오는 부문장 안의 동사 studiert의 *주어*임.
→ 따라서 정답은: *남성 1격* 관계대명사 *der*임.

9. Das ist alles, <u>was</u> ich weiß.

✹ **해석** 이것이 내가 아는 모든 것이다.

✺ 어휘 「Das ist + *단수* 1격」 이것은 ...이다 ▌alles [부정대명사] 모든 것 (*단수* 취급) ↔ alle 모든 사람들 (*복수* 취급) <참고> vieles 많은 것 (*단수* 취급) ↔ viele 많은 사람들 (*복수* 취급) ▌weiß (동사 wissen의 *현재* 시제: 주어가 *ich* 혹은 *er, sie, es*일 때) ⇒ wissen [타동사] ...을 알다 (*현재* 시제, *주어가 단수일 때 불규칙* 변화: ich weiß ; du weißt ; er weiß ; wir wiss*en* ; ihr wiss*t* ; sie, Sie wiss*en*) (3 기본형: wissen - wusste - gewusst)

☞ 앞에 나온 부정수사 *alles*를 받으며,
뒤에 오는 부문장 안의 동사 weiß의 *4격* 목적어임.
→ 따라서 정답은: 관계대명사 was 의 4격 형 *was*임.
부정수사 중성 형태 ***alles*** 및 ***vieles***는
관계대명사 ***was***로 받음.

10. Wie heißt die Straße, wo er wohnt?

✺ 해석 그가 살고 있는 거리 이름은 무엇입니까?

✺ 어휘 wie [의문사] 어떻게? (영. how?) ▌heißen [자동사] 이름이 ...이다: 「Wie heißen + 주어?」 "*주어*는 이름이 무엇인가?" (3 기본형: heißen - hieß - geheißen) ▌die Straße 거리 (die Straß*en*) ▌wohnen [자동사] 살다, 거주하다 (3 기본형: wohn*en* - wohn*te* - *ge*wohn*t*)

☞ 앞에 나온 *여성*명사 "die Straße"를 받으며, 전치사 *in*과 결합해야 하므로 *in der* 이어야 함.
3 · 4격 전치사 in은 여기서
"*... 에서*", 즉 '위치'를 뜻하므로 ***3격*** 지배임.

그런데 관계대명사가 전치사와 함께 '*장소*'를 의미할 때 관계부사 wo가 올 수 있음.
→ 따라서 정답은: '*장소*'의 관계부사 *wo*임.

기타 정답

Wie heißt die Straße, in der er wohnt?
► 반드시 관계부사만 가능한 것은 아님!
즉, 전치사와 관계대명사가 결합한 형태도 올 수 있음.

11. Er ist 1963 in Hamburg geboren, wo er heute noch lebt.

✺ 해석 그는 1963년 함부르크에서 태어났는데, 그곳에서 그는 오늘날도 여전히 살고 있다.

✺ 어휘 geboren [과거분사, 즉 '*수동*의 형용사] 태어난 : 「주어 + 동사 sein ... geboren」 *주어*는 태어났다 ← gebären [타동사] ...을 출산하다, 낳다 (3 기본형: gebären - gebar - geboren) ▌「in + (관사 없이) 도시, 국가」 (위치) ~에서 ▌heute [부사어] 오늘 ▌leben 살다, 생존하다 (3 기본형: leb*en* - leb*te* - *ge*leb*t*)

☞ 앞에 나온 "Hamburg"를 받으며, 전치사 in과 결합해야 함.
→ 따라서 정답은: '*장소*'의 관계부사 *wo*임.

12. Das ist sicher etwas, was du leicht erledigen kannst.

✸ **해석** 이것은 틀림없이 네가 쉽게 해결할 수 있는 것이다.

✸ **어휘** 「Das ist + *단수* 1격」 이것은 ...이다 ▌sicher [부사어] 틀림없이 (영. surely) ▌etwas [부정대명사] 뭔가 (영. something) ↔ nichts 아무것도 ... 않다 (영. nothing) ▌leicht [형용사] 가벼운, 쉬운, (부사적) 가볍게, 쉽게 (3 비교형: leicht - leicht*er* - leicht*est*- ※최상급 leicht*st* 아님!) ↔ schwer 무거운, 어려운 ▌「... erledigen kannst」 (화법조동사 können의 *현재* 시제, *후치*됨!) ⇒ 「können ... 동사 원형」 ...할 수 있다 (현재 시제: ich kann ; du kann*st* ; er kann ; wir könn*en* ; ...) (3 기본형: können - konnte - gekonnt, können) ▌erledigen [타동사] ...을 해결하다 (3 기본형: *er*ledig*en* - *er*ledig*te* - *er*ledig*t*)

☞ 앞에 나온 부정대명사 *etwas*를 받으며,
뒤에 오는 부문장 안의 동사 erledigen의 *4격* 목적어임..
→ 따라서 정답은: 관계대명사 was 의 4격 형 *was*임.
부정대명사 ***etwas*** 및 ***nichts***는
관계대명사 ***was***로 받음.

13. Das ist die Methode, mit der wir am besten vorankommen können.

✸ **해석** 이것이 바로 우리가 가장 잘 앞으로 나아갈 수 있는 방법이다.

✸ **어휘** 「Das ist + *단수* 1격」 이것은 ...이다 ▌die Methode 방법 (die Methode*n*) ▌nach [*3격* 전치사] ~에 따라 (영. according to) ▌「am + 최상급 *-en*」 '가장 ...한', (부사적) '가장 ...하게' : am best*en* 가장 잘, 최선으로 ← best [형용사: gut의 *최상급*] (3 비교형 *불규칙* 변화: gut - *besser* - *best*-) ▌「... vorankommen können」 (화법조동사 können의 *현재* 시제, *후치*됨!) ⇒ 「können ... 동사 원형」 ...할 수 있다 (현재 시제: ich kann ; du kann*st* ; er kann ; wir könn*en* ; ...) (3 기본형: können - konnte - gekonnt, können) ▌*voran*kommen [분리동사&자동사] (목표를 향해) 나아가다, 전진하다 (3 기본형: *voran*kommen - *voran*kam - *voran*gekommen ; '*장소 이동* 자동사 → 완료형 「*sein* ... vorangekommen」) ⇐ kommen [자동사] 오다 (3 기본형: kommen - kam - gekommen ; '*장소 이동* 자동사 → 완료형 「*sein* ... gekommen」) ▌voran [부사어] 앞으로, 꾸대기로 (영. forwards)

☞ 앞에 나온 *여성*명사 "die Methode"를 받으며,
3격 전치사 mit와 결합해야 함.
명사 Methode는 전치사 ***mit***와 결합함:
mit der Methode '그 방법***으로***'
→ 따라서 정답은: *여성 3격* 관계대명사 *der*가 전치사 *mit*과 결합한 형태 *mit der*임.

14. Ich erkläre Ihnen das Projekt, an dem Sie teilnehmen sollen.

✸ **해석** 당신에게 그 프로젝트를 설명해 드릴텐데요, (저는) 그것에 당신이 참여하셨으면 해요.

✸ **어휘** erklären [타동사] : 「erklären + 3격(사람) + 4격」 *누구*에게 ...을 설명하다 (3 기본형: *er*klär*en* - *er*klär*te* - *er*klär*t*) ▌Ihnen [인칭대명사] 격식칭 Sie('당신은, 당신들은')의 *3격* 형임.

(4격 형은 *Sie*) ▌das Projekt 프로젝트, 계획 (die Projekt*e*) ▌「... teilnehmen sollen」 (화법조동사 sollen의 *현재* 시제, *후치*됨!) ⇒ 「sollen ... 동사 원형」 ...해야 한다 (현재 시제: ich soll ; du soll*st* ; er soll ; wir soll*en* ; ...) (3 기본형: sollen - sollte - gesollt , sollen) ▌*teil*nehmen [분리동사&자동사] : 「nehmen an + 3격 ... *teil* 」 '...에 참여하다, 참가하다' (3 기본형: *teil*nehmen - *teil*nahm - *teil*genommen) (현재 시제: du nimm*st* ... *teil* ; er nimm*t* ... *teil*) ⇐ nehmen [타동사] ...을 취하다 (영. take) (3 기본형: nehmen - nahm - genommen) (현재 시제: du nimm*st* ; er nimm*t*)

☞ 앞에 나온 *중성*명사 "das Projekt"를 받으며,
뒤에 오는 부문장 안의 분리동사 *teil*nehmen과 함께 오는 전치사 an의 *3격* 목적어이어야 함.
→ 따라서 정답은: *중성 3격* 관계대명사 *dem*이 전치사 *an*과 결합한 형태 *an dem*임.

15. Es gibt heute vieles, was wir besprechen müssen.

✹ **해석** 오늘 우리가 함께 논의해야 할 많은 것들이 있다.

✹ **어휘** gibt (동사 geben의 *현재* 시제: 주어가 *er, sie, es*일 때) ⇒ geben [타동사] ...을 주다 : 「es gibt + 4격」 '...이 있다' (현재 시제: du gib*st* ; er gib*t*) (3 기본형: geben - gab - gegeben) ▌vieles [부정대명사] 많은 것 (*단수* 취급) ↔ viele 많은 사람들 (*복수* 취급) ▌「... besprechen müssen」 (화법조동사 müssen의 *현재* 시제, *후치*됨!) ⇒ 「müssen ... 동사 원형」... 해야 한다 (현재 시제: ich muss ; du muss*t* ; er muss ; wir müss*en* ; ...) (3 기본형: müssen - musste - gemusst, müssen) ▌besprechen [타동사] ...을 논의하다 (현재 시제: du besprich*st* ; er besprich*t*) (3 기본형: *be*sprechen - *be*sprach - *be*sprochen) ⇐ sprechen [자동사/타동사] (...을) 말하다 (영. speak) (현재 시제: du sprich*st* ; er sprich*t*) (3 기본형: sprechen - sprach - gesprochen)

☞ 앞에 나온 부정수사 *vieles*를 받으며,
뒤에 오는 부문장 안의 동사 besprechen의 *4격* 목적어임.
→ 따라서 정답은: 관계대명사 was 의 4격 형 *was*임.
부정수사 중성 형태 ***vieles*** 및 ***alles***는
관계대명사 ***was***로 받음.

unit 03

마무리 문제

I. 괄호 안의 낱말을 사용하여 독일어로 옮기시오. (23과, 마무리문제: 교재 137쪽)

1. 네가 어제 본 영화는 어땠니?

(du, gestern, sich^3 ansehen, der Film, wie, sein)

✻ 어휘 gestern [부사어] 어제 ▌*an*sehen [분리동사&3격 재귀동사] : 「sehen sich^3 + 4격 ... *an*」 '...을 관람, 구경하다' (3 기본형: *an*sehen - *an*sah - *an*gesehen) (현재 시제: du siehs*t* dir ... *an* ; er sieh*t* sich ... *an*) ⇐ sehen [타동사] ...을 보다 (3 기본형: sehen - sah - gesehen) (현재 시제: du siehs*t* ; er sieh*t*) ▌der Film 영화, 필름 (die Film*e*) ▌wie [의문사] 어떻게? (영. how?) ▌sein [자동사] (*형용사* 혹은 *명사 보어*와 함께) '...이다' (3 기본형: sein - war - gewesen ; 완료형 「*sein* ... gewesen」)

(정답) Wie war der Film, den du dir gestern angesehen hast?

► 한국어: "*영화*는 어땠니?" (= ***주문장***)

↑

"이 *영화*를 너는 어제 보았다." (= 관계대명사 ***부문장***)

독일어: "Wie war der Film?" (= ***주문장***)

↑

"Den *Film* hast du dir gestern angesehen." (= 관계대명사 ***부문장***)

따라서:

Wie war der *Film*, den du dir gestern *angesehen hast*?

앞에 나온 ***남성***명사 Film을 받으며,
뒤에 오는 관계대명사 부문장 안의 동사 angesehen(= *an*sehen)의 ***4격*** 목적어임.
→ 따라서 ***남성 4격*** 관계대명사 ***den***이 옴.

► Wie war der Film, ...?

동사 sein의 ***과거*** 시제:
주어가 der Film, 즉 er이므로 **과거형** ***war***는 어미 없이 그대로 ***war***_임.

► ..., den *du* ... *angesehen hast*?

동사 *an*sehen의 ***현재완료*** 시제 형식은 「haben ... pp」임:
주어가 du이므로 haben의 형태는 ***hast***임.
→ 따라서 「**hast** ... *angesehen*」이지만, 관계대명사 부문장이므로 ***후치***됨: ... *angesehen* **hast**

► ..., den *du* dir ... angesehen hast?

3격 재귀동사 ansehen이 사용되므로 3격 재귀대명사가 와야 함.
주어가 ***du***이므로 3격 재귀대명사는 ***dir***임.
<참고> 주어가 du일 때 4격 재귀대명사는 ***dich***임.

2. 우리가 지난 일요일 식사했던 식당의 전화번호를 가지고 계십니까?

(wir, letzt-, Sonntag, essen, das Restaurant, die Telefonnummer, Sie, haben)

✺ 어휘 letzt- [형용사] 지난, 마지막의 (영. last) (뒤에 오는 명사를 *수식*하는 용법만 있음!) ▌der Sonntag 일요일 (die Sonntag*e*) : letzten Sonntag 지난 일요일에 (*4격*의 시간 부사어!) ▌essen [자동사] 식사하다 (3 기본형: essen - aß - gegessen) (현재 시제: du iss*t* ; er iss*t*) ▌das Restaurant 음식점 (die Restaurant*s*) ▌die Telefonnummer 전화번호 → das Telefon 전화, 전화기 (die Telefon*e*) + die Nummer 번호 (die Nummer*n*) ▌haben [타동사] ... 을 가지고 있다 (3 기본형: haben - hatte - gehabt)

정답 ① Haben Sie die Telefonnummer des Restaurants, in dem wir letzten Sonntag gegessen haben?

② Haben Sie die Telefonnummer des Restaurants, wo wir letzten Sonntag gegessen haben?

► 한국어: "(당신은) 그 *식당* 의 전화번호를 가지고 계십니까?" (= ***주문장***!)
↑
"이 *식당*에서 우리는 지난 일요일 식사했다." (= 관계대명사 ***부문장***!)

독일어: "Haben Sie die Telefonnummer des Restaurants ?" (= ***주문장***!)
↑
"In dem *Restaurant* haben wir letzten Sonntag gegessen." (= 관계대명사 ***부문장***!)

따라서:

① ... des *Restaurants* , in dem wir letzten Sonntag gegessen haben?
앞에 나온 ***중성***명사 Restaurant을 받으며,
내용상 "식당***에서***"이므로 전치사 in의 ***3격*** 목적어임.
→ 따라서 ***중성 3격*** 관계대명사 ***dem***이 전치사 ***in***과 함께 옴.

② ... des *Restaurants* , wo wir letzten Sonntag gegessen haben?
"in dem" 대신 '***장소***'의 ***관계부사 wo***가 올 수 있음.

► ... , in dem *wir* ... *gegessen* haben ?
동사 essen의 ***현재완료*** 시제 형식 「***haben*** ... pp」임:
주어가 wir이므로 haben은 원형 형태 hab***en***임.
→ 따라서 「**haben** ... *gegessen*」이지만, 관계대명사 부문장이므로 ***후치***됨: ... *gegessen* **haben**

► "식당*의* 전화번호" → *2격* 형임!

「... Telefonnummer d*es* Restaurant*s*」:

- 명사 Restaurant은 *중성*이며, 앞의 Telefonnummer를 수식하는 *2격* 형이므로 *중성 2격!!*
  따라서 *중성 2격* 정관사 d*es* 가 옴.
  2격 어미: 남성 · 중성 ***-es*** ; 여성, 복수 ***-er***
- Restaurant은 *중성*이므로 2격 명사 어미 *-s*가 붙어 Restaurant*s*임.

3. 내가 당신에게 한 말은 전부 사실과 일치합니다.

(ich, Ihnen, sagen, alles, die Wahrheit, entsprechen)

✻ **어휘** Ihnen [인칭대명사] 격식칭 Sie('당신은, 당신들은')의 *3격* 형임. (4격 형은 *Sie*) ▌ sagen [타동사] : 「sagen + 3격(사람) + 4격」 누구에게 ...을 말하다 (3 기본형: sag*en* - sag*te* - *ge*sag*t*) ▌ alles [부정대명사] 모든 것 (*단수* 취급) ↔ alle 모든 사람들 (*복수* 취급) ▌ die Wahrheit 참, 진실 (die Wahrheit*en*) ← wahr [형용사] 참된, 진실의 ↔ falsch 틀린, 거짓의 ▌ entsprechen [자동사] : 「entsprechen + 3격」 '...에 일치하다' (영. correspond to) (현재 시제: du entsprich*st* ; er entsprich*t*) (3 기본형: *ent*sprechen - *ent*sprach - *ent*sprochen) ⇐ sprechen [타동사/자동사] ...을 말하다 (영. speak) (현재 시제: du sprich*st* ; er sprich*t*) (3 기본형: sprechen - sprach - gesprochen)

정답 Alles, was ich Ihnen gesagt habe, entspricht der Wahrheit.

► "내가 당신에게 *한 말은 전부* 사실과 일치합니다."

⇒ "내가 당신에게 *말한 것 모두는* 사실과 일치합니다."

한국어: "*그것 모두*는 사실과 일치합니다." (= ***주문장***!)

↑

"*그것*을 나는 당신에게 말했습니다." (= 관계대명사 ***부문장***!)

독일어: "Alles entspricht der Wahrheit." (= ***주문장***!)

↑

"*Das* habe ich Ihnen gesagt." (= 관계대명사 ***부문장***!)

따라서:

Alles , was ich Ihnen gesagt habe , entspricht der Wahrheit.

부정대명사 ***Alles***를 받는 관계대명사는 ***was***임.

(여기서 was는 관계대명사 부문장 안의 동사 gesagt(= sagen)의 ***4격*** 목적어임.)

► ... , was *ich* ... *gesagt* habe , ...

동사 sagen의 ***현재완료*** 시제 형식 「haben ... pp」임:

주어가 ich이므로 haben의 형태는 hab*e*임.

→ 따라서 「**habe** ... *gesagt*」이지만, 관계대명사 부문장이므로 ***후치***됨: ... *gesagt* **habe**

4. 나는 조용히 일할 수 있는 곳이 없습니다.

(ich, in Ruhe, arbeiten, können, der Ort, kein-, es gibt)

✻ **어휘** die Ruhe 조용한 상태, 안정된 상태 (복수 없음) : in Ruhe 조용히, 가만히 ▌ arbeiten [자동사] 일하다, 작업하다 (3 기본형: arbeit*en* - arbeit*ete* - *ge*arbeit*et*) ▌ 「können ... 동사 원형」 [화법조동사] ...할 수 있다 (현재 시제: ich kann ; du kann*st* ; er kann ; wir könn*en* ; ...) (3 기본형: können - konnte - gekonnt, können) ▌ der Ort 장소 (die Ort*e*) ▌ 「es gibt + 4격」 '...이 있다' → gibt (동사 geben의 *현재* 시제: 주어가 *er, sie, es*일 때) ⇒ geben [타동사] ...을 주다 (현재 시제: du gib*st* ; er gib*t*) (3 기본형: geben - gab - gegeben)

정답 ① Es gibt keinen Ort, an dem ich in Ruhe arbeiten kann.

② Es gibt keinen Ort, wo ich in Ruhe arbeiten kann.

► "나는 조용히 일할 수 있는 곳이 없습니다."

⇒ "나는 조용히 일할 수 있는 장소가 없습니다."

한국어: "__장소__가 없습니다." (= *주문장*!)

↑

"그 장소에서 나는 조용히 일할 수 있습니다." (= 관계대명사 *부문장*!)

독일어: "Es gibt keinen __Ort__." (= *주문장*!)

↑

"An dem *Ort* kann ich in Ruhe arbeiten." (= 관계대명사 *부문장*!)

따라서:

① Es gibt keinen *Ort* , __an dem__ ich in Ruhe arbeiten kann.

앞에 나온 ***남성***명사 Ort를 받으며,
내용상 "장소***에서***"이므로 전치사 an의 ***3격*** 목적어임.
→ 따라서 ***남성 3격*** 관계대명사 ***dem***이 전치사 ***an***과 함께 옴.

② Es gibt keinen *Ort* , __wo__ ich in Ruhe arbeiten kann.

"an dem" 대신 '***장소***'의 ***관계부사 wo***가 올 수 있음.

► ... , an dem *ich* ... __*arbeiten* kann__ , ...

화법조동사 형식 「können ... 동사 원형」임:
주어가 ich이므로 können의 형태는 ***kann***임.
→ 따라서 「**kann** ... *arbeiten*」이지만, 관계대명사 부문장이므로 ***후치***됨: ... *arbeiten* **kann**

5. 성적이 나쁜 학생들은 더 오랫동안 학교에 남아있어야 했다.

(die Noten, schlecht, sein, die Schüler, länger, in der Schule, bleiben, müssen)

✵ 어휘 die Note 학점, 점수 (die Note*n*) ▌schlecht [형용사] 나쁜 (3 비교형: schlecht - schlecht*er* - schlecht*est-* ※최상급 schlecht*st* 아님!) ▌sein [자동사] (*형용사* 혹은 *명사 보어*와 함께) '...이다' (3 기본형: sein - war - gewesen ; 완료형 「*sein* ... gewesen」) ▌der Schüler (초 · 중 · 고등학교) 학생, 남학생 (die Schüler) ▌länger [부사어: lange의 *비교급*] ⇒ lange [부사어] 오랫동안 (3 비교형: lange - läng*er* - läng*st-*) <참고> lang [형용사] (시간, 길이가) 긴 (3 비교형은 lange와 동일함!) ▌in der Schule (위치) 학교에서 → in [*3 · 4격* 전치사] (*3격* 지배: *위치*) ~안에서, ~에서 ▌die Schule 학교 (die Schule*n*) ▌bleiben [자동사] 머무르다 (3 기본형: bleiben - blieb - geblieben ; 완료형 「*sein* ... geblieben」) ▌「müssen ... 동사 원형」 [화법조동사] ...해야 한다 (현재 시제: ich muss ; du muss*t* ; er muss ; wir müss*en* ; ...) (3 기본형: müssen - musste - gemusst, müssen)

정답 Die Schüler, deren Noten schlecht waren, mussten länger in der Schule bleiben.

► 한국어: " 학생들 은 더 오랫동안 학교에 남아있어야 했다." (= *주문장*!)
↑
"이 *학생들*의 성적은 나빴다." (= 관계대명사 *부문장*!)

독일어: "Die Schüler mussten länger in der Schule bleiben." (= *주문장*!)
↑
"Die Noten der *Schüler* waren schlecht." (= 관계대명사 *부문장*!)

따라서:

Die *Schüler* , *deren* Noten schlecht waren , mussten länger in der Schule bleiben
앞에 나온 ***복수***명사 Schüler를 받으며,
바로 뒤에 오는 명사 Noten을 수식하는 ***2격*** 형임.
→ 따라서 ***복수 2격*** 관계대명사 ***deren***이 옴.

<참고>

관계대명사 2격 형: 남성, 중성 *dessen* ; 여성, 복수 *deren*

► ... , *deren Noten* ... waren , ...
동사 sein의 ***과거*** 시제:
주어가 deren Note***n***, 즉 복수의 sie이므로 **과거형** ***war***는 어미 ***-en***이 붙어 **waren**임.

► *Die Schüler* , deren Noten ... waren , mussten ... bleiben.
화법조동사 müssen의 ***과거*** 시제임:
주어가 Die Schüler, 즉 복수의 sie이므로 **과거형** ***musste***는 어미 ***-n***이 붙어 **musst*en***임.

6. 정부가 도와주어야 하는 가난한 사람들이 많다.

(die Regierung, helfen, müssen, arm, Leute, viele, es gibt)

✹ **어휘** die Regierung 정부 (die Regierung*en*) ← regieren [타동사] ...을 다스리다 (3 기본형: regier*en* - regier*te* - regier*t*) ▌helfen [자동사] : 「helfen + 3격」 ...을 돕다 (*3격* 요구 동사!) (현재 시제: du hilf*st* ; er hilf*t*) (3 기본형: helfen - half - geholfen) ▌「müssen ... 동사원형」 [화법조동사] ...해야 한다 (현재 시제: ich muss ; du muss*t* ; er muss ; wir müss*en* ; ...) (3 기본형: müssen - musste - gemusst, müssen) ▌arm [형용사] 가난한 (3 비교형: arm - ärm*er* - ärm*st*-) → die Armut 가난 (복수 없음) <참고> reich [형용사] 부유한 → der Reichtum 부유함 ▌die Leute (항상 복수) 사람들 ▌「viel*e* + *복수* 명사」 '많은 ...들' (영. many) ▌「es gibt + 4격」 '...이 있다' → gibt (동사 geben의 현재 시제: 주어가 *er, sie, es*일 때) ⇒ geben [타동사] ...을 주다 (현재 시제: du gib*st* ; er gib*t*) (3 기본형: geben - gab - gegeben)

정답 Es gibt viele arme Leute, denen die Regierung helfen muss.

► 한국어: "가난한 *사람들* 이 많다." (= *주문장*!)
↑
"이 *사람들*을 정부가 도와주어야 한다." (= 관계대명사 *부문장*!)

독일어: "Es gibt viele arme Leute ." (= *주문장*!)
↑
"Den *Leuten* muss die Regierung helfen." (= 관계대명사 *부문장*!)

따라서:

Es gibt viele arme *Leute* , denen die Regierung helfen muss.

앞에 나온 ***복수***명사 Leute를 받으며,
뒤에 오는 관계대명사 부문장의 동사 helfen의 ***3격*** 목적어임.
→ 따라서 ***복수 3격*** 관계대명사 ***denen***이 옴.

<주의>

관계대명사의 형태는 대부분 정관사 d-와 일치하지만
예외적으로 복수 3격은 *den*이 아니라 *denen*임.

► ... , denen *die Regierung* *helfen* muss .

화법조동사 형식「müssen ... 동사 원형」임:
주어가 die Regierung, 즉 여성의 sie이므로 müssen의 형태는 ***muss***임.
→ 따라서「**muss** ... *helfen*」이지만, 관계대명사 부문장이므로 ***후치***됨: ... *helfen* **muss**

►「viel*e* + 형용사 -(e)*n* + *복수*명사」:

viel*e* arm*e* Leute 혹은 viel*e* arm*en* Leute임.

<주의>

「all*e* + 형용사 *-en* + *복수*명사」: all*e* arm*en* Leute '모든 가난한 사람들'

II. 잘못된 부분(들)을 고쳐서 다시 적으시오. (23과, 마무리문제: 교재 137쪽)

1. Wir haben einen netten Brief von den Leuten bekommen, den[오류] wir im Urlaub kennen gelernt haben.

✺ **해석** 우리는 휴가 여행 중에 사귀었던 사람들로부터 고마운 편지를 하나 받았다.

✺ **어휘**「haben ... bekommen」(동사 bekommen의 *현재완료* 시제) ▌ *be*kommen (동사 bekommen의 *pp형*) ⇒ bekommen [타동사] ...을 받다, 얻다 (3 기본형: *be*kommen - *be*kam - *be*kommen) ⇐ kommen [자동사] 오다 (3 기본형: kommen - kam - gekommen ; '*장소 이동* 자동사 → 완료형「*sein* ... gekommen」) ▌ nett [형용사] 친절한, 마음에 드는 (3 비교형: nett - netter - nett*est-* ※최상급 nett*st* 아님!) ▌ der Brief 편지 (die Brief*e*) ▌ von [*3격* 전치사] ~로부터 (영. from) ▌ die Leute (항상 복수) 사람들 ▌「im + 남성·중성 3격」(시간적) ~에 : im Urlaub 휴가 여행 중에 ▌ der Urlaub 휴가, 휴가 여행 (die Urlaub*e*) ▌「... kennen gerlernt haben」(동사 *kennen* lernen의 *현재완료* 시제, *후치*됨!) ▌ *kennen* ge*lern*t (동사 *kennen* lernen의 *pp형*) ⇒ *kennen* lernen [타동사] ...을 사귀다 (3 기본형: *kennen* lern*en* - *kennen* lern*te* - *kennen* ge*lern*t) <주의> 동사 *kennen* lernen은 문장 안에서 *kennen*이 마치 분리전철처럼 *문장 맨 뒤에* 위치함: Ich lerne ... *kennen*.

<오류>

앞에 나온 *복수*명사 Leute를 받으며 , 뒤에 오는 부문장 안의 동사 kennen gelernt의 *4격* 목적어이므로 *복수 4격* 관계대명사 *die*가 와야 옳음!

(예문의 den은 앞에 나온 남성명사 Brief('편지')를 받으며, 동사 kennen gelernt의 4격 목적어인 *남성 4격* 관계대명사 형태인데, 이 경우 "우리가 휴가 여행 중에 *사귄 편지*..."라는 불합리한 내용이 되므로 옳지 않음.)

정답 Wir haben einen netten Brief von den Leuten bekommen, *die* wir im Urlaub kennen gelernt haben.

► 「von d*en* Leute*n*」:

- 명사 Leute는 *복수*이며, *3격* 전치사 von의 목적어이므로 *복수 3격!!*
  따라서 *복수 3격* 정관사 d*en* 이 앞에 옴.
  남성, 중성 3격 ***-em*** ; ***여성*** 3격 ***-er*** ; ***복수*** 3격 ***-en***
- Leute는 *복수 3격*이므로 어미 *-n*이 붙어 Leute*n*임.
  복수 3격 명사의 형태는 ***-n***임!

► ... , den *wir* ... *kennen gelernt* haben.
타동사 kennen lernen의 ***현재완료*** 시제 형식「***haben*** ... pp」임:
주어가 wir이므로 haben은 원형 형태인 hab***en***임.
→ 따라서「**haben** ... *kennen gelernt*」인데, 부문장이므로 ***후치***됨: ... *kennen gelernt* **haben**

2. Ich habe die Wohnung verkauft, da[오류] ich 10 Jahre gelebt habe.

✺ **해석** 나는 10년 동안 살았던 아파트를 팔았다.

✺ **어휘** 「habe ... verkauft」 (동사 verkaufen의 *현재완료* 시제) ▌ *ver*kauf*t* (동사 verkaufen의 *pp형*) ⇒ verkaufen [타동사] ...을 팔다 (3 기본형: *ver*kauf*en* - *ver*kauf*te* - *ver*kauf*t*) ▌ die Wohnung 아파트, 집 (die Wohnung*en*) ▌ zehn 10 ▌ das Jahr 해, 년 (die Jahr*e*) : zehn Jahre 10년 동안 (*4격*의 시간 부사어!) ▌「... gelebt habe」 (동사 leben의 *현재완료* 시제, *후치*됨!) ▌ *ge*leb*t* (동사 leben의 *pp형*) ⇒ leben [자동사] 살다 (3 기본형: leb*en* - leb*te* - *ge*leb*t*)

<오류>

앞에 나온 명사 Wohnung을 받는 '*장소*'의 관계부사 *wo*가 와야 옳음!
(예문의 da는 부사어('*그곳에*') 혹은 종속접속사('...*이기 때문에*')이므로 해당 부분에 올 수 없음.)

정답 Ich habe die Wohnung verkauft, *wo* ich 10 Jahre gelebt habe.

► ... , wo *ich* ... *gelebt* habe.
동사 leben의 ***현재완료*** 시제 형식「***haben*** ... pp」임:
주어가 ich이므로 haben의 형태는 hab***e***임.
→ 따라서「**habe** ... *gelebt*」인데, 부문장이므로 ***후치***됨: ... *gelebt* **habe**

3. Wer waren die Leute, mit den[오류] du dich so lange unterhalten hast?

✺ **해석** 네가 그렇게 오랫동안 함께 이야기 나누었던 그 사람들은 누구니?

✹ 어휘 wer [의문사] 누구? (*1격* 형) <참고> 2격: wessen 누구의 ...? / 3격: wem 누구에게? / 4격: wen 누구를? ▌ war*en* (동사 sein의 *과거* 시제: 주어가 *wir* 혹은 *sie*('그들은'), *Sie*일 때) ⇒ sein [자동사] ...이다 (3 기본형: sein - war - gewesen ; 완료형 「*sein* ... gewesen」) ▌ die Leute (항상 복수) 사람들 ▌ mit [*3격* 전치사] ~와 함께 ▌ dich [*4격* 재귀대명사] 주어가 du이므로 4격 재귀대명사는 *dich* (3격 재귀대명사는 *dir*) ▌ 「so + 형용사, 부사」 '그렇게 (아주) ...한' : so lange 그렇게 오랫동안 ▌ lange [부사어] 오랫동안 (3 비교형: lange - läng*er* - läng*st*-) ↔ kurz 짧게, 짧은 기간 동안 (3 비교형: kurz - kürz*er* - kürz*est*-) ▌ 「... unterhalten hast」 (동사 unterhalten의 *현재완료* 시제, *후치*됨!) ▌ *unter*halten (동사 unterhalten의 *pp형*) ⇒ 「unterhalten sich[4] mit + 3격(사람)」 [4격 재귀동사] 누구와 이야기를 나누다 (3 기본형: *unter*halten - *unter*hielt - *unter*halten) (현재 시제: du *unter*hält*st* dich ; er *unter*häl*t* sich) ⇐ halten [타동사] ...을 잡다, 유지하다 (영. hold) (3 기본형: halten - hielt - gehalten) (현재 시제: du hält*st* ; er häl*t*)

<오류>

앞에 나온 *복수*명사 Leute를 받으며, *3격* 전치사 mit와 결합하므로
복수 3격 관계대명사 *denen*이 와야 옳음!
(예문에 제시된 den은 *정관사 복수 3격* 형태로서 옳지 않음.)

<주의>

관계대명사는 대부분 *정관사 d*-의 형태와 일치하지만, 몇몇은 예외적임:
남성, 중성 2격 : des가 아니라 des*sen*임.
여성, 복수 2격 : der가 아니라 der*en*임.
복수 3격 : den이 아니라 den*en*임.

정답 Wer waren die Leute, mit *denen* du dich so lange unterhalten hast?

► Wer waren *die Leute* , ...?
동사 sein의 ***과거*** 시제임:
주어가 die Leute, 즉 복수의 sie('그들은')이므로 **과거형** ***war***에 어미 ***-en***이 붙어 war***en***임.

► ... , mit denen *du* dich ... *unterhalten* hast ?
동사 unterhalten의 ***현재완료*** 시제 형식 「***haben*** ... pp」임:
주어가 du이므로 haben의 형태는 ***hast***임.
→ 따라서 「**hast** ... *unterhalten*」인데, 부문장이므로 ***후치***됨: ... *unterhalten* **hast**

► ... , mit denen du dich so lange unterhalten hast?
어순:
① *대명사*는 다른 낱말보다 앞에 위치!
따라서 du는 인칭*대명사*, dich는 재귀*대명사*이므로 대명사가 아닌 *부사어*인 so lange보다 앞에 옴.
② *인칭*대명사는 다른 종류의 대명사, 즉 *재귀*대명사, *지시*대명사, *부정*대명사보다 앞에 위치!
또한 같은 종류의 대명사일 때는 "*1격* > *4격* > *3격*" 순서!
따라서 *인칭*대명사 *1격*인 du는 *재귀*대명사 *4격*인 dich보다 앞에 옴.

4. Ich habe dir schon alles gesagt, das[오류] ich weiß.

   ✱ **해석** 나는 내가 아는 모든 것을 이미 너에게 말했어.

   ✱ **어휘** 「habe ... gesagt」 (동사 sagen의 *현재완료* 시제) ▌ *gesagt* (동사 sagen의 *pp형*) ⇒ sagen [타동사] 「sagen + 3격(사람) + 4격」 *누구*에게 ...을 말하다 (영. say) (3 기본형: sag*en* - sag*te* - *ge*sag*t*) ▌ dir [인칭대명사] du의 *3격* 형임. (4격 형은 *dich*) ▌ alles [부정대명사] 모든 것 (단수 취급) ↔ alle 모든 사람들 (복수 취급) ▌ weiß (동사 wissen의 *현재* 시제: 주어가 *ich* 혹은 *er, sie, es*일 때) ⇒ wissen [타동사] ...을 알다 (*현재* 시제, *주어가 단수일 때 불규칙* 변화: ich weiß ; du weiß*t* ; er weiß ; wir wiss*en* ; ihr wiss*t* ; sie, Sie wiss*en*) (3 기본형: wissen - wusste - gewusst)

<오류>

앞에 나온 부정대명사 *alles*를 받으므로 관계대명사 *was*가 와야 옳음!
(여기서 was는 *4격* 형으로서 뒤에 오는 부문장의 동사 weiß의 *4격 목적어*임.)

<참고>

관계대명사 was로 받는 경우:
① 부정대명사 *alles, vieles, etwas, nichts* 등
② 지시대명사 *das*
③ *최상급* 형용사가 *중성명사화* 되어 이루어진 추상적 개념들:
형용사 gut('좋은')의 최상급 *best* → *das Beste* '최선'
형용사 schlimm('나쁜')의 최상급 schlimm*st* → *das* Schlimm*ste* '최악' 등등.

정답 Ich habe dir schon alles gesagt, *was* ich weiß.

5. Mein kleiner Sohn stellt mir oft Fragen, worauf[오류] ich nicht antworten kann.

   ✱ **해석** 나의 어린 아들은 내가 답할 수 없는 질문들을 나에게 자주 한다.

   ✱ **어휘** klein [형용사] 작은, 어린 (3 비교형: klein - klein*er* - klein*st*-) ▌ der Sohn 아들 (die Söhn*e*) ▌ 「stellen + 3격(사람) + eine Frage」 *누구*에게 질문을 던지다 ▌ stellen [타동사] ...을 세워 놓다 (3 기본형: stell*en* - stell*te* - *ge*stell*t*) ▌ mir [인칭대명사] ich의 *3격* 형임. (4격 형은 *mich*) ▌ die Frage 질문 (die Frage*n*) <참고> 「fragen + 4격(사람) + nach + 3격」 *누구*에게 ...에 관해 질문하다 (*4격* 요구 동사!) ▌ oft [부사어] 자주, 빈번히 (3 비교형: oft - öft*er* - öft*est*- ※최상급 öft*st* 아님!) (= häufig) ▌ 「... antworten kann 」(화법조동사 können의 *현재* 시제, *후치*됨!) ⇒ 「können ... 동사 원형」 ...할 수 있다 (현재 시제: ich kann ; du kann*st* ; er kann ; wir könn*en* ; ...) (3 기본형: können - konnte - gekonnt, können) ▌ antworten [자동사] : 「antworten auf + 4격」 '...에 대하여 대답하다' (3 기본형: antwort*en* - antwort*ete* - *ge*antwort*et*) → die Antwort 대답 (die Antwort*en*) <참고> beantworten [타동사] : 「beantworten + 4격」 '...에 답하다' (*4격* 요구 동사!) (3 기본형: *be*antwort*en* - *be*antwort*ete* - *be*antwort*et*)

<오류>

앞에 나온 *복수* 명사 Frage*n*을 받으며, 전치사 auf의 *4격* 목적어이므로

복수 4격 관계대명사 *die*가 전치사 *auf*와 함께 온 형태, 즉 "*auf die*"가 옳음!
(관계대명사 "wo(*r*) + 전치사"는 *관계대명사 was*가 *전치사*와 결합한 형태임.
즉, 예문의 wo*r*auf는 관계대명사 was가 전치사 auf와 결합한 형태이므로 옳지 않음.)

<참고>

Hier ist *etwas* , wo*r*auf man sitzen kann. '여기에 사람들이 (그 위에) 앉을 수 있는 뭔가가 있다.'
앞에 나온 부정대명사 ***etwas***를 받는 관계대명사 ***was***가
전치사 ***auf***와 결합한 형태임.

Das ist genau *das* , wo*r*auf ich gewartet habe. '이것이 내가 기다렸던 바로 그것이다'
앞에 나온 지시대명사 ***das***를 받는 관계대명사 ***was***가
전치사 ***auf***와 결합한 형태임.

정답 Mein kleiner Sohn stellt mir oft Fragen, *auf die* ich nicht antworten kann .

► 「*Mein* klein*er* Sohn」:

- 명사 Sohn은 *남성*이며, *주어*이므로 *남성 1격!!*
  따라서 소유대명사 Mein-('나의')은 *남성 1격* 부정관사 ein_처럼 어미 없이 Mein_임.
- 형용사 klein 앞에 *남성 1격* ein_에 해당하는 Mein_이 있음.
  → 따라서 Mein_ klein*er* ...
  (근거: 남성 1격 ein_ , mein_ , dein_ , ihr_ , unser_ ... kein_ + 형용사 *-er*)

► ... , auf die *ich* ... antworten kann .
화법조동사 können의 ***현재*** 시제 형식 「**können** ... pp」임:
주어가 ich이므로 können의 형태는 ***kann***임.
→ 따라서 「**kann** ... *antworten* 」인데, 부문장이므로 ***후치***됨: ... *antworten* **kann**

Lektion 24

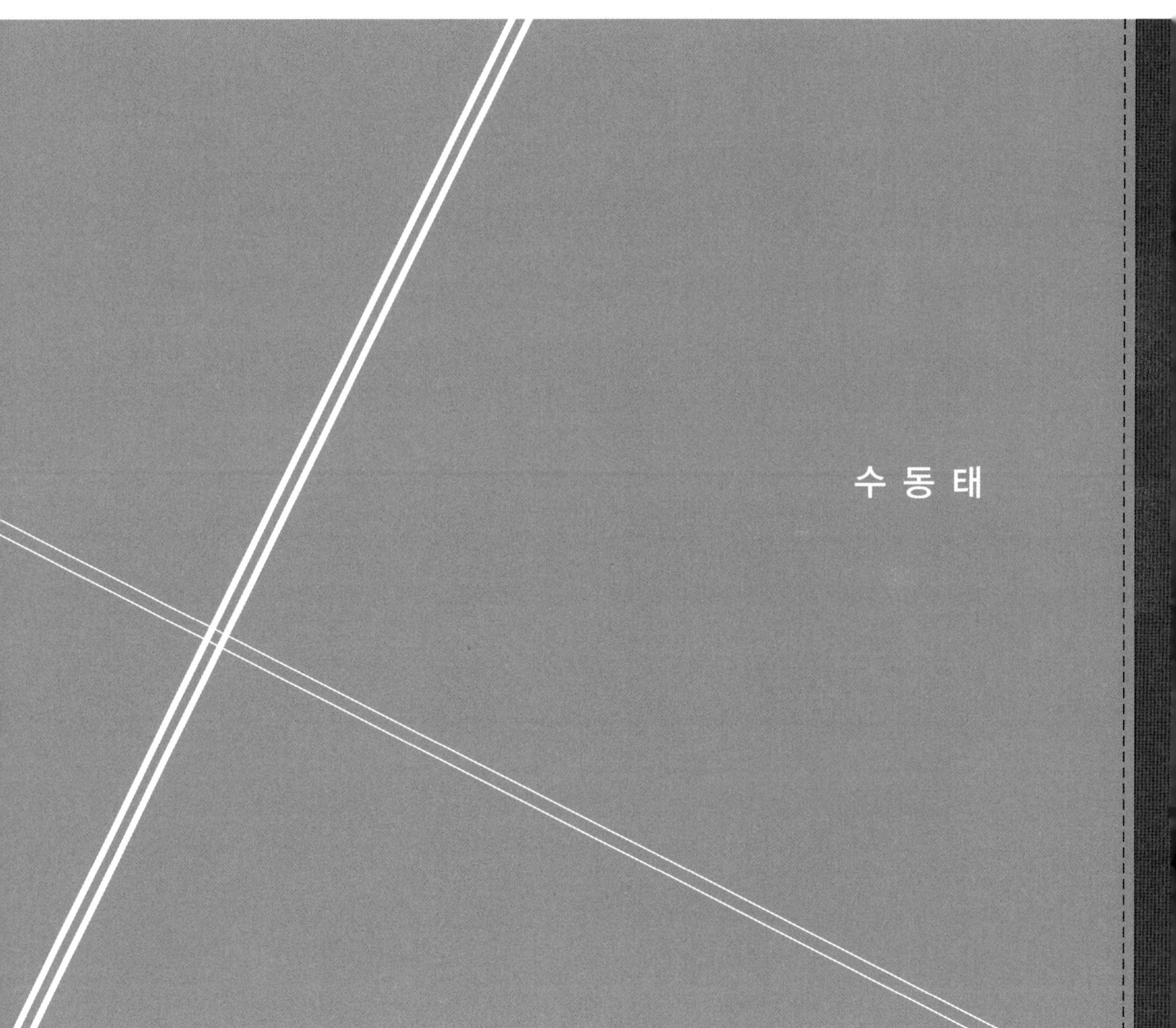

unit 01

기초문제

I. 주어진 동사를 사용하여 수동문을 만드시오 ("현재" 시제)

(24과, 기초문제: 교재 140쪽)

1. prüfen :

Der Motor __wird__ morgen noch einmal __geprüft__.

✻ **해석** 그 모터는 내일 다시 한번 검사 받는다.

✻ **어휘** prüfen [타동사] ...을 시험하다, 검사하다 (3 기본형: prüf*en* - prüf*te* - *ge*prüf*t*) → die Prüfung 시험, 검사 (die Prüfung*en*) ▌der Motor 모터, 엔진 (die Motor*en*) ▌werden [1] [조동사] 수동 형식「*werden* ... pp」에 사용됨. ; [2] [자동사] (동사 sein처럼 형용사, 명사 보어와 함께) ...되다 (영. become) (현재 시제: du __wirst__ ; er __wird__) (3 기본형: werden - wurde - worden, geworden) ▌morgen [부사어] 내일 ▌noch [부사어] 아직, 여전히 ▌einmal [부사어] 한번 : noch einmal 다시 한번

☞ 수동문은「werden ... pp(타동사)」'...되다' :

- 주어인 Der Motor는 er에 해당하므로 werden의 형태는 *wird*임.
- 타동사 prüfen의 pp형은 *ge*prüf*t*임.

→ 따라서 정답은: *Der Motor* __wird__ ... __geprüft__.

2. sprechen :

Welche Sprachen __werden__ in der Schweiz __gesprochen__?

✻ **해석** 어떤 언어들이 스위스에서 사용되는가?

✻ **어휘** sprechen [타동사] ...을 말하다 (3 기본형: sprechen - sprach - gesprochen) (현재 시제: du spr<u>i</u>ch*st* ; er spr<u>i</u>ch*t*) ▌「welch- + 명사」 [의문사] 어떤 ...? (welch-는 *정관사 d-* 어미변화!) (영. which?) ▌die Sprache 언어 (die Sprache*n*) → die Muttersprache 모국어, die Fremdsprache 외국어 ▌werden [1] [조동사] 수동 형식「*werden* ... pp」에 사용됨. ; [2] [자동사] (동사 sein처럼 형용사, 명사 보어와 함께) ...되다 (영. become) (현재 시제: du __wirst__ ; er __wird__) (3 기본형: werden - wurde - worden, geworden) ▌「in + 국가」 (위치) ~에서 : in der Schweiz 스위스*에서* ▌die Schweiz 스위스 <주의> die Schweiz, die Türkei('터키') 등은 국가 명이 *여성*으로서 항상 *정관사*를 붙임!

► 「Welch<u>e</u> Sprache*n*」:
명사 Sprache*n*은 *복수*이며, *주어*이므로 __*복수 1격!!*__

따라서 의문대명사 Welch-는 *복수 1격* 정관사 die처럼 어미변화 하여 Welche임.

☞ 수동문은 「werden ... pp(타동사)」'...되다' :

- 주어인 Welche Sprachen은 복수의 sie에 해당하므로 werden은 원형 그대로 *werden*임.
- 타동사 sprechen의 pp형은 *gesprochen*임.

→ 따라서 정답은: *Welche Sprachen* __werden__ ... __gesprochen__ ?

3. *ein*laden :

Keine Sorge, du __wirst__ sicher auch noch __eingeladen__ .

✸ **해석** 걱정하지 마, 너도 틀림없이 초대될 거야.

✸ **어휘** *ein*laden [타동사&분리동사] ...을 초대하다 (3 기본형: *ein*laden - *ein*lud - *ein*geladen) (현재 시제: du lädst ... *ein* ; er lädt ... *ein*) ⇐ laden [타동사] (짐, 화물 등을) 싣다 (영. load) (3 기본형: laden - lud - geladen) (현재 시제: du lädst ; er lädt) ▌Keine Sorge! (구어체) "걱정 마!" ← die Sorge 근심, 염려 (die Sorgen) → 「sorgen für + 4격」 ...을 돌보다 ; 「sorgen sich[4] um + 4격」 ...을 염려하다 ▌werden [1] [조동사] 수동 형식 「*werden* ... pp」에 사용됨. ; [2] [자동사] (동사 sein처럼 형용사, 명사 보어와 함께) ...되다 (영. become) (현재 시제: du __wirst__ ; er __wird__) (3 기본형: werden - wurde - worden, geworden) ▌sicher [부사어] (확신) 틀림없이, 반드시 ▌auch [부사어] 역시, ...도

☞ 수동문은 「werden ... pp(타동사)」 '...되다' :

- 주어가 du이므로 werden의 형태는 *wirst*임.
- 타동사 *ein*laden의 pp형은 *eingeladen*임.

→ 따라서 정답은: ..., *du* __wirst__ ... __eingeladen__ ?

4. benutzen :

Der Computer __wird__ bei uns nicht viel __benutzt__ .

✸ **해석** 컴퓨터가 우리들의 경우에는 많이 이용되지 않는다.

✸ **어휘** benutzen [타동사] ...을 이용하다 (3 기본형: *be*nutz*en* - *be*nutz*te* - *be*nutz*t*) ⇐ nutzen [자동사] : 「주어 + nutzen + 3격」 *주어는* ...에 유용하다, 이익 된다 (3 기본형: nutz*en* - nutz*te* - *ge*nutz*t*) ▌der Computer 컴퓨터 (die Computer) ▌werden [1] [조동사] 수동 형식 「*werden* ... pp」에 사용됨. ; [2] [자동사] (동사 sein처럼 형용사, 명사 보어와 함께) ...되다 (영. become) (현재 시제: du __wirst__ ; er __wird__) (3 기본형: werden - wurde - worden, geworden) ▌「bei + 3격(사람)」 *누구*의 집에서는, *누구*의 고향에서는 ▌uns [인칭대명사] wir의 *3격* 형임. (4격 형도 *uns*) ▌viel [부정수사] 많이 (영. much) ↔ 「viel*e* + *복수* 명사」 많은 ...들 (영. much) (3 비교형 *불규칙* 변화: viel, viele - *mehr* - *meist-*)

☞ 수동문은 「werden ... pp(타동사)」 '...되다' :

- 주어인 Der Computer는 er에 해당하므로 werden의 형태는 *wird*임.

• 타동사 benutzen의 pp형은 *be*nutz*t*임.

→ 따라서 정답은: Der Computer wird ... benutzt.

5. verkaufen :

In Korea werden viele deutsche Autos verkauft.

✷ **해석** 한국에서는 독일 자동차들이 많이 판매된다.

✷ **어휘** verkaufen [타동사] ...을 팔다 (3 기본형: *ver*kauf*en* - *ver*kauf*te* - *ver*kauf*t*) ↔ kaufen [타동사] ...을 사다, 구입하다 (3 기본형: kauf*en* - kauf*te* - *ge*kauf*t*) ▌「in + 국가」(위치) ~에서 : in Korea 한국에서 <참고> Korea, Deutschland 등과 같이 국가 명은 대부분 *중성*이며, 고유명사로서 *관사 없음*! ▌werden [1] [조동사] 수동 형식 「*werden* ... pp」에 사용됨. ; [2] [자동사] (동사 sein처럼 형용사, 명사 보어와 함께) ...되다 (영. become) (현재 시제: du wirst ; er wird) (3 기본형: werden - wurde - worden, geworden) ▌「viel*e* + *복수* 명사」많은 ...들 (3 비교형 *불규칙* 변화: viel, viele - *mehr* - *meist-*) ▌deutsch [형용사] 독일의 ▌das Auto 자동차 (die Auto*s*)

☞ 수동문은 「werden ... pp(타동사)」'...되다' :

• 주어인 viele deutsche Autos는 복수의 sie에 해당하므로 werden은 원형 *werden*임.

• 타동사 verkaufen의 pp형은 *ver*kauf*t*임.

→ 따라서 정답은: ... werden *viele deutsche Autos* verkauft.

► 「viel*e* deutsch*e* Auto*s*」 혹은 「viel*e* deutsch*en* Auto*s*」

<주의>

「all*e* deutsch*en* Auto*s*」

6. *ab*holen / reparieren :

Der Fernseher wird heute abgeholt und repariert.

✷ **해석** 텔레비전이 오늘 거두어져서 수리된다.

✷ **어휘** *ab*holen [분리동사&타동사] (사물) ...을 거두어 가져가다, (사람) ...을 마중 나가 데려가다 (영. pick up) (3 기본형: *ab*hol*en* - *ab*hol*te* - *abge*hol*t*) ⇐ holen [타동사] ...을 가져오다, ...을 데려가다 (3 기본형: hol*en* - hol*te* - *ge*hol*t*) ▌reparieren [타동사] ...을 수리하다 (3 기본형 : reparier*en* - reparier*te* - reparier*t*) → die Reparatur 수선, 수리 (die Reparatur*en*) ▌der Fernseher 텔레비전 기계 (die Fernseher) ← *fern*sehen [분리동사&자동사] TV 시청하다 (3 기본형: *fern*sehen - *fern*sah - *ferng*esehen) (현재 시제: du sieh*st* ... *fern* ; er sieh*t* ... *fern*) ▌werden [1] [조동사] 수동 형식 「*werden* ... pp」에 사용됨. ; [2] [자동사] (동사 sein처럼 형용사, 명사 보어와 함께) ...되다 (영. become) (현재 시제: du wirst ; er wird) (3 기본형: werden - wurde - worden, geworden) ▌heute [부사어] 오늘

☞ 수동문은 「werden ... pp(타동사)」 '...되다' :

- 주어인 Der Fernseher는 er에 해당하므로 werden의 형태는 *wird*임.
- 타동사 *ab*holen의 pp형은 *abge*hol*t*이며,
  타동사 reparieren의 pp형은 reparier*t*임.

→ 따라서 정답은: *Der Fernseher* _wird_ ... _abgeholt_ und _repariert_.

II. 주어진 동사를 사용하여 수동문을 만드시오 ("과거" 시제)

(24과, 기초문제: 교재 140쪽)

1. finden :

Sein Gepäck _wurde_ wieder _gefunden_.

✱ **해석** 그의 짐 꾸러미가 다시 발견되었다.

✱ **어휘** finden [타동사] ...을 발견하다, 찾다 (3 기본형: finden - fand - gefunden) ▌das Gepäck 짐, 꾸러미 (die Gepäck*e*) ▌wieder [부사어] 다시, 재차

☞ 수동 형식은 「werden ... pp」임.
따라서 *과거* 시제 수동문은 「wurde ... pp」 '...*되었다*' :

- 주어인 Sein Gepäck는 es에 해당하므로 과거형 *wurde*는 어미 없이 그대로 *wurde_*임.
- 타동사 finden의 pp형은 *gefunden*임.

→ 따라서 정답은: *Sein Gepäck* _wurde_ ... _gefunden_.

2. beenden :

Der Zweite Weltkrieg _wurde_ im Mai 1945 _beendet_.

✱ **해석** 제 2차 세계대전은 1945년 5월에 종료되었다.

✱ **어휘** beenden [타동사] ...을 끝내다 (3 기본형: *beenden* - *beendete* - *beendet*) ⇐ enden [자동사] 끝나다 (3 기본형: end*en* - end*ete* - end*et*) ▌der Zweite Weltkrieg 제 2차 세계대전 (고유명사 취급하여 "Zweit-"로 대문자 표기함!) ▌zwei*t*- [서수] 제 2의, 둘째의 ▌die Welt (주로 단수) 세계 (die Welt*en*) ▌der Krieg 전쟁 (die Krieg*e*) ▌「im + 월 명」: im Mai 5월에 ← der Mai 5월 (die Mai*e*) (주로 단수!)

☞ 수동 형식은 「werden ... pp」임.
따라서 *과거* 시제 수동문은 「wurde ... pp」 '...*되었다*' :

- 주어인 Der Zweite Weltkrieg은 er에 해당하므로
  과거형 *wurde*는 어미 없이 그대로 *wurde_*임.
- 타동사 beenden의 pp형은 *beendet*임.

→ 따라서 정답은: *Der Zweite Weltkrieg* _wurde_ ... _beendet_.

► 1945 → "neunzehn*hundert*fünfundvierzig"

3. *an*rufen :

Warum _wurden_ wir nicht _angerufen_?

✷ **해석** 왜 우리에게는 전화가 오지 않았지?

✷ **어휘** *an*rufen [타동사&분리동사] ...에게 전화 걸다 (*4격* 요구 동사!) (3 기본형: *an*rufen - *an*rief - *an*gerufen) ⇐ rufen [타동사] ...을 부르다 (영. call) (3 기본형: rufen - rief - gerufen) ▌warum [의문사] 왜? (영. why?)

☞ 수동 형식은 「werden ... pp」임.
따라서 *과거* 시제 수동문은 「wurde ... pp」 '...*되었다*' :
- 주어가 wir이므로 과거형 *wurde*는 어미 *-n*이 붙어 *wurden*임.
- 타동사 *an*rufen의 pp형은 *an*gerufen임.

→ 따라서 정답은: ... _wurden_ *wir* ... _angerufen_?

4. übersetzen :

Viele Bücher des Autors _wurden_ ins Deutsche _übersetzt_.

✷ **해석** 그 작가의 많은 책들이 독일어로 번역되었다.

✷ **어휘** übersetzen [타동사] ...을 번역하다 (3 기본형: *über*setz*en* - *über*setz*te* - *über*setz*t*) ⇐ setzen [타동사] ...을 앉히다, 놓다 (3 기본형: setz*en* - setz*te* - *ge*setz*t*) ▌「viel*e* + *복수*명사」 많은 ...들 (3 비교형 *불규칙* 변화: viel(e) - *mehr* - *meist-*) ↔ wenig 적은, 적게 (3 비교형: wenig - wenig*er* 혹은 *minder* - wenig*st-* 혹은 *mindest-*) ▌das Buch 책 (die Büch*er*) ▌der Autor 작가, 저자 (die Autor*en*) ▌「ins + 중성 4격」 (방향) ~안으로, ~로 (ins = in das) : ins Deutsche 독일어로 (형용사 deutsch의 *중성*명사화!) → 「übersetzen + 4격 + ins Deutsch*e* (Koreanisch*e*, Chinesisch*e* ...)」 '*4격*을 독일어로 (한국어로, 중국어로 ...) 번역하다'

► 「... Bücher d*es* Autor*s*」:
- 명사 Autor는 *남성*이며, 앞의 명사 Bücher를 수식하는 *2격* 형이므로 *남성 2격!!*
  따라서 _*남성 2격* 정관사 d*es*_ 가 앞에 옴.
  2격 어미: 남성, 중성 ***-es*** ; 여성, 복수 ***-er***
- Autor는 *남성*이므로 _2격 명사 어미 *-s*가 붙어_ Autor*s*임.
  남성, 중성명사 2격은 ***-s*** 혹은 ***-es***가 붙음.
  (여성, 복수명사는 2격 어미 ***없음!***)

☞ 수동 형식은 「werden ... pp」임.
따라서 *과거* 시제 수동문은 「wurde ... pp」 '...*되었다*' :
- 주어인 Viele Bücher는 복수의 sie에 해당하므로
  과거형 *wurde*는 어미 *-n*이 붙어 *wurden*임.

• 타동사 übersetzen의 pp형은 *über*setz*t*임.
→ 따라서 정답은: *Viele Bücher* ... __wurden__ ... __übersetzt__.

5. erklären :

Die Sätze __wurden__ ihm noch einmal __erklärt__.

✺ **해석** 그 문장들은 그에게 한번 더 설명되었다.

✺ **어휘** erklären [타동사] : 「erklären + 3격(사람) + 4격」 ~~누구~~에게 ...을 설명하다 (3 기본형: *er*klär*en* - *er*klär*te* - *er*klär*t*) ⇐ klären [타동사] (문제점, 의문점 등을) 해결하다 (3 기본형: klär*en* - klär*te* - *ge*klär*t*) ▌der Satz 문장 (die Sätz*e*) ▌ihm [인칭대명사] er, es의 *3격* 형임. (er의 4격 형은 *ihn*이며, es의 4격 형은 *es*) ▌einmal [부사어] 한번 : 「noch einmal」 다시 한번 <참고> zweimal 두 번, dreimal 세 번

☞ 수동 형식은 「werden ... pp」임.
따라서 *과거* 시제 수동문은 「wurde ... pp」 '...*되었다*' :

• 주어인 Die Sätze는 복수의 sie에 해당하므로 과거형 *wurde*는 어미 *-n*이 붙어 *wurden*임.
• 타동사 erklären의 pp형은 *er*klär*t*임.
→ 따라서 정답은: *Die Sätze* __wurden__ ... __erklärt__.

► 어순: ihm은 인칭*대명사*이므로 대명사가 아닌 "noch einmal"보다 앞에 위치함.

6. erfinden :

Wann __wurde__ das Fernsehen __erfunden__?

✺ **해석** 언제 텔레비전이 발명되었나?

✺ **어휘** erfinden [타동사] ...을 발명하다 (영. invent) (3 기본형: *er*finden - *er*fand - *er*funden) ⇐ finden [타동사] ...을 발견하다 (3 기본형: finden - fand - gefunden) ▌wann [의문사] 언제? ▌das Fernsehen (방송 체계로서) 텔레비전, TV (항상 단수!) ← *fern*sehen [분리동사&자동사] TV 시청하다 (3 기본형: *fern*sehen - *fern*sah - *fern*gesehen) (현재 시제: du sieh*st* ... *fern* ; er sieh*t* ... *fern*)

☞ 수동 형식은 「werden ... pp」임.
따라서 *과거* 시제 수동문은 「wurde ... pp」 '...*되었다*' :

• 주어인 das Fernsehen은 es에 해당하므로 과거형 *wurde*는 어미 없이 그대로 *wurde_*임.
• 타동사 erfinden의 pp형은 *er*funden임.
→ 따라서 정답은: ... __wurde__ *das Fernsehen* ... __erfunden__?

III. 주어진 동사를 사용하여 수동문을 만드시오 ("현재완료" 시제)

(24과, 기초문제: 교재 140쪽)

1. sehen :

Klaus _ist_ von Ulrike am Bahnhof _gesehen_ _worden_.

✺ **해석** 클라우스는 울리케에 의해 역에서 목격되었다.

✺ **어휘** sehen [타동사] ...을 보다 (3 기본형: sehen - sah - gesehen) (현재 시제: du sie*hst* ; er sie*ht*) ▌werden [1] [조동사] 수동 형식「*werden* ... pp」에 사용됨. ; [2] [자동사] (동사 sein처럼 형용사, 명사 보어와 함께) ...되다 (3 기본형: werden - wurde - worden, geworden ※werden의 완료 형식은「sein ... *pp*」: ① *수동문*의 werden일 때:「sein ... pp *worden*」; ② *일반 동사* werden일 때:「sein ... *geworden*」) (현재 시제: du wirst ; er wird) ▌von [*3격* 전치사] ~에 의해서 (수동문에서 *실질적 행위자*를 나타냄! 영. by) ▌「am + 남성·중성 3격」 (위치) ~옆에서, ~에서 : am Bahnhof 역에서 ▌der Bahnhof 기차 역 (die Bahnh*ö*f*e*) ← die Bahn 기차 (die Bahn*en*) + der Hof 마당 (die H*ö*f*e*)

☞ 수동 형식은「werden ... pp」임.

따라서 수동문의 *현재 완료* 시제는「sein ... pp *worden*」'... *되었다*' :

- 주어가 Klaus, 즉 er이므로 동사 sein의 형태는 *ist*임.
- 타동사 sehen의 pp형은 gesehen임.

→ 따라서 정답은: *Klaus* _ist_ ... _gesehen_ _worden_.

► von Ulrike '울리케*에 의해*' (수동문의 *실질적 행위자*!)

2. fragen :

Warum sagst du nichts? - Ich _bin_ nicht _gefragt_ _worden_.

✺ **해석** 왜 너는 아무 말도 하지 않니? - 나에게는 질문되지 않았어.

✺ **어휘** fragen [타동사] :「fragen + 4격(사람)」(*4격* 요구 동사!) *누구*에게 질문하다 (3 기본형: frag*en* - frag*te* - *ge*frag*t*) ▌warum [의문사] 왜? ▌sagen [타동사] ...을 말하다 (3 기본형: sag*en* - sag*te* - *ge*sag*t*) ▌nichts [부정대명사] 아무것도 ... 않다 (영. nothing) ▌werden [1] [조동사] 수동 형식「*werden* ... pp」에 사용됨. ; [2] [자동사] (동사 sein처럼 형용사, 명사 보어와 함께) ...되다 (3 기본형: werden - wurde - worden, geworden ※werden의 완료 형식은「sein ... *pp*」: ① *수동문*의 werden일 때:「sein ... pp *worden*」; ② *일반 동사* werden일 때:「sein ... *geworden*」) (현재 시제: du wirst ; er wird)

문장 1

► nichts는 4격 형으로서 동사 sagst의 4격 목적어임.

문장 2

☞ 수동 형식은 「werden ... pp」임.
따라서 수동문의 *현재 완료* 시제는 「sein ... pp *worden*」 '...*되었다*' :
- 주어가 Ich이므로 동사 sein의 형태는 *bin*임.
- 타동사 fragen의 pp형은 *ge*frag*t*임.

→ 따라서 정답은: *Ich* bin ... gefragt worden.

3. renovieren :

Die alten Häuser am Markt sind endlich renoviert worden.

✺ **해석** 시장에 있는 낡은 건물들이 마침내 리모델링 되었다.

✺ **어휘** renovieren [타동사] ...을 리모델링하다, 고치다 (3 기본형: renovier*en* - renovier*te* - renovier*t*) ▌alt [형용사] 낡은, 늙은 (3 비교형: alt - ält*er* - ält*est*- ※최상급 älts*t* 아님!) ↔ neu 새, 새로운 (3 비교형: neu - neu*er* - neu*est*- 혹은 neu*st*-) ▌das Haus 집 (die Häus*er*) ▌「am + 남성·중성 3격」(위치) ~옆에, ~에 (am = an dem) : am Markt 시장*에*▌der Markt 시장 (die Märkt*e*) ▌werden [1] [조동사] 수동 형식 「*werden* ... pp」에 사용됨. ; [2] [자동사] (동사 sein처럼 형용사, 명사 보어와 함께) ...되다 (3 기본형: werden - wurde - worden, geworden ※werden의 완료 형식은 「sein ... *pp*」: ① *수동문*의 werden일 때: 「sein ... pp *worden*」; ② *일반 동사* werden일 때: 「sein ... *geworden*」) (현재 시제: du wirst ; er wird) ▌endlich [부사어] 마침내, 드디어

► 「Di*e* alt*en* Häus*er*」:
- 명사 Häus*er*는 *복수*이며, *주어*이므로 *복수 1격!!*
  따라서 *복수 1격* 정관사 Di*e*가 앞에 옴.
- 형용사 alt 앞에 *복수 1격*의 Di*e*가 있음.
  → 따라서 Die alt*en* ...
  (근거: 복수 1, 4격 di*e*, mein*e*, ihr*e*, unser*e* ... kein*e*, dies*e* + 형용사 *-en*)

☞ 수동 형식은 「werden ... pp」임.
따라서 수동문의 *현재 완료* 시제는 「sein ... pp *worden*」 '...*되었다*' :
- 주어인 Die alten Häuser는 복수의 sie에 해당하므로 동사 sein의 형태는 *sind*임.
- 타동사 renovieren의 pp형은 renovier*t*임.

→ 따라서 정답은: *Die alten Häuser* ... sind ... renoviert worden.

4. verkaufen :

Die Maschine ist vor einem halben Jahr verkauft worden.

✺ **해석** 그 기계는 반년 전에 판매되었다.

✺ **어휘** verkaufen [타동사] ...을 팔다, 판매하다 (3 기본형: *ver*kauf*en* - *ver*kauf*te* - *ver*kauf*t*) ⇐ kaufen [타동사] ...을 사다, 구입하다 (3 기본형: kauf*en* - kauf*te* - *ge*kauf*t*) ▌die

Maschine 기계, 기구 (die Maschine*n*) ▌werden [1] [조동사] 수동 형식 「*werden* ... pp」에 사용됨. ; [2] [자동사] (동사 sein처럼 형용사, 명사 보어와 함께) ...되다 (3 기본형: werden - wurde - worden, geworden ※werden의 완료 형식은 「sein ... *pp*」: ① *수동문*의 werden일 때: 「sein ... pp *worden*」; ② *일반 동사* werden일 때: 「sein ... *geworden*」) (현재 시제: du wirst ; er wird) ▌「vor + 3격」 (시간적) ~전에 : vor einem halben Jahr 반년 *전에* ↔ *in* einem halben Jahr 반년 *후에* ▌halb [형용사] 반의, 1/2의 → die Hälfte 반, 1/2 (die Hälfte*n*) ▌das Jahr 해, 년 (die Jahr*e*)

☞ 수동 형식은 「werden ... pp」임.

따라서 수동문의 *현재 완료* 시제는 「sein ... pp *worden*」 '...*되었다*' :

- 주어인 Die Maschine는 여성의 sie에 해당하므로 동사 sein의 형태는 *ist*임.
- 타동사 verkaufen의 pp형은 *ver*kauf*t*임.

→ 따라서 정답은: *Die Maschine* __ist__ ... __verkauft__ __worden__.

► 「vor ein*em* halb*en* Jahr」:

- 명사 Jahr는 *중성*이며, 전치사 vor의 *3격* 목적어이므로 *중성 3격!!*

  따라서 __*중성 3격* 부정관사 ein*em*__ 이 앞에 옴.

  3격 어미: 남성, 중성 ***-em*** ; 여성 ***-er*** ; 복수 ***-en***

- 형용사 halb 앞에 *중성 3격*의 ein*em*이 있음.

  → 따라서 vor ein*em* halb*en* ...

  (근거: *3격* 어미가 붙은 관사, 소유대명사, 지시대명사 등의 뒤에 오는 형용사는 *-en*)

5. wiederholen :

Das Konzert __ist__ wegen des großen Erfolgs am Sonntag __wiederholt worden__.

✸ **해석** 그 음악회는 크게 성공했기 때문에 일요일에 다시 열렸다.

✸ **어휘** wiederholen [타동사] ...을 반복하다 (3 기본형: *wieder*holen - *wieder*hol*te* - *wieder*hol*t*) ⇐ holen [타동사] ...을 가져오다, 데려오다 (3 기본형: hol*en* - hol*te* - *ge*hol*t*) ▌das Konzert 음악회 (die Konzert*e*) ▌werden [1] [조동사] 수동 형식 「*werden* ... pp」에 사용됨. ; [2] [자동사] (동사 sein처럼 형용사, 명사 보어와 함께) ...되다 (3 기본형: werden - wurde - worden, geworden ※werden의 완료 형식은 「sein ... *pp*」: ① *수동문*의 werden일 때: 「sein ... pp *worden*」; ② *일반 동사* werden일 때: 「sein ... *geworden*」) (현재 시제: du wirst ; er wird) ▌wegen [*2격* 전치사] ~때문에 ▌groß [형용사] 큰, 커다란 (3 비교형: groß - grö*ß*er - größ*t*- ※최상급 größ*st*, größ*est* 아님!) ▌der Erfolg 성과, 성공적 결과 (die Erfolg*e*) ▌「am + 요일」: am Sonntag 일요일에 ← der Sonntag 일요일 (die Sonntag*e*)

☞ 수동 형식은 「werden ... pp」임.

따라서 수동문의 *현재 완료* 시제는 「sein ... pp worden」 '...*되었다*' :

- 주어인 Das Konzert는 es에 해당하므로 동사 sein의 형태는 *ist*임.
- 타동사 wiederholen의 pp형은 *wieder*hol*t*임.

→ 따라서 정답은: *Das Konzert* __ist__ ... __wiederholt__ __worden__.

► 「wegen d*es* groß*en* Erfolg*s*」:

- 명사 Erfolg는 *남성*이며, *2격* 전치사 wegen의 목적어이므로 *남성 2격!!*
  따라서 *남성 2격 정관사* d*es* 가 앞에 옴.
  2격 어미: 남성, 중성 ***-es*** ; 여성, 복수 ***-er***
- 형용사 groß 앞에 *남성 2격*의 d*es*가 있음.
  → 따라서 wegen d*es* groß*en* ...
  (근거: *2격* 어미가 붙은 관사, 소유대명사, 지시대명사 등의 뒤에 오는 형용사는 *-en*)

6. *ein*laden :

Warum kommt ihr nicht zur Party? - Wir sind nicht eingeladen worden .

✺ 해석 왜 너희는 파티에 오지 않니? - 우리는 초대 받지 않았어.

✺ 어휘 *ein*laden [분리동사&타동사] ...을 초대하다 (3 기본형: *ein*laden - *ein*lud - *ein*geladen) (현재 시제: du lädst ... *ein* ; er lädt ... *ein*) ⇐ laden [타동사] (짐, 화물을) 싣다 (3 기본형: laden - lud - geladen) (현재 시제: du läd*st* ; er läd*t*) ▌warum [의문사] 왜? ▌kommen [자동사] 오다 (3 기본형: kommen - kam - gekommen) ; '*장소 이동* 자동사 → 완료형 「*sein* ... gekommen」) ▌「zur + 여성 3격」 (방향) ~으로 (zur = zu der) : zur Party 파티로 ▌die Party 파티 (die Party*s*) ▌werden [1] [조동사] 수동 형식 「*werden* ... pp」에 사용됨. ; [2] [자동사] (동사 sein처럼 형용사, 명사 보어와 함께) ...되다 (3 기본형: werden - wurde - worden, geworden ※werden의 완료 형식은 「sein ... *pp*」: ① *수동문*의 werden일 때: 「sein ... pp *worden*」; ② *일반 동사* werden일 때: 「sein ... *geworden*」) (현재 시제: du wirst ; er wird)

문장 2

☞ 수동 형식은 「werden ... pp」임.
따라서 수동문의 *현재 완료* 시제는 「sein ... pp *worden*」 '*...되었다*' :

- 주어가 Wir이므로 동사 sein의 형태는 *sind*임.
- 타동사 *ein*laden의 pp형은 *ein*geladen임.

→ 따라서 정답은: *Wir* sind ... eingeladen worden .

IV. 〈보기〉에서 알맞은 동사를 선택하여 수동문을 완성하시오. (24과, 기초문제: 교재 140쪽)

<보기> *auf*räumen, erfinden, kochen, öffnen, spielen, waschen

1. Das Zimmer wurde gründlich aufgeräumt .

✺ 해석 그 방은 철저하게 정리되었다.

✺ **어휘** das Zimmer 방 (die Zimmer) ▌ wurde (동사 werden의 *과거* 시제: 주어가 *ich* 혹은 *er, sie, es*일 때) ⇒ werden [1] [조동사] 수동 형식「*werden* ... pp」에 사용됨. ; [2] [자동사] (동사 sein처럼 형용사, 명사 보어와 함께) ...되다 (영. become) (3 기본형: werden - wurde - worden, geworden ※ werden의 완료형「sein ... *pp*」: ① *수동문*의 werden일 때:「sein ... pp *worden*」; ② *일반 동사* werden일 때:「sein ... *geworden*」) (현재 시제: du wirst ; er wird) ▌ gründlich [형용사] 철저한, (부사적) 철저히 ▌ *aufge*räum*t* (타동사&분리동사 *auf*räumen의 *pp형*) ⇒ *auf*räumen [타동사&분리동사] ...을 정리하다, 정돈하다 (3 기본형: *auf*räum*en* - *auf*räum*te* - *aufge*räum*t*)

☞ *과거* 시제 수동문「wurde ... pp」가 적용됨:

- 주어가 Das Zimmer, 즉 es이므로 과거형 wurde는 어미 없이 그대로 *wurde_*임.
- 내용상 빈칸에는 타동사 *auf*räumen('...을 정돈하다')의 pp형 *aufge*räum*t*가 와야 함.

→ 따라서 정답은: *Das Zimmer* wurde ... aufgeräumt .

2. Das Essen ist von einem berühmten Koch gekocht worden .

✺ **해석** 그 음식은 한 유명한 요리사에 의해 요리되었다.

✺ **어휘** das Essen 식사, 음식 (die Essen) ← essen [타동사] ...을 먹다 (현재 시제: du iss*t* ; er iss*t*) (3 기본형: essen - aß - gegessen) ▌ von [*3격* 전치사] ~에 의해서 (수동문에서 *실질적 행위자*를 나타냄! 영. by) ▌ berühmt [형용사] 유명한 (= bekannt) ▌ der Koch 요리사 (die Köch*e*) ▌ *ge*koch*t* (동사 kochen의 *pp형*) ⇒ kochen [타동사] ...을 요리하다, 끓이다 (3 기본형: koch*en* - koch*te* - *ge*koch*t*) ▌ worden (수동문의 werden의 *pp형*) ⇒ werden [1] [조동사] 수동 형식「*werden* ... pp」에 사용됨. ; [2] [자동사] (동사 sein처럼 형용사, 명사 보어와 함께) ...되다 (영. become) (3 기본형: werden - wurde - worden, geworden ※werden의 완료형「sein ... *pp*」: ① *수동문*의 werden일 때:「sein ... pp *worden*」; ② *일반 동사* werden일 때:「sein ... *geworden*」) (현재 시제: du wirst ; er wird)

☞ *현재완료* 시제 수동문「sein ... pp *worden*」이 적용됨:

- 주어가 Das Essen, 즉 es이므로 동사 sein의 형태는 *ist*임.
- 내용상 빈칸에는 타동사 kochen('...을 요리하다')의 pp형 *ge*koch*t*와 함께 수동문 조동사 werden의 pp형 *worden*이 와야 함.

→ 따라서 정답은: *Das Essen* ist ... gekocht worden .

►「von ein*em* berühmt*en* Koch」'한 유명한 요리사*에 의해*' (수동문의 *실질적 행위자*!):

- 명사 Koch는 *남성*이며, *3격* 전치사 von의 목적어이므로 *남성 3격!!*
  따라서 *남성 3격 부정관사* ein*em* 이 앞에 옴.
  3격 어미: 남성, 중성 ***-em*** ; 여성 ***-er*** ; 복수 ***-en***
- 형용사 berühmt 앞에 *중성 3격*의 ein*em*이 있음.
  → 따라서 von ein*em* berühmt*en* ...
  (근거: *3격* 어미가 붙은 관사, 소유대명사, 지시대명사 등의 뒤에 오는 형용사는 *-en*)

3. In Deutschland wird viel Fußball __gespielt__.

✺ 해석 독일에서는 축구가 많이 행해진다.

✺ 어휘 「in + 국가」: in Deutschland 독일*에서는* ▌wird (동사 werden의 *현재* 시제: 주어가 *er, sie, es*일 때) ⇒ werden [1] [조동사] 수동 형식 「*werden* ... pp」에 사용됨. ; [2] [자동사] (동사 sein처럼 형용사, 명사 보어와 함께) ...되다 (영. become) (현재 시제: du wirst ; er wird) (3 기본형: werden - wurde - worden, geworden ※werden의 완료형 「sein ... *pp*」: ① *수동문*의 werden일 때: 「sein ... pp *worden*」; ② *일반 동사* werden일 때: 「sein ... *geworden*」) ▌「viel + 셀 수 없는 명사」: viel Fußball 많은 축구 ▌der Fußball 축구 (복수 없음) ▌*ge*spiel*t* (동사 spielen의 *pp형*) ⇒ spielen [타동사] (운동, 스포츠를) 하다 (3 기본형: spiel*en* - spiel*te* - *ge*spiel*t*)

<참고>

der Handball 핸드볼 / das Tennis 테니스 / das Tischtennis 탁구 / der Federball 배드민턴 ← die Feder 깃털 (die Feder*n*) / das Volleyball ['vɔli-] 배구 / der Basketball ['ba(:)skətbal] 농구 / der Baseball ['be:sbo:l] 야구

☞ *현재* 시제 수동문 「werden ... pp」가 적용됨:

- 주어가 viel Fußball, 즉 er이므로 werden의 형태는 *wird*임.
- 내용상 빈칸에는 타동사 spielen('스포츠 종목 ...을 하다')의 pp형 *ge*spiel*t*가 와야 함.

→ 따라서 정답은: ... wird *viel Fußball* __gespielt__.

4. Der Laden wird um 8 Uhr __geöffnet__.

✺ 해석 그 상점은 8시에 문이 열린다.

✺ 어휘 der Laden 가게, 상점 (die Läden) = das Geschäft (die Geschäft*e*) ▌wird (동사 werden의 *현재* 시제: 주어가 *er, sie, es*일 때) ⇒ werden [1] [조동사] 수동 형식 「*werden* ... pp」에 사용됨. ; [2] [자동사] (동사 sein처럼 형용사, 명사 보어와 함께) ...되다 (영. become) (현재 시제: du wirst ; er wird) (3 기본형: werden - wurde - worden, geworden ※werden의 완료형 「sein ... *pp*」: ① *수동문*의 werden일 때: 「sein ... pp *worden*」; ② *일반 동사* werden일 때: 「sein ... *geworden*」) ▌「um ... Uhr」 (정확한 시각) '...시에' ↔ 「gegen ... Uhr」 (대략의 시각) '...시 경에' ▌8 acht ▌*ge*öffne*t* (동사 öffnen의 *pp형*) ⇒ öffnen [타동사] ...을 열다 (3 기본형: öffn*en* - öffn*ete* - *ge*öffn*et*) ↔ schließen [타동사] ...을 닫다 (3 기본형: schließen - schloss - geschlossen)

☞ *현재* 시제 수동문 「werden ... pp」가 적용됨:

- 주어가 Der Laden, 즉 er이므로 werden의 형태는 *wird*임.
- 내용상 빈칸에는 타동사 öffnen('...을 열다')의 pp형 *ge*öffn*et*가 와야 함.

→ 따라서 정답은: *Der Laden* wird ... __geöffnet__.

5. Diese Maschine ist vor einigen Jahren __erfunden__ __worden__.

✺ 해석 이 기계는 몇 년 전에 발명되었다.

✵ **어휘** dies- [지시대명사] 이 ... (*정관사 d-* 어미변화!) ▌die Maschine 기계 (die Maschine*n*) ▌「vor + 3격」(시간적) ~전에 : vor einigen Jahren 몇 년 *전에* ▌「einig- + *복수*명사」 '몇몇 ...들' ▌das Jahr 해, 년 (die Jahr*e*) ▌*er*funden (동사 erfinden의 *pp형*) ⇒ erfinden [타동사] ...을 발명하다, 고안하다 (3 기본형: *er*finden - *er*fand - *er*funden) ⇐ finden [타동사] ...을 발견하다 (3 기본형: finden - fand - gefunden) ▌worden (수동문의 werden의 *pp형*) ⇒ werden [1] [조동사] 수동 형식 「*werden* ... pp」에 사용됨. ; [2] [자동사] (동사 sein처럼 형용사, 명사 보어와 함께) ...되다 (영. become) (3 기본형: werden - wurde - worden, geworden ※werden의 완료형 「sein ... *pp*」 : ① *수동문*의 werden일 때: 「sein ... pp *worden*」 ; ② *일반 동사* werden일 때: 「sein ... *geworden*」) (현재 시제: du wirst ; er wird)

☞ *현재완료* 시제 수동문 「sein ... pp *worden*」이 적용됨:

- 주어가 Diese Maschine, 즉 여성의 sie이므로 동사 sein의 형태는 *ist*임.
- 내용상 빈칸에는 타동사 erfinden('...을 발명하다')의 pp형 *er*funden과 함께 수동문 조동사 werden의 pp형 *worden*이 와야 함.

→ 따라서 정답은: *Diese Maschine* ist ... __erfunden__ __worden__.

► 「vor einig*en* Jahr*en*」:

- 명사 Jahr*e*는 *복수*이며, 전치사 vor의 *3격* 목적어이므로 *복수 3격!!*
  따라서 einig-는 *복수 3격* 정관사 d*en*처럼 어미변화 하여 einig*en*임.
- Jahre는 __*복수 3격*이므로 어미 *-n*이 붙어__ Jahr*en*임.
  복수 3격 명사의 형태는 항상 ***-n***임.

6. Die Autos werden sauber __gewaschen__.

✵ **해석** 그 자동차들은 깨끗하게 세차된다.

✵ **어휘** das Auto 자동차 (die Auto*s*) ▌werden [1] [조동사] 수동 형식 「*werden* ... pp」에 사용됨. ; [2] [자동사] (동사 sein처럼 형용사, 명사 보어와 함께) ...되다 (영. become) (3 기본형: werden - wurde - worden, geworden ※werden의 완료형 「sein ... *pp*」 : ① *수동문*의 werden일 때: 「sein ... pp *worden*」 ; ② *일반 동사* werden일 때: 「sein ... *geworden*」) (현재 시제: du wirst ; er wird) ▌sauber [형용사] 깨끗한, (부사적) 깨끗이 ↔ schmutzig 더러운, 더럽게 ▌gewaschen (동사 waschen의 *pp형*) ⇒ waschen [타동사] ...을 세탁하다, 씻다 (3 기본형: waschen - wusch - gewaschen) (현재 시제: du wäsch*t* ; er wäsch*t*) → die Wäsche (복수 없음) [1] 빨래감 ; [2] 내의, 내복 (die Unterwäsche의 축약형)

☞ *현재* 시제 수동문 「werden ... pp」가 적용됨:

- 주어가 Die Autos, 즉 복수의 sie이므로 werden은 원형 그대로 *werden*임.
- 내용상 빈칸에는 타동사 waschen('...을 씻다')의 pp형 *gewaschen*이 와야 함.

→ 따라서 정답은: *Die Autos* werden ... __gewaschen__.

unit 02

심화 문제

I. 다음 밑줄 친 부분을 수동문으로 바꾸시오. (24과, 심화문제: 교재 142쪽)

1. Der Arzt operiert den Jungen.

✱ **해석** 그 의사가 그 소년을 수술한다.

✱ **어휘** der Arzt 의사, 남자 의사 (die Ärzt*e*) ▌operieren [타동사] ...을 수술하다 (3 기본형: operier*en* - operier*te* - operier*t*) → die Operation 수술 (die Operation*en*) ▌der Junge 소년 (die Junge*n*) = der Knabe (die Knabe*n*) <주의> Junge, Knabe는 주어를 제외한 *단수 2, 3, 4격*이 복수형처럼 Junge*n*, Knabe*n*인 *약변화* 명사!

► 「d*en* Junge*n* 」:

• 명사 Junge는 *남성*이며, 동사 operiert의 *4격* 목적어이므로 *남성 4격!!*
따라서 *남성 4격* 정관사 d*en*이 앞에 옴.

• Junge는 약변화 명사임!
여기서는 *남성 4격*, 즉 주어가 아닌 *단수 4격*이므로 어미 *-n*이 붙어 Junge*n*임.

(정답) Der Junge wird von dem Arzt operiert.

✱ **해석** 그 소년은 그 의사에 의해 수술된다.

✱ **어휘** werden [1] [조동사] 수동 형식 「*werden* ... pp」에 사용됨. ; [2] [자동사] (동사 sein처럼 형용사, 명사 보어와 함께) ...되다 (영. become) (현재 시제: du wirst ; er wird) (3 기본형: werden - wurde - worden, geworden ※werden의 완료형 「sein ... *pp* 」: ① *수동문*의 werden일 때: 「sein ... pp *worden* 」; ② *일반 동사* werden일 때: 「sein ... *geworden* 」)

☞ 주어진 능동문 "Der Arzt operier*t* ..."는 *현재* 시제이므로
이와 동일하게 *현재* 시제 수동문 「werden ... pp」이어야 함:

① 능동문의 *4격 목적어* den Jungen은 수동문의 *주어* Der Junge가 되며,
타동사 operieren의 pp형은 operier*t*임.
따라서: *Der Junge* wird ... operiert.

② 능동문의 *주어* Der Arzt는 수동문의 *실질적 행위자*임.
따라서: ... *von* dem Arzt ....

→ ①, ②를 종합하여 정답은: Der Junge wird von dem Arzt operiert.

2. Hat man schon die Feuerwehr gerufen?

✱ **해석** (사람들이) 벌써 소방대를 불렀니?

✺ **어휘** 「Hat ... gerufen?」 (동사 rufen의 *현재완료* 시제) ▌gerufen (동사 rufen의 *pp형*) ⇒ rufen [타동사] ...을 부르다 (영. call) (3 기본형: rufen - rief - gerufen) ▌man [부정대명사] 사람들은 (항상 *주어*이며, 3인칭 단수 *er*처럼 취급!) ▌die Feuerwehr (집합적 의미) 소방대 (die Feuerwehr*en*) → das Feuer 불 + die Wehr 방어 <참고> der Feuerwehrmann 소방관 (die Feuerwehr*leute*)

<참고>
형태가 "-mann"인 *남성*명사들 중 많은 수는 복수형이 "*-leute*"임. (즉, "-männer" 아님!):
der Kaufmann 상인 (die Kauf*leute*)
der Landsmann 같은 국가 출신 사람, 동포 (die Lands*leute*)

정답 Ist die Feuerwehr schon gerufen worden?

✺ **해석** 소방대가 벌써 호출되었니?

✺ **어휘** werden [1] [조동사] 수동 형식 「*werden* ... pp」에 사용됨. ; [2] [자동사] (동사 sein처럼 형용사, 명사 보어와 함께) ...되다 (3 기본형: werden - wurde - worden, geworden ※werden의 완료형은 「sein ... *pp*」 : ① *수동문*의 werden일 때: 「sein ... pp *worden*」 ; ② *일반 동사* werden일 때: 「sein ... *geworden*」) (현재 시제: du wirst ; er wird)

☞ 주어진 능동문 "*Hat* man ... *gerufen*?"은 *현재완료* 시제이므로
이와 동일하게 *현재완료* 시제 수동문 「sein ... pp *worden*」이어야 함:

① 능동문의 *4격 목적어* die Feuerwehr는 수동문의 *주어* die Feuerwehr가 되며,
타동사 rufen의 pp형은 *gerufen*임.
따라서: Ist *die Feuerwehr* ... gerufen worden.

② 능동문의 *주어* man은 수동문의 *실질적 행위자*로서
원칙적으로 「*von* + man」 형태이어야 하지만 ***생략됨***.
man은 특정인이 아니라 막연히 '사람들'을 뜻하므로
실질적인 행위자로서 '...에 의해서'라고 명시적으로 표현하는 것은 의미 없음!

→ ①, ②를 종합하여 정답은: Ist die Feuerwehr schon gerufen worden?

3. Ich weiß nicht, wann man den Kölner Dom erbaute.

✺ **해석** 나는 (사람들이) 언제 쾰른 대성당을 세웠는지를 알지 못한다.

✺ **어휘** weiß (동사 wissen의 *현재* 시제: 주어가 *ich* 혹은 *er, sie, es*일 때) ⇒ wissen [타동사] ...을 알다 (*현재* 시제, *주어가 단수일 때 불규칙* 변화: ich weiß ; du weiß*t* ; er weiß ; wir wiss*en* ; ihr wiss*t* ; sie, Sie wiss*en*) (3 기본형: wissen - wusste - gewusst) ▌wann [의문사] 언제? ▌man [부정대명사] 사람들은 (항상 *주어*이며, 3인칭 단수 *er*처럼 취급!) ▌der Kölner Dom 쾰른 대성당 <참고> 「도시 명 *-er*」 (2격 형) '...의' : Köln*er* ... '쾰른*의* ...' ; Frankfurt*er* ... '프랑크푸르트*의* ...' ▌der Dom (큰 규모의) 교회 (die Dom*e*) ▌erbauen [타동사] (대규모 건축물을) 세우다, 건축하다 (3 기본형: *er*bau*en* - *er*bau*te* - *er*bau*t*) ⇐ bauen [타동사] ...을 짓다, 세우다 (영. build) (3 기본형: bau*en* - bau*te* - *ge*bau*t*)

► ... , wann *man* ... *erbaute* .
의문사 wann-부문장 전체는 앞의 동사 weiß의 ***4격 목적어***임.
(부문장이므로 ***후치***되어 동사 erbaute가 맨 뒤에 옴.)

정답 Ich weiß nicht, wann der Kölner Dom erbaut wurde .

✺ **해석** 나는 언제 쾰른 대성당이 건축되었는지를 알지 못한다.

✺ **어휘** werden [1] [조동사] 수동 형식 「*werden* ... pp」에 사용됨. ; [2] [자동사] (동사 sein처럼 형용사, 명사 보어와 함께) ...되다 (3 기본형: werden - wurde - worden, geworden ※werden의 완료형은 「sein ... *pp*」 : ① *수동문*의 werden일 때: 「sein ... pp worden 」 ; ② *일반 동사* werden일 때: 「sein ... geworden 」) (현재 시제: du wirst ; er wird)

☞ wann-부문장 안의 후치된 능동문 "man ... erbau*te*"는 *과거* 시제이므로
이와 동일하게 *과거* 시제 수동문 「wurde ... pp 」이어야 함:

① 능동문의 *4격 목적어* den Kölner Dom은 수동문의 *주어* der Kölner Dom이 되며,
타동사 *er*bauen의 pp형은 *er*bau*t*임.
따라서: ... , wann *der Kölner Dom* ... erbaut wurde .
의문사 wann-부문장 안이므로
수동문 「wurde ... erbaut」가 후치됨.

② 능동문의 *주어* man은 수동문의 *실질적 행위자*로서
원칙적으로 「*von* + man」 형태이어야 하지만 생략됨 .
man은 특정인이 아니라 막연히 '사람들'을 뜻하므로
실질적인 행위자로서 '...에 의해서'라고 명시적으로 표현하는 것은 의미 없음!

→ ①, ②를 종합하여 정답은: Ich weiß nicht , wann der Kölner Dom erbaut wurde.

4. Das Radio funktioniert nicht mehr. Kann man es überhaupt noch reparieren?

✺ **해석** 라디오가 더 이상 작동하지 않는다. 아직 그것을 수리할 수 있기는 할지?

✺ **어휘** das Radio 라디오 (die Radio*s*) ▌ funktionieren [자동사] (기계 등이) 작동하다 (3 기본형: funktionier*en* - funktionier*te* - funktionier*t*) ▌「... nicht mehr」 '더 이상 ... 않다' ▌「Kann ... reparieren? 」 (화법조동사 können의 *현재* 시제) ⇒ 「können ... 동사 원형」 ...할 수 있다 (현재 시제: ich kann ; du kann*st* ; er kann ; wir könn*en* ; ...) (3 기본형: können - konnte - gekonnt, können) ▌ es [인칭대명사] es의 *4격* 형임. (3격 형은 *ihm*) ▌ überhaupt [부사어] 의문문에 사용되어 결과에 대한 의심을 표현함 ("...이기는 할지?") ▌ reparieren [타동사] ...을 수리하다, 수선하다 (3 기본형: reparier*en* - reparier*te* - reparier*t*)

문장 2

► es는 앞 문장의 중성명사 Radio를 받으며, 동사 reparieren의 4격 목적어임.

정답 Das Radio funktioniert nicht mehr. Kann es überhaupt noch repariert werden?

✺ **해석** 라디오가 더 이상 작동하지 않는다. 아직 그것이 수리될 수 있을지?

✵ **어휘** werden [1] [조동사] 수동 형식「*werden* ... pp」에 사용됨. ; [2] [자동사] (동사 sein처럼 형용사, 명사 보어와 함께) ...되다 (3 기본형: werden - wurde - worden, geworden ※werden의 완료형은「sein ... *pp*」: ① *수동문*의 werden일 때:「sein ... pp *worden*」; ② *일반 동사* werden일 때:「sein ... *geworden*」) (현재 시제: du wirst ; er wird)

문장 2

☞ 주어진 능동문 "*Kann* man ... reparieren?"은 화법조동사 Kann, 즉 können과 결합하므로 이와 동일하게 화법조동사 können과 결합한 수동문「können ... pp *werden*」이어야 함:

① 능동문의 *4격 목적어* es는 수동문의 *주어* es 가 되며,
es는 ***1격*** 및 ***4격*** 형이 동일함!

타동사 reparieren의 pp형은 reparier*t*임.
따라서: Kann *es* ... repariert werden?

② 능동문의 *주어* man은 수동문의 *실질적 행위자*로서 원칙적으로「*von* + man」 형태이어야 하지만 ***생략됨.***
man은 특정인이 아니라 막연히 '사람들'을 뜻하므로
실질적인 행위자로서 '...에 의해서'라고 명시적으로 표현하는 것은 의미 없음!

→ ①, ②를 종합하여 정답은: Kann es überhaupt noch repariert werden?

5. Das sind wichtige Informationen. Man muss sie unbedingt noch mitteilen.

✵ **해석** 이것은 중요한 정보들이다. 우리는 이것들을 반드시 알려야만 해.

✵ **어휘**「Das sind + *복수* 1격」'이것들은 ...이다' ▌wichtig [형용사] 중요한 ▌die Information 정보 (die Information*en*) <참고>「informieren + 4격(사람) + über + 4격」 *누구*에게 ...에 관해 정보를 주다 ;「informieren sich[4] über + 4격」...에 관해 정보를 얻다 ▌man [부정대명사] 사람들은 (항상 *주어*이며, 3인칭 단수 *er*처럼 취급!) ▌「muss ... mitteilen」(화법조동사 müssen의 *현재* 시제) ⇒「müssen ... 동사 원형」...해야 한다 (현재 시제: ich muss ; du muss*t* ; er muss ; wir müss*en* ; ...) (3 기본형: müssen - musste - gemusst, müssen) ▌sie [인칭대명사] 여성의 sie('그녀는')의 *4격* 형임. (3격 형은 *ihr*) ▌unbedingt [부사어] 절대적으로, 무조건 <참고> die Bedingung 조건 (die Bedingung*en*) ▌noch [부사어] 아직, 여전히 ▌*mit*teilen [분리동사&타동사] ...을 알리다 (3 기본형: *mit*teil*en* - *mit*teil*te* - *mitge*teil*t*) ⇐ teilen [타동사] ...을 나누다, 함께 하다 (영. share) (3 기본형: teil*en* - teil*te* - *ge*teil*t*)

문장 1

► 「wichtig*e* Information*en*」:
명사 Information*en*은 *복수*이며, 동사 sind의 *주격* 보어이므로 *복수 1격!!*
따라서 형용사 wichtig는 *복수 1격* 정관사 di*e*처럼 어미변화 하여 wichtig*e*임.
형용사 앞에 관사, 소유대명사 ... 등이 없을 경우,
형용사 자체가 정관사 d- 어미변화 함!

문장 2

► sie는 복수의 sie('그것들')의 4격 형임:
앞 문장의 *복수*명사 Informationen을 받으며, 뒤에 오는 분리동사 *mit*teilen의 *4격* 목적어임.

정답 Das sind wichtige Informationen. Sie müssen unbedingt noch mitgeteilt werden.

✺ **해석** 이것은 중요한 정보들이다. 이것들은 반드시 전달되어야만 해.

✺ **어휘** werden [1] [조동사] 수동 형식 「*werden* ... pp」에 사용됨. ; [2] [자동사] (동사 sein처럼 형용사, 명사 보어와 함께) ...되다 (3 기본형: werden - wurde - worden, geworden ※werden의 완료형은 「sein ... *pp*」: ① *수동문*의 werden일 때: 「sein ... pp *worden*」; ② *일반 동사* werden일 때: 「sein ... *geworden*」) (현재 시제: du wirst ; er wird)

문장 2

☞ 주어진 능동문 "Man *muss* ... mitteilen?"은 화법조동사 muss, 즉 müssen과 결합하므로 이와 동일하게 화법조동사 müssen과 결합한 수동문 「müssen ... pp *werden*」이어야 함:

① 능동문의 *4격 목적어* sie는 수동문의 *주어* sie 가 되며,
복수 인칭대명사 sie는 ***1격*** 및 ***4격*** 형이 동일함!

타동사 *mit*teilen의 pp형은 *mitge*teil*t*임.

따라서: Sie müssen ... mitgeteilt werden.

② 능동문의 *주어* man은 수동문의 *실질적 행위자*로서
원칙적으로 「*von* + man」 형태이어야 하지만 ***생략됨***.
man은 특정인이 아니라 막연히 '사람들'을 뜻하므로
실질적인 행위자로서 '...에 의해서'라고 명시적으로 표현하는 것은 의미 없음!

→ ①, ②를 종합하여 정답은: Sie müssen unbedingt noch mitgeteilt werden.

6. Wir hoffen, dass uns die Firma einen Techniker schickt.

✺ **해석** 우리는 그 회사가 우리에게 기술자 한 명을 파견해 주기를 희망한다.

✺ **어휘** hoffen [타동사] ...을 희망하다 (3 기본형: hoff*en* - hoff*te* - *ge*hoff*t*) → die Hoffnung 희망 (die Hoffnung*en*) ▌ dass [종속접속사] ...라는 사실, ...라는 점 (뒤에 오는 부문장은 *후치* 됨: ... , dass ... *die Firma* ... schickt) ▌ 「hoffen , dass ...」 '...이기를 희망하다' ▌ uns [인칭대명사] wir의 *3격* 형임. (4격 형 역시 *uns*) ▌ die Firma 회사 (die Firm*en*) ▌ der Techniker (특히 기계 및 전기공학 분야의) 기술자 (die Techniker) ▌ 「schicken + 3격(사람) + 4격」 [타동사] *누구*에게 ...을 보내다 (3 기본형: schick*en* - schick*te* - *ge*schick*t*)

► ... , dass *uns* die Firma einen Techniker schickt :
dass-부문장 안의 어순: uns는 인칭*대명사*이므로 주어인 die Firma보다 앞에 위치함!

정답 Wir hoffen, dass uns ein Techniker von der Firma geschickt wird.

✸ **해석** 우리는 그 회사에 의해 우리에게 기술자 한 명이 파견되기를 희망한다.

✸ **어휘** werden [1] [조동사] 수동 형식 「*werden* ... pp」에 사용됨. ; [2] [자동사] (동사 sein처럼 형용사, 명사 보어와 함께) ...되다 (현재 시제: du wirst ; er wird) (3 기본형: werden - wurde - worden, geworden ※werden의 완료형은 「sein ... *pp*」: ① *수동문*의 werden일 때: 「sein ... pp *worden* 」; ② *일반 동사* werden일 때: 「sein ... *geworden* 」)

☞ dass-부문장 안의 후치된 능동문 “die Firma ... schick*t*”는 *현재* 시제이므로 이와 동일하게 *현재* 시제 수동문 「werden ... pp」이어야 함:

① 능동문의 *4격 목적어* einen Techniker는 수동문의 *주어* ein Techniker가 되며, 타동사 schicken의 pp형은 *ge*schick*t*임.

따라서: ... , dass *ein Techniker* ... geschickt wird .

dass-부문장 안이므로
수동문 「wird ... geschickt」가 후치됨.

② 능동문의 *주어* die Firma는 수동문의 *실질적 행위자*임.

따라서: ... *von* der Firma ....

→ ①, ②를 종합하여 정답은:

Wir hoffen, dass uns ein Techniker von der Firma geschickt wird.

II. werden과 sein 가운데 알맞은 것을 사용하시오. (24과, 심화문제: 교재 142쪽)

1. Im Ersten Weltkrieg wurde die Stadt ganz zerstört.

✸ **해석** 제 1차 세계대전 중에 그 도시는 완전히 파괴되었다.

✸ **어휘** 「im + 남성 · 중성 3격」 (시간적) ~에서, ~일 때 : im Ersten Weltkrieg ‘제 1차 세계대전 *때*’ ▌der Erste Weltkrieg 제 1차 세계대전 (고유명사 취급하여 “Erst”를 *대문자* 표기함!) ▌erst- [서수] 제 2의, 둘째의 ▌der Weltkrieg 세계대전 → die Welt (주로 단수) 세계 (die Welt*en*) + der Krieg 전쟁 (die Krieg*e*) ▌die Stadt 도시, 시 (die St*ä*dt*e*) ▌ganz [부사어] 완전히 (= völlig) ▌zerstört (동사 zerstören의 *pp형*) ⇒ zerstören [타동사] ...을 파괴하다 (3 기본형: *zer*stör*en* - *zer*stör*te* - *zer*stör*t*) ⇐ stören [타동사] ...을 방해하다 (3 기본형: stör*en* - stör*te* - *ge*stör*t*)

<참고>

접두어 *zer-*는 ‘산산조각 냄’을 뜻함:

brechen [타동사] ...을 부수다, 깨뜨리다 → *zer*brechen [타동사] ...을 산산조각 나게 부수다

beißen [타동사] ...을 깨물다 → *zer*beißen [타동사] ...을 깨물어 산산조각 내다

☞ 내용상 “제 1차 세계대전 중에 그 도시는 완전히 파괴*되었다*”가 옳음.

즉, ‘*동작*’ 수동, *과거* 시제 「wurde ... pp」 (‘...*되었다*’)이어야 함.

→ 따라서 정답은: ... wurde *die Stadt* ... zerstört.

동사 werden의 ***과거*** 시제임:
주어가 die Stadt, 즉 여성의 sie이므로 ***과거형 wurde***는 어미 없이 그대로 ***wurde***_임.

2. Morgen reist mein Bruder für zwei Tage nach Paris; sein Koffer __ist__ schon gepackt. Meine Mutter musste ihm dabei helfen.

✱ 해석 내일 내 남동생은 이틀 동안 파리로 여행한다. 그의 짐은 이미 꾸려진 상태이다. 나의 어머니는 그가 그 짐을 꾸리는 데에 도와야만 했다.

✱ 어휘 morgen [부사어] 내일 ▌reisen [자동사] 여행하다 (3 기본형: reis*en* - reis*te* - *ge*reis*t* ; '*장소 이동*' 자동사 → 완료형「*sein* ... *ge*reist」) ▌der Bruder 남자 형제 (die Brüder) ▌für [*4격* 전치사] (기간) ~동안 : für zwei Tage 이틀 동안 ▌zwei 2 ▌der Tag 날, 일 (die Tag*e*) ▌「nach + 도시」 (방향) ~로 : nach Paris 파리로 ▌Paris [*고유*명사] (프랑스 수도) 파리 ▌der Koffer (여행용) 큰 가방 (die Koffer) ▌*ge*pack*t* (동사 packen의 *pp형*) ⇒ packen [타동사] (짐, 가방 등을) 싸다, 꾸리다 (3 기본형: pack*en* - pack*te* - *ge*pack*t*) → das Gepäck 소포, 작은 짐 (die Gepäck*e*) ; die Packung 포장된 물건 (die Packung*en*) ▌die Mutter 어머니 (die Mütter) ▌「__musste__ ... helfen」 (화법조동사 müssen의 *과거* 시제: 주어가 *ich* 혹은 *er*, *sie*, *es*일 때) ⇒ 「müssen ... 동사 원형」 ...해야 한다 (3 기본형: müssen - musste - gemusst, müssen) (현재 시제: ich __muss__ ; du __muss*t*__ ; er __muss__ ; wir müss*en* ; ...) ▌helfen [자동사] : 「helfen + 3격(사람) + bei + 3격」 (*3격* 요구 동사) ~~누구~~를 ...할 때 돕다 (현재 시제: du h__i__lf*st* ; er h__i__lf*t*) (3 기본형: helfen - half - geholfen) ▌ihm [인칭대명사] er의 *3격* 형임. (4격 형은 *ihn*) ▌dabei → 전치사 bei + 지시대명사 das

문장 1

☞ 내용상 "짐이 이미 꾸려*져 있다*", 즉 "꾸려진 *상태이다*"이어야 옳음.
즉, '*상태*' 수동, *현재* 시제 「sein ... pp」 ('...*되어 있다*' 혹은 '...*된 상태이다*')가 와야 함.
→ 따라서 정답은: ... *sein Koffer* __ist__ ... gepackt.
동사 sein의 ***현재*** 시제임:
주어가 sein Koffer, 즉 er이므로 sein의 형태는 ***ist***임.

문장 2

► Meine Mutter musste ihm __dabei__ helfen.
dabei '그것 할 때' = ***bei*** '...할 때' + ***das*** '그것'
1. 전치사 ***bei***는 동사 형식 「helfen + 3격 + ***bei*** ...」 ('누가 ...***할 때*** 돕다')에 근거함!
2. 지시대명사 ***das***는 앞 문장 "sein Koffer ... gepackt"의 내용, 즉 "짐을 꾸리는 것"을 받음.

3. Hast du dich erkältet? - Ja, ich __bin__ erkältet.

✱ 해석 너 감기 들었니? 응, 나는 감기 든 상태야.

✱ 어휘 「Hast ... erkältet? 」 (동사 erkälten의 *현재완료* 시제) ▌*er*kälte*t* (동사 erkälten의 *pp형*) ⇒ erkälten sich[4] [4격 재귀동사] 감기 들다 (3 기본형: *er*kält*en* - *er*kält*ete* - *er*kält*et*) → die Erkältung 감기 (die Erkältung*en*) ▌dich [4격 재귀대명사] 주어가 du이므로 4격 재귀대명사는 *dich* (3격 재귀대명사는 *dir*) ▌erkältet [과거분사, 즉 '*수동*의 형용사] 감기든

문장 1

☞ 내용상 "응, 나는 감기 *걸린 상태야*"이어야 옳음.

즉, '*상태*' 수동, *현재* 시제 「sein ... pp」 ('...*되어 있다*' 혹은 '...*된 상태이다*')가 와야 함.

→ 따라서 정답은: Ja, *ich* bin ... gepackt.
동사 sein의 ***현재*** 시제임:
주어가 ich이므로 sein의 형태는 ***bin***임.

<주의>
'동작' 수동, 현재 시제 「werden ... pp」('...*된다*')가 오면 '미래에 일어날 일'로서 *비논리적*임:
Hast du dich erkältet? - Ja, ich werde erkältet. (*틀린* 경우임!)
'너 감기 들었니?' '응, 나는 *감기 들게 돼*.'

4. Sieh mal, da werden gerade viele neue Gebäude gebaut.

✵ **해석** 한번 봐, 저기 새 건물들이 많이 세워지고 있어.

✵ **어휘** 「Sieh ...!」 (du-명령문) ⇒ sehen [타동사] ..을 보다 (현재 시제: du s*ie*h*st* ; er s*ie*h*t*) (3 기본형: sehen - sah - gesehen) ▌mal [부사어] 명령문에서 요구 내용을 정중히 표현함. ▌da [부사어] 저기 (= dort) ▌gerade [부사어] 막, 방금 (영. just) (= eben) (*현재* 시제 문장에서 부사어 gerade가 있을 경우 "*지금 ...하고 있는 중이다*"로 해석!) ▌「viel*e* + *복수*명사」 '많은 ...들' (영. many) ▌neu [형용사] 새, 새로운 (3 비교형: neu - neu*er* - neu*est*- 혹은 neu*st*-) ▌das Gebäude 집, 건물 (die Gebäude) ▌*ge*bau*t* (동사 bauen의 *pp형*) ⇒ bauen [타동사] ...을 세우다, 건축하다 (3 기본형: bau*en* - bau*te* - *ge*bau*t*)

☞ 내용상 "... 저기 새 건물들이 많이 *세워지는* 중이야"이어야 옳음.
즉, '*동작*' 수동, *현재* 시제 「werden ... pp」 ('...*되다*')가 와야 함.
→ 따라서 정답은: ... da werden ... *viele neue Gebäude* gebaut.
동사 werden의 ***현재*** 시제임:
주어가 viele neue Gebäude, 즉 복수의 sie이므로 werden은 원형 형태 werd*en*임.

<주의>
부사어 gerade가 있을 경우 "지금 ...*하는 중이다*"로서 현재 한창 진행되는 '동작'을 나타냄.
따라서 '상태' 수동 「sein ... pp」이 올 경우 *부자연*스러움.

► 「viele + 형용사 -(*e*)*n* + *복수*명사」:
"viel*e* neu*e* Gebäude" 혹은 "viel*e* neu*en* Gebäude"

5. Wenn man einen Brief bekommt, der in einer Fremdsprache geschrieben ist, die man nicht versteht, lässt man ihn übersetzen.

✵ **해석** 사람들은 자신이 이해하지 못하는 외국어로 작성된 편지를 받을 경우, 그것이 번역되도록 한다. (= ... 그것을 번역시킨다.)

✵ **어휘** wenn [종속접속사] 만약 ...일 경우 (영. if, when) (뒤에 오는 부문장은 *후치*됨: Wenn *man* ... bekommt , ...) ▌man [부정대명사] 사람들은 (항상 *주어*이며, 단수 3인칭 *er*처럼 취급!) ▌der Brief 편지 (die Brief*e*) ▌bekommen [타동사] ...을 받다, 얻다 (3 기본형: *be*kommen - *be*kam - *be*kommen) ⇐ kommen [자동사] 오다 (3 기본형: kommen - kam - gekommen ; '*장소 이동*' 자동사 → 완료형 「*sein* ... gekommen」) ▌「in + 3격」 (방법, 방식) : in einer Fremdsprache 외국어로 ▌die Fremdsprache 외국어 (die Fremdsprache*n*) →

fremd [형용사] 낯선 + die Sprache 언어, 말 (die Sprache*n*) ▌geschrieben (동사 schreiben의 *pp형*) ⇒ schreiben [타동사] ...을 쓰다 (영. write) (3 기본형: schreiben - schrieb - geschrieben) ▌verstehen [타동사] ...을 이해하다 (3 기본형: *ver*stehen - *ver*stand - *ver*standen) ⇐ stehen [자동사] 서 있다 (3 기본형: stehen - stand - gestanden) ▌「lässt ... übersetzen」 (동사 lassen의 *현재* 시제: 주어가 *du* 혹은 *er*, *sie*, *es*일 때) ⇒ 「lassen + 4격 ... *타동사* 원형」 '*4격*이 ...*되도록* 하다', 즉 '*4격*을 ...하게 *시킨다*' (영. let) (현재 시제: du lässt ; er läss*t*) (3 기본형: lassen - ließ - gelassen, lassen ※완료형은 「haben ... *pp*」: ① 동사 원형 *없을* 때: 「haben ... *gelassen*」; ② 동사 원형 *있을* 때: 「haben ... *동사 원형* lassen」) ▌ihn [인칭대명사] er의 *4격* 형임. (3격 형은 *ihm*) ▌übersetzen [타동사] ...을 번역하다 (3 기본형: *über*setz*en* - *über*setz*te* - *über*setz*t*) ⇐ setzen [타동사] ...을 앉히다, 놓다 (3 기본형: setz*en* - setz*te* - *ge*setz*t*) <참고> die Übersetzung 번역, 번역물 (die Übersetzung*en*) ; dolmetschen [타동사] ...을 통역하다 → der Dolmetscher 통역사 (die Dolmetscher)

► ... einen *Brief* ... , der ... geschrieben ist , ...
앞에 나온 ***남성***명사 Brief를 받으며,
뒤에 오는 관계대명사 부문장 안의 동사 ist의 ***주어***이므로
남성 1격 관계대명사 ***der***가 옴.

► ... in einer *Fremdsprache* ... , die man ... versteht , ...
앞에 나온 ***여성***명사 Fremdsprache를 받으며,
뒤에 오는 관계대명사 부문장 안의 동사 versteht의 ***4격*** 목적어이므로
여성 4격 관계대명사 ***die***가 옴.

► Wenn ... bekommt , der ... *geschrieben ist* , die man ... versteht , ...
wenn-부문장 → ***후치***됨! ***관계대명사*** 부문장 → ***후치***됨! ***관계대명사*** 부문장 → ***후치***됨!

☞ 내용상 "한 외국어로 *작성된* 편지"이어야 옳음.
즉, '*상태*' 수동, *현재* 시제 「sein ... pp」 ('...*되어 있다*' 혹은 '...*된 상태이다*')가 와야 함.
→ 따라서 정답은: ... , *der* ... geschrieben ist , ...
동사 sein의 ***현재*** 시제임:
주어가 남성 1격 관계대명사 der이므로 sein의 형태는 ***ist***임.

<주의>
'동작' 수동, 현재 시제 「werden ... pp」 ('...*된다*')가 오면
"한 외국어로 *작성되는* 편지"라는 내용이 되어 문맥상 맞지 않음.

► Wenn *man* ... bekommt , der ... ist , die ... versteht , lässt man ihn übersetzen.
앞에 나온 man을 뒤에서 받을 경우
man을 사용함. (즉, er로 받지 않음!)

► ... , lässt man ihn übersetzen. '사람들은 그것(= 편지)이 *번역되도록* 한다'
앞에 나온 ***남성***명사 ***Brief***를 받음.
뒤의 동사 원형 übersetzen('...을 번역하다')의 ***수동***적 객체임.

<참고>
동사 *lassen*의 용법:
① 「lassen + 4격 ... 동사 원형(= 타동사)」 '*4격*이 ...*되도록* 하다'
Die Mutter lässt ihren Sohn *operieren*. '어머니는 아들이 *수술되도록* 한다.'
뒤의 동사 원형 operieren('...을 수술하다')의
수동적 객체임.

② 「lassen + 4격 ... 동사 원형」 '4격이 ...하도록 하다'
Die Mutter lässt ihren Sohn *einkaufen*. '어머니는 아들이 *쇼핑하도록* 한다.'
뒤의 동사 원형 einkaufen('쇼핑하다')의 **능동**적 주체임.

6. Unser Haus wurde gestern für 50 000 Euro verkauft.

✳ **해석** 우리 짐은 50,000 유로에 팔렸다.

✳ **어휘** das Haus 집 (die Häus*er*) ▌gestern [부사어] 어제 ▌「für + 가격」: für 50.000 Euro '5만 유로에' ▌der Euro (화폐 단위) 유로 (die Euro) ▌verkaufen [타동사] ...을 팔다 (3 기본형: *ver*kauf*en* - *ver*kauf*te* - *ver*kauf*t*) ⇐ kaufen [타동사] ...을 사다 (3 기본형: kauf*en* - kauf*te* - *ge*kauf*t*) <참고> der Verkäufer 판매인, 점원 (die Verkäufer) ↔ der Käufer 고객 (die Käufer)

☞ 내용상 "우리 집이 어제 5만 유로 가격에 *팔렸다*"가 옳음.
즉, '*동작*' 수동, *과거* 시제 「wurde ... pp」 ('...*되었다*')이어야 함.
→ 따라서 정답은: *Unser Haus* wurde ... verkauft.
동사 werden의 ***과거*** 시제임:
주어가 Unser Haus, 즉 es이므로 **과거형** ***wurde***는 어미 없이 그대로 ***wurde***_임.

III. 괄호 안의 낱말(들)을 활용하여 문장을 완성하시오. (24과, 심화문제: 교재 142쪽)

1. Die Verletzten müssen im Krankenhaus noch gründlicher untersucht werden.

✳ **해석** 부상자들은 병원에서 더욱 더 철저하게 검진되어야만 한다.

✳ **어휘** Verletzt- 부상자 (형용사의 명사화!) ← verletzt [과거분사, 즉 '*수동*의 형용사] 부상당한 ← verletzen [타동사] ...을 상처 입히다 ; 「verletzen sich[4]」 [4격 재귀동사] 부상당하다 ▌「müssen ... 동사 원형」 [화법조동사] ...해야 한다 (현재 시제: ich muss ; du muss*t* ; er muss ; wir müss*en* ; ...) (3 기본형: müssen - musste - gemusst, müssen) ▌「noch + 비교급 (als A)」 '(비교 대상 A도 매우 ...한데, 이러한) A*보다도* 더 ...한' : noch gründlicher (지금도 이미 철저하지만) '이*보다도* 한층 철저하게' ▌gründlich [형용사] 철저한, (부사적) 철저하게 ▌untersuchen [타동사] ...을 조사하다, 진찰하다 (3 기본형: *unter*such*en* - *unter*such*te* - *unter*such*t*) ⇐ suchen [타동사] ...을 구하다, 찾다 (영. seek) (3 기본형: such*en* - such*te* - *ge*such*t*)

► 과거분사 형용사 verletzt('부상당한')가 *복수*명사화 하여 '부상당한 *사람들*', 즉 '*부상자들*'이 됨:
「Di*e* Verletzt*en*」 '그 부상자들' :

- *복수*명사화 하며, *주어*이므로 *복수 1격* 정관사 Di*e*가 앞에 옴.
- 과거분사 형용사 *V*erletzt- 앞에 *복수 1격* Die가 있음.
형용사가 명사화 할 때 앞 철자는 ***대문자 표기***!

→ 따라서 Di*e* Verletzt*en*임.
(복수 1, 4격 di*e*, dies*e*, all*e* ... + 형용사 *-en*)

<참고>
타동사의 *과거분사*(= pp형)은 '*수동*' 의미의 *형용사*임!
즉: 타동사 verletzten '...을 *다치게 하다*' → 과거분사 verletzt '다쳐진', 즉 '*부상당한*'

☞ 괄호 안에 주어진 동사 untersuchen은 타동사로서 '...을 진찰하다'라는 의미임.
주어인 Die Verletzten('그 *부상자들*')은 "진찰*하는*" 주체가 아니라 "진찰*되는*" 대상이므로
untersuchen은 *수동문* 형식 「werden ... pp」이어야 함.
→ 따라서 정답은 :
Die Verletzten müssen ... untersucht werden .
동사 untersuchen의 *수동문* 형식 「werden ... *unter*such*t*」가
화법조동사 müssen과 결합하므로 동사 werden이 *문장 맨 뒤에 원형으로* 옴!
→ 따라서: Die Versletzten *müssen* ... *untersucht* werden.

2. Hast du das auch schon gehört? Die Firma soll von einer anderen Firma übernommen werden.

✹ **해석** 너도 이미 그것을 들었니? 이 회사가 다른 회사에 의해 인수된다고들 해.

✹ **어휘** 「Hast ... gehört?」 (동사 hören의 *현재완료* 시제) ▌Hast (동사 haben의 *현재* 시제: 주어가 *du*일 때) ⇒ haben [조동사] 완료형에 사용됨. (3 기본형: haben - hatte - gehabt) ▌das [지시대명사] 그것 ▌ge*hört* (동사 hören의 *pp형*) ⇒ hören [타동사] ...을 듣다 (3 기본형: hör*en* - hör*te* - *ge*hör*t*) ▌die Firma 회사 (die Firm*en*) ▌soll (화법조동사 sollen의 *현재* 시제: 주어가 *ich* 혹은 *er*, *sie*, *es*일 때) ⇒ 「sollen ... 동사 원형」 [화법조동사] (소문) '...라고들 말한다' (현재 시제: ich soll ; du soll*st* ; er soll ; wir soll*en* ; ...) (3 기본형: sollen - sollte - gesollt , sollen) ▌von [*3격* 전치사] ~에 의해서 (수동문에서 실제의 행위자를 나타냄! 영. by) ▌ander- [형용사] 다른 ... (뒤에 오는 명사를 *수식*하는 용법만 있음!) <참고> 동사 sein, werden 등의 *형용사 보어* 혹은 *부사어*일 경우 형태는: *anders* ▌übernehmen [타동사] ...을 넘겨받다 (영. take over) (3 기본형: *über*nehmen - *über*nahm - *über*nommen) (현재 시제: du *über*n*i*mm*st* ; er *über*n*i*mm*t*) ⇐ nehmen [타동사] ...을 취하다 (영. take) (3 기본형: nehmen - nahm - genommen)

문장 1

► 지시대명사 das('그것')는 *뒤에 오는 문장의 내용*을 앞서서 지칭함.

문장 2

► 화법조동사 sollen의 용법:
① 소문: '...라고들 말한다'
Die Firma *soll* von einer anderen Firma übernommen werden.
= ***Man sagt, dass*** die Firma ... übernommen wird.
해석: '이 회사는 다른 한 회사에 의해 넘겨받게 *된다고들 말한다*'

② 주어가 아닌 제 3자의 의지 및 바램: (누군가 특정인이 그것을 원하므로!) '...해야 한다'

Mein Vater hat Durst. Ich *soll* ihm ein Glas Wasser bringen .
= ***Er möchte, dass*** ich ihm ein Glas Wasser bringe.

해석: '나의 아버지는 갈증이 나신다. (그가 ***원하므로*** 혹은 ***부탁했으므로***) 나는 그에게 물 한잔을 *가져다주어야 한다.*'

☞ 괄호 안에 주어진 동사 übernehmen은 타동사로서 '...을 넘겨받다'라는 의미임.
수동문의 '실질적 행위자'를 나타내는 표현 "von einer anderen Firma('다른 회사*에 의해*)"가 있는 점을 고려할 때 übernehmen은 *수동문* 형식 「werden ... pp」 이어야 함.
→ 따라서 정답은 :

Die Firma soll ... übernommen werden .
동사 übernehmen의 ***수동문*** 형식 「**werden** ... *uber***nommen**」이
화법조동사 soll과 결합하므로 동사 **werden**이 ***문장 맨 뒤에 원형으로*** 옴!
→ 따라서: Die Firma *soll* ... *übernommen* **werden**.

► 「von ein*er* ander*en* Firma」'다른 한 회사*에 의해*' (수동문의 '*실질적 행위자*'!) :

- 명사 Firma는 *여성*이며, *3격* 전치사 von의 목적어이므로 *여성 3격!!*
따라서 *여성 3격 부정관사* ein*er* 가 앞에 옴.
3격 어미: 남성, 중성 ***-em*** ; 여성 ***-er*** ; 복수 ***-en***

- 형용사 ander 앞에 *여성 3격* 부정관사 ein*er*가 있음.
→ 따라서 von ein*er* ander*en* ...
(근거: *3격 어미*를 지닌 관사, 소유대명사, 지시대명사 ... 뒤에 오는 형용사는 *-en*임!)

3. Siehst du dir heute Abend auch den Krimi im Fernsehen an? - Ich kann leider nicht. Mein Fernseher wird gerade repariert .

✺ **해석** 너도 오늘 저녁 TV에서 그 범죄 수사극을 시청하니? - 나는 아쉽게도 그럴 수 없어. 나의 텔레비전은 지금 수리되고 있는 중이야.

✺ **어휘** 「Siehst ... an?」 (분리동사 *an*sehen의 *현재* 시제: 주어가 *du*일 때) ⇒ *an*sehen [분리동사&3격 재귀동사] : 「sehen sich[3] + 4격 ... *an*」 '...을 관람하다, 시청하다' (현재 시제: du sieh*st* dir ... *an* ; er sieh*t* sich ... *an*) (3 기본형: *an*sehen - *an*sah - *an*gesehen) ⇐ sehen [타동사] ...을 보다 (영. see) (현재 시제: du sieh*st* ; er sieh*t*) (3 기본형: sehen - sah - gesehen) ▌heute [부사어] 오늘 ▌der Abend 저녁 (die Abend*e*) ▌heute Abend 오늘 저녁 ▌der Krimi (구어체) 범죄 수사극 (die Krimi*s*) (= Kriminalfilm, Kriminalroman, Kriminalgeschichte) ▌im Fernsehen 텔레비전에서 ← das Fernsehen (방송으로서) 텔레비전 (복수 없음) ▌kann (화법조동사 können의 *현재* 시제) ⇒ 「können ... 동사 원형」 [화법조동사] ...할 수 있다 (현재 시제: ich kann ; du kann*st* ; er kann ; wir könn*en* ; ...) (3 기본형: können - konnte - gekonnt, können) ▌der Fernseher (구어체) (기계로서) 텔레비전 (die Fernseher) = der Fersehapparat, das Fernsehgerät ▌gerade [부사어] 막, 방금 (*현재* 시제에 사용될 경우 "*... 하는 중이다*"로 해석) ▌reparieren [타동사] ...을 수리하다 (3 기본형: reparier*en* - reparier*te* - reparier*t*) → die Reparatur 수선, 수리 (die Reparatur*en*)

문장 3

☞ 괄호 안에 주어진 동사 reparieren은 타동사로서 '...을 수리하다'라는 의미임.
주어인 Mein Fernseher('나의 *텔레비전 기계*')는 "수리*하는*" 주체가 아니라 "수리*되는*" 대상이므로 reparieren은 *수동문* 형식 「werden ... pp」이어야 함.
(부사어 gerade('막, 지금')가 함께 오므로 상태 수동 「sein ... pp」는 옳지 않음!).
→ 따라서 정답은 : Mein Fernseher wird gerade repariert .

동사 reparieren의 ***수동문*** 형식 「**werden** ... pp」임:
- 주어가 Mein Fernseher, 즉 er이므로 동사 werden의 형태는 *wird*임.
- reparieren의 pp형은 reparier*t*임.

→ 따라서: Mein Fernseher **wird** gerade *repariert*.

4. Will man dieses Buch übersetzen? - Ja, das Buch soll übersetzt werden .

✳ **해석** 사람들이 이 책을 번역하려고 합니까? - 예, 그 책은 번역된다고 해요.

✳ **어휘** 「Will ... übersetzen?」 (화법조동사 wollen의 *현재* 시제) ⇒ 「wollen ... 동사 원형」 [화법조동사] ...하려고 하다 (현재 시제: ich will ; du will*st* ; er will ; wir woll*en* ; ...) (3 기본형: wollen - wollte - gewollt, wollen) ▌man [부정대명사] 사람들은 (항상 *주어*이며, 3인칭 단수 *er* 취급!) ▌dies- [지시대명사] 이 ... (*정관사 d-* 어미변화!) ▌das Buch 책 (die Büch*er*) ▌übersetzen [타동사] ...을 번역하다 (3 기본형: *übersetzen - übersetzte - übersetzt*) ⇐ setzen [타동사] ...을 앉히다, 놓다 (영. sit, put) (3 기본형: setz*en* - setz*te* - *ge*setz*t*) ▌soll (화법조동사 sollen의 *현재* 시제) ⇒ 「sollen ... 동사 원형」 [화법조동사] (특정인의 의지 및 바램 때문에) ...해야 한다 (현재 시제: ich soll ; du soll*st* ; er soll ; wir soll*en* ; ...) (3 기본형: sollen - sollte - gesollt , sollen)

문장 2

☞ 괄호 안에 주어진 동사 übersetzen은 타동사로서 '...을 번역하다'라는 의미임.
주어인 das Buch('그 *책*')는 "번역*하는*" 주체가 아니라, "번역*되는*" 대상이므로 übersetzen은 *수동문* 형식 「werden ... pp」이어야 함.
→ 따라서 정답은 : Ja, das Buch soll übersetzt werden .

동사 übersetzen의 ***수동문*** 형식 「**werden** ... *übersetzt*」가 화법조동사 soll과 결합하므로 동사 **werden**이 ***문장 맨 뒤에 원형으로*** 옴!
→ 따라서: Ja, das Buch *soll* *übersetzt* **werden**.

► 문맥상 앞 문장의 주어인 'man의 의지 혹은 바램'에 근거한 sollen임.
('소문'의 sollen이 아님!)
즉, Ja, das Buch soll übersetzt werden. = Ja, man will, dass das Buch übersetzt wird.

5. Wann soll ich den Text korrigieren? - Der muss sofort korrigiert werden .

✳ **해석** 언제 내가 그 텍스트를 수정해 주기를 바라십니까? - 그것은 즉시 수정되어야 해요.

✳ **어휘** wann [의문사] 언제? ▌「soll ... korrigieren?」 (화법조동사 sollen의 *현재* 시제) ⇒ 「sollen ... 동사 원형」 [화법조동사] (타인의 의지 및 바램 때문에) ...해야 한다 (현재 시제: ich soll ; du soll*st* ; er soll ; wir soll*en* ; ...) (3 기본형: sollen - sollte - gesollt , sollen) ▌der Text 텍스트 (die Text*e*) ▌korrigieren [타동사] ...을 수정하다 (3 기본형: korrigier*en* - korrigier*te* - korrigier*t*) → die Korrektur 수정, 고침 (die Korrektur*en*) ▌der [지시대명사] 그것 (앞에 나온 *남성*명사를 받으며, *1격* 형임!) ▌muss (화법조동사 müssen의 *현재* 시제) ⇒ 「müssen ... 동사 원형」 [화법조동사] (강제, 의무) ...해야 한다 (현재 시제: ich muss ; du muss*t* ; er muss ; wir müss*en* ; ...) (3 기본형: müssen - musste - gemusst, müssen) ▌sofort [부사어] 곧, 즉시 (= gleich 곧, 잠시 후 ; unverzüglich 지체없이 곧바로)

문장 1

► Wann soll ich den Text korrigieren?
대화 상대자가 ***원하는 바***를 묻는 질문이므로 화법조동사 ***sollen***이 사용됨.
해석: "제가 언제 이 텍스트를 *수정**해야 하나요***?" = "제가 언제 이 텍스트를 *수정하기**를 바라시나요***?"

문장 2

► Der muss ...
정관사 *d-* 형태의 ***지시대명사***임!
앞 문장의 ***남성***명사 Text를 받으며, 화법조동사 muss의 ***주어***임.
"***Der*** Text"의 축약형으로 볼 수 있음.

☞ 괄호 안에 주어진 동사 korrigieren은 타동사로서 '...을 수정하다'라는 의미임.
주어인 Der('그것', 즉 '그 *텍스트*')는 "수정*하는*" 주체가 아니라, "수정*되는*" 대상이므로 korrigeren은 *수동문* 형식 「werden ... pp」이어야 함.
→ 따라서 정답은 : Der muss sofort korrigiert werden .
동사 korrigieren의 ***수동문*** 형식 「**werden** ... korrigier***t*** 」가
화법조동사 muss와 결합하므로 동사 **werden**이 ***문장 맨 뒤에 원형으로*** 옴!
→ 따라서: Der *muss* sofort *korrigiert* **werden**.

IV. 주어진 문장의 의미를 다른 문형을 사용하여 표현하시오. (24과, 심화문제: 교재 142쪽)

1. Das Problem kann leicht gelöst werden.

✺ **해석** 그 문제는 쉽게 해결될 수 있다.

✺ **어휘** das Problem 문제, 문제점 (die Problem*e*) ▌「kann ... gelöst werden 」(*수동문* 형식 「werden ... gelöst」가 화법조동사 *kann*과 결합함: 동사 werden이 *문장 맨 뒤에 원형*으로 옴!) ▌「kann ... werden」 (화법조동사 können의 *현재* 시제) ⇒ 「können ... 동사 원형」 ...할 수 있다 (현재 시제: ich kann ; du kann*st* ; er kann ; wir könn*en* ; ...) (3 기본형: können - konnte - gekonnt, können) ▌「... gelöst werden 」 (타동사 lösen의 *수동문* 형식임.) ▌gelös*t* (동사 lösen의 *pp형*) ⇒ lösen [타동사] ...을 풀다, 해결하다 (영. solve) (3 기본형: lös*en* - lös*te* - *ge*lös*t*) → die Lösung 해결 (die Lösung*en*) ▌leicht [형용사] 가벼운, 쉬운, (부사적) 가볍게, 쉽게 (3 비교형: leicht - leicht*er* - leicht*est-* ※최상급 leicht*st* 아님!) ↔ schwer 무거운, 어려운

정답 ① Man *kann* das Problem leicht *lösen*. '우리는 그 문제를 쉽게 해결*할 수 있다.*'

② Das Problem *ist* leicht *zu lösen*. '그 문제는 쉽게 해결*될 수 있다.*'

③ Das Problem *ist* leicht *lösbar*. '그 문제는 쉽게 해결*될 수 있다.*'

④ Das Problem *lässt sich* leicht *lösen*. '그 문제는 쉽게 해결*될 수 있다.*'

☞ Das Problem kann ... *gelöst* werden .
동사 lösen의 수동문 형식「**werden** ... **gelöst**」가 화법조동사 können과 결합함!
따라서 동사 **werden**이 ***문장 맨 뒤에 원형***으로 옴: ... **kann** ... *gelöst* **werden**

이 문장과 동일한 내용의 다른 문장 형태는:

① '일반인'을 뜻하는 주어 *man*을 사용하여 *능동문*으로 표현함:
「können ... 동사 원형」'...할 수 있다'

② 「동사 sein ... zu 동사 원형 (*타동사*)」 (수동의 가능) '...될 수 있다'

③ 「*타동사* 어간 + 형용사 어미 *-bar*」 '...될 수 있는'
타동사 lös*en* '...을 해결하다' → lös*bar* [형용사] '해결될 수 있는'

④ 「lassen sich[4] ... 동사 원형 (*타동사*)」 '...될 수 있다'

2. Das Gerät muss nach jedem Gebrauch gereinigt werden.

✺ **해석** 그 기계는 사용하고 난 뒤에는 매번 세척되어야 한다.

✺ **어휘** das Gerät 기계, 기구 (die Gerät*e*) = die Masschine (die Maschine*n*) ▌「muss ... gereinigt werden」 (*수동문* 형식 「werden ... gereinigt」가 화법조동사 *muss*와 결합함: 동사 werden이 *문장 맨 뒤에 원형*으로 옴!) ▌「muss ... werden」 (화법조동사 müssen의 *현재* 시제) ⇒ 「müssen ... 동사 원형」(강제, 의무) ...해야 한다 (현재 시제: ich muss ; du muss*t* ; er muss ; wir müss*en* ; ...) (3 기본형: müssen - musste - gemusst, müssen) ▌「... gereinigt werden」 (타동사 reinigen의 *수동문* 형식임.) ▌*ge*reinig*t* (동사 reinigen의 *pp형*) ⇒ reinigen [타동사] ...을 깨끗하게 하다, 청결하게 하다 (3 기본형: reinig*en* - reinig*te* - *ge*reinig*t*) ← rein [형용사] 깨끗한, 순수한 ▌nach [*3격* 전치사] (시간적) ~후에 ▌「jed- + *단수*명사」 [부정대명사] '매 ... , 모든 ...' (영. each, every) (jed-는 *정관사 d-* 어미변화!) <주의> jen- [지시대명사] '저 ...' (영. that) ▌der Gebrauch 사용 (복수 없음) ← gebrauchen [타동사] ...을 사용하다 (3 기본형: gebrauch*en* - gebrauch*te* - gebrauch*t*)

정답 ① Man *muss* das Gerät nach jedem Gebrauch *reinigen*.
'사람들은 사용 후 매번 그 기계를 청소*해야 한다.*'

② Man *hat* das Gerät nach jedem Gebrauch *zu reinigen*.
'사람들은 사용 후 매번 그 기계를 청소*해야 한다.*'

③ Das Gerät *ist* nach jedem Gebrauch *zu reinigen*.
'그 기계는 사용 후 매번 깨끗하게 청소*되어야 한다.*'

☞ Das Gerät muss ... *gereinigt* werden .
동사 reinigen의 수동문 형식 「**werden** ... *ge*reinig*t* 」가 화법조동사 müssen과 결합함!
따라서 동사 **werden**이 ***문장 맨 뒤에 원형***으로 옴: ... **muss** ... *gereinigt* **werden**

이 문장과 동일한 내용의 다른 문장 형태는:

① '일반인'을 뜻하는 주어 *man*을 사용하여 능동문으로 표현함:
「müssen ... 동사 원형」 '...해야 한다'

② '일반인'을 뜻하는 주어 *man*을 사용하여 능동문으로 표현함:
「haben ... zu 동사 원형」 '...해야 한다' (영. 「have to 동사 원형」)

③ 「동사 sein ... zu 동사 원형 (*타동사*)」(수동의 필연) '...되어야 한다'

3. Die Rechnung ist bis zum 27. des Monats zu bezahlen.

✺ **해석** 그 계산서는 이번 달 27일까지 지불되어야 한다.

✺ **어휘** die Rechnung 계산서 (die Rechnung*en*) ← rechnen [타동사] ...을 계산하다 (3 기본형: rechn*en* - rechn*ete* - *ge*rechn*et*) <참고> die Quittung 영수증 (die Quittung*en*) ▌「sein ... zu 동사 원형(= 타동사)」 [1] (수동의 *가능*) '...될 수 있다' ; [2] (수동의 *필연*) '...되어야 한다' : 「... ist ... zu bezahlen」 '...는 지불*되어야* 한다' ▌bezahlen [타동사] ...을 지불하다 (3 기본형: *bezahlen* - *bezahlte* - *bezahlt*) ⇐ zahlen [타동사/자동사] (...을) 지불하다 (3 기본형: zahl*en* - zahl*te* - *ge*zahl*t*) ▌「bis zum + 날짜(3격)」 ~에 이르기까지 <참고> bis [*4격* 전치사] (공간 및 시간적) ~까지 ▌siebenundzwanzig*st*- [서수] 27번째 ← siebenundzwanzig 27 ▌der Monat 달, 개월 (die Monat*e*)

정답 ① Man *muss* die Rechnung bis zum 27. des Monats *bezahlen.*
'사람들은 이번 달 27일까지 그 계산서를 지불*해야 한다.*'

② Man *hat* die Rechnung bis zum 27. des Monats *zu bezahlen.*
'사람들은 이번 달 27일까지 그 계산서를 지불*해야 한다.*'

③ Die Rechnung *muss* bis zum 27. des Monats *bezahlt werden.*
'그 계산서는 이번 달 27일까지 지불*되어야 한다.*'

☞ Die Rechnung ist ... *zu bezahlen* .
'수동의 필연' 형식 「**sein** ... **zu** 동사 원형(***타동사***)」'...***되어야 한다***'

이 문장과 동일한 내용의 다른 문장 형태는:

① '일반인'을 뜻하는 주어 *man*을 사용하여 능동문으로 표현함:
「müssen ... 동사 원형」 '...해야 한다'

② '일반인'을 뜻하는 주어 *man*을 사용하여 능동문으로 표현함:
「haben ... zu 동사 원형」 '...해야 한다' (영. 「have to 동사 원형」)

③ 수동문 형식 「werden ... pp」가 화법조동사 müssen과 결합한 형식
「müssen ... pp werden」 '...*되어야 한다*'

► 「bis zum 27.」= "bis zum sieben*und*zwanzig*sten*"

► 「... 27. d*es* Monat*s* 」:

- 명사 Monat는 *남성*이며, 앞에 나온 서수('날짜') 27. 을 수식하는 *2격* 형이므로 *남성 2격!!* 따라서 *남성 2격* 정관사 d*es* 가 앞에 옴.
  2격 어미: 남성, 중성명사 ***-es*** ; 여성, 복수명사 ***-er***
- Monat는 *남성*이므로 2격 명사 어미 *-s*가 붙어 Monat*s*임.
  남성, 중성명사 2격은 ***-s*** 혹은 ***-es***가 붙음.
  (***여성, 복수***명사는 2격 어미 ***없음!***)

4. Die Theorie des Wissenschaftlers ist unerklärbar.

✺ **해석** 그 학자의 이론은 설명이 불가능하다.

✺ **어휘** die Theorie 이론 (die Theorie*n*) ▌der Wissenschaftler 학자 (die Wissenschaftler) ← die Wissenschaft 학문, 과학 (die Wissenschaft*en*) ▌unerklär*bar* [형용사] 설명될 수 없는 → 「*un-* (부정의 접두어) + *erklär-* (동사 어간) + *-bar* (형용사 어미)」← erklären [타동사] ...을 설명하다 (3 기본형: *er*klär*en* - *er*klär*te* - *er*klär*t*)

정답 ① Man *kann* die Theorie des Wissenschaftlers nicht *erklären.*

'사람들은 그 학자의 이론을 설명*할 수 없다.*'

② Die Theorie des Wissenschaftlers *kann* nicht *erklärt werden.*

'그 학자의 이론은 설명*될 수 없다.*'

③ Die Theorie des Wissenschaftlers *ist* nicht *zu erklären.*

'그 학자의 이론은 설명*될 수 없다.*'

④ Die Theorie des Wissenschaftlers *lässt sich* nicht *erklären.*

'그 학자의 이론은 설명*될 수 없다.*'

☞ Die Theorie des Wissenschaftlers ist unerklär*bar* .
「***타동사*** 어간 + 형용사 어미 ***-bar*** 」'***...될 수 있는***'
타동사 erklären '...을 설명하다' → *un*erklär***bar*** '설명***될 수 없는***'

이 문장과 동일한 내용의 다른 문장 형태는:

① '일반인'을 뜻하는 주어 *man*을 사용하여 *능동문*으로 표현함:
「können ... 동사 원형」 '...할 수 있다'

② 수동문 형식 「werden ... pp」가 화법조동사 können과 결합한 형식
「können ... pp werden」 '...될 수 있다'

③ 「동사 sein ... zu 동사 원형 (*타동사*)」 (수동의 가능) '...될 수 있다'

④ 「lassen sich[4] ... 동사 원형 (*타동사*)」 '...될 수 있다'

► 「... Theorie d*es* Wissenschaftler*s* 」:

- 명사 Wissenschaftler는 *남성*이며,
  앞에 나온 명사 Theorie를 수식하는 *2격* 형이므로 *남성 2격!!*

따라서 *남성 2격* 정관사 d*es* 가 앞에 옴.
2격 어미: 남성, 중성명사 **-es** ; 여성, 복수명사 **-er**

• Wissenschaftler는 *남성*이므로 2격 명사 어미 *-s*가 붙어 Wissenschaftler*s*임.
남성, 중성명사 2격은 **-s** 혹은 **-es**가 붙음.
(**여성, 복수**명사는 2격 어미 **없음!**)

5. Dieses Manuskript ist noch einmal zu bearbeiten, bevor man es in den Druck gibt.

✱ **해석** 이 원고는 인쇄에 넘기기 전에 다시 한번 수정 작업되어야 한다.

✱ **어휘** dies- [지시대명사] '이 ...' (*정관사 d-* 어미변화!) ▌ das Manuskript 원고 (die Manuskript*e*) ▌ 「sein ... zu 동사 원형(= 타동사)」 [1] (수동의 *가능*) '...될 수 있다' ; [2] (수동의 *필연*) '...되어야 한다' : 「... ist ... zu bearbeiten」 '...는 수정 보완*되어야* 한다' ▌ bearbeiten [타동사] ...을 가공하다, 수정 보완 작업하다 (3 기본형: *bearbeiten* - *bearbeitete* - *bearbeitet*) ▌ noch einmal 다시 한번 ▌ bevor [종속접속사] ...하기 전에 (뒤에 오는 부문장은 *후치*됨: ... , bevor *man* ... gibt) ▌ man [부정대명사] 사람들은 (영. people, one) (항상 *주어*이며, 단수 3인칭 *er* 취급!) ▌ es [인칭대명사] es의 *4격* 형임. (3격 형은 *ihm*) ▌ in [*3 · 4격* 전치사] (*4격* 지배: '*방향*') ~안으로, ~로 ▌ der Druck (주로 단수) 인쇄 (die Druck*e*) → drucken [타동사] ...을 인쇄하다 <참고> der Druck (주로 단수) 압력, 억누름 (die Drück*e*) → drücken [타동사] ...을 누르다, 압력을 가하다 ▌ gibt (동사 geben의 *현재* 시제: 주어가 *er, sie, es*일 때) ⇒ geben [타동사] ...을 주다 (현재 시제: du gib*st* ; er gib*t*) (3 기본형: geben - gab - gegeben) : 「주어 + geben + 4격 + in (den) Druck」 *주어*는 *4격*을 인쇄하다

정답 ① Man *muss* dieses Manuskript noch einmal *bearbeiten*, ...
'우리는 이 원고를 다시 한번 수정 작업 *해야 한다*.'

② Man *hat* dieses Manuskript noch einmal *zu bearbeiten*, ...
'우리는 이 원고를 다시 한번 수정 작업 *해야 한다*.'

③ Dieses Manuskript *muss* noch einmal *bearbeitet werden*, ...
'이 원고는 다시 한번 수정 작업 *되어야 한다*.'

☞ Dieses Manuskript ist ... *zu bearbeiten* .
'**수동**의 **필연**' 형식 「**sein** ... **zu** 동사 원형(**타동사**)」 '...**되어야 한다**'

이 문장과 동일한 내용의 다른 문장 형태는:

① '일반인'을 뜻하는 주어 *man*을 사용하여 *능동문*으로 표현함:
「müssen ... 동사 원형」 '...해야 한다'

② '일반인'을 뜻하는 주어 *man*을 사용하여 *능동문*으로 표현함:
「haben ... zu 동사 원형」 '...해야 한다' (영. 「have to 동사 원형」)

③ 수동문 형식 「werden ... pp」가 화법조동사 müssen과 결합한 형태:
「müssen ... pp werden」 '...되어야 한다'

unit 03

마무리 문제

I. 괄호 안의 낱말을 사용하여 독일어로 옮기시오. (24과, 마무리문제: 교재 143쪽)

1. 너도 페터의 생일 파티에 초대 받았니?

(du, auch, Peter, die Geburtstagsparty, zu, einladen)

✱ 어휘 auch [부사어] 역시, ...도 ▌「고유명사-*s*」 '...의' : Peter*s* Geburtstagsparty 페터의 생일 파티 ▌die Geburtstagsparty 생일 파티 → der Geburtstag 생일 (die Geburtstag*e*) + die Party 파티 (die Party*s*) ▌*ein*laden [분리동사&타동사] : 「laden + 4격(사람) + zu + 3격 ... *ein*」 누구를 ...로 초대하다 (3 기본형: *ein*laden - *ein*lud - *ein*geladen) (현재 시제: du lädst ... *ein* ; er lädt ... *ein*) ⇐ laden [타동사] (짐, 화물을) 싣다 (3 기본형: laden - lud - geladen) (현재 시제: du läd*st* ; er läd*t*)

정답 ① *Wurdest* du auch zu Peters Geburtstagsparty *eingeladen* ?

② *Bist* du auch zu Peters Geburtstagsparty *eingeladen worden* ?

► "...에 초대 받았니?" = "...에 *초대되었니*?"

즉, 타동사 *ein*laden('...을 초대하다')의 *수동문*으로서 *과거* 혹은 *현재완료* 시제임!

① 수동문 *과거* 시제 : 「wurde ... pp」 '...되었다'

Wurdest *du* ... *eingeladen*?

주어가 du이므로

과거형 wurde는 어미 -st가 붙어 wurde***st***임.

② 수동문 *현재완료* 시제 : 「sein ... pp worden」 '...되었다'

Bist *du* ... *eingeladen worden*?

주어가 du이므로

동사 sein의 형태는 ***bist***임.

2. 수재민들은 정부의 지원을 받는다.

(die Opfer des Hochwassers, die Regierung, von, unterstützen)

✱ 어휘 das Opfer 희생자, 희생물 (die Opfer) <참고> 「opfern sich⁴ für + 4격」 *4격*을 위해 자신을 희생하다, 피해를 감수하다 ▌das Hochwasser (항상 단수) 홍수 → hoch [형용사] 높은 + das Wasser 물 <참고> die Überschwemmung 홍수, 범람 (die Überschwemmung*en*) ▌die Regierung 정부 (die Regierung*en*) ← regieren [타동사] ...을 다스리다 ▌von [3격 전치사] ~에 의해 (수동문에서 '실질적 행위자'를 표현함!) ▌unterstützen [타동사] ...을 지원하

다, 뒷받침 하다 (3 기본형: *unterstützen* - *unterstützte* - *unterstützt*)

정답 Die Opfer des Hochwassers *werden* von der Regierung *unterstützt*.

► "수재민들" = "홍수의 피해자들"
2격 형

「Die Opfer des Hochwassers」:

- 명사 Hochwasser는 *중성*이며, 앞의 명사 Opfer를 수식하는 *2격* 형이므로 *중성 2격!!* 따라서 *중성 2격* 정관사 des 가 앞에 옴.
  2격 어미: 남성, 중성명사 ***-es*** ; 여성, 복수명사 ***-er***
- Hochwasser는 *중성*이므로 2격 명사 어미 *-s*가 붙어 Hochwassers임.
  남성, 중성명사 2격은 ***-s*** 혹은 ***-es***가 붙음.
  (***여성, 복수***명사는 2격 어미 ***없음!***)

► "...은 정부의 지원을 받는다." = "...은 정부*에 의해* ② 지원*된다* ①."

① "...지원*된다*" → 타동사 unterstützen('...을 지원하다')의 *수동문*이며 *현재* 시제임!
수동문 *현재* 시제 : 「werden ... pp」 '...된다'

Die Opfer ... werden ... *unterstützt*.
주어가 Die Opfer, 즉 복수의 sie이므로
werden의 형태는 werd***en***임.

② "... 정부*에 의해* ..." → 수동문의 '*실질적 행위자*'를 표현하는 「von + 3격」임!
... *von* der Regierung ...

3. 이 편지는 오늘 안으로 발송되어야 한다.

(dies-, Brief, heute, noch, abschicken, müssen)

✷ 어휘 「dies- + 명사」 [지시대명사] '이 ...' (*정관사 d-* 어미변화) (영. this ...) ▌der Brief 편지 (die Brief*e*) ▌heute [부사어] 오늘 ▌noch [부사어] 아직, 여전히 ▌*ab*schicken [분리동사&타동사] (편지, 소포 등 우편물) '...을 보내다, 발송하다' (= *ab*senden) (3 기본형: *ab*schick*en* - *ab*schick*te* - *abge*schick*t*) ▌「müssen ... 동사 원형」 [화법조동사] ...해야 한다 (현재 시제: ich muss ; du muss*t* ; er muss ; wir müss*en* ; ...) (3 기본형: müssen - musste - gemusst, müssen)

정답 Dieser Brief *muss* heute noch *abgeschickt werden*.

► "... 발송*되어야 한다*."
즉, 타동사 abschicken('...을 발송하다')의 *수동문*이 화법조동사 *müssen*과 함께 옴!

Dieser Brief muss ... *abgeschickt* werden .
타동사 *ab*schicken의 수동 형식 「**werden** ... *abgeschickt* 」가 화법조동사 muss와 결합!
→ 따라서 werden이 ***문장 맨 뒤에 원형으로*** 옴: ... muss ... *abgeschickt* **werden**

4. 나의 어머니는 어제 병원에서 퇴원했다.

(mein-, die Mutter, gestern, das Krankenhaus, aus, entlassen)

✵ 어휘 die Mutter 어머니 (die Mütter) ▌gestern [부사어] 어제 ▌das Krankenhaus 종합병원 (Krankenhäus*er*) → krank [형용사] 아픈 + das Haus 집 (die Häus*er*) ▌entlassen [타동사] '...을 해방시키다' : 「entlassen + 4격(사람) + aus dem Krankenhaus」 '누구를 병원으로부터 해방시키다', 즉 '누구를 퇴원시키다' (3 기본형: *ent*lassen - *ent*ließ - *ent*lassen) (현재 시제: du entläss*t* ; er entläss*t*) ⇐ lassen [타동사] '...하도록 하다, 방임하다' (영. let) (3 기본형: lassen - ließ - gelassen, lassen) (현재 시제: du läss*t* ; er läss*t*) <참고> 「entlassen + 4격(사람) + aus dem Gefängnis」 누구를 출소시키다, 석방하다 ← das Gefängnis 형무소 (die Gefängnis*se*)

정답 ① Meine Mutter *wurde* gestern aus dem Krankenhaus *entlassen.*

② Meine Mutter *ist* gestern aus dem Krankenhaus *entlassen worden.*

► "... 병원에서 퇴원했다." → "... 병원으로부터 *해방되었다.*"
즉, 타동사 entlassen('...을 해방시키다')의 *수동문*으로서 *과거* 혹은 *현재완료* 시제임!

① 수동문 *과거* 시제 : 「wurde ... pp」 '...되었다'

Meine Mutter wurde ... entlassen.
주어가 Meine Mutter,
즉 여성의 sie이므로 과거형 wurde는 어미 없이 그대로 ***wurde_***임.

② 수동문 *현재완료* 시제 : 「sein ... pp worden」 '...되었다'

Meine Mutter ist ... entlassen worden.
주어가 meine Mutter,
즉 여성의 sie이므로 동사 sein의 형태는 ***ist***임.

5. 신청서는 7월 15일까지 제출되어야 한다.

(der Antrag, Juli, der 15., bis zum, einreichen, zu, sein)

✵ 어휘 der Antrag 신청, 신청서 (die Anträg*e*) <참고> 「stellen einen Antrag auf + 4격」 '...의 승인을 신청하다' ; beantragen [타동사] ...을 신청하다 ▌der Juli (주로 단수) 7월 (die Juli*s*) ▌fünfzehn*t*- (서수) 제 15의, 15번째의 ← fünfzehn 15 ▌「bis zum + 남성 · 중성 3격」 (기간) ~에 이르기까지 ← bis [*4격* 전치사] ~까지 ▌*ein*reichen [분리동사&타동사] (공공기관에) ...을 제출하다 (3 기본형: *ein*reich*en* - *ein*reich*te* - *einge*reich*t*) ⇐ reichen [자동사] [1] 이르다, 다다르다 ; [2] 충분하다 (3 기본형: reich*en* - reich*te* - *ge*reich*t*) ▌「동사 sein ... zu 동사 원형(*타동사*)」 [1] (수동의 필연) '...되어야 한다' ; [2] (수동의 가능) '...될 수 있다'

정답 Der Antrag *ist* bis zum fünfzehnten Juli ein*zu*reichen.

► "... 제출*되어야 한다.*"
즉, 타동사 einreichen('...을 제출하다')이 '수동의 필연' 형식 「sein ... zu 동사 원형」임!

Der Antrag ist ... einzureichen .
주어가 Der Antrag, ↳ 분리동사 *ein*reichen의 zu-부정사 형식! ("*zu ein*reichen" 아님!)
즉 er이므로 동사 sein의 형태는 ***ist***임.

► "7월 15일*까지*"

bis zum 15. 7. → "bis zum fünfzehnt*en* Juli" 혹은 "bis zum fünfzehnt*en* siebt*en*"

<참고>

sieb*t*- 혹은 sieben*t*- [서수] 제 7의, 일곱 번째 ← sieben 7

► '수동의 필연'이므로 동사 *ein*reichen의 *수동문* 형식 「werden ... *einge*reich*t*」가 화법조동사 *müssen*과 결합한 경우도 동일한 내용임!

Der Antrag ist bis zum fünfzehnten Juli *einzureichen*.

= Der Antrag muss bis zum fünfzehnten Juli *eingereicht werden*.

6. 그 협정은 의회에서 인준된 후에 발효되었다.

(das Abkommen, es, das Parlament, von, ratifizieren, nachdem, in Kraft treten)

✹ 어휘 das Abkommen 협정, 협약 (die Abkommen) : ein Abkommen schließen 협정을 체결하다 ▌das Parlament 의회, 국회 (die Parlament*e*) ▌von [*3격* 전치사] ~에 의해 (수동문에서 '실질적 행위자'를 표현함.) ▌ratifizieren [타동사] ...을 인준하다, 승인하다 (3 기본형 규칙 변화: ratifizier*en* - ratifizier*te* - ratifizier*t*) ▌nachdem [종속접속사] ...하고 난 후에 (종속접속사 뒤에 오는 문장은 *후치*됨: ... , nachdem 주어 ... *동사*) ▌「주어 + treten in Kraft」 '*주어는* 힘(= 유효함) 속으로 들어가다', 즉 '주어는 유효하게 되다' ▌die Kraft 힘, 유효성 (die Kräft*e*) ▌treten [자동사] 걸어가다 (3 기본형: treten - trat - getreten ; '*장소 이동* 자동사 → 완료형 「*sein* ... getreten」) (현재 시제: du tritt*st* ; er tritt)

정답 Das Abkommen trat in Kraft, nachdem es von dem Parlament *ratifiziert worden war.*

► "... 인준된 *후에* 발효되었다." → 종속접속사 *nachdem*('...하고 난 ***후에***)이 사용됨!

" 그 협정은 의회에서 인준된 *후에* 발효되었다 ."
② *부문장* ① *주문장*

① 주문장:

"(그 협정은) 발효되었다." → *과거* 시제
일상 언어적 성격이 아니므로 ***현재완료***는 알맞지 않음!

Das Abkommen trat in Kraft , nachdem ...
동사 treten의 ***과거*** 시제임:
주어가 Das Abkommen, 즉 es이므로 과거형 ***trat***는 어미 없이 그대로 ***trat***_임.

② nachdem-부문장:

"... 인준된 후에" = "... *인준되었고*, 그 후에"

→ 타동사 ratifizieren('...을 인준하다')의 *수동문*이 *과거완료* 시제임!
nachdem-부문장의 시제는 주문장의 시제보다 ***한 단계 더 과거***임!
따라서 주문장이 ***과거***이므로 한 단계 더 과거인 ***과거완료***가 됨.

... , nachdem *es* ... *ratifiziert worden* war .

타동사 ratifizieren의 ***수동문*** 형식 「**werden** ... ratifizier***t***」가 ***과거완료*** 시제임:
수동문의 werden의 과거완료는 「**war** ... *worden*」, 즉 「**war** ... ratifizier***t*** *worden*」임.
여기서 주어가 es이므로 war는 어미 없이 그대로 ***war_***임.
따라서 「**war** ... ratifizier***t*** *worden*」인데, 부문장이므로 ***후치***됨: ... ratifizier***t*** *worden* **war**

► "... *의회에서* 인준된 ..." = "... *의회에 의해서* 인준된 ..." → 수동문의 '*실질적 행위자*'임.
따라서: *von* dem Parlament '의회에 의해서'

II. 잘못된 부분(들)을 고쳐서 다시 적으시오. (24과, 마무리문제: 교재 143쪽)

1. Das Haus ist[오류] 1966 gebaut.

✺ **해석** 그 집은 1966년에 세워졌다.

✺ **어휘** das Haus 집 (die Häus*er*) ▌bauen [타동사] ...을 짓다, 세우다 (영. build) (3 기본형: bau*en* - bau*te* - *ge*bau*t*)

<오류>

예문의 「... ist ... *gebaut*」는 '*상태*' 수동, *현재* 시제로서 '세워*져 있다*'는 의미이므로
"1966년에"라는 *과거* 시점과 내용적으로 상응하지 않음!
따라서 '*동작*' 수동, *과거* 시제 「... wurde ... *gebaut*」 ('세워*졌다*')이어야 옳음!

정답 Das Haus *wurde* 1966 gebaut.

► Das Haus wurde ... *gebaut*.
타동사 bauen의 수동문이 ***과거*** 시제임:
주어가 Das Haus, 즉 es이므로 과거형 wurde는 어미 없이 그대로 ***wurde_***임.

► 1966 → "neunzehn*hundert*sechsundsechzig"

► Das Haus wurde 1966 *gebaut*. (*과거* 시제)
= Das Haus ist 1966 *gebaut* *worden* . (*현재완료* 시제)
수동문의 werden이므로
pp형은 geworden이 아니라 ***worden***임.

2. Er muss sofort operieren[오류] werden.

✺ **해석** 그는 곧바로 수술되어야 한다.

✺ **어휘** 「muss ... werden」 (화법조동사 müssen의 *현재* 시제) ⇒ 「müssen ... 동사 원형」 ...해야 한다 (현재 시제: ich muss ; du muss*t* ; er muss ; wir müss*en* ; ...) (3 기본형: müssen - musste - gemusst, müssen) ▌sofort [부사어] 곧, 즉시 → sofortig [형용사] 즉각적인 ▌operieren [타동사] ...을 수술하다 (3 기본형: operier*en* - operier*te* - operier*t*)

<오류>

타동사 operieren의 *수동문* 「werden ... operier*t*」가 화법조동사 müssen과 결합한 형태임.

즉, *Er* muss ... *operiert werden* 이어야 함.

화법조동사 **muss**와 결합하므로

수동문 형식 「werden ... operiert 」에서 werden이 ***문장 맨 뒤에 원형***으로 옴: ... operiert ***werden.***

→ 따라서 동사 원형 operieren이 아니라 *pp형* operier*t*이어야 옳음!

정답 Er muss sofort *operiert* werden.

3. Der Roman ist nach seinem Tod veröffentlicht geworden[오류].

✵ **해석** 그 소설은 그의 사망 후에 발행되었다.

✵ **어휘** der Roman (장편) 소설 (die Roman*e*) ▌ nach [*3격* 전치사] (시간적) ~후에 ▌ der Tod 죽음 (die Tod*e*) <참고> tot [형용사] 죽은 ; sterben [자동사] 죽다 (= ums Leben kommen) ; töten [타동사] ...을 죽이다 ▌ veröffentlichen [타동사] ...을 발행하다 (3 기본형: *ver*öffentlich*en* - *ver*öffentlich*te* - *ver*öffentlich*t* <참고> öffentlich [형용사] 공공의, 공적인 ▌ werden [1] [조동사] 수동문 형식 「werden ... pp」에 사용됨. ; [2] [자동사] (동사 sein처럼 *형용사* 혹은 *명사 보어*와 함께) '...되다' (3 기본형: werden - wurde - worden, geworden ※werden의 완료형은 「sein ... *pp*」 : ① *수동문*의 werden일 때: 「sein ... pp *worden* 」 ; ② *일반 동사* werden일 때: 「sein ... *geworden* 」) (현재 시제: du wirst ; er wird)

<오류>

타동사 veröffentlichen의 *수동문* 「werden ... veröffentlich*t*」가 *현재완료* 시제인 경우임.

즉, *Der Roman* ist ... *veröffentlicht worden* 이어야 함.

수동문 형식 「werden ... veröffentlicht 」가 현재완료 시제 「sein ... pp」이므로 werden의 pp형 ***worden***이 ***문장 맨 뒤에*** 옴: ... veröffentlicht ***worden.***

→ 따라서 pp형 geworden이 아니라 *worden*이어야 옳음!

(예문의 *geworden*은 수동문의 조동사가 아니라 *일반 동사* werden('...되다')의 pp형임.)

정답 Der Roman ist nach seinem Tod veröffentlicht *worden.*

4. Der Vorschlag lässt[오류] nicht leicht realisieren.

✵ **해석** 그 제안은 쉽게 실현될 수 없다.

✵ **어휘** der Vorschlag 제안 (die Vorschl*ä*g*e*) → *vor*schlagen [분리동사&타동사] ...을 제안하다 ▌ lässt (동사 lassen의 *현재* 시제: 주어가 *du* 혹은 *er, sie, es*일 때) ⇒ lassen [타동사] (현재 시제: du l*ä*ss*t* ; er l*ä*ss*t*) (3 기본형: lassen - ließ - gelassen, lassen ※완료형은 「haben ... *pp*」 : ① 동사 원형 *없을* 때: 「haben ... *gelassen* 」 ; ② 동사 원형 *있을* 때: 「haben ... *동사 원형 lassen*」) : 「lassen sich[4] ... 동사 원형(*타동사*)」 (수동의 가능) '...될 수 있다' ▌ leicht [형용사] 가벼운, 쉬운, (부사적) 가볍게, 쉽게 ▌ realisieren [타동사] ...을 실현하다 (3 기본형: realisier*en* - realisier*te* - realisier*t* <참고> real [형용사] 현실의, 실제의 ; die Realität (주로 단수) 현실, 실제 (die Realität*en*)

<오류>

내용상 '수동의 가능' 형식 「lassen sich[4] ... 동사 원형(*타동사*)」('...될 수 있다')이어야 함.
따라서 동사 lässt는 4격 재귀대명사 *sich*와 함께 와야 옳음!

(정답) Der Vorschlag *lässt sich* nicht leicht realisieren.

► 주어가 Der Vorschlag, 즉 er이므로 4격 재귀대명사는 *sich*임.

<참고>

주어가 *1, 2인칭*이 *아닐* 경우, 즉 주어가 *ich, du ; wir, ihr*가 *아닌* 나머지 모든 경우,
3격 및 *4격 재귀대명사* 모두 동일하게 *sich*임!

5. Das Buch ist wirklich gespannt[오류1] und gut schreibend[오류2].

✺ **해석** 그 책은 정말로 흥미진진하며 잘 집필되어 있다.

✺ **어휘** das Buch 책 (die Büch*er*) ▌wirklich [형용사] 정말의, 실제의 (부사적) 정말로, 실제로 →die Wirklichkeit (주로 단수) 현실, 실제 (die Wirklichkeit*en*) ▌spannen*d* [현재분사, 즉 '*능동*의 형용사] '긴장시키는', 즉 '흥미진진한' (※ *현재분사* 형태: 「동사 원형 + *-d*」) ← spannen [타동사] ...을 팽팽하게 만들다, 긴장시키다 (3 기본형: spann*en* - spann*te* - *ge*spann*t*) ▌gut [형용사] 좋은, (부사적) 잘, 좋게 (3 비교형 *불규칙* 변화: gut - *besser* - *best-*) ▌geschrieben [과거분사, 즉 '*수동*의 형용사] 씌어진, 기술된 ← schreiben [타동사] ...을 쓰다, 기술하다 (영. write) (3 기본형: schreiben - schrieb - geschrieben)

<오류> 1

타동사 spannen '...을 긴장시키다'

① *과거분사*(= pp형) *ge*spann*t*
'수동'의 형용사: '긴장*시켜진*', 즉 '*긴장한*' → '*사람*'에 대해 사용함!

② *현재분사* spannen*d*
'능동'의 형용사: '긴장*시키는*', 즉 '*흥미진진한* → '*사물*'에 대해 사용함!

'사물'인 Das Buch('책')에 대해 과거분사 *ge*spann*t*를 사용한 것은 내용상 맞지 않음.
오히려 현재분사 spannen*d*가 와야 옳음!

<오류> 2

타동사 schreiben '...을 기술하다'

① *과거분사*(= pp형) *geschrieben*
'수동'의 형용사: '씌어*진*, 기술*된*' → '*사물*'에 대해 사용함!

② *현재분사* schreiben*d*
'능동'의 형용사: '쓰*는*, 기술*하는*' → '*사람*'에 대해 사용함!

'사물'인 Das Buch('책')에 대하여 현재분사 schreiben*d*를 사용한 것은 내용상 맞지 않음.
오히려 과거분사 *geschrieben*이 와야 옳음!

(정답) Das Buch ist wirklich *spannend* und gut *geschrieben.*

Lektion 25

접속법 II (1)

unit 01

기초문제

I. 다음 동사의 접속법 II 형태를 적으시오. (25과, 기초문제: 교재 146쪽)

1. sein :

ich wäre / du wär*est* 혹은 wär*st* / er (sie, es) wäre

wir wär*en* / ihr wär*et* 혹은 wär*t* / sie, Sie wär*en*

► 동사의 접속법 II 형태는 원칙적으로 *과거형*에 일치함!
(다만, 3 기본형이 *불규칙* 변화일 경우, 과거형의 a, o, u는 *변모음* 됨!)

동사 sein의 3 기본형은 sein - war - gewesen, 즉 *불규칙* 변화!
→ 따라서 접속법 II 형태는 과거형 war의 -a- 가 *변모음* 되어 wär임.

2. haben :

ich hätte / du hätt*est* / er (sie, es) hätte

wir hätt*en* / ihr hätt*et* / sie, Sie hätt*en*

► 동사의 접속법 II 형태는 원칙적으로 *과거형*에 일치함!
(다만, 3 기본형이 *불규칙* 변화일 경우, 과거형의 a, o, u는 *변모음* 됨!)

동사 haben의 3 기본형은 haben - hatte - gehabt, 즉 *불규칙* 변화!
→ 따라서 접속법 II 형태는 과거형 hatte의 -a- 가 *변모음* 되어 hätte임.

3. werden :

ich würde / du würd*est* / er (sie, es) würde

wir würd*en* / ihr würd*et* / sie, Sie würd*en*

► 동사의 접속법 II 형태는 원칙적으로 *과거형*에 일치함.
(다만, 3 기본형이 *불규칙* 변화일 경우, 과거형의 a, o, u는 *변모음* 됨!)
동사 werden의 3 기본형은 werden - wurde - geworden (worden), 즉 *불규칙* 변화!
→ 따라서 접속법 II 형태는 과거형 wurde의 -u- 가 *변모음* 되어 würde임.

4. wollen :

ich wollte / du wolltest / er (sie, es) wollte

wir wollten / ihr wolltet / sie, Sie wollten

► 동사의 접속법 II 형태는 원칙적으로 *과거형*에 일치함.
(다만, 3 기본형이 *불규칙* 변화일 경우, 과거형의 a, o, u는 *변모음* 됨!)

화법조동사 wollen의 3 기본형은 *규칙* 변화로서 woll*en* - woll*te* - *ge*woll*t*임.
→ 따라서 접속법 II 형태는 과거형과 동일한 woll*te*임.
(규칙 변화이므로 -o-는 변모음 되지 않음! 즉, wöllte 아님!)

5. können :

ich könnte / du könntest / er (sie, es) könnte

wir könnten / ihr könntet / sie, Sie könnten

► 동사의 접속법 II 형태는 원칙적으로 *과거형*에 일치함.
(다만, 3 기본형이 *불규칙* 변화일 경우, 과거형의 a, o, u는 *변모음* 됨!)

화법조동사 können의 3 기본형은 können - konnte - gekonnt (können), 즉 *불규칙* 변화!
→ 따라서 접속법 II 형태는 과거형 konnte의 -o- 가 *변모음* 되어 könnte임.

6. müssen :

ich müsste / du müsstest / er (sie, es) müsste

wir müssten / ihr müsstet / sie, Sie müssten

► 동사의 접속법 II 형태는 원칙적으로 *과거형*에 일치함.
(다만, 3 기본형이 *불규칙* 변화일 경우, 과거형의 a, o, u는 *변모음* 됨!)

화법조동사 müssen의 3 기본형은 müssen - musste - gemusst (müssen), 즉 *불규칙* 변화!
→ 따라서 접속법 II 형태는 과거형 musste의 -u- 가 *변모음* 되어 müsste임.

7. dürfen :

ich dürfte / du dürftest / er (sie, es) dürfte

wir dürften / ihr dürftet / sie, Sie dürften

► 동사의 접속법 II 형태는 원칙적으로 *과거형*에 일치함.
(다만, 3 기본형이 *불규칙* 변화일 경우, 과거형의 a, o, u는 *변모음* 됨!)

화법조동사 dürfen의 3 기본형은 dürfen - durft - gedurft (dürfen), 즉 *불규칙* 변화!
→ 따라서 접속법 II 형태는 과거형 durfte의 -u- 가 *변모음* 되어 dürfte임.

8. geben :

ich gäbe / du gäb*est* / er (sie, es) gäb*e*

wir gäb*en* / ihr gäb*et* / sie, Sie gäb*en*

► 동사의 접속법 II 형태는 원칙적으로 *과거형*에 일치함.
(다만, 3 기본형이 *불규칙* 변화일 경우, 과거형의 a, o, u는 *변모음* 됨!)

동사 geben의 3 기본형은 geben - gab - gegeben, 즉 *불규칙* 변화!
→ 따라서 접속법 II 형태는 과거형 gab의 -a- 가 *변모음* 되어 gäb임.

9. bleiben :

ich blieb*e* / du blieb*est* / er (sie, es) blieb*e*

wir blieb*en* / ihr blieb*et* / sie, Sie blieb*en*

► 동사의 접속법 II 형태는 원칙적으로 *과거형*에 일치함.
(다만, 3 기본형이 *불규칙* 변화일 경우, 과거형의 a, o, u는 *변모음* 됨!)

동사 bleiben의 3 기본형은 불규칙 변화로서 bleiben - blieb - geblieben임!
→ 따라서 접속법 II 형태는 과거형 blieb에 일치하여 blieb임.

10. kommen :

ich käm*e* / du käm*est* / er (sie, es) käm*e*

wir käm*en* / ihr käm*et* / sie, Sie käm*en*

► 동사의 접속법 II 형태는 원칙적으로 *과거형*에 일치함.
(다만, 3 기본형이 *불규칙* 변화일 경우, 과거형의 a, o, u는 *변모음* 됨!)

동사 kommen의 3 기본형은 kommen - kam - gekommen, 즉 *불규칙* 변화!
→ 따라서 접속법 II 형태는 과거형 kam의 -a- 가 *변모음* 되어 käm임.

11. wissen :

ich wüsste / du wüsste*st* / er (sie, es) wüsste

wir wüsste*n* / ihr wüsste*t* / sie, Sie wüsste*n*

► 동사의 접속법 II 형태는 원칙적으로 *과거형*에 일치함.
(다만, 3 기본형이 *불규칙* 변화일 경우, 과거형의 a, o, u는 *변모음* 됨!)

동사 wissen의 3 기본형은 wissen - wusste - gewusst, 즉 *불규칙* 변화!
→ 따라서 접속법 II 형태는 과거형 wusste의 -u- 가 *변모음* 되어 wüsste임.

12. gehen :

ich _ginge_ / du _gingest_ / er (sie, es) _ginge_

wir _gingen_ / ihr _ginget_ / sie, Sie _gingen_

► 동사의 접속법 II 형태는 원칙적으로 *과거형*에 일치함.
(다만, 3 기본형이 *불규칙* 변화일 경우, 과거형의 a, o, u는 *변모음* 됨!)

동사 gehen의 3 기본형은 gehen - ging - gegangen, 즉 *불규칙* 변화!
→ 따라서 접속법 II 형태는 과거형 ging에 일치하여 ging임.

Ⅱ. 주어진 동사의 접속법 Ⅱ 형태를 사용하여 문장을 완성하시오.

(25과, 기초문제: 교재 146쪽)

1. Wenn wir mehr Zeit (haben), (können) wir mehr Sport treiben.

정답 ① Wenn wir mehr Zeit *hätten* , *könnten* wir mehr Sport treiben.
② Wenn wir mehr Zeit *gehabt hätten* , *hätten* wir mehr Sport *treiben können.*

✺ 해석 ① 만약 우리가 시간이 더 많다면 운동을 더 많이 할 수 있을 것이다.
② 만약 우리가 시간이 더 많았다면 운동을 더 많이 할 수 있었을 것이다.

✺ 어휘 wenn [종속접속사] 만약 ...이면 (뒤에 오는 부문장은 *후치*됨!) ▌mehr '더 많은 ...' (viel의 비교급!) (3 비교형: viel(e) - *mehr* - *meist-*) ▌die Zeit (주로 단수) 시간, 시대 (die Zeit*en*) ▌der Sport 스포츠, 운동 (주로 단수!) : Sport treiben 스포츠 하다 ▌haben [타동사] ...을 가지고 있다 (3 기본형: haben - hatte - gehabt) (접속법 II : ich hätte / 접속법 II *완료* : 「ich hätte ... gehabt」) ▌「können ... 동사 원형」 [화법조동사] ...할 수 있다 (3 기본형: können - konnte - gekonnt, können) (접속법 II : 「ich könnte ... 동사 원형」 / 접속법 II *완료* : 「ich hätte ... 동사 원형 können」) ▌treiben [타동사] ...을 몰아가다 (3 기본형: treiben - trieb - getrieben) (접속법 II : ich trieb*e* / 접속법 II *완료* : 「ich hätte ... getrieben」)

☞ 정답 ①에 관하여:

• wenn-부문장

"만약 우리가 시간이 더 *많다면* ..." (실제로는 지금 시간이 더 많지 않음!)
즉, *현재* 상황에 대한 비현실적 가정!
→ 따라서 haben의 _접속법 II 형태 hätte_ 가 사용됨!
동사 haben은 3 기본형이 ***불규칙*** 변화임!
따라서 과거형 hatte에 Umlaut가 이루어져 ***hätte***임.

Wenn *wir* ... _hätte*n*_ , ...
주어가 wir이므로 어미 ***-n***이 붙어 hätte***n***임. (wenn-부문장이므로 ***후치***됨!)

• 주문장

"... 더 많은 운동을 할 수 *있을* 것이다." (실제로는 지금 더 많은 운동을 할 수 없음!)

즉, *현재* 상황에 대한 비현실적 가정!

→ 따라서 können의 접속법 II 형태 könnte 가 사용됨!

화법조동사 können은 3 기본형이 ***불규칙*** 변화임!

따라서 과거형 konnte에 Umlaut가 이루어져 ***könnte***임.

... , könnte*n* *wir* ... treiben.

주어가 wir이므로 könnte에 어미 ***-n***이 붙어 könnte***n***임.

☞ 정답 ②에 관하여:

• wenn-부문장

"만약 우리가 시간이 더 *많았다면* ..." (실제로는 시간이 더 많지 않았음!)

즉, *과거* 일에 대한 비현실적 가정!

→ 따라서 haben의 접속법 II *완료형* 「hätte ... gehabt」 사용!

동사 haben의 완료형 「**haben** ... gehabt」에서

조동사 haben이 ***접속법 II*** 로 변화함!

따라서 「***hätte*** ... gehabt」임.

Wenn *wir* ... gehabt hätten , ...

주어가 wir이므로 hätte에 어미 ***-n***이 붙어 hätte***n***임. 즉, 「hätte***n*** ... gehabt」

→ wenn-부문장이므로 ***후치***됨 : ... *gehabt* hätte***n***.

• 주문장

"... 더 많이 운동을 할 수 *있었을* 것이다." (실제로는 더 많이 운동을 할 수 없었음!)

즉, *과거* 일에 대한 비현실적 가정!

→ 따라서 können의 접속법 II *완료형* 「hätte ... treiben können」 사용!

화법조동사 können의 완료형 「**haben** ... treiben *können*」에서

조동사 haben이 ***접속법 II*** 로 변화함!

따라서 「***hätte*** ... treiben können」임.

... , hätte*n* *wir* ... treiben können.

주어가 wir이므로 hätte에 어미 ***-n***이 붙어 hätte***n***임.

2. Wenn er einen Freund (haben), (müssen) er nicht allein reisen.

정답 ① Wenn er einen Freund *hätte* , *müsste* er nicht allein reisen.

② Wenn er einen Freund *gehabt hätte* , *hätte* er nicht allein *reisen müssen*.

✺ 해석 ① 만약 그가 친구를 가지고 있다면 그는 혼자 여행할 필요가 없을 것이다.

② 만약 그가 친구를 가지고 있었다면 그는 혼자 여행할 필요가 없었을 것이다.

✺ 어휘 wenn [종속접속사] 만약 ...이면 (뒤에 오는 부문장은 *후치*됨!) ▌der Freund 친구, 남자 친구 (die Freund*e*) ▌haben [타동사] ...을 가지고 있다 (3 기본형: haben - hatte - gehabt) (접속법 II : ich hätte / 접속법 II *완료* : 「ich hätte ... gehabt」) ▌「müssen ... 동사 원형」 [화법조동사] ...해야 한다 (3 기본형: müssen - musste - gemusst, müssen) (접속법 II : 「ich müsste ... 동사 원형」 / 접속법 II *완료* : 「ich hätte ... 동사 원형 müssen」) ▌allein [형용사] 혼자인, 홀로 ▌reisen [자동사] 여행하다 (3 기본형: reis*en* - reis*te* - *ge*reis*t* ; '*장소 이동*' 자동사 → 완료형 「*sein* ... *ge*reis*t*」) (접속법 II : ich reis*te* / 접속법 II *완료* : 「ich wäre ... gereist」)

☞ 정답 ①에 관하여:

- wenn-부문장

"만약 그가 친구를 가지고 *있다면* ..." (실제로는 지금 친구가 없음!)

즉, *현재* 상황에 대한 비현실적 가정!

→ 따라서 haben의 접속법 II 형태 hätte 가 사용됨!

동사 haben은 3 기본형이 ***불규칙*** 변화임!

따라서 과거형 hatte에 Umlaut가 이루어져 ***hätte***임.

Wenn *er* ... hätte , ...

주어가 er이므로 어미 없이 그대로 **hätte_**임. (wenn-부문장이므로 ***후치***됨!)

- 주문장

"... 그는 혼자 여행할 필요가 *없을* 것이다." (실제로는 지금 혼자 여행해야 함!)

즉, *현재* 상황에 대한 비현실적 가정!

→ 따라서 müssen의 접속법 II 형태 müsste 가 사용됨!

화법조동사 müssen은 3 기본형이 ***불규칙*** 변화임!

따라서 과거형 musste에 Umlaut가 이루어져 ***müsste***임.

... , müsste *er* ... reisen.

주어가 er이므로 어미 없이 그대로 **müsste_**임.

☞ 정답 ②에 관하여:

- wenn-부문장

"만약 그가 친구를 가지고 *있었다면* ..." (실제로는 친구가 없었음!)

즉, *과거* 일에 대한 비현실적 가정!

→ 따라서 haben의 접속법 II *완료형* 「hätte ... gehabt」 사용!

동사 haben의 완료형 「**haben** ... gehabt」에서

조동사 haben이 ***접속법 II*** 로 변화함!

따라서 「***hätte*** ... gehabt」임.

Wenn *er* ... gehabt hätte , ...

주어가 er이므로 hätte는 어미 없이 그대로 hätte_임. 즉, 「**hätte_** ... gehabt」

→ wenn-부문장이므로 ***후치***됨 : ... *gehabt* **hätte**.

- 주문장

"... 그는 혼자 여행할 필요가 *없었을* 것이다." (실제로는 혼자 여행해야만 했음!)

즉, *과거* 일에 대한 비현실적 가정!

→ 따라서 müssen의 접속법 II *완료형* 「hätte ... reisen müssen」 사용!

화법조동사 müssen의 완료형 「**haben** ... reisen *müssen*」에서

조동사 haben이 ***접속법 II*** 로 변화함!

따라서 「***hätte*** ... reisen müssen」임.

... , hätte *er* ... reisen müssen.

주어가 er이므로 hätte는 어미 없이 그대로 **hätte_**임.

3. Wenn Sie an meiner Stelle (sein), (werden) Sie auch diese Einladung sofort annehmen.

정답 Wenn Sie an meiner Stelle *wären* , *würden* Sie auch diese Einladung sofort *annehmen.*

✹ **해석** 만약 당신이 내 입장에 있다면 당신도 이 초대를 곧바로 받아들일 것이다.

✹ **어휘** wenn [종속접속사] 만약 ...이면 (뒤에 오는 부문장은 *후치*됨!) ▌die Stelle [1] 입장, 위치 ; [2] 지위, 일자리 (die Stelle*n*) → 「*an* jemandes *Stelle*」*누구*의 입장에(서), *누구*의 상황에(서) : an deiner Stelle 너의 입장에(서) ▌sein [자동사] 있다, 존재하다 (3 기본형: sein - war - gewesen ; 완료형 「*sein* ... gewesen」) (접속법 II : ich wär*e* / 접속법 II *완료* : 「ich wäre ... gewesen」) ▌werden [조동사] 미래 시제 형식 「werden ... 동사 원형」 ('...일 것이다')에 사용됨. (3 기본형: werden - wurde - geworden, worden) (접속법 II : 「ich würde ... 동사 원형」) ▌dies- [지시대명사] '이 ...' (*정관사 d-* 어미변화!) ▌die Einladung 초대, 초청 (die Einladung*en*) ▌sofort [부사어] 곧, 즉시 ▌*an*nehmen [분리동사&타동사] ...을 받아들이다 (영. accept) (3 기본형: *an*nehmen - *an*nahm - *an*genommen) (접속법 II : 「ich nähm*e* ... *an*」 / 접속법 II *완료* : 「ich hätte ... *an*genommen」) ↔ *ab*lehnen [분리동사&타동사] ...을 거부하다, 거절하다

<참고>

einen Vorschlag (eine Bedingung, ein Angebot, eine Entschuldigung) *an*nehmen
'제안 (조건, 제공한 것, 용서 구한 것)을 받아들이다'

☞ • wenn-부문장

"만약 당신이 나의 입장에 *있다면* ..." (실제로 타인의 입장이 될 수는 없지만, 이를 한번 상상해 봄!)

즉, *현재* 상황에 대한 비현실적 가정!
→ 따라서 동사 sein의 ___접속법 II 형태 wär___가 옴!
동사 sein은 3 기본형이 ***불규칙*** 변화임!
따라서 과거형 war에 Umlaut가 이루어져 ***wär***임.

Wenn *Sie* ... ___wär*en*___ , ...
주어가 격식칭 Sie이므로 어미 ***-en***이 붙어 wär***en***임. (wenn-부문장이므로 ***후치***됨!)

• 주문장

"... 당신도 이 초대를 곧 *받아들일* 것이다." (실제로는 벌어지지 않는 일을 상상해 봄!)

즉, *현재* 상황에 대한 비현실적 가정!
→ 따라서 동사 werden의 ___접속법 II 형태인 würde___가 옴!
동사 werden은 3 기본형이 ***불규칙*** 변화임!
따라서 과거형 wurde에 Umlaut가 이루어져 ***würde***임.

... , ___würde*n*___ *Sie* ... annehmen.
주어가 격식칭 Sie이므로 어미 ***-n***이 붙어 würde***n***임.

<참고>

「*würde* ... annehmen」 대신에 동사 *an*nehmen의 접속법 II 형태인 *an*nähm이 와도 동일한 의미임!

즉 : ... , ___nähme*n*___ Sie ... ___*an*___ .
주어가 격식칭 Sie이므로 어미 ***-en***이 붙어 「nähm***en*** ... *an*」임.

4. Wenn ich gestern nicht betrunken (sein), (bringen) ich dich nach Hause.

정답 Wenn ich gestern nicht betrunken *gewesen wäre* , *hätte* ich dich nach Hause *gebracht.*

✻ 해석 만약 내가 어제 술 취하지 않았다면 너를 집으로 데려다 주었을 것이다.

✻ 어휘 wenn [종속접속사] 만약 ...이면 (뒤에 오는 부문장은 *후치*됨!) ▌betrunken [형용사] 술 취한 ↔ nüchtern 술 깬, 생생한 ▌sein [자동사] ...이다 (3 기본형: sein - war - gewesen ; 완료형 「*sein* ... gewesen」) (접속법 II : ich wär*e* / 접속법 II *완료* : 「ich wär*e* ... gewesen」) ▌bringen [자동사] *누구*를 데려오다, *무엇*을 가져오다 (3 기본형: bringen - brachte - gebracht) (접속법 II : ich brächte / 접속법 II *완료* : 「ich hätte ... gebracht」) ▌nach Haus(e) (방향) 집으로

☞ • wenn-부문장

"만약 내가 어제 술 취하지 *않았다면* ..." (실제로는 어제 술에 취했었음!)

즉, *과거* 일에 대한 비현실적 가정!

→ 따라서 동사 sein의 접속법 II *완료형* 「wär ... gewesen」이 사용됨!

동사 sein의 완료형 「**sein** ... gewesen」에서
조동사 sein이 ***접속법 II*** 로 변화함!
따라서 「***wär*** ... gewesen」임.

Wenn *ich* ... betrunken gewesen wär*e* , ...

주어가 ich이므로 wär는 어미 ***-e***가 붙어 wär*e*임. 즉, 「wär*e* ... gewesen」임.
→ wenn-부문장이므로 ***후치***됨 : ... *gewesen* wär*e*

• 주문장

"... 나는 너를 집으로 데려다 *주었을* 것이다." (실제로는 어제 그렇게 하지 못했음!)

즉, *과거* 일에 대한 비현실적 가정!

→ 따라서 bringen의 접속법 II *완료형* 「hätte ... gebracht」사용!

동사 bringen의 완료형 「**haben** ... gebracht」에서
조동사 haben이 ***접속법 II*** 로 변화함!
따라서 「***hätte*** ... gebracht」임.

... , hätte *ich* ... gebracht.

주어가 ich이므로 hätte는 어미 없이 그대로 **hätte**_임.

5. Wenn du in deiner Schulzeit fleißiger (sein), (sein) du jetzt erfolgreicher.

(정답) Wenn du in deiner Schulzeit fleißiger *gewesen wär*(e)*st* , *wär*(e)*st* du jetzt erfolgreicher.

✻ 해석 만약 네가 학창 시절에 더 부지런했다면 너는 지금 더 성공적일 것이다.

✻ 어휘 wenn [종속접속사] 만약 ...이면 (뒤에 오는 부문장은 *후치*됨!) ▌「in + 3격」 (시간적) ~일 때 : in deiner Schulzeit 너의 학창 시절 때 ▌die Schulzeit 학창 시절 → die Schule 학교 (die Schule*n*) + die Zeit (주로 단수) 시절, 시간 (die Zeit*en*) ▌fleißig*er* (형용사 fleißig의 비교급) *더* 부지런한 ⇒ fleißig [형용사] 부지런한 ▌sein [자동사] ...이다 (3 기본형: sein - war - gewesen ; 완료형 「*sein* ... gewesen」) (접속법 II : ich wär*e* / 접속법 II *완료* : 「ich wär*e* ... gewesen」) ▌erfolgreich*er* (형용사 erfolgreich의 비교급) ⇒ erfolgreich [형용사] 성공적인 ← der Erfolg 성공, 성과 (die Erfolg*e*)

<참고>

형용사 어미 *-reich* '...이 풍부한' ↔ *-arm* '...이 부족한'

das Fett 지방질, 비계 (복수 없음) : fett*reich* 지방질 많은 ↔ fett*arm* 지방질 없는

die Idee 아이디어 (die Idee*n*) : ideen*reich* 아이디어 많은 ↔ ideen*arm* 아이디어 없는

☞ • wenn-부문장

"만약 네가 학창 시절에 더 *부지런했다면* ..." (실제로는 그 당시 더 부지런하지 않았음!)

즉, *과거* 일에 대한 비현실적 가정!

→ 따라서 동사 sein의 접속법 II *완료형* 「wär ... gewesen」이 사용됨!

동사 sein의 완료형 「**sein** ... gewesen」에서
조동사 sein이 ***접속법 II*** 로 변화함!
따라서 「***wär*** ... gewesen」임.

Wenn *du* ... fleißiger gewesen wär(e)*st* , ...

주어가 du이므로 wär***est*** 혹은 wär***st*** 임. 즉, 「wär(**e**)***st*** ... gewesen」 임.
→ wenn-부문장이므로 ***후치***됨 : ... *gewesen* wär(**e**)***st***

• 주문장

"... 너는 지금 더 *성공적일* 것이다." (실제로는 지금 그렇지 못함!)

즉, *현재* 상황에 대한 비현실적 가정!

→ 따라서 동사 sein의 접속법 II 형태 wär 가 사용됨!

동사 sein은 3 기본형이 ***불규칙*** 변화임!
따라서 과거형 war에 Umlaut가 이루어져 ***wär***임.

... , wär(e)*st* *du* ...

주어가 du이므로 wär***est*** 혹은 wär***st*** 임.

6. Wenn ich damals die letzte Frage richtig (beantworten), (haben) ich jetzt ein A⁺.

정답 Wenn ich damals die letzte Frage richtig *beantwortet hätte* , *hätte* ich jetzt ein A⁺.

✵ **해석** 만약 내가 그 당시 마지막 문제를 올바르게 답했더라면 나는 지금 성적이 A⁺일 것이다.

✵ **어휘** wenn [종속접속사] 만약 ...이면 (뒤에 오는 부문장은 *후치*됨!) ▌damals [부사어] 그 당시에, 그 무렵에 ▌letzt- [형용사] 마지막의, 최근의 (뒤에 오는 명사를 *수식*하는 용법뿐임!) ▌die Frage 질문 (die Frage*n*) ▌richtig [형용사] 올바른 ↔ falsch 틀린 ▌「beantworten + 4격」 [타동사] ...에 답하다, 대답하다 (*4격* 요구 동사!) = 「antworten auf + 4격」 (3 기본형: *beantworten* - *beantwortete* - *beantwortet*) (접속법 II : ich beantwortet*e* / 접속법 II *완료* : 「ich hätte ... beantwortet」) ▌haben [타동사] ...을 가지고 있다 (3 기본형: haben - hatte - gehabt) (접속법 II : ich hätte / 접속법 II *완료* : 「ich hätte ... gehabt」) ▌das A 알파벳 철자 "A" (복수형은 A 혹은 A*s*) <주의> 알파벳 철자는 *중성*명사임!

<참고>

독일의 성적 등급은 *여성*명사임:

die Eins 1 (die Eins*en*) / *die* Zwei 2 (die Zwei*en*) / *die* Drei (die Drei*en*) ...

☞ • wenn-부문장

"만약 내가 그 당시 ... 올바르게 *답했더라면* ..." (실제로는 그 당시 올바르게 답하지 못함!)

즉, *과거* 일에 대한 비현실적 가정!

→ 따라서 beantworten의 접속법 II *완료형* 「hätte ... beantwortet」사용!

동사 beantworten의 완료형 「**haben** ... beantwortet」에서
조동사 haben이 ***접속법 II*** 로 변화함!
따라서 「***hätte*** ... beantwortet」임.

Wenn *ich* ... beantwortet hätte , ...
주어가 ich이므로 hätte는 어미 없이 그대로 **hätte_** 임. 즉, 「**hätte_** ... beantwortet」임.
→ wenn-부문장이므로 ***후치***됨 : ... *beantwortet* **hätte**

• 주문장
"... 나는 지금 성적이 A+ *일* 것이다." (실제로는 지금 그렇지 못함!)
즉, *현재* 상황에 대한 비현실적 가정!
→ 따라서 동사 haben의 접속법 II 형태 hätte 가 사용됨!
동사 haben은 3 기본형이 ***불규칙*** 변화임!
따라서 과거형 hatte에 Umlaut가 이루어져 ***hätte***임.

... , hätte *ich* ...
주어가 ich이므로 어미 없이 그대로 **hätte_** 임.

7. Wenn die Kranken rechtzeitig zum Arzt (gehen), (sein) sie nicht gestorben.

정답 Wenn die Kranken rechtzeitig zum Arzt *gegangen wären* , *wären* sie nicht *gestorben.*

✳ **해석** 만약 그 환자들이 제 때에 의사에게 갔더라면 그들은 죽지 않았을 것이다.

✳ **어휘** wenn [종속접속사] 만약 ...이면 (뒤에 오는 부문장은 *후치*됨!) ▌di*e* Krank*en* (형용사 krank의 복수 명사화!) 아픈 사람들 ⇒ krank [형용사] 아픈 ▌rechtzeitig [부사어] 제 때에, 늦지 않게 ▌「zum + 남성 · 중성 3격(사람)」 (방향) 누구에게로, 누구 집으로 : zum Arzt 의사에게로 ▌der Arzt 의사 (die Ärzt*e*) ▌gehen [자동사] 가다 (3 기본형: gehen - ging - gegangen ; '*장소 이동*' 자동사 → 완료형 「*sein* ... gegangen」) (접속법 II : ich ging*e* / 접속법 II *완료* : 「ich wär*e* ... gegangen」) ▌sein [조동사] 완료형 「*sein* ... pp」에 사용됨. (3 기본형: sein - war - gewesen ; 완료형 「*sein* ... gewesen」) (접속법 II : ich wär*e*) ▌gestorben (동사 sterben의 *pp 형*) ⇒ sterben [자동사] 죽다 (3 기본형: sterben - starb - gestorben ; '*상태 변화*' 자동사 → 완료형 「*sein* ... gestorben」) (접속법 II : ich stürb*e* / 접속법 II *완료* : 「ich wär*e* ... gestorben」)

☞ • wenn-부문장
"만약 그 환자들이 제 때에 의사에게 *갔더라면* ..." (실제로는 제 때에 가지 않았음!)
즉, *과거* 일에 대한 비현실적 가정!
→ 따라서 gehen의 접속법 II *완료형* 「wär ... gegangen」이 사용됨!
동사 gehen의 완료형 「**sein** ... gegangen」에서
조동사 sein이 ***접속법 II*** 로 변화함!
따라서 「***wär*** ... gegangen」임.

Wenn *die Kranken* ... gegangen wär*en* , ...
주어가 die Kranken, 즉 복수의 sie('그들은')이므로
wär는 어미 ***-en***이 붙어 wär***en*** 임. 즉, 「wär***en*** ... gegangen」임.
→ wenn-부문장이므로 ***후치***됨 : ... *gegangen* wär***en***

• 주문장
"... 그들은 죽지 *않았을* 것이다." (실제로는 그들은 죽었음!)
즉, *과거* 일에 대한 비현실적 가정!
→ 따라서 동사 sterben의 접속법 II *완료형* 「wär ... gestorben」사용!
동사 sterben의 완료형 「**sein** ... gestorben」에서
조동사 sein이 ***접속법 II*** 로 변화함!
따라서 「***wär*** ... gestorben」임.

..., wär*en* *sie* ... gestorben.
주어가 복수의 sie('그들은')이므로 wär는 어미 *-en*이 붙어 wär*en* 임.

8. Wenn mich meine Mutter nicht (anrufen), (haben) ich den Geburtstag meines Vaters vergessen.

정답 Wenn mich meine Mutter nicht *angerufen hätte* , *hätte* ich den Geburtstag meines Vaters *vergessen.*

✺ 해석 만약 내 어머니께서 나에게 전화하지 않으셨다면 나는 내 아버지의 생신을 잊었을 것이다.

✺ 어휘 wenn [종속접속사] 만약 ...이면 (뒤에 오는 부문장은 *후치*됨!) ▌die Mutter 어머니 (die Mütter) ▌*an*rufen [분리동사&타동사] : 「rufen + 4격(사람) ... *an*」 *누구*에게 전화 걸다 (*4격* 요구 동사!) (3 기본형: *an*rufen - *an*rief - *an*gerufen) (접속법 II : 「ich riefe ... *an*」 / 접속법 II *완료* : 「ich hätte ... angerufen」) ▌haben [조동사] 완료형 「*haben* ... pp」에 사용됨. (3 기본형: haben - hatte - gehabt) (접속법 II : ich hätte) ▌der Geburtstag 생일 (die Geburtstag*e*) ▌der Vater 아버지 (die Väter) ▌vergessen (동사 vergessen의 *pp형*) ⇒ vergessen [타동사] ...을 잊다 (3 기본형: vergessen - vergaß - vergessen) (접속법 II : ich vergäß*e* / 접속법 II *완료* : 「ich hätte ... vergessen」)

☞ • wenn-부문장

"만약 내 어머니께서 ... 전화하지 *않으셨다면* ..." (실제로는 어머니께서 전화하셨음!)

즉, *과거* 일에 대한 비현실적 가정!

→ 따라서 *an*rufen의 접속법 II *완료형* 「hätte ... *an*gerufen」이 사용됨!
동사 *an*rufen의 완료형 「**haben** ... angerufen」에서
조동사 haben이 ***접속법 II*** 로 변화함!
따라서 「***hätte*** ... angerufen」 임.

Wenn ... *meine Mutter* ... angerufen hätte , ...
주어가 meine Mutter, 즉 여성의 sie('그녀는')이므로
hätte는 어미 없이 그대로 **hätte_** 임. 즉, 「**hätte_** ... angerufen」 임.
→ wenn-부문장이므로 ***후치***됨 : ... *angerufen* **hätte**

• 주문장

"... 나는 내 아버지의 생신을 *잊었을* 것이다." (실제로는 나는 아버지 생신을 잊지 않았음!)

즉, *과거* 일에 대한 비현실적 가정!

→ 따라서 vergessen의 접속법 II *완료형* 「hätte ... vergessen」 사용!
동사 vergessen의 완료형 「**haben** ... vergessen」에서
조동사 haben이 ***접속법 II*** 로 변화함!
따라서 「***hätte*** ... vergessen」 임.

..., hätte *ich* ... vergessen.
주어가 ich이므로 hätte는 어미 없이 그대로 **hätte_** 임.

9. Wenn es keinen Verkehrsstau (geben), (haben) wir den Zug noch geschafft.

정답 Wenn es keinen Verkehrsstau *gegeben hätte* , *hätten* wir den Zug noch *geschafft.*

✵ 해석 만약 교통 정체가 없었더라면 우리는 그 기차를 잡아탔을 것이다.

✵ 어휘 wenn [종속접속사] 만약 ...이면 (뒤에 오는 부문장은 *후치*됨!) ▌der Verkehrsstau 교통 정체 → der Verkehr 교통 (복수 없음) + der Stau 정체, 교통 정체 (die Stau*s*) ▌「es gibt + 4격」 ...이 있다 ← geben [타동사] ...을 주다 (영. give) (3 기본형: geben - gab - gegeben) (접속법 II : ich gäb*e* / 접속법 II *완료* : 「ich hätte ... gegeben」) ▌haben [조동사] 완료형 「*haben* ... pp」에 사용됨. (3 기본형: haben - hatte - gehabt) (접속법 II : ich hätte) ▌der Zug 기차 (die Züg*e*) ▌*geschafft* (동사 schaffen의 *pp형*) ⇒ schaffen [타동사] ...을 해내다, 성취하다 (3 기본형: schaff*en* - schaff*te* - *ge*schaff*t*) (접속법 II : ich schaff*te* / 접속법 II *완료* : 「ich hätte ... geschafft」 <참고> schaffen [타동사] ...을 창조하다 (3 기본형: schaffen - schuf - geschaffen)

☞ • wenn-부문장

"만약 교통 정체가 *없었더라면* ..." (실제로는 교통 정체가 있었음!)

즉, *과거* 일에 대한 비현실적 가정!

→ 따라서 geben의 접속법 II *완료형* 「hätte ... gegeben」이 사용됨!

동사 geben의 완료형 「**haben** ... gegeben」에서
조동사 haben이 ***접속법 II*** 로 변화함!
따라서 「***hätte*** ... gegeben」임.

Wenn *es* ... gegeben hätte , ...

주어가 es이므로 hätte는 어미 없이 그대로 **hätte_** 임. 즉, 「**hätte_** ... gegeben」임.
→ wenn-부문장이므로 ***후치***됨 : ... *gegeben* **hätte**

• 주문장

"... 우리는 그 기차를 *잡아탔을* 것이다." (실제로는 그 기차를 타지 못했음!)

즉, *과거* 일에 대한 비현실적 가정!

→ 따라서 schaffen의 접속법 II *완료형* 「hätte ... geschafft」사용!

동사 schaffen의 완료형 「**haben** ... geschafft」에서
조동사 haben이 ***접속법 II*** 로 변화함!
따라서 「***hätte*** ... geschafft」임.

... , hätte*n* *wir* ... geschafft.

주어가 wir이므로 hätte는 어미 ***-n***이 붙어 hätte*n* 임.

III. 주어진 동사의 접속법 II 형태를 사용하여 다음 문장을 완성하시오.

(25과, 기초문제: 교재 146쪽)

1. Die neue Kollegin spricht so gut Deutsch, als ob sie eine Deutsche (sein).

정답 Die neue Kollegin spricht so gut Deutsch, als ob sie eine Deutsche *wäre*.

✵ 해석 새 여자 동료는 마치 독일 여자이기라도 한 듯이 그렇게 독일어를 잘 한다

✵ 어휘 spricht (동사 sprechen의 *현재* 시제: 주어가 *er*, *sie*, *es*일 때) ⇒ sprechen [타동사] ...을 말하다 (현재 시제: du sprich*st* ; er sprich*t*) (3 기본형: sprechen - sprach - gesprochen) (접속법

II : ich spräch*e* / 접속법 II *완료* : 「ich hätte ... gesprochen」) ▌「so + 형용사 (부사)」 '그렇게 ...한', '그렇게 ...하게' ▌gut [형용사] 좋은, (부사적) 잘, 좋게 (3 비교형: gut - *besser* - *best-*) ▌Deutsch [고유명사] 독일어 ▌「... , als ob ...」 '마치 ...인 듯' = 「... , als wenn ...」 (뒤에 오는 부문장은 *후치*됨!) (영. as if ...) ▌*eine* Deutsch*e* 독일 여자 (형용사 deutsch의 여성명사화!) ← deutsch [형용사] 독일의 ▌sein [자동사] ...이다 (3 기본형: sein - war - gewesen ; 완료형 「*sein* ... gewesen」) (접속법 II : ich wär*e* / 접속법 II *완료* : 「ich wär*e* ... gewesen」)

☞ als ob-부문장

"... 마치 독일 여자*이기라도 한 듯이* ..." (실제로는 독일 여자 아님!)

즉, *현재* 상황에 반대되는 비현실적 가정!

→ 따라서 동사 sein의 접속법 II 형태 wär 가 사용됨!

동사 sein은 3 기본형이 ***불규칙*** 변화임!
따라서 과거형 war에 변모음이 이루어져 ***wär***임.

... , als ob *sie* eine Deutsche wäre .

주어가 여성의 sie('그녀는')이므로 wär는 어미 *-e*가 붙어 wär*e*임.
(부문장이므로 ***후치***됨!)

2. Er verhält sich, als ob ihm nichts (passieren).

(정답) Er verhält sich, als ob ihm nichts *passiert wäre.*

✻ 해석 그는 마치 자신에게 아무 일도 발생하지 않은 듯이 행동한다.

✻ 어휘 verhält (동사 verhalten의 *현재* 시제: 주어가 *er, sie, es*일 때) ⇒ 「verhalten sich[4] ... 」 [4격 재귀동사] ...하게 행동하다, ...한 태도를 취하다 (영. behave) (현재 시제: du verhält*st* dich ; er verhäl*t* sich) (3 기본형: *ver*halten - *ver*hielt - *ver*halten) (접속법 II : ich verhielt*e* / 접속법 II *완료* : 「ich hätte ... verhalten」) ▌「... , als ob ... 」 '마치 ...인 듯' = 「... , als wenn ... 」 (뒤에 오는 부문장은 *후치*됨!) (영. as if ...) ▌nichts [부정대명사] 아무것도 ... 않다 (영. nothing) ▌passiert (동사 passieren의 *pp형*) ⇒ passieren [자동사] 발생하다, 일어나다 (= geschehen) (3 기본형: passier*en* - passier*te* - passier*t* ; '*상태 변화* 자동사 → 완료형 「*sein* ... passier*t*」) (접속법 II : ich passier*te* / 접속법 II *완료* : 「ich wär*e* ... passiert」)

☞ als ob-부문장

"... 마치 자신에게 아무 일도 발생하지 *않은 듯이* ..." (실제로는 뭔가 일이 발생했음!)

즉, *과거* 일에 대한 비현실적 가정!

→ 따라서 passieren의 접속법 II *완료형* 「wär ... passiert」가 사용됨!

동사 passieren의 완료형 「**sein** ... passiert」에서
조동사 sein이 ***접속법 II*** 로 변화함!
따라서 「***wär*** ... passiert」임.

... , als ob ihm *nichts* *passiert* wäre .

주어가 부정대명사 nichts, 즉 es에 해당하므로 wär는 어미 *-e*가 붙어 「wär*e* ... passiert」임.
→ 부문장이므로 ***후치***됨 : ... *passiert* wär*e*

► 어순 : ihm은 *인칭*대명사이므로 *부정*대명사인 주어 nichts보다 앞에 위치함.

3. Die Leute sprechen immer so, als ob sie alles (wissen).

정답 Die Leute sprechen immer so, als ob sie alles *wüssten.*

✳ **해석** 그 사람들은 언제나 마치 모든 것을 알고 있기라도 한 듯이 말한다.

✳ **어휘** spricht (동사 sprechen의 *현재* 시제: 주어가 *er, sie, es*일 때) ⇒ sprechen [타동사/자동사] (...을) 말하다 (현재 시제: du sprichst ; er spricht) (3 기본형: sprechen - sprach - gesprochen) (접속법 II : ich spräche / 접속법 II *완료* : 「ich hätte ... gesprochen」) ▌immer [부사어] 항상 ▌so [부사어] 그렇게 ▌「... , als ob ... 」 '마치 ...인 듯' = 「... , als wenn ... 」 (뒤에 오는 부문장은 *후치*됨!) (영. as if ...) ▌alles [부정대명사] 모든 것 (*단수* 취급!) ▌wissen [타동사] ...을 알다 (3 기본형: wissen - wusste - gewusst) (접속법 II : ich wüsste / 접속법 II *완료* : 「ich hätte ... gewusst」)

☞ als ob-부문장

"... 마치 모든 것을 알고 있기라도 *한 듯이* ..." (실제로는 알고 있지 않음!)

즉, *현재* 상황과 반대되는 비현실적 가정!

→ 따라서 동사 wissen의 접속법 II 형태 wüsste 가 사용됨!

동사 wissen은 3 기본형이 ***불규칙*** 변화임!
따라서 과거형 wusste에 변모음이 이루어져 ***wüsste***임.

... , als ob *sie* ... wüssten .

주어가 복수의 sie('그들은')이므로 어미 ***-n***이 붙어 wüssten임.
(부문장이므로 ***후치***됨!)

기타 정답

Die Leute sprechen immer so, als ob sie alles *wissen würden.*

► 일반 동사 wissen의 접속법 II 형태는 「würde ... *wissen*」도 가능함!

즉 : ... , als ob *sie* alles *wissen* würden .

주어가 복수의 sie('그들은')이므로 würde에 어미 ***-n***이 붙어 「würden ... wissen」임.
→ 부문장이므로 ***후치***됨 : ... *wissen* würden

4. Sie hat sich um mich gekümmert, als ob sie meine Mutter (sein).

정답 Sie hat sich um mich gekümmert, als ob sie meine Mutter *gewesen wäre.*

✳ **해석** 그녀는 마치 자신이 나의 어머니이기라도 한 듯이 나를 보살폈다.

✳ **어휘** 「hat ... gekümmert」 (동사 kümmern의 *현재완료* 시제!) ▌gekümmert (동사 kümmern의 *pp형*) ⇒ 「kümmern sich[4] um + 4격」 [4격 재귀동사] ...을 돌보다 (3 기본형: kümmern - kümmerte - gekümmert) (접속법 II : ich kümmerte / 접속법 II *완료* : 「ich hätte ... gekümmert」) ▌um [*4격* 전치사] ~주위에 (영. around) ▌「... , als ob ... 」 '마치 ...인 듯' = 「... , als wenn ... 」 (뒤에 오는 부문장은 *후치*됨!) (영. as if ...) ▌die Mutter 어머니 (die Mütter) ▌sein [자동사] ...이다 (3 기본형: sein - war - gewesen ; 완료형 「*sein* ... gewesen」) (접속법 II : ich wäre / 접속법 II *완료* : 「ich wäre ... gewesen」)

☞ als ob-부문장

"... 마치 자신이 나의 어머니*이기라고 한 듯이* ..." (실제로는 나의 어머니가 아니었음!)

즉, *과거* 일에 대한 비현실적 가정!

→ 따라서 동사 sein의 접속법 II *완료형* 「wär ... gewesen」이 사용됨!

동사 sein의 완료형 「**sein** ... gewesen」에서
조동사 sein이 ***접속법 II*** 로 변화함!
따라서 「***wär*** ... gewesen」임.

... , als ob *sie* ... *gewesen* wäre .

주어가 여성의 sie('그녀는')이므로 wär는 어미 *-e*가 붙어 「wär*e* ... gewesen」임.
→ 부문장이므로 ***후치***됨 : ... *gewesen* wär*e*

5. Mein Nachbar tat so, als ob er mich nicht (sehen)

정답 Mein Nachbar tat so, als ob er mich nicht *gesehen hätte.*

✱ **해석** 내 이웃은 마치 나를 못 본 듯이 그렇게 행동했다.

✱ **어휘** tat (동사 tun의 *과거* 시제: 주어가 *ich* 혹은 *er*, *sie*, *es*일 때) ⇒ 「tun + 부사어」 [자동사] ...하게 행동하다 (3 기본형: tun - tat - getan) (접속법 II : ich tät*e* / 접속법 II *완료* : 「ich hätte ... getan」) ▌so [부사어] 그렇게 ▌「... , als ob ... 」 '마치 ...인 듯' = 「... , als wenn ... 」 (뒤에 오는 부문장은 *후치*됨!) (영. as if ...) ▌sehen [타동사] ...을 보다 (3 기본형: sehen - sah - gesehen) (접속법 II : ich säh*e* / 접속법 II *완료* : 「ich hätte ... gesehen」)

☞ als ob-부문장

"... 마치 나를 못 본 *듯이* ..." (실제로는 나를 보았음!)

즉, *과거* 일에 대한 비현실적 가정!

→ 따라서 동사 sehen의 접속법 II *완료형* 「hätte ... gesehen」이 사용됨!

동사 sehen의 완료형 「**haben** ... gesehen」에서
조동사 haben이 ***접속법 II*** 로 변화함!
따라서 「***hätte*** ... gesehen」임.

... , als ob *er* ... *gesehen* hätte .

주어가 er이므로 hätte는 어미 없이 그대로 **hätte_**임. 즉, 「**hätte_** ... gesehen」임.
→ 부문장이므로 ***후치***됨 : ... *gesehen* **hätte**

unit 02

심화문제

I. 접속법 II 문장의 의미를 직설법 문장(들)로 표현하시오. (25과, 심화문제: 교재 148쪽)

1. Wenn ich Zeit hätte, könnte ich dir helfen.

✸ 해석 만약 내가 시간이 있다면 너를 도울 수 있을 텐데.

✸ 어휘 wenn [종속접속사] 만약 ...일 경우 (뒤에 오는 부문장은 *후치*됨!) ▌die Zeit (주로 단수) 시간 (die Zeit*en*) ▌hätte (동사 haben의 접속법 II 형태) ⇒ haben [타동사] ...을 가지고 있다 (3 기본형: haben - hatte - gehabt) (접속법 II *완료* : 「ich hätte ... gehabt」) ▌「könnte ... helfen」 (화법조동사 können의 접속법 II 형태) ⇒ 「können ... 동사 원형」 ...할 수 있다 (3 기본형: können - konnte - gekonnt, können) (접속법 II *완료* : 「ich hätte ... 동사 원형 können」) ▌helfen [자동사] : 「hlefen + 3격(사람)」 *누구*를 돕다 (*3격* 요구동사!) (3 기본형: helfen - half - geholfen) (접속법 II : ich hülf*e* (hälf*e*) 혹은 「ich würde ... helfen」 / 접속법 II *완료* : 「ich hätte ... geholfen」)

정답 Weil ich keine Zeit habe, kann ich dir nicht helfen.

☞ 접속법 II가 사용됨. → *현재*의 사실과 반대되는 "비현실적" 내용!
현재의 *실제* 상황 : "나는 시간이 없기 때문에 너를 도울 수 없다."
→ 이것은 "현실적" 내용이므로 *직설법*으로 표현할 수 있음!
따라서 정답은 : *Weil* ich *keine* Zeit habe, kann ich dir *nicht* helfen.

► Wenn *ich* ... hätte , ...
동사 haben의 접속법 II 형태인 **hätte**가 사용됨!
주어가 *ich*이므로 어미 없이 그대로 **hätte**_임.

► ... , könnte *ich* ... helfen.
화법조동사 können의 접속법 II 형태인 **könnte**가 사용됨!
주어가 *ich*이므로 어미 없이 그대로 **könnte**_임.

2. Wenn er sich entschuldigt hätte, wäre sie nicht so sauer gewesen.

✸ 해석 만약 그가 용서를 구했었다면 그녀가 그렇게 화나지는 않았을 것이다.

✸ 어휘 wenn [종속접속사] 만약 ...일 경우 (뒤에 오는 문장은 *후치*됨!) ▌「... entschuldigt hätte」 (동사 entschuldigen의 *접속법 II 완료* 형태인 「hätte ... entschuldigt」가 *후치*됨!) ▌entschuldigt (동사 entschuldigen의 pp형) ⇒ entschuldigen [*4격* 재귀동사] : 「entschuldigen sich[4] (bei + 사람) (für + 4격)」 (*누구*에게서) (*4격*에 대하여) 용서를 구하다 (3 기본형: *ent*schuldig*en* - *ent*schuldig*te* - *ent*schuldig*t*) ← entschuldigen [타동사] ...을 용서하다 (영. excuse) (접

속법 II : ich *ent*schuldig*te* 혹은 「ich würde ... entschuldigen」) ▌「wäre ... gewesen」 (동사 sein의 *접속법 II 완료* 형태) ▌ gewesen (동사 sein의 pp형) ⇒ sein [자동사] ...이다 (3 기본형: sein - war - gewesen ; 완료형 「*sein* ... gewesen」) (접속법 II : ich wär*e*) ▌ so [부사어] 그렇게 ▌ sauer [형용사] 화가 난 : 「주어 + 동사 sein + sauer auf + 4격(사람)」 (구어체) *주어는 누구*에 대해 화나 있다 (= 「주어 + 동사 sein + verärgert über + 4격(사람)」) <참고> sauer 신, 신맛의

정답 Weil er sich nicht entschuldigt hat, ist sie so sauer gewesen.

☞ 접속법 II *완료*가 사용됨. → *과거*의 사실과 반대되는 "비현실적" 내용!
과거의 *실제* 상황 : "그가 용서를 구하지 않았기 때문에 그녀는 그렇게 화가 났다."
→ 이것은 "현실적" 내용이므로 *직설법*으로 표현할 수 있음!
따라서 정답은 : *Weil* er sich *nicht* entschuldigt hat, ist sie so sauer gewesen.

► Wenn *er* ... *entschuldigt* hätte , ...
동사 entschuldigen의 접속법 II 완료형 「**hätte** ... *entschuldigt*」가 사용됨!
주어가 *er*이므로 hätte는 어미 없이 그대로 hätte_임. 즉, 「**hätte** ... *entschuldigt*」임.
→ *wenn*-부문장이므로 ***후치***됨 : ... *entschuldigt* **hätte**, ...

► ... , wäre *sie* ... *gewesen* .
동사 sein의 접속법 II 완료형 「**wär** ... *gewesen*」이 사용됨!
주어가 여성의 *sie*('그녀는')이므로 wär는 어미 ***-e***가 붙어 wär***e***임. 즉, 「wär***e*** ... *gewesen*」임.

3. Er spricht so gut Deutsch, als ob er ein Deutscher wäre.

✵ **해석** 그는 마치 독일 사람이기라도 하듯 그렇게 독일어를 잘한다.

✵ **어휘** spricht (동사 sprechen의 현재 시제: 주어가 *er*, *sie*, *es*일 때) ⇒ sprechen [타동사] ...을 말하다 (현재 시제: du spr*i*ch*st* ; er spr*i*ch*t*) (3 기본형: sprechen - sprach - gesprochen) (접속법 II : ich spräch*e* 혹은 「ich würde ... sprechen」 / 접속법 II *완료* : 「ich hätte ... gesprochen」) ▌「so + 형용사(부사)」 그렇게 ...한, 그렇게 ...하게 ▌ gut [형용사] 좋은, 좋게, 잘 (3 비교형: gut - *besser* - *best-*) ▌ Deutsch [고유명사] 독일어 ▌「... , als ob ...」 '마치 ...인 듯' = 「... , als wenn ...」 (뒤에 오는 부문장은 *후치*됨!) (영. as if ...) ▌ *ein* Deutsch*er* 독일 남자 (형용사 deutsch의 남성명사화!) ▌ wäre (동사 sein의 접속법 II 형태) ⇒ sein [자동사] ...이다 (3 기본형: sein - war - gewesen ; 완료형 「*sein* ... gewesen」) (접속법 II *완료* : 「ich wär*e* ... gewesen」)

정답 Er spricht so gut Deutsch, obwohl er kein Deutscher ist.

☞ als ob 뒤의 부문장에서 접속법 II가 사용됨. → *현재*의 사실과 반대되는 "비현실적" 내용"!
현재의 *실제* 상황 : "그는 비록 독일 사람이 아니지만 독일어를 그렇게 잘한다."
→ 이것은 "현실적" 내용이므로 *직설법*으로 표현할 수 있음!
따라서 정답은 : Er spricht so gut Deutsch, *obwohl* er *kein* Deutscher ist.

► ... , als ob *er* ... wäre .
동사 sein의 접속법 II 형태 **wär**가 사용됨!
주어가 *er*이므로 wär는 어미 ***-e***가 붙어 wär***e***임.

4. Wenn ich mehr verdienen würde, könnte ich dein Studium finanzieren.

✺ **해석** 만약 내가 더 많이 돈을 번다면 너의 학비를 대줄 수 있을 텐데.

✺ **어휘** wenn [종속접속사] 만약 ...일 경우 (뒤에 오는 부문장은 *후치*됨!) ▌mehr (viel의 비교급) 더 많이 ⇒ viel 많이 (3 비교형: viel - *mehr* - *meist-*) ▌「... verdienen würde」 (동사 verdienen의 접속법 II 형태 「würde ... verdienen」이 *후치*됨!) ▌verdienen [자동사/타동사] 돈 벌다, ...을 벌다 (3 기본형: *ver*dien*en* - *ver*dien*te* - *ver*dien*t*) (접속법 II : ich verdien*te* 혹은 「ich würde ... verdienen」 / 접속법 II *완료* : 「ich hätte ... verdient」) ▌「könnte ... finanzieren」 (화법조동사 können의 접속법 II 형태) ⇒ 「können ... 동사 원형」 ...할 수 있다 (3 기본형: können - konnte - gekonnt, können) (접속법 II 완료: 「ich hätte ... 동사 원형 können」) ▌das Studi*um* (주로 단수) 대학 공부, 학업 (die Studi*en*) ▌finanzieren [타동사] ...의 비용을 충당하다 (3 기본형: finanzier*en* - finanzier*te* - finanzier*t*) (접속법 II : ich finanzier*te* 혹은 「ich würde ... finanzieren」 / 접속법 II *완료* : 「hätte ... finanziert」)

정답 Weil ich nicht mehr (als jetzt) verdiene, kann ich dein Studium nicht finanzieren.

☞ 접속법 II가 사용됨. → *현재*의 사실과 반대되는 "비현실적" 내용!
현재의 *실제* 상황 : "나는 돈을 더 많이 벌지 못하기 때문에 너의 학업을 감당할 수 없다."
→ 이것은 "현실적" 내용이므로 *직설법*으로 표현할 수 있음!
따라서 정답은 : *Weil* ich *nicht* mehr (als jetzt) verdiene, kann ich dein Studium *nicht* finanzieren.

► wäre, hätte, würde 및 화법조동사 könnte, müsste, dürfte ...를 제외한 일반 동사의 경우, (특히 구어체에서는) 접속법 II 형태 대신에 「*würde* ... 동사 원형」이 자주 사용됨.
여기서도 verdienen의 접속법 II 형태인 verdien*te* 대신에 「würde ... *verdienen*」이 옴.
즉 : Wenn ich ... *verdienen* würde , ... = Wenn ich ... verdien*te* , ...

► Wenn *ich* ... *verdienen* würde , ...
동사 verdienen의 접속법 II 형태 「**würde** ... *verdienen*」이 사용됨!
주어가 *ich*이므로 würde는 어미 없이 그대로 würde_임. 즉, 「**würde** ... *verdienen*」임.
→ *wenn*-부문장이므로 ***후치***됨 : ... *verdienen* **würde** , ...

► ... , könnte *ich* ... *finanzieren* .
화법조동사 können의 접속법 II 형태 「**könnte** ... *finanzieren*」이 사용됨!
주어가 *ich*이므로 könnte는 어미 없이 그대로 könnte_임. 즉, 「**könnte** ... *finanzieren*」임.

5. Wärst du hier, wäre ich nicht traurig.

✺ **해석** 네가 여기에 있다면 나는 슬프지 않을 것이다.

✺ **어휘** wär*st* (동사 sein의 *접속법 II* 형태) ⇒ sein [자동사] 있다, 존재하다 (3 기본형: sein - war - gewesen ; 완료형 「*sein* ... gewesen」) (접속법 II *완료* : 「ich wär*e* ... gewesen」) ▌wäre (동사 sein의 *접속법 II* 형태) ⇒ sein [자동사] ...이다 ▌traurig [형용사] 슬픈 → die Trauer 슬픔 (복수 없음)

정답 Weil du nicht hier bist, bin ich traurig.

☞ 접속법 II가 사용됨. → *현재*의 사실과 반대되는 "비현실적" 내용!
현재의 *실제* 상황 : "네가 여기에 있지 않기 때문에 나는 슬프다."
→ 이것은 "현실적" 내용이므로 *직설법*으로 표현할 수 있음!
따라서 정답은 : *Weil* du *nicht* hier bist, bin ich traurig.

► '조건'을 뜻하는 *wenn*-부문장의 경우, wenn이 생략되고 동사가 앞에 와서 도치될 수 있음!
즉 : Wärst *du* hier , wäre ich ... = *Wenn du* hier wärst , wäre ich ...
접속사 wenn이 *생략*되고, *도치*됨! 접속사 wenn과 함께 *후치*됨!

► Wärst *du* ... , ...
동사 sein의 접속법 II 형태 **wär**가 사용됨!
주어가 *du*이므로 wär는 wär*est* 혹은 wär*st* 임.

► ... , wäre *ich* ...
동사 sein의 접속법 II 형태 **wär**가 사용됨!
주어가 *ich*이므로 wär는 어미 *-e*가 붙어 wär*e*임.

6. Wenn du auf meinen Rat gehört hättest, wäre das nicht passiert.

✺ **해석** 만약 네가 나의 충고에 따랐더라면, 그것은 발생하지 않았을 것이다.

✺ **어휘** wenn [종속접속사] 만약 ...일 경우 (뒤에 오는 부문장은 *후치*됨!) ▌der Rat 충고 (복수 없음) = der Ratschlag (die Ratschläg*e*) <참고> 「raten + 3격(사람) + zu + 3격」 *누구*에게 ...하도록 충고하다 ▌「... gehört hättest」 (동사 hören의 *접속법 II 완료* 형태 「hätte*st* ... gehört」가 *후치*됨!) ▌gehör*t* (동사 hören의 pp형) ⇒ hören [자동사] 듣다 : 「hören auf + 4격(사물, 사람)」 ...에 따르다, *누구*의 말에 따르다 (3 기본형: hör*en* - hör*te* - *ge*hör*t*) (접속법 II : ich hör*te* 혹은 「ich würde ... hören」) ▌「wär*e* ... passiert」 (동사 passieren의 *접속법 II 완료* 형태) ▌passier*t* (동사 passieren의 pp형) ⇒ passieren [자동사] 발생하다 (= geschehen) (3 기본형: passier*en* - passier*te* - passier*t* ; '*상태 변화*' 자동사 → 완료형 「*sein* ... pp」) (접속법 II : ich passier*te* 혹은 「ich würde ... passieren」) ▌das [지시대명사] 그것

정답 Weil du auf meinen Rat nicht gehört hast, ist das passiert.

☞ 접속법 II *완료*가 사용됨. → *과거*의 사실과 반대되는 "비현실적" 내용!
과거의 *실제* 상황 : "네가 나의 충고에 따르지 않았기 때문에 그것이 발생했다."
→ 이것은 "현실적" 내용이므로 *직설법*으로 표현할 수 있음!
따라서 정답은 : *Weil* du auf meinen Rat *nicht* gehört hast, ist das passiert.

► Wenn *du* ... *gehört* hättest , ...
동사 hören의 접속법 II 완료형 「**hätte** ... *gehört*」가 사용됨!
주어가 *du*이므로 hätte는 어미 *-st*가 붙어 「hätte*st* ... *gehört*」임.
→ *wenn*-부문장이므로 *후치*됨 : ... *gehört* hätte*st* , ...

► ... , wäre *das* ... *passiert* .
동사 passieren의 접속법 II 완료형 「**wär** ... *passiert*」가 사용됨!
주어가 지시대명사 3인칭 단수 *das*이므로 wär는 어미 *-e*가 붙어 wär*e*임. 즉, 「wär*e* ... *passiert*」임.

II. 직설법 문장의 의미를 접속법 II 문장으로 표현하시오.

(25과, 심화문제: 교재 148쪽)

1. Er hat nicht angerufen. Deshalb wurde er am Flughafen nicht abgeholt.

✷ 해석 그는 전화하지 않았다. 그래서 그는 공항에서 마중 받지 못했다.

✷ 어휘 「hat ... angerufen」 (분리동사 anrufen의 *현재 완료* 시제) ▌angerufen (분리동사 *an*rufen의 pp형) ⇒ *an*rufen [분리동사&타동사] ...에게 전화 걸다 (*4격* 요구 동사!) (3 기본형: *an*rufen - *an*rief - *an*gerufen) (접속법 II : 「ich riefe ... *an*」 혹은 「ich würde ... anrufen」 / 접속법 II *완료* : 「ich hätte ... angerufen」) ▌deshalb [부사어] 그러므로, 그래서, 따라서 (= daher) ▌「wurde ... abgeholt」 (타동사 *ab*holen의 수동문의 *과거* 시제: 주어가 *ich* 혹은 *er, sie, es*일 때) ← 「werden ... pp」 ...되다 (수동문 형식!) (3 기본형: werden - wurde - worden) ▌abgeholt (분리동사 *ab*holen의 pp형) ⇒ *ab*holen [분리동사&타동사] *누구*를 마중 나가 데려오다, *무엇*을 받아 가져오다 (3 기본형: *ab*hol*en* - *ab*hol*te* - *ab*ge*hol*t*) (접속법 II : 「ich hol*te* ... *ab*」 혹은 「ich würde ... abholen」 / 접속법 II *완료* : 「ich hätte ... abgeholt」) ▌「am + 남성・중성 3격」 (위치) ~에서, ~옆에서 : am Flughafen 공항에서 ▌der Flughafen 공항 (die Flughäfen) → der Flug 비행 (die Flüg*e*) + der Hafen 항구 (die Häfen)

► Deshalb wurde *er* ... *abgeholt* .
타동사 *ab*holen의 수동문의 ***과거*** 시제 형식 「**wurde** ... *abgeholt*」가 사용됨.
주어가 er이므로 **wurde**는 어미 없이 그대로 **wurde_**임.
따라서 「**wurde** ... *abgeholt*」임.

☞ ① 첫째 문장 Er hat ... *angerufen* :
현재완료 시제로서 지나간 *과거*의 사실을 내용으로 함. ("... 전화하지 *않았다*.")
이러한 *과거* 사실과 반대되는 "비현실적" 내용이어야 하므로 *접속법 II 완료* 사용!

② 둘째 문장 ... wurde er ... *abgeholt* :
수동문의 *과거* 시제로서 지나간 *과거*의 사실을 내용으로 함. ("... 마중 받지 *못했다*.")
이러한 *과거* 사실과 반대되는 "비현실적" 내용이어야 하므로 *접속법 II 완료* 사용!

→ 따라서 ①, ②를 종합하여 정답은 아래와 같음!

정답 Wenn er angerufen hätte, wäre er am Flughafen abgeholt worden.

✷ 해석 만약 그가 *전화했더라면* 그는 공항에서 *마중 받았을* 것이다.

► Wenn *er* ... *angerufen* hätte , ... ⇒ *과거* 사실과 반대되는 "비현실적" 내용!
분리동사 *an*rufen의 접속법 II 완료형 「**hätte** ... *angerufen*」이 사용됨!
주어가 *er*이므로 hätte는 어미 없이 그대로 **hätte_**임. 즉, 「**hätte** ... *angerufen*」임.
→ *wenn*-부문장이므로 ***후치***됨 : ... *angerufen* **hätte** , ...

► ... , wäre *er* ... *abgeholt* worden . ⇒ *과거* 사실과 반대되는 "비현실적" 내용!
수동문 과거 시제 「wurde ... *abgeholt*」의 접속법 II 완료형 「**wär** ... *abgeholt* **worden**」이 사용됨!
(※수동문의 ***현재완료*** 형식이 「**sein** ... pp worden」이므로 ***접속법 II 완료*** 형식은 「**wär** ... pp worden」임.)
주어가 *er*이므로 wär는 어미 *-e*가 붙어 wär*e*임. 즉, 「wär*e* ... *abgeholt* worden」임.

2. Ich wurde dauernd gestört. Deshalb ist diese Arbeit immer noch nicht fertig.

✷ 해석 나는 지속적으로 방해 받았다. 그러므로 이 작업이 여전히 끝나지 못하고 있다.

✺ **어휘** 「wurde ... gestört」 (타동사 stören의 수동문의 *과거* 시제: 주어가 *ich* 혹은 *er, sie, es*일 때) ← 「werden ... pp」 ...되다 (수동문 형식!) (3 기본형: werden - wurde - worden) ▌*gestört* (동사 stören의 pp형) ⇒ stören [타동사] ...을 방해하다 (3 기본형: stör*en* - stör*te* - *ge*stör*t*) (접속법 II : ich stör*te* 혹은 「ich würde ... stören」 / 접속법 II *완료* : 「ich hätte ... gestört」) ← die Störung 방해 (die Störung*en*) ▌dauernd [형용사&현재분사] 지속적인 ; (부사적) 지속적으로 ← dauern [자동사] 「주어 + dauern + 시간 표현」 *주어는* 시간이 ... 걸리다 (영. last, take) ▌deshalb [부사어] 그러므로, 그래서, 따라서 (= daher) ▌ist (동사 sein의 현재 시제) ⇒ sein [자동사] ...이다 (3 기본형: sein - war - gewesen ; 완료형 「*sein* ... gewesen」) (접속법 II : ich wär*e* / 접속법 II *완료* : 「ich wär*e* ... gewesen」) ▌dies- [지시대명사] 이 ... (*정관사 d-* 어미변화!) ▌die Arbeit 일, 작업 (die Arbeit*en*) ▌immer noch = noch immer (비교적 긴 시간이 지났지만) 여전히 계속 ▌immer [부사어] 항상 ▌noch [부사어] 아직 ▌fertig [형용사] 완성된, 끝난

► *Ich* wurde ... *gestört* .
타동사 stören의 수동문의 ***과거*** 시제 형식 「**wurde** ... *gestört*」가 사용됨.
주어가 ich이므로 **wurde**는 어미 없이 그대로 **wurde_**임.
따라서 「**wurde** ... *gestört*」임.

☞ ① 첫째 문장 Ich wurde ... *gestört* :

수동문의 *과거* 시제로서 지난 *과거*의 사실을 내용으로 함. ("... 방해 *받았다*.")
이러한 *과거* 사실과 반대되는 "비현실적" 내용이어야 하므로 *접속법 II 완료* 사용!

② 둘째 문장 ... ist diese Arbeit ... :

현재 시제로서 지금의 상황, 즉 *현재*의 사실을 내용으로 함. ("... 끝나지 못하고 *있다*.")
이러한 *현재* 사실과 반대되는 "비현실적" 내용이어야 하므로 *접속법 II* 사용!

→ 따라서 ①, ②를 종합하여 정답은 아래와 같음!

정답 Wenn ich nicht dauernd gestört worden wäre, wäre diese Arbeit (schon) fertig.

✺ **해석** 만약 내가 지속적으로 방해 받지 않았다면, 이 작업은 이미 끝난 상태일 것이다.

► Wenn *ich* ... *gestört* worden wäre , ... ⇒ *과거* 사실과 반대되는 "비현실적" 내용!
수동문 「wurde ... *gestört*」의 접속법 II 완료형 「**wär** ... *gestört* **worden**」이 사용됨!
(※수동문의 ***현재완료*** 형식이 「**sein** ... pp worden」이므로 ***접속법 II 완료*** 형식은 「**wär** ... pp worden」임.)
주어가 *ich*이므로 wär는 어미 ***-e***가 붙어 wär*e*임. 즉, 「wär*e* ... *abgeholt* worden」
→ *wenn*-부문장이므로 ***후치***됨 : ... *gestört* worden wär*e* , ...

► ... , wäre *diese Arbeit* ... ⇒ *현재* 사실과 반대되는 "비현실적" 내용!
동사 sein('...이다')의 접속법 II 형태 **wär**가 사용됨!
주어가 *diese Arbeit*, 즉 여성의 *sie*이므로 wär는 어미 ***-e***가 붙어 wär*e*임.

3. Die Prüfung war sehr schwer. Deshalb habe ich sie nicht bestanden.

✺ **해석** 그 시험은 매우 어려웠다. 그래서 나는 그것을 통과하지 못했다.

✻ **어휘** die Prüfung 시험 (die Prüfung*en*) ← prüfen [타동사] ...을 시험하다 ▌ war (동사 sein의 과거 시제: 주어가 *ich* 혹은 *er, sie, es*일 때) ⇒ sein [자동사] ...이다 (3 기본형: sein - war - gewesen ; 완료형 「*sein* ... gewesen」) (접속법 II : ich wär*e* / 접속법 II *완료* : 「ich wär*e* ... gewesen」) ▌ sehr [부사어] 매우, 아주 ▌ schwer [형용사] 무거운, 어려운 ▌ deshalb [부사어] 그러므로, 그래서, 따라서 (= daher) ▌ 「habe ... bestanden」 (동사 bestehen의 *현재 완료* 시제) ▌ bestanden (동사 bestehen의 pp형) ⇒ bestehen [타동사] (시험 등을) 통과하다, 합격하다 (3 기본형: *be*stehen - *be*stand - *be*standen) (접속법 II : ich *be*stünd*e* (*be*ständ*e*) 혹은 「ich würde ... bestehen」 / 접속법 II *완료* : 「ich hätte ... bestanden」)

☞ ① 첫째 문장 Die Prüfung war ... :
과거 시제로서 지난 *과거*의 사실을 내용으로 함. ("... 매우 *어려웠다*.")
이러한 *과거* 사실과 반대되는 "비현실적" 내용이어야 하므로 *접속법 II 완료* 사용!

② 둘째 문장 ... habe ich ... *bestanden* :
현재완료 시제로서 지나간 *과거*의 사실을 내용으로 함. ("... 통과하지 *못했다*.")
이러한 *과거* 사실과 반대되는 "비현실적" 내용이어야 하므로 *접속법 II 완료* 사용!

→ 따라서 ①, ②를 종합하여 정답은 아래와 같음!

정답 Wenn die Prüfung nicht (sehr) schwer gewesen wäre, hätte ich sie bestanden.

✻ **해석** 만약 그 시험이 매우 어렵지 않았다면, 나는 그것을 통과했을 것이다.

► Wenn *die Prüfung* ... *gewesen* wäre , ... ⇒ *과거* 사실과 반대되는 "비현실적" 내용!
동사 sein('...이다')의 접속법 II 완료형 「**wär** ... *gewesen*」이 사용됨!
주어가 *die Prüfung*, 즉 여성의 *sie*이므로 wär는 어미 **-*e***가 붙어 wär*e*임. 즉, 「wär*e* ... *gewesen*」임.
→ *wenn*-부문장이므로 ***후치***됨 : ... *gewesen* wär***e*** , ...

► ... , hätte *ich* ... *bestanden* . ⇒ *과거* 사실과 반대되는 "비현실적" 내용!
동사 bestehen의 접속법 II 완료형 「**hätte** ... *bestanden*」이 사용됨!
주어가 *ich*이므로 hätte는 어미 없이 그대로 hätte_임. 즉, 「**hätte** ... *bestanden*」임.

4. Das Wetter ist heute sehr schlecht. Deshalb bleiben wir zu Hause.

✻ **해석** 날씨가 오늘 매우 나쁘다. 그러므로 우리는 집에 머무른다.

✻ **어휘** das Wetter 날씨 (복수 없음) ▌ ist (동사 sein의 현재 시제) ⇒ sein [자동사] ...이다 (3 기본형: sein - war - gewesen ; 완료형 「*sein* ... gewesen」) (접속법 II : ich wär*e* / 접속법 II *완료* : 「ich wär*e* ... gewesen」) ▌ heute [부사어] 오늘 ▌ sehr [부사어] 매우, 아주 ▌ schlecht [형용사] 나쁜 ▌ deshalb [부사어] 그러므로, 그래서 (= daher) ▌ bleiben [자동사] 머무르다 (3 기본형: bleiben - blieb - geblieben ; 완료형 「*sein* ... geblieben」) (접속법 II : ich blieb*e* 혹은 「ich würde ... bleiben」 / 접속법 II *완료* : 「ich wär*e* ... geblieben」) ▌ zu Haus(e) (위치) 집에, 집에서

☞ ① 첫째 문장 Das Wetter ist ... :
현재 시제로서 지금의 상황, 즉 *현재*의 사실을 내용으로 함. ("... 매우 *나쁘다*.")
이러한 *현재* 사실과 반대되는 "비현실적" 내용이어야 하므로 *접속법 II* 사용!

② 둘째 문장 ... bleiben wir ... :
현재 시제로서 지금의 상황, 즉 *현재*의 사실을 내용으로 함. ("... 집에 *머무른다*.")
이러한 *현재* 사실과 반대되는 "비현실적" 내용이어야 하므로 *접속법 II* 사용!

→ 따라서 ①, ②를 종합하여 정답은 아래와 같음!

정답 Wenn das Wetter heute nicht (sehr) schlecht wäre, blieben wir nicht zu Hause.

✺ **해석** 만약 날씨가 오늘 아주 나쁘지 않다면, 우리는 집에 머물지 않을 것이다.

► Wenn *das Wetter* ... wäre , ... ⇒ *현재* 사실과 반대되는 "비현실적" 내용!
동사 sein('...이다')의 접속법 II 형태 **wär**가 사용됨!
주어가 *das Wetter*, 즉 *es*이므로 wär는 어미 ***-e***가 붙어 wär*e*임.

► ... , blieben *wir* ... ⇒ *현재* 사실과 반대되는 "비현실적" 내용!
동사 bleiben의 접속법 II 형태 **blieb** 이 사용됨!
주어가 *wir*이므로 어미 ***-en***이 붙어 blieb*en*임.

기타 정답

Wenn das Wetter heute nicht (sehr) schlecht wäre, *würden* wir nicht zu Hause *bleiben*.

► 일반 동사 bleiben의 접속법 II 형태는 「würde ... *bleiben*」도 가능함!
즉 : ... , würden *wir* ... *bleiben* .
주어가 *wir*이므로 würde는 어미 ***-n***이 붙어 würde*n*임.

5. Er war nicht lange in Deutschland. Deshalb spricht er Deutsch nicht fließend.

✺ **해석** 그는 독일에 오랫동안 있지 않았다. 그러므로 그는 독일어를 유창하게 하지 못한다.

✺ **어휘** war (동사 sein의 과거 시제: 주어가 *ich* 혹은 *er*, *sie*, *es*일 때) ⇒ sein [자동사] ...이다 (영. be) (3 기본형: sein - war - gewesen ; 완료형 「*sein* ... gewesen」) (접속법 II : ich wär*e* / 접속법 II *완료* : 「ich wär*e* ... gewesen」) ▌ lange [부사어] 오랫동안 ▌ 「in + 국가」 (위치) ~에서 : in Deutschland 독일에(서) ▌ deshalb [부사어] 그러므로, 그래서 ▌ spricht (동사 sprechen의 현재 시제: 주어가 *er*, *sie*, *es*일 때) ⇒ sprechen [타동사] ...을 말하다 (현재 시제: du spr*i*ch*st* ; er spr*i*ch*t*) (3 기본형: sprechen - sprach - gesprochen) (접속법 II : ich spräch*e* 혹은 「ich würde ... sprechen」 / 접속법 II *완료* : 「ich hätte ... gesprochen」) ▌ Deutsch [고유명사] 독일어 (관사 없음!) ▌ fließend [형용사] 물 흐르는 듯한, 막힘없는 (동사 fließen의 현재분사) ← fließen [자동사] (물이) 흐르다

☞ ① 첫째 문장 Er war ... :
과거 시제로서 지나간 *과거*의 사실을 내용으로 함. ("... 있지 *않았다*.")
이러한 *과거* 사실과 반대되는 "비현실적" 내용이어야 하므로 *접속법 II 완료* 사용!

② 둘째 문장 ... spricht er ... :

현재 시제로서 지금의 상황, 즉 *현재*의 사실을 내용으로 함. ("... 하지 *못한다*.")

이러한 *현재* 사실과 반대되는 "비현실적" 내용이어야 하므로 *접속법 II* 사용!

→ 따라서 ①, ②를 종합하여 정답은 아래와 같음!

정답 Wenn er lange in Deutschland gewesen wäre, spräche er Deutsch fließend.

✺ 해석 만약 그가 오랫동안 독일에 있었다면, 그는 독일어를 유창하게 말할 것이다.

► Wenn *er* ... *gewesen* wäre , ... ⇒ *과거* 사실과 반대되는 "비현실적" 내용!
동사 sein('있다, 존재하다')의 접속법 II 완료형 「**wär** ... *gewesen*」이 사용됨!
주어가 *er*이므로 wär는 어미 ***-e***가 붙어 wär***e***임. 즉, 「wär***e*** ... *gewesen*」임.
→ *wenn*-부문장이므로 ***후치***됨 : ... *gewesen* wär***e*** , ...

► ... , spräche *er* ... ⇒ *현재* 사실과 반대되는 "비현실적" 내용!
동사 sprechen의 접속법 II 형태 **spräch**가 사용됨!
주어가 *er*이므로 어미 ***-e***가 붙어 spräch***e***임.

기타 정답

Wenn er lange in Deutschland gewesen wäre, *würde* er Deutsch fließend *sprechen*.

► 일반 동사 sprechen의 접속법 II 형태는 「würde ... *sprechen*」도 가능함!

즉 : ... , würde *er* ... *sprechen* .
주어가 *er*이므로 würde는 어미 없이 그대로 würde_임.

6. Ich bin krank. Deshalb kann ich nicht arbeiten.

✺ 해석 나는 아프다. 그래서 나는 일할 수 없다.

✺ 어휘 bin (동사 sein의 현재 시제) ⇒ sein [자동사] ...이다 (3 기본형: sein - war - gewesen ; 완료형 「*sein* ... gewesen」) (접속법 II : ich wäre / 접속법 II *완료* : 「ich wäre ... gewesen」) ▌krank [형용사] 아픈 ▌deshalb [부사어] 그러므로, 그래서 ▌「kann ... arbeiten」 (화법조동사 können의 현재 시제: 주어가 *ich* 혹은 *er, sie, es*일 때) ⇒ 「können ... 동사 원형」 ...할 수 있다 (현재 시제: ich kann ; du kann*st* ; er kann ; wir könn*en* ; ...) (3 기본형: können - konnte - gekonnt, können) (접속법 II : 「ich könnte ... 동사 원형」 / 접속법 II *완료* : 「ich hätte ... 동사 원형 können 」) ▌arbeiten [자동사] 일하다, 작업하다 (3 기본형: arbeit*en* - arbeit*ete* - *ge*arbeite*t*) (접속법 II : ich arbeit*ete* 혹은 「ich würde ... arbeiten」/ 접속법 II *완료* : 「ich hätte ... gearbeitet」)

☞ ① 첫째 문장 Ich bin ... :

현재 시제로서 지금의 상황, 즉 *현재*의 사실을 내용으로 함. ("... *아프다*.")

이러한 *현재* 사실과 반대되는 "비현실적" 내용이어야 하므로 *접속법 II* 사용!

② 둘째 문장 ... kann ich *arbeiten* :

현재 시제로서 지금의 상황, 즉 *현재*의 사실을 내용으로 함. ("... 일할 수 *없다*.")
이러한 *현재* 사실과 반대되는 "비현실적" 내용이어야 하므로 *접속법 II* 사용!

→ 따라서 ①, ②를 종합하여 정답은 아래와 같음!

정답 Wenn ich nicht krank wäre, könnte ich arbeiten.

✹ **해석** 만약 내가 아프지 않다면, 나는 일할 수 있을 것이다.

► Wenn *ich* ... wäre , ... ⇒ *현재* 사실과 반대되는 "비현실적" 내용!
동사 sein('...이다')의 접속법 II 형태 **wär**가 사용됨!
주어가 *ich*이므로 어미 ***-e***가 붙어 wär*e*임.

► ... , könnte *ich* ... ⇒ *현재* 사실과 반대되는 "비현실적" 내용!
화법조동사 können의 접속법 II 형태 **könnte** 가 사용됨!
주어가 *ich*이므로 어미 없이 그대로 **könnte**_임.

7. Du bist nicht zu mir gekommen. Deshalb habe ich dir die Fotos nicht gezeigt.

✹ **해석** 너는 나에게 오지 않았다. 그래서 나는 너에게 그 사진들을 보여주지 않았다.

✹ **어휘** 「bist ... gekommen」 (동사 kommen의 *현재 완료* 시제) ▌gekommen (동사 kommen의 pp형) ⇒ kommen [자동사] 오다 (3 기본형: kommen - kam - gekommen ; '*장소 이동* 자동사 → 완료형 「*sein* ... gekommen」) (접속법 II : ich käm*e* 혹은 「ich würde ... kommen」 / 접속법 II *완료* : 「ich wär*e* ... gekommen」) ▌「zu + 사람(3격)」 (방향) *누구*에게로, *누구* 집으로 ▌deshalb [부사어] 그러므로, 그래서 ▌「habe ... gezeigt」 (동사 zeigen의 *현재 완료* 시제) ▌*ge*zeig*t* (동사 zeigen의 pp형) ⇒ zeigen [타동사] : 「zeigen + 3격(사람) + 4격」 *누구*에게 *4격*을 보여주다 (3 기본형: zeig*en* - zeig*te* - *ge*zeig*t*) (접속법 II : ich zeig*te* 혹은 「ich würde ... zeigen」 / 접속법 II *완료* : 「ich hätte ... gezeigt」) ▌das Foto 사진 (die Foto*s*) → fotografieren [타동사/자동사] (...을) 사진 찍다

☞ ① 첫째 문장 Du bist ... *gekommen* :

현재완료 시제로서 지나간 *과거*의 사실을 내용으로 함. ("... 오지 *않았다*.")
이러한 *과거* 사실과 반대되는 "비현실적" 내용이어야 하므로 *접속법 II 완료* 사용!

② 둘째 문장 ... habe ich ... *gezeigt* :

현재완료 시제로서 지나간 *과거*의 사실을 내용으로 함. ("... 보여주지 *않았다*.")
이러한 *과거* 사실과 반대되는 "비현실적" 내용이어야 하므로 *접속법 II 완료* 사용!

→ 따라서 ①, ②를 종합하여 정답은 아래와 같음!

정답 Wenn du zu mir gekommen wärest (혹은 wärst), hätte ich dir die Fotos gezeigt.

✹ **해석** 만약 네가 나에게 왔더라면, 나는 너에게 그 사진들을 보여주었을 것이다.

► Wenn *du* ... *gekommen* wär(e)st , ... ⇒ *과거* 사실과 반대되는 "비현실적" 내용!
동사 kommen의 접속법 II 완료형 「**wär** ... *gekommen*」이 사용됨!
주어가 *du*이므로 「wär***est*** ... *gewesen*」혹은 「wär***st*** ... *gewesen*」임.
→ *wenn*-부문장이므로 ***후치***됨 : ... *gewesen* wär(e)***st*** , ...

► ... , hätte *ich* ... *gezeigt* . ⇒ *과거* 사실과 반대되는 "비현실적" 내용!
동사 zeigen의 접속법 II 완료형 「**hätte** ... *gezeigt*」가 사용됨!
주어가 *ich*이므로 hätte는 어미 없이 그대로 hätte_임. 즉, 「**hätte** ... *gezeigt*」임.

8. Wir kaufen die Fahrkarten im Ausland. Deshalb müssen wir viel mehr bezahlen.

✵ **해석** 우리는 승차권들을 외국에서 구입한다. 그래서 우리는 훨씬 더 많이 지불해야 한다.

✵ **어휘** kaufen [타동사] ...을 사다, 구입하다 (3 기본형: kauf*en* - kauf*te* - *ge*kauf*t*) (접속법 II : ich kauf*te* 혹은 「ich würde ... kaufen」 / 접속법 II *완료* : 「ich hätte ... gekauft」) ▌die Fahrkarte 차표, 승차권 (die Fahrkarte*n*) ← die Karte 카드 (die Karte*n*) ▌「in + 국가」 (위치) ~에서: in Deutschland 독일에(서) ▌deshalb [부사어] 그러므로, 그래서 ▌「müssen ... 동사 원형」 [화법조동사] ...해야 한다 (현재 시제: ich muss ; du muss*t* ; er muss ; wir müss*en* ; ...) (3 기본형: müssen - musste - gemusst, müssen) (접속법 II : 「ich müsste ... 동사 원형」 / 접속법 II *완료* : 「ich hätte ... 동사 원형 müssen」) ▌「viel + 비교급」 (비교급 강조) *훨씬* 더 ...한 : viel mehr 훨씬 더 많이 ▌mehr (viel의 비교급) 더 많이 ⇒ viel 많이 (3 비교형: viel - *mehr* - *meist-*) ▌bezahlen [타동사/자동사] (...의 값을) 지불하다 (3 기본형: *bezahlen* - *bezahlte* - *bezahlt*) (접속법 II : ich bezahl*te* 혹은 「ich würde ... bezahlen」 / 접속법 II *완료* : 「ich hätte ... bezahlt」)

☞ ① 첫째 문장 Wir kaufen ... :
현재 시제로서 지금의 상황, 즉 *현재*의 사실을 내용으로 함. ("... 외국에서 *구입한다*.")
이러한 *현재* 사실과 반대되는 "비현실적" 내용이어야 하므로 *접속법 II* 사용!

② 둘째 문장 ... müssen wir ... *bezahlen* :
현재 시제로서 지금의 상황, 즉 *현재*의 사실을 내용으로 함. ("... 지불해야 *한다*.")
이러한 *현재* 사실과 반대되는 "비현실적" 내용이어야 하므로 *접속법 II* 사용!

→ 따라서 ①, ②를 종합하여 정답은 아래와 같음!

정답 Wenn wir die Fahrkarten nicht im Ausland kauften, müssten wir nicht viel mehr bezahlen.

✵ **해석** 만약 우리가 승차권들을 외국에서 구입하지 않는다면, 우리는 훨씬 더 많이 지불할 필요가 없을 것이다.

► Wenn *wir* ... kauften , ... ⇒ *현재* 사실과 반대되는 "비현실적" 내용!
동사 kaufen의 접속법 II 형태 kauf***te*** 가 사용됨!
주어가 *wir*이므로 어미 ***-n***이 붙어 kauf***ten*** 임.

► ... , müssten wir ... ⇒ *현재* 사실과 반대되는 "비현실적" 내용!
화법조동사 müssen의 접속법 II 형태 **müsste** 가 사용됨!
주어가 *wir*이므로 어미 ***-n***이 붙어 müsste*n* 임.

기타 정답

Wenn wir die Fahrkarten nicht im Ausland *kaufen würden* , müssten wir nicht viel mehr bezahlen.

► 일반 동사 kaufen의 접속법 II 형태는 「würde ... *kaufen*」도 가능함!

즉 : Wenn *wir* ... *kaufen* würden , ...
동사 kaufen의 접속법 II 형태 「**würde** ... *kaufen*」이 사용됨!
주어가 *wir*이므로 würde는 어미 ***-n***이 붙어 würde*n*임. 즉, 「würde*n* ... *kaufen*」임.
→ *wenn*-부문장이므로 ***후치***됨 : ... *kaufen* würde*n* **,** ...

9. Ich war nicht da. Deshalb konnte ich dir nicht helfen.

✳ **해석** 나는 그곳에 없었다. 그래서 나는 너를 도울 수 없었다.

✳ **어휘** war (동사 sein의 과거 시제: 주어가 *ich* 혹은 *er*, *sie*, *es*일 때) ⇒ sein [자동사] ...이다 (영. be) (3 기본형: sein - war - gewesen ; 완료형 「*sein* ... gewesen」) (접속법 II : ich wär*e* / 접속법 II *완료* : 「ich wär*e* ... gewesen」) ▌「주어 + sein(동사) ... da」 *주어는* 와 있다, 출석해 있다 ▌ deshalb [부사어] 그러므로, 그래서 ▌「konnte ... helfen」 (화법조동사 können의 과거 시제: 주어가 *ich* 혹은 *er*, *sie*, *es*일 때) ⇒ 「können ... 동사 원형」 ...할 수 있다 (3 기본형: können - konnte - gekonnt, können) (접속법 II : 「ich könnte ... 동사 원형」 / 접속법 II *완료* : 「ich hätte ... 동사 원형 können」) ▌ helfen [자동사] ...을 돕다 (*3격* 요구 동사!) (3 기본형: helfen - half - geholfen) (접속법 II : ich hülf*e* (hälf*e*) 혹은 「ich würde ... helfen」 / 접속법 II *완료* : 「ich hätte ... geholfen」)

☞ ① 첫째 문장 Ich war ... :
과거 시제로서 지나간 *과거*의 사실을 내용으로 함. ("... 그곳에 *없었다*.")
이러한 *과거* 사실과 반대되는 "비현실적" 내용이어야 하므로 *접속법 II 완료* 사용!

② 둘째 문장 ... konnte ich ... *helfen* :
과거 시제로서 지나간 *과거*의 사실을 내용으로 함. ("... 도울 수 *없었다*.")
이러한 *과거* 사실과 반대되는 "비현실적" 내용이어야 하므로 *접속법 II 완료* 사용!

→ 따라서 ①, ②를 종합하여 정답은 아래와 같음!

정답 Wenn ich da gewesen wäre, hätte ich dir helfen können.

✳ **해석** 만약 내가 있었다면 나는 너를 도와줄 수 있었을 것이다.

► Wenn *ich* ... *gewesen* wäre , ... ⇒ *과거* 사실과 반대되는 "비현실적" 내용!
동사 sein('있다, 존재하다')의 접속법 II 완료형 「**wär** ... *gewesen*」이 사용됨!
주어가 *ich*이므로 wär는 어미 ***-e***가 붙어 wär*e*임. 즉, 「wär*e* ... *gewesen*」임.
→ *wenn*-부문장이므로 ***후치***됨 : ... *gewesen* wär*e* **,** ...

► ... , hätte *ich* ... *helfen* können . ⇒ *과거* 사실과 반대되는 "비현실적" 내용!
화법조동사 「*können* ... helfen」의 접속법 II 완료형 「**hätte** ... *helfen* *können*」이 사용됨!
주어가 *ich*이므로 hätte는 어미 없이 그대로 hätte_임. 즉, 「**hätte** ... *helfen* **können**」임.

III. 접속법 II를 사용하여 문맥에 맞게 문장을 완성하시오. (25과, 심화문제: 교재 148쪽)

1. Er hat mich gesehen, aber er tut, als ob er mich nicht gesehen hätte.

   ✹ 해석 그는 나를 보았지만, 마치 나를 보지 못한 것처럼 행동한다.

   ✹ 어휘 「hat ... gesehen」 (동사 sehen의 현재완료 시제) ▌gesehen (동사 sehen의 pp형) ⇒ sehen [타동사] ...을 보다 (영. see) (3 기본형: sehen - sah - gesehen) (접속법 II : ich sähe 혹은 「ich würde ... sehen」 / 접속법 II *완료* : 「ich hätte ... gesehen」) ▌tun [자동사] 행동하다, 태도를 취하다 (3 기본형: tun - tat - getan) (접속법 II : ich täte 혹은 「ich würde ... tun」/ 접속법 II *완료* : 「ich hätte ... getan」) ▌「... , als ob ... 」 '마치 ...인 듯' = 「... , als wenn ... 」 (뒤에 오는 부문장은 *접속법 II*가 사용되며, *후치*됨!) (영. as if ...)

   ☞ 접속사 aber 앞 문장 "Er hat ... gesehen"의 내용에 따르면, *실제로는* "그는 나를 보았음." 그런데 als ob-부문장을 사용하여 "... 마치 나를 보지 *못한 것처럼* ..."이라고 반대로 가정함. 즉, *과거* 일에 대한 비현실적 가정! → 동사 sehen의 접속법 II *완료형* 「hätte ... gesehen」이 옴!

   ... , als ob *er* ... *gesehen* hätte.
   주어가 *er*이므로 hätte는 어미 없이 그대로 hätte_임. 즉, 「**hätte** ... gesehen」임.
   → 부문장 안이므로 *후치*됨 : ... *gesehen* **hätte**

2. Sie hat mich schon verstanden, aber sie verhält sich so, als ob sie mich (noch) nicht verstanden hätte.

   ✹ 해석 그녀는 내 말을 이미 이해했지만, 마치 아직 내 말을 이해하지 못한 듯이 그런 태도를 하고 있다.

   ✹ 어휘 「hat ... verstanden」 (동사 verstehen의 현재 시제) ▌verstanden (동사 vetstehen의 pp형) ⇒ verstehen [타동사] ...을 이해하다 (영. understand) (3 기본형: *ver*stehen - *ver*stand - *ver*standen) (접속법 II : ich *ver*stünde (*ver*stände) 혹은 「ich würde ... verstehen」 / 접속법 II *완료* : 「ich hätte ... verstanden」) ▌schon [부사어] 이미, 벌써 ▌verhält (동사 verhalten의 현재 시제: 주어가 *er*, *sie*, *es*일 때) ⇒ 「verhalten sich[4] + 부사어」 [*4격* 재귀동사] ...하게 행동하다, ...한 태도를 취하다 (영. behave) (현재 시제: du *ver*hält*st* dich ; er *ver*häl*t* sich) (3 기본형: *ver*halten - *ver*hielt - *ver*halten) (접속법 II : ich *ver*hielt*e* 혹은 「ich würde ... verhalten」 / 접속법 II *완료* : 「ich hätte ... verhalten」) ▌so [부사어] 그렇게 ▌「... , als ob ... 」 '마치 ...인 듯' = 「... , als wenn ... 」 (뒤에 오는 부문장은 *접속법 II*가 사용되며, *후치*됨!) (영. as if ...) ▌noch [부사어] 아직, 여전히

   ☞ 접속사 aber 앞 문장 "Er hat ... verstanden"의 내용에 따르면, *실제로는* "그는 나를 이해했음." 그런데 als ob-부문장을 사용하여 "... 마치 나를 이해하지 *못한 듯이* ..."라고 반대로 가정함. 즉, *과거* 일에 대한 비현실적 가정! → 동사 verstehen의 접속법 II *완료형* 「hätte ... gesehen」이 옴!

... , als ob *sie* ... verstanden hätte .
주어가 여성의 *sie*('그녀는')이므로 hätte는 어미 없이 그대로 hätte_임. 즉, 「**hätte** ... verstanden」임.
→ 부문장 안이므로 *후치*됨 : ... *verstanden* **hätte**

3. Er ist nicht reich, aber er benimmt sich, als ob er ein Millionär wäre .

✸ **해석** 그는 부유하지 않지만, 마치 자신이 백만장자이기라도 한 듯이 행동한다.

✸ **어휘** ist (동사 sein의 현재 시제) ⇒ sein [자동사] ...이다 (3 기본형: sein - war - gewesen ; 완료형 「*sein* ... gewesen」) (접속법 II : ich wär*e* / 접속법 II *완료* : 「ich wär*e* ... gewesen」) ▌reich [형용사] 부자인, 부유한 → der Reichtum (주로 단수) 부유함 (die Reichtüm*er*) ▌benimmt (동사 benehmen의 현재 시제: 주어가 *er, sie, es*일 때) ⇒ 「benehmen sich[4] + 부사어」 [*4격* 재귀동사] ...하게 행동하다, ...한 태도를 취하다 (현재 시제: du ben*i*mm*st* dich ; er ben*i*mm*t* sich) (3 기본형: *be*nehmen - *be*nahm - *be*nommen) (접속법 II : ich *benähme* 혹은 「ich würde ... benehmen」 / 접속법 II *완료* : 「ich hätte ... benommen」) ▌「... , als ob ...」 '마치 ...인 듯' = 「... , als wenn ... 」 (뒤에 오는 부문장은 *접속법* II가 사용되며, *후치*됨!) (영. as if ...) ▌der Millionär 백만장자, 갑부 (die Millionär*e*) ← die Million 백만 (die Million*en*)

☞ 접속사 aber 앞 문장 "Er ist ..."의 내용에 따르면, *실제로는* "그는 부유하지 않음."
그런데 als ob-부문장을 사용하여 "... 마치 자신이 백만장자*이기라도 한 듯이* ..."라고 반대로 가정함.
즉, *현재* 상황에 대한 비현실적 가정! → 동사 sein의 접속법 II 형태 wär가 옴!
... , als ob *er* ... wäre .
주어가 er이므로 wär는 어미 *-e*가 붙어 wär*e*임. (부문장 안이므로 *후치*됨!)

4. Sie waren noch nie im Ausland, aber sie erzählen, als ob sie schon überall auf der Welt gewesen wären .

✸ **해석** 그들은 아직 외국에 있었던 적이 결코 없지만, 마치 이미 세계 도처에 가본 듯이 이야기 한다.

✸ **어휘** war*en* (동사 sein의 과거 시제: 주어가 *wir* 혹은 *sie*('그들은'), *Sie*일 때) ⇒ sein [자동사] ...이다 (3 기본형: sein - war - gewesen ; 완료형 「*sein* ... gewesen」) (접속법 II : ich wär*e* / 접속법 II *완료* : 「ich wär*e* ... gewesen」) ▌noch [부사어] 아직, 여전히 ▌nie 결코 ... 않다 (영. never) ▌「im + 남성 · 중성 3격」 (위치) ~안에(서) : im Ausland 외국에(서) ▌das Ausland 외국 (복수 없음) → der Ausländer 외국인 (die Ausländer) ▌erzählen [타동사/자동사] (...을) 이야기하다 (3 기본형: *erzähl*en - *erzähl*te - *erzähl*t) (접속법 II : ich *erzählte* 혹은 「ich würde ... erzählen」 / 접속법 II *완료* : 「ich hätte ... erzählt」) ▌「... , als ob ... 」 '마치 ...인 듯' = 「... , als wenn ... 」 (뒤에 오는 부문장은 *접속법* II가 사용되며, *후치*됨!) (영. as if ...) ▌schon [부사어] 이미, 벌써 ▌überall [부사어] 도처에, 모든 곳에 ▌auf [*3 · 4격* 전치사] (*3격* 지배: *위치*) ~위에, ~에 : auf der Welt 세계에서 ▌die Welt (주로 단수) 세계 (die Welt*en*)

☞ 접속사 aber 앞 문장 "Sie waren ..."의 내용에 따르면, *실제로는* "그들은 외국에 있지 않았음." 그런데 als ob-부문장을 사용하여 "... 마치 세계 도처에 *가본 듯이* ..."라고 반대로 가정함.
즉, *과거* 일에 대한 비현실적 가정! → 동사 sein의 접속법 II *완료형* 「wäre ... gewesen」이 옴!
... , als ob *sie* ... _gewesen wären_ .
주어가 복수의 sie('그들은')이므로 wär는 어미 ***-en***이 붙어 wär***en***임. 즉, 「**wären** ... gewesen」임.
→ 부문장 안이므로 *후치*됨 : ... *gewesen* **wären**

IV. 주어진 문장의 의미를 접속법 II 형태를 사용하여 표현하시오.

(25과, 심화문제: 교재 148쪽)

1. Unterschreib den Vertrag nicht!

✺ **해석** 그 계약에 서명하지 말아라.

✺ **어휘** 「Unterschreib ... !」 (동사 unterschreiben의 *du*-명령문 형태) ⇒ unterschreiben [타동사/자동사] (...에) 서명하다 (영. sign) (3 기본형: *unterschreiben* - *unterschrieb* - *unterschrieben*) (접속법 II : ich *unterschriebe* 혹은 「ich würde ... unterschreiben」 / 접속법 II *완료* : 「ich hätte ... unterschrieben」) ▌der Vertrag 계약, 협약 (die Verträg*e*)

► du-명령문 : 「동사 어간 ... !」 '...해라.'
동사 unterschreib*en* '서명하다' → Unterschreib ...! '서명해라.'

<참고>
동사 schrei*b*en('쓰다')의 du-명령문은 Schreib ...! 이외에 발음상 Schreib*e* ...! 도 가능함.
따라서 동사 unterschreib*en*의 du-명령문은 Unterschreib*e* ...! 도 가능함!

정답 Wenn ich an deiner Stelle wäre , unterschriebe ich den Vertrag nicht.

✺ **해석** 만약 내가 너의 입장에 있다면, 나는 그 계약에 서명하지 않을 것이다.

✺ **어휘** wenn [종속접속사] 만약 ...일 경우 (뒤에 오는 문장은 *후치*됨!) ▌die Stelle [1] 입장, 위치 ; [2] 일자리, 직위 (die Stelle*n*) : 「*an* jemandes *Stelle*」 누구의 입장에(서), 누구의 상황에(서) : an deiner Stelle sein 너의 입장에 있다

☞ "만약 내가 너의 입장에 있다면, ..." → *현재* 상황에 반대되는 *비현실적* 가정!
따라서 동사 sein의 접속법 II 형태인 wär가 와야 함.
즉 : Wenn *ich* an deiner Stelle _wäre_ , ...
주어가 ich이므로 어미 *-e*가 붙어 wär*e*임. (부문장이므로 *후치*됨!)
"... 나는 그 계약에 서명하지 않을 것이다." → *현재* 상황에 반대되는 *비현실적* 가정!
따라서 동사 unterschreiben의 접속법 II 형태인 unterschrieb이 와야 함.
즉 : ... , _unterschriebe_ *ich* den Vertrag nicht.
주어가 ich이므로 어미 *-e*가 붙어 unterschrieb*e*임.

기타 정답

Wenn ich an deiner Stelle wäre, *würde* ich den Vertrag nicht *unterschreiben* .

► 일반 동사 unterschreiben의 접속법 II 형태는 「würde ... *unterschreiben*」도 가능함!

즉 : ... , würde *ich* ... *unterschreiben* .

주어가 *ich*이므로 würde는 어미 없이 그대로 würde_임. 즉, 「**würde** ... *unterschreiben*」임.

2. Sag die Wahrheit!

✹ **해석** 진실을 말해라.

✹ **어휘** 「Sag ... !」 (동사 sagen의 *du*-명령문 형태) ⇒ sagen [타동사] ...을 말하다 (3 기본형: sag*en* - sag*te* - *ge*sag*t*) (접속법 II : ich sag*te* 혹은 「ich würde ... sagen」 / 접속법 II *완료* : 「ich hätte ... gesagt」) ▌die Wahrheit 진실, 진리 (die Wahrheit*en*) ← wahr [형용사] 참된, 진실의 <참고> falsch 거짓의, 틀린 → die Falschheit 거짓, 틀림 (die Falschheit*en*)

► du-명령문 : 「동사 어간 ... !」 '...해라.'

동사 sag*en* '말하다' → Sag...! '말해라.'

정답 Wenn ich du wäre , sagte ich die Wahrheit.

✹ **해석** 만약 내가 너라면, 나는 진실을 말할 것이다.

✹ **어휘** wenn [종속접속사] 만약 ...일 경우 (뒤에 오는 문장은 *후치*됨!)

☞ "만약 내가 너라면, ..." → *현재* 상황에 반대되는 *비현실적* 가정!

따라서 동사 sein의 접속법 II 형태인 wär가 와야 함.

즉 : Wenn *ich* du wäre , ...

주어가 ich이므로 wär는 어미 *-e*가 붙어 wär*e*임. (부문장이므로 ***후치***됨!)

"... 나는 진실을 말할 것이다." → *현재* 상황에 반대되는 *비현실적* 가정!

따라서 동사 sagen의 접속법 II 형태인 sag*te*가 와야 함.

즉 : ... , sagte *ich* die Wahrheit.

주어가 ich이므로 sag*te*는 어미 없이 그대로 sag*te*_임.

기타 정답

Wenn ich du wäre, *würde* ich die Wahrheit *sagen* .

► 일반 동사 sagen의 접속법 II 형태는 「würde ... *sagen*」도 가능함!

즉 : ... , würde *ich* ... *sagen* .

주어가 *ich*이므로 würde는 어미 없이 그대로 würde_임. 즉, 「**würde** ... *unterschreiben*」임.

3. Bitte jemanden um Hilfe, wenn du so wenig Zeit hast!

✹ **해석** 만약 네가 그렇게 시간이 적다면 누군가에게 도움을 청해라.

✹ **어휘** 「Bitte ... !」 (동사 bitten의 *du*-명령문 형태) ⇒ 「bitten + 4격(사람) + um + 4격」 누구에게 ...을 요청하다 (3 기본형: bitten - bat - gebeten) (접속법 II : ich bät*e* 혹은 「ich würde ... bitten」 / 접속법 II *완료* : 「ich hätte ... gebeten」) ▌um [*4격* 전치사] ~주위에, ~을 빙 돌아 (영. around) ▌jemanden (부정대명사 jemand의 *4격* 형) ⇒ jemand [부정대명사] 누군가 <참고> *2격* 형: jemand*es* 혹은 jemand*s* ; *3격* 형: jemand*em* ▌die Hilfe 도움 (die Hilfe*n*) ▌wenn [종속접속사] 만약 ...일 경우 (뒤에 오는 문장은 *후치*됨!) ▌so [부사어] 그렇게 ▌wenig

적은, 적게 (3 비교형: wenig - wenig*er* 혹은 *minder* - wenig*st*- 혹은 *mindest*-) ▌die Zeit (주로 단수) 시간, 시대 (die Zeit*en*) ▌hast (동사 haben의 현재 시제) ⇒ haben [타동사] ...을 가지고 있다 (3 기본형: haben - hatte - gehabt) (접속법 II : ich hätte / 접속법 II *완료* : 「ich hätte ... gehabt」)

► du-명령문 : 「동사 어간 ... ! 」'...해라.'
동사 bitt*en* '요청하다' → Bitt*e* ... ! '요청해라.' (즉, Bitt ...! 아님!)

<주의>
어간 끝이 *-t* , *-d* 인 동사의 du-명령문은 발음상 *-e* 첨가 : 「어간 *-e* ... ! 」
war*t*en '기다리다' → Wart*e* ...! / re*d*en '말하다' → Red*e* ...!

정답 Wenn ich so wenig Zeit hätte , bäte ich jemanden um Hilfe.

✺ **해석** 만약 내가 그렇게 시간이 적다면 나는 누군가에게 도움을 청할 것이다.

✺ **어휘** wenn [종속접속사] 만약 ...일 경우 (뒤에 오는 문장은 *후치*됨!)

☞ "만약 내가 그렇게 시간이 적다면, ..." → *현재* 상황에 반대되는 *비현실적* 가정!
따라서 동사 haben의 접속법 II 형태인 hätte가 와야 함.
즉 : Wenn *ich* so wenig Zeit hätte , ...
주어가 ich이므로 hätte는 어미 없이 그대로 **hätte**_임. (부문장이므로 ***후치***됨!)
"... 나는 누군가에게 도움을 청할 것이다." → *현재* 상황에 반대되는 *비현실적* 가정!
따라서 동사 bitten의 접속법 II 형태인 bät가 와야 함.
즉 : ... , bäte *ich* die Wahrheit.
주어가 ich이므로 bät는 어미 ***-e***가 붙어 bät*e*임.

기타 정답

Wenn ich so wenig Zeit hätte , *würde* ich jemanden um Hilfe *bitten* .

► 일반 동사 sagen의 접속법 II 형태는 「würde ... *bitten*」도 가능함!
즉 : ... , würde *ich* ... *bitten* .
주어가 *ich*이므로 würde는 어미 없이 그대로 würde_임. 즉, 「**würde** ... *bitten*」임.

unit 03

마무리 문제

I. 괄호 안의 낱말을 사용하여 독일어로 옮기시오. (25과, 마무리문제: 교재 149쪽)

1. 비가 오지 않는다면, 산책을 갈 수 있을 텐데.

(regnen, werden, wenn, spazieren, gehen, man, können)

✺ 어휘 regnen [자동사] 비오다 ('날씨' 동사이므로 주어는 항상 비인칭 주어 es임!) (3 기본형: regn*en* - regn*ete* - *ge*regn*et*) (접속법 II : es regn*ete* 혹은 「es würde ... regnen」 / 접속법 II *완료* : 「es hätte ... geregnet」) ▌wenn [종속접속사] 만약 ...일 경우 (뒤에 오는 문장은 *후치*됨!) ▌spazieren gehen [자동사] 산책 가다 (3 기본형: *spazieren* gehen - *spazieren* ging - *spazieren* gegangen ; '*장소 이동* 자동사 → 완료형 「*sein* ... *spazieren* gegangen」) (접속법 II : 「ich ginge ... *spazieren*」 혹은 「ich würde ... *spazieren* gehen」 / 접속법 II *완료* : 「ich wäre ... *spazieren* gehen」) ▌man [부정대명사] 사람들은 (man은 항상 주어이며, 단수 3인칭 er 취급!) ▌「können ... 동사 원형」 [화법조동사] ...할 수 있다 (3 기본형: können - konnte - gekonnt, können) (접속법 II : 「ich könnte ... 동사 원형」 / 접속법 II *완료* : 「ich hätte ... 동사 원형 können」)

정답 Wenn es nicht *regnete*, *könnte* man *spazieren gehen.*

☞ 실제의 상황은 '현재 비가 오고 있으며, 그래서 산책을 갈 수 없음.'
즉, *현재* 상황에 대한 비현실적 가정! → *접속법 II* 가 사용됨!

- wenn-부문장

  Wenn *es* nicht _regnete_ , ...
  동사 regnen의 접속법 II 형태인 regn***ete***가 사용됨.
  주어가 *es*이므로 어미 없이 그대로 regn***ete***_임. (wenn-부문장이므로 ***후치***됨!)

- 주문장

  ... , _könnte_ *man* spazieren gehen.
  화법조동사 können의 접속법 II 형태인 **könnte**가 사용됨.
  주어가 *man*이므로 어미 없이 그대로 **könnte**_임.

기타 정답

Wenn es nicht *regnen würde* , könnte man spazieren gehen.

► 일반 동사 regnen의 접속법 II 형태는 「würde ... *regnen*」도 가능함!

즉 : Wenn *es* ... _*regnen* würde_ , ...
주어가 *es*이므로 würde는 어미 없이 그대로 würde_임. 즉, 「**würde** ... *regnen*」임.
→ wenn-부문장이므로 후치됨 : ... *regnen* **würde** , ...

2. 네가 도와주지 않았다면, 나는 이 번역을 끝마치지 못했을 것이다.

(du, helfen, nicht, wenn, ich, diese Übersetzung, beenden, nicht, können)

✺ 어휘 helfen [자동사] : 「helfen ＋3격(사람) ＋ bei ＋ 3격」 누구를 ...할 때 돕다 (*3격* 요구 동사!) (3 기본형: helfen - half - geholfen) (접속법 II : ich hülfe (hälfe) 혹은 「ich würde ... helfen」 / 접속법 II *완료* : 「ich hätte ... geholfen」) ▌wenn [종속접속사] 만약 ...일 경우 (뒤에 오는 부문장은 *후치*됨!) ▌「dies- ＋명사」 '이 ...' (지시대명사 dies-는 *정관사 d-* 어미변화!) (영. this) ▌die Übersetzung 번역 (die Übersetzung*en*) ← übersetzen [타동사] ...을 번역하다 ▌beenden [타동사] ...을 끝내다, 마치다 (3 기본형: *beenden* - *beendete* - *beendet*) (접속법 II : ich beend*ete* 혹은 「ich würde ... beenden」 / 접속법 II *완료* : 「ich hätte ... beendet」) ▌「können ... 동사 원형」 [화법조동사] ...할 수 있다 (3 기본형: können - konnte - gekonnt, können) (접속법 II : 「ich könnte ... 동사 원형」 / 접속법 II *완료* : 「ich hätte ... 동사 원형 können」)

(정답) Wenn du mir nicht *geholfen hättest* , *hätte* ich diese Übersetzung nicht *beenden können.*

☞ 실제의 상황은 '네가 도와주었고, 그래서 나는 이 번역을 끝마칠 수 있었음.' 즉, *과거* 상황에 대한 비현실적 가정! → *접속법 II 완료형*이 사용됨!

- wenn-부문장

  Wenn *du* ... geholfen hättest , ...

  동사 helfen의 접속법 II 완료형 「**hätte** ... geholfen」이 사용됨.
  주어가 *du*이므로 hätte는 어미 *-st*가 붙어 hätte***st***임. 즉, 「hätte***st*** ... geholfen」임.
  → wenn-부문장이므로 ***후치***됨 : ... *geholfen* hätte***st*** , ...

- 주문장

  ... , hätte *ich* ... beenden können.

  화법조동사 「*können* ... beenden」의 접속법 II 완료형 「**hätte** ... beenden *können* 」이 사용됨.
  주어가 *ich*이므로 hätte는 어미 없이 그대로 hätte_임. 즉, 「**hätte** ... beenden *können* 」임.

3. 물이 없다면 인간은 살 수 없을 것이다.

(Wasser, kein, es gibt, die Menschen, leben, nicht, können)

✺ 어휘 das Wasser [물질명사] (주로 단수) 물 (das Wasser) ▌gibt (동사 geben의 현재 시제: 주어가 *er, sie, es*일 때) ⇒ geben [타동사] ...을 주다 → 「es gibt ＋ 4격」 ...이 있다 (현재 시제: du gib*st* ; er gib*t*) (3 기본형: geben - gab - gegeben) (접속법 II : ich gäb*e* 혹은 「ich würde ... geben」 / 접속법 II *완료* : 「ich hätte ... gegeben」) ▌der Mensch 인간, 인류 (die Mensch*en*) <주의> 주어가 아닌 *단수 2, 3, 4격*이 복수형과 동일하게 Mensch*en*인 약변화 명사! ▌leben [자동사] 살다, 생존하다 (3 기본형: leb*en* - leb*te* - *ge*leb*t*) (접속법 II : ich leb*te* 혹은 「ich würde ... leben」 / 접속법 II *완료* : 「ich hätte ... gelebt」) ▌「können ... 동사 원형」 [화법조동사] ...할 수 있다 (현재 시제: ich kann ; du kann*st* ; er kann ; wir könn*en* ...) (3 기본형: können - konnte - gekonnt, können) (접속법 II : 「ich könnte ... 동사 원형」 / 접속법 II *완료* : 「ich hätte ... 동사 원형 können」)

정답 *Gäbe* es kein Wasser , *könnten* die Menschen nicht *leben.*

☞ 실제의 상황은 '물이 있고, 그래서 인간은 살 수 있음.'
즉, *현재* 상황에 대한 비현실적 가정! → *접속법 II* 가 사용됨!

- 부문장 : '조건'을 뜻하는 *wenn*-부문장의 경우, wenn이 생략되고 동사가 도치될 수 있음!

  Gäbe *es* ... , ...
  동사 geben의 접속법 II 형태 **gäb**이 사용됨! (종속접속사 wenn이 생략되고 ***도치***됨!)
  주어가 *es*이므로 gäb에 어미 ***-e***가 붙어 gäb*e*임.

  <참고>
  이것은 wenn-부문장으로 변환할 수 있음.
  Wenn es ... gäbe , ...
  문장 앞에 종속접속사 ***wenn***이 오고, 동사 gäbe가 ***후치***되어 문장 맨 뒤에 옴!

- 주문장

  ... , könnten *die Menschen* ... leben.
  화법조동사 können의 접속법 II 형태 **könnte**가 사용됨!
  주어가 *die Menschen*, 즉 복수의 *sie*('그들은')이므로 어미 ***-n***이 붙어 könnte*n*임.

기타 정답

Würde es kein Wasser *geben* , könnten die Menschen nicht leben.

► 일반 동사 geben의 접속법 II 형태는 「würde ... *geben*」도 가능함!
즉 : Würde *es* ... geben , ...
주어가 *es*이므로 würde는 어미 없이 그대로 **würde**_임. 즉, 「**würde** ... *regnen*」임.
(종속접속사 wenn이 생략되고 ***도치***됨!)

<참고>
이것은 wenn-부문장으로 변환할 수 있음.
Wenn es ... gäbe , ...
문장 앞에 종속접속사 ***wenn***이 오고, 동사 gäbe가 ***후치***되어 문장 맨 뒤에 옴!

4. 내가 다시 한 번 20살이 된다면, 나는 의학을 전공할 텐데.

(ich, noch, einmal, 20, sein, wenn, ich, werden, die Medizin, studieren)

✺ **어휘** noch [부사어] 아직, 여전히 ▌einmal [부사어] 한 번 : noch einmal 다시 한 번 (영. once more) <참고> zweimal 두 번, dreimal 세 번, manchmal 간혹, 때때로 ▌zwanzig 20 ▌sein [자동사] ...이다 (3 기본형: sein - war - gewesen ; 완료형 「*sein* ... gewesen」) (접속법 II : ich wäre / 접속법 II *완료* : 「ich wäre ... gewesen」) ▌wenn [종속접속사] 만약 ...일 경우 (뒤에 오는 부문장은 *후치*됨!) ▌werden [조동사] 미래 시제 「werden ... 동사 원형」에 사용됨. (접속법 II : ich würde) ▌die Medizin (학문 명) 의학 (복수 없음) : Meidzin studieren 의학을 전공하다 (학문 명은 관사 없음!) ▌studieren [타동사] ...을 전공하다 (3 기본형: studier*en* - studier*te* - studier*t*) (접속법 II : ich studier*te* 혹은 「ich würde ... studieren」 / 접속법 II *완료* : 「ich hätte ... studiert」)

정답 Wenn ich noch einmal zwanzig *wäre* , *studierte* ich Medizin.

☞ 실제의 상황은 '나는 다시 20살이 되지 못하고, 그래서 나는 의학을 전공하지 않음.'
즉, *현재* 혹은 *미래* 상황에 대한 비현실적 가정! → *접속법 II* 가 사용됨!

- wenn-부문장

Wenn *ich* ... wäre , ...
동사 sein의 접속법 II 형태인 **wär**가 사용됨.
주어가 *ich*이므로 어미 ***-e***가 붙어 wär*e*임. (wenn-부문장이므로 ***후치***됨!)

- 주문장

... , studierte *ich* ...
동사 studieren의 접속법 II 형태인 studier***te***가 사용됨.
주어가 *ich*이므로 어미 없이 그대로 studier***te***_임.

기타 정답

Wenn ich noch einmal zwanzig wäre , *würde* ich Medizin *studieren.*

► 일반 동사 studieren의 접속법 II 형태는 「würde ... *studieren*」도 가능함!
즉 : ... , würde *ich* studieren.
주어가 *ich*이므로 würde는 어미 없이 그대로 würde_임. 즉, 「**würde** ... *studieren*」임.

5. 그가 내게 한번만이라도 전화를 했었더라면, 그것이 내게 그렇게 힘들지는 않았을 텐데.

(er, mich, ein einziges Mal, nur, anrufen, wenn, für mich, nicht, so, schwer, es, sein)

✹ 어휘 einzig [형용사] 유일한 : ein einziges Mal 유일하게 한번 ← das Mal 번, 차례 (die Mal*e*) <참고> jedes Mal 매번 ; ein paar Mal 몇 차례 ; zum ersten Mal 처음으로 (영. for the first time) ▌nur [부사어] 단지, 오로지 (영. only) ▌*an*rufen [분리동사&타동사] : 「rufen + 4격 (사람) ... *an*」 누구에게 전화 걸다 (*4격* 요구 동사!) (3 기본형: *an*rufen - *an*rief - *an*gerufen) (접속법 II : 「ich riefe ... *an*」 혹은 「ich würde ... anrufen」 / 접속법 II *완료* : 「ich hätte ... angerufen」) ▌wenn [종속접속사] 만약 ...일 경우 (뒤에 오는 부문장은 *후치*됨!) ▌für [*4격* 전치사] : für mich 나에게는 ▌「so + 형용사 (부사)」 그렇게 ...한, 그렇게 ...하게 : so schwer 그렇게 힘든 ▌schwer [형용사] 무거운, 어려운 ↔ leicht 가벼운, 쉬운 ▌sein [자동사] ...이다 (3 기본형: sein - war - gewesen ; 완료형 「*sein* ... gewesen」) (접속법 II : ich wäre / 접속법 II *완료* : 「ich wäre ... gewesen」)

정답 Wenn er mich nur ein einziges Mal *angerufen hätte* , *wäre* es für mich nicht so schwer *gewesen.*

☞ 실제의 상황은 '그가 내게 한번도 전화하지 않았고, 그래서 그것이 내게 그렇게 힘들었음.'
즉, *과거* 상황에 대한 비현실적 가정! → *접속법 II 완료형*이 사용됨!

- wenn-부문장

Wenn *er* ... angerufen hätte , ...
동사 *an*rufen의 접속법 II 완료형 「**hätte** ... *angerufen*」이 사용됨.
주어가 *er*이므로 hätte는 어미 없이 그대로 hätte_임. 즉, 「**hätte** ... *angerufen*」임.
→ wenn-부문장이므로 ***후치***됨 : ... *angerufen* **hätte** , ...

- 주문장

  ... , wäre es ... gewesen.
  동사 sein의 접속법 II 완료형 「**wär** ... *gewesen*」이 사용됨.
  주어가 *es*이므로 wär는 어미 *-e*가 붙어 wär*e*임. 즉, 「wär*e* ... *gewesen*」임.

II. 잘못된 부분(들)을 고쳐서 다시 적으시오. (25과, 마무리문제: 교재 149쪽)

1. Er konnte[오류] wohl schlechter Laune sein. Er sieht ärgerlich aus.

✹ **해석** 그는 아마도 기분이 나쁜 것 같아. 그는 화가 난 것으로 보여.

✹ **어휘** kann (화법조동사 können의 현재 시제) ⇒ 「können ... 동사 원형」 ...할 수 있다 (현재 시제: ich kann ; du kann*st* ; er kann ; wir können ; ...) (3 기본형: können - konnte - gekonnt, können) (접속법 II : 「ich könnte ... 동사 원형」 / 접속법 II *완료* : 「ich hätte ... 동사 원형 können」) ▌wohl [부사어] 아마도 ('추측'의 부사어) ▌schlecht [형용사] 나쁜 ▌die Laune 기분, 분위기 (복수 없음) (영. mood) : 「주어 + 동사 sein + guter (schlechter) Laune」 *주어는* 기분이 좋다 (나쁘다) = 「주어 + haben + gute (schlechte) Laune」 ▶ 「sieht ... aus」 (분리동사 *aus*sehen의 현재 시제: 주어가 *er, sie, es*일 때) ⇒ *aus*sehen [분리동사 &자동사] (외모가) ...해 보이다 (영. look like) (현재 시제: du sieh*st* ... *aus* ; er sieh*t* ... *aus*) (3 기본형: *aus*sehen - *aus*sah - *aus*gesehen) (접속법 II : 「ich sähe ... *aus*」 혹은 「ich würde ... aussehen」 / 접속법 II *완료* : 「ich hätte ... ausgesehen」) ▌ärgerlich [형용사] [1] (사람이) 화가 난 : 「주어(사람) + sein(동사) + ärgerlich über (혹은 auf) + 4격」 *주어는* ...에 대해 화가 나 있다 ; [2] (사물이) 화나게 만드는, 불쾌한 (= unerfreulich, unangenehm 불쾌한)

<오류>

'추측'을 뜻하므로 화법조동사 können의 접속법 II 형태인 könnte가 와야 옳음!

정답 Er *könnte* wohl schlechter Laune sein. Er sieht ärgerlich aus.

문장 1

► *Er* könnte ... sein.
화법조동사 können의 접속법 II 형태인 **könnte**가 사용됨.
주어가 *Er*이므로 könnte는 어미 없이 그대로 könnte_임. 즉, 「**könnte** ... sein」임.

2. Er tut, als ob er mich nicht kennt[오류].

✹ **해석** 그는 마치 나를 알지 못하는 것 같이 행동한다.

✻ 어휘 tun [자동사] 행동하다, 태도를 보이다 (3 기본형: tun - tat - getan) (접속법 II : ich täte 혹은 「ich würde ... tun」 / 접속법 II *완료* : 「ich hätte ... getan」) ▌「... , als ob ...」 '마치 ...인 듯' = 「... , als wenn ...」 (뒤에 오는 부문장은 *후치*됨!) (영. as if ...) ▌kennen [타동사] ...을 알다 (3 기본형: kennen - kannte - gekannt) (접속법 II : 「ich würde ... kennen」 혹은 ich kennte / 접속법 II *완료* : 「ich hätte ... gekannt」)

<오류>

als ob ... 뒤에 오는 부문장은 *접속법 II* 가 사용되어야 함.
따라서 동사 kennen의 접속법 II 형태인 「würde ... *kennen*」이 와야 옳음!

정답 Er tut, als ob er mich nicht *kennen würde*.

► ... , als ob *er* ... kennen würde .
주어가 *er*이므로 würde는 어미 없이 그대로 würde_임. 즉, 「**würde** ... *kennen*」임.
→ als ob-부문장 안이므로 *후치*됨 : ... *kennen* **würde**

3. Wenn ich an deiner Stelle war[오류], hätte ich das Angebot nicht angenommen.

✻ 해석 만약 내가 당신의 입장에 있었다면, 나는 그 제공물을 받아들이지 않았을 것이다.

✻ 어휘 wenn [종속접속사] 만약 ...일 경우 (뒤에 오는 부문장은 *후치*됨!) ▌die Stelle [1] 입장, 위치 ; [2] 지위, 일자리 (die Stelle*n*) → 「*an* jemandes *Stelle*」 *누구*의 입장에(서), *누구*의 상황에(서) : an deiner Stelle 너의 입장에(서) ▌sein [자동사] 있다 (3 기본형: sein - war - gewesen ; 완료형 「*sein* ... gewesen」) (접속법 II : ich wär*e* / 접속법 II *완료* : 「ich wäre ... gewesen」) ▌「ich hätte ... angenommen」 (분리동사 *an*nehmen의 접속법 II *완료* 형태) ▌*an*genommen (동사 *an*nehmen의 pp형) ⇒ *an*nehmen [분리동사&타동사] ...을 받아들이다, 용인하다 (영. accept, receive) (3 기본형: *an*nehmen - *an*nahm - *an*genommen) (접속법 II : 「ich nähm*e* ... *an*」 혹은 「ich würde ... annehmen」 / 접속법 II *완료* : 「ich hätte ... angenommen」) <참고> 직설법 현재 시제: du n*i*mm*st* ... *an* ; er n*i*mm*t* ... *an* ▌das Angebot 제공, 제공물 (die Angebot*e*) ← *an*bieten [분리동사&타동사] ...을 제공하다

<오류>

'다른 사람의 입장에 있다'는 뜻을 나타내는 "an jemandes Stelle sein"은 실제로는 불가능한 비현실적인 내용이므로 항상 *접속법 II* 가 사용됨.
여기서 wenn-부문장은 내용상 *과거* 사실에 반대되는 비현실적인 가정이므로
동사 sein의 접속법 II 완료형 「wäre ... *gewesen*」이 와야 옳음!

정답 Wenn ich an deiner Stelle *gewesen wäre* , hätte ich das Angebot nicht angenommen.

► Wenn *ich* ... gewesen wäre , ...
동사 sein의 접속법 II 완료형 「**wär** ... gewesen」이 사용됨.
주어가 *ich*이므로 wär는 어미 *-e*가 붙어 wär*e*임. 즉, 「**wäre** ... gewesen」임.
→ wenn-부문장 안이므로 *후치*됨 : ... *gewesen* **wäre**

► ... , hätte *ich* ... angenommen.
동사 *an*nehmen의 접속법 II 완료형 「**hätte** ... angenommen」이 사용됨.
주어가 *ich*이므로 hätte는 어미 없이 그대로 hätte_임. 즉, 「**hätte** ... angenommen」임.

4. Ich habe[오류] ihm das nicht sagen sollen. Er wurde gleich wütend.

✹ **해석** 나는 그에게 그것을 말하지 않았어야 했어. 그는 곧바로 격분했어.

✹ **어휘** 「hätte ... 동사 원형 sollen」 (화법조동사 sollen의 *접속법 II 완료형*) '...해야만 했다' (특정 상황을 *후회*하는 표현임!) ▌「sagen + 3격(사람) + 4격」 *누구*에게 ...을 말하다 (영. sagen) (3 기본형: sag*en* - sag*te* - *ge*sag*t*) (접속법 II : ich sag*te* 혹은 「ich würde ... sagen」 / 접속법 II *완료* : 「ich hätte ... gesagt」) ▌「sollen ... 동사 원형」 [화법조동사] ...해야 한다 (3 기본형: sollen - sollte - gesollt, sollen) (접속법 II : 「ich sollte ... 동사 원형」 / 접속법 II *완료* : 「ich hätte ... 동사 원형 sollen」) <참고> 직설법 현재 시제: ich soll ; du soll*st* ; er soll ; wir soll*en* ; ... ▌wurde (동사 werden의 *과거* 시제: 주어가 *ich* 혹은 *er*, *sie*, *es*일 때) ⇒ werden [자동사] (동사 sein처럼 *형용사* 혹은 *명사* 보어와 함께) ...되다 (영. become) (3 기본형: werden - wurde - geworden, 수동문의 경우 worden) (접속법 II : ich würde / 접속법 II *완료* : 「ich wäre ... geworden」) <참고> *직설법* 현재 시제: du wirst ; er wird ▌gleich [부사어] 곧, 즉시 ▌wütend [형용사] 매우 화난, 격분한

<오류>

화법조동사 sollen의 접속법 II 완료형 「hätte ... 동사 원형 sollen」 ('...해야만 했다')이 와야 함.
따라서 동사 haben의 직설법 형태인 habe가 아니라 접속법 II 형태인 hätte이어야 옳음!

정답 Ich *hätte* ihm das nicht sagen sollen. Er wurde gleich wütend.

문장 1

► *Ich* hätte ... sagen sollen.
화법조동사 「*sollen* ... sagen」의 접속법 II 완료형 「**hätte** ... sagen *sollen*」이 사용됨.
주어가 *ich*이므로 hätte는 어미 없이 그대로 hätte_임. 즉, 「**hätte** ... sagen *sollen*」임.

► Ich hätte ihm das ... sagen sollen.
어순: ihm은 ***인칭***대명사이므로 ***부정***대명사인 das보다 앞에 위치함!

문장 2

► *Er* wurde ...
동사 werden의 ***직설법 과거*** 시제임!
주어가 *Er*이므로 과거형 wurde는 어미 없이 그대로 **wurde_**임.

5. Warum weißt du das nicht? Ich dachte, alle Koreaner sind[오류] Computerspezialisten.

✹ **해석** 왜 너는 그것을 모르지? 나는 모든 한국인들이 컴퓨터 전문가일 것이라고 생각했는데.

✳ 어휘 warum [의문사] 왜? ▌ weißt (동사 wissen의 *현재* 시제: 주어가 *du*일 때) ⇒ wissen [타동사] ...을 알다 (현재 시제: ich weiß ; du weiß*t* ; er weiß ; wir wiss*en* ; ihr wiss*t* ; sie, Sie wiss*en*) (3 기본형: wissen - wusste - gewusst) (접속법 II : ich wüsste 혹은 「ich würde ... wissen」 / 접속법 II *완료* : 「ich hätte ... gewusst」) ▌ das [지시대명사] 그것을 (4격 형) ▌ dachte (동사 denken의 *과거* 시제: 주어가 *ich* 혹은 *er, sie, es*일 때) ⇒ denken [타동사] ...을 생각하다 (3 기본형: denken - dachte - gedacht) (접속법 II : ich dächte 혹은 「ich würde ... denken」 / 접속법 II *완료* : 「ich hätte ... gedacht」) ▌ 「all*e* + *복수*명사」 모든 ...들 ▌ der Koreaner 한국인, 한국 남자 (die Koreaner) ▌ sind (동사 sein의 현재 시제) ⇒ sein [자동사] ...이다 (3 기본형: sein - war - gewesen) ▌ der Computerspezialist 컴퓨터 전문가 (die Computerspezialist*en*) <주의> 주어를 제외한 *단수 2, 3, 4격*이 복수형처럼 Computerspezialist*en*인 *약변화* 명사! → der Computer 컴퓨터 (die Computer) + der Spezialist 전문가 (die Spezialist*en*) <주의> 주어를 제외한 *단수 2, 3, 4격*이 복수형처럼 Spezialist*en*인 *약변화* 명사!

<오류>

'모든 한국인들이 컴퓨터 전문가'라는 생각이 실제 사실과 다른 비현실적 내용이므로 *접속법 II* 가 사용되어야 함.

따라서 동사 sein의 직설법 형태인 sind가 아니라 접속법 II 형태인 wär*en*이 와야 옳음!

정답 Warum weißt du das nicht? Ich dacht, alle Koreaner *wären* Computerspezialisten.

문장 2

► ... , *alle Koreaner* wären ...

동사 sein의 접속법 II 형태인 wär가 사용됨.
주어가 *alle Koreaner,* 즉 복수의 *sie*이므로 어미 ***-en***이 붙어 wär***en***임.

6. Ohne Sprache haben[오류] die Menschen die Kultur und die Zivilisation nicht entwickelt.

✳ 해석 언어가 없었다면 인간들은 문화와 문명을 발전시키지 못했을 것이다.

✳ 어휘 ohne [*4격* 전치사] ~없이 (영. without) ▌ die Sprache 언어 (die Sprach*en*) ▌ 「haben ... entwickelt」 (동사 entwickeln의 *직설법 현재완료* 형태) vs. 「hätte ... entwickelt」 (동사 entwickeln의 *접속법 II 완료* 형태) ▌ entwickelt (동사 entwickeln의 pp형) ⇒ entwickeln [타동사] ...을 발전시키다 (3 기본형: *ent*wickel*n* - *ent*wickel*te* - *ent*wickel*t*) (접속법 II : ich entwickel*te* 혹은 「ich würde ... entwickeln」 / 접속법 II *완료* : 「ich hätte ... entwickelt」) <참고> 「entwickeln sich[4]」 [*4격* 재귀동사] 발전하다 ▌ der Mensch 인간, 인류 (die Mensch*en*) <주의> 주어를 제외한 *단수 2, 3, 4격*이 복수형처럼 Mensch*en*인 *약변화* 명사! (영. man ; person ; human being ; mankind) ▌ die Kultur 문화 (die Kultur*en*) ▌ die Zivilisation 문명 (Zivilisation*en*)

<오류>

Ohne Sprache('언어가 없다면')은 실제 사실과 다른 비현실적 가정을 뜻하므로 *접속법 II* 가 사용되어야 함.

따라서 동사 entwickeln의 직설법 완료형 「haben ... *entwickelt*」가 아니라 접속법 II 완료형 「hätten ... *entwickelt*」이어야 옳음!

정답 Ohne Sprache *hätten* die Menschen die Kultur und die Zivilisation nicht entwickelt.

► ... hätten *die Menschen* ... entwickelt.
동사 entwickeln의 접속법 II 완료형 「**hätte** ... *entwickelt*」가 사용됨.
주어가 *die Menschen,* 즉 복수의 *sie*이므로 hätte는 어미 ***-n***이 붙어 hätte***n***임. 즉, 「hätte***n*** ... *entwickelt*」임.

► 내용상 Ohne Sprache는 비현실적 '조건'을 나타내므로 wenn-부문장 등으로 변환될 수 있음!

Ohne Sprache hätten die Menschen ... entwickelt.

= *Wenn* es keine Sprache gegeben hätte, hätten die Menschen ... entwickelt.

= *Hätte* es keine Sprache gegeben, hätten die Menschen ... entwickelt.

Lektion 26

접속법 I

접속법 II (2)

기초문제

I. 다음 동사의 접속법 I 형태를 적으시오. (26과, 기초문제: 교재 152쪽)

1. sein

ich sei / du sei*st* 혹은 sei*est* / er (sie, es) sei

wir sei*en* / ihr sei*et* / sie, Sie sei*en*

► 동사 sein의 접속법 I 형태는 직설법과 완전히 다르므로 주의할 것!

2. haben

* ich hab*e* / du hab*est* / er (sie, es) hab*e*

* wir hab*en* / ihr hab*et* / * sie, Sie hab*en*

► 접속법 I 형태는 *원형* 어간이 어미변화 함!
즉, 동사 hab*en*의 원형 어간 hab- 에 어미변화가 이루어짐.
* 주어가 *ich* 및 *wir*, 그리고 *sie*('그들은'), *Sie*('당신은')일 때 직설법 현재 시제와 동일함!

3. werden

* ich werd*e* / du werd*est* / er (sie, es) werd*e*

* wir werd*en* / ihr werd*et* / * sie, Sie werd*en*

► 접속법 I 형태는 *원형* 어간이 어미변화 함!
즉, 동사 werd*en*의 원형 어간 werd- 에 어미변화가 이루어짐.
* 주어가 *ich* 및 *wir*, 그리고 *sie*('그들은'), *Sie*('당신은')일 때 직설법 현재 시제와 동일함!

4. sagen

* ich sag*e* / du sag*est* / er (sie, es) sag*e*

* wir sag*en* / ihr sag*et* / * sie, Sie sag*en*

► 접속법 I 형태는 *원형* 어간이 어미변화 함!
즉, 동사 sag*en*의 원형 어간 sag- 에 어미변화가 이루어짐.
* 주어가 *ich* 및 *wir*, 그리고 *sie*('그들은'), *Sie*('당신은')일 때 직설법 현재 시제와 동일함!

5. kommen

* ich komm*e* / du komm*est* / er (sie, es) komm*e*

* wir komm*en* / ihr komm*et* / * sie, Sie komm*en*

► 접속법 I 형태는 *원형* 어간이 어미변화 함!
즉, 동사 komm*en*의 원형 어간 komm- 에 어미변화가 이루어짐.
* 주어가 *ich* 및 *wir*, 그리고 *sie*('그들은'), *Sie*('당신은')일 때 직설법 현재 시제와 동일함!

6. machen

* ich mach*e* / du mach*est* / er (sie, es) mach*e*

* wir mach*en* / ihr mach*et* / * sie, Sie mach*en*

► 접속법 I 형태는 *원형* 어간이 어미변화 함!
즉, 동사 mach*en*의 원형 어간 mach- 에 어미변화가 이루어짐.
* 주어가 *ich* 및 *wir*, 그리고 *sie*('그들은'), *Sie*('당신은')일 때 직설법 현재 시제와 동일함!

7. können

* ich könn*e* / du könn*est* / er (sie, es) könn*e*

* wir könn*en* / ihr könn*et* / * sie, Sie könn*en*

► 접속법 I 형태는 *원형* 어간이 어미변화 함!
즉, 화법조동사 könn*en*의 원형 어간 könn- 에 어미변화가 이루어짐.
* 주어가 *wir* 및 *sie*('그들은'), *Sie*('당신은')일 때 직설법 현재 시제와 동일함!

8. wollen

ich woll*e* / du woll*est* / er (sie, es) woll*e*

* wir woll*en* / ihr woll*et* / * sie, Sie woll*en*

► 접속법 I 형태는 *원형* 어간이 어미변화 함!
즉, 화법조동사 woll*en*의 원형 어간 woll- 에 어미변화가 이루어짐.
* 주어가 *wir* 및 *sie*('그들은'), *Sie*('당신은')일 때 직설법 현재 시제와 동일함!

9. müssen

ich müsse / du müssest / er (sie, es) müsse

* wir müssen / ihr müsset / * sie, Sie müssen

► 접속법 I 형태는 *원형* 어간이 어미변화 함!
즉, 화법조동사 müssen의 원형 어간 müss- 에 어미변화가 이루어짐.
* 주어가 *wir* 및 *sie*('그들은'), *Sie*('당신은')일 때 직설법 현재 시제와 동일함!

10. sollen

ich solle / du sollest / er (sie, es) solle

* wir sollen / ihr sollet / * sie, Sie sollen

► 접속법 I 형태는 *원형* 어간이 어미변화 함!
즉, 화법조동사 sollen의 원형 어간 soll- 에 어미변화가 이루어짐.
* 주어가 *wir* 및 *sie*('그들은'), *Sie*('당신은')일 때 직설법 현재 시제와 동일함!

11. dürfen

ich dürfe / du dürfest / er (sie, es) dürfe

* wir dürfen / ihr dürfet / * sie, Sie dürfen

► 접속법 I 형태는 *원형* 어간이 어미변화 함!
즉, 화법조동사 dürfen의 원형 어간 dürf- 에 어미변화가 이루어짐.
* 주어가 *wir* 및 *sie*('그들은'), *Sie*('당신은')일 때 직설법 현재 시제와 동일함!

II. 직접화법 문장을 간접화법으로 표현하시오. (26과, 기초문제: 교재 152쪽)

1. Er sagte mir : „Du bist ein Feigling."

✺ **해석** 그는 나에게 "너는 겁쟁이야"라고 말했다.

✺ **어휘** sagte (동사 sagen의 *직설법 과거* 시제) ⇒ sagen [타동사] ...을 말하다 (영. say) : 「sagen + 3격(사람) + 4격」 *누구*에게 ...을 말하다 (3 기본형: sag*en* - sag*te* - *ge*sag*t*) ▌bist (동사 sein의 *직설법 현재* 시제) ⇒ sein [자동사] ...이다 (3 기본형: sein - war - gewesen ; 완료형 「*sein* ... gewesen」) ▌der Feigling 겁쟁이 (die Feigling*e*) ← feig(e) [형용사] 겁 많은 ↔ mutig, tapfer 용감한

※동사의 직설법 및 접속법 형태 :

ⓐ sein

직설법 현재 : ich bin ; du bist ; er ist ; wir sind ; ihr seid ; sie, Sie sind

접속법 I : ich sei ; du sei(e)*st* ; er sei ; wir sei*en* ; ihr sei*et* ; sie, Sie sei*en*

(모두 *직설법 현재* 형태와 다름!)

접속법 II : ich wä*re*

접속법 II 완료형 : 「ich wä*re* ... gewesen」

ⓑ sagen :

접속법 I : ich sag*e* ; du sag*est* ; er sag*e* ; wir sag*en* ; ihr sag*et* ; sie, Sie sag*en*

(밑줄 친 부분, 즉 주어가 *ich, wir* 및 *sie, Sie*일 때 *직설법 현재* 형태와 동일함!)

접속법 II : ich sag*te* 혹은 「ich würde ... sagen」

접속법 II 완료형 : 「ich hätte ... gesagt」

정답 Er sagte mir, dass ich ein Feigling sei .

✺ **해석** 그는 나에게 내가 겁쟁이라고 말했다.

☞ • *Er* sagte *mir* , dass ich ...

그가 (Er) *나에게* (mir) 말하는 상황이므로

직접화법의 "*Du*", 즉 "*너는*"은 간접화법에서 "***나는***", 즉 "***ich***"로 변환됨!

• ... , dass *ich* ... sei .

간접화법의 경우, 동사는 ***접속법 I*** 형태이어야 함!

주어가 *ich*이므로 동사 sein('...이다')의 접속법 I 형태는 **sei**임.

2. Sie fragte mich: „Gefällt es dir in Deutschland?"

✺ **해석** 그녀는 나에게 "독일에서 지내는 것이 네 마음에 드니?"라고 질문했다.

✺ **어휘** fragte (동사 fragen의 *직설법 과거* 시제) ⇒ 「fragen + 4격(사람)」 누구에게 질문하다 (*4격* 요구 동사!) (3 기본형: frag*en* - frag*te* - *ge*frag*t*) ▌gefällt (동사 gefallen의 *직설법 현재* 시제: 주어가 *er, sie, es*일 때) ⇒ 「es gefällt + 3격(사람) + 장소」 ...에서 지내는 것이 누구의 마음에 들다 (*3격* 요구 동사!) (*직설법 현재* 시제: du *gefällst* ; er *gefällt*) (3 기본형: *gefallen* - *gefiel* - *gefallen*)

※동사의 직설법 및 접속법 형태 :

ⓐ gefallen

접속법 I : ich *gefalle* ; du *gefallest* ; er *gefalle* ;
wir *gefallen* ; ihr *gefallet* ; sie, Sie *gefallen*

(밑줄 친 부분, 즉 주어가 *ich, wir* 및 *sie, Sie*일 때 *직설법 현재* 형태와 동일함!)

접속법 II : ich *gefiele* 혹은 「ich würde ... gefallen」

접속법 II 완료형 : 「ich hätte ... gefallen」

ⓑ fragen

접속법 I : ich frag*e* ; du frag*est* ; er frag*e* ; wir frag*en* ; ihr frag*et* ; sie, Sie frag*en*

(밑줄 친 부분, 즉 주어가 *ich, wir* 및 *sie, Sie*일 때 *직설법 현재* 형태와 동일함!)

접속법 II : ich frag*te* 혹은 「ich würde ... fragen」

접속법 II 완료형 : 「ich hätte ... gefragt」

(정답) Sie fragte mich, ob es mir in Deutschland gefalle .

✵ **해석** 그녀는 나에게 독일에서 지내는 것이 마음에 드는지를 질문했다.

☞ • 의문사 *없는* 의문문은 간접화법에서 *ob*-부문장이 됨!

즉 : *Sie* fragte *mich* , ob es ... gefalle .
ob-부문장으로서 ***후치***됨!

• *Sie* fragte *mich* , ob es mir ...
그녀가(Sie) *나에게*(mich) 질문하는 상황이므로
직접화법의 "*dir*", 즉 "*너에게*"는 간접화법에서 "***나에게***", 즉 "***mir***"로 변환됨!

• ... , ob *es* ... gefalle .
간접화법이므로 동사 gefallen은 ***접속법 I*** 형태이어야 함!
주어가 *es*이므로 ***원형*** 어간 gefall- 에 어미 *-e*가 붙어 gefall*e*임.

3. Er fragte sie: „Wie geht es Ihnen?"

✵ **해석** 그는 그녀에게 "당신은 어떻게 지내십니까?"라고 물어보았다.

✵ **어휘** fragte (동사 fragen의 *직설법 과거* 시제) ⇒ 「fragen + 4격(사람)」 *누구*에게 질문하다 (*4격* 요구 동사!) (3 기본형: frag*en* - frag*te* - *ge*frag*t*) ▌「Wie geht es + 3격?」 (안부인사) "어떻게 지내십니까?" → gehen [자동사] (비인칭 주어 es와 함께) 지내다 (3 기본형: gehen - ging - gegangen ; '*장소 이동* 자동사 → 완료형「*sein* ... gegangen」) ▌wie [의문사] 어떻게? (영. how?)

※동사의 직설법 및 접속법 형태 :

ⓐ gehen

접속법 I : ich gehe ; du geh*est* ; er gehe ; wir geh*en* ; ihr geh*et* ; sie, Sie geh*en*

(밑줄 친 부분, 즉 주어가 *ich*, *wir* 및 *sie*, *Sie*일 때 *직설법 현재* 형태와 동일함!)

접속법 II : ich ging*e* 혹은「ich würde ... gehen」

접속법 II 완료형 :「ich wär*e* ... gegangen」

ⓑ fragen

접속법 I : ich frag*e* ; du frag*est* ; er frag*e* ; wir frag*en* ; ihr frag*et* ; sie, Sie frag*en*

(밑줄 친 부분, 즉 주어가 *ich*, *wir* 및 *sie*, *Sie*일 때 *직설법 현재* 형태와 동일함!)

접속법 II : ich frag*te* 혹은「ich würde ... fragen」

접속법 II 완료형 :「ich hätte ... gefragt」

(정답) Er fragte sie, wie es ihr gehe .

✵ **해석** 그는 그녀에게 어떻게 지내는지 물어보았다.

☞ • 의문사 *있는* 의문문은 간접화법에서 해당 의문사와 함께 후치됨!

즉 : Er fragte sie, *wie* es ihr gehe .
의문사 wie가 그대로 옴! ↳ ***후치***됨!

• *Er* fragte *sie* , wie es ihr ...
그가(Er) *그녀에게*(sie) 질문하는 상황이므로
직접화법의 "*Ihnen*", 즉 "*당신에게*"는 간접화법에서 "***그녀에게***", 즉 "***ihr***"로 변환됨!

- ... , wie *es* ... gehe .
  간접화법이므로 동사 gehen은 ***접속법 I*** 형태이어야 함!
  주어가 *es*이므로 ***원형*** 어간 geh- 에 어미 *-e*가 붙어 geh*e*임.

기타 정답

Er fragt sie, wie es ihnen gehe .
그는 그들에게 어떻게 지내는지 물어보았다.

▸ 주어진 직접화법 문장 안의 인칭대명사 sie 및 Ihnen을 *복수*로 볼 수도 있음 :
Er fragte sie : "Wie geht es Ihnen?"
그는 *그들에게* "*당신들은* 어떻게 지내십니까?"라고 물어보았다.

4. Er wollte von mir wissen: „Warum bist du nicht zu meiner Party gekommen?"

✳ **해석** 그는 나로부터 "왜 너는 내 파티에 오지 않았니?"라고 (물으며) 알고자 했다.

✳ **어휘** wollte (화법조동사 wollen의 *직설법 과거* 시제) ⇒ 「wollen ... 동사 원형」 ...하려고 한다 (3 기본형: wollen - wollte - gewollt, wollen) ▌von [*3격* 전치사] ~에 관해 ▌wissen [타동사] ...을 알다 (3 기본형: wissen - wusste - gewusst) ▌warum [의문사] 왜? ▌「bist ... gekommen」 (동사 kommen의 *직설법 현재완료* 시제) ▌bist (완료형의 조동사 sein의 *직설법 현재* 시제) ⇒ sein [조동사] 완료형 「sein ... pp」에 사용됨. (3 기본형: sein - war - gewesen) ▌gekommen (동사 kommen의 pp형) ⇒ kommen [자동사] 오다 (3 기본형: kommen - kam - gekommen ; '*장소 이동* 자동사 → 완료형 「*sein* ... gekommen」) ▌zu [*3격* 전치사] (방향) ~로 : zu meiner Party 나의 파티로 ← die Party 파티 (die Party*s*)

※동사의 직설법 및 접속법 형태 :

ⓐ sein

직설법 현재 : ich bin ; du bist ; er ist ; wir sind ; ihr seid ; sie, Sie sind

접속법 I : ich sei ; du sei(e)*st* ; er sei ; wir sei*en* ; ihr sei*et* ; sie, Sie sei*en*

(모두 *직설법 현재* 형태와 다름!)

접속법 II : ich wär*e*

접속법 II 완료형 : 「ich wär*e* ... gewesen」

ⓑ 화법조동사 wollen

직설법 현재 : ich will ; du will*st* ; er will ; wir woll*en* ; ihr woll*t* ; sie, Sie woll*en*

(밑줄 친 부분은 불규칙 변화!)

접속법 I : ich woll*e* ; du woll*est* ; er woll*e* ; wir woll*en* ; ihr woll*et* ; sie, Sie woll*en*

(밑줄 친 부분, 즉 주어가 *wir* 및 *sie, Sie*일 때 *직설법 현재*와 동일함!)

접속법 II : 「ich woll*te* ... 동사 원형」

접속법 II 완료형 : 「ich hätte ... 동사 원형 wollen」 혹은 「ich hätte ... gewollt」

ⓒ wissen

직설법 현재 : ich weiß ; du weiß*t* ; er weiß ; wir wiss*en* ; ihr wiss*t* ; sie, Sie wiss*en*

(밑줄 친 부분은 불규칙 변화!)

접속법 I : ich wiss*e* ; du wiss*est* ; er wiss*e* ; wir wiss*en* ; ihr wiss*et* ; sie, Sie wiss*en*

(밑줄 친 부분, 즉, 주어가 *wir* 및 *sie, Sie*일 때 *직설법 현재*와 동일함!)

접속법 II : ich wüsste 혹은 「ich würde ... wissen」

접속법 II 완료형 : 「ich hätte ... gewusst」

ⓓ kommen

접속법 I : ich komm*e* ; du komm*est* ; er komm*e* ;

wir komm*en* ; ihr komm*et* ; sie, Sie komm*en*

(밑줄 친 부분, 즉 주어가 *ich, wir* 및 *sie, Sie*일 때 *직설법 현재*와 동일함!)

접속법 II : ich käm*e* 혹은 「ich würde ... kommen」

접속법 II 완료형 : 「ich wär*e* ... gekommen」

정답 Er wollte von mir wissen, warum ich nicht zu seiner Party gekommen sei .

✹ **해석** 그는 내가 왜 자기 파티에 오지 않았는지를 나로부터 알고자 했다.

☞ • 의문사 있는 의문문은 간접화법에서 해당 의문사와 함께 후치됨!

즉 : Er wollte von mir wssen , *warum* ich nicht zu seiner Party *gekommen sei* .

의문사 warum이 그대로 옴! ***후치***됨!

• *Er* wollte von *mir* wissen , warum ich ...

그가(Er) *나로부터*(von mir) 알고자 하는 상황이므로

직접화법의 "*du*", 즉 "*너는*"은 간접화법에서 "***나는***", 즉 "***ich***"로 변환됨!

• *Er* wollte von *mir* wissen , warum ... zu seiner Party ...

그가(Er) *나로부터*(von mir) 알고자 하는 상황이므로

직접화법의 "*meiner*", 즉 "*나의*"는 간접화법에서 "***그의***", 즉 "***seiner***"로 변환됨!

• ... , warum *ich* ... *gekommen sei* .

간접화법이므로 동사 kommen의 ***접속법 I*** 완료형이어야 함!

즉, kommen의 완료형 「**sein** ... gekommen」에서 조동사 **sein**이 접속법 I 형태가 되어야 함.

주어가 *ich*이므로 sein의 접속법 I 형태는 **sei**임.

따라서 「**sei** ... gekommen」인데 ***후치***됨 : ... *gekommen* **sei**.

5. Meine Mutter fragte mich: „Wann hast du morgen Unterricht?"

✹ **해석** 나의 어머니는 내게 "너는 내일 언제 수업이 있니?"라고 질문했다.

✹ **어휘** die Mutter 어머니 (die Mütter) ▌fragte (동사 fragen의 *직설법 과거* 시제) ⇒ fragen [타동사] : 「fragen + 4격(사람)」 *누구*에게 질문하다 (*4격* 요구 동사!) (3 기본형: frag*en* - frag*te* - *ge*frag*t*) ▌wann [의문사] 언제? ▌hast (동사 haben의 *직설법 현재* 시제) ⇒ haben [타동사] ...을 가지고 있다 (3 기본형: haben - hatte - gehabt) ▌morgen [부사어] 내일 ▌der Unterricht 수업 (die Unterricht*e*)

※동사의 직설법 및 접속법 형태 :

ⓐ haben

직설법 현재 : ich habe ; du hast ; er hat ; wir haben ; ihr habt ; sie, Sie haben

(밑줄 친 부분은 불규칙 변화!)

접속법 I : ich habe ; du habest ; er habe ; wir haben ; ihr habet ; sie, Sie haben

(밑줄 친 부분, 즉 주어가 *ich, wir* 및 *sie, Sie*일 때 *직설법 현재*와 동일함!)

접속법 II : ich hätte

접속법 II 완료형 : 「ich hätte ... gehabt」

ⓑ fragen

접속법 I : ich frage ; du fragest ; er frage ; wir fragen ; ihr fraget ; sie, Sie fragen

(밑줄 친 부분, 즉 주어가 *ich, wir* 및 *sie, Sie*일 때 *직설법 현재* 형태와 동일함!)

접속법 II : ich frag*te* 혹은 「ich würde ... fragen」

접속법 II 완료형 : 「ich hätte ... gefragt」

정답 Meine Mutter fragte mich, wann ich morgen Unterricht hätte .

✹ 해석 나의 어머니는 내가 내일 언제 수업이 있는지를 나에게 질문했다.

☞ • 의문사 *있는* 의문문은 간접화법에서 해당 의문사와 함께 후치됨!

즉 : Meine Mutter fragte mich , *wann* ich morgen Unterricht hätte .

의문사 wann이 그대로 옴! ***후치***됨!

• *Meine Mutter* fragte *mich* , wann ich ...

나의 어머니가, 즉 그녀가(sie) *나에게*(mich) 묻는 상황이므로

직접화법의 "*du*", 즉 "*너는*"은 간접화법에서 "***나는***", 즉 "***ich***"로 변환됨!

• ... , wann *ich* ... hätte .

간접화법이므로 원칙적으로 동사 haben의 ***접속법 I*** 형태이어야 함!

따라서 주어가 *ich*이므로 haben의 접속법 I 형태인 hab*e*가 와야 하지만,

이 경우 ***직설법***과 구분이 되지 않으므로 ***접속법 II*** 형태인 **hätte**가 사용됨 :

주어가 *ich*이므로 hätte는 어미 없이 그대로 hätte_임.

III. 다음 간접화법 문장을 직접화법 문장으로 바꾸시오. (26과, 기초문제: 교재 152쪽)

1. Er sagte, er habe in Deutschland promoviert.

✹ 해석 그는 독일에서 박사학위를 받았다고 말했다.

✸ **어휘** sagte (동사 sagen의 *직설법 과거* 시제) ⇒ sagen [타동사] ...을 말하다 (영. say) (3 기본형: sag*en* - sag*te* - *ge*sag*t*) ▌「habe ... promoviert」 (동사 promovieren의 *접속법 I 완료형*) ▌habe (완료형의 조동사 haben의 *접속법 I* 형태) ⇒ haben [조동사] 완료 형식 「haben ... pp」에 사용됨. (3 기본형: haben - hatte - gehabt) ▌promoviert (동사 promovieren의 pp형) ⇒ promovieren [자동사] 박사학위를 취득하다 (3 기본형: promovier*en* - promovier*te* - promovier*t*)

※동사의 직설법 및 접속법 형태 :

ⓐ haben

직설법 현재 : ich habe ; du hast ; er hat ; wir hab*en* ; ihr hab*t* ; sie, Sie hab*en*

(밑줄 친 부분은 불규칙 변화!)

접속법 I : ich hab*e* ; du hab*est* ; er hab*e* ; wir hab*en* ; ihr hab*et* ; sie, Sie hab*en*

(밑줄 친 부분, 즉 주어가 *ich*, *wir* 및 *sie*, *Sie*일 때 *직설법 현재*와 동일함!)

접속법 II : ich hätte

접속법 II 완료형 : 「ich hätte ... gehabt」

ⓑ sagen

접속법 I : ich sag*e* ; du sag*est* ; er sag*e* ; wir sag*en* ; ihr sag*et* ; sie, Sie sag*en*

(밑줄 친 부분, 즉 주어가 *ich*, *wir* 및 *sie*, *Sie*일 때 *직설법 현재* 형태와 동일함!)

접속법 II : ich sag*te* 혹은 「ich würde ... sagen」

접속법 II 완료형 : 「ich hätte ... gesagt」

ⓒ promovieren

접속법 I : ich promovier*e* ; du promovier*est* ; er promovier*e* ;

wir promovier*en* ; ihr promovier*et* ; sie, Sie promovier*en*

(밑줄 친 부분, 즉 주어가 *ich*, *wir* 및 *sie*, *Sie*일 때 *직설법 현재*와 동일함!)

접속법 II : ich promovier*te* 혹은 「ich würde ... promovieren」

접속법 II 완료형 : 「ich hätte ... promoviert」

정답 Er sagte: „*Ich habe* in Deutschland promoviert."

✸ **해석** 그는 "저는 독일에서 박사학위를 받았어요."라고 말했다.

2. Anne behauptet, sie habe Peter auf der Party gesehen.

✸ **해석** 안네는 파티에서 페터를 보았다고 주장한다.

✸ **어휘** behaupten [타동사] ...을 주장하다 (3 기본형: behaupt*en* - behaupt*ete* - behaupt*et*) ▌「habe ... gesehen」 (동사 sehen의 *접속법 I 완료형*) ▌habe (완료형의 조동사 haben의 *접속법 I* 형태) ⇒ haben [조동사] 완료형 「haben ... pp」에 사용됨. (3 기본형: haben - hatte - gehabt) ▌gesehen (동사 sehen의 pp형) ⇒ sehen [타동사] ...을 보다 (3 기본형: sehen - sah - gesehen) ▌auf [*3 · 4격* 전치사] (*3격* 지배: *위치*) ~에서, ~위에서 : auf der Party 파티에서 ▌die Party 파티 (die Party*s*)

※동사의 직설법 및 접속법 형태 :

ⓐ haben

직설법 현재 : ich habe ; du hast ; er hat ; wir haben ; ihr habt ; sie, Sie haben

(밑줄 친 부분은 불규칙 변화!)

접속법 I : ich habe ; du habest ; er habe ; wir haben ; ihr habet ; sie, Sie haben

(밑줄 친 부분, 즉 주어가 *ich, wir* 및 *sie, Sie*일 때 *직설법 현재*와 동일함!)

접속법 II : ich hätte

접속법 II 완료형 : 「ich hätte ... gehabt」

ⓑ behaupten

접속법 I : ich behaupte ; du behauptest ; er behaupte ;

wir behaupten ; ihr behauptet ; sie, Sie behaupten

(밑줄 친 부분, 즉 주어가 *er*일 때 이외의 나머지 모두 *직설법 현재*와 동일함!)

접속법 II : ich behauptete 혹은 「ich würde ... behaupten」

접속법 II 완료형 : 「ich hätte ... behauptet」

ⓒ sehen

직설법 현재 : ich sehe ; du siehst ; er sieht ; wir sehen ; ihr seht ; sie, Sie sehen

(밑줄 친 부분은 불규칙 변화!)

접속법 I : ich sehe ; du sehest ; er sehe ; wir sehen ; ihr sehet ; sie, Sie sehen

(밑줄 친 부분, 즉 주어가 *ich, wir* 및 *sie, Sie*일 때 *직설법 현재*와 동일함!)

접속법 II : ich sähe 혹은 「ich würde ... sehen」

접속법 II 완료형 : 「ich hätte ... gesehen」

정답 Anne behauptet: „*Ich habe* Peter auf der Party gesehen."

✺ **해석** 안네는 "저는 페터를 파티에서 보았어요."라고 주장한다.

3. Sie hat mir geschrieben, ich solle vorsichtig fahren.

✺ **해석** 그녀는 나에게 조심해서 운전하라고 (편지를) 썼다.

✺ **어휘** 「hat ... geschrieben」 (동사 schreiben의 *직설법 현재완료* 시제) ▌hat (완료형의 조동사 haben의 *직설법 현재* 시제) ⇒ haben [조동사] 완료형 「haben ... pp」에 사용됨. (3 기본형: haben - hatte - gehabt) ▌geschrieben (동사 schreiben의 pp형) ⇒ schreiben [타동사] ...라고 편지 쓰다 (3 기본형: schreiben - schrieb - geschrieben) ▌「solle ... fahren」 (화법조동사 sollen의 *접속법 I* 형태) ⇒ 「sollen ... 동사 원형」 (타인의 의지 및 바램에 근거한) ...해야 한다 (3 기본형: sollen - sollte - gesollt, sollen) ▌vorsichtig [형용사] 조심스러운, (부사적) 조심스럽게 ← die Vorsicht 주의 깊음 (복수 없음) ▌fahren [자동사] (차량을 타고) 가다 (3 기본형: fahren - fuhr - gefahren ; '*장소 이동* 자동사 → 완료형 「*sein* ... gefahren」)

※동사의 직설법 및 접속법 형태 :

ⓐ 화법조동사 sollen

직설법 현재 : ich soll ; du soll*st* ; er soll ; wir soll*en* ; ihr soll*t* ; sie, Sie soll*en*
(밑줄 친 부분은 불규칙 변화!)

접속법 I : ich solle ; du soll*est* ; er solle ; wir soll*en* ; ihr soll*et* ; sie, Sie soll*en*
(밑줄 친 부분, 즉 주어가 *wir* 및 *sie, Sie*일 때 *직설법 현재*와 동일함!)

접속법 II : 「ich soll*te* ... 동사 원형」

접속법 II 완료형 : 「ich hätte ... 동사 원형 sollen」 혹은 「ich hätte ... gesollt」

ⓑ haben

직설법 현재 : ich habe ; du hast ; er hat ; wir hab*en* ; ihr hab*t* ; sie, Sie hab*en*
(밑줄 친 부분은 불규칙 변화!)

접속법 I : ich habe ; du hab*est* ; er habe ; wir hab*en* ; ihr hab*et* ; sie, Sie hab*en*
(밑줄 친 부분, 즉 주어가 *ich, wir* 및 *sie, Sie*일 때 *직설법 현재*와 동일함!)

접속법 II : ich hätte

접속법 II 완료형 : 「ich hätte ... gehabt」

ⓒ schreiben

접속법 I : ich schreibe ; du schreib*est* ; er schreibe ;
wir schreib*en* ; ihr schreib*et* ; sie, Sie schreib*en*
(밑줄 친 부분, 즉 주어가 *ich, wir* 및 *sie, Sie*일 때 *직설법 현재*와 동일함!)

접속법 II : ich schrieb*e* 혹은 「ich würde ... schreiben」

접속법 II 완료형 : 「ich hätte ... geschrieben」

ⓓ fahren

직설법 현재 : ich fahre ; du fähr*st* ; er fähr*t* ; wir fahr*en* ; ihr fahr*t* ; sie, Sie fahr*en*
(밑줄 친 부분은 불규칙 변화!)

접속법 I : ich fahre ; du fahr*est* ; er fahre ; wir fahr*en* ; ihr fahr*et* ; sie, Sie fahr*en*
(밑줄 친 부분, 즉 주어가 *ich, wir* 및 *sie, Sie*일 때 *직설법 현재*와 동일함!)

접속법 II : ich führ*e* 혹은 「ich würde ... fahren」

접속법 II 완료형 : 「ich wäre ... gefahren」

정답 ① Sie hat mir geschrieben: „*Fahr* vorsichtig!“
그녀는 나에게 "조심해서 운전해!"라고 편지에 썼다.
② Sie hat mir geschrieben: „*Fahren Sie* vorsichtig!“
그녀는 나에게 "조심해서 운전하세요!"라고 편지에 썼다.

☞ 직접화법의 *명령문*은 간접화법에서 화법조동사 *sollen*이 있는 문장이 됨.
따라서 문제로 제시된 간접화법 예문의 "ich solle ... fahren"은 직접화법에서 *명령문*이 됨.
정답 ①의 경우 : 직접화법으로 전달되는 내용이 *du-명령문*임!
du-명령문 형식 : 「동사 어간 ...!」 '...해라.'
동사 fahren : Fahr ...! (※Fähr ...! 아님!)

<참고>

du-명령문

ⓐ 어간 모음 e → *i, ie* 인 불규칙 동사 → 어간 모음 *변화함* !

helfen : Hilf ...! / sehen : Sieh ...!

ⓑ 어간 모음 a → *ä* 인 불규칙 동사 → 어간 모음 *변화 없음* !

schlafen : Schlaf ...!

정답 ②의 경우 : 직접화법으로 전달되는 내용이 *Sie-명령문*임!

Sie-명령문 형식 : 「동사 어간 Sie ...!」'...하세요.'

동사 fahren : Fahren Sie ...!

4. Er fragte mich, ob ich am Wochenende zu Hause gewesen sei.

✵ **해석** 그는 나에게 주말에 집에 있었는지를 물었다.

✵ **어휘** fragte (동사 fragen의 *직설법 과거* 시제) ⇒ fragen [타동사] : 「fragen + 4격(사람)」 *누구*에게 질문하다 (*4격* 요구 동사!) (3 기본형: frag*en* - frag*te* - *ge*frag*t*) ▌ob [종속접속사] ...인지 여부 (영. whether, if) (뒤에 오는 부문장은 *후치*됨!) ▌am Wochenende 주말에 ← das Wochenende 주말 (die Wochenende*n*) ▌zu Haus(e) (위치) 집에, 집에서 ▌「... gewesen sei」 (동사 sein의 *접속법 I 완료형* 「sei ... gewesen」이 *후치*됨!) ▌sei (완료형의 조동사 sein의 *접속법 I* 형태) ▌gewesen (동사 sein의 pp형) ⇒ sein [자동사] 있다, 존재하다 (3 기본형: sein - war - gewesen ; 완료형 「*sein* ... gewesen」)

※동사의 직설법 및 접속법 형태 :

ⓐ sein

직설법 현재 : ich bin ; du bist ; er ist ; wir sind ; ihr seid ; sie, Sie sind

접속법 I : ich sei ; du sei(e)*st* ; er sei ; wir sei*en* ; ihr sei*et* ; sie, Sie sei*en*

(모두 *직설법 현재* 형태와 다름!)

접속법 II : ich wär*e*

접속법 II 완료형 : 「ich wär*e* ... gewesen」

ⓑ fragen

접속법 I : ich frag*e* ; du frag*est* ; er frag*e* ; wir frag*en* ; ihr frag*et* ; sie, Sie frag*en*

(밑줄 친 부분, 즉 주어가 *ich, wir* 및 *sie, Sie*일 때 *직설법 현재* 형태와 동일함!)

접속법 II : ich frag*te* 혹은 「ich würde ... fragen」

접속법 II 완료형 : 「ich hätte ... gefragt」

정답 ① Er fragte mich: „*Warst du* am Wochenende zu Hause?"

② Er fragte mich: „*Bist du* am Wochenende zu Hause *gewesen*?"

✵ **해석** 그는 나에게 "너는 주말에 집에 있었니?"라고 물었다.

☞ • 직접화법의 *의문사 없는 의문문*은 간접화법에서 *ob-부문장*이 됨.

따라서 문제로 제시된 간접화법 예문 안의 "ob ich ... gewesen sei"는

직접화법에서 *의문사 없는 의문문*이 됨.

• 직접화법의 *과거* 혹은 *현재완료* 시제 문장은 간접화법에서 *접속법 I 완료형* 문장이 됨. 따라서 문제로 제시된 간접화법 예문 안의 "ob ich ... gewesen sei"는 직접화법에서 *과거* 혹은 *현재완료* 시제 문장이 됨.

정답 ①의 경우 : 직접화법으로 전달되는 문장 "Warst du ...?"은 의문사 *없는* 의문문이며, *과거* 시제!

정답 ②의 경우 : 직접화법으로 전달되는 문장 "Bist du ... gewesen?"은 의문사 *없는* 의문문이며, *현재완료* 시제!

기타 정답

① Er fragte mich: „*Waren Sie* am Wochenende zu Hause?“

② Er fragte mich: „*Sind Sie* am Wochenende zu Hause *gewesen*?“
그는 나에게 "당신은 주말에 댁에 계셨나요?"라고 물었다

► 직접화법에서 du('너는')가 아니라, 격식칭 *Sie*('당신은')가 주어인 문장도 가능함.

unit 02

심화문제

I. 다음 문장을 간접화법으로 표현하시오. (26과, 심화문제: 교재 154쪽)

1. Er sagte mir: „Du bist ein Lügner.“

✺ **해석** 그는 나에게 “너는 거짓말쟁이야.”라고 말했다.

✺ **어휘** sagte (동사 sagen의 *직설법 과거* 시제) ⇒ sagen [타동사] ...을 말하다 (3 기본형: sag*en* - sag*te* - *ge*sag*t*) ▌bist (동사 sein의 *직설법 현재* 시제) ⇒ sein [자동사] ...이다 (3 기본형: sein - war - gewesen ; 완료형 「*sein* ... gewesen」) ▌der Lügner 거짓말쟁이 (die Lügner) ← lügen [자동사] 거짓말하다 (3 기본형: lügen - log - gelogen) <참고> betrügen [타동사] 누구를 사기 치다 (3 기본형: betrügen - betrog - betrogen) → der Betrüger 사기꾼 (die Betrüger)

※동사의 직설법 및 접속법 형태 :

ⓐ sein

직설법 현재 : ich bin ; du bist ; er ist ; wir sind ; ihr seid ; sie, Sie sind

접속법 I : ich sei ; du sei(e)*st* ; er sei ; wir sei*en* ; ihr sei*et* ; sie, Sie sei*en*

(모두 *직설법 현재* 형태와 다름!)

접속법 II : ich wär*e*

접속법 II 완료형 : 「ich wär*e* ... gewesen」

ⓑ sagen

접속법 I : ich sag*e* ; du sag*est* ; er sag*e* ; wir sag*en* ; ihr sag*et* ; sie, Sie sag*en*

(밑줄 친 부분, 즉 주어가 *ich*, *wir* 및 *sie*, *Sie*일 때 *직설법 현재* 형태와 동일함!)

접속법 II : ich sag*te* 혹은 「ich würde ... sagen」

접속법 II 완료형 : 「ich hätte ... gesagt」

정답 Er sagte mir, dass *ich* ein Lügner *sei.*

✺ **해석** 그는 나에게 내가 거짓말쟁이라고 말했다.

☞ • *Er* sagte *mir* , dass ich ...

그가(Er) *나에게*(mir) 말하는 상황이므로
직접화법의 “*Du*”, 즉 “*너는*”은 간접화법에서 “***나는***”, 즉 “***ich***”로 변환됨!

• ... , dass *ich* ... sei .

간접화법이므로 동사 sein(‘...이다’)의 ***접속법 I*** 형태이어야 함.
주어가 *ich*이므로 sein의 접속법 I 형태는 **sei**임.

2. Sie fragte mich: „Liebst du mich?“

✺ **해석** 그녀는 나에게 “너는 나를 사랑하니?”라고 물었다.

✺ **어휘** fragte (동사 fragen의 *직설법 과거* 시제) ⇒ fragen [타동사] : 「fragen + 4격(사람)」 누구에게 질문하다 (*4격* 요구 동사!) (3 기본형: frag*en* - frag*te* - *ge*frag*t*) ▌lieben [타동사] ...을 사랑하다 (3 기본형: lieb*en* - lieb*te* - *ge*lieb*t*)

※동사의 직설법 및 접속법 형태 :

ⓐ lieben

접속법 I : ich liebe ; du lieb*est* ; er lieb*e* ; wir lieb*en* ; ihr lieb*et* ; sie, Sie lieb*en*

(밑줄 친 부분, 즉 주어가 *ich*, *wir* 및 *sie*, *Sie*일 때 *직설법 현재* 형태와 동일함!)

접속법 II : ich lieb*te* 혹은 「ich würde ... lieben」

접속법 II 완료형 : 「ich hätte ... geliebt」

ⓑ fragen

접속법 I : ich frage ; du frag*est* ; er frag*e* ; wir frag*en* ; ihr frag*et* ; sie, Sie frag*en*

(밑줄 친 부분, 즉 주어가 *ich*, *wir* 및 *sie*, *Sie*일 때 *직설법 현재* 형태와 동일함!)

접속법 II : ich frag*te* 혹은 「ich würde ... fragen」

접속법 II 완료형 : 「ich hätte ... gefragt」

정답 Sie fragte mich, ob *ich* sie *liebte*.

✺ **해석** 그녀는 내가 그녀를 사랑하는지를 나에게 물었다.

☞ • 직접화법의 의문사 *없는* 의문문은 간접화법에서 *ob-부문장*이 됨!

즉 : Sie fragte mich , ob *ich* ... liebte .
ob-부문장으로서 ***후치***됨!

• *Sie* fragte *mich* , ob ich ...
그녀가(Sie) *나에게*(mir) 질문하는 상황이므로
직접화법의 “*du*”, 즉 “*너는*”은 간접화법에서 “***나는***”, 즉 “***ich***”로 변환됨!

• ... , ob *ich* ... liebte .
간접화법이므로 원칙적으로 동사 lieben의 ***접속법 I*** 형태이어야 함!
따라서 주어가 *ich*이므로 lieben의 접속법 I 형태인 lieb*e*가 와야 하지만,
이 경우 ***직설법***과 구분이 되지 않으므로 ***접속법 II*** 형태인 lieb**te**가 사용됨 :
주어가 *ich*이므로 lieb**te**는 어미 없이 그대로 lieb**te**_임.

기타 정답

Sie fragte mich, ob ich sie *lieben würde*.

► 동사 lieben의 접속법 II 형태로서 「**würde** ... *lieben*」이 올 수도 있음.

3. Er sagte am Telefon: „Ich habe keine Zeit.“

✺ **해석** 그는 전화로 “나는 시간이 없어.”라고 말했다.

✵ 어휘 sagte (동사 sagen의 *직설법 과거* 시제) ⇒ sagen [타동사] ...을 말하다 : 「sagen + 4격 + am Telefon」 전화로 ...을 말하다 (3 기본형: sag*en* - sag*te* - *ge*sag*t*) ▌das Telefon 전화, 전화기 (die Telefon*e*) ▌haben [타동사] ...을 가지고 있다 (3 기본형: haben - hatte - gehabt) ▌die Zeit (주로 단수) 시간 (die Zeit*en*)

※동사의 직설법 및 접속법 형태 :

ⓐ haben

직설법 현재 : ich habe ; du hast ; er hat ; wir hab*en* ; ihr hab*t* ; sie, Sie hab*en*

(밑줄 친 부분은 불규칙 변화!)

접속법 I : ich habe ; du hab*est* ; er habe ; wir haben ; ihr hab*et* ; sie, Sie haben

(밑줄 친 부분, 즉 주어가 *ich*, *wir* 및 *sie*, *Sie*일 때 *직설법 현재*와 동일함!)

접속법 II : ich hätte

접속법 II 완료형 : 「ich hätte ... gehabt」

ⓑ sagen

접속법 I : ich sage ; du sag*est* ; er sage ; wir sagen ; ihr sag*et* ; sie, Sie sagen

(밑줄 친 부분, 즉 주어가 *ich*, *wir* 및 *sie*, *Sie*일 때 *직설법 현재* 형태와 동일함!)

접속법 II : ich sag*te* 혹은 「ich würde ... sagen」

접속법 II 완료형 : 「ich hätte ... gesagt」

정답 Er sagte am Telefon, dass *er* keine Zeit *habe.*

✵ 해석 그는 전화로 자기는 시간이 없다고 말했다.

☞ • *Er* sagte am Telefon , dass er ...
그가(Er) 말하는 상황이므로
직접화법의 "*Ich*", 즉 "*나는*"은 간접화법에서 "**그는**", 즉 "***er***"로 변환됨!

• ... , dass *er* ... habe .
간접화법이므로 동사 haben의 ***접속법 I*** 형태이어야 함.
주어가 *er*이므로 haben의 접속법 I 형태는 ***원형*** 어간 hab- 에 어미 ***-e***가 붙어 hab*e*임.

4. Er sagte zu ihr: „Ich komme heute spät nach Hause."

✵ 해석 그는 그녀에게 "나는 오늘 늦게 집에 와."라고 말했다

✵ 어휘 sagte (동사 sagen의 *직설법 과거* 시제) ⇒ sagen [타동사] ...을 말하다 : 「sagen + 4격 + zu + 3격(사람)」 = 「sagen + 3격(사람) + 4격」 *누구*에게 ...을 말하다 (3 기본형: sag*en* - sag*te* - *ge*sag*t*) ▌kommen [자동사] 오다 (3 기본형: kommen - kam - gekommen ; '*장소 이동* 자동사 → 완료형 「*sein* ... gekommen」) ▌nach Haus(e) (방향) 집으로 ▌heute [부사어] 오늘 ▌spät [형용사] 늦은, (부사적) 늦게 ↔ früh 이른, 일찍

※동사의 직설법 및 접속법 형태 :

ⓐ kommen

접속법 I : ich komm*e* ; du komm*est* ; er komm*e* ;

wir komm*en* ; ihr komm*et* ; sie, Sie komm*en*

(밑줄 친 부분, 즉 주어가 *ich*, *wir* 및 *sie*, *Sie*일 때 *직설법 현재*와 동일함!)

접속법 II : ich käm*e* 혹은 「ich würde ... kommen」

접속법 II 완료형 : 「ich wär*e* ... gekommen」

ⓑ sagen

접속법 I : ich sag*e* ; du sag*est* ; er sag*e* ; wir sag*en* ; ihr sag*et* ; sie, Sie sag*en*

(밑줄 친 부분, 즉 주어가 *ich*, *wir* 및 *sie*, *Sie*일 때 *직설법 현재* 형태와 동일함!)

접속법 II : ich sag*te* 혹은 「ich würde ... sagen」

접속법 II 완료형 : 「ich hätte ... gesagt」

정답 Er sagte zu ihr, dass *er* heute spät nach Hause *komme.*

✵ **해석** 그는 그녀에게 오늘 늦게 집에 온다고 말했다.

☞ • *Er* sagte zu ihr , dass er ...

그가(Er) 말하는 상황이므로

직접화법의 "*Ich*", 즉 "*나는*"은 간접화법에서 "**그는**", 즉 "***er***"로 변환됨!

• ... , dass *er* ... komme .

간접화법이므로 동사 kommen의 ***접속법 I*** 형태이어야 함.

주어가 *er*이므로 kommen의 접속법 I 형태는 ***원형*** 어간 komm- 에 어미 ***-e***가 붙어 komm*e*임.

5. Sie hat behauptet: „Ich habe den Zug verpasst."

✵ **해석** 그녀는 "저는 기차를 놓쳤어요."라고 주장했다.

✵ **어휘** 「hat ... behauptet」 (동사 behaupten의 *직설법 현재완료* 시제) ▌ hat (완료형의 조동사 haben의 *직설법 현재* 시제) ⇒ haben [조동사] 완료형 「haben ... pp」에 사용됨. ▌ behauptet (동사 behaupten의 pp형) ⇒ behaupten [타동사] ...을 주장하다 (3 기본형: behaupt*en* - behaupt*ete* - behaupt*et*) ▌ 「habe ... verpasst」 (동사 verpassen의 *직설법 현재완료* 시제) ▌ habe (완료형의 조동사 haben의 *직설법 현재* 시제) ⇒ haben [조동사] 완료형 「haben ... pp」에 사용됨. (3 기본형: haben - hatte - gehabt) ▌ verpasst (동사 verpassen의 pp형) ⇒ verpassen [타동사] ...을 놓치다 (= versäumen) (3 기본형: *ver*pass*en* - *ver*pass*te* - *ver*pass*t*) ▌ der Zug 기차 (die Züg*e*)

※동사의 직설법 및 접속법 형태 :

ⓐ haben

직설법 현재 : ich habe ; du hast ; er hat ; wir hab*en* ; ihr hab*t* ; sie, Sie haben

(밑줄 친 부분은 불규칙 변화!)

접속법 I : ich hab*e* ; du hab*est* ; er hab*e* ; wir hab*en* ; ihr hab*et* ; sie, Sie hab*en*

(밑줄 친 부분, 즉 주어가 *ich*, *wir* 및 *sie*, *Sie*일 때 *직설법 현재*와 동일함!)

접속법 II : ich hätte

접속법 II 완료형 : 「ich hätte ... gehabt」

ⓑ behaupten

접속법 I : ich behaupte ; du behauptest ; er behaupte ;

wir behaupten ; ihr behauptet ; sie, Sie behaupten

(밑줄 친 부분, 즉 주어가 *er*일 때 이외의 나머지 모두 *직설법 현재*와 동일함!)

접속법 II : ich behauptete 혹은 「ich würde ... behaupten」

접속법 II 완료형 : 「ich hätte ... behauptet」

ⓒ verpassen

접속법 I : ich *ver*passe ; du *ver*passest ; er *ver*passe ;

wir *ver*passen ; ihr *ver*passet ; sie, Sie *ver*passen

(밑줄 친 부분, 즉 주어가 *ich*, *wir* 및 *sie*, *Sie*일 때 *직설법 현재*와 동일함!)

접속법 II : ich *ver*passte 혹은 「ich würde ... verpassen」

접속법 II 완료형 : 「ich hätte ... verpasst」

정답 Sie hat behauptet, dass *sie* den Zug verpasst *habe*.

✸ 해석 그녀는 자신이 기차를 놓쳤다고 주장했다.

☞ • *Sie* hat behauptet , dass sie ...

그녀가(Sie) 말하는 상황이므로

직접화법의 "*Ich*", 즉 "*나는*"은 간접화법에서 "***그녀는***", 즉 "***sie***"로 변환됨!

• ... , dass *sie* ... *verpasst* habe .

간접화법이므로 동사 verpassen의 ***접속법 I*** 완료형이어야 함!

즉, verpassen의 완료형 「**haben** ... verpasst」에서 조동사 **haben**이 접속법 I 형태가 되어야 함.

주어가 여성의 *sie*이므로 haben의 접속법 I 형태는 hab*e*임.

따라서 「habe ... verpasst」인데 ***후치***됨 : ... *verpasst* hab*e*.

II. 다음 문장을 제시된 의미와 같은 뜻이 되도록 완성하시오.

(26과, 심화문제: 교재 154쪽)

1. Jeder Mensch hat in seinem Leben schon einmal einen Fehler gemacht.

✸ 해석 모든 인간은 자신의 일생에서 한번은 실수를 저질렀다. (= 누구나 인생에서 한번은 실수를 한 적이 있다.)

✸ 어휘 「jed- + *단수*명사」 '모든 ...', '매 ...' (영. every, each) (부정대명사 jed-는 *정관사 d-* 어미변화!) ▌der Mensch 인간, 사람 (die Mensch*en*) <주의> 주어를 제외한 *단수 2, 3, 4격*이 복수형과 동일하게 Mensch*en*인 *약변화* 명사! ▌「hat ... gemacht」 (동사 machen의 *직설법 현재완료* 시제) ▌hat (완료형의 조동사 haben의 *직설법 현재* 시제) ⇒ haben [조동사] 완료형 「haben ... pp」에 사용됨. (3 기본형: haben - hatte - gehabt) ▌gemacht (동사 machen의 pp형) ⇒ machen [타동사] ...을 행하다 (3 기본형: mach*en* - mach*te* - *ge*mach*t*) ▌das Leben (주로 단수) 일생, 생애 (die

Leben) ▌ schon [부사어] 이미, 벌써 ▌ einmal [부사어] 한번 ▌ der Fehler 실수, 오류 (die Fehler) : einen Fehler machen 실수하다 <참고> fehlerhaft [형용사] 실수인, 잘못된 ↔ fehlerfrei 실수 없는, 올바른

※동사의 직설법 및 접속법 형태 :

ⓐ haben

직설법 현재 : ich habe ; du hast ; er hat ; wir hab*en* ; ihr hab*t* ; sie, Sie hab*en*

(밑줄 친 부분은 불규칙 변화!)

접속법 I : ich habe ; du hab*est* ; er habe ; wir hab*en* ; ihr hab*et* ; sie, Sie hab*en*

(밑줄 친 부분, 즉 주어가 *ich*, *wir* 및 *sie*, *Sie*일 때 *직설법 현재*와 동일함!)

접속법 II : ich hätte

접속법 II 완료형 : 「ich hätte ... gehabt」

ⓑ machen

접속법 I : ich mach*e* ; du mach*est* ; er mach*e* ;

wir mach*en* ; ihr mach*et* ; sie, Sie mach*en*

(밑줄 친 부분, 즉 주어가 *ich*, *wir* 및 *sie*, *Sie*일 때 *직설법 현재*와 동일함!)

접속법 II : ich mach*te* 혹은 「ich würde ... machen」

접속법 II 완료형 : 「ich hätte ... gemacht」

정답 Es gibt keinen Menschen, der *in seinem Leben überhaupt keinen Fehler gemacht hätte.*

✵ **해석** 자신의 일생에서 전혀 실수를 저지르지 않았을 사람은 존재하지 않는다. (= 인생에서 단 한번도 실수를 저지르지 않았을 사람은 없다.)

✵ **어휘** 「Es gibt + 4격」 ...이 있다, 존재하다 : gibt (동사 geben의 *직설법 현재* 시제: 주어가 *er*, *sie*, *es*일 때) ⇒ geben [타동사] ...을 주다 (*직설법 현재* 시제: du gib*st* ; er gib*t*) (3 기본형: geben - gab - gegeben) ▌ überhaupt [부사어] 부정어 nicht, kein- 등과 결합하여 부정문을 강조함 : 「überhaupt nicht ...」, 「überhaupt kein- ...」 전혀 ... 않다 (영. not at all)

► ... keinen *Menschen* , der ... gemacht hätte.

앞에 나온 ***남성***명사 Menschen을 받으며, 뒤에 오는 부문장에서 ***주어***임.
따라서 ***남성 1격*** 관계대명사 **der**가 옴. (관계대명사 앞에는 항상 ***콤마!***)

☞ Es gibt *keine* Menschen , der ... ('...인 사람은 *없다*') :
존재하지 않는 대상을 말하므로 *비현실적* 내용임. → *접속법 II* 가 사용됨!

즉 : ... , *der* ... *gemacht* hätte .

동사 machen의 접속법 II 완료형 「**hätte** ... gemacht」가 사용됨.
주어가 관계대명사 *der*이므로 hätte는 어미 없이 그대로 hätte_임. 즉 「**hätte** ... *gemacht*」임.
관계대명사 부문장이므로 ***후치***됨 : ... *gemacht* **hätte**.

2. Für jede Regel gibt es eine Ausnahme.

✵ **해석** 모든 규칙에는 예외가 있다.

✵ 어휘 für [*4격* 전치사] ~을 위해 (영. for) ▌「jed- + *단수*명사」 '모든 ...', '매 ...' (영. every, each) (부정대명사 jed-는 *정관사 d-* 어미변화!) ▌die Regel 규칙 (die Regel*n*) <참고> regeln [타동사] ...을 규정하다 ▌gibt (동사 geben의 *직설법 현재* 시제: 주어가 *er, sie, es*일 때) ⇒ geben [타동사] ...을 주다 「es gibt + 4격」 ...이 있다, 존재하다 (*직설법 현재* 시제: du gib*st* ; er gib*t*) (3 기본형: geben - gab - gegeben) ▌die Ausnahme 예외 (die Ausnahme*n*) <참고> *aus*nehmen [분리동사&타동사] ...을 배제시키다, 제외하다 = *aus*schließen

※동사 geben의 직설법 및 접속법 형태 :

직설법 현재 : ich geb*e* ; du gib*st* ; er gib*t* ; wir geb*en* ; ihr geb*t* ; sie, Sie geb*en*

(밑줄 친 부분은 불규칙 변화!)

접속법 I : ich geb*e* ; du geb*est* ; er geb*e* ; wir geb*en* ; ihr geb*et* ; sie, Sie geb*en*

(밑줄 친 부분, 즉 주어가 *ich, wir* 및 *sie, Sie*일 때 *직설법 현재*와 동일함!)

접속법 II : ich gäb*e* 혹은 「ich würde ... geben」

접속법 II 완료형 : 「ich hätte ... gegeben」

정답 Es gibt keine Regel, für die *es keine Ausnahme gäbe.*

✵ 해석 예외가 없는 규칙은 존재하지 않는다.

▸ ... keine *Regel* , für die es ... gäbe.
앞에 나온 ***여성***명사 Regel을 받으며, ***4격*** 전치사 für의 목적어임.
따라서 ***여성 4격*** 관계대명사 ***die***가 옴. (관계대명사 앞에는 항상 ***콤마!***)

☞ Es gibt *keine* Regel , für die ... ('...인 규칙은 *없다*') :
존재하지 않는 대상을 말하므로 *비현실적* 내용임. → *접속법 II* 가 사용됨!
즉 : ... , für die *es* ... gäbe .
동사 geben의 접속법 II 형태 **gäb**이 사용됨.
주어가 비인칭 주어 *es*이므로 gäb에 어미 ***-e***가 붙어 gäb*e*임.
(관계대명사 부문장이므로 ***후치***됨!)

기타 정답

Es gibt keine Regel, für die es keine Ausnahme *geben würde*.

▸ 동사 geben의 구어체 접속법 II 형태인 「**würde** ... *geben*」도 올 수 있음.

3. Jeder Mensch hat in seinem Leben schon einmal gelogen.

✵ 해석 모든 인간은 자신의 일생에서 한번은 거짓말을 했다. (= 누구나 인생에서 한 번은 거짓말을 한 적이 있다.)

✵ 어휘 「jed- + *단수*명사」 '모든 ...', '매 ...' (영. every, each) (부정대명사 jed-는 *정관사 d-* 어미변화!) ▌der Mensch 인간, 사람 (die Mensch*en*) <주의> 주어를 제외한 *단수 2, 3, 4격*이 복수형과 동일하게 Mensch*en*인 *약변화* 명사! ▌「hat ... gelogen」 (동사 lügen의 *직설법 현재완료* 시제) ▌hat (완료형의 조동사 haben의 *직설법 현재* 시제) ⇒ haben [조동사] 완료형 「haben ... pp」에 사용됨. (3 기본형: haben - hatte - gehabt) ▌gelogen (동사 lügen의 pp형) ⇒ lügen [자동사] 거짓말하다 (3 기본형: lügen - log - gelogen) ▌das Leben (주로 단수) 일생, 생애 (die Leben) ▌

schon [부사어] 이미, 벌써 ▌einmal [부사어] 한번

※동사의 직설법 및 접속법 형태 :

ⓐ haben

직설법 현재 : ich habe ; du hast ; er hat ; wir hab*en* ; ihr hab*t* ; sie, Sie hab*en*

(밑줄 친 부분은 불규칙 변화!)

접속법 I : ich habe ; du hab*est* ; er habe ; wir hab*en* ; ihr hab*et* ; sie, Sie hab*en*

(밑줄 친 부분, 즉 주어가 *ich*, *wir* 및 *sie*, *Sie*일 때 *직설법 현재*와 동일함!)

접속법 II : ich hätte

접속법 II 완료형 : 「ich hätte ... gehabt」

ⓑ lügen

접속법 I : ich lüge ; du lüg*est* ; er lüge ; wir lüg*en* ; ihr lüg*et* ; sie, Sie lüg*en*

(밑줄 친 부분, 즉 주어가 *ich*, *wir* 및 *sie*, *Sie*일 때 *직설법 현재*와 동일함!)

접속법 II : ich lög*e* 혹은 「ich würde ... lügen」

접속법 II 완료형 : 「ich hätte ... gelogen」

정답 Es gibt keinen Menschen, der *in seinem Leben niemals gelogen hätte.*

✹ **해석** 자신의 일생에서 전혀 거짓말을 한 적이 없는 사람은 존재하지 않는다. (= 인생에서 한번도 거짓말을 하지 않은 사람은 없다.)

✹ **어휘** 「Es gibt + 4격」 ...이 있다, 존재하다 : gibt (동사 geben의 *직설법 현재* 시제: 주어가 *er*, *sie*, *es*일 때) ⇒ geben [타동사] ...을 주다 (직설법 현재 시제: du gib*st* ; er gib*t*) (3 기본형: geben - gab - gegeben) ▌niemals [부사어] 결코 ... 않다, 한번도 ... 않다 (영. never)

► ... keinen *Menschen* , der ... gelogen hätte.

앞에 나온 ***남성***명사 Menschen을 받으며, 뒤에 오는 부문장에서 ***주어***임.
따라서 ***남성 1격*** 관계대명사 ***der***가 옴. (관계대명사 앞에는 항상 콤마!)

☞ Es gibt *keine* Menschen , der ... ('...인 사람은 *없다*') :

존재하지 않는 대상을 말하므로 *비현실적* 내용임. → *접속법 II* 가 사용됨!

즉 : ... , *der* ... *gelogen* hätte .

동사 lügen의 접속법 II 완료형 「**hätte** ... gelogen」이 사용됨.
주어가 관계대명사 *der*이므로 hätte는 어미 없이 그대로 hätte_임. 즉 「**hätte** ... *gelogen*」임.
관계대명사 부문장이므로 ***후치***됨 : ... *gelogen* **hätte**.

4. Niemand hat immer gute Laune.

✹ **해석** 그 누구도 항상 기분이 좋을 수는 없다.

✹ **어휘** niemand [부정대명사] 아무도 ... 않다 (*1격* 형) (영. nobody ; no one) <참고> 2격: niemand*es* ; 3격: niemand*em* ; 4격: niemand*en* ▌hat (동사 haben의 *직설법 현재* 시제) ⇒ haben [타동사] ...을 가지고 있다 (3 기본형: haben - hatte - gehabt) ▌immer [부사어] 항상 ▌gut [형용사] 좋은 ▌die Laune 기분, 분위기 (복수 없음) : gute Laune haben = guter Laune sein 기분이 좋다

※동사 haben의 직설법 및 접속법 형태 :

직설법 현재 : ich habe ; du hast ; er hat ; wir haben ; ihr habt ; sie, Sie haben

(밑줄 친 부분은 불규칙 변화!)

접속법 I : ich habe ; du habest ; er habe ; wir haben ; ihr habet ; sie, Sie haben

(밑줄 친 부분, 즉 주어가 *ich*, *wir* 및 *sie*, *Sie*일 때 *직설법 현재*와 동일함!)

접속법 II : ich hätte

접속법 II 완료형 : 「ich hätte ... gehabt」

정답 Es gibt niemanden, der *immer gute Laune hätte.*

✺ 해석 항상 기분이 좋은 사람은 없다.

✺ 어휘 「Es gibt + 4격」 ...이 있다, 존재하다 : gibt (동사 geben의 *직설법 현재* 시제: 주어가 *er*, *sie*, *es*일 때) ⇒ geben [타동사] ...을 주다 (*직설법 현재* 시제: du gibst ; er gibt) (3 기본형: geben - gab - gegeben)

► ... *niemanden* , der ... hätte.
앞에 나온 ***부정대명사*** niemanden을 받으며, 뒤에 오는 부문장에서 ***주어***임.
따라서 ***남성 1격*** 관계대명사 ***der***가 옴. (관계대명사 앞에는 항상 콤마!)

<참고>

부정대명사 jemand, niemand는 *남성* 관계대명사 *der* ...로 받음.

☞ Es gibt *niemanden*, der ... ('...인 사람은 아무도 *없다*') :

존재하지 않는 대상을 말하므로 *비현실적* 내용임. → *접속법 II* 가 사용됨!

즉 : ... , *der* ... hätte .
동사 haben의 접속법 II 형태 **hätte**가 사용됨.
주어가 관계대명사 *der*이므로 hätte는 어미 없이 그대로 hätte_임.
(관계대명사 부문장이므로 ***후치***됨!)

5. Ich kann dir immer alles sagen.

✺ 해석 나는 너에게 언제나 모든 것을 이야기할 수 있다.

✺ 어휘 「kann ... sagen」 (화법조동사 können의 *직설법 현재* 시제) ⇒ 「können ... 동사 원형」 ...할 수 있다 (3 기본형: können - konnte - gekonnt , können) ▌immer [부사어] 항상, 언제나 ▌alles [부정대명사] 모든 것 (*단수* 취급!) ↔ alle 모든 사람들 (*복수* 취급!) ▌sagen [타동사] ...을 말하다 : 「sagen + 3격(사람) + 4격」 누구에게 ...을 말하다 (3 기본형: sag*en* - sag*te* - *ge*sag*t*)

※직설법 및 접속법 형태 :

ⓐ 화법조동사 können

직설법 현재 : ich kann ; du kannst ; er kann ; wir können ; ihr könnt ; sie, Sie können

(밑줄 친 부분은 불규칙 변화!)

접속법 I : ich könne ; du könnest ; er könne ;

wir können ; ihr könnet ; sie, Sie können

(밑줄 친 부분, 즉 주어가 *wir* 및 *sie*, *Sie*일 때 *직설법 현재*와 동일함!)

접속법 II : 「ich könnte ... 동사 원형」

접속법 II 완료형 : 「ich hätte ... 동사 원형 können」 혹은 「ich hätte ... gekonnt」

ⓑ sagen

접속법 I : ich sage ; du sag*est* ; er sag*e* ; wir sag*en* ; ihr sag*et* ; sie, Sie sag*en*
(밑줄 친 부분, 즉 주어가 *ich*, *wir* 및 *sie*, *Sie*일 때 *직설법 현재*와 동일함!)

접속법 II : ich sag*te* 혹은 「ich würde ... sagen」

접속법 II 완료형 : 「ich hätte ... gesagt」

정답 Es gibt nichts, was *ich dir nicht sagen könnte.*

✹ **해석** 내가 너에게 이야기할 수 없을 것은 존재하지 않는다.

✹ **어휘** 「Es gibt + 4격」 ...이 있다, 존재하다 : gibt (동사 geben의 *직설법 현재* 시제: 주어가 *er*, *sie*, *es*일 때) ⇒ geben [타동사] ...을 주다 (*직설법 현재* 시제: du gib*st* ; er gib*t*) (3 기본형: geben - gab - gegeben) ▌nichts [부정대명사] 아무것도 ... 않다 (영. nothing)

※동사 geben의 직설법 및 접속법 형태 :

직설법 현재 : ich geb*e* ; du gib*st* ; er gib*t* ; wir geb*en* ; ihr geb*t* ; sie, Sie geb*en*
(밑줄 친 부분은 불규칙 변화!)

접속법 I : ich geb*e* ; du geb*est* ; er geb*e* ; wir geb*en* ; ihr geb*et* ; sie, Sie geb*en*
(밑줄 친 부분 즉, 주어가 *ich*, *wir* 및 *sie*, *Sie*일 때 *직설법 현재*와 동일함!)

접속법 II : ich gäb*e* 혹은 「ich würde ... geben」

접속법 II 완료형 : 「ich hätte ... gegeben」

► ... *nichts* , was ich ... sagen könnte.
앞에 나온 ***부정대명사*** nichts를 받으므로 관계대명사 ***was***가 옴.
(여기서 was는 뒤에 오는 부문장에서 동사 sagen의 ***4격*** 목적어임.)

<참고>
부정대명사 *etwas*, *nichts* ... 및 지시대명사 *das*, 그리고 das Beste 등과 같이 *최상급 형용사*를 *중성명사화* 한 것이 선행사일 때 관계대명사 *was*로 받음!

☞ Es gibt *nichts*, was ... ('...인 것은 *없다*') :
존재하지 않는 대상을 말하므로 *비현실적* 내용임. → *접속법 II* 가 사용됨!
즉 : ... , was *ich* ... *sagen* könnte .
화법조동사 können의 접속법 II 형태 「**könnte** ... sagen」가 사용됨.
주어가 *ich*이므로 könnte는 어미 없이 그대로 könnte_임. 즉, 「**könnte** ... sagen」임.
관계대명사 부문장이므로 ***후치***됨 : ... *sagen* **könnte**.

III. 다음 문장을 화법조동사를 사용하여 공손한 표현으로 만드시오.

(26과, 심화문제: 교재 154쪽)

1. Sprechen Sie langsamer!

✹ **해석** (지금보다) 천천히 말하세요.

✺ 어휘 「Sprechen Sie ...!」 (동사 sprechen의 *Sie*-명령문) ⇒ sprechen [타동사/자동사] (...을) 말하다 (3 기본형: sprechen - sprach - gesprochen) ▌langsamer (형용사 langsam의 비교급) ⇒ langsam [형용사] 느린, (부사적) 천천히 (3 비교형: langsam - langsam*er* - langsam*st*-) ↔ schnell 빠른, 빨리

※동사 sprechen의 직설법 및 접속법 형태 :

직설법 현재 : ich sprech*e* ; du sprich*st* ; er sprich*t* ;
wir sprech*en* ; ihr sprech*t* ; sie, Sie sprech*en*
(밑줄 친 부분은 불규칙 변화!)

접속법 I : ich sprech*e* ; du sprech*est* ; er sprech*e* ;
wir sprech*en* ; ihr sprech*et* ; sie, Sie sprech*en*
(밑줄 친 부분, 즉 주어가 *ich, wir* 및 *sie, Sie*일 때 *직설법 현재*와 동일함!)

접속법 II : ich spräch*e* 혹은 「ich würde ... sprechen」

접속법 II 완료형 : 「ich hätte ... gesprochen」

정답 ① *Würden* Sie bitte langsamer *sprechen* ?
(지금보다) 천천히 말해 주시겠습니까?

② *Könnten* Sie bitte langsamer *sprechen* ?
(지금보다) 천천히 말해 주실 수 있겠습니까?

✺ 어휘 「Würden ... sprechen?」 (미래 시제 형식 「werden ... 동사 원형」의 *접속법 II* 형태) ⇒ werden [1] [조동사] *미래 시제* 형식 「werden ... 동사 원형」에 사용됨. ; [2] [자동사] ... 되다 (영. become) ; [3] [조동사] *수동문* 형식 「werden ... pp」에 사용됨. (3 기본형: werden - wurde - 일반 동사일 때: geworden ; 수동문일 때: worden) ▌「Könnten ... sprechen?」 (화법조동사 「können ... 동사 원형」의 *접속법 II* 형태) ⇒ 「können ... 동사 원형」 [화법조동사] ...할 수 있다 (3 기본형: können - konnte - gekonnt, können)

※직설법 및 접속법 형태 :

ⓐ werden

직설법 현재 : ich werd*e* ; du wirst ; er wird ; wir werd*en* ; ihr werd*et* ; sie, Sie werd*en*
(밑줄 친 부분은 불규칙 변화!)

접속법 I : ich werd*e* ; du werd*est* ; er werd*e* ;
wir werd*en* ; ihr werd*et* ; sie, Sie werd*en*
(밑줄 친 부분, 즉 주어가 *ich, wir* 및 *ihr* 그리고 *sie, Sie*일 때 *직설법 현재*와 동일함!)

접속법 II : ich würd*e*

접속법 II 완료형 : 「ich wäre ... geworden」 (일반 동사 werden의 경우)
「ich wäre ... worden」 (수동문의 werden의 경우)

ⓑ 화법조동사 können

직설법 현재 : ich kann ; du kann*st* ; er kann ; wir woll*en* ; ihr woll*t* ; sie, Sie woll*en*
(밑줄 친 부분은 불규칙 변화!)

접속법 I : ich könne ; du könn*est* ; er könne ;
wir könn*en* ; ihr könn*et* ; sie, Sie könn*en*
(밑줄 친 부분, 즉 주어가 *wir* 및 *sie, Sie*일 때 *직설법 현재*와 동일함!)

접속법 II : 「ich könnte ... 동사 원형」

접속법 II 완료형 : 「ich hätte ... 동사 원형 können」 혹은 「ich hätte ... gekonnt」

☞ 공손하게 표현할 경우 접속법 II 가 사용됨. (공손화법!)
「Würden Sie (bitte) ... 동사 원형?」 "...해 주시겠습니까?"
「Könnten Sie (bitte) ... 동사 원형?」 "...해 주실 수 있겠습니까?"

2. Sagen Sie mir, wohin diese U-Bahn fährt!

✺ **해석** 이 지하철이 어디로 가는지를 저에게 말해주세요.

✺ **어휘** 「Sagen Sie ...!」 (동사 sagen의 *Sie*-명령문) ⇒ sagen [타동사] : 「sagen + 3격(사람) + 4격」 ~~누구~~에게 ...을 말하다 (3 기본형: sag*en* - sag*te* - *ge*sag*t*) ▌wohin [의문사] (방향) 어디로? ▌「dies- + 명사」 '이 ...' (지시대명사 dies-는 *정관사 d-* 어미변화!) ▌die U-Bahn 지하철 (die U-Bahn*en*) <참고> die Bahn (die Bahn*en*) : die Eisen*bahn* ('기차, 철도') 혹은 die Straßen*bahn* ('전차, 도로 위 기차')의 축약어! ▌fährt (동사 fahren의 *직설법 현재* 시제: 주어가 *er, sie, es*일 때) ⇒ fahren [자동사] (차량이) 가다, 운행하다 (*직설법 현재* 시제: du fähr*st* ; er fähr*t*) (3 기본형: fahren - fuhr - gefahren)

※동사의 직설법 및 접속법 형태 :

ⓐ sagen

접속법 I : ich sage ; du sag*est* ; er sage ; wir sag*en* ; ihr sag*et* ; sie, Sie sag*en*
(밑줄 친 부분, 즉 주어가 *ich, wir* 및 *sie, Sie*일 때 *직설법 현재*와 동일함!)

접속법 II : ich sag*te* 혹은 「ich würde ... sagen」

접속법 II 완료형 : 「ich hätte ... gesagt」

ⓑ fahren

직설법 현재 : ich fahre ; du fähr*st* ; er fähr*t* ; wir fahr*en* ; ihr fahr*t* ; sie, Sie fahr*en*
(밑줄 친 부분은 불규칙 변화!)

접속법 I : ich fahre ; du fahr*est* ; er fahre ; wir fahr*en* ; ihr fahr*et* ; sie, Sie fahr*en*
(밑줄 친 부분, 즉 주어가 *ich, wir* 및 *sie, Sie*일 때 *직설법 현재*와 동일함!)

접속법 II : ich führ*e* 혹은 「ich würde ... fahren」

접속법 II 완료형 : 「ich wäre ... gefahren」

정답 ① *Würden* Sie mir bitte *sagen*, wohin diese U-Bahn fährt?
이 지하철이 어디로 가는지를 저에게 말해 주시겠습니까?

② *Könnten* Sie mir bitte *sagen* , wohin diese U-Bahn fährt?
이 지하철이 어디로 가는지를 저에게 말해 주실 수 있겠습니까?

✺ 어휘 「Würden ... sagen?」 (미래 시제 형식 「werden ... 동사 원형」의 *접속법 II* 형태) ⇒ werden [1] [조동사] 미래 시제 형식 「werden ... 동사 원형」에 사용됨. ; [2] [자동사] ... 되다 (영. become) ; [3] [조동사] 수동문 형식 「werden ... pp」에 사용됨. (3 기본형: werden - wurde - 일반 동사일 때: geworden ; 수동문일 때: worden) ▌「Könnten ... sagen?」 (화법조동사 「können ... 동사 원형」의 *접속법 II* 형태) ⇒ 「können ... 동사 원형」 [화법조동사] ...할 수 있다 (3 기본형: können - konnte - gekonnt, können)

☞ 공손하게 표현할 경우 접속법 II 가 사용됨. (공손화법!)

「Würden Sie (bitte) ... 동사 원형?」 "...해 주시겠습니까?"

「Könnten Sie (bitte) ... 동사 원형?」 "...해 주실 수 있겠습니까?"

3. Warten Sie einen Augenblick!

✺ 해석 잠시만 기다리세요.

✺ 어휘 「Warten Sie ...!」 (동사 warten의 *Sie*-명령문) ⇒ warten [자동사] 기다리다 (3 기본형: warte*n* - wart*ete* - *ge*wart*et*) ▌der Augenblick (die Augenblick*e*) 순간, 잠시 → das Auge 눈 (die Auge*n*) + der Blick (눈길을 주어) 바라봄, 쳐다봄 (die Blick*e*) : einen Augenblick = einen Moment 잠시 동안 (*4격*의 시간 부사어!)

※동사 warten의 직설법 및 접속법 형태 :

접속법 I : ich warte ; du wart*est* ; er warte ; wir wart*en* ; ihr wart*et* ; sie, Sie wart*en*

(주어가 *er*일 경우 이외에는 모두 *직설법 현재*와 동일함!)

접속법 II : ich wart*ete* 혹은 「ich würde ... warten」

접속법 II 완료형 : 「ich hätte ... gewartet」

정답 ① *Würden* Sie bitte einen Augenblick *warten*?

잠시만 기다려 주시겠습니까?

② *Könnten* Sie bitte einen Augenblick *warten* ?

잠시만 기다려 주실 수 있겠습니까?

✺ 어휘 「Würden ... warten?」 (미래 시제 형식 「werden ... 동사 원형」의 *접속법 II* 형태) ⇒ werden [1] [조동사] 미래 시제 형식 「werden ... 동사 원형」에 사용됨. ; [2] [자동사] ... 되다 (영. become) ; [3] [조동사] 수동문 형식 「werden ... pp」에 사용됨. (3 기본형: werden - wurde - 일반 동사일 때: geworden ; 수동문일 때: worden) ▌「Könnten ... warten?」 (화법조동사 「können ... 동사 원형」의 *접속법 II* 형태) ⇒ 「können ... 동사 원형」 [화법조동사] ...할 수 있다 (3 기본형: können - konnte - gekonnt, können)

☞ 공손하게 표현할 경우 접속법 II 가 사용됨. (공손화법!)

「Würden Sie (bitte) ... 동사 원형?」 "...해 주시겠습니까?"

「Könnten Sie (bitte) ... 동사 원형?」 "...해 주실 수 있겠습니까?"

4. Bringen Sie mir eine Tasse Kaffee!

✺ 해석 저에게 커피 한잔 가져오세요.

✹ **어휘** 「Bringen Sie ...!」 (동사 bringen의 *Sie*-명령문) ⇒ bringen [타동사] : 「bringen + 3격(사람) + 4격」 누구에게 ...을 가져오다 (3 기본형: bringen - brachte - gebracht) ▌die Tasse 찻잔 (die Tasse*n*) : eine Tasse Kaffee 커피 한잔 ▌der Kaffee (물질명사, 주로 단수!) 커피 (die Kaffee*s*)

※동사 bringen의 직설법 및 접속법 형태 :

접속법 I : ich bring*e* ; du bring*est* ; er bring*e* ; wir bring*en* ; ihr bring*et* ; sie, Sie bring*en*

(밑줄 친 부분, 즉 주어가 *ich*, *wir* 및 *sie*, *Sie*일 때 *직설법 현재*와 동일함!)

접속법 II : ich brächte 혹은 「ich würde ... bringen」

접속법 II 완료형 : 「ich hätte ... gebracht」

정답 ① *Würden* Sie mir bitte eine Tasse Kaffee *bringen* ?

저에게 커피 한잔 가져다 주시겠습니까?

② *Könnten* Sie mir bitte eine Tasse Kaffee *bringen* ?

저에게 커피 한잔 가져다 주실 수 있겠습니까?

✹ **어휘** 「Würden ... bringen?」 (미래 시제 형식 「werden ... 동사 원형」의 *접속법 II* 형태) ⇒ werden [1] [조동사] 미래 시제 형식 「werden ... 동사 원형」에 사용됨. ; [2] [자동사] ... 되다 (영. become) ; [3] [조동사] 수동문 형식 「werden ... pp」에 사용됨. (3 기본형: werden - wurde - 일반 동사일 때: geworden ; 수동문일 때: worden) ▌「Könnten ... bringen?」 (화법조동사 「können ... 동사 원형」의 *접속법 II* 형태) ⇒ 「können ... 동사 원형」 [화법조동사] ...할 수 있다 (3 기본형: können - konnte - gekonnt, können)

☞ 공손하게 표현할 경우 접속법 II 가 사용됨. (공손화법!)

「Würden Sie (bitte) ... 동사 원형?」 "...해 주시겠습니까?"

「Könnten Sie (bitte) ... 동사 원형?」 "...해 주실 수 있겠습니까?"

5. Ich habe eine Frage.

✹ **해석** 질문이 하나 있습니다.

✹ **어휘** haben [타동사] ...을 가지고 있다 (3 기본형: haben - hatte - gehabt) ▌die Frage 질문 (die Frage*n*) : 「주어 + haben eine Frage」 주어는 질문이 있다.

※동사 haben의 직설법 및 접속법 형태 :

직설법 현재 : ich hab*e* ; du hast ; er hat ; wir hab*en* ; ihr hab*t* ; sie, Sie hab*en*

(밑줄 친 부분은 불규칙 변화!)

접속법 I : ich hab*e* ; du hab*est* ; er hab*e* ; wir hab*en* ; ihr hab*et* ; sie, Sie hab*en*

(밑줄 친 부분, 즉 주어가 *ich*, *wir* 및 *sie*, *Sie*일 때 *직설법 현재*와 동일함!)

접속법 II : ich hätte

접속법 II 완료형 : 「ich hätte ... gehabt」

정답 ① *Dürfte* ich bitte eine Frage *stellen* ?

제가 질문 하나 해도 되겠습니까?

② *Könnte* ich bitte eine Frage *stellen* ?

제가 질문 하나 할 수 있겠습니까? (= 제가 질문 하나 해도 되겠습니까?)

③ Ich *möchte* gern eine Frage *stellen.*

저는 질문 하나 하고 싶습니다.

✺ 어휘 「Dürfte ... stellen?」 (화법조동사 「dürfen ... 동사 원형」의 *접속법 II* 형태) ⇒ 「dürfen ... 동사 원형」 [화법조동사] ...해도 된다 (3 기본형: dürfen - durfte - gedurft, dürfen) ▌「Könnte ... stellen?」 (화법조동사 「können ... 동사 원형」의 *접속법 II* 형태) ⇒ 「können ... 동사 원형」 [화법조동사] ...할 수 있다 (3 기본형: können - konnte - gekonnt, können) ▌「möchten ... 동사 원형」 [화법조동사] ...하고 싶다 ※möchten은 mögen의 *접속법 II* 형태임. (3 기본형: mögen - mochte - gemocht)

※ 직설법 및 접속법 형태 :

ⓐ dürfen

직설법 현재 : ich darf ; du darf*st* ; er darf ; wir dürf*en* ; ihr dürf*t* ; sie, Sie dürf*en*

(밑줄 친 부분은 불규칙 변화!)

접속법 I : ich dürf*e* ; du dürf*est* ; er dürf*e* ; wir dürf*en* ; ihr dürf*et* ; sie, Sie dürf*en*

(밑줄 친 부분, 즉 주어가 *wir* 및 *sie*, *Sie*일 때 *직설법 현재*와 동일함!)

접속법 II : 「ich dürfte ... 동사 원형」

접속법 II 완료형 : 「ich hätte ... 동사 원형 dürfen」 혹은 「ich hätte ... gedurft」

ⓑ mögen

직설법 현재 : ich mag ; du mag*st* ; er mag ; wir mög*en* ; ihr mög*t* ; sie, Sie mög*en*

(밑줄 친 부분은 불규칙 변화!)

접속법 I : ich mög*e* ; du mög*est* ; er mög*e* ; wir mög*en* ; ihr mög*et* ; sie, Sie mög*en*

(밑줄 친 부분, 즉 주어가 *wir* 및 *sie*, *Sie*일 때 *직설법 현재*와 동일함!)

접속법 II : 「ich möchte ... 동사 원형」 (화법조동사) / ich möchte (타동사)

접속법 II 완료형 : 「ich hätte ... gemocht」 (*타동사*)

☞ 공손하게 표현할 경우 접속법 II 가 사용됨. (공손화법!)

「Dürfte ich (bitte) ... 동사 원형?」 "제가 ...해도 되겠습니까?"

「Könnte ich (bitte) ... 동사 원형?」 "제가 ...할 수 있겠습니까?"

「Ich möchte (gern) ... 동사 원형」 "저는 ...하고 싶습니다."

<참고>

「möchten gern ... 동사 원형」 = 「würden gern ... 동사 원형」 '...하고 싶다'

Ich möchte *gern* eine Frage *stellen.* = Ich würde *gern* eine Frage *stellen.*

unit 03

마무리 문제

I. 괄호 안의 낱말을 사용하여 독일어로 옮기시오. (26과, 마무리문제: 교재 155쪽)

1. 그는 나에게 어디에서 왔냐고 물었다.

(er, mich, woher, kommen, fragen)

✺ 어휘 mich [인칭대명사] ich의 *4격* 형임. (3격 형은 *mir*) ▌woher [의문사] 어디로부터? ▌kommen [자동사] 오다 (3 기본형: kommen - kam - gekomme ; '*장소 이동* 자동사 → 완료형「*sein* ... pp」) ▌「fragen + 4격(사람)」 누구에게 질문하다 (*4격* 요구 동사!) (3 기본형: frag*en* - frag*te* - *ge*frag*t*)

정답 Er fragte mich, woher ich käme.

► "... 왔냐고 *물었다*." → 간접화법!

Er fragte mich , woher *ich* käme .

간접화법이므로 원칙적으로 동사 kommen의 ***접속법 I*** 형태가 와야 함!
주어가 *ich*이므로 kommen의 접속법 I 형태는 komm*e*인데,
이 경우 ***직설법***과 구분이 되지 않으므로 ***접속법 II*** 형태인 **käm***e*가 옴.

<참고>

이 문장을 *직접화법*으로 표현하면 :

Er fragte mich: „Woher kommst du?"

2. 그녀는 자신이 대학시절에 톱모델이었다고 주장한다.

(sie, in der Studienzeit, das Topmodel, behaupten)

✺ 어휘 in [*3·4격* 전치사] (*3격* 지배: *시간적* 의미) : in der Studienzeit 대학시절에 ▌die Studienzeit 대학시절 → das Studi*um* 대학 공부, 학업 (die Studi*en*) + die Zeit 시절, 시대 (die Zeit*en*) ▌das Topmodel 정상급 모델 → Top- '정상급 ...' (= Spitzen-) + das Model 사진 모델, 패션모델 (die Model*s*) ▌behaupten [타동사] ...을 주장하다 (3 기본형: behaupt*en* - behaupt*ete* - behaupt*et*)

정답 Sie behauptet, dass sie in der Studienzeit ein Topmodel gewesen sei.

► "... *이었다고 주장한다*." → 간접화법!

과거 대학 시절에 "톱 모델이었다"고 현재 "주장하고" 있음.

즉, *dass*-부문장은 주문장보다 앞선 시점임! → 따라서 *dass*-부문장은 접속법 I *완료형*이 옴.

Sie behauptet , dass *sie* ... *gewesen* sei .

간접화법이므로 동사 sein('...이다')의 ***접속법 I 완료형***이 와야 함!
주어가 여성의 *sie*이므로 sein의 접속법 I 완료형은 「**sei** ... gewesen」임.
dass-부문장이므로 ***후치***됨 : ... *gewesen* **sei**.

<참고>

이 문장을 *직접화법*으로 표현하면 :
Sie behauptet: „Ich war in der Studienzeit ein Topmodel."

3. 한글이 없다면 한국에는 문맹이 훨씬 더 많을 것이다.

(das koreanische Alphabet Hangeul, ohne, in Korea, der Analphabet, viel, es gibt)

✷ 어휘 koreanisch [형용사] 한국의, 한국어의 ▌das Alphabet 알파벳, 한 언어의 철자 체계 (die Alphabet*e*) ▌「in + 국가」 (위치) ~에(서) : in Korea 한국에(서) ▌der Analphabet 문맹자 (die Analphabet*en*) <주의> 주어를 제외한 *단수 2, 3, 4격*이 복수형과 동일하게 Analphabet*en*인 *약변화* 명사! ▌viel 많이 (3 비교형: viel - *mehr* - *meist-*) ▌「viel + 비교급」 '*훨씬* 더 ...한' ▌「es gibt + 4격」 ...이 있다 : gibt (동사 geben의 *직설법 현재* 시제) ⇒ geben [타동사] ...을 주다 (직설법 현재 시제: du gib*st* ; er gib*t*) (3 기본형: geben - gab - gegeben)

정답 Ohne das koreanische Alphabet Hangeul gäbe es in Korea viel mehr Analphabeten.

► "한글이 *없다면* 한국에는 문맹이 훨씬 더 *많을 것이다*"
→ 실제로는 "한글이 존재하고", 그래서 "문맹이 많지 않음"!
따라서 *현재*의 실제 상황과 어긋나는 *비현실적* 가정임. → *접속법 II* 사용!

Ohne das koreanische Alphabet Hangeul gäbe *es* ...

동사 geben의 ***접속법 II*** 형태 **gäb**이 사용됨.
주어가 *es*이므로 gäb에 어미 ***-e***가 붙어 gäb*e*임.

기타 정답

Ohne das koreanische Alphabet Hangeul *würde* es in Korea viel mehr Analphabeten *geben*.

► 동사 geben의 구어체 접속법 II 형태인 「**würde** ... *geben*」도 올 수 있음.

4. 내가 좀 더 열심히 공부했더라면, 그 시험에 합격할 수 있었을 텐데.

(ich, ein bisschen, fleißig, lernen, die Prüfung, bestehen, können)

✷ 어휘 ein bisschen 약간 = etwas, ein wenig ▌fleißig [형용사] 부지런한, (부사적) 부지런하게 ↔ faul 게으른, 게을리 ▌lernen [타동사/자동사] (...을) 공부하다 (3 기본형: lern*en* - lern*te* - *ge*lern*t*) ▌die Prüfung 시험 (die Prüfung*en*) : eine Prüfung bestehen 시험에 통과하다 ↔ bei (in) einer Prüfung durchfallen (구어체) 시험에서 떨어지다 ▌bestehen [타동사] (시험을) 통과하다, 합격하다 (3 기본형: *be*stehen - *be*stand - *be*standen) ▌「können ... 동사 원형」 [화법조동사] ...할 수 있다 (3 기본형: können - konnte - gekonnt , können) (*직설법 현재* 시제: ich kann ; du kann*st* ; er kann ; wir könn*en* ; ...)

<참고>

der Test 테스트, 시험 (die Test*e*)

das Examen 졸업시험 (die Examen*s*)

die Klausur (대학의) 필기시험 (die Klausur*en*)

das Abitur (주로 단수) 인문계 고등학교 졸업시험, 대학입학 자격시험 (die Abitur*en*)

정답 Wenn ich ein bisschen fleißiger gelernt hätte, hätte ich die Prüfung bestehen können.

► "... 열심히 공부*했더라면*, ... 합격할 수 *있었을 텐데*."

→ 실제로는 "열심히 공부하지 않았고", 그래서 "합격할 수 없었음"!

따라서 *과거*의 실제 상황과 어긋나는 *비현실적* 가정임. → *접속법 II 완료형* 사용!

• Wenn *ich* ... *gelernt* hätte , ...
  동사 lernen의 접속법 II 완료형 「**hätte** ... gelernt」가 사용됨.
  주어가 *ich*이므로 조동사 hätte는 어미 없이 그대로 hätte_임. 즉, 「**hätte** ... gelernt」임.
  wenn-부문장이므로 후치됨 : ... *gelernt* **hätte**.

• ... , hätte *ich* ... *bestehen* können .
  화법조동사 können의 접속법 II 완료형 「**hätte** ... *bestehen* **können**」이 사용됨.
  주어가 *ich*이므로 조동사 hätte는 어미 없이 그대로 hätte_임. 즉, 「**hätte** ... *bestehen* **können**」임.

5. 오래 행복하게 살려고 하지 않는 사람은 없다.

(glücklich, lange, leben, wollte, der Mensch, es gibt)

✺ **어휘** glücklich [형용사] 행복한, 행운의 ← das Glück 행복, 행운 (die Glück*e*) ▌lange [부사어] 오랫동안 ▌leben [자동사] 살다 (3 기본형: leb*en* - leb*te* - *ge*leb*t*) ▌wollte (화법조동사 wollen의 *접속법 II* 형태) ⇒ 「wollen ... 동사 원형」 [화법조동사] ...하려고 한다 (3 기본형: wollen - wollte - gewollt, wollen) ▌der Mensch 인간, 인류 (die Mensch*en*) <주의> 주어를 제외한 *단수 2, 3, 4격*이 복수형과 동일하게 Mensch*en*인 약변화 명사!) ▌「es gibt + 4격」 ...이 있다 : gibt (동사 geben의 *직설법 현재* 시제) ⇒ geben [타동사] ...을 주다 (*직설법* 현재 시제: du gib*st* ; er gib*t*) (3 기본형: geben - gab - gegeben)

※ 화법조동사 wollen의 직설법 및 접속법 형태 :

직설법 현재 : ich will ; du will*st* ; er will ; wir woll*en* ; ihr woll*t* ; sie, Sie woll*en*
(밑줄 친 부분은 불규칙 변화!)

접속법 I : ich wolle ; du woll*est* ; er wolle ; wir woll*en* ; ihr woll*et* ; sie, Sie woll*en*
(밑줄 친 부분, 즉 주어가 *wir* 및 *sie, Sie*일 때 *직설법 현재*와 동일함!)

접속법 II : 「ich wollte ... 동사 원형」

접속법 II 완료형 : 「ich hätte ... 동사 원형 wollen」 혹은 「ich hätte ... gewollt」

정답 Es gibt keinen Menschen, der nicht lange und glücklich leben wollte.

► "... 살려고 하지 않는 사람은 *없다*."
실제로 존재하지 않는 대상을 뜻하므로 *비현실적* 내용임. → *접속법 II* 사용!

... keinen Menschen , *der* ... *leben wollte* .
화법조동사 wollen의 접속법 II 형태「**wollte** ... leben」이 사용됨.
주어가 관계대명사 *der*이므로 wollte는 어미 없이 그대로 wollte_임.
즉,「**wollte** ... leben」임. (관계대명사 부문장이므로 ***후치***됨 : ... *leben* **wollte**.)

II. 잘못된 부분(들)을 고쳐서 다시 적으시오. (26과, 마무리문제: 교재 155쪽)

1. Wirst[오류] du mir bitte einen Rat geben?

✹ 해석 나에게 조언 하나 해주겠니?

✹ 어휘「Wirst ... geben?」(동사 geben의 *직설법 미래* 시제) ▌Wirst ⇒ werden [조동사] 미래 시제 형식「werden ... 동사 원형」에 사용됨. (3 기본형: werden - wurde - 일반 동사일 때: geworden, 수동문일 때: worden) ▌bitte [부사어] 정중한 표현에 사용됨. ▌der Rat 충고 (복수 없음) = der Ratschlag (die Ratschläg*e*) :「geben + 3격(사람) + einen Rat」누구에게 충고하다 ▌geben [타동사] ...을 주다 (3 기본형: geben - gab - gegeben) (*직설법 현재* 시제: du gib*st* ; er gib*t*)

<오류>
정중한 부탁이므로 미래 시제「werden ... 동사 원형」('...일 것이다')의 접속법 II 형태,
즉「Würdest du (bitte) ... 동사 원형?」('...해 주겠니?')이 와야 옳음!

정답 *Würdest* du mir bitte einen Rat geben?

► Würdest *du* mir bitte einen Rat *geben* ?
미래 시제 형식「**werden** ... 동사 원형」에서 조동사 werden이 ***접속법 II*** 형태가 되어「**würde** ... 동사 원형」임.
주어가 *du*이므로 würde에 어미 ***-st***가 붙어 würde***st***임.

2. Er sagte, dass er vor 30 Jahren sehr reich sei[오류].

✹ 해석 그는 자신이 30년 전에 매우 부유했다고 말했다.

✹ 어휘 sagte (*직설법 과거* 시제) ⇒ sagen [타동사] ...을 말하다 :「sagen, dass ...」'...라고 말하다' (3 기본형: sag*en* - sag*te* - *ge*sag*t*) ▌dass [종속접속사] ...라는 사실 (뒤에 오는 부문장은 *후치*됨!) ▌「vor + 3격」(시간적) ~전에 : vor 30 Jahren 30년 전에 ▌das Jahr 해, 년 (die Jahr*e*) ▌dreißig 30 ▌sehr [부사어] 매우, 아주 ▌reich [형용사] 부유한 → der Reichtum 부유함 (die Reichtüm*er*) ▌sei (동사 sein의 *접속법 I* 형태) ⇒ sein [자동사] ...이다 (3 기본형: sein - war - gewesen)

<오류>

간접화법으로서, 화자는 30년 전의 일을 말하였음.

즉, 화자가 "매우 부유했던" 것은 화자가 말하고 있는 시점보다 앞선 *과거*의 일이므로

dass-부문장은 *접속법 I 완료형*으로 표현되어야 함.

따라서 「... , dass ... *gewesen sei* 」이어야 옳음!

정답 Er sagte, dass er vor 30 Jahren sehr reich *gewesen sei*.

► ... , dass *er* ... *gewesen* sei .

동사 sein('...이다')의 ***접속법 I 완료형***이어야 함.
즉, 동사 sein의 완료형 「**sein** ... gewesen」에서 조동사 **sein**이 ***접속법 I*** 형태이어야 함.
주어가 *er*이므로 조동사 sein의 접속법 I 형태는 **sei**임. 즉, 「**sei** ... *gewesen* 」임.
dass-부문장이므로 ***후치***됨 : ... *gewesen* **sei**.

<참고>

이 문장을 *직접화법*으로 표현하면 :

Er sagte: „Ich war vor 30 Jahren sehr reich."

3. Er fragte mich, ob ich gut nach Hause kam[오류].

✺ **해석** 그는 내가 집으로 잘 갔는지 여부를 물었다.

✺ **어휘** fragte (동사 fragen의 *직설법 과거* 시제) ⇒ 「fragen, ob ...」...인지 여부를 질문하다 (3 기본형: frag*en* - frag*te* - *ge*frag*t*) ▌ob [종속접속사] ...인지 여부 (뒤에 오는 부문장은 *후치*됨!) ▌gut [형용사] 좋은 (부사적) 잘, 좋게 ▌nach Haus(e) (방향) 집으로 ▌kam (동사 kommen의 *직설법 과거* 시제) ⇒ kommen [자동사] 오다 (3 기본형: kommen - kam - gekommen ; '*장소 이동* 자동사 → 완료형 「*sein* ... gekommen」)

<오류>

간접화법으로서, 화자는 "내가 집에 잘 갔는지" 여부를 질문함.

이는 화자가 질문하고 있는 시점보다 앞선 *과거*의 일이므로

ob-부문장은 *접속법 I 완료형*으로 표현되어야 함.

따라서 「... , ob ... *gekommen sei* 」이어야 옳음!

정답 Er fragte mich, ob ich gut nach Hause *gekommen sei*.

► ... , ob *ich* ... *gekommen* sei .

동사 kommen의 ***접속법 I 완료형***이어야 함.
즉, 동사 kommen의 완료형 「**sein** ... gekommen」에서 조동사 **sein**이 ***접속법 I*** 형태이어야 함.
주어가 *ich*이므로 조동사 sein의 접속법 I 형태는 **sei**임. 즉 「**sei** ... *gekommen* 」임.
ob-부문장이므로 ***후치***됨 : ... *gekommen* **sei**.

<참고>

이 문장을 *직접화법*으로 표현하면 :

Er fragte mich: „Bist du gut nach Hause gekommen?"

4. Sie meinten, sie sein[오류] am Wochenende im Theater gewesen.

✺ **해석** 그들은 자신들이 주말에 극장에 있었다고 말했다.

✺ **어휘** meinten (동사 meinen의 *직설법 과거* 시제) ⇒ meinen [타동사] ...라고 의견을 표명하다 (3 기본형: mein*en* - mein*te* - *ge*mein*t*) → die Meinung 의견 (die Meinung*en*) ▌「am + 날, 일(3격)」 (시간적) ~에 : am Wochenende 주말에 ▌das Wochenende 주말 (die Wochenende*n*) ▌「im + 남성 · 중성 3격」 (위치) ~안에서, ~에서 : im Theater 극장에서 ▌das Theater (연극 공연) 극장 (die Theater) ▌gewesen (동사 sein의 pp형) ⇒ sein [자동사] 있다, 존재하다 (3 기본형: sein - war - gewesen ; 완료형 「*sein* ... gewesen」)

<오류>

간접화법으로서, 화자는 지난 주말에 있었던 일을 말하였음.
즉, 화자가 "주말에 극장에 있었던" 것은 화자가 말하고 있는 시점보다 앞선 *과거*의 일이므로 *접속법 I 완료형*으로 표현되어야 함.
따라서 「... , seien ... gewesen」이어야 옳음!

정답 Sie meinten, sie *seien* am Wochenende im Theater gewesen.

► Sie meinten, sie seien ... *gewesen* .
동사 sein('있다, 존재하다')의 ***접속법 I 완료형***이어야 함.
즉, sein의 완료형 「**sein** ... gewesen」에서 조동사 **sein**이 ***접속법 I*** 형태이어야 함.
주어가 복수의 *sie*이므로 조동사 sein의 접속법 I 형태는 sei***en***임.
따라서 「sei***en*** ... *gewesen*」임.

<참고> 1

이 문장은 *dass*-부문장으로 표현될 수 있음 :
Sie meinten, *dass* sie am Wochenende im Theater *gewesen* seien.
dass-부문장이므로 ***후치***됨!

<참고> 2

이 문장을 *직접화법*으로 표현하면 :
Sie meinten: „Wir waren am Wochenende im Theater."

5. Wenn du mich davor gewarnt hast[오류1], habe[오류2] ich das sicher nicht getan.

✺ **해석** 만약 네가 나에게 그것을 경고했더라면, 나는 틀림없이 그것을 행하지 않았을 것이다.

✺ **어휘** wenn [종속접속사] 만약 ...일 경우 (뒤에 오는 부문장은 *후치*됨!) ▌「... gewarnt hast」 (동사 warnen의 *직설법 현재완료* 시제 「hast ... gewarnt」가 *후치*됨!) ▌hast ⇒ haben [조동사] (3 기본형: haben - hatte - gehabt) (접속법 II 형태: hätte) ▌gewarnt (동사 warnen의 pp형) ⇒ 「warnen + 4격(사람) + vor + 3격」 *누구*에게 ...을 조심하도록 하다, 경고하다 (3 기본형: warn*en* - warn*te* - *ge*warn*t*) ▌「habe ... getan」 (동사 tun의 *직설법 현재완료* 시제) ▌getan (동사 tun의 pp형) ⇒ tun [타동사] ...을 행하다 (3 기본형: tun - tat - getan) ▌das [지시대명사] 그것 ▌sicher [형용사] 확실한, (부사적) 틀림없이 (= gewiss) (영. surely)

<오류> 1

"... 경고*했더라면* ..." → 실제로는 화자에게 "경고가 이루어지지 않았음"!

즉, *과거*의 실제 사실과 어긋나는 비현실적인 내용이므로 *접속법 II 완료형*이 와야 함.

따라서 「... gewarnt hätte , ...」이어야 옳음!

<오류> 2

"... 그것을 행하지 *않았을 것이다.*" → 실제로는 화자가 "그것을 행하였음"!

즉, *과거*의 실제 사실과 어긋나는 비현실적인 내용을 나타내므로 *접속법 II 완료형*이 와야 함.

따라서 「... , hätte ... getan」이어야 옳음!

정답 Wenn du mich davor gewarnt *hättest* , *hätte* ich das sicher nicht getan.

► Wenn *du* ... *gewarnt* hättest , ...
동사 warnen의 접속법 II 완료형 「**hätte** ... gewarnt」가 사용됨.
주어가 *du*이므로 조동사 hätte는 어미 ***-st***가 붙어 hätte***st***임. 즉, 「**hätte*st*** ... gewarnt」 임.
wenn-부문장이므로 ***후치***됨 : ... *gewarnt* **hätte*st*** , ...

► ... , hätte *ich* ... *getan* .
동사 tun의 접속법 II 완료형 「**hätte** ... getan」이 사용됨.
주어가 *ich*이므로 조동사 hätte는 어미 없이 그대로 hätte_임. 즉, 「**hätte** ... getan」임.

6. Nach Angaben der Polizei ist[오류1] das Verbrechen schon lange vorher geplant geworden[오류2].

✻ **해석** 경찰의 발표에 따르면, 그 범죄는 이미 오래 전에 계획되었다고 한다.

✻ **어휘** nach [*3격* 전치사] ~에 따르면 (영. according to) ▌die Angabe 정보, 언급 (die Angabe*n*) = die Information (die Information*en*), die Auskunft (die Auskünft*e*) ▌die Polizei 경찰 (복수 없음) → der Polizist 경찰관 (die Polizist*en*) <주의> 주어를 제외한 *단수 2, 3, 4격*이 복수형처럼 Polizist*en*인 *약변화* 명사! ▌das Verbrechen 범죄 (die Verbrechen) ← verbrechen [타동사] (구어체) ...을 저지르다 ▌schon [부사어] 이미, 벌써 ▌lange [부사어] 오랫동안 ▌vorher [부사어] 그 전에 = zuvor ↔ nachher, danach 그 후 : kurz vorher 바로 전에 ; zwei Wochen vorher 2주 전에 ▌geplant (동사 planen의 pp형) ⇒ planen [타동사] ...을 계획하다 (3 기본형: plan*en* - plan*te* - *ge*plan*t*) ← der Plan 계획 (die Pläne)

<오류> 1

경찰의 발표 내용을 전달하는 *간접화법*이므로 동사 sein의 *접속법 I* 형태이어야 함.

따라서 「... sei ...」이어야 옳음!

<오류> 2

수동문의 접속법 I 완료형이므로 worden이어야 옳음!

(수동문의 werden의 pp형은 *worden* ; 일반 동사 werden의 pp 형은 *geworden*임.)

정답 Nach Angaben der Polizei *sei* das Verbrechen schon lange vorher geplant *worden.*

► ... Angaben *der* Polizei
앞의 명사 Angaben을 수식하는 2격 형임.
Polizei는 여성명사이므로 여성 2격 정관사 der가 앞에 옴.
(여성명사는 2격 어미 -s, -es 없음!)

► ... *sei* *das Verbrechen* ... *geplant worden* .
타동사 planen의 ***수동문***의 ***접속법 I 완료형***임!
즉, planen의 수동문은 「werden ... geplant」이며, 그 완료형(= 완료 수동문)은 「sein ... geplant worden」인데,
이 완료 수동문 「**sein** ... geplant worden」에서 조동사 **sein**이 접속법 I 형태이어야 함 :
주어가 das Verbrechen, 즉 es이므로 **sein**의 접속법 I 형태는 **sei**임.
→ 따라서 planen의 ***수동문***의 ***접속법 I 완료형***은 「**sei** ... *geplant* **worden**」임.

7. Er hat sich die ganze Zeit so benommen, als ob er kein Wort verstanden hat[오류].

✺ **해석** 그는 처음부터 끝까지 마치 단 한마디도 이해하지 못한 듯이 행동했다.

✺ **어휘** 「hat ... benommen」 (동사 benehmen의 *직설법 현재완료* 시제) ▌benommen (동사 benehmen의 pp형) ⇒ 「benehmen sich[4]」 [4격 재귀동사] 행동을 취하다, 태도를 보이다 (3 기본형: *benehmen* - *benahm* - *benommen*) (*직설법 현재* 시제: du ben*i*mm*st* dich ; er ben*i*mm*t* sich) ▌so [부사어] 그렇게 ▌ganz [형용사] 전체의 (뒤에 오는 명사를 *수식*하는 용법뿐임! 영. whole) ▌die Zeit (주로 단수) 시간 (die Zeit*en*) : die ganze Zeit (일정 시간 동안) 내내 (*4격의 시간 부사어!*) ▌「... , als ob 주어 ... 동사(접속법 II) 」 마치 ...인 듯 (= ... , als wenn ...) ▌das Wort 단어, 낱말 (die Wört*er*) ▌「... verstanden hat」 (동사 verstehen의 *직설법 현재완료* 시제 「hat ... verstanden」이 후치됨!) ▌verstanden (동사 verstehen의 pp형) ⇒ verstehen [타동사] ...을 이해하다 (3 기본형: *verstehen* - *verstand* - *verstanden*)

<오류>

„als ob ...“ 뒤에 오는 부문장은 비현실적인 내용이므로 *접속법 II* 형태이어야 함.
따라서 「... , als ob ... *verstanden* hätte 」이어야 옳음!

정답 Er hat sich die ganze Zeit so benommen, als ob er kein Wort verstanden *hätte*.

► ... , als ob *er* ... *verstanden* hätte .
동사 verstehen의 접속법 II 완료형 「**hätte** ... verstanden」이 사용됨.
주어가 *er*이므로 조동사 hätte는 어미 없이 그대로 hätte_임. 즉, 「**hätte** ... *verstanden* 」임.
als ob-부문장이므로 ***후치***됨 : ... *verstanden* **hätte**.

독문법 강의록 – 해설편 II

초판 1쇄 발행 2012년 3월 15일
초판 2쇄 발행 2017년 4월 4일

지은이 신형욱 · 김백기
발행인 김인철
총괄 · 기획 가정준 Director, University Press
편집장 신선호 Executive Knowledge Contents Creator
도서편집 김민정 Contents Creator
전자책편집 최인우 Chief e-Contents Creator
재무관리 김은혜 Managing Creator
발행처 한국외국어대학교 지식출판원
02450 서울특별시 동대문구 이문로 107
전화 02)2173-2493~7
FAX 02)2173-3363
홈페이지 http://press.hufs.ac.kr
전자우편 press@hufs.ac.kr
출판등록 제6-6호(1969. 4. 30)
디자인 · 편집 (주)이환디앤비 02)2254-4301
인쇄 · 제본 네오프린텍 02)718-3111

ISBN 978-89-7464-722-3 14750
ISBN 978-89-7464-719-3 (세트) 세트정가 62,000원

* 잘못된 책은 교환하여 드립니다.